Rem
mais des
médecins

médecins

2 300 remèdes maison prodigués par 537 médecins

Les rédacteurs

Don Barone   Judith Lin
Deborah Grandinetti   Claudia Allen Lowe
Marcia Holman   Jean Rogers
Lance Jacobs   Don Wade
William LeGro   Russel Wilde

Sous la direction de Debora Tkac

MODUS VIVENDI

Remarque

Le présent ouvrage se veut un livre de référence, et non un guide médical ou un manuel d'autotraitement. Les idées et suggestions qu'il contient ont pour but de vous aider à prendre des décisons judicieuses concernant votre santé. Elles ne sauraient remplacer les éventuels traitements ou les conseils qui pourraient vous avoir été prescrits par votre médecin habituel. Si vous pensez avoir tel ou tel problème médical, nous vous invitons à consulter un praticien compétent.

© MCMXCII Rodale Press, Inc.
Publié aux États-Unis par Rodale Press, Inc.
sous le titre de: *Doctor's Book of Home Remedies*

Version française, édition révisée:
Les Éditions Modus Vivendi
3859, autoroute des Laurentides
Laval (Québec) Canada
H7L 3H7

Design de la couverture: Marc Alain

Dépôt légal: 1er trimestre 2002
Bibliothèque nationale du Québec
Bibliothèque nationale du Canada

IBSN: 2-89523-082-X

Canadä Nous reconnaissons l'aide financière du gouvernement du Canada par l'entremise du Programme d'Aide au Développement de l'Industrie de l'Édition (PADIÉ) pour nos activités d'édition.

« Gouvernement du Québec — Programme de crédit d'impôt pour l'édition de livres — Gestion SODEC »

IMPRIMÉ AU CANADA

Remarque

Le présent ouvrage se veut un livre de référence et non un guide médical ou un manuel d'auto-traitement. Veuillez consulter un médecin si vous croyez avoir un problème médical. L'information ci-incluse a pour but de vous aider à faire des choix éclairés concernant votre santé. Vous ne devez pas vous en servir pour remplacer un traitement prescrit par votre médecin. Également, les médicaments qui y figurent peuvent porter un nom différent selon la région ou le pays où ils sont vendus. Veuillez consulter votre pharmacien ou votre médecin à ce sujet.

Table des matières

LES REMÈDES MAISON DES MÉDECINS

Introduction
Le guide guérisseur

S'il vous arrivait d'échouer sur une île déserte et de n'avoir sur vous qu'un seul livre pour vous soigner, c'est ce guide qu'il vous faudrait.

Ce livre aux mille usages et remarquablement efficace a le pouvoir de guérir des millions de personnes, y compris vous-même. Concocté à partir de l'expérience et de la sagesse de centaines de médecins et de professionnels de la santé, il permet de traiter bon nombre de problèmes de santé ou de maladies de façon simple, efficace et sans danger.

Qui est à l'origine de ce fameux guide guérisseur? Les rédacteurs des livres de santé Rodale ont passé de nombreuses heures à interviewer des experts et à recueillir leurs remèdes maison. Autant de conseils pratiques que nous mettons aujourd'hui à la disposition de nos lecteurs. C'est ainsi qu'ont été rassemblés 27 façons de réduire le cholestérol, 18 remèdes contre les hémorroïdes, 38 façons d'apaiser la douleur d'une piqûre et 14 moyens de surmonter une crise de zona. En tout, plus de 2 300 traitements visant à soulager plus de 130 problèmes de santé: une véritable corne d'abondance.

Je travaille comme journaliste dans le domaine de la santé depuis près de 14 ans. J'ai rédigé des milliers d'articles et de chapitres de livres; j'ai lu des centaines de livres pratiques, mais, jamais, je n'ai trouvé une telle profusion de remèdes, de conseils et de traitements. Par conséquent, si vous ne deviez apporter qu'un seul livre sur une île déserte, choisissez le présent ouvrage. Les médecins à qui nous en avons parlé sont unanimes: il est vraiment extraordinaire!

Portez-vous bien!

William Gottlieb

Acné

18 remèdes pour une peau plus lisse

Vous essuyez la buée sur la glace de la salle de bains et vous vous retrouvez nez à nez avec un gros bouton rouge. Il n'y a pas à dire, la semaine commence mal!

Vous essuyez la glace une seconde fois, vous vous dressez sur la pointe des pieds et examinez la situation de plus près. Le bouton est bien là, sur le bout du nez. Mais qu'est-ce que c'est que ça? En levant le menton pour voir le problème sous un autre angle, vous apercevez deux pustules à la veille de surgir sous la lèvre inférieure.

Cela ne vous plaît pas du tout. Vous vous rapprochez davantage et vous démasquez, tapi dans l'aile du nez, un comédon qui vous fixe effrontément.

Stupéfait, vous vous éloignez du miroir. Vous vous asseyez sur le bord de la baignoire et enfouissez votre visage entre vos mains. Vos pensées vous ramènent droit à l'adolescence. Découragé, vous vous demandez: «Mais qu'est-ce qui m'arrive?»

La réponse est simple: vous faites de l'acné. L'acné est peut-être le fléau de l'adolescence, mais elle peut s'incruster passé l'âge mûr. «Les femmes peuvent faire des poussées d'acné à 25 ou à 35 ans, et même plus tard. En fait, ma mère avait encore des problèmes d'acné à l'âge de 62 ans», raconte le Dr James E. Fulton Jr, dermatologiste et fondateur de l'Acne Research Institute de Newport Beach, en Californie.

L'acné est le terme fourre-tout pour décrire une grande variété de symptômes comme les boutons, les pustules et les comédons, explique le Dr Peter E. Pochi, professeur de dermatologie à la faculté de médecine de l'université de Boston. «Il s'agit d'un problème qui survient lorsque les pores de la peau sont obstrués, ce qui entraîne des lésions, avec ou sans inflammation.»

Mais pourquoi les pores de la peau se bouchent-ils?

Le Roaccutane® à la rescousse

Un bouton sur le bout du nez est un énorme problème pour la personne qui en est affublée, et tout aussi gênant pour l'interlocuteur de cette dernière. Sachez toutefois que l'acné risque de devenir plus grave qu'une simple imperfection de la peau.

Il y a quatre types d'acné. Le premier n'est qu'une éruption bénigne de quelques comédons et pustules. En revanche, le quatrième, le plus grave, se caractérise par l'apparition d'une multitude de pustules, de comédons, de nodules et de kystes. Cette forme d'acné s'accompagne souvent d'inflammation grave qui donne à la peau une couleur rougeâtre ou violacée. Il devient alors impératif de consulter un dermatologiste.

L'acné grave peut laisser des cicatrices permanentes lorsqu'elle n'est pas traitée comme il se doit, explique le Dr Peter E. Pochi. «Le Roaccutane®, un médicament vendu sur ordonnance, guérit très bien l'acné grave.»

«Ce n'est pas le chocolat qui cause l'acné, indique le Dr Fulton, ni la saleté des cheveux ou de la peau, ni les relations sexuelles trop fréquentes ou trop rares.»

Alors, quelle est la cause de l'acné? L'hérédité. Du moins en grande partie.

«L'acné est génétique et se transmet de génération en génération, explique le Dr Fulton. C'est un défaut des pores de la peau dont on hérite.»

Si les deux parents ont fait de l'acné, trois de leurs quatre enfants en feront eux aussi. Cependant, si le visage de votre sœur est lisse, alors que le vôtre est couvert de boutons, sachez que d'autres facteurs peuvent provoquer une crise d'acné. «Le stress, l'exposition au soleil, les changements de saison et le climat peuvent déclencher l'éruption cutanée», dit le Dr Fulton. Certains fonds de teint, de même que la pilule contraceptive, peuvent avoir le même effet.

«Les femmes qui travaillent sont particulièrement vulnérables, poursuit le Dr Fulton. Elles subissent beaucoup de stress et se maquillent énormément.»

Voici donc quelques conseils pour avoir une belle peau:

Changez de maquillage. Le maquillage est le principal facteur des poussées d'acné chez les femmes adultes. «Le maquillage

Comment Hollywood camoufle les imperfections de la peau

Pensez-vous qu'un minuscule bouton sur le nez est disgracieux? Imaginez ce que vous ressentiriez si le vilain avait la taille d'une poubelle!

En fait, c'est la grosseur qu'il aurait si vous vous retrouviez sur le grand écran au cinéma. Le plus petit bouton, s'il n'était soigneusement camouflé, trouverait moyen de voler la vedette à la plus belle des actrices, surtout en plan rapproché.

Mais comment se fait-il qu'on ne voie jamais de boutons, de pustules ou de comédons sur le visage des vedettes de cinéma! Ces femmes n'ont-elles donc jamais de boutons? «Bien sûr que si, répond Maurice Stein, maquilleur à Hollywood. La seule différence, c'est qu'elles ne peuvent pas se permettre de laisser paraître la moindre lésion cutanée.»

Monsieur Stein travaille comme maquilleur depuis plus de 25 ans et il a retouché des visages célèbres, qu'on a pu voir dans des films comme *M*A*S*H*, *Funny Girl* et les cinq films de la série *La Planète des singes*.

Déclarer la guerre aux boutons est la seule façon de combattre le problème. Voici donc quelques tactiques très courantes dans les tranchées d'Hollywood. M. Stein affirme qu'il les a testées sur «quelques-uns des visages les plus cotés du monde».

Masquez le problème. Selon M. Stein, vous pouvez parfaitement camoufler une dyschromie, qu'elle soit rosée, rougeâtre ou violacée. Pour cela, «une personne doit utiliser un fond de teint à forte teneur en pigments. Plus le taux de pigments est élevé par décilitre, meilleures sont les chances de camoufler les imperfections d'une fine couche de fond de teint. Lorsque je masque un bouton sur le visage d'un acteur, je choisis un produit dont le taux de pigments varie entre 50 % et 70 %. Normalement, le taux de pigments de la plupart des fonds de teint se situe entre 15 % et 18 %.»

Essayez le produit sur votre peau. Il ne suffit pas de regarder un produit pour en deviner le taux de pigments. Il faut l'essayer. «Étalez une ou deux gouttes sur votre peau, suggère M. Stein. Si la couleur est opaque au point de cacher votre peau, c'est que le taux de pigments du fond de teint est élevé et le produit camouflera bien vos petites imperfections cutanées.»

à base d'huile est la cause du problème», explique le Dr Fulton. Les pigments que contiennent les fonds de teint, les fards, les crèmes nettoyantes et les crèmes de nuit hydratantes ne posent pas de problèmes, pas plus que l'eau qui s'y trouve. C'est l'huile, la coupable. Celle-ci est généralement un dérivé d'acides gras plus puissants que

À propos des fruits de mer

Si vous avez tendance à faire de l'acné, sachez qu'il y a au moins un médecin qui croit que les fruits de mer et les aliments forts en iode peuvent provoquer une crise.

«L'iode est un facteur déclenchant chez certaines personnes sujettes à l'acné, soutient le Dr James E. Fulton Jr. L'iode est absorbé dans l'organisme, puis transporté dans le sang. Le surplus est excrété par les glandes sébacées. À l'excrétion, l'iode irrite les pores de la peau et provoque une éruption cutanée.»

Voici un tableau des aliments et boissons, de même que les quantités (en parties par million), des substances iodées qu'ils contiennent.

Jusqu'à maintenant, le Dr Fulton n'a pu déterminer quelle quantité d'iode peut provoquer une crise d'acné, mais il signale qu'une «ingestion excessive à long terme y est pour une bonne part».

Aliments/boissons	Iode (PPM)	Aliments/boissons	Iode (PPM)
Produits laitiers		Sel	
Fromage à tartiner	27	De mer	54
Beurre	26	Assaisonné	40
Lait entier	11		
Fromage blanc	5	Fruits de mer	
Yaourt	3	Algues	1020
		Calmar	39
Eau potable	8	Crabe	33
		Sole	24
Viandes et volaille		Palourdes	20
Foie de bœuf	325	Crevettes	17
Dinde	132	Homard	9
Poulet	67	Huîtres	8
Bœuf haché	44		
		Légumes	
Divers		Asperges	169
Flocons de maïs	80	Brocoli	90
Germe de blé	46	Oignons (blancs)	82
Chips	40	Maïs	45
Bretzels	15	Choux de Bruxelles	23
Pain blanc	8	Pommes de terre	9
Coca-Cola®	3	Haricots verts	7
Sucre	2		

Un test pratique pour mesurer l'huile

Voici un test facile qui vous aidera à déterminer la teneur en huile de vos cosmétiques.

Prenez une feuille de papier à dactylographier de bonne qualité sur laquelle vous étalez un peu de fond de teint. Attendez 24 heures, le temps que se forme un cerne. «Au bout d'une journée, l'huile s'étendra et vous verrez un grand anneau huileux, explique le Dr Fulton. Plus il est grand, plus votre fond de teint contient d'huile. Évitez tout fond de teint à forte teneur d'huile.»

vos propres acides gras. Par conséquent, si vous faites de l'acné, choisissez un maquillage qui ne soit pas à base d'huile.

Lisez bien les étiquettes. Vous devez aussi éviter les cosmétiques qui contiennent de la lanoline, du myristate isopropyle, du laurylsulfate, du laureth-4 et de la fuchsine acide D. Comme l'huile, ces ingrédients sont trop riches pour la peau.

Démaquillez-vous tous les soirs. «Démaquillez-vous parfaitement tous les soirs, dit le Dr Fulton. Utilisez un savon doux deux fois par jour et rincez-vous bien le visage afin d'enlever toute trace de savon. Vous devriez y parvenir au bout de six ou sept rinçages à l'eau claire.»

Favorisez le «look» naturel. «Quel que soit votre maquillage, plus il est léger, moins il nuit à votre peau», dit le Dr Fulton.

Blâmez la pilule. Des recherches menées par le Dr Fulton indiquent que certaines pilules contraceptives peuvent aggraver l'acné. Si vous prenez des pilules contraceptives et souffrez d'acné, parlez-en à votre médecin. Il pourra peut-être vous prescrire une autre pilule, voire une autre méthode de contraception.

Ne jouez pas avec vos boutons. «Il ne faut pas pincer les boutons et les pustules, dit le Dr Pochi. Un bouton est une inflammation, et vous pouvez l'aggraver en le pinçant, voire causer une infection. Vous ne pouvez rien faire à un bouton pour qu'il disparaisse plus rapidement», souligne-t-il. «Normalement, un bouton dure de une à quatre semaines, mais finit toujours par disparaître.»

Une pustule est un pore bouché qui n'est pas enflammé, note le Dr Pochi. «Le noyau d'une pustule est beaucoup plus petit que le noyau d'un comédon. Lorsque vous pincez une pustule, la paroi du pore peut se rompre et le contenu de la pustule peut s'infiltrer dans la peau et provoquer l'apparition d'un bouton. Un bouton se forme naturellement à la suite de la rupture de la paroi d'un pore bouché.

Sachez quand pincer un bouton. Il est préférable de ne pas toucher à ses boutons, sauf dans un cas précis. «Il arrive parfois qu'il y ait au centre d'un bouton une petite tête de pus jaune, dit le Dr Pochi. Vous pouvez habituellement la faire éclater sans difficulté en la pinçant doucement. Le bouton guérit plus rapidement une fois que le pus est drainé.»

Attaquez-vous aux comédons. Vous pouvez aussi vous débarrasser de vos comédons en les pinçant. «Un comédon est un pore très bouché. Son contenu est dur et sa surface est étendue, explique le Dr Pochi. La partie noire d'un comédon n'est pas de la saleté. En fait, les dermatologistes n'en connaissent pas l'origine. Ils savent toutefois que la substance ne se transforme pas en bouton.»

Ce ne sont pas les produits qui manquent. Vous pouvez toujours combattre une poussée d'acné en achetant certains produits en vente libre. «Toutefois, je vous conseille d'utiliser des médicaments qui contiennent du peroxyde de benzoyle, parfois vendus sur ordonnance, dit le Dr Fulton. Le benzoyle entraîne le peroxyde dans le pore et libère l'oxygène qui tue les bactéries. C'est comme deux remèdes en un seul. Le benzoyle supprime aussi les cellules d'acides gras qui irritent les pores de la peau.»

Les produits contre l'acné en vente libre sont présentés sous diverses formes: gels, liquides, lotions et crèmes. Le Dr Fulton suggère d'utiliser un gel à base d'eau, car ce genre de produit est le moins susceptible d'irriter la peau.

Il conseille également de laisser le gel pendant environ une heure, puis de bien rincer le visage à l'heure du coucher, surtout autour des yeux et dans la région du cou.

Ne tenez pas compte des pourcentages. Les médicaments contre l'acné contiennent des concentrations de peroxyde de benzoyle variant entre 2,5 % et 10 %. Cependant, le pourcentage n'a rien à voir avec l'efficacité du produit. «La plupart des tests ont démontré que les produits moins concentrés étaient aussi efficaces que les produits à forte concentration, dit le Dr Thomas Gossel, professeur de pharmacologie et de toxicologie à l'université Ohio Northern, en Ohio. Un produit dont la concentration est de 5 % donne d'aussi bons résultats qu'un produit dont la concentration est de 10 %.»

Une peau sèche a besoin de plus de soins. Comme une peau sèche peut être très sensible au peroxyde de benzoyle, le Dr Gossel recommande aux personnes qui ont ce problème de commencer par un produit à faible concentration, puis d'augmenter la concentration graduellement. «Votre peau rougira lorsque vous appliquerez le produit, mais c'est une réaction normale», dit-il.

Évitez le soleil. Les médicaments contre l'acné peuvent causer des réactions indésirables au soleil. «Minimisez vos expositions au soleil, aux lampes à rayons infrarouges et aux écrans solaires jusqu'à ce que vous sachiez comment votre peau réagit», préconise le Dr Gossel. Il recommande aussi de faire un test de sensibilité aux écrans solaires sur une petite région de la peau.

Nettoyez bien votre peau. «Nettoyez-vous toujours la peau en profondeur avant d'appliquer un médicament contre l'acné», signale le Dr Gossel.

Un traitement à la fois. Ne mélangez pas les traitements. Cessez d'utiliser le médicament acheté en vente libre si votre médecin vous prescrit un nouveau traitement. «Le peroxyde de benzoyle est étroitement apparenté au médicament Retin-A® et à d'autres produits qui contiennent de la vitamine A comme le Roaccutane®, explique le Dr Gossel. Une personne ne devrait pas utiliser ces produits en même temps.»

Empêchez l'acné de s'étendre. «Appliquez le médicament contre l'acné sur au moins 1 cm autour de la région touchée, afin d'éviter que l'acné ne s'étende davantage. Le médicament ne s'attaque pas vraiment au bouton que vous avez déjà, mais prévient de nouvelles éruptions. Puisque l'acné se développe depuis le nez jusqu'aux oreilles, vous devriez donc appliquer le traitement au-delà de la région enflammée. Le mode d'emploi des produits achetés en vente libre est très clair: appliquez le produit sur la région touchée. Toutefois, bon nombre de gens croient que celle-ci se limite à la partie enflammée. Pourtant, ce n'est absolument pas le cas», explique le Dr Fulton.

EXPERTS CONSULTÉS

Le Dr James E. Fulton Jr est dermatologiste et fondateur de l'Acne Research Institute à Newport Beach, en Californie. Il est aussi co-auteur d'un ouvrage sur l'acné, intitulé *Dr Futon's Step-by-Step Program for Clearing Acne,* et co-inventeur de la vitamine A synthétique appelée Retin-A®, un médicament vendu sur ordonnance, pour traiter une grande variété de problèmes de peau.

Le Dr Thomas Gossel est professeur de pharmacologie et de toxicologie à l'université Ohio Northern, à Ada, en Ohio, et président du département de pharmacologie et de sciences biomédicales de cette université. Il est spécialiste de produits proposés en vente libre.

Le Dr Peter E. Pochi est professeur de dermatologie à la faculté de médecine de l'université de Boston, au Massachusetts.

Maurice Stein est cosmétologue et maquilleur à Hollywood. Il possède une maison de maquillage de théâtre, Cinema Secrets, à Burbank, en Californie.

Allaitement

15 solutions aux problèmes d'allaitement

Nadine avait nourri trois bébés au biberon avant d'être enceinte de Julien. En apprenant combien l'allaitement maternel est bénéfique à un nourrisson, elle a décidé d'allaiter son dernier-né.

Et elle ne le regrette pas.

«Si j'avais su combien c'était facile, dit-elle, j'aurais allaité tous mes enfants.»

«L'allaitement est facile une fois que l'on sait comment s'y prendre, dit Julie Stock, agent d'information à La Leche League International, un groupe d'aide aux femmes qui allaitent. Il est vrai que l'enfant doit être nourri plus souvent, mais si l'on tient compte du temps passé à acheter et à préparer les biberons, cela revient sans doute au même», dit-elle.

Comment pouvez-vous allaiter votre bébé sans problème? Voici ce que vous conseillent nos experts.

Le bon soutien-gorge

De préférence, il faut choisir un soutien-gorge dont le bonnet et le tour de poitrine sont d'une taille supérieure à celle que vous portiez pendant votre grossesse, dit Julie Stock, membre de La Leche League International.

«Je n'achèterais qu'un seul soutien-gorge d'allaitement, dit Julie Stock. Il vaut mieux attendre un peu, car, dès le troisième ou le quatrième jour, vous pourriez remettre le soutien-gorge que vous portiez durant votre grossesse.»

Voici quelques conseils utiles:

- Choisissez le coton de préférence au nylon.
- Assurez-vous que l'ouverture pour l'allaitement est suffisamment grande et que le sein ne se trouve pas comprimé, car cela pourrait bloquer les canaux galactophores.
- Assurez-vous de pouvoir ouvrir et fermer le soutien-gorge d'une seule main, d'un geste discret.
- Évitez les fermetures en velcro parce qu'elles font trop de bruit.
- Assurez-vous que les bretelles sont confortables et que le soutien-gorge ne vous serre pas la poitrine.

Tenez le bébé correctement. Nos experts s'accordent pour dire que c'est là le secret de l'allaitement sans problème. Comment devez-vous vous y prendre?

Kittie Frantz, infirmière et directrice de la clinique d'allaitement au Centre médical de l'université de Californie du Sud, à Los Angeles, prône la manière suivante: «Le bébé doit vous faire face, c'est-à-dire la tête, la poitrine, les organes génitaux et les genoux tournés vers vous. Tenez-lui les fesses d'une main et la tête dans l'angle du coude.

Glissez l'autre main sous votre sein et servez-vous de tous vos doigts pour le soutenir. Ne mettez pas les doigts sur l'aréole (l'aire plus foncée qui entoure le mamelon).

«Chatouillez ensuite la lèvre inférieure du bébé avec votre mamelon afin qu'il ouvre la bouche bien grand. Ensuite, ramenez rapidement le corps du bébé vers vous pour qu'il ait la bouche collée à votre sein.»

«Le mamelon doit être bien enfoncé dans la bouche du bébé, ajoute le Dr Carolyn Rawlins, obstétricienne en Indiana et membre du conseil d'administration de La Leche League International. De cette façon, le mamelon ne bouge pas pendant que le bébé tète.»

Écoutez votre corps. «Il n'y a aucune raison que la mère ressente des douleurs durant l'allaitement, dit Julie Stock. C'est votre choix de souffrir ou non. Si la position et la situation deviennent inconfortables, vous devez y remédier sur-le-champ.»

Interrompez la succion du bébé qui tète mal à l'aide d'un doigt et replacer l'enfant dans une meilleure position.

Interrompez le bébé jusqu'à ce qu'il tète correctement. Si le fait de passer du sein à la tétine ou au biberon dérange votre bébé, c'est qu'il n'enfonce pas le mamelon assez profondément dans sa bouche. Assurez-vous qu'il ouvre la bouche bien grand avant de lui donner le sein; il doit avoir la moitié de l'aréole dans la bouche.

Laissez l'enfant boire au même sein tant qu'il tète bien, c'est-à-dire qu'il avale après chaque tétée ou deux. Si vous voyez que l'enfant est sur le point de s'endormir, faites-lui faire un rot, réveillez-le, puis donnez-lui l'autre sein. Laissez-le se nourrir à l'autre sein aussi longtemps qu'il le veut. «En général, une séance d'allaitement dure de 20 à 30 minutes», dit Julie Stock.

Nourrissez l'enfant aux deux seins, chaque fois que vous l'allaitez. «Je conseille aux mères de nourrir l'enfant à un sein jusqu'à ce qu'il semble perdre intérêt, puis de lui offrir l'autre sein», conseille Julie Stock. À l'allaitement suivant, présentez-lui le dernier sein auquel il a tété la fois précédente.

Allaitez souvent. «Les femmes sont souvent étonnées de la fréquence à laquelle un bébé demande le sein. La plupart des médecins donnent surtout des directives qui favorisent l'allaitement au biberon», dit Julie Stock. Les premières semaines, vous allaiterez votre bébé entre huit et 12 fois par jour.

«Le lait maternel est ainsi fait qu'un bébé a besoin d'être allaité souvent», dit le Dr Rawlins. Cela crée un lien plus étroit entre la mère et l'enfant.

N'endurcissez pas vos mamelons. «Les exercices et les manipulations visant à raffermir les mamelons ne sont d'aucune utilité et peuvent même faire du tort, déclare le Dr Rawlins. Si vous placez le bébé dans la bonne position, vous n'aurez pas les mamelons sensibles.»

Utilisez un dispositif de succion en cas d'ombilication des mamelons. «De préférence, n'utilisez l'appareil qu'au sixième ou au septième mois de votre grossesse. La légère succion du dispositif mettra le mamelon en saillie, mais il ne faut

ALERTE MÉDICALE

En cas de mastite

Appelez votre médecin si vous souffrez d'une inflammation des seins, de fièvre ou de symptômes grippaux. Vous pourriez être atteinte d'une mastite, une sorte d'infection mammaire.

La mastite se traite d'ordinaire au moyen d'antibiotiques. Si votre médecin vous en prescrit, prenez-les tous, même si les symptômes semblent avoir disparu. Vous éviterez ainsi une récurrence de l'infection.

«Entre-temps, vous pouvez accélérer la guérison en gardant le lit, en buvant beaucoup de liquides et en allaitant votre bébé plus souvent», dit le Dr Carolyn Rawlins.

«Le lait n'est pas infecté, dit-elle. En outre, à part le lait maternel, vous donnez d'importants anticorps à l'enfant.»

Si vous cessez d'allaiter lorsque vous souffrez d'une mastite, vous risquez de développer un abcès mammaire.

pas s'en servir plus de 15 à 20 minutes par jour», conseille le Dr Rawlins.

Ne vous savonnez pas les mamelons. «Ne vous lavez jamais les mamelons avec du savon, car il les assèche, dit le Dr Rawlins. Les petites bosses qui se trouvent autour de l'aréole sont en fait des glandes productrices d'huile qui contiennent un antiseptique. Par conséquent, vous n'avez pas besoin de savon.»

Laissez vos mamelons sécher à l'air. «Laissez bien sécher vos mamelons à l'air avant de les couvrir, conseille Julie Stock, et ne portez pas de bonnets coussinés qui retiennent l'humidité, tels que des bonnets doublés de plastique.»

Si vous avez les mamelons sensibles, utilisez votre propre lait en guise de soulagement. «Dans 95 % des cas, les femmes ont les mamelons sensibles parce que leur bébé tète mal, explique Julie Stock. La douleur disparaît dès que vous remédiez au problème, mais les séquelles peuvent mettre un peu plus de temps à se résorber. Afin d'accélérer la guérison, laissez sécher vos mamelons à l'air après avoir allaité. Extrayez ensuite une petite quantité de lait que vous appliquerez sur vos mamelons. Le lait qui reste après l'allaitement est très riche en lubrifiants et contient une substance antibiotique», précise Julie Stock.

Surveillez le blocage des canaux galactophores.
Des vêtements trop serrés, votre propre anatomie, de la fatigue ou une interruption prolongée des séances d'allaitement peuvent amener les canaux galactophores à se boucher. Cette condition peut souligner le début d'une infection à laquelle il faudra remédier immédiatement.

«Si, au toucher, vous sentez une masse dure et douloureuse sur l'un de vos seins, faites-la disparaître avec de la chaleur», dit Julie Stock. Massez le sein, en commençant par le haut de la poitrine, et suivez le contour en dessinant un mouvement circulaire.

«Cependant, le meilleur remède est de laisser votre enfant se nourrir fréquemment à ce sein, dit-elle. Les tétées du bébé contribuent à débloquer le canal plus rapidement.» En général, un canal galactophore met 24 heures à se déboucher. Le problème peut toutefois se régler avant même que vous n'ayez ressenti les premiers symptômes du blocage.

Traitez vos mamelons fendillés à la vitamine E. «Si
vous remarquez que vous avez un mamelon fendillé, traitez-le avec de la vitamine E. «Lorsque vous avez fini d'allaiter, dit Julie Stock, prenez une gélule de vitamine E, versez-en une goutte sur votre mamelon et frottez. Le secret, dit-elle, c'est d'en utiliser de minuscules quantités.»

Essayez les compresses chaudes pour éviter la surproduction de lait. «Si votre bébé consomme moins de lait
que vous en produisez et si, par conséquent, vos seins sont engorgés, appliquez-leur des compresses chaudes», dit Kittie Frantz. Les canaux galactophores s'ouvriront, et le lait coulera plus librement. Donnez le sein à votre bébé plus souvent et plus longtemps. Buvez suffisamment de liquides pour uriner toutes les heures.

Sachez prévenir habilement les fuites de lait. «Le
système de production de lait maternel est tellement sensible à tout stimulus qu'une femme peut perdre un peu de lait lorsqu'elle entend pleurer un autre bébé, par exemple en faisant ses courses», dit Julie Stock. Si cela vous arrive, rentrez votre mamelon en le pressant vers l'intérieur avec la paume de la main. Si vous perdez beaucoup de lait, portez des coussinets réutilisables, de préférence en coton, que

vous laverez vous-même. «Vous pouvez fabriquer ces coussinets avec de grands mouchoirs en coton», dit-elle.

EXPERTS CONSULTÉS

Kittie Frantz est infirmière diplômée et directrice de la clinique d'allaitement au Centre médical de l'université de Californie du Sud, à Los Angeles, et travaille en pédiatrie. Elle travaille aussi, depuis 1963, avec des mères qui allaitent et a dirigé La Leche League International pendant 15 ans.

Le Dr Carolyn Rawlins est obstétricienne dans un cabinet privé à Munster, en Indiana, et membre du conseil d'administration de La Leche League International.

Julie Stock est agent d'information à La Leche League International, un groupe d'aide aux femmes qui allaitent. Siège social de l'organisation: B.P. 1209, Franklin Park, IL, 60131-8209 États-Unis.

Allergies

15 moyens d'en alléger les symptômes

Une allergie est une réaction du corps face à une substance étrangère indésirable. Vous avez alors le nez bouché, les yeux rouges et larmoyants, les poumons brûlants et la respiration sifflante.

Les allergies sont infiniment variées. On en retient toutefois trois catégories principales: les allergies cutanées, alimentaires et respiratoires. Les allergies respiratoires, c'est-à-dire celles qui sont provoquées par des substances étrangères dans l'air, sont les plus communes. Les quatre substances incriminées sont la poussière, le pollen, les poils d'animaux et la moisissure.

«Dans votre domicile, la poussière contient un peu de tout, explique le Dr Thomas Platts-Mills, responsable du Service des allergies et de l'immunologie au centre médical de l'université de Virginie. Les allergies varient d'une personne à l'autre, mais, bien que les fragments de cafards soient très nuisibles, ce sont les mites qui causent le plus de problèmes.»

En fait, les mites sont des parents presque microscopiques des tiques et des araignées. Cependant, ce ne sont pas les acariens vivants qui provoquent des réactions allergiques. Ce sont plutôt les matières fécales qu'ils répandent sur les tapis et les meubles, leur principale résidence, de même que les acariens déjà morts.

Parmi les autres allergènes communs, on retrouve les pollens, la poussière et les poils d'animaux domestiques et la moisissure qui apparaît dans les endroits sombres et humides, par exemple sous les tapis et dans la cave. Vous vous mettrez à éternuer si vous êtes allergique à un seul de ces allergènes.

Ils ne sont pas tous présents dans une même maison, mais à moins qu'elle ne soit hermétiquement scellée, elle en abritera toujours au moins un. Que faire? Pouvons-nous échapper à ces intrus des foyers modernes ou sommes-nous condamnés à d'incessants reniflements et d'éternels éternuements?

Rassurez-vous! Il existe de nombreux moyens de se débarasser de vos allergies. Les conseils pratiques qui suivent, éprouvés et recommandés par des médecins, vous y aideront.

Traitez vos symptômes. Vous aurez beau faire, vous ne pourrez jamais éviter les allergènes qui vous affectent. Si les injections que votre médecin vous a prescrites sont efficaces durant vos sorties, n'en devenez pas esclave pour autant. Sachez que certains antihistaminiques proposés en vente libre en pharmacie font aussi des merveilles. Notamment, ils assèchent le nez, éliminent le larmoiement et enraient les picotements.

«En général, ces médicaments donnent de bons résultats, soutient le Dr Richard Podell, professeur de médecine familiale à l'école médicale Robert Wood Johnson de l'université de médecine et de dentisterie du New Jersey. Cependant, vous devriez consulter votre médecin si une réaction allergique persiste pendant plus de cinq à sept jours.»

Climatisez votre maison. Voilà sans doute la solution idéale pour atténuer les effets du pollen. La climatisation peut aussi contribuer à éliminer les réactions causées par deux autres allergènes: la moisissure et les acariens.

«L'idée est de créer une espèce d'oasis, dit le Dr Podell. Vous voulez faire de votre foyer un sanctuaire, un endroit où vous pouvez vous réfugier en toute sécurité.»

Les foyers, paradis des acariens

Le chauffage central et l'aspirateur: on les a accueillis avec enthousiasme. L'aspirateur existe depuis près de 50 ans et le chauffage central, depuis environ 40 ans. Nous faisons le ménage en deux fois moins de temps, et les pièces de la maison sont chaudes la nuit comme le jour.

Cependant, la technologie qui nous facilite la vie contribue à aggraver un problème médical courant: les allergies aux acariens.

«L'aspirateur a rendu la moquette beaucoup plus attrayante que le petit tapis», explique le Dr David Lang. D'autre part, le chauffage central maintient toute l'année des températures oscillant entre 15,5 °C et 18,3 °C. Enfin, l'isolation des maisons, devenues presque hermétiques, et les lessives à l'eau froide à la suite de la crise de l'énergie sont d'autres facteurs qui ont fait du foyer le paradis des acariens.»

Les appareils de climatisation peuvent s'avérer doublement utiles. Non seulement réduisent-ils le taux d'humidité, par conséquent les acariens et la moisissure, mais ils filtrent l'air et le refroidissent, s'ils sont munis d'un purificateur d'air. «Cependant, c'est l'isolation hermétique de la maison qui procure les véritables bienfaits», ajoute le Dr Podell.

«Si vous laissez les fenêtres ouvertes, l'air à l'intérieur de la maison est essentiellement le même qu'à l'extérieur, c'est-à-dire envahi de pollen.»

Climatisez votre voiture. Si vous vous mettez à renifler et à éternuer dès que vous sortez de la maison, imaginez l'effet qu'auront les masses de pollen lorsque vous roulerez à 100 km à l'heure. Faites preuve de jugement et climatisez votre voiture. Si la dépense vous semble exorbitante, rappelez-vous que c'est pour votre bien.

Installez un purificateur d'air. Lorsque les spécialistes vous recommandent un purificateur d'air, ils ne parlent pas de l'appareil bon marché que vous pouvez vous procurer dans n'importe quelle quincaillerie. Ils font plutôt référence aux appareils de qualité industrielle qu'on installe à l'entrée ou à la sortie d'air de votre système central de chauffage et de refroidissement.

«Les purificateurs d'air éliminent un certain nombre de particules dans l'air, mais ils peuvent aussi en faire circuler d'autres, explique le Dr Platts-Mills. En fait, la solution peut être pire que le

ALERTE MÉDICALE

Les signes de complications

Vous devriez consulter votre médecin si vous souffrez d'une allergie ou si vous ressentez les symptômes décrits ci-dessous pour la première fois:

- Un sifflement lorsque vous respirez, ce qu'on appelle une respiration sifflante.
- Une congestion de la poitrine assez importante qui rend votre respiration difficile et sifflante, ce qu'on appelle de l'asthme.
- Une réaction allergique que des médicaments en vente libre n'ont pu soigner en moins d'une semaine.
- De l'urticaire qui apparaît à la suite d'une exposition à un allergène et qu'on appelle aussi une éruption cutanée. Cette affection peut marquer le début d'un choc anaphylactique, une réaction allergique qui pourrait entraîner la mort.

Le choc anaphylactique est le plus souvent associé à des piqûres d'abeilles ou de fourmis rouges. Il peut cependant se produire en présence d'autres allergènes. Une poussée d'urticaire à la suite d'une morsure d'insecte peut provoquer une grave réaction allergique. Dans ce cas, il faut consulter un médecin dans les plus brefs délais.

problème.» Cependant, ces appareils sont efficaces pour éliminer le pollen présent dans l'air.

Procurez-vous un appareil qui assèche l'air. Purifier l'air de son domicile est le meilleur moyen de se protéger contre le pollen, la moisissure, la poussière et les poils d'animaux. Et en gardant l'air plus sec, on règle le problème des acariens.

«Les acariens survivent très mal lorsque le taux d'humidité est inférieur à 45 %, dit le Dr Platts-Mills. En général, plus l'air est sec, moins il y a d'acariens.»

Si l'air trop sec nuit à un autre membre de la famille, installez un petit humidificateur portatif à côté de son lit.

Utilisez des fongicides dans les endroits humides. Les fongicides éliminent la moisissure. Utilisez-les à l'occasion dans votre salle de bains, et plus régulièrement dans les endroits humides comme le sous-sol.

Isolez vos animaux de compagnie. La poussière et les poils d'animaux provoquent des réactions allergiques chez de nombreuses personnes. Ce sont la poussière et les poils de chats qui sont les plus néfastes. Le plus simple serait de vous débarrasser de vos animaux de compagnie, mais ce n'est pas une solution. Faites plutôt de votre chambre à coucher une petite oasis dont l'accès serait absolument interdit à votre chien ou à votre chat.

«Il suffit qu'un chat fasse le tour d'une pièce une fois par semaine pour entretenir les réactions allergiques d'une personne», dit le Dr Podell.

Portez un masque. Portez un masque lorsque vous vous exposez à des substances auxquelles vous êtes allergique. Une tâche aussi simple que passer l'aspirateur peut libérer dans l'air d'innombrables particules de poussière ou d'autres substances, lesquelles resteront en suspension pendant quelques minutes, explique le Dr David Lang, membre responsable du Service des allergies et de l'immunologie clinique à l'hôpital Henry Ford de Detroit, au Michigan. Par ailleurs, le jardinage peut vous exposer à un volume considérable de pollen. Un petit masque qui couvre le nez et la bouche peut protéger les poumons contre les allergènes. On trouve de très bons modèles très peu coûteux dans la plupart des quincailleries.

Embauchez de l'aide. Si vous êtes allergique à la poussière ou aux poils d'animaux qui s'incrustent dans votre moquette, confiez le nettoyage à quelqu'un d'autre, tel qu'un adolescent ou un service de nettoyage spécialisé. C'est le prix à payer pour éviter une crise d'allergie.

Enveloppez votre matelas dans du plastique. «Si les acariens vous empoisonnent la vie, songez à envelopper votre matelas, votre traversin et vos oreillers dans du plastique, déclarent le Dr Podell et le Dr Lang dans un communiqué. Ces parasites presque microscopiques adorent la literie. Or, si vous l'entourez de plastique, vous respirerez de l'air propre, libre de toutes particules qui proviennent d'acariens.»

Débarrassez-vous de la moquette. Les personnes qui sont allergiques à la poussière, aux poils d'animaux de compagnie et à la moisissure doivent proscrire la moquette, l'habitat idéal des acariens et de la moisissure. De plus, la moquette moderne tissée très

serrée attire et retient le pollen et les poils d'animaux. Même les nettoyages à la vapeur peuvent se révéler inefficaces.

«La vapeur n'est pas assez chaude pour tuer les acariens, dit le
Dr Platts-Mills. En fait, ces nettoyages ne servent qu'à rendre la
moquette plus chaude et plus humide, c'est-à-dire à créer le climat
idéal pour les acariens et la moisissure.»

Achetez plutôt des petits tapis. Remplacez la moquette
par des petits tapis et vous en tirerez deux grands avantages:
d'abord vous éliminerez ce qui attire et retient mieux que tout la
poussière, le pollen, les poils d'animaux et la moisissure, puis vous
garderez mieux votre maison à l'abri des substances allergènes.
Vous pouvez laver les petits tapis à une température suffisamment
élevée pour tuer les acariens. Comme ils sont tissés moins serrés
qu'une moquette, le plancher en-dessous reste plus frais et plus sec.

«Les acariens ne survivent pas sur un plancher sec et ciré, dit
le Dr Platts-Mills, qui sèche en quelques secondes, et non en quelques semaines, comme dans le cas d'une moquette.»

**Achetez des oreillers et des traversins en maté-
riaux synthétiques.** Les acariens aiment autant les oreillers et
les traversins en matériaux synthétiques que ceux en plumes ou en
mousse. Toutefois, les premiers présentent un net avantage sur les
deuxièmes: on peut les laver à l'eau chaude.

**Lavez souvent vos enveloppes de matelas à l'eau
chaude.** Il n'y a pas que les oreillers et les traversins qui causent
des problèmes. Les acariens aiment aussi les enveloppes de matelas.
Lavez ces dernières toutes les semaines à l'eau chaude et vous tue-
rez ainsi les acariens qui y résident.

**Transformez au moins une pièce de votre maison
en sanctuaire.** Ne désespérez pas si l'installation d'un purificateur d'air dans votre système de chauffage central ou si remplacer
les moquettes de la maison s'avèrent trop coûteux. Transformez une
seule pièce en un petit sanctuaire.

«En général, les gens passent plus de temps dans la chambre à
coucher qu'ailleurs dans la maison, dit le Dr Platts-Mills. Il suffit de
débarrasser cette pièce des acariens qui l'envahissent pour éviter les
réactions allergiques.»

L'été, climatisez la chambre en l'isolant du reste de la maison,
c'est-à-dire en gardant la porte fermée, en remplaçant la moquette par
des petits tapis et en suivant les conseils pratiques énoncés plus haut.

EXPERTS CONSULTÉS

Le Dr David Lang est membre responsable du Service des allergies et de l'immunologie clinique à l'hôpital Henry Ford de Detroit, au Michigan, et professeur adjoint de médecine à l'université du Michigan, à Ann Arbor.

Le Dr Thomas Platts-Mills est professeur de médecine et responsable du Service des allergies et de l'immunologie au centre médical de l'université de Virginie, à Charlottesville.

Le Dr Richard Podell est professeur de médecine familiale à la faculté de médecine Robert Wood Johnson de l'université de médecine et de dentisterie du New Jersey, à Piscataway.

Ampoules

20 façons de soulager la douleur

Les ampoules sont des avertisseurs dont dispose l'organisme pour vous prévenir qu'il en a assez. Quelle que soit son origine, l'ampoule, tout comme la crampe musculaire ou le point de côté, vous oblige à ralentir et à mieux vous préparer physiquement la fois suivante.

Le plus souvent, nous avons des ampoules quand nous nous entêtons à mettre des chaussures neuves ou trop serrées, ou passons trop de temps à bêcher dans le jardin.

Les ampoules ont également une fonction initiatrice. Elles sont un gage que l'effort en valait la peine. Elles sont les fidèles compagnons de tous randonneurs, joueurs de tennis ou cyclistes. Elles apparaissent sur différentes parties du corps, mais les pieds sont, sans aucun doute, leur site de prédilection.

Bien que les mesures qui suivent concernent surtout les ampoules aux pieds, bon nombre d'entre elles peuvent s'avérer tout aussi efficaces dans le cas de cloques qui pourraient surgir ailleurs sur le corps.

LE TRAITEMENT

Voici quelques conseils pratiques en la matière:

Crever ou ne pas crever une ampoule. Quand vous avez une ampoule, vous devez décider de la meilleure façon de la traiter. Devez-vous la laisser guérir ou la percer? Voilà une bonne question.

«Cela dépend de la taille de l'ampoule, souligne le Dr Suzanne Tanner, spécialiste de la médecine du sport, qui pratique dans un cabinet privé à Denver, au Colorado. Un puriste vous dira sans doute de ne pas crever l'ampoule afin d'éviter les risques d'infection. Mais c'est tout de même un problème ennuyeux.»

Malgré l'avis des puristes, nos experts maintiennent qu'il faut crever les grosses ampoules douloureuses et ne pas toucher aux petites qui ne vous gênent pas. «Lorsqu'une grosse ampoule se forme sur une partie du corps qui supporte du poids, il vous faut la crever et drainer le liquide, dit le Dr Clare Starrett, professeur au Foot and Ankle Institute du Pennsylvania College of Podriatic Medicine. Ces ampoules peuvent devenir aussi rondes qu'un ballon.»

Nos experts croient qu'il faut également percer les ampoules qui semblent vouloir crever d'elles-mêmes. Mieux vaut prendre la décision vous-même.

Faites un beignet. L'une des façons de protéger une ampoule sans la crever est de découper un bout de moleskine en forme de beignet, de la grosseur voulue, et de le placer autour de l'ampoule. «Laissez l'ampoule respirer, dit le Dr Tanner. La moleskine absorbera une grande partie des chocs et des frictions qui résultent de vos activités. Tant que vous gardez la peau sous la moleskine propre et sèche, elle est protégée.»

Soyez prudent et apprenez à stériliser. Si vous décidez de crever une ampoule, il convient d'abord de bien la nettoyer. Nettoyez aussi la région qui l'entoure. Stérilisez ensuite l'aiguille ou la lame de rasoir dont vous vous servirez. «De préférence, prenez de l'alcool pour stériliser les instruments», dit le Dr Nancy Lu Conrad, qui a un cabinet privé à Circleville, en Ohio.

D'autres médecins conseillent de plutôt stériliser l'instrument à la flamme. Pour cela, il suffit de porter à l'incandescence l'aiguille ou la lame de rasoir, puis de laisser refroidir avant de crever l'ampoule. Les deux méthodes sont à la fois antiseptiques et efficaces.

Piquez l'ampoule. «Lorsqu'une ampoule me fait souffrir, affirme le Dr Joseph Ellis, médecin dans un cabinet privé à La Jolla, en Californie, et consultant à l'université de Californie à San

Diego, je la pique à l'aide d'une aiguille. Servez-vous d'une aiguille stérilisée et enfoncez-la par le côté, conseille le Dr Ellis. Assurez-vous que le trou soit assez grand pour permettre au liquide de s'échapper.»

Faites une incision. «À la clinique, nous utilisons un scalpel stérilisé pour drainer les ampoules, dit le Dr Starret. On peut faire la même chose à la maison au moyen d'une lame de rasoir stérilisée. Faites une incision en ligne droite, dit-elle, juste assez longue pour permettre au liquide de s'écouler.»

N'arrachez pas la peau. «Je crois que l'erreur commune est d'arracher la peau qui recouvre l'ampoule», dit le Dr Richard Cowin, directeur de la Cowin's Foot Clinic à Libertyville, en Illinois. Nos experts vous conseillent de ne pas enlever la peau. Dites-vous que c'est comme un sparadrap naturel!

«Lorsque vous enlevez la peau, dit le Dr Cowin, vous vous retrouvez avec une plaie rouge et très sensible. En revanche, si vous la laissez, elle durcit et tombe d'elle-même, ce qui accélère la guérison.»

Essayez un antibiotique. Des recherches récentes ont démontré que deux traitements combinant trois antibiotiques topiques peuvent éliminer l'infection bactérienne, alors que les traitements à l'iode, au phénol et au camphre peuvent en fait ralentir la guérison. «Nos experts préfèrent l'emploi d'antibiotiques, car l'iode, le

---

ALERTE MÉDICALE

Surveillez l'infection

«En règle générale, toutes les blessures guérissent un peu chaque jour», dit le Dr Clare Starret. Cette règle vaut aussi pour les ampoules. Par contre, une rougeur, de l'enflure, une sensation de chaleur et une douleur plus intense sont des signes évidents d'infection.

«Une ampoule est infectée lorsque le liquide qui en sort est légèrement trouble ou dégage une odeur, dit-elle. Il faut alors consulter un médecin.»

Le Dr Nancy Lu Conrad est d'accord. «Vous ne pouvez pas pousser la médecine maison trop loin. Consultez un médecin au premier signe d'infection.»

phénol et le camphre utilisés à fortes doses peuvent tuer les mêmes cellules qu'ils sont censés guérir», ajoute le Dr Starrett.

Évitez les pansements compliqués. Une fois l'ampoule soignée, couvrez la plaie afin qu'elle guérisse plus vite. Nos experts croient qu'il n'est pas nécessaire d'utiliser de la gaze ou quelque autre pansement compliqué.

«Mon pansement préféré est un sparadrap de bonne qualité», dit le Dr Cowin. Le Dr Ellis ajoute: «Les gens vous diront d'utiliser un pansement de gaze stérilisée, mais ils oublient qu'un simple sparadrap est déjà stérilisé et qu'il est plus facile à poser que des couches de gaze. C'est un excellent pansement.»

On recommande toutefois un pansement de gaze dans les cas où l'ampoule est trop grosse. Maintenez-le en place à l'aide d'un ruban adhésif hydrofuge.

Optez pour un pansement qui réduit la friction. Si vous voulez reprendre vos activités avant que l'ampoule ne soit guérie, vous aurez besoin d'un pansement fait d'un matériau spongieux qui absorbe les chocs et réduit les frictions.

«Il s'agit d'un excellent pansement», dit le Dr Conrad. Bon nombre d'athlètes professionnels et amateurs enduisent leurs ampoules de vaseline avant de faire le pansement.

Laissez respirer l'ampoule. La plupart des médecins recommandent d'enlever le pansement avant de se coucher afin d'aérer la plaie. «L'air et l'eau sont d'excellents remèdes, dit le Dr Cowin. Faire tremper l'ampoule et la laisser sécher pendant la nuit favorisent la guérison.»

Changez les pansements mouillés. Certains médecins vous diront qu'un pansement peut être gardé environ deux jours. Par contre, s'il est mouillé, cela veut dire qu'il est contaminé et qu'il faut le changer. Vous devrez donc changer votre pansement fréquemment si vous transpirez des pieds abondamment ou si vous vous adonnez à des activités qui vous font transpirer.

PRÉVENTION DES AMPOULES

Comme la prévention est toujours la meilleure solution, voici ce que vous conseillent nos experts:

Surélevez le talon. «Les ampoules qui se forment à l'arrière du pied sont généralement causées par une friction de la

chaussure», explique le Dr Cowin. La solution: il suffit de surélever le talon en mettant des bouts de semelles dans vos chaussures.

Gardez vos chaussettes.
«De nos jours, beaucoup de gens ne portent pas de chaussettes, dit le Dr Cowin. Par conséquent, ils souffrent constamment d'ampoules aux talons. Le Dr Cowin recommande donc aux hommes et aux femmes qui veulent montrer leurs chevilles, sans en subir les conséquences, de porter de mini-chaussettes.

Poudrez-vous les pieds tous les jours.
Selon le Dr Conrad, il faut prendre l'habitude de se mettre du talc sur les pieds tous les jours.

«Lorsque je vois des patients qui portent de bonnes chaussures, mais qui souffrent quand même d'ampoules, dit le Dr Cowin, je leur conseille d'utiliser du talc avant de se chausser. Cela réduit la friction de la chaussette contre le pied.

Prenez vos précautions.
Si vous comptez faire de la marche, courir, jouer au tennis ou vous adonner à une autre activité physique sans douleur, appliquez de la vaseline sur vos pieds, et plus particulièrement là où vous pensez avoir des ampoules. «Cela réduit la friction», dit le Dr Conrad.

Selon le Dr Ellis, la pâte à l'eau aux anti-enzymes, une crème opaque généralement utilisée pour les irritations dues aux couches, est encore plus épaisse que la vaseline, et donc, plus efficace. Les adeptes sportifs qui aiment pratiquer leur sport sans chaussettes devraient appliquer cette crème.

Portez des chaussettes neuves avec des chaussures neuves.
«Si vos nouvelles chaussures menacent de vous donner des ampoules, changez de chaussettes, dit le Dr Ellis. Je recommande les chaussettes en acrylique qui se vendent dans les magasins d'articles de sport, car elles ont plusieurs épaisseurs et sont conçues spécialement pour absorber les frictions.»

Utilisez des fausses semelles traitées.
Nos experts conviennent que bon nombre de produits disponibles sur le marché sont excellents pour prévenir les ampoules. D'après le Dr Cowin, l'un d'eux est la fausse semelle traitée à l'azote. Cette dernière forme un coussinet sous le pied et l'aide ainsi à mieux glisser vers l'avant de la chaussure. Cela réduit considérablement les risques d'ampoule au talon.

Portez des chaussettes en acrylique

Le port de chaussettes de coton est actuellement l'objet d'une controverse. Une étude a en effet prouvé que, contrairement à ce que l'on croit, les chaussettes en acrylique causent moins d'ampoules aux pieds. La découverte est de taille pour les millions de gens qui font de la randonnée le dimanche ou qui pratiquent un sport professionnel.

Pendant des années, la plupart des podologues ont vanté les mérites des fibres et des matériaux naturels (chaussettes en coton épais et chaussures de cuir). Les découvertes récentes selon lesquelles l'acrylique, une fibre synthétique, protégerait davantage le pied vont à l'encontre des écoles de pensées traditionnelles et des conseils de la majorité des entraîneurs, spécialistes de médecine du sport et athlètes.

Des recherches démontrent que les sportifs ont en effet deux fois plus d'ampoules avec des chaussettes de coton. Qui plus est, ces ampoules sont trois fois plus grosses.

«En tant que vétéran de la course à pied et médecin qui soigne tous les jours des sportifs souffrant d'ampoules, les résultats ne m'étonnent pas, dit le Dr. Douglas Richie, podologue à Seal Beach, en Californie, spécialiste en médecine du sport et auteur de l'étude. Je sais que les fibres de coton s'usent avec le temps et qu'elles perdent leur forme lorsqu'elles sont mouillées. Or, la forme d'une chaussette à l'intérieur d'une chaussure est absolument cruciale.»

«Bon nombre de gens associent l'acrylique à une fibre soyeuse semblable au nylon, poursuit le médecin. Cependant, au toucher, les fibres d'acrylique sont identiques aux fibres de coton, mais, contrairement à ces dernières, elles ne perdent pas leurs propriétés lorsqu'elles sont mouillées.»

Le Dr Richie affirme que les fibres d'acrylique sont excellentes pour tous les types de sports, notamment la marche à pied, le tennis et le jogging.

Essayez l'acide tannique. Il est prouvé qu'appliquer une solution d'acide tannique à 10 % sur les parties plus fragiles de la peau deux fois par jour pendant trois semaines rend celles-ci plus résistantes et moins vulnérables aux ampoules. «Si vous êtes un athlète ou un coureur de fond, vous pouvez utiliser cet acide», dit le Dr Conrad. Par contre, les débutants et les sportifs du dimanche devraient l'éviter à moins de recommandation du médecin.

Méfiez-vous des chaussettes sans talons. Même si elles sont populaires et faciles à chausser, nos experts les déconseillent. «Pour ma part, je ne crois pas aux chaussettes sans talons, dit le Dr Cowin. Il est impossible de bien les ajuster, et pour prévenir les ampoules, il faut des chaussettes qui s'ajustent bien.»

EXPERTS CONSULTÉS

Le Dr Nancy Lu Conrad a un cabinet privé à Circleville, en Ohio. Elle est spécialisée dans les chaussures pour enfants, la médecine du sport et l'orthopédie.

Le Dr Richard Cowin est directeur de la Cowin's Foot Clinic, à Libertyville, en Illinois. Il est spécialisé dans la chirurgie du pied au laser. Il est membre de l'American Board of Podiatric Surgery et de l'American Board of Ambulatory Foot Surgery.

Le Dr Joseph Ellis a un cabinet privé à La Jolla, en Californie. Il est consultant à l'université de Californie à San Diego, de même qu'en médecine du sport auprès de Asics-Tiger, un fabricant de chaussures de sport. Il écrit aussi pour le magazine *Runner's World*.

Le Dr Douglas Richie est podologue, spécialisé en médecine du sport à Seal Beach, en Californie, où il étudie la relation entre les chaussettes et les activités sportives. Il est aussi instructeur en podologie au Centre médical de l'université de Californie du Sud et du comté de Los Angeles, à Los Angeles.

Le Dr Clare Starrett est professeur au Foot and Ankle Institute du Pennsylvania College of Podiatric Medicine à Philadelphie.

Le Dr Suzanne Tanner a un cabinet privé à Denver, au Colorado. Elle est spécialisée en médecine du sport.

Angine de poitrine

17 moyens de soulager la douleur

Gérard s'effondre sur le canapé. Décidément, le repas d'Édith était trop copieux: du foie gras, du lapin à la moutarde, des pommes de terre sautées à l'ail et du clafouti aux poires. Gérard allume une cigarette, mais il ne parvient pas à se détendre. Voilà qu'Édith, piquée par Dieu seul sait quelle mouche, vient le relancer à propos de factures impayées. Hors de lui, Gérard se lève. Une bonne marche dans la nuit froide, croit-il, lui remettra les idées en place.

Quelques minutes plus tard, Gérard cherche son souffle et se serre la poitrine de douleur. «Dieu du ciel! gémit-il, cette fois-ci, c'est la fin!»

ALERTE MÉDICALE

Quelques signes avant-coureurs

Votre médecin vient de vous apprendre que vous faites de l'angine. Les douleurs que vous éprouvez à la poitrine indiquent que votre cœur n'est pas bien irrigué. Vous savez ce qui provoque ces crises et comment les éviter. Mais êtes-vous en mesure de reconnaître les signes avant-coureurs d'une affection plus grave? En voici quelques uns:

- Jusqu'ici, quand vous faisiez de l'exercice, vous parveniez à un certain rendement sans difficulté. Aujourd'hui, vous commencez à souffrir quand vous y êtes rendu.
- Vous commencez à souffrir d'angine de poitrine avant d'avoir atteint votre niveau de rendement optimal.
- Jusqu'ici votre angine était stable (vous n'en souffriez que lorsque vous faisiez des efforts). Aujourd'hui, vous souffrez d'angine instable (les crises apparaissent même au repos).

«Ces symptômes indiquent probablement que le blocage artériel qui empêche le sang d'alimenter le cœur s'aggrave», dit le Dr Sidney C. Smith Jr.

Vous devriez également vous inquiéter si les douleurs persistent plus de 15 à 20 minutes. «C'est peut-être le signe d'une crise cardiaque ou de ce que nous appelons une insuffisance coronarienne, qui est la forme la plus extrême de l'angine instable, explique le Dr George Beller. Une insuffisance coronarienne cause des douleurs prolongées, mais n'entraîne pas des dommages irréversibles comme une crise cardiaque. Comme on ne peut faire la différence entre les deux, considérez qu'il s'agit d'une urgence médicale.»

Heureusement, cinq minutes plus tard, la douleur a disparu. Gérard se souvient alors des propos du Dr Hartebeest la semaine précédente. Sa douleur n'a rien à voir avec la crise cardiaque ou les brûlures d'estomac, mais avec l'angine de poitrine. Cela veut dire que ses artères coronaires se bouchent. Le sang n'arrive plus à irriguer le cœur. Le repas riche en lipides et en sel, la discussion animée avec Édith ou peut-être sa promenade dans la nuit glaciale ont provoqué la crise.

Gérard se souvient aussi que le Dr Hartebeest lui avait prescrit des pilules en cas de crise. Le médecin l'avait bien averti que s'il ne changeait pas ses habitudes, il aurait des ennuis.

Que faut-il faire lorsqu'on se retrouve dans la même situation que Gérard?

Changez votre point de vue. Le Dr Sidney C. Smith Jr, directeur de cardiologie à l'hôpital Sharp Memorial, à San Diego, en Californie, ne se gêne pas pour dire aux personnes qui souffrent d'angine de poitrine de s'ouvrir les yeux et de changer leur mode de vie une bonne fois pour toutes.

«Je m'inquiète de voir des patients acheter des médicaments très chers sans pour autant modifier leur mode de vie, dit-il. Inévitablement, le mal récidivera. Dans certains cas, nous tentons de remédier immédiatement au problème. Malheureusement, cela ne vaut pas pour l'angine de poitrine et les maladies cardiaques.»

«Je passe beaucoup de temps à renseigner mes patients sur leurs symptômes, à leur expliquer ce qu'ils doivent faire en cas de crise et à insister sur l'importance d'un mode de vie sain, poursuit-il. Mais je ne suis satisfait que lorsque j'ai réussi à les faire participer à leur propre guérison.» Une bonne attitude et le désir de vivre sainement facilitent la tâche.

De l'air plus pur. Inutile de tergiverser. La fumée de cigarette est extrêmement nocive. Sur une échelle de 1 à 10, la cigarette est cotée 10, souligne le Dr George Beller, professeur de médecine et chef du Service de cardiologie à la faculté de médecine de l'université de Virginie. La fumée augmente le taux de monoxyde de carbone et diminue le taux d'oxygène dans le sang. Comme l'angine de poitrine est un blocage des artères coronaires, la fumée de cigarette est très dommageable. En fait, souligne le Dr Beller, les personnes qui cessent de fumer remarquent une diminution immédiate de leurs crises d'angine.

De plus, la fumée de cigarette accèlère l'agrégation des plaquettes sanguines et obstruent ainsi les artères partiellement bouchées. La cigarette diminue également l'efficacité des médicaments.

Enfin, des études ont démontré que le taux de mortalité est deux fois moins élevé chez les personnes atteintes d'angine de poitrine qui cessent de fumer que chez celles qui continuent.

Moins de sel, moins de gras, moins de calories.
«Un seul repas trop riche en lipides et en sel peut provoquer une crise d'angine de poitrine, car il élève brusquement la tension artérielle», explique le Dr Beller.

Afin de réduire la quantité de lipides dans votre alimentation, suivez le conseil donné par bon nombre de médecins: ne consommez pas plus de 30 % de vos calories sous forme de lipides. Cela signifie que vous devez bannir de votre alimentation les gras saturés qui, comme le beurre, se solidifient à la température ambiante, ainsi que le cholestérol. Pour commencer:

- Réduisez votre consommation de viande, de fruits de mer et de volaille à 175 g par jour.
- Ne consommez que de la viande maigre. Enlevez toute trace de gras avant de la faire cuire. Le bœuf haché ne devrait pas contenir plus de 15 % de gras.
- Retirez la peau de la volaille avant de la faire cuire. Si c'est impossible, enlevez-la après la cuisson.
- Réduisez vos portions de viande, de volaille ou de poisson. Par exemple, faites cuire votre viande en languettes dans de l'huile monoinsaturée, comme l'huile d'olive, ou dans de l'huile polyinsaturée, comme l'huile végétale. Ajoutez beaucoup de légumes.
- Limitez votre consommation quotidienne d'huiles de toutes sortes à 25 ml minimum, 40 ml maximum. N'utilisez que des huiles monoinsaturées et polyinsaturées.
- Éliminez les abats riches en cholestérol comme le foie, les rognons et le cœur.
- Ne consommez que des produits laitiers écrémés ou dont la teneur en gras est de 1 %. Soyez vigilant devant l'étal de fromages. Certains fromages faibles en gras sont riches en sel.
- Augmentez votre consommation quotidienne de fruits et de légumes frais et mangez plus de céréales, plus particulièrement du son d'avoine qui, selon certaines études, contribue à abaisser le taux de cholestérol. (Pour plus de détails sur la réduction du cholestérol, reportez-vous à la page 99).

Faites de l'exercice. Bon nombre de personnes atteintes d'angine de poitrine refusent de faire de l'exercice sous prétexte que cela fatigue le cœur et provoque une crise. Selon le Dr Beller, ces personnes ont tort.

Le Dr Julian Whitaker, fondateur du Whitaker Wellness Institute, à Newport Beach, en Californie, insiste sur l'importance de faire de l'exercice physique. Ce médecin aime bien raconter l'histoire d'un groupe de patients en attente d'une greffe du cœur: «On leur a fait suivre un programme d'exercices afin d'accroître leurs forces avant la chirurgie. En l'espace de quelques mois, la moitié d'entre eux ont tellement amélioré leur fonction cardiaque que l'intervention chirurgicale s'est révélée inutile.»

Quoi d'autre?

Faut-il proscrire le gras?

Peut-on se priver toute une vie de beurre, de crème, de gâteaux et d'œufs? Doit-on proscrire les aliments riches en gras, comme les côtelettes grillées? Faut-il éliminer le sel et les frites et se contenter de légumes, de fruits et de grains entiers?

«Absolument, dit le Dr Monroe Rosenthal, directeur médical du Pritikin Longevity Center, à Santa Monica, en Californie. Les milliers de personnes qui ont suivi ce régime ont toutes constaté une nette amélioration de leur état de santé.»

«Nous suggérons un régime alimentaire dans lequel le gras compte pour 10 % des calories», dit le Dr Rosenthal. Cela correspond à 100 g par jour maximum de poisson, de volaille ou de viande maigre. Un régime plutôt draconien pour la personne moyenne dont le régime alimentaire comporte beaucoup de gras (50 % des calories).

«Il faut beaucoup de constance pour suivre ce régime, convient le Dr Rosenthal. Certaines personnes commencent bien et s'arrêtent en chemin. Une chose est sûre. Ce régime évite le pontage cardiaque, sans compter qu'il libère de la peur constante de ressentir des douleurs à la moindre contrariété. Mais il est vrai qu'il exige de la bonne volonté, une attitude positive et certains efforts.»

«Les bienfaits sont considérables, ajoute-t-il. C'est le meilleur moyen de faire baisser la tension artérielle et le taux de cholestérol, atténuer la douleur à la poitrine et diminuer les symptômes cliniques. Il arrive même que l'on finisse par éliminer certains médicaments.»

Une étude menée auprès de 893 patients de la clinique Pritikin a révélé une baisse du taux de cholestérol d'environ 25 % au terme d'un régime de quatre semaines. De plus, 62 % des patients atteints d'angine de poitrine ont pu quitter la clinique sans médication. Bon nombre d'entre eux ont eu besoin de moins de médicaments à l'issue d'un programme complet qui comprenait des exercices, un régime alimentaire et une formation.

Est-il réaliste de vouloir diminuer sa consommation de gras pour qu'elle ne représente que 10 % de l'apport calorique total? Selon le Dr Sidney C. Smith, seulement 10 % de la population peut y parvenir. Les milieux médicaux soutiennent qu'il est plus facile de réduire sa consommation de gras à 30 % du nombre total de calories. «Cet effort est à la portée de tous», avance-t-il. Cependant, il aimerait que le pourcentage soit plus faible: «En ce qui me concerne, je suis beaucoup plus sévère que le veulent les associations médicales. J'ai effectué ces changements dans ma propre vie.»

Selon le Dr Rosental, ces changements sont essentiels. «Ce n'est pas uniquement le régime alimentaire qu'il faut modifier, c'est tout un mode de vie.»

«Les patients qui commencent un programme de conditionnement physique font presque tous de l'angine de poitrine, mais ce n'est pas une raison de s'abstenir. Ces personnes doivent rester à l'écoute de leur corps, note le Dr Beller. Si elles sentent venir la crise, elles doivent ralentir le rythme. La crise passera d'elle-même.»

Pourquoi l'activité physique est-elle capitale? «Tout d'abord, elle élimine le stress, dit le Dr Beller. De plus, elle contribue à faire perdre du poids. Le stress et un excédent de poids sont mauvais pour le cœur. L'exercice physique ralentit le rythme cardiaque et diminue la tension artérielle; dans ces conditions, les médicaments sont moins nécessaires.»

D'après le Dr Whitaker, des muscles bien tonifiés sont mieux oxygénés. À son tour, le cœur est moins surchargé, ce qui facilite l'apport en oxygène vers les muscles.

Cependant, les Drs Beller et Whitaker s'accordent pour dire que l'exercice n'est pas à lui seul une panacée. Pour qu'il soit efficace, il doit être accompagné d'un bon régime alimentaire.

En premier lieu, consultez votre médecin et passez un électrocardiogramme à l'effort. «Vous connaîtrez ainsi vos limites et vous sentirez plus confiant, dit le Dr Beller. Vous devez aussi discuter avec votre médecin de ce que vous considérez tous les deux comme des douleurs tolérables et intolérables.» Prenez le temps de vous réchauffer, ajoute le Dr Whitaker, surtout si vous sortez par temps froid.

Apprenez à vous détendre. «Que vous fassiez des exercices de relaxation ou de la méditation, apprenez à maîtriser vos émotions au lieu de les laisser vous envahir, conseille le Dr Beller. J'ai des patients qui ne font de l'angine de poitrine que lorsqu'ils se disputent avec leur conjoint. Ils peuvent toutefois faire de l'exercice sans le moindre problème.»

Prenez un cachet d'aspirine® par jour. Certains médecins croient que l'aspirine® est le remède par excellence pour certaines personnes qui souffrent d'angine instable, c'est-à-dire le type d'angine qui frappe pendant le sommeil ou au repos.

«Il semble que l'aspirine® empêche l'activation initiale du mécanisme de coagulation du sang», explique le Dr Beller. Si votre sang coagule trop facilement, il passe plus difficilement dans une artère rétrécie, ce qui peut déclencher une crise cardiaque.

Au cours d'une étude réalisée dans un hôpital canadien, les chercheurs ont découvert que les patients qui souffraient d'angine pouvaient réduire de 51 % leurs risques de faire une crise cardiaque en prenant tous les jours quatre cachets d'aspirine® enrobée. À la suite de cette étude et d'études semblables, de nombreux médecins ont commencé à recommander une aspirine® faiblement dosée par jour.

Les patients atteints d'affections cardiaques devraient consulter leur médecin avant de prendre de l'aspirine®. Même s'il s'agit d'un médicament en vente libre, l'aspirine® peut provoquer des effets secondaires et interagir avec d'autres médicaments que vous prenez déjà.

Soulevez la partie supérieure de votre lit. Si vous faites une crise d'angine pendant la nuit, surélevez la partie supérieure de votre lit de 10 à 12 centimètres. C'est ce que conseille le cardiologue R. Gregory Sachs, professeur adjoint de médecine au collège des médecins et des chirurgiens de l'université Columbia. Cette position augmente le volume sanguin veineux dans les jambes. Ainsi, le cœur travaillera moins fort et sera moins sujet à l'angine nocturne.

Posez vos pieds au sol. Si vous faites une crise d'angine pendant la nuit, le Dr Sachs vous suggère une solution de rechange au comprimé de trinitrine: asseyez-vous sur le bord du lit, les pieds sur le plancher. «Cela produit le même effet qu'un comprimé de trinitrine», avance-t-il. Si les symptômes ne disparaissent pas rapidement, prenez votre médicament.

EXPERTS CONSULTÉS

Le Dr George Beller est professeur de médecine et chef du Service de cardiologie de la faculté de médecine à l'université de Virginie, à Charlottesville, et président du conseil de cardiologie clinique de l'American Heart Association.

Le Dr Monroe Rosenthal est directeur médical du Pritikin Longevity Center, à Santa Monica, en Californie.

Le Dr R. Gregory Sachs est cardiologue et pratique dans un cabinet privé à Summit, au New Jersey. Il est aussi professeur adjoint de médecine au collège des médecins et des chirurgiens de l'université Columbia, à New York.

Le Dr Sidney C. Smith Jr est directeur de cardiologie à l'hôpital Sharp Memorial, à San Diego, en Californie, et professeur adjoint de médecine clinique à la faculté de médecine de l'université de Californie à San Diego.

Le Dr Julian Whitaker est directeur et fondateur du Whitaker Wellness Institute, à Newport Beach, en Californie. Il est spécialiste des thérapies nutritionnelles pour personnes atteintes de maladies cardiaques ou d'hypertension artérielle.

Aphtes

13 remèdes à un problème ennuyeux

Michel fait des aphtes à tout moment. Il ne peut manger un plat chaud sans se brûler le palais ou sucer un bonbon au citron sans avoir immédiatement l'intérieur des joues en feu. Quand il se met à réfléchir, il se mordille très fort les lèvres. À chaque fois, il fait des aphtes et souffre autant que s'il avait mangé un hérisson. Il se sent alors fatigué, affamé et extrêmement irritable.

Ces petits aphtes, ou ulcères buccaux, qui empoisonnent la vie sont très mystérieux. «On ne sait pourquoi certains en souffrent, d'autres pas. Certaines personnes guérissent en deux ou trois jours d'une brûlure dans la bouche, alors que d'autres ont des lésions pendant plus de 10 jours», explique le Dr Harold R. Stanley, professeur émérite au collège de dentisterie de l'université de Floride. En plus des mauvaises attitudes, l'hérédité, les aliments, les coups de brosse

---

ALERTE MÉDICALE

Les aphtes qui ne guérissent pas nécessitent l'attention d'un médecin

Un aphte buccal devrait guérir en deux semaines. «Si vous souffrez d'aphtes qui ne guérissent pas et vous empêchent de manger, de parler ou de dormir, vous devriez consulter un médecin, conseille le Dr Robert Goepp, car ils peuvent avoir un effet très néfaste sur votre santé et sur votre vie de tous les jours.»

Votre médecin vous prescrira sans doute des stéroïdes topiques ou des antibiotiques oraux, peut-être les deux, pour traiter la maladie elle-même et non seulement l'infection.

à dents trop vigoureux et le stress favorisent l'apparition d'ulcères. À vrai dire, trouver une seule et unique cause est une gageure.

«Tenter de guérir un aphte avec des médicaments n'est pas chose aisée», affirme le Dr Robert Goepp, professeur au Centre médical et à l'hôpital de l'université de Chicago. Rien n'adhère aux muqueuses de la bouche. Qui plus est, la bouche est un véritable bouillon de bactéries. Les médicaments ont un double but: tuer les organismes infectieux qui sont souvent responsables de la douleur et de l'inflammation autour du noyau jaunâtre et protéger l'aphte.

Il est rassurant de savoir que plus on vieillit, moins on est sujet aux aphtes. Il n'empêche que les victimes sont fort ennuyées. Voici donc quelques façons d'y remédier:

Traitez-les au chlorure de potassium. Le Dr Varro Tyler, professeur de pharmacognosie à l'université Purdue, suggère de verser 5 ml de chlorure de potassium dans une tasse d'eau et de se servir de cette solution pour se rincer la bouche plusieurs fois par jour. Il faut cependant éviter de l'avaler. «C'est un vieux remède du Midwest américain qui est légèrement antiseptique.»

Essayez les médicaments en vente libre. Essayez des médicaments contre les aphtes, sous forme de liquides ou de gels, qui contiennent de la benzocaïne, du menthol, du camphre, de l'eucalyptol ou de l'alcool. Ils provoquent souvent une sensation de brûlure et, le plus souvent, demandent des applications répétées, car ils adhèrent mal aux muqueuses buccales.

Recourez à une pâte médicamenteuse. Il existe aussi des pâtes médicamenteuses qui recouvrent l'aphte tel un pansement protecteur. Pour obtenir de bons résultats, asséchez l'aphte avec le bout d'un coton-tige, puis appliquez immédiatement la pâte avec l'autre bout. Intervenez dès les premiers signes de l'ulcération.

Traitez vos aphtes avec un sachet de thé humide. Plusieurs experts, dont le Dr Jerome Z. Litt, dermatologiste en Ohio, recommandent d'appliquer un sachet de thé noir humide sur la plaie. «Le thé noir contient du tanin, un astringent dont les propriétés analgésiques sont étonnantes», avance-t-il.

Rincez-vous bien la bouche. «Diluez 5 ml de peroxyde d'hydrogène dans un verre d'eau et servez-vous de cette dilution pour vous rincer la bouche, ce qui désinfectera l'aphte et accélérera la guérison», dit le Dr Goepp. Beverly D'Asaro, diététicienne au New

Jersey, a découvert pour sa part que les patients atteints de cancer qui souffrent de chancres buccaux obtiennent de bons résultats avec le gargarisme Folamint®. Ce gargarisme ne contient pas d'alcool, mais de l'aloès, du folate, du zinc et de la vitamine C.

Utilisez de l'alun. L'alun est le composant actif du crayon hémostatique que votre mère sortait peut-être de sa pharmacie quand vous faisiez des aphtes. Selon les médecins, l'alun est un antiseptique et un analgésique qui empêche l'infection de se propager. Toutefois, il ne fait pas nécessairement disparaître l'aphte.

Essayez le Maalox®. Pourquoi ne pas essayer le Maalox® ou le lait de magnésie? Rincez-vous la bouche suffisamment longtemps pour que le produit forme une bonne couche protectrice. «Les propriétés anti-bactériennes du Maalox® et du lait de magnésie ne sont pas à négliger», affirme le Dr Goepp.

Donnez une chance au sceau d'or. Préparez-vous du thé de racine de sceau d'or, ou racine jaune, bien fort et servez-vous-en pour vous rincer la bouche. Vous en trouverez dans les commerces d'aliment naturels. Vous pouvez aussi en faire une pâte et l'appliquer directement sur l'aphte. «Il demeure cependant que c'est un antiseptique et un astringent d'une efficacité moyenne», dit le Dr Tyler.

Évitez toute irritation. Le café, les épices, les agrumes, les noix riches en arginine, un acide aminé que l'on trouve surtout dans les noix, le chocolat et les fraises sont des substances irritantes qui peuvent favoriser l'apparition des ulcères buccaux. «Si vous souffrez d'aphtes, vous connaissez sûrement les aliments que vous devez éviter», dit le Dr Goepp. Par ailleurs, brossez-vous délicatement les dents.

Mangez du yaourt tous les jours. Le Dr Litt affirme que manger 60 ml de yaourt nature tous les jours peut prévenir les aphtes, car le yaourt contient des cultures actives de *Lacto-bacillus acidophilus*. Ces cultures détruisent les bactéries qui se développent dans la bouche.

Essayez un traitement inusité. «Vous allez rire de ce remède de grand-mère, mais essayez-le quand même, dit le Dr Tyler. Prélevez un peu de cérumen dans vos oreilles et appliquez-le sur votre aphte. On dit que c'est un remède infaillible. Il est possible qu'il ait d'excellentes propriétés antiseptiques et isole bien l'aphte.»

Prenez des vitamines. Le Dr Craig Zunta, dentiste en Virginie et président de la Holistic Dental Association, recommande d'appliquer sur l'aphte une gélule de vitamine E. Renouvelez ce traitement plusieurs fois par jour afin de bien lubrifier les tissus. «Dès que vous sentez venir un aphte, dit-il, prenez 500 mg de vitamine C avec bioflavonoïdes trois fois par jour, pendant trois jours.»

EXPERTS CONSULTÉS

Beverly D'Asaro est diététicienne dans un cabinet privé à Madison, au New Jersey.

Le Dr Robert Goepp est professeur de pathologie au Centre médical et à l'hôpital de l'université de Chicago, en Illinois.

Le Dr Jerome Z. Litt est dermatologiste dans un cabinet privé à Beachwood, en Ohio, et auteur de *Your Skin: From Acne to Zits.*

Le Dr Harold R. Stanley est professeur émérite de dentisterie au collège de dentisterie de l'université de Floride, à Gainesville.

Le Dr Varro E. Tyler est professeur de pharmacognosie à l'université Purdue, à West Lafayette, en Indiana, et auteur de *The Honest Herbal.* Il travaille aussi comme conseiller au magazine *Prevention.*

Le Dr Craig Zunka a un cabinet privé à Front Royal, en Virginie, et il est président de la Holistic Dental Association.

Arthrite

22 remèdes pour soulager la douleur

L'arthrite est l'une des plus vieilles maladies du monde. Les anciens Égyptiens, l'homme préhistorique et même les dinosaures en ont souffert. Aujourd'hui, des millions de personnes sont atteintes d'arthrite et l'on estime que ce nombre continuera de croître dans les années à venir.

Il y a peut-être dans votre entourage des gens qui en souffrent. Vous-même, êtes-vous épargné? Nous ne prétendons pas ici concurrencer les centaines d'ouvrages qui encensent certains médicaments ou chirurgies révolutionnaires. Nous aimerions simplement vous faire connaître quelques moyens inoffensifs et peu coûteux de participer à votre propre guérison. (À moins d'indications contraires, les conseils qui suivent s'appliquent à tous les types d'arthrite).

Perdez du poids. «Aucun aliment ou régime ne fait disparaître la douleur arthritique comme par enchantement, dit le Dr Art Mollen, directeur du Southwest Health Institute, à Phoenix, en Arizona. Cependant, si vous êtes obèse et commencez à perdre du poids, vous réduirez considérablement les douleurs dans la colonne vertébrale, les genoux, les hanches, les chevilles et les pieds.»

La raison est simple: plus une personne est lourde, plus ses articulations et ses cartilages subissent de la pression. Les risques d'inflammation et d'enflures sont donc deux fois plus élevés.

Par conséquent, consultez un médecin ou un diététicien qui vous prescrira un régime alimentaire adapté.

Étirez-vous en douceur pour accroître votre force et votre mobilité. «Lorsqu'une personne souffre d'arthrite, dit le Dr Mary P. Schatz, qui a un cabinet privé à Nashville, au Tennessee, chaque mouvement est douloureux et peut même aggraver le mal. Mais ne pas bouger du tout, c'est encore pire. En fait, il faut bouger pour guérir, mais de manière intelligente.»

Le Dr Schatz n'oublie jamais ce principe lorsqu'elle conseille à ses patients arthritiques de faire du yoga. «Les mouvements de yoga maintiennent les articulations en place, dit-elle. Grâce au yoga, les articulations déformées reviennent à leur position normale, à mesure que les muscles s'étirent et se renforcent.»

Envisagez une séance privée avec un professeur expérimenté ou procurez-vous un livre qui explique clairement les positions de yoga. N'oubliez pas: «Des exercices de yoga bien faits conviennent parfaitement aux articulations atteintes d'arthrite», dit le Dr Schatz. Faites les mouvements que vous pouvez et ne vous laissez pas immobiliser.»

Réduisez le stress. «Si vous avez mal et que vous vous contractez, vous aurez encore plus mal», affirme le Dr Beth Ziebell, psychologue spécialisée dans la gestion du stress et de la douleur, à

Tucson, en Arizona. «Les gens qui s'organisent bien assument mieux leur douleur que les personnes qui ne maîtrisent pas leur vie.»

Des recherches récentes confirment qu'une attitude positive face à la douleur arthritique est essentielle. Depuis plusieurs années, le Dr Ziebel donne les conseils suivants:

Ne vous emballez pas. «Les personnes qui souffrent d'arthrite doivent trouver leur rythme. Elles doivent éviter de se surmener les jours où elles se sentent bien, dit-elle. Elles ne font que s'épuiser davantage et le mal s'aggrave. Essayez d'en faire un peu chaque jour, que vous ayez une crise d'arthrite ou pas.»

Apprenez à vous détendre. «Inspirez-vous des cours sur l'accouchement naturel, conseille-t-elle. Un accouchement est très douloureux, mais les femmes apprennent à composer avec la douleur en relaxant. Il existe un grand nombre de livres et de cassettes sur les techniques de relaxation, profitez-en.» Le Dr Ziebell croit aussi que des articulations au repos peuvent devenir douloureuses. «Si vous vous concentrez sur la douleur, vous aurez encore plus mal. En revanche, si vous vous tenez occupé, vous oublierez votre mal», explique-t-elle.

Prévenez le soir les raideurs du matin. «Presque 90 %
de mes patients souffrent de raideurs musculaires dès le matin», souligne le Dr Ilya Rubinov, médecin au Arthritis Medical Center, à Fort Lauderdale, en Floride.

Il conseille aux personnes atteintes d'arthrite d'utiliser une pommade avant de se coucher: «C'est idéal pour se détendre et rassurer psychologiquement, explique le Dr Rubinov.» Il poursuit: «En général, les arthritiques se sentent beaucoup mieux lorsqu'ils n'ont pas ces raideurs musculaires en se levant le matin.»

Et pourquoi pas une séance de thalassothérapie?
Des études ont démontré qu'il est très apaisant de se laisser flotter dans un bassin d'isolement ou de privation sensorielle.

«On passe environ une heure dans le bassin, explique le Dr Roderick Borrie, psychologue à Brooklyn, New York. En se détendant, le corps et les muscles libèrent des endorphines, les analgésiques naturels de l'organisme. En fait, plus le stress diminue, plus les douleurs s'apaisent.»

L'eau des bassins est chauffée à exactement 34,2 °C, c'est-à-dire à la température de la peau. De plus, l'air ambiant est chaud, ce qui favorise une relaxation profonde.

Ces bassins se trouvent habituellement dans les centres de thalassothérapie et de balnéothérapie.

Mélanger l'huile et l'eau. «Je suis atteinte de polyarthrite rhumatoïde dans les mains, dit Donna King, instructrice à l'Atlanta School of Massage. J'ai pris des cours sur le traitement de l'arthrite et j'ai découvert ce qui me faisait du bien. Je vous garantis que c'est un traitement très efficace.»

À tous ceux qui souffrent d'ostéoarthrite ou de polyarthrite rhumatoïde, elle conseille d'utiliser une pommade bien épaisse à base d'huile d'eucalyptus.

«J'associe cette crème à de la chaleur humide lorsque je souffre de raideurs ou que j'ai mal, dit-elle. Il suffit de s'enduire les mains de crème, de bien les frotter et de les envelopper dans du plastique. On peut aussi appliquer des serviettes chaudes ou se tremper les mains et les pieds dans de l'eau chaude.»

Sachez que l'eau fait des merveilles. Demandez à plusieurs médecins ce qu'ils pensent des traitements contre l'arthrite et vous obtiendrez des réponses complètement différentes. Cependant, si vous les interrogez au sujet des exercices dans l'eau, curieusement, ils seront unanimes.

«Les exercices dans l'eau sont excellents, dit le Dr Mollen. Vous constaterez que vos douleurs diminuent considérablement dans l'eau. De plus, vous gagnez en souplesse. Je ne peux qu'insister sur les immenses bienfaits des exercices aquatiques.»

Les exercices de base sont accessibles à presque tous. Ils consistent à faire des vagues, à marcher et à plier les membres dans de l'eau jusqu'à la hauteur de la poitrine. Les mouvements plus avancés ressemblent à des pas de danse aquatique et sont conçus de manière à exploiter la résistance naturelle de l'eau et à se laisser flotter.

Faites participer votre conjoint. Bien que l'entraide soit capitale dans un couple, certaines tentatives font souvent plus de tort que de bien. «Lorsqu'une femme essaie de tout faire elle-même et demande constamment à son mari comment il se sent, elle augmente ses douleurs», dit le Dr Judith Turner, psychologue au Pain Center de l'université de Washington.

Voici ce qu'elle conseille: N'essayez pas d'aider votre conjoint uniquement lorsqu'il a mal. Faites-le aussi quand il se sent bien. Dites-lui par exemple: «Je suis tellement contente de te voir plus actif.» Selon le Dr Turner, la valorisation est très importante. Malheureusement, on l'oublie trop souvent.

Quoi d'autre?

Le cuivre

C'est souvent le temps qui donne un prix aux choses. Par exemple, prenez ces bracelets de cuivre que certaines personnes portent depuis plusieurs années afin de soulager l'arthrite. Ils n'ont jamais eu autant de succès qu'aujourd'hui.

Des études ont démontré que certains arthritiques ont de la difficulté à assimiler le cuivre dans les aliments qu'ils consomment, ce qui aggrave la douleur. Cette observation a amené le chercheur Herma Dollwet de l'université d'Akron à formuler l'hypothèse que les arthritiques doivent chercher le cuivre ailleurs que dans la nourriture. «Le cuivre contenu dans les bracelets pénètre dans l'organisme par la peau», écrit-il dans un ouvrage intitulé *The Copper Bracelet and Arthritis*. Le Dr Dollwet conclut que c'est la seule façon pour les arthritiques de s'alimenter en cuivre. Il a également démontré que le cuivre peut soulager la douleur.

Les médecins demeurent sceptiques sans toutefois nier l'utilité des bracelets de cuivre. «Je me rends compte que certaines personnes sont soulagées, dit le Dr Elson Haas. Je crois en effet que le cuivre est utile et qu'une carence augmente l'inflammation des articulations. Quant aux suppléments de cuivre, je doute de leur efficacité.»

Le Dr Haas croirait-il aux vertus du cuivre? «Je ne fournis pas nécessairement des bracelets de cuivre aux personnes touchées, mais je ne leur déconseille pas non plus d'en porter.»

Utilisez de la glace pour prévenir les douleurs.

«Quand une articulation s'est raidie à force de trop travailler, je préconise un traitement par le froid», déclare Donna King. Elle se sert de sacs de gelée spéciale, mais ajoute qu'un sac en plastique rempli de glaçons ou même un sac de petits pois surgelés feront tout aussi bien l'affaire. Elle conseille de maintenir le sac sur l'articulation de 15 à 20 minutes, puis de le retirer pendant 10 à 15 minutes. «Vous pouvez laisser le sac pendant plusieurs heures d'affilée, si vous en ressentez le besoin.»

Recourrez à la chaleur pour atténuer la douleur.

«Lorsque les articulations deviennent chaudes, enflées et sensibles, la chaleur est ce qui soulage le mieux, dit Donna King. Le froid accentuerait la douleur.»

Ne dorlotez pas vos articulations. «Je suis heureuse quand je vois les gens faire des exercices d'aérobic pour se soigner, dit le Dr Mollen. En général, je conseille la marche, la bicyclette ou la natation parce que ces exercices ne nuisent pas aux articulations. Sachez doser vos efforts et ne faire que les exercices qui vous conviennent. Idéalement, il faudrait que vous puissiez faire monter votre pouls à au moins 120 pulsations minute et que ayez l'impression que votre cœur et vos poumons fonctionnent bien.»

Des recherches effectuées par le Dr Susan Perlman, attachée à la faculté de médecine de l'université Northwesten, ont démontré que des exercices énergiques ne présentent aucun danger pour les patients qui souffrent de polyarthrite rhumatoïde. En outre, ils apportent des améliorations physiologiques et psychologiques. Pour savoir si une mauvaise forme physique est responsable de la fatigue ou de la dépression, ce chercheur a soumis 54 patients à des exercices d'aérobie suffisamment bien dosés pour ne présenter aucun risque.

Le résultat: l'exercice énergique n'a pas provoqué l'inflammation des articulations, mais il a permis à tous les patients de marcher plus longtemps, d'être plus actifs et d'améliorer leur état de santé général. Tous ont déclaré souffrir moins.

Cessez de prendre des médicaments qui créent une accoutumance. Il est regrettable que les somnifères, les

---

Des substances naturelles parfois utiles

Depuis quelque temps, on parle de soulager les douleurs arthritiques avec des substances naturelles, mais leur efficacité reste encore à prouver. Certaines substances sont peut-être utiles, mais pas toutes.

«À long terme, la substance la plus bénéfique est sans doute l'écorce de saule», dit le Dr Varro E. Tyler, professeur de pharmacognosie à l'université de Purdue et auteur d'un ouvrage intitulé *The Honest Herbal.* «Cela s'explique aisément. Cette écorce contient de la salicine, une substance semblable à l'aspirine®. Mais pour traiter efficacement l'arthrite, il faudrait en utiliser des quantités industrielles!»

Le fruit de l'ellébore d'Amérique, très prisé en Indiana et utilisé depuis l'époque des premiers pionniers, semble aussi avoir des propriétés thérapeutiques. Cependant, l'ellébore d'Amérique peut s'avérer toxique, de sorte que seul un médecin peut en conseiller l'usage. Il ne faut jamais en administrer à un enfant.

tranquillisants et les analgésiques narcotiques soient le lot de beaucoup de personnes qui souffrent d'arthrite. «Leur efficacité n'est pas en doute, affirme le Dr Nelson Hendler, professeur adjoint au Service de neurochirurgie à la faculté de médecine de l'université Johns Hopkins. Mais il faut constamment augmenter les doses, de sorte qu'ils finissent par causer plus de problèmes qu'ils n'en règlent.» Bien que certaines personnes aient besoin d'aide pour cesser de prendre ces médicaments, le Dr Hendler juge préférable de les remplacer par le «biofeedback» (thérapie de rétroaction) ou d'autres thérapies et, occasionnellement, par des analgésiques non narcotiques comme l'aspirine® ou l'ibuprofène.

Que diriez-vous de l'huile de poisson? «Il est vrai que certaines personnes réagissent bien à l'huile de poisson», observe le Dr Elson Haas, directeur de la Marin Clinic of Preventive Medicine and Health Education à San Rafael, en Californie. «Mais cette huile ne convient pas à tout le monde.»

Une étude publiée par des chercheurs au centre médical Albany de New York confirme cette observation. L'étude démontre que des personnes atteintes de polyarthrite rhumatoïde éprouvent moins de sensibilité et de fatigue dans les articulations après avoir pris des gélules d'huile de poisson.

Bien qu'on dise grand bien de l'huile de poisson depuis quelques années à peine, l'agent actif de l'huile de poisson, l'acide gras oméga-3, se vend depuis longtemps sous forme d'huile de foie de morue. Des études ont démontré que 5 ml d'huile de foie de morue par jour contribuent à atténuer les symptômes de la polyarthrite rhumatoïde, car cette huile fournit à l'organisme des quantités considérables de vitamines A et D. La vitamine D contribue à la croissance des os. Quant à la vitamine A, elle a des propriétés anti-inflammatoires. Les huiles de poisson concurrencent d'autres types d'acides gras qui, semble-t-il, provoquent l'inflammation arthritique.

L'on doit noter que les vitamines A et D peuvent être toxiques lorsqu'elles sont prises en grandes quantités. Par conséquent, limitez votre consommation d'huile de foie de morue à 5 ml par jour. Sachez par ailleurs qu'une trop grande quantité de ces vitamines peut causer à la longue des dommages au foie. Consultez votre médecin si vous croyez avoir besoin de suppléments d'huile de poisson ou de vitamine D. Vous pouvez également essayer un régime faible en gras qui comporte du poisson, maquereau ou saumon, riche en oméga-3.

Maîtrisez l'art du massage. En ce qui concerne les massages, Donna King donne le conseil suivant: massez les muscles reliés aux tendons qui mènent aux articulations douloureuses.

«Par exemple, si vous faites de l'arthrite dans les mains, dit-elle, massez-vous les avant-bras, des poignets vers les coudes, selon la technique de compression.»

Pressez le muscle avec le creux de la main, le pouce ou le coude. Maintenez la pression pendant plusieurs secondes avant de relâcher. Pour l'arthrite dans la cheville ou le pied, massez le mollet et le devant de la jambe.

Augmentez votre consommation de vitamine C.

«Des études ont révélé que les personnes qui souffrent de polyarthrite rhumatoïde souffrent d'une carence en vitamine C», dit le Dr Robert H. Davis, professeur de physiologie au collège de médecine podologique de Pennsylvanie. Une carence en vitamine C aggraverait les symptômes de la maladie, alors que de fortes doses de vitamine C les feraient régresser.

«La vitamine C est, sans conteste, un bon remède maison pour une personne atteinte de polyarthrite rhumatoïde, affirme-t-il. La toxicité de la vitamine C est pratiquement nulle, de sorte que si une personne en prend environ 500 milligrammes par jour, ce qui n'est pas excessif, elle se sentira mieux.» Cependant, avant d'entreprendre un traitement à la vitamine C, obtenez l'accord de votre médecin.

Évitez certains aliments. «J'ai vu des résultats très probants chez des patients qui évitaient les produits laitiers, les pommes de terre, les tomates, les aubergines, le tabac et tous les poivres sauf le poivre noir», dit le Dr Haas.

Le Dr Haas suggère aux personnes atteintes de polyarthrite d'adopter un régime alimentaire personnalisé. Selon ce médecin, il faut bannir de son alimentation les aliments dont on a souvent envie, car il est prouvé qu'on s'habitue aux aliments auxquels on est allergique.

Par exemple, si vous avez souvent envie de tomates, n'en consommez plus pendant une semaine. Assurez-vous qu'aucun de vos plats n'en contient. Vous devez par conséquent bien lire les étiquettes quand vous achetez des aliments transformés et éviter les tomates crues. Si vos symptômes ne disparaissent pas en trois ou quatre jours, c'est peut-être le signe que vous avez développé une accoutumance à cet aliment. Au bout du cinquième ou du sixième jour, vous devriez vous sentir mieux. Il serait alors opportun de prendre rendez-vous avec un médecin pour subir des tests complets d'allergie.

Limitez votre consommation d'huile végétale.

«Il ne fait aucun doute que les huiles végétales sont bénéfiques», dit le Dr George Blackbrun, chef du laboratoire spécialisé en nutrition et en métabolisme à l'institut de recherche sur le cancer de l'hôpital New England Deaconess, à Boston. Il souligne cependant que, selon certaines études, les arthritiques font exception à la règle. En fait, ils devraient consommer moins d'huiles végétales et plus d'huiles riches en oméga-3.

«Ils ne doivent pas forcément éliminer les légumes; il leur faut plutôt consommer moins de vinaigrettes, d'aliments frits et de margarines. Ces aliments sont riches en acides gras oméga-6 qui, selon certaines études, provoquent des inflammations chez les personnes atteintes de polyarthrite rhumatoïde. Deux huiles contiennent peu d'oméga-6, l'huile de colza et l'huile l'olive. Selon le Dr Blackburn, vous pouvez les utiliser modérément. Elles ne devront en aucun cas constituer plus de 30 % de vos calories totales.

Faites un jeûne au jus de carotte.

À la clinique du Dr Mollen, un jeûne au jus de légumes permet à de nombreux patients atteints de polyarthrite rhumatoïde d'atténuer considérablement leurs douleurs. «J'ai commencé à prescrire ce jeûne il y a plusieurs années et j'ai constaté qu'il avait d'excellents résultats», déclare le Dr Mollen.

Vous pouvez faire un jeûne au jus de carotte, au jus de céleri, au jus de chou ou au jus de tomate. Le Dr Mollen suggère de ne prendre que du jus de légumes pendant une journée au cours de la première semaine. Puis il conseille de jeûner un jour sur deux la semaine suivante, par exemple le lundi et le mercredi, puis trois jours la dernière semaine, par exemple le lundi, le mercredi et le vendredi. Cependant, vous ne devez entreprendre ce jeûne que sous la surveillance de votre médecin.

EXPERTS CONSULTÉS

Le Dr George Blackburn est chef du laboratoire spécialisé en nutrition et en métabolisme de l'institut de recherche sur le cancer à l'hôpital New England Deaconess, à Boston, au Massachusetts.

Le Dr Roderick Borrie est psychologue à Brooklyn, New York. Il se sert des bassins d'isolement ou de privation sensorielle concurremment avec d'autres méthodes de psychothérapie plus classiques pour produire chez ses patients un état de relaxation profonde et atténuer leurs douleurs.

Le Dr Robert H. Davis est professeur de physiologie au collège de médecine podologique de Pennsylvanie, à Philadelphie.

Le Dr Elson Haas est directeur de la Marin Clinic of Preventive Medicine and Health Education à San Rafael, en Californie, et auteur de l'ouvrage intitulé *Staying Healthy with the Seasons*.

Le Dr Nelson Hendler est professeur adjoint au Service de neurochirurgie à la faculté de médecine de l'université Johns Hopkins, à Baltimore, au Maryland.

Donna King est instructrice à l'Atlanta School of Massage, en Georgie. Elle souffre d'arthrite dans les mains.

Le Dr Art Mollen spécialisé en ostéopathie, est fondateur et directeur du Southwest Health Institute à Phoenix, en Arizona, où il insiste sur une bonne alimentation et de l'exercice pour améliorer la santé, promouvoir la bonne forme physique et psychologique et perdre du poids. Il est l'auteur de deux ouvrages: *The Mollen Method: A 30-Day Program to Lifetime Health Addition* et *Run for Your Life*.

Le Dr Ilya Rubinov pratique au Arthritis Medical Center, à Fort Lauderdale, en Floride.

Le Dr Mary P. Schatz a un cabinet privé à Nashville, au Tennessee. Elle considère le yoga comme un outil précieux contre les douleurs arthritiques.

Le Dr Judith Turner est professeur de pharmacognosie à l'université de Washington, à Seattle.

Le Dr Varro E. Tyler est professeur de pharmacognosie à l'université de Purdue, à West Lafayette, en Indiana, et auteur d'un ouvrage intitulé *The Honest Herbage*. Il travaille aussi comme conseiller au magazine *Prevention*.

Le Dr Beth Ziebell est psychologue spécialisée en gestion du stress et de la douleur à Tucson, en Arizona.

Asthme

19 façons de soulager les crises d'asthme

«L'asthme résulte d'un problème des voies respiratoires», dit le Dr Peter Creticos, allergologiste et codirecteur au Johns Hopkins Center for Asthma and Allergic Disease, à Baltimore, au Maryland. «Vos bronches se contractent, vous sentez votre poitrine se serrer, vous avez le souffle court, vous vous mettez à tousser et vous avez la respiration sifflante.»

«Chez les moins de quarante ans, environ 90 % des crises d'asthme sont déclenchées par une allergie», ajoute le Dr William Ziering, allergologiste à Fresno, en Californie. Le pollen des arbres et des plantes, la poussière et les poils d'animaux, les acariens et la moisissure sont les principaux facteurs déclenchants de crises. (Pour réduire l'action de ces allergènes courants, reportez-vous à la page 13). «Ces substances sont responsables de la moitié des crises d'asthme chez les personnes de plus de quarante ans. Dans les autres cas, les crises sont déclenchées par certaines affections pulmonaires, comme l'emphysème.»

Quelle que soit l'origine de l'asthme, vous n'êtes pas condamné à en faire toute votre vie. Vous pouvez vous-même remédier à la situation. «L'asthme est une maladie réversible», précise le Dr Ziering. Inutile donc de remuer ciel et terre pour en éliminer les symptômes. Il suffit de connaître les mesures à prendre.

Évitez les pièces enfumées. Les personnes qui souffrent d'asthme ne devraient pas fumer. Une étude menée récemment au Canada a confirmé que les fumeurs devraient s'abstenir de fumer en présence d'asthmatiques. «C'est très important pendant les mois d'hiver, lorsque portes et fenêtres sont fermées», déclare le Dr Brenda Morrison, chercheur et professeur adjoint à l'université de Colombie-Britannique, qui a effectué une étude sur l'incidence de la fumée de cigarette chez les asthmatiques. «Si une personne fume dans la maison, les personnes asthmatiques, particulièrement les enfants, sont plus affectées.»

N'allumez pas de feu. Quand vous faites du feu dans la cheminée ou dans un poêle à bois, évitez de l'alimenter avec de nouvelles bûches. «Les poêles à bois et les foyers peuvent nuire considérablement aux asthmatiques», dit le Dr John Carlson, allergologiste à Virginia Beach, en Virginie. Si vous voulez faire un feu, assurez-vous que votre foyer ou votre poêle à bois est hermétique afin de réduire la quantité de particules dans l'air ambiant et dans vos poumons. De plus, veillez à ce que la pièce soit bien ventilée et que la cheminée tire bien.

Prenez un anti-acide avant le coucher. S'endormir l'estomac plein est également déconseillé. L'asthme peut être causé par un reflux gastro-œsophagien, problème qui survient lorsque l'acidité remonte de l'estomac vers l'œsophage. «Un peu du contenu de votre estomac peut s'échapper et s'infiltrer dans vos voies respiratoires lorsque vous êtes étendu, dit le Dr Creticos. Soulevez la partie supérieure de votre lit et surélevez vos oreillers afin d'empêcher toute infiltration dans les voies respiratoires; prenez ensuite un anti-acide avant d'aller au lit pour réduire l'acidité dans votre estomac.»

Évitez de sortir par temps glacial. Vous ouvrez la porte et mettez le nez dehors. Vous êtes frappé par une bouffée d'air glacial. «Ne sortez pas lorsqu'il fait très froid», conseille l'allergologiste Sidney Friedlaender, professeur de médecine à la faculté de médecine de l'université de Floride.

Tricotez-vous une longue écharpe. Si vous voulez sortir à tout prix, couvrez-vous bien la bouche et le nez. «L'air froid peut déclencher une crise d'asthme. Avec une écharpe ou un masque, vous respirerez de l'air chaud et humide», dit le Dr Friedlaender.

Comment réduire les crises d'asthme causées par l'exercice?

Sentez-vous venir une crise d'asthme après avoir fait du jogging? Lorsque vous faites des efforts physiques, vous mettez-vous à haleter? Sachez que vous n'êtes pas le seul à souffrir de ce handicap.

«Lors des Jeux olympiques de 1984 à Los Angeles, environ 20 % des athlètes faisaient de l'asthme, raconte le Dr William Ziering. De nos jours, on pense qu'une personne sur dix en souffre.»

Si vous faites partie du lot, voici ce que le Dr Ziering vous recommande:

Allongez le pas, mais fermez la bouche. Lorsque vous faites un exercice violent et que vous ouvrez la bouche pour prendre une grande bouffée d'air, vous asséchez et refroidissez le fond de votre gorge. Le résultat: vous faites une crise d'asthme. Par conséquent, prenez soin de garder la bouche fermée et de respirer par le nez.

Nagez pour atténuer vos crises d'asthme. «La natation est l'exercice idéal pour les asthmatiques, affirme le Dr Ziering. Comme l'air est très humide, votre bouche ne s'assèche pas. Cependant, tous les sports qui exigent des efforts de courte durée, comme le baseball, le tennis ou le golf, vous feront aussi beaucoup de bien.»

Ralentissez votre rythme. Si vous courez comme un lévrier, vous vous épuiserez rapidement. Les asthmatiques doivent se modérer. «Prenez le temps de vous réchauffer, puis allez-y doucement.»

Ayez toujours sur vous des médicaments contre l'asthme. Prenez vos médicaments avant de faire du sport. «Si vous les prenez quinze minutes avant de commencer, vous n'aurez pas de problèmes.»

Il ajoute: «Le climat chaud et sec convient parfaitement aux asthmatiques. Encore faut-il trouver la région ou le pays qui a ce climat idéal! De toutes les façons, il faut éviter les endroits trop urbanisés. Au terme de deux semaines de vacances, voyez comment vous réagissez.»

Prenez soin de bien climatiser votre voiture. «Avoir

une voiture climatisée est une bonne chose. Il faut cependant éviter que l'air extérieur ne pénètre, signale le Dr Norman Richard, allergologiste et professeur adjoint à la faculté de médecine et de sciences biomédicales de l'université de New York, à Buffalo. Évitez que le système de climatisation de votre voiture ne refroidisse l'air extérieur, car il contient du pollen et une fois refroidi, il est nuisible. Efforcez-vous de faire recirculer l'air sans que le pollen vienne le contaminer.»

Surveillez votre alimentation. Certains aliments favo-

risent les crises d'asthme. «Les aliments déclencheurs de crises d'asthme les plus courants sont le lait, les œufs, les noix et les fruits de mer», dit le Dr Carlson. Si vous faites de l'asthme, essayez de savoir quels aliments provoquent vos crises.

Éloignez-vous de la cuisine. «Le seul fait de respirer

l'odeur des aliments auxquels vous êtes allergique peut entraîner une crise d'asthme», ajoute le Dr Carlson. Au cours d'une étude, il a découvert que l'odeur des œufs en train de frire pouvait provoquer une crise chez certains de ses patients. «Souvent l'odeur suffit.»

Modérez votre consommation de sel. Au cours d'une

étude menée au département de santé communautaire de l'hôpital St. Thomas, à Londres, des chercheurs ont découvert que le sel de table pouvait être très dangereux pour les asthmatiques. «Une corrélation a été établie entre le sel de table et le taux de mortalité dû à la maladie chez les hommes et les enfants», ont signalé les chercheurs.

Méfiez-vous des additifs. «Les additifs alimentaires, plus

particulièrement les métabisulfites et le glutamate monosodique, peuvent aussi provoquer des crises d'asthme», dit l'allergologiste William Busse, professeur de médecine à la faculté de médecine de l'université du Wisconsin. «On trouve des métabisulfites dans la bière, le vin, les crevettes et les fruits séchés, notamment les abricots.»

Les sulfites ont souvent été utilisés dans les buffets pour donner plus de fraîcheur aux fruits et aux légumes. Cette pratique est désormais interdite. Selon le Dr Busse, «il faut autant que possible éviter les sulfites dans la nourriture. Lorsque vous mangez au restaurant, demandez si les aliments contiennent du glutamate monosodique ou des sulfites. Si c'est le cas, choisissez des plats qui en sont exempts.»

Utilisez des analgésiques autres que l'aspirine®.

Dans les milieux médicaux, on désigne par «triade de l'aspirine®»la sinusite et les polypes du nez, l'asthme et une sensibilité à l'aspirine®. L'aspirine® produit chez certains asthmatiques des effets qui peuvent mettre leur vie en danger. «Si vous faites une sinusite et des polypes du nez et si, en plus, vous souffrez d'asthme, je vous déconseille fortement tout anti-inflammatoire non stéroïdien comme l'aspirine® ou l'ibuprofène, car ces médicaments peuvent aggraver vos symptômes et même vous tuer», dit l'allergologiste Richard Lockey, directeur du Service des allergies et de l'immunologie à la faculté de médecine de l'université de Floride du Sud.

ALERTE MÉDICALE

Prenez les nouveaux symptômes au sérieux

L'asthme n'est pas une maladie à prendre à la légère. Tous les ans, plus de 4 000 personnes en meurent. Au cours des dernières années, le taux de décès dû à l'asthme a augmenté de 23 %.

«Le taux de mortalité augmente tous les ans, dit le Dr William Ziering, ce qui est très malheureux, étant donné que l'asthme est une maladie réversible. Personne aujourd'hui ne devrait mourir d'asthme.»

Pourquoi des gens en meurent-ils? «Il arrive que les asthmatiques ne se rendent pas compte de la gravité de leur état, explique le Dr Ziering. D'autres fois, ils oublient de renouveler leurs médicaments ou essaient de surmonter leur crise tout seuls. Il est souvent trop tard quand ils consultent leur médecin.»

Comment savoir si l'on a besoin d'aide? «En général, dit le Dr Creticos, vous devez consulter un médecin si vous constatez que votre asthme s'aggrave et que vous prenez vos médicaments plus souvent.»

«Par exemple, si vous vous servez de votre inhalateur trois à quatre fois par jour au lieu d'une à deux fois par semaine comme avant, il est temps que vous consultiez un médecin.»

Les experts soutiennent que vous devriez immédiatement consulter un médecin dès que vous avez de la difficulté à respirer.

Cette sensibilité à l'aspirine® peut se développer brusquement de sorte qu'il faut bannir une fois pour toutes les médicaments contenant de l'aspirine®, dit le Dr Friedlaender. «Pour ne pas faire d'allergies, prenez plutôt du paracétamol», précise-t-il.

Utilisez votre inhalateur correctement. L'inhalateur que votre médecin vous a prescrit permet de soulager rapidement une crise d'asthme. Encore faut-il savoir l'utiliser!

«Un inhalateur ne sert pas à rafraîchir l'haleine. Si vous ne vaporisez que le fond de la gorge, le médicament n'atteindra pas les poumons», dit le Dr Michael Sherman, spécialiste des poumons à l'hôpital de l'université Hahnemann, à Philadelphie, en Pennsylvanie. «Si un nuage de buée sort de votre bouche, c'est que vous ne vous servez pas correctement de l'appareil.»

Il n'est pas conseillé d'enfoncer l'inhalateur dans la bouche et de prendre deux doses rapidement. «Tenez-le à environ 2,5 cm de la bouche, respirez lentement et profondément et, environ une demi-seconde plus tard, déprimez la pompe. Continuez à respirer après avoir appuyé et retenez votre souffle de trois à cinq secondes.»

«La première dose ouvre les voies respiratoires. Si vous prenez deux doses coup sur coup, la deuxième n'aura aucun effet. Par contre, si vous attendez de deux à cinq minutes entre les deux inhalations, la deuxième vous fera beaucoup de bien.»

Le café: une solution de rechange. Vous êtes en plein bois et vous vous rendez compte que votre inhalateur est resté à la maison. Et si jamais vous aviez une crise d'asthme? «Deux bonnes tasses de café corsé feront parfaitement l'affaire» affirme l'allergologiste Allan Becker, professeur adjoint de médecine à l'université du Manitoba.

Le Dr Becker a étudié les effets de la caféine sur l'asthme.

Il a découvert que des comprimés contenant la même dose de caféine que deux tasses de café aident les asthmatiques à mieux respirer et diminuent les symptômes. La caféine et la théophylline, un médicament connu contre l'asthme, sont presque identiques, si bien que l'organisme ne fait pas la différence.

Le Dr Becker signale cependant que la caféine n'est pas un substitut aux médicaments. «Nous ne la recommandons pas comme traitement. Cependant, en cas d'urgence, lorsqu'un asthmatique n'a pas de médicaments sur lui, deux tasses de café corsé ou de chocolat chaud ou encore deux tablettes de chocolat le soulageront et lui permettront de tenir le coup.»

Servez-vous de la vitamine B$_6$ comme alliée. On

a découvert par hasard que la vitamine B$_6$ était efficace contre l'asthme. En étudiant l'effet de cette vitamine sur l'anémie à hématies falciformes, les chercheurs ont constaté que certains membres du groupe de contrôle avaient des antécédents d'asthme. «Lorsque ces personnes prenaient 50 mg de vitamine B$_6$ par jour, elles constataient une diminution de leurs symptômes, note le Dr Clayton L. Natta, professeur adjoint de médecine au collège des médecins et des chirurgiens de l'université Columbia et responsable de la recherche. Des études plus poussées ont confirmé l'efficacité de la vitamine B$_6$ chez les asthmatiques», ajoute le Dr Natta.

Des mégadoses de vitamine B$_6$ peuvent être toxiques et sont par conséquent déconseillées. Cependant, le Dr Natta maintient que, pour un adulte, «une dose de 50 mg ne présente aucun danger. C'est d'ailleurs la dose que les médecins prescrivent couramment». (Pour vote sécurité, ne prenez de la vitamine B$_6$ qu'avec l'accord de votre médecin et sous sa surveillance.)

Écoutez vos poumons. Idéalement, il faudrait tout faire

pour prévenir une crise d'asthme. Alors, il faut bien se connaître. «Soyez attentifs aux signes précurseurs, avance le Dr Ziering. Si vous agissez dès les premiers signes, vous éviterez la crise. Il est rare qu'une crise d'asthme se produise spontanément, explique le Dr Ziering. Il y a toujours des signes avant-coureurs qui permettent d'intervenir à temps. Plus vous agirez avec célérité, moins vos crises seront graves.»

EXPERTS CONSULTÉS

Le Dr **Allan Becker** est allergologiste et professeur adjoint de médecine au Service des allergies et de l'immunologie, au département de pédiatrie de l'université du Manitoba, à Winnipeg. Il a fait des recherches sur les effets de la caféine sur l'asthme.

Le Dr **William Busse** est allergologiste dans un cabinet privé et professeur de médecine à la faculté de médecine de l'université du Wisconsin, à Madison.

Le Dr **John Carison** est allergologiste et a une clinique privée à Virginia Beach, en Virginie.

Le Dr **Peter Creticos** est allergologiste et codirecteur du Johns Hopkins Center for Asthma and Allergic Disease, à Baltimore, au Maryland. Il est aussi professeur adjoint de médecine à la faculté de médecine de l'université Johns Hopkins.

Le Dr **Sidney Friedlaender** est allergologiste et professeur de médecine à la faculté de médecine de l'université de Floride, à Gainesville. Il est aussi rédacteur en chef de la revue médicale *Immunology and Allergy Practice*.

Le Dr **Richard Lockey** est allergologiste et directeur du Service des allergies et de l'immunologie à la faculté de médecine de l'université de Floride du Sud, à Tampa.

Le **Dr Brenda Morrison** est épidémiologiste, biostatisticienne et professeur adjoint au Service des soins de santé et d'épidémiologie à l'université de Colombie-Britannique, à Vancouver. Elle a fait des recherches sur les effets de la cigarette sur l'asthme.

Le **Dr Clayon L. Natta** est spécialiste des maladies organiques et professeur adjoint de médecine au collège des médecins et des chirurgiens de l'université Columbia, à New York.

Le **Dr Norman Richard** est allergologiste et professeur adjoint en pédiatrie à la faculté de médecine et de sciences biomédicales de l'université de New York, à Buffalo.

Le **Dr Michael Sherman** est spécialiste des poumons au Service de médecine pulmonaire de l'hôpital de l'université Hahnemann, à Philadelphie, en Pennsylvanie.

Le **Dr William Ziering** est un allergologiste qui possède un cabinet privé à Fresno, en Californie.

Boutons de fièvre

17 conseils pratiques pour guérir l'herpès

Le picotement que vous ressentez à la lèvre supérieure ne ment pas: c'est un autre bouton de fièvre qui s'annonce, et vous ne le savez que trop!

Cela vous est déjà arrivé. D'abord une rougeur, suivie d'une démangeaison puis d'une éclosion. À mesure que le liquide s'accumule dans le bouton, celui-ci grossit. C'est lamentable. Vous consultez sans cesse votre glace, espérant peut-être que le bouton aura disparu comme par enchantement, qu'il n'était que le fruit de votre imagination. Détrompez-vous! Sachez que vous n'êtes pas seul.

Les boutons de fièvre sont causés par le virus de l'herpès. Le virus vous a probablement été transmis lorsque vous étiez enfant par un membre de la famille alors que son propre herpès était infectieux.

Le virus est entré dans la muqueuse de votre bouche où il a trouvé une cellule-hôte, probablement une cellule nerveuse. Il a alors «ordonné» à l'ADN de la cellule-hôte de reproduire une quantité de virus identiques.

En général, ces virus sont inactifs. Mais, à l'occasion, ils aiment se déplacer dans l'organisme le long des voies nerveuses jusqu'à ce qu'ils atteignent la surface de la peau. Lorsque cela se produit, vous ressentez l'affreux picotement qui annonce le début d'une nouvelle crise d'herpès.

Que pouvez-vous faire?

Gardez le bouton propre et sec. «Si le bouton de fièvre ne vous gêne pas, n'y touchez pas», conseille le Dr James F. Rooney, virologiste au laboratoire de médecine orale du National Institutes of Health (NIH). Gardez le bouton propre et sec. S'il devient purulent, ce qui est rare, consultez votre médecin afin de vous assurer que l'infection est bien traitée.»

Remplacez votre brosse à dents. Votre brosse à dents peut entretenir le virus pendant plusieurs jours, vous infectant à nouveau une fois le bouton de fièvre guéri.

Des chercheurs de l'université d'Oklahoma ont exposé une brosse à dents stérile au virus pendant 10 minutes. «Sept jours plus tard, la moitié des virus s'y trouvaient toujours», dit le Dr Richard T. Glass, directeur du département de pathologie orale de la faculté de médecine et de dentisterie de l'université d'Oklahoma.

Comment pouvez-vous combattre l'infection reliée à votre brosse à dents? Le Dr Glass vous recommande de jeter votre brosse à dents dès que vous ressentez les signes avant-coureurs d'une poussée du virus. Si le bouton de fièvre continue de grossir et devient purulent, jetez votre nouvelle brosse à dents. Vous éviterez ainsi que l'infection se propage. Puis, une fois le bouton de fièvre complètement guéri, rachetez-vous une autre brosse à dents. «Les patients qui ont suivi ce conseil ont constaté une diminution des récurrences annuelles des crises d'herpès», rapporte le Dr Glass.

Ne gardez pas de brosse à dents dans la salle de bains. Une brosse à dents mouillée dans une pièce humide comme la salle de bains est l'endroit rêvé pour le virus de l'herpès, car l'humidité en prolonge la survie. C'est la raison pour laquelle le Dr Glass conseille de garder votre brosse à dents dans un endroit sec.

Utilisez un petit tube de dentifrice. «Le dentifrice peut aussi transmettre l'infection, dit le Dr Glass. Pensez aux nombreuses fois où vous faites le va-et-vient entre votre bouche et l'ouverture du tube. Vous changerez de dentifrice plus souvent si vous utilisez un plus petit format.

Enduisez le bouton de fièvre de vaseline. «Vous pouvez protéger le bouton de fièvre en l'enduisant de vaseline, dit le Dr Glass. Mais ne remettez pas le doigt qui a touché le bouton dans le pot. Utilisez de préférence un tampon de coton.»

Le zinc peut être efficace. Plusieurs études ont démontré qu'une solution aqueuse de zinc, appliquée dès que vous sentez le moindre picotement, accélère la guérison.

Une étude réalisée à Boston auprès de 200 patients pendant six ans a permis de confirmer l'efficacité d'une solution de sulfate de zinc à 0,025 %. Les boutons de fièvre guérissent en 3,5 jours en moyenne, lorsque les patients appliquent la solution toutes les 30 à 60 minutes à l'apparition du bouton de fièvre.

«Des chercheurs israéliens ont également découvert qu'une solution aqueuse de zinc à 2 % appliquée plusieurs fois par jour est très efficace», dit le Dr Milos Chvapil, professeur de chirurgie et directeur du service de chirurgie biologique de la faculté de médecine de l'université d'Arizona.

Comment le zinc agit-il? Selon le Dr Chvapil, les ions de zinc se lient aux molécules d'ADN de l'herpès et les empêchent de se séparer. Ainsi, le virus ne peut plus se multiplier.

Toujours selon le Dr Chvapil, le gluconate de zinc est plus doux pour la peau. On peut s'en procurer dans les magasins d'aliments naturels.

Traitez-le à la lysine. Le Dr Mark A. McCune, dermatologiste à l'hôpital Humana de Overland Park, au Kansas, conseille aux patients qui ont plus de trois boutons de fièvre par année de suppléer de 2 000 à 3 000 mg de lysine par jour à leur régime alimentaire. Il leur suggère en outre de doubler la dose dès qu'ils ressentent le picotement annonciateur d'un nouveau bouton de fièvre. (Bien entendu, vous devriez toujours consulter votre médecin avant de prendre de la lysine ou tout autre supplément alimentaire, surtout si vous êtes enceinte ou si vous allaitez. Des expériences réalisées sur des animaux ont démontré qu'à très fortes doses, la lysine peut inhiber la croissance normale.)

Les études sur la lysine ne sont pas toutes favorables à l'utilisation du produit, mais le Dr McCune et ses collègues ont trouvé qu'une dose de 1,248 mg de lysine chez 41 patients avait réduit le nombre de boutons de fièvre par année.

Parmi les aliments riches en lysine, mentionnons les produits laitiers, les pommes de terre et la levure de bière.

Trouvez le ou les coupables. Que se passait-il dans votre vie avant l'apparition de votre dernier bouton de fièvre? Et celui d'avant? Vous découvririez peut-être ce qui cause l'éruption du virus si vous vous interrogiez à ce sujet. «Une fois le coupable identifié, augmentez la quantité de lysine pendant les périodes qui précèdent une crise», dit le Dr McCune.

Séchez-le à froid. Certains patients du Dr Rooney appliquent de la glace dès qu'ils ressentent le premier picotement. «Je ne suis pas certain que cela soit efficace, mais, en spéculant, on sait que la glace réduit l'inflammation. Cela pourrait être d'une certaine utilité si les substances inflammatoires contribuent au processus de réactivation du virus.»

Appliquez de l'hamamélis. «Certains patients affirment qu'en pinçant le bouton et en y appliquant de l'hamamélis ou de l'alcool, on peut l'assécher plus rapidement», dit le Dr Rooney.

Ayez recours à des produits en vente libre. On prétend que bon nombre de produits en vente libre permettent de guérir les boutons de fièvre. En général, ces produits contiennent un émollient qui réduit l'assèchement et ramollit les croûtes. Ils contiennent habituellement un agent anesthésiant comme le phénol ou le camphre.

«Le phénol pourrait posséder des propriétés antivirales, dit le Dr Rooney. C'est vrai qu'il dénature les protéines. En théorie, le phénol pourrait probablement tuer le virus.»

Protégez-vous du soleil (et du vent). Les experts s'entendent sur le fait qu'on peut prévenir les boutons de fièvre en se protégeant les lèvres des coups de soleil et du vent.

Évitez les aliments riches en arginine. Le virus de l'herpès s'alimente d'arginine, un acide aminé essentiel à son métabolisme. On conseille donc de réduire la consommation d'aliments riches en arginine, notamment le chocolat, le Coca-Cola®, les pois, les céréales, les arachides, la gélatine, les noix de cajou et la bière.

Apprenez à mieux gérer votre stress. Des études ont montré que le stress peut déclencher une poussée récurrente du virus de l'herpès. «Le stress n'en est pas nécessairement la cause, dit le Dr Cal Vanderplate, psychologue spécialisé dans les troubles liés au stress, à Atlanta. C'est plutôt la façon dont vous percevez les choses et réagissez qui est importante. Le stress est une notion intangible.»

«Il faut vivre dans un entourage uni et chaleureux pour combattre le stress de façon efficace, explique le Dr Vanderplate. C'est votre meilleure protection. En outre, il est essentiel de sentir que vous avez la situation bien en main. Si l'on prend bien soin de soi, on peut mieux gérer son stress.

Détendez-vous. «Il est déjà trop tard pour enrayer les effets du stress lorsque les symptômes apparaissent, dit le Dr Vanderplate. Mais vous pouvez peut-être diminuer la gravité de la poussée en faisant quelques exercices de relaxation.» Le Dr Vanderplate suggère les techniques de relaxation profonde des muscles, la rétroaction, la visualisation et la méditation.

L'exercice. «Il a été démontré que l'exercice contribue à renforcer le système immunitaire», dit le Dr Vanderplate. Un système immunitaire en bon état vous aide à mieux lutter contre les virus. En outre, l'exercice est un excellent moyen de relaxation.»

Changez votre façon de voir les choses. Personne n'aime avoir un bouton de fièvre. Mais il ne sert à rien de s'inquiéter sans cesse de son apparence. «Ne vous apitoyez pas sur votre sort, dit le Dr Vanderplate. Dites-vous qu'il s'agit d'un bouton comme un autre qui ne change rien à votre vie.»

EXPERTS CONSULTÉS

Le Dr Milos Chvapil est professeur de chirurgie et directeur du Service de chirurgie biologique de la faculté de médecine de l'université d'Arizona, à Tucson.

Le Dr Richard T. Glass est directeur du Service de pathologie orale de la faculté de médecine et de dentisterie de l'université d'Oklahoma, à Oklahoma City.

Le Dr Mark A. McCune est dermatologiste et directeur du Service de dermatologie à l'hôpital Humana de Overland Park, au Kansas.

Le Dr James F. Rooney est virologiste au laboratoire de médecine orale du National Institutes of Health (NIH), à Bethesda, au Maryland.

Le Dr Cal Vanderplate est psychologue spécialisé dans les troubles liés au stress. Il est professeur à l'université Georgia State et à la faculté de médecine de l'université Emory d'Atlanta.

Bronchite

9 façons de soulager la toux

Au tout début, vous ressentez un picotement. C'est comme si une main invisible vous chatouillait le fond de la gorge avec une plume. Puis, un son rauque monte de la cage thoracique et libère le flegme des poumons. Pendant quelques minutes, vous ne cessez d'expectorer.

Vous faites une bronchite et, malheureusement, il n'y a pas grand-chose à faire.

La bronchite est très semblable au rhume. «Elle est très souvent causée par un virus, dit le Dr Barbara Phillips, pneumologue et professeur adjoint à la faculté de médecine de l'université du Kentucky. Les antibiotiques ne sont pas d'un grand recours. Il arrive cependant que la bronchite soit causée par une bactérie. Dans ce cas, les antibiotiques sont efficaces. «Le plus souvent, les personnes qui ont une bronchite aiguë guérissent en une semaine ou deux sans aucun traitement.» Par contre, celles qui font de la bronchite chronique toussent et ont une respiration sifflante pendant des mois. Certes, il faut laisser évoluer la maladie mais les personnes qui ont de la difficulté à respirer auraient intérêt à suivre les conseils suivants:

Cessez de fumer. La fumée de la cigarette est extrêmement nocive si vous souffrez de bronchite chronique. «Arrêtez de fumer et vous guérirez plus vite. «Entre 90 et 95 % des bronchites chroniques sont directement attribuables au tabac», dit le Dr Daniel Simmons, pneumologue et professeur à la faculté de médecine de l'université de Californie, à Los Angeles.

«Vous vous sentirez mieux si vous arrêtez de fumer», dit le Dr Gordon L. Snider, pneumologue et professeur à la faculté de médecine de l'université de Boston et à la faculté de médecine de l'université Tuft. S'il y a longtemps que vous fumez, les dommages que vous avez fait subir à vos poumons sont irréparables. «Moins vous avez fumé dans votre vie, plus vite vous vous rétablirez», affirme-t-il.

ALERTE MÉDICALE

Quand consulter un médecin?

Une bronchite nécessite les soins d'un médecin lorsque:

- la toux s'est aggravée au lieu de diminuer au terme d'une semaine.
- le malade fait de la fièvre ou crache du sang.
- le malade est âgé. Sa toux est sèche et opiniâtre et il souffre d'une autre affection.
- le malade est essoufflé et sa toux, très persistante.

Ne soyez pas un fumeur passif. Évitez les personnes qui fument et, si votre conjoint fume, demandez-lui d'arrêter. C'est peut-être à cause des autres que vous faites de la bronchite.

«Vous devez éviter la fumée de cigarette, dit le Dr Phillips. Si vous ne fumez pas, mais êtes exposé à la fumée, vous risquez de faire une bronchite.»

Buvez beaucoup de liquides. «Boire beaucoup contribue à éclaircir les sécrétions et à expectorer plus facilement, ajoute le Dr Phillips. Si vous buvez de quatre à six verres de liquide par jour, vous serez moins congestionné.»

Buvez de préférence des boissons chaudes ou simplement de l'eau. «Ne prenez ni café ni alcool, dit le Dr Phillips. Ce sont des diurétiques; ils vous font uriner davantage, de sorte que vous éliminez plus de liquides que vous n'en prenez.»

Respirez de l'air chaud et humide. L'air chaud et humide contribue aussi à décongestionner. «Si vous avez beaucoup de mal à expectorer, servez-vous d'un vaporisateur. Vous pouvez également vous isoler dans la salle de bains, faire couler l'eau de la douche et respirer la vapeur qui s'en dégage.»

Inhalez de la vapeur d'eau chaude. «Remplissez d'eau chaude le lavabo de la salle de bains, mettez-vous une serviette par dessus la tête et faites une inhalation de cinq à dix minutes. Les inhalations de vapeur au-dessus d'un lavabo sont très efficaces, avance le Dr Snider. Répétez le traitement toutes les deux heures.»

Fumeurs, puréfiez votre air

Les résultats d'une étude scientifique menée par le Dr Melvyn Tockman, pneumologue et professeur adjoint à la faculté de médecine de l'université Johns Hopkins, convaincront peut-être les fumeurs qui souffrent de bronchite chronique de boire du lait.

«Nous avons constaté que les fumeurs qui boivent du lait sont moins sujets à la bronchite chronique que ceux qui n'en boivent pas.» Le Dr Tockman a fait cette découverte après avoir comparé les antécédents médicaux et le mode de vie de 2 539 fumeurs.

Les fumeurs qui boivent du lait en consomment en moyenne un verre par jour. «Par conséquent, dit le Dr Tockman, si vous fumez, n'oubliez pas de boire du lait.»

«Il est difficile de dire pourquoi le lait fait du bien aux fumeurs et pourquoi il n'a aucun effet sur les non-fumeurs.» Il ne recommande pas pour autant le lait comme antidote aux fumeurs qui souffrent de bronchites. «Cesser de fumer est encore la meilleure façon de se débarrasser d'une bronchite chronique», dit-il.

Ne surévaluez pas les expectorants. «Il n'existe pas encore de médicaments qui assèchent les mucosités, dit le Dr Phillips. Boire divers liquides est encore la meilleure façon d'éliminer les sécrétions.»

Votre toux est-elle productive ou improductive?

«Si vous avez une toux productive, c'est-à-dire une toux qui produit des sécrétions, vous ne devez pas la supprimer complètement. Autrement, vous ne pourriez plus expectorer les sécrétions qui encombrent vos poumons», dit le Dr Simmons. Prenez votre mal en patience. Tel est le conseil qu'il vous donne.

Supprimez la toux. Si votre toux est improductive, c'est-à-dire si vous n'expectorez pas, prenez un antitussif pour supprimer la toux. «Recherchez un médicament dont l'agent actif est le dextrométhorphane», suggère le Dr Simmons.

EXPERTS CONSULTÉS

Le Dr Barbara Phillips est pneumologue et professeur adjoint de médecine pulmonaire à la faculté de médecine de l'université du Kentucky, à Lexington.

Le Dr Daniel Simmons est pneumologue et professeur de médecine au département des maladies pulmonaires à la faculté de médecine de l'université de Californie, à Los Angeles.

Le Dr Gordon L. Snider est pneumologue et chef du Service médicinal au Centre médical Veterans Administration de Boston, au Massachusetts. Il est aussi professeur de médecine à la faculté de médecine de l'université de Boston et à la faculté de médecine de l'université Tuft, à Boston.

Le Dr Melvyn Tockman est pneumologue, directeur adjoint d'ergothérapie au Service des sciences de la santé et de l'environnement, et professeur adjoint de médecine à la faculté de médecine de l'université Johns Hopkins, à Baltimore, au Maryland.

Brûlures

10 traitements en cas d'accidents mineurs

Au feu!

Que faut-il-faire? Éteindre le feu, bien sûr.

C'est aussi un conseil judicieux dans le cas des brûlures. «Quelle qu'en soit la cause (feu, vapeur ou acide), ou la partie du corps affectée (visage, poitrine, bras ou mains), il faut éteindre l'incendie le plus rapidement possible. Voici comment:

Étouffez les flammes. «D'abord, on doit arrêter l'effet de combustion», dit le Dr William P. Burdick, professeur adjoint en médecine d'urgence au collège médical de Pennsylvanie. Rincez abondamment la brûlure à l'eau froide, de 15 à 30 minutes ou jusqu'à ce que la sensation de brûlure ait diminué. Ne vous servez pas d'eau glacée ou de glaçons, car cela pourrait aggraver la blessure.

«S'il s'agit d'une brûlure de contact, appliquez immédiatement de l'eau froide sur la plaie, dit le Dr Burdick. S'il s'agit de graisse chaude ou d'éclaboussures, comme de l'acide d'une batterie de voiture, enlevez d'abord les vêtements éclaboussés. Nettoyez ensuite la peau des agents thermiques ou chimiques qui la couvrent et faites tremper le site affecté dans de l'eau froide. Si le tissu du vêtement a adhéré à la brûlure, rincez-le, puis prenez rendez-vous chez un médecin. N'essayez pas de décoller vous-même les vêtements.

ALERTE MÉDICALE

Les brûlures qui requièrent une attention médicale

Vous pouvez traiter vous-même la plupart des brûlures du premier et du deuxième degré, disent les médecins. Cependant, celles du troisième degré nécessitent les soins d'un médecin. Voici comment vous pouvez déterminer la gravité de vos brûlures:

- Les brûlures du premier degré, comme la plupart des coups de soleil, sont rouges et légèrement douloureuses.
- Dans le cas de brûlures du deuxième degré, notamment les coups de soleil graves ou les brûlures de contact avec le gril du four, des bulles parfois suintantes et de la douleur se manifestent.
- Dans le cas des brûlures du troisième degré, la peau est carbonisée, et sa couleur varie du blanc au roux brun. Ces brûlures peuvent être causées par des produits chimiques, un courant électrique ou un contact prolongé avec une surface brûlante. En général, ces brûlures ne sont pas douloureuses parce que les terminaisons nerveuses ont été détruites. Elles nécessitent toutefois les soins d'un médecin.

Les autres brûlures qui nécessitent l'intervention immédiate d'un médecin sont les suivantes:

- Les brûlures au visage, aux mains, aux pieds, aux yeux et dans la région du bassin ou du pubis.
- Les brûlures dont on ne sait si elles sont du premier ou du deuxième degré.
- Les brûlures qui présentent des signes d'infection, notamment celles dont les bulles sont remplies de pus verdâtre ou brunâtre, ou les brûlures qui dégagent à nouveau de la chaleur ou deviennent très rouges.
- Les brûlures qui n'ont pas guéri au bout de 10 à 14 jours.

Si vous comptez voir un médecin au sujet d'une brûlure, dit John Gillies, technicien en médecine d'urgence, lavez-la, mais n'appliquez pas d'onguent, d'antiseptique ou de substance aérosol. Vous pouvez cependant couvrir la blessure d'un pansement stérilisé bien sec.

Une fois que l'effet de brûlure est maîtrisé, vous êtes en bonne voie de guérison. Le froid empêche la brûlure de se propager dans les tissus et agit comme analgésique temporaire.

Gardez le beurre pour le pain. «Tenteriez-vous d'éteindre une incendie en ajoutant des matières inflammables? Cela vaut aussi pour le beurre dans le cas d'une brûlure. Un aliment appliqué sur un site brûlé peut retenir la chaleur dans les tissus et aggraver la situation, voire causer de l'infection. N'utilisez pas non plus les autres remèdes de grand-mère comme le vinaigre, les pelures de pommes de terre ou le miel.

Inspectez et évaluez la brûlure. Vous pouvez généralement traiter vous-même les brûlures du premier et du deuxième degré qui n'excèdent pas 2 cm de diamètre chez un enfant ou 4 cm chez un adulte. Voyez un médecin si elles sont plus étendues, ou si l'enfant à moins d'un an ou l'adulte, plus de 60 ans.

Couvrez la brûlure. Couvrez délicatement la brûlure d'un linge sec et propre ou d'un tampon de gaze stérilisée.

Ne faites rien d'autre. Au cours des 24 heures qui suivent, ne touchez pas à la brûlure. Vous devez laisser les brûlures guérir d'elles-mêmes.

Aidez-la à guérir. Le Dr John Gillies, technicien en médecine d'urgence et directeur du programme des soins médicaux de l'école Colorado Outward Bound, à Denver, vous conseille de laver la brûlure doucement à l'eau et au savon, ou avec une solution légère de Bétadine, 24 heures après l'accident et une fois par jour. Entre les traitements, gardez la brûlure couverte, sèche et propre.

Soulagez-la avec de l'aloès. Prenez un bout d'aloès fraîchement coupé deux ou trois jours après vous être brûlé, et utilisez le liquide thérapeutique de cette plante pour soulager votre brûlure. Vous pouvez aussi vous servir d'une pommade à l'aloès, car celle-ci a un effet analgésique qui apaisera la douleur. L'aloès est à proscrire si vous prenez des anticoagulants ou si vous avez des antécédents de maladies cardiaques.

Des traitements apaisants. Lorsque votre brûlure commence à guérir, brisez une gélule de vitamine E et frottez doucement le liquide sur votre peau irritée. Le traitement fait du bien et peut aider à prévenir les cicatrices. Vous pouvez aussi utiliser un remède en vente libre, comme la Biafine®.

Appliquez une crème antibactérienne. Une pommade antibiotique en vente libre dont les ingrédients actifs sont le sulfate de polymyxine B ou la bacitracine préviendra l'infection et accélérera la guérison.

Laissez les bulles intactes. Les bulles sont d'excellents pansements naturels, dit John Gillies. Par conséquent, ne les touchez pas. Si une ampoule crève, lavez la blessure à l'eau et au savon, appliquez une pommade antibiotique et couvrez-la d'un pansement.

EXPERTS CONSULTÉS

Le Dr Williams Burdick est professeur de médecine d'urgence au collège médical de Pennsylvanie, à Philadelphie.

John Gillies est technicien en médecine d'urgence et directeur du programme des soins médicaux de l'école Colorado Outward Bound, à Denver.

Brûlures d'estomac

23 façons d'éliminer les aigreurs

Vous raffolez de cuisine italienne: minestrone, ravioli sauce tomate, tortellini au pistou et veau parmesan. Vous avez aussi un petit penchant pour les mets épicés indiens, riz au curry et aiguillettes de poulet au gingembre. Rien de répréhensible, me direz-vous. Et votre estomac, qu'en pense-t-il?

En général, les brûlures d'estomac sont causées par des reflux gastro-œsophagiens, ou reflux de sucs digestifs de l'estomac à l'œsophage. Ces sucs contiennent de l'acide chlorhydrique, substance corrosive utilisée dans l'industrie pour nettoyer les métaux.

L'estomac est tapissé d'une paroi qui le protège contre cet acide chlorhydrique, ce qui n'est pas le cas de l'œsophage. C'est pourquoi un reflux gastro-œsophagien provoque des aigreurs extrêmement fortes qui correspondent aux mêmes symptômes que la crise cardiaque.

Qu'est-ce qui provoque ce reflux? Les excès de table bien sûr. Mais ce n'est pas tout.

Certaines personnes ont des brûlures d'estomac sans faire d'excès. Voici quelques recommandations de nos experts à l'intention de ceux et celles qui veulent en savoir davantage:

Mangez moins. «Plus on surcharge l'estomac, plus les acides digestifs remontent dans l'œsophage. Si vous souffrez occasionnellement d'aigreurs d'estomac, c'est parce que vous avez mangé plus que de raison et beaucoup trop vite», dit le Dr Samuel Klein, professeur adjoint de gastro-entérologie et de nutrition humaine à la faculté de médecine de l'université du Texas, à Galveston.

Évitez la position couchée. Lorsque vous souffrez de brûlures d'estomac, évitez de vous étendre. Restez plutôt debout afin d'éviter que les acides digestifs ne remontent dans l'œsophage. «Il est évident que tout comme l'eau, les acides ne remontent pas dans l'organisme», précise le Dr Francis S. Kleckner, gastro-entérologue à Allentown, en Pennsylvanie.

Pour dormir, surélevez la partie supérieure de votre lit de 10 à 15 centimètres. Placez des cales de bois sous les pieds du lit ou mettez un support sous le matelas, à la tête du lit. (Il est inutile de se servir d'oreillers.)

Prenez un anti-acide. «En général, un anti-acide en vente libre comme du Maalox® procure un soulagement rapide en cas de brûlures d'estomac occasionnelles», dit le Dr Klein. (Pour plus de détails sur les anti-acides, veuillez vous reporter à l'encadré qui suit.)

Les anti-acides sont utiles

Les anti-acides en vente libre sont en principe efficaces et sûrs. Ce sont d'ailleurs les médicaments de prédilection des Occidentaux. Selon nos experts, les produits les plus courants qui contiennent un mélange d'hydroxyde de magnésium et d'hydroxyde d'aluminium font parfaitement l'affaire. (Le premier ingrédient constipe et l'autre cause de la diarrhée. Grâce à leur effet combiné, les effets secondaires de l'un et de l'autre disparaissent.)

«Bien que ces anti-acides n'aient pas d'effets secondaires, il vaut mieux cesser d'en prendre après le deuxième mois, dit le Dr Francis S. Kleckner. Ces médicaments sont tellement efficaces qu'ils peuvent occulter une maladie beaucoup plus grave qui nécessiterait les soins d'un médecin.»

ALERTE MÉDICALE

Feriez-vous un ulcère?

«Si vous avez souvent des brûlures d'estomac sans raison apparente, n'hésitez pas à consulter votre médecin» dit le Dr Samuel Klein.

«Quand on a des brûlures d'estomac deux ou trois fois par semaine pendant plus d'un mois, c'est inquiétant» dit le Dr Francis S. Kleckner. Bien que les aigreurs soient dues à de simples reflux gastro-œsophagiens, ce médecin conseille la prudence, car il peut s'agir d'un ulcère.

Lorsque les brûlures d'estomac s'accompagnent d'un des symptômes suivants, vous devez consulter un médecin, car vous faites peut-être une crise cardiaque:

- des difficultés à déglutir
- du sang dans les vomissures
- du sang dans les selles ou des selles noires
- un souffle court
- des douleurs dans le cou et l'épaule
- des étourdissements et des vertiges.

Sachez que les brûlures d'estomac dues à de simples reflux gastro-œsophagiens se manifestent surtout après les repas. Si vous en souffrez avant les repas, vous avez peut-être un ulcère.

Méfiez-vous des conseils d'amis. Vous avez peut-être entendu dire que le lait ou les bonbons à la menthe soulagent. La personne qui vous a dit cela parlait à tort et à travers. Méfiez-vous! La menthe a tendance à détendre le sphincter de la partie inférieure de l'œsophage, c'est-à-dire la petite valve qui conserve les acides dans l'estomac et qui vous protège même quand vous avez péché par gourmandise.

En ce qui concerne le lait, le problème est le suivant: le gras, les protéines et le calcium contenus dans le lait favorisent la sécrétion d'acides dans l'estomac.

Parmi les autres produits alimentaires qui détendent le sphincter de l'œsophage, mentionnons la bière, le vin, les boissons alcoolisées et les tomates. Il est donc préférable de les éviter pour prévenir ou soulager les brûlures d'estomac.

Consommez moins de caféine. Les boissons contenant de la caféine, comme le café, le thé et certaines boissons gazeuses,

Quoi d'autre?

Les remèdes du jardin

Si vous entrez dans un magasin d'aliments naturels, vous y trouverez différentes herbes réputées pour leurs propriétés curatives. Le Dr Daniel B. Mowrey, psychologue et psychopharmacologue, qui étudie depuis 15 ans l'utilisation des herbes en médecine, connaît bien le sujet. Sa conclusion est que certaines plantes peuvent soulager les brûlures d'estomac.

La racine de gingembre. Selon le Dr Mowrey, c'est la substance naturelle la plus efficace. «J'ai pu en constater l'efficacité bien souvent dit-il. Nous ne savons pas exactement comment agit cette substance, mais elle semble absorber l'acide et a un effet calmant pour les nerfs», poursuit-il. Prenez de la racine de gingembre sous forme de comprimés immédiatement après les repas. Commencez par deux comprimés, puis augmentez la dose selon vos besoins. «Vous saurez quelle dose vous convient, dit le Dr Mowrey, lorsqu'il vous restera un goût de gingembre dans la gorge.»

Les douce-amères. «Une variété d'herbes appelées douce-amères, utilisées depuis des années dans plusieurs pays d'Europe, peuvent aussi être d'un grand recours» dit le Dr Mowrey. Parmi ces herbes, mentionnons la racine de gentiane, l'armoise et le sceau d'or. «Je garantis leur efficacité», soutient le Dr Mowrey. Les douce-amères se prennent sous forme de gélules ou d'extraits liquides, juste avant les repas.

Les aromates. Les aromates, comme l'herbe aux chats et le fenouil, ont également la réputation de soulager les brûlures d'estomac. «Toutefois, les recherches sur ces substances sont trop sporadiques pour qu'on en tienne compte», souligne le Dr Mowrey.

Quelques herbes qu'il vaut mieux oublier. Certaines herbes, comme la mousse d'Irlande (carraghen), le plantain et l'orme roux, sont souvent recommandées, «mais je leur fais très peu confiance», déclare le Dr Mowrey.

Le vinaigre de cidre de pomme. Outre les herbes, on recommande souvent de boire lentement, pendant les repas, un demi-verre d'eau additionnée de 5 ml de vinaigre de pomme. «J'ai eu plusieurs fois recours à ce traitement et il est très efficace», dit Betty Shaver, qui donne des conférences sur les remèdes naturels et les remèdes maison au New Age Health Spa, à Neversink, dans l'État de New York. «Cela peut sembler bizarre de se servir d'une substance acide pour soulager un problème d'acidité, mais il existe des acides bénéfiques et des acides néfastes», reconnaît-elle.

peuvent irriter encore davantage les parois de l'œsophage. De plus, la caféine détend le sphincter de l'œsophage.

Renoncez au chocolat. C'est le premier aliment à bannir en cas de brûlures d'estomac. Cette gourmandise porte un coup fatal aux personnes qui ont des aigreurs, car elle contient presque exclusivement du gras et de la caféine. Rassurez-vous quand même! Si vous adorez le chocolat et ne pouvez vous en passer, sachez que le chocolat blanc est tout aussi riche en gras, mais contient peu de caféine.

Assainissez l'air. «Évitez de fumer ou de vous retrouver dans un milieu enfumé», dit le Dr Kleckner. La fumée détend le sphincter de l'œsophage et augmente la production d'acides.

Évitez les boissons gazeuses. Leurs minuscules bulles gonflent dans l'estomac et sont aussi néfastes pour le sphincter que les excès de table, dit le Dr Larry I. Good, gastro-entérologue à Merrick, dans l'État de New York, et professeur adjoint de médecine à l'université de l'État de New York, à Stony Brook.

Évitez les aliments gras. En général, les aliments frits et riches en gras se digèrent lentement et favorisent une production excessive d'acides. «Vous réduirez la fréquence des brûlures en évitant les viandes grasses et les produits laitiers», dit le Dr Good.

Surveillez votre tour de taille. On peut comparer l'estomac à un tube de dentifrice, dit le Dr Kleckner. «Il suffit de presser le tube pour faire remonter un peu de pâte.» De la même façon, un bourrelet de graisse autour de la taille exerce une pression sur l'estomac et fait remonter les acides dans l'œsophage.

Desserrez votre ceinture d'un cran. «Pensez de nouveau au tube de dentifrice, dit le Dr Kleckner. Bon nombre de gens parviennent à soulager leurs brûlures d'estomac tout simplement en desserrant leur ceinture».

Pliez les genoux quand vous levez un poids. Si vous vous pliez à la hauteur de l'estomac, vous le comprimerez et ferez remonter les acides. «Pliez les genoux, dit le Dr Kleckner. Vous aurez moins d'aigreurs et votre dos ne s'en portera que mieux.»

Vérifiez le contenu de votre pharmacie. Vous serez surpris d'y découvrir un certain nombre de médicaments vendus sur ordonnance dont des anti-dépresseurs et des sédatifs qui aggravent les brûlures d'estomac. «Si vous souffrez d'aigreurs et prenez des médicaments sur ordonnance, prévenez votre médecin», conseille le Dr Kleckner.

Évitez les mets épicés. On reproche souvent aux piments forts et aux mets épicés de causer des brûlures d'estomac. Le reproche est injustifié. De nombreuses personnes sujettes aux brûlures d'estomac peuvent manger des aliments épicés sans ressentir la moindre douleur alors que d'autres les tolèrent très mal.

Ne renoncez pas aux agrumes. «Si vous croyez que les oranges et les citrons irritent l'estomac, sachez qu'ils contiennent beaucoup moins d'acides que votre estomac», explique le Dr Kleckner. «En la matière, c'est votre estomac qui commande», ajoute-t-il.

Prenez l'habitude de dîner tôt. «Mangez au moins deux heures et demie avant de vous coucher», conseille le Dr Kleckner. On se souvient que la position allongée fait inévitablement remonter les acides dans l'œsophage.

Prenez la vie moins au sérieux. Selon le Dr Klein, le stress favorise la production d'acides dans l'estomac. Il ajoute: «De bonnes techniques de relaxation vous aideront à diminuer vos tensions et à rééquilibrer votre métabolisme.»

EXPERTS CONSULTÉS

Le Dr Larry I. Good est membre du Long Island Gastrointestinal Disease Group, à Merrick, dans l'État de New York. «Il est aussi professeur adjoint de médecine à la faculté de médecine de l'université de l'État de New York, à Stoney Brook.

Le Dr Francis S. Kleckner est gastro-entérologue à Allentown, en Pennsylvanie.

Le Dr Samuel Klein est professeur adjoint de gastro-entérologie et de nutrition humaine à la faculté de médecine de l'université du Texas, à Galveston. Il agit aussi comme conseiller auprès du rédacteur en chef du magazine *Prevention*.

Le Dr Daniel B. Mowrey de Lehi, Utah, est psychologue et psychopharmacologue. Il fait de la recherche depuis 15 ans sur l'utilisation des herbes en médecine. Il est l'auteur de *The Scientific Validation of Herbal Medicine* et de *Next Generation Herbal Medicine*.

Betty Shaver donne des conférences sur les remèdes naturels et les remèdes maison au New Age Health Spa, à Neversink, dans l'État de New York.

Bruxisme

10 moyens de ne plus grincer des dents

C'est plus fort qu'elles. Plus les personnes atteintes de bruxisme sont anxieuses et tendues, plus elles font grincer les dents du bas contre celles du haut. Certains affirment même que cette façon de réagir au stress ou à la colère est un instinct primaire.

Bien que le stress soit en grande partie responsable du bruxisme, d'autres facteurs entrent en ligne de compte. S'il n'est pas traité, le bruxisme peut user les dents, provoquer des maux de tête, des douleurs dans le cou et le dos et toute une série de symptômes, dont le syndrome des articulations temporomandibulaires. Il arrive même que ce handicap nuise à la bonne entente d'un couple.

Le jour, gardez la bouche «au repos». «Vos dents ne devraient se toucher que lorsque vous mâchez ou avalez des aliments, dit le Dr Andrew S. Kaplan, professeur adjoint de dentisterie à la faculté de médecine Mount Sinai de l'université de New York. Si vous veillez à ne pas laisser vos dents du haut et du bas se toucher, vous aurez moins envie de grincer des dents. Servez-vous d'aide-mémoire que vous laisserez dans des endroits stratégiques, à la maison et au travail. Vous pouvez aussi vous répéter souvent une phrase qui rime comme «dents du haut et dents du bas ne se touchent pas».

Croquez une pomme. Si vous grincez des dents pendant la nuit, faites travailler la mâchoire en grignotant une pomme, du chou-fleur cru ou des carottes crues avant de vous coucher. «Cette activité calmera votre mâchoire hyperactive, dit le Dr Harold Perry, professeur d'orthodontie à la faculté de dentisterie de l'université Northwestern. Ce truc marche très bien avec les enfants qui souffrent fréquemment de bruxisme nocturne.»

Appliquez de la chaleur sur votre mâchoire. «Rincez un gant de toilette à l'eau chaude, essorez-le, pliez-le en deux, puis

La solution 7 x 7 du Dr Goljan

À Tulsa, en Oklahoma, le Dr Kenneth R. Goljan demande à ses patients atteints de bruxisme d'essayer chez eux la solution 7 x 7.

«Grincer des dents est souvent une réaction au stress», dit ce médecin. C'est aussi une habitude dont on peut se débarrasser. Voici comment:

Tout d'abord, regardez le problème en face et dites-vous: «Grincer continuellement des dents est un handicap».

Puis, essayez de savoir pourquoi c'est un handicap. Dites-vous: «Cela me fait mal et m'attriste.»

Prenez une décision irrévocable. Dites-vous par exemple: «Je ne grincerai plus jamais des dents.»

Enfin, essayez de savoir en quoi cette décision est importante. Dites-vous: «Je ne souffrirai plus et je serai beaucoup plus heureux.»

Selon le Dr Goljan, il est important que vous décriviez votre handicap et les sentiments qu'il vous inspire avec vos propres mots. Ecrivez les phrases sur un bout de papier. Gardez-les toujours sur vous jusqu'à ce que vous les ayez mémorisées. Répétez-les 7 fois de suite, 7 fois par jour. Aussi simple que cela!

«Je garantis un certain degré de succès et, dans certains cas, un succès total» déclare le Dr Goljan.

appliquez-le sur un côté du visage», suggère le Dr Kenneth Goljan, un dentiste de Tulsa, en Oklahoma, qui s'intéresse au bruxisme. Renouvelez cette application le plus souvent possible. Ce traitement tout simple détend les muscles de la mâchoire et, par conséquent, atténue les maux de tête causés par le bruxisme.

Pour le bruxisme nocturne, essayez un protège-dents. Les magasins de sport vendent des protège-dents peu coûteux. Plongez-le d'abord dans de l'eau chaude, puis fixez-le dans la bouche. Mordez-le à plusieurs reprises afin qu'il s'ajuste bien. Selon le Dr Sheldon Gross, professeur invité à l'université Tuft ainsi qu'à la faculté de médecine de l'université du New Jersey, ces protège-dents sont efficaces dans le cas de bruxisme nocturne. Si vous en êtes satisfait, demandez à votre dentiste de vous en fabriquer un sur mesure.

Le calme avant tout. Nos quatre experts s'accordent pour dire que le stress est à l'origine du bruxisme. Par conséquent, essayez de vous détendre. Commencez par:

- réduire votre consommation de caféine et d'hydrates de carbone raffinés comme les pâtisseries et les autres sucreries.
- prendre des bains chauds.
- vous reposer.
- apprendre de bonnes techniques de relaxation comme la relaxation progressive et la méditation.

EXPERTS CONSULTÉS

Le Dr Kenneth R. Goljan est dentiste à Tulsa, en Oklahoma. Il se spécialise surtout dans le traitement des problèmes des articulations temporomandibulaires et du bruxisme. Il a enseigné à la faculté de dentisterie de l'université de Louisville, au Kentucky, ainsi qu'à l'université de médecine et de dentisterie du New Jersey et à la faculté de médecine de l'université du New Jersey, à Newark.

Le Dr Sheldon Gross pratique dans un cabinet privé à Bloomfield, au Connecticut. Il est professeur invité à l'université Tuft de Boston, ainsi qu'à l'université de médecine et de dentisterie du New Jersey et à la faculté de médecine de l'université du New Jersey, à Newark. Il est aussi président de l'American Academy of Craniomandibular Disorders et membre de l'American Pain Association et de l'American Headache Association.

Le Dr Andrew Kaplan est professeur adjoint de dentisterie à la faculté de médecine Mount Sinai de l'université de la ville de New York et auteur de *The TMJ Book*. Il est aussi directeur de la clinique TMJ à l'hôpital Mount Sinai de New York.

Le Dr Harold T. Perry est dentiste à Elgin, en Illinois. Il est professeur d'orthodontie à la faculté de dentisterie de l'université Northwestern, à Chicago, en Illinois. Il est aussi rédacteur au *Journal of Craniomandibular Disorders—Oralfacial Pain* et a été président de l'American Academy of Craniomandibular Disorders.

Bursite

8 façons de soulager la douleur

Il y en a huit autour de chaque épaule, 11 autour de chaque genou et 78 de chaque côté du corps. La plupart d'entre elles ne portent même pas de nom. L'important, c'est qu'elles fonctionnent bien. Il suffit cependant que l'une d'elles soit défaillante pour qu'on se rende compte à quel point ces petits sacs contenant du liquide, appelés bourses séreuses des articulations, sont indispensables et douloureux lorsqu'il y a inflammation.

Les bourses séreuses assurent le bon fonctionnement des nombreuses articulations du corps humain. Elles sont si souvent sollicitées et si discrètes qu'un médecin a déclaré à leur sujet: «En présence d'un problème articulaire, il est rare qu'on pense immédiatement à une inflammation des bourses séreuses.»

Il est impossible de savoir à quel moment l'inflammation se produira. De plus, la bursite va et vient sans prévenir. Son caractère récurrent est très ennuyeux pour les personnes qui en souffrent et qui cherchent un traitement efficace.

Contrairement aux maladies articulaires comme l'arthrite, la bursite fait rarement parler d'elle. Un jour, peut-être, la médecine la prendra en considération. En attendant, voici quelques remèdes éprouvés qui pourront vous apporter un soulagement temporaire.

Reposez-vous. «En tout premier lieu, il faut laisser reposer l'articulation douloureuse, affirme le Dr Alan Bensman, médecin au Centre de santé et de réadaptation du Minnesota, à Minneapolis. Cessez les activités qui causent la douleur et laissez reposer l'articulation.»

Immobilisez l'articulation et entourez-la de glace.
«En général, je prescris de la glace lorsque l'articulation est chaude au toucher», dit le Dr Allan Tomson, du Total Health Center for Natural Healing à Fall Church, en Virginie. Commencez par des compresses glacées, puis laissez reposer l'articulation. Alternez compresses et repos toutes les 10 minutes. Tant que l'articulation est chaude, évitez la chaleur.»

Les bienfaits des traitements contraires.
Si la douleur ou l'enflure n'est pas trop importante et si la sensation de chaleur a disparu, le Dr Tomson recommande parfois d'appliquer en alternance des compresses glacées et des compresses chaudes pendant dix minutes chaque fois.

Utilisez des médicaments en ventre libre.
«Si vous n'êtes pas allergique, je vous conseille un anti-inflammatoire, dit le Dr Bensman. Personnellement, je préfère l'aspirine®. Les comprimés à libération lente s'assimilent graduellement dans le sang. Aussi, il n'est pas nécessaire d'en prendre souvent. L'aspirine® enrobée, par exemple l'aspirine du Rhône®, est assimilée par les intestins et convient aux personnes qui font des ulcères. L'aspirine® demeure l'un des meilleurs médicaments qui soient.»

Servez-vous d'huile de castor. La douleur commence à diminuer à partir du quatrième ou du cinquième jour, parfois un peu plus tard. Lorsque la douleur est moins vive, il faut inverser le traitement, c'est-à-dire commencer par de la chaleur et continuer avec des exercices.

Le Dr Tomson conseille d'appliquer une compresse d'huile de castor sur l'articulation endolorie. Couvrez l'articulation d'huile, entourez-la de coton ou de laine et réchauffez-la avec une bouillotte. C'est tout!

Faites des mouvements. Si vous avez mal au coude ou à l'épaule, les médecins vous conseillent de balancer le bras afin d'alléger la douleur. Au début, faites ce mouvement pendant quelques minutes. Répétez-le souvent dans la journée.

«Vous voulez varier les mouvements, mais vous craignez de vous raidir l'épaule ou de l'étirer», dit le Dr Edward Resnick, directeur du Centre de contrôle de la douleur à l'hôpital de l'université Temple, à Philadelphie, en Pennsylvanie.

Ce médecin vous suggère de vous pencher vers l'avant en vous retenant d'une main à une chaise. Puis laissez tomber votre bras douloureux, faites-lui décrire des mouvements d'avant en arrière, de haut en bas ainsi que des rotations dans le sens des aiguilles d'une montre, puis dans le sens contraire.

Étirez-vous comme les chats. Il est indispensable de faire de l'exercice à la suite d'une attaque de bursite. Tous nos experts recommandent des techniques d'étirement pour rendre à l'articulation sa mobilité.

Si vous avez des raideurs dans les articulations des épaules, vous pouvez les soulager en faisant ce premier exercice: «Mettez-vous sur les genoux et les mains. Placez les mains un peu en avant de la tête et gardez les coudes bien droits. Étirez-vous vers l'arrière et asseyez-vous sur les talons.»

«Je demande à mes patients de faire courir leurs doigts sur un mur, dit le Dr Resnick. Le but est d'essayer d'étirer le bras au maximum. Si vous y parvenez, vous comprendrez que l'exercice est très efficace.»

Accordez-vous du temps. Certaines personnes affirment que le meilleur remède contre la bursite est de s'accorder un peu de temps tous les jours, pendant dix jours. Peu importe le nombre d'heures, c'est la constance qui compte.

Si rien ne marche, concluent les médecins, le temps fera son œuvre.

EXPERTS CONSULTÉS

Le Dr Alan Bensman est médecin au Centre de santé et de réadaptation du Minnesota, à Minneapolis.

Le Dr Edward Resnick est chirurgien en orthopédie à l'hôpital de l'université Temple, à Philadelphie, et directeur du Centre de contrôle de la douleur dans ce même hôpital.

Le Dr Allan Tomson est chiropraticien au Total Health Center for Natural Healing, à Falls Church, en Virginie.

Calculs rénaux

12 lignes de défense

«J'ai toujours très bien supporté la douleur. Quand je vais chez le dentiste, je refuse l'anesthésie, mais j'avoue avoir pleuré lorsque j'ai eu des calculs rénaux», dit le lieutenant Marc-André Major, officier à la retraite.

Les médecins ignorent pourquoi des concentrations de sels ou de minéraux se forment dans les reins de certaines personnes. Une chose est claire: la douleur est intolérable.

Dans certains cas, un calcul rénal peut mettre des mois à se résorber. Autant prendre son mal en patience. De nos jours, les médecins disposent d'un bon nombre de techniques pour soigner l'affection, mais ils ne peuvent garantir qu'elle ne récidivera pas.

«Si vous avez déjà souffert de calculs rénaux, il est possible que le mal revienne au moins une fois. Si vous avez été touchés à deux reprises, les risques de rédicive sont très élevés», dit le Dr Leroy Nyberg, directeur du programme d'urologie au National Institute of Diabetes and Digestive and Kidney Diseases du National Institutes of Health.

Quoi d'autre?

À propos des prétendues vertus du jus de canneberge

La croyance populaire veut que le jus de canneberge soit efficace contre les troubles rénaux et même contre les calculs rénaux. Qu'y a-t-il de vrai au juste?

«Comme les canneberges sont acides, j'imagine qu'on pense que leur jus acidifie l'urine et, par conséquent, empêche la formation de concrétions de calcium. Mais je doute qu'on puisse en boire une quantité suffisante pour modifier le taux d'acidité de l'urine», dit le Dr Peter D. Fugelso.

Est-ce à dire que le jus de canneberge n'a aucun effet? Pas exactement. «Comme il s'agit d'une source supplémentaire de fluide, je suppose qu'il peut être d'une certaine utilité», dit le Dr Fugelso, tout en soulignant que de l'eau ferait tout aussi bien l'affaire, les calories en moins.

Le lieutenant Major a souffert six fois de cette affection, mais son état de santé est stable depuis dix ans. Il prend un médicament sur ordonnance qui prévient la formation de calculs rénaux. Mais il a aussi changé son mode de vie.

Néanmoins, avant de modifier votre mode de vie, sachez qu'il existe plusieurs types de calculs rénaux et que seul un médecin sait les distinguer. Une fois le diagnostic établi, il vous restera à suivre les quelques conseils pratiques suivants afin d'éviter les récidives.

Buvez beaucoup de liquides. «Buvez davantage d'eau, peu importe le type de calcul rénal dont vous souffrez», affirme le Dr Stevan Streem, directeur du Service des calculs rénaux à la Cleveland Clinic Foundation, en Ohio. L'eau dilue l'urine et aide à prévenir la concentration des sels et des minéraux qui forment les calculs.

Quelle quantité de liquide faut-il boire? «Suffisamment pour éliminer plus de deux litres d'urine par jour», répond le Dr Peter D. Fugelso, directeur médical du Service des calculs rénaux au centre médical St. Joseph de Burbank, en Californie, et professeur d'urologie à l'université Southern California de Los Angeles. «Si vous jardinez sous un soleil brûlant toute la journée, vous devez boire jusqu'à huit litres d'eau, ajoute-t-il. C'est la quantité d'urine qui

compte.» Ce médecin suggère d'uriner plusieurs fois dans un contenant et de mesurer la quantité d'urine.

Surveillez votre consommation de calcium. «92 %
des calculs rénaux sont formés de calcium ou de dérivés du calcium»,
dit le Dr Fugelso. Si votre médecin a établi que votre dernier calcul
rénal était fortement dosé en calcium, vous devriez en restreindre la
consommation sous quelque forme que ce soit. Si vous prenez des
suppléments de calcium, demandez à votre médecin si vous en avez
réellement besoin. De plus, vérifiez votre consommation quotidienne
d'aliments riches en calcium comme le lait, le fromage, le beurre. «La
majeure partie du calcium que vous consommez vient des produits
laitiers», affirme le Dr Fugelso.

Les anti-acides. Certains anti-acides de consommation cou-
rante contiennent une forte concentration de calcium, prévient le Dr
Fugelso. Si vous avez déjà eu un calcul rénal et que vous prenez un
anti-acide, assurez-vous qu'aucun de ses composants ne contient du
calcium. Si c'est le cas, choisissez une autre marque.

Ne mangez pas trop d'aliments riches en oxalate.
Environ 60 % des calculs rénaux sont composés d'oxalate de calcium, dit le Dr Brian L.G. Morgan, chercheur à l'Institut de nutrition
humaine de la faculté de médecine et de chirurgie de l'université
Columbia. Lorsque l'organisme fonctionne bien, il excrète l'oxalate
que contiennent certains fruits et légumes. Si vous avez déjà fait des
calculs d'oxalate de calcium, surveillez votre alimentation. Évitez les
aliments riches en oxalate, notamment les haricots, les betteraves, le
céleri, le chocolat, les raisins, les poivrons, le persil, les épinards, les
fraises, les courgettes et le thé.

Essayez le magnésium et la vitamine B_6. Selon des
études réalisées en Suède, un supplément quotidien de magnésium
réduit de 90 % la récurrence des calculs rénaux. Les chercheurs
pensent que le magnésium, tout comme le calcium, peut s'associer
à l'oxalate. Mais, contrairement à l'oxalate de calcium, l'oxalate de
magnésium favorise moins la formation de calculs douloureux. Par
ailleurs, la vitamine B_6 semble réduire la quantité d'oxalate présente dans l'urine. Selon une étude, 10 mg par jour suffisent amplement.

Mangez des aliments riches en vitamine A. La vita-
mine A est indispensable au bon fonctionnement du système

urinaire et aide à prévenir la formation des calculs et ce, indépen-
damment du type de calcul dont vous avez souffert. «Prenez au
moins 5 000 UI de vitamine A par jour», suggère le Dr Morgan. Ce
n'est pas bien difficile. Par exemple, 125 g de carottes fournissent
10 055 UI. Parmi les aliments riches en vitamine A, mentionnons les
abricots, le brocoli, le melon, la citrouille, la courgette et le foie de
bœuf. Une mise en garde s'impose: ne prenez pas de suppléments de
vitamine A sans surveillance médicale. À fortes doses, la vitamine A
est toxique.

Soyez actif. «Les personnes sédentaires accumulent plus de
calcium dans leur circulation sanguine, dit le Dr Nyberg. L'activité
physique aide à fixer le calcium dans les os, réservoir naturel de ce
minéral.» Bref, si vous avez des calculs de calcium et si vous restez
inactif à longueur de journée, vous les encouragez à se former.
Sortez, faites une marche ou promenez-vous à vélo!

Moins de protéines. «Il y a une corrélation directe entre
l'incidence des calculs rénaux et la consommation de protéines

---

ALERTE MÉDICALE

Trois bonnes raisons de consulter votre médecin

Si vous avez déjà souffert d'un calcul rénal et ressentez à nouveau des
douleurs, il est probable que le mal récidive. Voici ce qu'en pensent les experts:

- «Si vous ressentez une douleur intense ou passez du sang dans les
  urines», selon le Dr Peter D. Fugelso.
- Si vous passez un calcul, demandez à votre médecin de le faire analyser
  en laboratoire. «Pour prévenir la formation de nouveaux calculs, il est très
  important d'en connaître la nature», dit le Dr Leroy Nyberg.
- Un médecin prend une radiographie de votre calcul pour en déterminer
  la grosseur. «Les gros calculs peuvent causer de graves obstructions et
  même de l'infection, note le Dr Stevan Streem. Sans compter la douleur.
  Grâce à la thérapie par ondes de choc ou à d'autres techniques non inva-
  sives comme le traitement au laser ou à l'ultrason, le médecin peut soulager la douleur. Il vous prescrira ensuite des médicaments pour prévenir la
  formation de nouveaux calculs.

alimentaires, dit le Dr Morgan. Les protéines ont tendance à augmenter la concentration d'acide urique, de calcium et de phosphore dans l'urine, ajoute-t-il. Surveillez votre consommation de protéines, si vous avez déjà eu des calculs de calcium, ou à plus fortes raisons des calculs d'acide urique ou de cystine. Dans ce cas, ne mangez pas plus de 175 g d'aliments riches en protéines par jour comme la viande, le fromage, la volaille et le poisson.

Manger moins de sel. Si vous avez déjà eu des calculs de calcium, il est grand temps de réduire votre consommation de sel. «Vous devriez réduire cette dernière à deux ou trois grammes par jour», dit le Dr Morgan. Salez moins vos aliments, évitez les petits cornichons, les charcuteries, les chips et les fromages fondus.»

Prenez-vous de la vitamine C? «Les personnes qui ont des calculs d'oxalate de calcium devraient limiter leur consommation de vitamine C, dit le Dr Morgan. Consommée en grande quantité, soit plus de trois ou quatre grammes par jour, la vitamine C active la production d'oxalate et favorise la formation de calculs.» Il y a peu de chance pour que vous en consommiez autant quotidiennement (il vous faudrait manger 37 oranges par jour), mais vous devez vous méfier des suppléments. Le Dr Morgan recommande tout simplement de ne pas en prendre.

Dosez la vitamine D. «Des doses excessives de vitamine D augmentent le taux de calcium dans toutes les parties du corps, dit le Dr Morgan. Ne dépassez jamais 400 UI par jour.»

EXPERTS CONSULTÉS

Le **Dr Peter D. Fugelso** est directeur médical du Service des calculs rénaux du Centre médical St. Joseph de Burbank, en Californie, et professeur d'urologie à l'université Southern California de Los Angeles.

Le **Dr Brian L.G. Morgan** est chercheur à l'institut de nutrition humaine de la faculté de médecine et de chirurgie de l'université Columbia.

Le **Dr Leroy Nyberg** est directeur du programme d'urologie au National Institute of Diabetes and Digestive and Kidney Diseases du National Institutes of Health à Bethesda, au Maryland.

Le **Dr Stevan Streem** est directeur de la Section of Stone Disease and Endourology de la Cleveland Clinic Foundation, en Ohio.

Cécité nocturne

11 façons de se diriger dans le noir

Vous le savez bien: lorsque vous quittez la lumière du jour pour la pénombre d'une salle de cinéma, vous ne distinguez que des ombres. «Tout le monde souffre momentanément de cécité nocturne dans une situation semblable, tout simplement parce que la rétine doit s'adapter à la différence d'intensité de la lumière», explique le Dr Alan Laties, professeur d'ophtalmologie au Scheie Eye Institute de la faculté de médecine de l'université de Pennsylvanie.

La cécité nocturne n'est pas toujours un phénomène momentané. «Certaines personnes s'adaptent plus rapidement aux changements d'intensité lumineuse et à la pénombre, dit le Dr Laties. Les presbytes sont souvent plus lents à s'adapter à la pénombre. Il y en a même qui ne voient strictement rien dans le noir. En fait, les cas de cécité nocturne congénitale stationnaire sont rares. Les personnes qui en souffrent naissent avec ce handicap qui ne présente aucun danger pour les yeux.»

Les médecins ne disposent pas d'une panoplie de remèdes miraculeux pour guérir la cécité nocturne. Si vous avez de la difficulté à voir dans le noir et que votre médecin a écarté la possibilité d'une maladie des yeux, voici quelques conseils pratiques pour conduire la nuit en toute sécurité:

Procédez à une auto-évaluation. «Beaucoup de gens s'inquiètent énormément à propos de leur vue, dit le Dr Laties. Ils ont peur d'être atteints de cécité.» Le plus souvent, ils peuvent vérifier eux-mêmes si leur vision est normale. Normalement au bout de cinq minutes, on est capable de distinguer la personne qui est assise à ses côtés au cinéma.»

Prenez-vous suffisamment de vitamine A? «Cet élément nutritif joue un rôle important dans la vision nocturne. En fait, une personne qui présente une carence en vitamine A peut retrouver une vision nocturne normale en quelques heures en prenant de fortes doses de cette vitamine», dit le Dr Creig Hoyt, vice-président du

---

ALERTE MÉDICALE

Laissez le diagnostic à votre médecin

La cécité nocturne peut être le symptôme d'une maladie dégénérative des yeux, notamment la rétinite pigmentaire (RP) qui, selon Jill C. Hennessey, adjointe du directeur scientifique de la RP Fondation Fighting Blindness à Baltimore, au Maryland, affecte à elle seule environ 100 000 personnes aux États-Unis.

«À l'heure actuelle, dit Jill Hennessey, il n'y a aucun traitement efficace connu.» La rétinite pigmentaire touche souvent plusieurs membres d'une même famille, mais sa cause demeure mystérieuse. Elle peut éventuellement entraîner la cécité.

«Si vous avez de la difficulté à voir la nuit, consultez un ophtalmologiste, conseille le Dr Alan Laties. C'est la meilleure façon de protéger votre vue.»

Service d'ophtalmologie au centre médical de l'université de Californie à San Francisco. «Toutefois, les carences en vitamine A sont rares dans les pays occidentaux», poursuit-il. Il vous conseille de consulter votre médecin avant de prendre de fortes doses de vitamine A.

Lorsque vous conduisez la nuit, prenez toutes les mesures qui s'imposent. Selon le Dr Quinn Brackett, chercheur au Texas Transportation Institute de l'université Texas A&M, lorsque vous êtes au volant de votre voiture le jour, vous êtes censé voir à une distance d'environ 400 mètres.

La nuit, dans des conditions de route idéales, vous ne voyez qu'à 100 mètres. Vous devez donc mettre toutes les chances de votre côté. «Assurez-vous que les phares de votre voiture soient propres, dit Charles Zegeer, chercheur au Highway Safety Research Center de l'université de la Caroline du Nord, à Chapel Hill. Les phares sales réduisent considérablement la visibilité.»

Pour les mêmes raisons, le Dr Brackett met en garde ceux et celles qui portent leurs lunettes de soleil à la tombée de la nuit.

Ralentissez. Vous aurez ainsi plus de temps pour réagir aux imprévus.

Attendez-vous au pire. De nos jours, la route n'appartient pas uniquement aux automobilistes. Elle est aussi fréquentée par les randonneurs, les coureurs à pied et les cyclistes. «Même vêtus de

Procurez-vous des lunettes de nuit

«Les oiseaux nocturnes comme les hiboux voient très bien la nuit. Bien sûr, les humains n'ont pas les mêmes capacités, mais ils peuvent améliorer leur sort. Des millions de personnes utilisent des verres correcteurs. Il n'y a aucune raison de ne pas pouvoir corriger la myopie nocturne (déficience de la vision nocturne, particulièrement dans le cas des objets éloignés)», affirme le Dr Creig Hoyt.

«Les pilotes reconnaissent qu'il est plus difficile de voir la piste la nuit. Ils portent donc des verres correcteurs différents pour les vols de nuit», mentionne le Dr Hoyt. Faites comme eux chaque fois que vous devez conduire en pleine nuit.

Le Dr Hoyt conseille aussi de porter des verres correcteurs plus forts la nuit ou de vous procurer des lunettes pour conduite de nuit, même si vous conduisez sans lunettes le jour.

blanc, ils ne sont pas visibles la nuit», dit Charles Zegeer. Les automobilistes doivent donc être très vigilants.

Conduisez prudemment par temps de pluie et de brouillard. «Ces deux conditions météorologiques rendent très dangereuse la conduite de nuit», dit Charles Zegeer. Dans le brouillard, mettez-vous en code pour une meilleure visibilité», conseille-t-il.

Planifiez votre itinéraire. «Si vous planifiez soigneusement votre itinéraire, vous roulerez plus facilement de nuit, dit le Dr Brackett. De préférence, prenez les autoroutes ou les routes peu fréquentées.»

Ne prenez pas de risques. Si le brouillard ou les conditions météorologiques s'aggravent, dit Charles Zegeer, arrêtez-vous dans une aire de repos ou à une station-service. Surtout, ne stationnez pas sur l'accotement.

Regardez à droite. «Maintenez votre regard sur le bas-côté droit de la route pour ne pas être ébloui par les phares des voitures qui roulent en sens inverse», suggère le Dr Brackett.

Attendez le lendemain. Ne conduisez que de jour et attendez le lendemain si vous avez à traverser des agglomérations qui, même éclairées, n'offrent pas des conditions idéales de conduite de nuit.

EXPERTS CONSULTÉS

Le Dr Quinn Brackett est chercheur au Texas Transportation Institute de l'université Texas A&M de College Station, au Texas.

Jill C. Hennessey est adjointe du directeur scientifique de la RP Foundation Fighting Blindness à Baltimore, au Maryland.

Le Dr Creig Hoyt est vice-président du Service d'ophtalmologie au centre médical de l'université de Californie à San Francisco.

Le Dr Alan Laties est professeur d'ophtalmologie au Scheie Eye Institute de la faculté de médecine de l'université de Pennsylvanie à Philadelphie.

Charles Zegeer est chercheur au Highway Safety Research Center de l'université de la Caroline du Nord, à Chapel Hill.

Cellulite

18 façons de s'en débarrasser

Vous rappelez-vous l'histoire de Blanche-Neige et des sept nains? Vous souvenez-vous de la méchante reine qui demandait à son miroir qui était la plus belle? Inlassablement, le miroir lui répondait que c'était elle, jusqu'au jour où Blanche-Neige la détrôna. Les miroirs ne mentent pas. Pire, ils vous trahissent. L'image qu'il renvoie de vous-même n'est pas toujours flatteuse. Vous y découvrez, avec stupéfaction, d'horribles plis graisseux sur la peau des cuisses, du fessier et de l'intérieur des bras.

«La cellulite n'est rien qu'une poche de graisse, dit le Dr Paul Lazar, professeur de dermatologie à la faculté de médecine de l'université Northwestern. Elle doit son aspect à des tissus fibreux qui tirent la peau vers l'intérieur tout en repoussant les cellules adipeuses vers l'extérieur. Certaines personnes y sont plus sujettes que d'autres, surtout les femmes. Elles ont, dans les fesses, les hanches et les cuisses, une plus grande proportion de tissus adipeux et moins de tissus musculaires que les hommes.»

Selon certains spécialistes de la peau, qui ne sont pas médecins, la cellulite ne serait pas une simple poche de graisse. «La cellulite est une combinaison de cellules adipeuses, de déchets et d'eau

---

Quoi d'autre?

Lotions et potions

Les spécialistes des soins de la peau croient que certaines formules à base d'herbes ont des pouvoirs régénérateurs qui rendent la peau plus lisse. À vous de juger.

«Ajoutez de l'huile de sauge, de cyprès ou de genévrier à l'eau du bain», dit Kim Ulen de Cal-a-Vie. «Ces huiles végétales parfumées, fréquemment utilisées en aromathérapie, sont directement absorbées par la peau», explique-t-elle. On trouve les huiles d'aromathérapie dans les magasins d'aliments naturels.

---

emprisonnés dans le tissu conjonctif», affirme Carole Walderman, esthéticienne et présidente de la Von Lee International School of Aesthetics, à Baltimore.

Les médecins et les chercheurs contesteront vraisemblablement cette théorie tout comme ils nieront qu'on peut se débarrasser de la cellulite. Selon le Dr Lazar, il faut commencer par faire de l'exercice et maintenir son poids normal. «Les personnes qui ont de la cellulite sont toujours prêtes à essayer tout ce qui est possible.» Parmi la multitude de méthodes proposées, il convenait de faire le tri. Nous avons procédé par élimination. Nous n'avons retenu que les méthodes les plus sensées.

Perdez vos kilos en trop. «Comme la cellulite est composée de gras, les kilos superflus ne font qu'aggraver la situation», dit le Dr Lazar. Perdez du poids graduellement et, avec un peu de chance, vous perdrez aussi un peu de cellulite.»

«Mangez beaucoup de légumes et de fruits frais, qui sont faibles en calories et riches en valeur nutritive. Buvez également beaucoup de jus de fruits et de jus de légumes», suggère Dolores Schneider, nutritionniste et directrice de Sharon Springs, une station thermale de l'État de New York, où les gens font des cures d'amaigrissement et de désintoxication.

Une alimentation équilibrée. «Il vous faut absolument une alimentation saine et équilibrée, conseille Kim Ulen, responsable des soins de la peau à la station thermale Cal-a-Vie à Vista, en

Californie. C'est excellent pour votre métabolisme et vous avez ainsi moins de chance de faire de la cellulite», affirme-t-elle.

Reposez-vous. «Détendez-vous dans un bain de sels minéraux, suggère Dolores Schneider. Ajoutez environ 250 ml de sel de mer à un bain chaud et demeurez-y pendant au moins 20 minutes. Votre peau aura une apparence plus douce.»

Combattez la constipation. «Les personnes qui souffrent de constipation ont souvent de la cellulite, dit Kim Ulen. Les aliments riches en fibres, comme les légumes verts et les grains, facilitent la digestion, explique-t-elle. Si vous avez besoin d'un petit coup de pouce, saupoudrez vos aliments de grains de son, à chaque repas.» De plus:

* «Suivez les conseils de votre mère du type: mâchez bien vos aliments et ne mangez pas avant d'aller dormir», dit Kim Ulen.
* Buvez des boissons à la température de la pièce plutôt que glacées. «Le froid contracte l'œsophage et l'estomac et empêche la sécrétion des enzymes digestifs dans l'estomac», poursuit Kim Ulen.

Perdez la cellulite par la peau. «En gardant votre corps en bonne santé, vous donnez une porte de sortie à la cellulite», avancent les spécialistes de la peau. Selon eux, les techniques suivantes dilatent les vaisseaux sanguins cutanés et sous-cutanés, tout en assurant le bon fonctionnement du système excréteur:

* Buvez beaucoup d'eau. «J'ai découvert que les personnes qui ont de la cellulite ne boivent pas suffisamment d'eau, dit Carole Walderman. Vous devez boire entre six et huit verres d'eau en bouteille, minérale ou distillée, par jour», affirme-t-elle.
* «Évitez le sel qui favorise la rétention d'eau et aggrave le problème de la cellulite», dit Kim Ulen.
* «Évitez le tabac et le café», ajoute-t-elle. Ces substances contractent les vaisseaux sanguins et peuvent aggraver le problème.
* «Passez délicatement une brosse sur la peau pour améliorer la circulation du sang», dit Carole Walderman. «Faites des mouvements circulaires de la tête aux pieds ou sur les régions atteintes de cellulite seulement.»

Faites des exercices tonifiants. «Tonifiez vos muscles en faisant des exercices de musculation ou des poids et altères. Vous raffermirez les tissus dans les régions atteintes de cellulite», dit le Dr Lazar.

Massez les régions atteintes. «Pour ajouter aux bienfaits de l'exercice, massez légèrement les cuisses et l'intérieur des genoux», suggère Kim Ulen.

Respirez profondément. «Apprenez à respirer profondément à partir du diaphragme», dit Dolores Schneider. «L'oxygène aide à brûler les graisses. La respiration profonde contribue aussi à éliminer le gaz carbonique en provenance des cellules», ajoute Kim Ulen.

Restez calme. «La cellulite apparaît lorsque les muscles sont tendus, c'est-à-dire lorsqu'on est stressé», affirme Carole Walderman. Il faut absolument se relaxer. Si vous avez de la difficulté à vous détendre, voici quelques suggestions:

• «Le yoga est le remède anti-stress et anti-cellulite par excellence», conseille-t-elle. «Cette discipline vous apprendra à respirer profondément, à étirer vos muscles et à vous relaxer totalement.»

• «Chassez les soucis en passant quelques minutes par jour sur une planche inclinée. Étendez-vous sur la planche, la tête en bas, environ 20 minutes par jour», poursuit Carole Walderman. «Si vous n'avez pas de planche inclinée, étendez-vous sur le sol et appuyez les pieds contre le mur», ajoute Kim Ulen.

EXPERTS CONSULTÉS

Le Dr Paul Lazar est professeur de dermatologie à la faculté de médecine de l'université Northwestern de Chicago, en Illinois. Il a déjà été membre du conseil d'administration de l'American Academy of Dermatology.

Dolores Schneider est nutritionniste et directrice de Sharon Springs, une station thermale holistique du nord de l'État de New York, spécialisée en cures d'amaigrissement et de désintoxication.

Kim Ulen est responsable des soins de la peau à la station thermale Cal-a-Vie à Vista, en Californie.

Carole Walderman est esthéticienne et présidente de la Von Lee International School of Aesthetics, Inc., à Baltimore, au Maryland, une école professionnelle et clinique spécialisée en soins de la peau.

Cérumen

4 moyens de se nettoyer les oreilles

Estimez-vous heureux de n'avoir jamais eu à vous faire enlever un insecte dans l'oreille. Aux dires du Dr David Edelstein, oto-rhino-laryngologiste au Eye, Ear, and Throat Hospital de New York, le cas existe, mais il est plutôt rare! Il est par contre plus fréquent d'avoir le tympan bouché par une petite boule de cérumen durcie que seul un médecin peut extraire. Que faire pour l'éviter?

Évitez d'introduire de tout petits objets dans les oreilles. Le principe selon lequel il ne faut jamais introduire quelque chose de plus petit que le coude dans les oreilles fait l'unanimité chez les médecins. N'introduisez jamais rien de pointu comme une épingle à cheveux, un crayon ou un trombonne dans les oreilles, car vous pourriez vous déchirer le tympan. «Évitez aussi de vous servir d'un coton-tige ou de vos doigts, conseille le Dr George W. Facer, oto-rhino-laryngologiste à la clinique Mayo, à Rochester, au Minnesota. Vous croyez vous nettoyer les oreilles, mais vous ne faites qu'enfoncer davantage le cérumen. C'est le meilleur moyen de vous boucher le tympan.»

Ramollissez le cérumen à l'aide de liquides. Quelques gouttes de liquide peuvent ramollir le cérumen. Le Dr Facer suggère de l'eau oxygénée, de l'huile minérale ou de la glycérine dont l'avantage est d'être économique. Pour sa part, le Dr Edelstein suggère d'utiliser un produit nettoyant vendu sans ordonnance comme du Cerulyse® pour les oreilles.

Versez une ou deux gouttes de l'un de ces liquides dans chaque oreille. Laissez s'écouler le surplus. En se dissolvant dans le creux de l'oreille, le liquide finit par ramollir le cérumen. Poursuivez ce traitement pendant deux ou trois jours.

Une fois le cérumen ramolli, rincez-vous les oreilles. «Remplissez un bol avec de l'eau chauffée à la température du corps», dit le Dr Facer. Versez l'eau dans une poire en caoutchouc. Mettez-vous la tête au-dessus du bol et versez doucement un peu de liquide dans le canal auditif. Le filet d'eau devrait s'écouler très lentement. Penchez la tête de l'autre côté pour faire sortir le trop plein d'eau.

Utilisez un sèche-cheveux. Les médecins déconseillent de se sécher les oreilles en les frottant. Prenez plutôt un sèche-cheveux ou mettez-vous une goutte d'alcool dans l'oreille afin d'accélérer le séchage. Faites toujours de même après la douche.

Une habitude à prendre. «Un nettoyage par mois suffit amplement», confirme le Dr Edelstein. Si vous vous nettoyez les oreilles plus souvent, vous vous privez de protection naturelle.

EXPERTS CONSULTÉS

Le Dr David Edelstein est oto-rhino-laryngologiste au Eye, Ear and Throat Hospital de New York.
Le Dr George W. Facer est oto-rhino-laryngologiste à la clinique Mayo, à Rochester, au Minnesota.

Cheveux gras

16 solutions neutralisantes

Il y a des batailles perdues d'avance. Comme ce matin où vous vous êtes acharné à vous coiffer pendant plus de vingt minutes, sans succès. Impossible de savoir pourquoi, mais ni le sèche-cheveux, ni la mousse coiffante n'ont eu raison de vos mèches rebelles. Vous saviez que vous aviez les cheveux gras, mais pas à ce point!

Il se peut que vous ayez trop de cheveux. Plus les cheveux sont fins, plus ils sont nombreux. Or, à la racine de chaque cheveu, il y a des glandes sébacées, qui produisent du sébum, la matière huileuse présente dans le cheveu gras. Ainsi, plus vous avez de cheveux, plus vous avez de glandes sébacées. «Les personnes qui ont les cheveux très fins peuvent avoir jusqu'à 140 000 glandes sébacées dans le cuir chevelu», affirme Philip Kingsley, spécialiste des cheveux à New York et à Londres.

«Les personnes rousses qui ont entre 80 000 et 90 000 cheveux ont rarement les cheveux gras, dit-il. Ce sont les personnes blondes aux cheveux très fins qui ont le plus de problèmes.»

La texture fait aussi la différence. L'huile adhère très facilement aux cheveux raides. Par contre, les cheveux frisés semblent beaucoup moins gras. «Ce n'est qu'une question de perception», affirme le Dr Thomas Goodman Jr, dermatologiste à Memphis et professeur adjoint de dermatologie au Centre des sciences de la santé de l'université du Tennessee.

La chaleur et l'humidité favorisent la production de sébum dans le cuir chevelu, mais les changements hormonaux sont aussi en cause. Ainsi, l'androgène, une hormone mâle, stimule l'activité des glandes sébacées. Le stress fait augmenter les taux sanguins d'androgène, tant chez les femmes que chez les hommes.

L'androgène n'est pas le seul responsable des cheveux gras chez les hommes. «En général, les hommes ont les cheveux plus fins que les femmes, dit Philip Kingsley. Ils ont environ 311 cheveux au centimètre carré, tandis que les femmes n'en ont en moyenne que 278. Cela constitue une différence relativement importante de l'ordre de 10 à 15 %.»

Faites des shampoings fréquemment. Les experts conseillent de se laver les cheveux une fois par jour surtout si l'on vit en milieu urbain. «L'été, lorsque la chaleur et l'humidité activent les glandes sébacées, il est même préférable de faire deux shampoings par jour», affirme le Dr Lowell Goldsmith, professeur de dermatologie et chef du département de dermatologie à la faculté de médecine et de dentisterie de l'université de Rochester, également spécialiste des problèmes capillaires.

«Les glandes sébacées sécrètent continuellement de l'huile, explique-t-il. Grâce à de fréquents shampoings, vous enlevez le sébum à mesure qu'il est sécrété.»

Choisissez un shampoing clair. «Les shampoings clairs et transparents semblent moins visqueux, dit le Dr Goodman. Ils sont plus efficaces et ne laissent pas de résidus.»

Faites un massage du cuir chevelu. «Massez votre cuir chevelu en même temps que vous faites votre shampoing, dit Philip Kingsley. Évitez de masser entre deux shampoings afin d'éviter la sécrétion d'huile», explique-t-il.

Faites-vous deux shampoings. «Si vous avez les cheveux très gras, vous aurez besoin de deux shampoings, dit le Dr Goldsmith. De façon générale, les gens commettent l'erreur de ne pas laisser le shampoing agir suffisamment longtemps, dit-il. Je conseille aux personnes qui ont les cheveux très gras de se laver deux fois les cheveux et de laisser agir le shampoing cinq minutes chaque fois. N'ayez aucune crainte, cela n'abîme ni les cheveux ni le cuir chevelu.»

Évitez les shampoings conditionneurs. «Si vous avez des cheveux gras qui s'aplatissent au fil de la journée, évitez les conditionneurs qui les rendent encore plus gras», conseille le Dr Goodman.

Préoccupez-vous des pointes. Si vous croyez avoir besoin d'un shampoing conditionneur, choisissez le produit qui contient le moins d'huile possible et ne traitez que les pointes de vos cheveux.

Vérifiez vos cheveux après un shampoing. «Une petite quantité de shampoing ne peut enlever qu'une petite quantité d'huile, dit le Dr Goldsmith. Par conséquent, utilisez-en suffisamment. Une fois que vos cheveux sont propres, vérifiez s'ils vous semblent encore gras. Si c'est le cas, c'est que vous ne les avez pas bien lavés.»

Traitez votre cuir chevelu à l'aide d'un produit astringent. Vous pouvez ralentir la sécrétion de sébum avec un astringent maison. Philip Kingsley vous suggère d'appliquer sur le cuir chevelu des tampons d'ouate imbibés d'un mélange constitué de 50% d'hamamélis et de 50% de solution pour gargarismes. L'hamamélis a des propriétés astringentes. Quant au gargarisme, il agit comme antiseptique. «Si vous avez le cuir chevelu très gras, faites ce traitement à chaque shampoing», conseille Philip Kingsley.

Ne vous brossez pas trop les cheveux. «Les personnes qui ont les cheveux très gras doivent éviter de les brosser trop vigoureusement», précise le Dr Goldman. Sachez qu'en vous

brossant les cheveux à partir de la racine, vous faites remonter l'huile sur toute la longueur du cheveu.

Choisissez une coupe qui donne du volume aux cheveux. Ne vous laissez plus déprimer par des cheveux trop plats. Faites-vous faire une coupe qui donne plus de volume aux cheveux. «Je coupe par en-dessous pour donner du corps au cheveu», dit David Daines, propriétaire du salon de coiffure David Daines, à New York. Demandez à votre coiffeur de vous faire un dégradé. Si vous ne voulez pas avoir les cheveux plats, évitez de porter les cheveux longs et coupés au carré.

Faites sécher vos cheveux dans le sens inverse de la pousse. Lorsqu'ils sèchent naturellement, les cheveux gras sont raides et manquent de corps. Pour donner plus de volume à votre chevelure, faites preuve d'imagination lorsque vous vous servez de votre sèche-cheveux, dit Philip Kingsley. «Utilisez une brosse pour aérer les cheveux depuis la racine, ou penchez-vous en avant et ramenez les cheveux au-dessus de la tête avec votre brosse.

Apprenez à vous détendre. L'action des hormones sur la production de sébum n'est pas encore bien connue. «Nous savons cependant qu'en situation de stress, l'organisme produit davantage d'androgènes, une hormone qui favorise la production de sébum. Par conséquent, détendez-vous!» dit Philip Kingsley.

Les pilules contraceptives sont-elles en cause? Les pilules contraceptives modifient inévitablement l'équilibre hormonal d'une femme qui, à son tour, influe sur la production de sébum. Le Dr Goodman vous suggère d'en parler à votre médecin, si vous prenez ou envisagez de prendre des pilules contraceptives.

Et pourquoi pas un traitement à la bière? «Comme les mousses assèchent les cheveux et bouchent les pores, je leur préfère la bière», dit David Daines. Conservez-la dans un petit contenant de plastique bien fermé pour garder ses propriétés intactes.

Un excellent traitement au citron. «Pressez le jus de deux citrons et ajoutez-le à un litre d'eau pure ou distillée. Cela fait un excellent rinçage», dit David Daines.

Essayez du vinaigre de cidre de pomme. Vous pouvez aussi vous rincer les cheveux avec un demi litre d'eau et 5 ml de vinaigre de cidre de pomme. Cette solution tonifie le cuir chevelu et élimine les résidus de savon qui aplatissent les cheveux gras.

EXPERTS CONSULTÉS

David Daines est propriétaire du salon de coiffure David Daines, à New York.

Le Dr Lowell Goldsmith est professeur de dermatologie et chef du département de dermatologie de la faculté de médecine et de dentisterie de l'université de Rochester, dans l'État de New York. Il se spécialise dans les maladies capillaires.

Le Dr Thomas Goodman Jr est dermatologiste dans un cabinet privé et professeur adjoint de dermatologie au Centre des sciences de la santé de l'université du Tennessee, à Memphis. Il est l'auteur de *Smart Face* et de *The Skin Doctor's Skin Doctoring Book*.

Philip Kingsley est spécialiste des soins capillaires. Il possède des salons à New York et à Londres; il est l'auteur de *The Complete Hair Book*.

Cheveux secs

10 solutions pour des cheveux plus faciles à coiffer

Chaque personne a en moyenne 150 000 cheveux. Il suffit que l'un d'eux soit sec pour que tous le soient. Toutefois, contrairement aux fleurs du jardin, l'eau ne leur réussit pas, encore moins l'eau salée, chlorée ou savonneuse.

«La natation et les shampoings trop fréquents contribuent à assécher les cheveux et à rendre les mèches rebelles», dit Jack Myers, directeur de la National Cosmetology Association. Ce ne sont pas les seuls facteurs. Les colorations, les permanentes, les rouleaux chauffants, les sèche-cheveux et l'exposition excessive au soleil et au vent assèchent aussi les cheveux.

Mais, quelle que soit la cause, vos pauvres cheveux ont besoin d'aide. Voici comment vous pouver leur venir en aide:

Faites vos shampoings avec soin. «Nous avons tendance à nous laver les cheveux une fois par jour. Certes, nos cheveux sont propres, mais les shampoings trop fréquents enlèvent les huiles protectrices du cuir chevelu», dit le Dr Thomas Goodman Jr, dermatologiste à Memphis, au Tennessee, et professeur adjoint au Centre des sciences de la santé de l'université du Tennessee. Si les shampoings trop fréquents assèchent les cheveux, lavez-les moins souvent avec un shampoing très doux, adapté aux cheveux secs ou endommagés.»

Utilisez un shampoing conditionneur. Lorsque les cheveux deviennent secs, les couches externes, appelées cuticules, se détachent de leur tige. Les shampoings conditionneurs maintiennent les cuticules sur la tige, lubrifient les cheveux et neutralisent l'électricité statique qui rend les cheveux électriques. «Choisissez un shampoing conditionneur adapté à vos cheveux et appliquez-le après le shampoing», conseille le Dr Goodman.

Vive la mayonnaise! «La mayonnaise est un excellent revitalisant, dit Steven Docherty, directeur artistique au salon Vidal Sassoon de New York. Laissez la mayonnaise dans vos cheveux entre cinq minutes et une heure avant de rincer.»

Quoi d'autre?

Un mélange tropical

Vous êtes-vous déjà demandé comment les grands coiffeurs traitent leurs propres cheveux? La recette a de quoi surprendre: «Tout simplement, je mélange des bananes et un avocat bien mûrs, disons même pourris», dit Joanne Harris, coiffeuse à Hollywood.

«Un jour en rentrant de la plage, je constatai que je n'avais plus de shampoing conditionneur. Il y avait une vieille banane et un avocat trop mûr qui traînaient sur le comptoir de la cuisine. Je les ai mélangés et j'ai appliqué le mélange sur mes cheveux! Vous savez, ce mélange contient de nombreux éléments nutritifs qui nourrissent et tonifient les cheveux», affirme Joanne Harris.

Elle conseille de laisser ce «mélange tropical» sur les cheveux environ 15 minutes et de les rincer dans l'évier de la cuisine. Idéalement, l'évier devrait être muni d'un broyeur af in d'éviter de boucher les tuyaux.

Coupez les pointes fourchues. Les pointes des cheveux
secs sont plus abîmées. Que faire? «Coupez-les, dit Anja Vaisanen, coiffeuse au réputé salon Suga de New York. Vous devriez couper les pointes fourchues environ toutes les six semaines.»

Évitez la chaleur. La chaleur nuit à la santé des cheveux.
«Deux des plus importantes sources de chaleur sont les rouleaux chauffants et les fers à friser», dit Joanne Harris, coiffeuse de Los Angeles qui compte de nombreuses vedettes parmi ses clients. Elle vous suggère de revenir à vos bons vieux rouleaux de plastique d'autrefois. Pour défriser vos cheveux, humidifiez-les et posez des rouleaux. Attendez 10 minutes. Pour les friser ou les onduler, prenez plutôt des rouleaux en mousse pour la nuit ou faites des tresses.

Protégez vos cheveux contre les éléments extérieurs. «Un vent fort peut effilocher les cheveux comme s'ils étaient
des morceaux de tissu», dit Steven Docherty. Le soleil peut également abîmer les cheveux. La solution: portez un chapeau, aussi bien les journées fraîches d'été que les journées froides et ventées d'hiver.

Ne vous baignez jamais sans bonnet de bain.
«Le chlore est extrêmement néfaste pour les cheveux», dit Steven Docherty. Quand vous allez à la piscine, n'oubliez pas votre bonnet de bain de caoutchouc. Pour une plus grande protection, mettez un peu d'huile d'olive sur vos cheveux.

Vaporisez vos cheveux avec de la bière. «Elle est une
excellente lotion fixative. Elle donne une apparence saine et brillante aux cheveux, même les plus secs», dit Steven Docherty. Vaporisez un peu de bière sur vos cheveux après les avoir lavés et séchés à la serviette et avant de les sécher au sèche-cheveux ou de les coiffer. Ne vous inquiétez pas de l'odeur, elle disparaît rapidement.»

Offrez-vous une visite chez le coifeur. Nos experts
estiment tous qu'un traitement lubrifiant professionnel peut faire des miracles sur les cheveux secs. «Un bon traitement à la vapeur avec des crèmes et des huiles dure environ une heure. Après le traitement, la différence est très évidente», dit Claudia Buttaro, directrice du salon de beauté Watergate de Washington, D.C.

EXPERTS CONSULTÉS

Claudia Buttaro est directrice du salon de beauté familial Watergate à Washington, D.C.

Elle travaille dans la coiffure depuis plus de 20 ans.

Steven Docherty est directeur artistique au salon Vidal Sassoon de New York. Il coiffe certains des plus grands mannequins de New York.

Dr Thomas Goodman Jr a un cabinet privé de dermatologie et il est professeur adjoint au Centre des sciences de la santé de l'université du Tennessee, à Memphis. Il est l'auteur de *Smart Face* et de *The Skin Doctor's Doctoring Book*.

Joanne Harris est la coiffeuse d'un grand nombre de stars de Hollywood. Elle est propriétaire du salon Joanne Harris, à Los Angeles, en Californie.

Jack Myers, esthéticien professionnel depuis plus de 30 ans, est directeur de la National Cosmetology Association. Il est également propriétaire et directeur de la Owensboro School of Hair Design et du salon de coiffure Jack Myers, à Owensboro, au Kentucky.

Anja Vaisanen est coiffeuse au réputé salon Suga de New York. Formée en Finlande, elle travaille dans ce domaine depuis 10 ans.

Cholestérol

26 façons de régulariser son taux de cholestérol

Non seulement faites-vous un peu d'embonpoint, mais votre médecin vous informe que le taux de lipides dans votre sang est trop élevé; et un taux de cholestérol sanguin élevé favorise la croissance de plaques graisseuses qui se forment sur les parois internes des artères. Plus une plaque s'élargit, plus la voie de passage de la circulation sanguine rétrécit. En plus de réduire le flux sanguin et de boucher les artères, ce surcroît de cholestérol peut entraîner des douleurs liées à l'angine de poitrine ou provoquer une crise cardiaque. Sans être médecin, on peut facilement comprendre la gravité du problème.

En soi, le cholestérol n'est pas toujours mauvais. L'organisme produit naturellement le cholestérol qui contribue notamment à la formation de nouvelles cellules, à la production d'hormones et à l'isolation des nerfs. Seul l'excès de cholestérol est nocif.

Malheureusement, il y a un malentendu à propos de cette substance. Il n'est donc pas étonnant qu'entre le cholestérol alimentaire, le cholestérol sanguin, le HDL (lipoprotéines de haute densité) et le LDL (lipoprotéines de faible densité), vous ne sachiez plus distinguer le bon du mauvais. Voici quelques renseignements qui vous aideront à y voir plus clair.

Les aliments d'origine animale contiennent le plus de cholestérol alimentaire. Par exemple, un œuf contient 275 mg de cholestérol alors qu'une pomme en est totalement dépourvue. L'American Heart Association (AHA) conseille de limiter la consommation de cholestérol à 300 mg par jour.

Le cholestérol sanguin est celui que mesure le médecin au moyen d'un test. Le taux de cholestérol idéal devrait être inférieur à 5,18 mmol/l.

Le HDL est une composante du cholestérol sanguin que l'on considère bénéfique en raison de ses propriétés clarifiantes des artères. Une concentration élevée de HDL est donc une bonne chose.

En revanche, le LDL, qui est le jumeau du HDL, est nuisible, car il bouche les artères. Sa concentration doit être réduite au maximum.

Voici quelques conseils de nos experts afin de réduire votre taux de cholestérol sanguin.

Surveillez votre poids. Plus votre poids s'élève, plus votre organisme produit de cholestérol. Une étude effectuée aux Pays-Bas sur une période de 20 ans a révélé que le poids est le facteur le plus déterminant du cholestérol sanguin. Chaque fois que vous prenez un kilo, votre taux de cholestérol augmente de deux points. La célèbre étude Framingham Heart Study a démontré qu'il existe un lien indéniable entre le cholestérol sanguin et le poids.

Par conséquent, si vous faites de l'embonpoint, voilà une raison de plus de perdre du poids. «Faites preuve de bon sens, demande le Dr Paul Lachance, professeur de nutrition à l'université Rutgers du New Jersey. Adoptez un régime alimentaire composé aux deux tiers de fruits, de légumes, de céréales et de grains entiers. La viande et les produits laitiers riches en matière grasse et en calories ne devraient pas constituer plus du tiers des calories totales.»

Coupez les lipides. «Trois facteurs alimentaires principaux influent sur le taux de cholestérol», dit le Dr John LaRosa, président du comité de nutrition de l'AHA, directeur du Centre de recherche sur les lipides de la faculté de médecine de l'université Georgetown.

Ce sont, par ordre d'importance:

• les graisses saturées qui augmentent le taux de cholestérol;
• les graisses polyinsaturées qui réduisent le taux de cholestérol;
• le cholestérol alimentaire qui peut faire augmenter le taux de cholestérol sanguin, mais moins que les graisses saturées.

Les suppléments qui aident à combattre le cholestérol

Les suppléments alimentaires peuvent-ils faire baisser le taux de cholestérol? Certains chercheurs le croient. Voici une liste des suppléments les plus prometteurs. Mais avant de prendre des suppléments alimentaires, consultez votre médecin.

La niacine. «De fortes doses de niacine peuvent réduire à la fois le taux de cholestérol total et la concentration de LDL, rapporte le célèbre Dr Kenneth Cooper, spécialiste en recherche médicale à Dallas, au Texas. Il vaut mieux commencer par de petites doses d'environ 100 mg quotidiennement, puis augmenter graduellement l'apport à 1 g ou 2 g trois fois par jour au cours des semaines qui suivent.»

Le Dr Cooper souligne qu'il faut être prudent, car une augmentation radicale de niacine peut provoquer des bouffées congestives, des troubles intestinaux et, parfois, un déréglement de la fonction hépatique. Assurez-vous de discuter du traitement avec votre médecin. La niacinamide, une forme de niacine qui n'occasionne pas de bouffées, n'a aucun effet sur les lipides dans le sang.

La vitamine C. Paul Jacques, un spécialiste de la recherche de l'université Tufts, a découvert que la vitamine C augmente la concentration de HDL chez les personnes âgées. Il estime qu'un gramme de vitamine C par jour augmente le HDL d'environ 8 %.

D'autres études révèlent que le taux de cholestérol diminue plus rapidement avec un régime riche en pectine additionné de vitamine C qu'avec de la pectine seulement. Heureusement, plusieurs fruits et légumes riches en pectine comme les agrumes, les tomates, les pommes de terre, les fraises et les épinards regorgent aussi de vitamine C.

La vitamine E. Une étude effectuée par des chercheurs français et israéliens montre qu'un apport quotidien de 500 unités internationales (UI) de vitamine E pendant 90 jours augmente considérablement le HDL. «Nos résultats confirment l'utilité de la vitamine E pour les personnes dont la concentration de lipoprotéines est élevé», disent les chercheurs.

Le calcium. Savez-vous qu'en prenant des suppléments de calcium pour vos os, vous rendez service à votre cœur? Une étude a en effet démontré qu'un gramme de calcium par jour pendant huit semaines fait diminuer d'environ 4,8 % le taux de cholestérol chez les sujets dont le taux est modérément élevé. Selon une autre étude, un apport quotidien de deux grammes de carbonate de calcium réduirait le cholestérol d'environ 25 % en 12 mois.

«De ces trois facteurs, ce sont les graisses saturées qui ont l'effet le plus dévastateur sur le cholestérol», dit-il.

Le Dr Donald McNamara, professeur de nutrition à l'université d'Arizona, est du même avis. «Les graisses saturées sont trois fois plus nuisibles que le cholestérol alimentaire.» Il est donc sage de réduire sa consommation de graisses saturées comme la viande, le beurre, le fromage et l'huile hydrogénée. Si c'est possible, remplacez ces aliments par du poisson, de la volaille, des produits laitiers faibles en matière grasse et des huiles polyinsaturées comme l'huile de maïs, de tournesol ou de soja.

Vive l'huile d'olive!
L'huile d'olive et d'autres aliments comme les noix, les avocats, l'huile de colza et l'huile d'arachide contiennent des graisses monoinsaturées. Certains spécialistes ont longtemps pensé que ces graisses n'avaient aucun effet sur le taux de cholestérol, mais croient aujourd'hui qu'elles pourraient contribuer à l'abaisser.

Des études menées par Scott M. Grundy, spécialiste du cholestérol, ont démontré qu'un régime alimentaire riche en graisses monoinsaturées réduit davantage le taux de cholestérol qu'un régime faible en matières grasses. De plus, ces études montrent que les graisses monoinsaturées réduisent le mauvais cholestérol (LDL) sans affecter le bon (HDL).

Adoptez un régime faible en matières grasses auquel vous ajouterez quotidiennement de 30 à 45 ml d'huile d'olive (ou une quantité équivalente d'un autre aliment riche en graisses monoinsaturées). N'oubliez pas cependant d'éliminer les graisses saturées que vous remplacerez par des graisses monoinsaturées.

Attention aux œufs.
Il ne faut toutefois pas éliminer complètement les graisses saturées de son alimentation. Bien que les œufs contiennent 275 mg de cholestérol chacun, le Dr McNamara estime que les deux tiers des gens peuvent se permettre cet excédent de cholestérol alimentaire sans que leur taux de cholestérol sanguin n'augmente. En effet, l'organisme s'adapte à une consommation élevée de cholestérol: il diminue sa propre production ou en excrète l'excès. Au cours d'une étude, on a fait consommer trois gros œufs par jour pendant six semaines à 50 patients. Moins d'un tiers d'entre eux ont vu leur taux de cholestérol s'accroître pendant cette période.

Si vous aimez les œufs, mais ne voulez pas prendre de risque, limitez votre consommation à trois œufs par semaine. Comme le jaune contient le cholestérol, vous pouvez manger autant de blancs d'œuf que vous le désirez. Par exemple, prenez deux blancs d'œuf et un œuf entier quand vous faites des gâteaux. Vous pouvez aussi préparer de délicieuses omelettes ou des œufs brouillés en mélangeant un œuf entier à deux, trois ou même quatre blancs d'œuf.

Mangez beaucoup de légumineuses. Nutritifs et peu coûteux, les haricots et autres légumineuses contiennent une fibre hydrosoluble appelée pectine qui se fixe au cholestérol et expulse ce dernier de l'organisme avant qu'il ne fasse des ravages. De nombreuses études effectuées par le Dr James Anderson, chercheur spécialiste du cholestérol et professeur de médecine et de nutrition clinique à la faculté de médecine de l'université du Kentucky, ont clairement démontré que les haricots font baisser le taux de cholestérol. Dans le cadre de l'une de ces expériences, des hommes qui avaient consommé 400 ml de haricots cuits, par jour, ont vu leur taux de cholestérol diminuer d'environ 20 % en trois semaines.

Selon le Dr Anderson, la plupart des gens auraient avantage à augmenter d'environ six grammes leur consommation quotidienne de fibres solubles. L'équivalent de 250 ml de haricots suffit. Comme il existe une grande variété de légumineuses qui font diminuer le taux de cholestérol, notamment les haricots noirs, les flageolets, les haricots de Lima, les haricots rouges, les graines de soja, les doliques à œil noir et les lentilles, votre alimentation restera diversifiée.

Mangez plus de fruits. La pectine des fruits que vous mangez réduit aussi le taux de cholestérol. Le Dr James Cerda, gastroentérologue au Centre des sciences de la santé de l'université de Floride, a découvert que la pectine du pamplemousse (trouvé dans l'écorce et la pulpe) abaisse le taux de cholestérol d'environ 7,6 % en huit semaines. Comme une réduction de 1 % du taux de cholestérol fait baisser de 2 % le risque de maladie cardiaque, le Dr Cerda estime qu'il s'agit là d'une diminution «assez significative».

Afin d'obtenir la quantité de pectine recommandée par le Dr Cerda, vous devriez manger environ 500 ml de quartiers de pamplemousses par jour. Si cela vous paraît difficile, mangez différents fruits, notamment un demi-pamplemousse au petit déjeuner, une pomme au déjeuner et des quartiers d'orange le soir. Vous abaisserez sûrement votre taux de cholestérol.

Mangez de l'avoine. Il semble que le son d'avoine ait les mêmes propriétés anticholestérol que les fruits riches en pectine. De nombreuses études menées par le Dr Anderson et d'autres chercheurs montrent que le son d'avoine est aussi efficace que les légumineuses. Afin d'obtenir les six grammes de fibres recommandés

Des armes contre le cholestérol

Les substances suivantes peuvent aider à combattre le cholestérol. Bien qu'elles n'aient pas fait l'objet d'études approfondies, les recherches préliminaires semblent prometteuses.

Le thé. Le thé ou, plus précisément le tanin qu'il contient, pourrait maintenir le taux de cholestérol. Une étude a révélé que les personnes dont le régime alimentaire est riche en cholestérol, mais qui boivent du thé régulièrement, ont un taux de cholestérol normal.

L'huile de citronnelle. Une étude a démontré que l'huile de citronnelle, couramment utilisée en cuisine orientale, fait diminuer le taux de cholestérol de plus de 10 %. On pense qu'elle entrave une réaction enzymatique et inhibe la formation de cholestérol à partir de lipides simples.

La spiruline. Cette algue riche en protéines est souvent vendue sous forme de poudre ou de comprimés. Une étude menée au Japon a démontré que la spiruline avait réduit le cholestérol total et le LDL de sujets bénévoles dont le taux était élevé, lorsque ceux-ci consommaient sept comprimés de 200 mg après chaque repas.

L'orge. On considère depuis longtemps l'orge comme une céréale riche en fibres, qui pourrait aussi posséder les mêmes propriétés anticholestérol que l'avoine. Des études ont montré que deux des composés chimiques de l'orge réduisent les taux de cholestérol d'environ 40 % chez les animaux.

Le son de riz. Cette fibre pourrait être aussi efficace que son cousin, le son d'avoine. Des études préliminaires sur des hamsters ont révélé que le son de riz réduisait le cholestérol de plus de 25 %.

Le charbon activé. Broyée finement, cette substance, souvent utilisée pour soulager les flatulences, pourrait se fixer aux molécules de cholestérol afin de les expulser de l'organisme en toute sûreté. Une étude menée auprès de patients qui avaient pris sept grammes de charbon activé trois fois par jour, pendant quatre semaines, révèlent que leur concentration de LDL avait diminué d'environ 41 %.

par le Dr Anderson, il suffit de manger 125 ml de son d'avoine sous forme de céréales cuites ou dans des muffins. Une étude effectuée en Californie révèle que des étudiants en médecine qui ont mangé deux muffins de son d'avoine par jour, pendant quatre semaines, ont vu leur taux de cholestérol sanguin diminuer d'environ 5,3 %.

Bien que le son d'avoine contienne une plus grande quantité de fibres solubles, les flocons d'avoine peuvent aussi abaisser le taux de cholestérol. Selon une étude de la faculté de médecine de l'université Northwestern, si l'on ajoute environ 175 ml de flocons d'avoine par jour à un régime faible en matières grasses et en cholestérol, le taux de cholestérol diminue davantage que dans un régime sain.

À la suite de toutes ces études, les scientifiques du ministère de l'Agriculture des États-Unis (USDA) ont commencé à cultiver des variétés d'avoine à teneur encore plus élevée en bétaglucane, la substance susceptible de lutter contre le cholestérol. Toutefois, des études récentes ont contredit cette affirmation

Le son de maïs. Selon des études effectuées par Leslie Earll, nutritionniste à l'hôpital universitaire de Georgetown, le son de maïs est aussi efficace que le son d'avoine et les légumineuses pour abaisser le taux de cholestérol. Des patients, qui avaient déjà tenté de maintenir leur taux de cholestérol par un régime faible en cholestérol et par la perte de poids, ont consommé 30 ml de son de maïs (mélangé à de la soupe ou à du jus de tomate) à chaque repas. Après 12 semaines, leur taux de cholestérol avait diminué d'environ 20 %. Selon les chercheurs, «cette fibre très faible en calories mérite une étude plus approfondie».

Mangez plus de carottes. «Les carottes aussi font diminuer le taux de cholestérol grâce à leur teneur élevée en pectine, dit le Dr Peter D. Hoagland, du centre de recherche de l'USDA de l'Est des États-Unis à Philadelphie, en Pennsylvanie. En fait, dit-il, les personnes dont le taux de cholestérol est élevé pourraient l'abaisser de 10 à 20 % simplement en mangeant deux carottes par jour.» Cette diminution suffirait à ramener à un niveau acceptable le taux de cholestérol de bon nombre de personnes.

Selon le Dr Hoagland, le chou, le brocoli et les oignons contiennent aussi du calcium de pectate, l'ingrédient présent dans les carottes et qui serait responsable de leur effet bénéfique. Ces aliments pourraient donner des résultats similaires.

Faites de l'exercice. «Certains croient que l'exercice diminue les dépôts de cholestérol sur la paroi interne des artères, dit le

Dr Paul D. Thomson, cardiologue et professeur adjoint de médecine à l'université Brown au Rhode Island. L'exercice vigoureux est l'un des meilleurs moyens d'accroître la concentration de HDL, dit-il, et d'abaisser légèrement la concentration de LDL nuisible.»

«L'exercice peut aussi augmenter la capacité de l'organisme à éliminer les matières grasses du sang après les repas», dit-il. Les risques que le cholestérol se fixe aux parois artérielles sont atténués lorsque les lipides ne restent que temporairement dans le sang. Nous avons découvert que les adeptes de la course à pied éliminent les matières grasses beaucoup plus rapidement, environ 70 %, que les personnes sédentaires. Alors, à vos marques!

Mangez du bœuf, mais sans excès. En voilà une surprise! La viande rouge, une source de graisses saturées bien connue, peut faire partie d'un régime cardio-vasculaire sain si l'on mange de la viande maigre dépourvue de tout gras visible. Des chercheurs britanniques ont fait consommer à des hommes dont le taux de cholestérol était extrêmement élevé un régime riche en fibres et faible en matières grasses, mais qui comportait 180 g de viande rouge très maigre. Dans ce régime, l'apport en calories en provenance des graisses se chiffrait seulement à 27 %. Le taux de cholestérol des sujets de l'étude a diminué de 18,5 %.

En conclusion, les chercheurs croient qu'une quantité modérée de viande peut être intégrée à un régime alimentaire si l'on s'assure d'éliminer le plus possible leur teneur en gras.

Les bienfaits du lait écrémé. Le Dr Aura Kilara, professeur adjoint de diététique à l'université Pennsylvania State, suggère de boire beaucoup de lait écrémé. Dans le cadre d'une étude, des sujets ont ajouté un litre de lait écrémé à leur régime alimentaire quotidien. Après 12 semaines, les taux de cholestérol les plus élevés avaient diminué d'environ 8 % en moyenne. Le Dr Kilara croit qu'un composé de la partie non lipidique du lait écrémé restreint la production de cholestérol dans le foie.

Mangez de l'ail. Les chercheurs savent depuis longtemps que de grandes quantités d'ail cru peuvent réduire les lipides sanguins dommageables. Cependant, l'ail cru pourrait vous faire perdre des amis et l'ail «désodorisé» semble perdre ses propriétés anticholestérol s'il est traité à la chaleur. Il existe maintenant un extrait d'ail liquide, à l'odeur modifiée, qui semble abaisser le taux de cholestérol. Il s'agit d'un produit japonais appelé Kyolic.

Le Dr Benjamin Lau de l'université Loma Linda, en Californie, a fait prendre un gramme d'extrait d'ail liquide par jour à des patients dont le taux de cholestérol était élevé. En six mois, leur cholestérol avait diminué d'environ 44 %.

Essayez les graines de psyllium. Les graines de psyllium, principal ingrédient actif du laxatif Transilane®, sont riches en fibres et pourraient aussi faire diminuer les taux de cholestérol. Le Dr Anderson a demandé à certains patients de prendre 15 ml de Transilane® trois fois par jour, pendant huit semaines. Leur taux de cholestérol a diminué d'environ 15 %.

Le Dr Anderson estime que le Transilane®, et d'autres produits à base de graines de psyllium, sont d'excellents adjuvants lorsque le régime alimentaire n'arrive pas à abaisser le taux de cholestérol. (Demandez conseil à votre médecin si vous souffrez de colopathie).

Réduisez votre consommation de café. Une étude réalisée au Texas par le Dr Barry R. Davis a révélé qu'il existe un lien entre la consommation de café et un taux de cholestérol élevé. Dans le cadre d'une étude nationale sur la tension artérielle menée auprès de 9 000 personnes, le Dr Davis a découvert que les sujets dont le taux de cholestérol était élevé consommaient deux tasses ou plus de café par jour.

L'étude ne précise pas quel était l'élément responsable de la hausse de cholestérol, mais une autre étude, d'origine suédoise, attribue le problème au fait de bouillir le café ou de le préparer au percolateur. Le café filtre ne semble pas provoquer de hausse du taux de cholestérol comme le fait le café au percolateur. Qui plus est, la caféine est absoute de tout blâme.

Ne fumez pas. Voici une autre raison de cesser de fumer. Une étude effectuée à la Nouvelle-Orléans par le Dr David S. Freedman a démontré que des jeunes garçons qui fumaient seulement 20 cigarettes par semaine avaient des taux de cholestérol considérablement plus élevés que la moyenne. En outre, une étude suédoise a révélé que les fumeurs ont des concentrations réduites de HDL, le cholestérol bénéfique. En revanche, des fumeurs qui avaient cessé de fumer ont vu leur concentration de HDL augmenter rapidement et de manière importante.

Détendez-vous. Selon une étude effectuée par Margaret A. Carson, spécialiste en sciences infirmières cliniques au New Hampshire, la relaxation à elle seule peut faire diminuer le taux de cholestérol. Margaret Carson a découvert que des patients cardiaques qui écoutaient de la musique de relaxation, en plus de suivre un régime alimentaire faible en cholestérol, voyaient leur taux de cholestérol diminuer davantage qu'un autre groupe dont le loisir était la lecture.

EXPERTS CONSULTÉS

Le Dr James W. Anderson est directeur du Service d'endocrinologie du Centre médical Veterans Administration à Lexington, au Kentucky. Il est en outre professeur de médecine et de nutrition clinique à la faculté de médecine de l'université du Kentucky, à Lexington. C'est l'un des plus éminents chercheurs sur le cholestérol.

Le Dr James Cerda est gastro-entérologue au Centre de sciences de la santé de l'université de Floride, à Gainesville.

Le Dr Kenneth Cooper, spécialiste en recherche médicale, est le président-fondateur de The Aerobics Center à Dallas, au Texas, et l'auteur de *Controlling Cholesterol, Preventing Osteoporosis* et d'autres ouvrages.

Peter D. Hoagland est chercheur au Centre de recherche de l'USDA de l'Est des États-Unis, à Philadelphie, en Pennsylvanie.

Aura Kilara est professeur adjoint de diététique à l'université Pennsylvania State de University Park.

Paul Lachance est professeur de nutrition à l'université Rutgers du New Jersey, à New Brunswick.

Le Dr John LaRosa est directeur du Centre de recherche sur les lipides de la faculté de médecine de l'université George Washington, à Washington, D.C., et président du comité de nutrition de l'American Heart Association.

Donald J. McNamara est professeur de nutrition à l'université d'Arizona, à Tucson.

Le Dr Paul D. Thomson est professeur adjoint de médecine à l'université Brown de Providence, au Rhode Island, et cardiologue à l'hôpital Miriam de la même ville.

Cicatrices

10 façons d'atténuer les dommages

Peut-être voulez-vous jouer au dur? Alors, portez du noir, fumez le cigare et, surtout, montrez à qui le veut la longue balafre qui traverse votre joue.

Bien sûr, cela n'est peut-être pas le look que vous recherchez. Dans ce cas, lisez le présent chapitre, car la façon dont vous traitez une coupure peut déterminer le genre de cicatrice, le temps de guérison et la rapidité à laquelle elle peut s'atténuer.

Pas de coupures, pas de cicatrices. On n'achète pas un chien si l'on ne veut pas ramasser des poils, et si l'on veut éviter les caries, on ne mange pas de sucre. Ce principe vaut pour les cicatrices. Il ne faut pas se couper. «Chaque fois que vous vous coupez la peau, il reste une marque, dit le Dr Gerald Imber, chirurgien plastique de garde au Centre médical du New York Hospital-Cornell University, à New York. Certaines personnes, dit-il, ne cicatrisent pas aussi bien que d'autres, et chacun guérit différemment. Il faut alors vous protéger contre les blessures qui peuvent laisser des cicatrices en portant des gants, des pantalons et des chemises à manches longues, surtout si vous travaillez avec des objets tranchants ou des outils.»

Aidez vos blessures à bien guérir. Une blessure qui se cicatrise rapidement et sans problème est moins susceptible de laisser une marque qu'une blessure qui s'infecte. Nettoyez bien toutes les blessures et les égratignures que vous vous infligez (l'eau oxygénée est un bon agent nettoyant). «Gardez les plaies légèrement humides pendant la guérison en les couvrant d'une pommade antibiotique», dit le Dr Jeffrey H. Binstock, dermatologiste dans un cabinet privé et professeur adjoint de chirurgie dermatologique à la faculté de médecine de l'université de Californie, à San Francisco. (Veuillez vous reporter à la page 135 pour en savoir plus sur la façon de bien traiter les coupures et les égratignures.)

Laissez la plaie tranquille. Nos mères avaient raison. «Enlever la croûte sur une blessure en cours de guérison augmente les risques d'une cicatrice visible», dit le Dr John F. Romano, dermatologiste et médecin de garde à l'hôpital et centre médical St. Vincent's à New York.

Couvrez vos plaies d'un pansement «papillon». Dans le cas d'une blessure profonde, et surtout s'il s'agit d'une coupure au visage où la cicatrice serait plus visible, rendez-vous chez un médecin qui vous fera des points de suture. En revanche, si la coupure est superficielle, mais que vous craignez une cicatrice, utilisez un pansement «papillon», dit le Dr Romano. Ce pansement, en vente dans les pharmacies, immobilise la coupure, ce

---

Quoi d'autre?

Frottez la blessure avec de l'huile

Prenez une gélule de vitamine E, brisez-la et répandez l'huile sur la coupure ou la cicatrice. Bon nombre de personnes ont adopté cette mesure simple et efficace. Certaines d'entre elles croient même que la vitamine E aide à prévenir les cicatrices ou à faire disparaître les cicatrices récentes.

En fait, la vitamine E fait vraisemblablement disparaître les vieilles cicatrices. «Cette vitamine aide la nouvelle plaie à guérir plus rapidement que si l'on ne s'en occupait pas, dit le Dr Stephen Kurtin, et elle atténue sûrement la cicatrice qui s'y forme.»

Comment expliquer ce phénomène? Le Dr Kurtin explique que c'est l'huile de la gélule qui est bénéfique, car elle garde le site de la blessure humide. Il n'y a rien de magique dans le traitement. «En fait, on obtiendrait le même résultat en appliquant la même huile sans vitamine E», dit-il.

---

qui favorise la guérison et réduit les risques de cicatrice. N'appliquez ce pansement qu'après avoir nettoyé votre plaie à fond.

Adoptez un régime alimentaire équilibré. Les blessures ne guérissent bien que si votre organisme est en mesure d'aider. En fait, les protéines et les vitamines que nous fournit une alimentation équilibrée sont essentielles à un bon métabolisme. Le zinc joue notamment un rôle important dans la cicatrisation d'une blessure. Les graines de citrouille et de tournesol grillées, les noix du Brésil, l'emmenthal, les arachides, la viande brune de dinde et le bœuf maigre sont d'excellentes sources de zinc.

Traitez vos cicatrices avec délicatesse. «Les glandes sudoripares, sébacées et pileuses sont détruites à l'endroit où se forme la cicatrice, ce qui rend le site cicatriciel très vulnérable», dit le Dr Paul Lazar, professeur de dermatologie clinique à la faculté de médecine de l'université Northwestern. C'est pourquoi il conseille de toujours bien lubrifier les grosses cicatrices, notamment celles qui proviennent de brûlures du troisième degré, au moyen d'une bonne crème hydratante afin de les protéger contre les frottements.

Allez-y doucement dans la douche. Si vous avez tendance à utiliser les gants de toilette et à vous laver de façon très énergique, suivez le conseil du Dr Lazar qui recommande de laver les cicatrices avec douceur.

Couvrez vos cicatrices d'un écran solaire. «Le tissu

cicatriciel contient moins de pigment. Il n'a donc pas la capacité de développer un bronzage protecteur et est particulièrement vulnérable aux coups de soleil. Prenez soin de couvrir vos cicatrices d'un écran solaire lorsque vous sortez par temps ensoleillé», dit le Dr Stephen Kurtin, dermatologiste à New York et professeur adjoint de dermatologie à la faculté de médecine Mount Sinai de l'université de la ville de New York.

Ne vous alarmez pas outre mesure. «Les cicatrices

récentes sont souvent très visibles, mais rassurez-vous. N'oubliez pas que la couleur d'une cicatrice s'estompe d'elle-même avec le temps», dit le Dr Lazar.

EXPERTS CONSULTÉS

Le **Dr Jeffrey H. Binstock** est dermatologiste dans un cabinet privé à San Francisco et à Mill Valley, en Californie. Il est aussi professeur adjoint de chirurgie dermatologique à la faculté de médecine de l'université de Californie, à San Francisco.

Le **Dr Gerald Imber** est chirurgien plastique de garde au Centre médical du New York Hospital-Cornell University, à New York.

Le **Dr Stephen Kurtin** est dermatologiste à New York et professeur adjoint de dermatologie à la faculté de médecine Mount Sanai de l'université de la ville de New York.

Le **Dr Paul Lazar** est professeur de dermatologie clinique à la faculté de médecine de l'université Northwestern de Chicago, en Illinois. Il a aussi siégé au conseil d'administration de l'American Academy of Dermatology.

Le **Dr John F. Romano** est dermatologiste et médecin de garde à l'hôpital et centre médical St. Vincent's, à New York. Il est aussi instructeur clinique de médecine au Centre médical du New York Hospital-Cornell University, à New York.

Claudication intermittente

8 façons de soulager la douleur

La claudication intermittente est une douleur chronique au mollet qui survient durant la marche. Notamment, aux États-Unis, elle affecte plus d'un million de personnes âgées de plus de 50 ans. Cette condition douloureuse et inquiétante est aussi le symptôme d'une affection plus grave, les troubles vasculaires périphériques.

Tout comme le rétrécissement des vaisseaux sanguins du cœur cause l'angine de poitrine, la claudication intermittente est un signe que la circulation sanguine est insuffisante en «périphérie», c'est-à-dire aux extrémités les plus éloignées du cœur: les jambes et les bras.

«Il s'agit de la phase symptomatique d'un trouble artériel», dit le Dr Jess R. Young, directeur du département de médecine vasculaire de la Cleveland Clinic Foundation, en Ohio. Lorsque les troubles artériels touchent le cœur, vous souffrez d'angine et de crises cardiaques; lorsqu'ils touchent le cerveau, ils entraînent des accidents cérébro-vasculaires. La claudication intermittente est un phénomène analogue qui survient dans les jambes et les bras.

Voilà pourquoi elle ne doit pas être prise à la légère. Si votre médecin a diagnostiqué une claudication intermittente, continuez de le voir régulièrement afin qu'il suive l'évolution de la maladie. Après tout, la douleur n'est qu'un symptôme; la vraie maladie peut être fatale.

Ne soyez pas pessimiste. De nombreuses mesures existent afin de soulager la douleur de la claudication intermittente et de ralentir l'évolution des troubles vasculaires périphériques.

Cessez de fumer. «Toute personne qui souffre de claudication intermittente doit cesser de fumer, dit le Dr Young. On estime que 75 % à 90 % des personnes qui souffrent de claudication intermittente sont des fumeurs.»

Nos experts sont unanimes à ce sujet, surtout en ce qui concerne le succès des mesures préventives énoncées ci-dessous. Sinon, quel en serait l'avantage? Constatez-le vous-même: le fait de fumer accroît les dommages que peuvent causer la maladie en substituant du monoxyde de carbone aux muscles des jambes déjà mal alimentés en oxygène. La nicotine provoque la constriction des artères, ce qui entraîne une diminution du flux sanguin, endommage les artères et cause la formation de caillots. À leur tour, ces caillots peuvent déclencher de la gangrène ou entraîner une amputation.

«Arrêter de fumer est une obligation», dit le Dr Robert Ginsburg, directeur du Center for Interventional Vascular Therapy de l'hôpital universitaire Stanford, en Californie.

Faites de la marche. «Après avoir cessé de fumer, l'exercice est la deuxième mesure préventive à adopter, dit le Dr Young, qui recommande, tout comme nos experts, l'exercice le plus simple au monde: la marche.

«Marchez au moins une heure tous les jours, dit le Dr Young. Vous pouvez le faire en plusieurs séances, mais pour que l'exercice soit bénéfique, marchez jusqu'à ce que vous ressentiez la douleur de la claudication intermittente. Cependant, ne vous arrêtez pas dès qu'elle se manifeste. Attendez qu'elle devienne assez intense, puis arrêtez-vous et reposez-vous jusqu'à ce qu'elle disparaisse. Reprenez ensuite votre marche.» Répétez le cycle marche/douleur aussi souvent que vous le pouvez pendant votre heure de marche quotidienne.

Sachez cependant que vos symptômes ne disparaîtront pas sur-le-champ. «Il faut compter au moins deux mois avant d'obtenir des résultats», dit le Dr Young. Ne vous découragez pas.

Défiez le mauvais temps. «La marche est le meilleur exercice qui soit, dit le Dr Ginsburg, mais faire de la bicyclette stationnaire peut aussi vous aider, surtout si vous faites travailler les mollets.» En fait, tout exercice intérieur qui fait travailler les mollets suffisamment pour provoquer la douleur de la claudication peut s'avérer utile. Essayez aussi d'autres exercices comme plier les orteils, monter un escalier, courir sur place, sauter à la corde ou danser. (Obtenez d'abord l'accord de votre médecin avant d'entreprendre ces exercices plus énergiques.)

«Mieux vaut faire de l'exercice à l'intérieur plutôt que de marcher dans une tempête», souligne le Dr Ginsburg, Il maintient toutefois que la marche est l'exercice par excellence lorsque le temps le permet.

Prenez soin de vos pieds. «Assurez-vous de soigner toute blessure ou ampoule aux pieds dès qu'elle apparaît», dit le Dr Michael D. Dake, spécialiste des troubles vasculaires au Miami Vascular Institute, en Floride. «Les blessures aux pieds qui ne guérissent pas et s'infectent sont probablement une des principales causes d'amputation.»

Les blessures aux pieds, léger désagrément chez les personnes sans problèmes, peuvent se transformer en une infection majeure dans les cas de circulation périphérique déficiente.

Vous pouvez toutefois écarter bon nombre de problèmes en soignant bien vos ongles d'orteils, en traitant le pied d'athlète et en évitant les températures trop élevées ou trop basses. Examinez soigneusement vos pieds tous les jours et consultez votre médecin au moindre signe de blessure ou d'infection.

Perdez du poids. L'obésité est un problème majeur pour les personnes qui souffrent de claudication, non seulement en raison de ses effets sur la circulation sanguine, mais aussi à cause des dommages qu'elle cause aux pieds.

«Vous provoquez des traumatismes aux tissus des pieds qui sont insuffisamment irrigués pour supporter les excès de poids et pour guérir», note le Dr Young.

Évitez les coussins chauffants. En raison de l'insuffisance du flux sanguin dans les jambes, les personnes qui souffrent de claudication intermittente ont souvent froid aux pieds. Si tel est le cas, n'essayez pas de réchauffer vos pieds à l'aide d'un coussin chauffant ou d'une bouillotte. «Il faut augmenter le flux sanguin si l'on veut dissiper la chaleur, explique le Dr Young. Lorsque le flux est

---

ALERTE MÉDICALE

Les dangers de l'infection

Les blessures chroniques aux pieds qui s'infectent sont l'une des principales causes d'amputation chez les personnes qui souffrent de claudication intermittente. Consultez immédiatement votre médecin si vous avez une coupure, une égratignure, une ampoule ou toute autre blessure aux pieds qui enfle ou devient douloureuse à la suite d'une infection.

insuffisant, il n'atteint pas l'extrémité des membres où vous appliquez la chaleur et vous pouvez vous brûler.» Pour vous réchauffer les pieds, portez plutôt de grandes chaussettes de laine.

Surveillez votre tension artérielle et votre taux de cholestérol. «Si vous souffrez de claudication intermittente, assurez-vous de ne pas être victime d'hypertension artérielle ou d'hyperlipidémie, dit le Dr Young. Ce sont d'importants facteurs de risque qui augmentent considérablement la gravité de la maladie sousjacente. On doit surveiller étroitement ces deux affections.»

Apprenez à mieux connaître votre cardiologue. «Si vous souffrez de claudication intermittente et n'avez pas encore consulté un cardiologue, faites-le immédiatement», prévient le Dr Ginsburg. Voici pourquoi: l'incidence de maladies coronariennes chez les personnes atteintes de troubles vasculaires périphériques est de 75 à 80 %, et la claudication intermittente en est le symptôme principal.

«Lorsqu'une personne souffrant d'insuffisance vasculaire dans les jambes se présente à mon cabinet, dit le Dr Ginsburg, il y a de fortes chances que des blocages au cœur et aux artères carotides qui mènent au cerveau existent. C'est pourquoi l'on doit examiner non seulement l'état des vaisseaux sanguins en jeu, mais aussi les organes qu'ils irriguent.»

EXPERTS CONSULTÉS

Le Dr Michael D. Dake est spécialiste des troubles vasculaires au Miami Vascular Institute de Floride.

Le Dr Robert Ginsburg est directeur du Center for Interventional Vascular Therapy de l'hôpital universitaire Stanford, en Californie.

Le Dr Jess R. Young est directeur du département de médecine vasculaire de la Cleveland Clinic Foundation, en Ohio.

Colique

10 façons de calmer la douleur

La colique infantile a fait l'objet d'études scientifiques dès le VIᵉ siècle. Aujourd'hui, les parents d'un nourrisson savent parfaitement comment elle se manifeste: il hurle tout en repliant ses genoux sur l'abdomen. Il a des gaz, puis il se calme et se remet aussitôt à pleurer.

Rien ne semble avoir changé au cours des siècles et aucun remède n'a encore été trouvé. On ne peut calmer les coliques d'un nourrisson en le faisant manger ou en lui changeant sa couche. Les coliques peuvent durer des heures. Ce sont les nourrissons de quatre à six semaines qui en souffrent le plus. En général, elles disparaissent au troisième ou quatrième mois de la vie du bébé.

Bien que les remèdes suggérés ci-après ne guérissent pas les coliques, ils soulagent le bébé et réconfortent les parents affligés. Essayez-les à votre tour. Ne désespérez pas. Il ne s'agit que d'un phénomène passager.

Apprenez à bien tenir l'enfant. «Je crois beaucoup en la façon de porter l'enfant qui souffre de coliques», dit Ann Price, coordonnatrice pédagogique à la National Academy of Nannies, Inc. (NANI) de Denver, au Colorado.

«Étendez l'avant-bras, la paume de la main tournée vers le ciel. Placez ensuite le bébé à plat ventre sur le bras. Faites reposer sa tête dans le creux de la main et laissez pendre ses jambes de chaque côté du bras. Soutenez le bébé de l'autre main et promenez-le dans la maison, explique Ann Price. Vous verrez, c'est une méthode très efficace.»

Faites-lui faire son rot. «Certains bébés qui souffrent de coliques ont plus de gaz que la normale, et donc plus de difficultés à faire leur rot», dit Linda Jonides, infirmière pédiatrique à Ann Arbor, au Michigan.

Voici ses conseils: vérifiez la position dans laquelle vous faites manger le nourrisson (il doit rester bien droit) et faites-lui faire un rot chaque fois qu'il boit environ 30 ml de lait. Essayez différentes sortes de tétines. (Certains parents ne jurent que par la tétine Playtex.)

Évitez le lait de vache.
Selon de nombreux spécialistes des soins pédiatriques, les coliques seraient causées par cerraines substances du lait de vache que la mère transmet à l'enfant en l'allaitant. Bien que des recherches récentes ne semblent pas confirmer cette hypothèse, les experts recommandent aux mères d'éviter de boire du lait de vache, surtout si elles ont déjà été allergiques.

«Je suis convaincue que le lait que boit la mère est une cause fréquente de coliques chez les bébés allaités, dit Ann Price. Je conseille donc aux mères d'éliminer le lait de leur alimentation et d'attendre quelque temps. Si le bébé ne fait plus de coliques, vous avez la solution au problème. Dans le cas contraire, il vous faudra également réduire votre consommation d'autres produits laitiers.»

Surveillez votre alimentation.
«Il arrive que certains aliments ne conviennent pas au bébé, dit le Dr Morris Green, directeur du Service de pédiatrie de la faculté de médecine de l'université d'Indiana. Une maman qui allaite devrait tenter de faire le lien entre ce qu'elle mange et les coliques de son bébé.» Parmi les aliments à surveiller, mentionnons les boissons qui contiennent de la caféine, le chocolat, les bananes, les oranges, les fraises et les aliments très épicés.

Emmitouflez votre bébé.
«Quand votre bébé souffre de coliques, serrez-le contre vous après l'avoir bien emmitouflé, dit Linda Jonides. Vous pouvez aussi le mettre dans un sac porte-bébé, ce qui vous permet de vaquer à vos occupations.»

Pour une raison inconnue, un bébé bien emmitouflé dans une couverture se calme petit à petit. Ne craignez pas de trop gâter votre bébé qui a un réel besoin de contact physique.

L'aspirateur au lieu d'une berceuse.
«Nul ne sait pourquoi, mais les bébés qui souffrent de coliques semblent apprécier le bruit de l'aspirateur», dit le Dr Green. Certains parents enregistrent le bruit de l'appareil et le font écouter au bébé lorsque celui-ci commence à s'agiter. D'autres se contentent de passer l'aspirateur en espérant que le bébé se calmera avant que la moquette ne soit usée. Ann Price suggère une méthode plus dynamique. «Mettez votre bébé dans un sac ventral et passez l'aspirateur: vous ferez ainsi d'une pierre deux coups, dit-elle. L'enfant s'endort instantanément contre vous.»

Le doux ronron du sèche-linge. «Placez l'enfant dans
son siège pour bébé. Adossez le siège au sèche-linge en marche afin
que votre bébé perçoive le ronron et les vibrations de l'appareil»,
explique Helen Neville, infirmière pédiatrique à l'hôpital Kaiser
Permanente d'Oakland, en Californie.

Cette méthode vous semble farfelue? Peut-être, mais pourquoi
ne pas l'essayer plutôt que d'attendre que bébé se calme deux ou
trois heures plus tard. «Les vibrations du sèche-linge semblent avoir
un effet calmant sur les bébés qui souffrent de coliques», affirme
Helen Neville.

Essayez une bouillotte. «Placez une bouillotte ou un
coussin chauffant (réglé à très faible température) sur le ventre du
bébé. Cela peut lui faire du bien», dit Linda Jonides. (Prenez soin de
mettre une serviette sous la bouillotte afin de ne pas brûler l'enfant.)

Tenez un journal de bord. «Tenir un journal de bord est
aussi une bonne idée, dit Helen Neville. Bien souvent, vous avez
l'impression que votre bébé pleure depuis deux heures alors qu'il
n'est agité que depuis 45 minutes. Un journal de bord vous permettra de noter la durée de ses crises et surtout d'en déterminer la
cause.»

Mettez bébé dans sa balançoire. «Le mouvement a un
effet apaisant, dit Linda Jonides. Lorsqu'ils se balancent, de nombreux bébés restent calmes relativement longtemps. Les balançoires
automatiques peuvent les soulager pendant environ 20 minutes.»

EXPERTS CONSULTÉS

Le Dr Morris Green est directeur du Service de pédiatrie de la faculté de médecine de
l'université d'Indiana, à Indianapolis.

Linda Jonides est infirmière pédiatrique à Ann Arbor, au Michigan.

Helen Neville est infirmière pédiatrique à l'hôpital Kaiser Permanente d'Oakland, en
Californie, où elle participe à une ligne ouverte à l'intention des parents en détresse. Elle est
l'auteur de *No-Fault Parenting*.

Ann Price est coordonnatrice pédagogique à la National Academy of Nannies, Inc., de
Denver, au Colorado, et coauteur de plusieurs ouvrages, dont *Successful Breastfeeding* et
Dr. Mom.

Conjonctivite

7 remèdes contre la conjonctivite

Lorsque vous étiez enfant et que vous souffriez de conjonctivite, vous aviez droit à quelques jours de vacances. Aujourd'hui, vous ne vous absentez pas de votre travail pour autant, mais vos yeux ont quand même besoin d'être soulagés. Voici quelques suggestions:

Faites des compresses. Dans votre souvenir, votre mère entrait dans votre chambre, s'asseyait sur le bord du lit et appliquait délicatement un linge mouillé sur vos yeux. C'était une excellente idée même si l'oreiller était vite trempé. «Appliquer une compresse tiède sur les yeux de cinq à dix minutes, trois fois par jour, peut énormément soulager», dit le Dr Robert Petersen, directeur de la clinique d'ophtalmologie au Children's Hospital de Boston, au Massachusetts.

ALERTE MÉDICALE

N'hésitez pas à consulter votre médecin

La conjonctivite est facile à traiter et, souvent, elle disparaît d'elle-même après environ une semaine. Cependant, vous devriez consulter un médecin si:

- l'infection s'aggrave après cinq jours.
- la rougeur de l'œil s'accompagne de douleur, si vous avez des troubles de la vision ou s'il y a une production abondante de pus jaunâtre ou verdâtre.
- la rougeur est causée par une blessure. «Parfois, l'infection peut atteindre l'œil, égratigner la cornée et causer un ulcère, une perte de la vision et même la perte de l'œil», dit le Dr Petersen.

Par conséquent, si vous avez le moindre doute, n'attendez pas, consultez votre médecin sans tarder.

Nettoyez bien vos yeux. «Souvent, la conjonctivite disparaît d'elle-même, dit le Dr Petersen. Pour accélérer la guérison, nettoyez bien vos yeux et vos paupières. Utilisez un tampon d'ouate imbibé d'eau propre ou stérile pour enlever les croûtes.»

Dorlottez-vous. Une compresse tiède fait parfois des miracles chez les enfants, mais les adultes ont besoin d'autre chose. «Les adultes qui ont beaucoup de sécrétions devraient préparer une solution en mélangeant une dose de shampoing pour bébés à 10 doses d'eau tiède», dit le Dr Peter Hersh, ophtalmologiste et chirurgien adjoint au Eye and Ear Infirmary de Boston.

«Nettoyez vos cils avec un tampon d'ouate que vous aurez fait tremper dans la solution. C'est très efficace, affirme-t-il. L'eau tiède ramollit la croûte et le shampoing nettoie la région entre la paupière et les cils.»

Changez de serviette. Ne laissez pas traîner votre gant de toilette, votre serviette et tout ce qui a été en contact avec les yeux. «La conjonctivite est une infection très contagieuse. Afin de ne pas transmettre la maladie, ne partagez pas votre serviette ou votre gant de toilette avec qui que ce soit», conseille le Dr Petersen.

Évitez le chlore. Avez-vous les yeux rouges lorsque vous nagez dans une piscine? «Le chlore contenu dans l'eau des piscines peut causer une conjonctivite. Par ailleurs, sans le chlore, les bactéries proliféreraient. Le résultat serait le même, explique le Dr Petersen. Si vous aimez nager, mais êtes sujet aux conjonctivite, portez des lunettes de plongée», suggère-t-il.

Traitez la conjonctivite allergique avec de la glace. Si vous nagez sans que vos yeux n'en souffrent, mais si vous réagissez mal au pollen, votre conjonctivite pourrait être de nature allergique. «Si votre œil vous fait mal comme si vous aviez été piqué par un moustique et si, en plus, il est purulent, vous souffrez probablement de conjonctivite allergique, dit le Dr J. Daniel Nelson, ophtalmologiste et directeur du Service d'ophtalmologie du Centre médical St. Paul-Ramsey, au Minnesota. Un antihistaminique en vente libre peut être très utile. Appliquez des compresses froides plutôt que tièdes. Le froid soulage bien les démangeaisons.»

Prenez des médicaments la nuit. «La conjonctivite infectieuse s'aggrave lorsque les yeux sont fermés. C'est pourquoi le problème s'intensifie la nuit pendant le sommeil, dit le Dr Petersen. Afin d'enrayer l'infection, appliquez une pommade antibiotique dans les yeux avant d'aller au lit. Vous éviterez ainsi la formation de croûtes.»

EXPERTS CONSULTÉS

Le Dr Peter Hersh est ophtalmologiste et chirurgien adjoint au Massachusetts Eye and Ear Infirmary de Boston. Il enseigne en outre l'ophtalmologie à la faculté de médecine de l'université Harvard, à Boston.

Le Dr J. Daniel Nelson est ophtalmologiste et directeur du Service d'ophtalmologie du Centre médical St. Paul-Ramsey, au Minnesota. Il est également professeur adjoint d'ophtalmologie à la faculté de médecine de l'université du Minnesota, à Minneapolis.

Le Dr Robert Petersen est ophtalmologiste pédiatrique et directeur de la clinique d'ophtalmologie au Children's Hospital de Boston, au Massachusetts. Il est aussi professeur adjoint d'ophtalmologie à la faculté de médecine de l'université Harvard de Boston.

Constipation

18 solutions à ce problème courant

La constipation est un problème fort désagréable et parfois très douloureux. Toutefois, la cause est facile à diagnostiquer. «Il s'agit souvent d'une alimentation trop faible en fibres, d'une consommation insuffisante de liquides, de stress, de médicaments, du manque d'exercice et de mauvaises habitudes», dit le Dr Paul Rousseau, directeur du Service de gériatrie du Centre médical Carl T. Hayden Veterans Administration de Phoenix, en Arizona.

Examinons tous ces facteurs et les moyens d'y remédier.

Êtes-vous vraiment constipé? Vous croyez souffrir de constipation, mais est-ce vraiment le cas? «Comme la plupart des gens, vous êtes victimes des centaines de publicités sur les laxatifs qui vous ont convaincu qu'aller à la selle une fois par jour est essentiel à une bonne santé. Mais ce n'est pas vrai», dit le Dr Marvin Schuster, directeur du Service des maladies digestives du Centre médical Francis Scott Key de Baltimore, au Maryland.

Bon nombre de personnes pensent être constipées alors qu'elles ne le sont pas. En fait, sur ce plan, les besoins varient beaucoup d'une personne à une autre. Pour certains, il est normal d'aller à la selle trois fois par jour, tandis que pour d'autres, trois fois par semaine suffit.

Buvez-vous suffisamment de liquides? Nos experts s'entendent pour dire qu'une personne qui souffre de constipation doit d'abord examiner son régime alimentaire. Les meilleurs outils pour lutter contre la constipation sont les fibres et les liquides. Le système digestif a besoin de grandes quantités de liquides et de fibres pour assouplir les matières fécales et faire passer les excréments plus facilement dans le côlon.

Quelle quantité de liquides et de fibres doit-on prendre? Commençons par le liquide. «Le régime alimentaire d'un adulte doit comprendre au moins six, et de préférence huit, grands verres de liquide par jour, dit Patricia H. Harper, diététicienne de la région de Philadelphie, en Pennsylvanie, qui est aussi le porte-parole de l'American Dietetic Association. Bien que tout liquide soit bénéfique, l'eau reste le meilleur choix», dit-elle.

Consommez beaucoup plus de fibres. «En général, les gens ne mangent pas suffisamment de fibres», dit Patricia Harper. L'American Dietetic Association recommande aux adultes un apport quotidien de 20 g à 35 g de fibres alimentaires. Les personnes qui souffrent de constipation devraient manger au moins 30 g de fibres par jour.

D'où proviennent les fibres? «Des hydrates de carbone complexes, comme ceux qui se trouvent dans les produits de grains entiers, les fruits et les légumes», explique Patricia Harper. Votre alimentation peut contenir facilement 30 g de fibres si vous choisissez vos aliments judicieusement. Par exemple, 150 ml de petits pois contiennent 5 g de fibres, une petite pomme contient 3 g et un bol de céréales de son en fournit 13. Parmi les aliments les plus riches en fibres, mentionnons les haricots secs cuits, les prunes, les figues, le raisin, le maïs soufflé, les flocons d'avoine, les poires et les noix. Mise en garde: les fibres peuvent causer des flatulences. Il faut donc augmenter progressivement sa consommation de fibres.

Prenez le temps de faire de l'exercice. Vous savez que l'exercice est bon pour le cœur, mais saviez-vous qu'il l'est tout autant pour le système digestif? «En général, on pense que l'exercice combat la constipation en accélérant l'évacuation des aliments», dit le

Dr Edward R. Eichner, professeur de médecine et directeur du Service d'hématologie de la faculté de médecine de l'université d'Oklahoma.

Faites de la marche, surtout si vous êtes enceinte.

Toute forme d'exercice peut aider à soulager la constipation, mais les experts recommandent surtout la marche. Cet exercice profite particulièrement aux femmes enceintes qui souffrent souvent de constipation, leur système digestif étant comprimé par la croissance du fœtus.

«Nous devrions tous et toutes, y compris les futures mamans, marcher de 20 à 30 minutes par jour», suggère le Dr Lewis R. Townsend, professeur clinique d'obstétrique et de gynécologie à l'hôpital universitaire Georgetown de Washington, D.C. Les femmes enceintes doivent cependant veiller à ne pas marcher jusqu'à l'essoufflement.

Quoi d'autre?

Évitez les huiles

Éliminez de votre alimentation les huiles pressées comme l'huile végétale, l'huile d'olive ou de soja. «Vous réussirez peut-être à soulager votre constipation chronique», dit le Dr Grady Deal, chiropraticien et nutritionniste de Kolao, Kauai, à Hawaï.

«Ce n'est pas l'huile elle-même qui cause la constipation et d'autres troubles digestifs, mais le fait de la consommer sous sa forme pure», dit le Dr Deal, dont la théorie se fonde sur les découvertes d'un réformateur en matière de santé du début du siècle, le Dr John Harvey Kellogg.

Selon le Dr Deal, ces huiles se déposent sur la paroi de l'estomac, rendant ainsi la digestion des hydrates de carbone et des protéines plus difficile. En outre, leur effet se fait sentir jusque dans l'intestin grêle. «La digestion normale peut être ralentie de 20 heures, causant putréfaction, gaz et toxines dans le gros intestin et le côlon», dit-il.

Toutefois, les huiles consommées sous leur forme naturelle dans les noix, les avocats et le maïs sont libérées lentement dans l'organisme, ce qui évite la formation d'une couche huileuse qui peut ralentir la digestion et causer les problèmes de constipation. Contrairement aux huiles pures, ces huiles «comptent parmi les éléments sains et nutritifs des aliments que nous mangeons», dit le Dr Deal.

ALERTE MÉDICALE

Ne prenez pas de risque: consultez votre médecin

«En soi, la constipation n'est habituellement pas grave, dit le Dr Marvin Schuster. Mais, si les symptômes persistent plus de trois semaines et vous inquiètent, ou si vous avez du sang dans vos selles, consultez votre médecin sans tarder. Cela est rare, mais la constipation peut être le signe d'une maladie plus grave.»

Consultez aussi votre médecin si, en plus de souffrir de constipation, vous avez l'abdomen distendu. «Vous pourriez souffrir d'occlusion intestinale», dit le Dr Paul Rousseau.

Prenez des habitudes régulières. En général, les gens ont tendance à ne pas écouter leur corps. «Ne pas aller à la selle lorsque nous en ressentons le besoin peut mener progressivement à la constipation. Heureusement, il n'est jamais trop tard pour adopter de meilleures habitudes, dit le Dr Schuster. Le meilleur moment pour aller à la selle est après un repas, ajoute-t-il. Alors, choisissez l'un des repas de la journée, n'importe lequel, et passez chaque jour 10 minutes aux toilettes, après le repas. Avec le temps, dit le Dr Schuster, vous conditionnerez votre côlon à agir naturellement.»

Détendez-vous. En réaction à la peur ou au stress, votre bouche s'assèche et votre cœur bat plus vite. Saviez-vous que l'intestin se contracte aussi? «Cela fait partie du mécanisme de lutte ou de fuite», dit le Dr John O. Lawder, médecin de famille spécialisé en nutrition et en médecine préventive à Torrance, en Californie. Si vous soupçonnez que le stress pourrait être la cause de vos problèmes de constipation, prenez le temps de vous détendre, en écoutant de la musique de relaxation, par exemple.

Apprenez à rire. «Le rire peut soulager la constipation de deux façons. D'abord, il a l'effet d'un bon massage sur l'intestin, ce qui favorise la digestion, puis il soulage le stress», dit Alison Crane, infirmière et présidente de l'American Association for Therapeutic Humor.

Méfiez-vous des laxatifs. «Les laxatifs commerciaux ont souvent l'effet désiré, mais on s'y habitue très vite, prévient le Dr Rousseau. Si vous prenez des laxatifs chimiques trop souvent, vos intestins s'y habituent et la constipation peut s'aggraver», dit-il. Alors, quand convient-il de prendre des laxatifs? «Presque jamais», répond le Dr Rousseau.

Sachez que les laxatifs diffèrent les uns des autres. «Dans la plupart des pharmacies, on trouve à côté des laxatifs chimiques des préparations dites «naturelles» ou «végétales» dont l'ingrédient principal est de la graine de psyllium broyée. Il s'agit d'une forme de fibre extrêmement concentrée. Contrairement aux laxatifs chimiques, ces préparations ne créent pas d'accoutumance. Elles sont sans danger, même lorsqu'elles sont prises pendant de longues périodes», dit le Dr Rousseau. Il conseille toutefois de les prendre avec beaucoup d'eau, car elles peuvent s'entasser dans l'organisme, et de suivre les instructions sur la boîte.

Essayez la recette spéciale d'un médecin. En général, les laxatifs à base de psyllium sont assez coûteux. Cependant, vous pouvez les préparer vous-même en achetant des graines de psyllium dans un magasin d'aliments naturels. Le Dr Lawder recommande de broyer deux portions de graines de psyllium avec une portion de lin et une portion de son d'avoine (que vous trouverez aussi dans les magasins d'aliments naturels). Vous obtiendrez une préparation extrêmement riche en fibres. «Ajoutez un peu d'eau aux ingrédients et prenez une petite quantité de ce mélange tous les soirs vers 21 h», dit le Dr Lawder.

À l'occasion, employez les grands moyens. Rien ne vous soulagera aussi rapidement qu'un lavement ou un suppositoire dans le cas d'un grand inconfort. «Ces méthodes sont parfaitement sûres si elles ne sont utilisées qu'à l'occasion, dit le Dr Rousseau. En revanche, vous rendrez votre côlon paresseux si vous en abusez. Vous risquez alors d'aggraver le problème.»

«N'employez que des lavements à base d'eau ou de solution saline, jamais de la mousse savonneuse qui peut être irritante, explique le Dr Rousseau. Pour ce qui est des suppositoires, choisissez une marque à base de glycérine et évitez les préparations chimiques, trop fortes pour l'intestin.»

Vérifiez vos médicaments et suppléments. «Il existe de nombreux médicaments qui causent ou aggravent la constipation, dit le Dr Rousseau, notamment les anti-acides qui contiennent de l'aluminium ou du calcium, les antihistaminiques, les antiparkinso-niens, les suppléments de calcium, les diurétiques, les narcotiques, les phénothiazines, les sédatifs et les antidépresseurs tricycliques.»

Méfiez-vous de certains aliments. Les aliments peu-vent avoir des effets contraires selon les personnes. Le lait, par exemple, causera de la constipation chez certains et de la diarrhée chez d'autres. «Les personnes qui souffrent du syndrome du côlon irritable devraient éviter les aliments qui provoquent des flatulences comme les haricots, le chou-fleur et le chou», dit le Dr Schuster. Le syndrome du côlon irritable est caractérisé par une constipation douloureuse.

Prenez des repas légers. «Les personnes qui souffrent du syndrome du côlon irritable devraient aussi éviter de prendre de gros repas qui distendent le tube digestif, ce qui aggrave la constipation», dit le Dr Schuster.

Soyez prudent avec les herbes. Il existe beaucoup de laxatifs à base d'herbes. Parmi les plus connus, mentionnons l'aloès (le jus et non le gel), le séné, la rhubarbe (médicinale), la cascara sagrada, la racine de pissenlit et les graines de plantain. «Certains, comme la cascara sagrada, peuvent être très efficaces, dit le Dr Lawder, mais soyez prudent. Comme les laxatifs chimiques, certains laxatifs à base d'herbes doivent être utilisés parcimonieusement.»

Ne forcez pas. Même si vous êtes tenté de le faire, ne forcez pas la défécation. Vous risquez des hémorroïdes ou des fissures anales. Elles sont non seulement douloureuses, mais elles peuvent aggraver la constipation en rétrécissant l'orifice anal. En outre, vous pouvez augmenter votre tension artérielle et ralentir votre rythme cardiaque. Selon le Dr Rousseau, en forçant la défécation, certains patients âgés perdent connaissance et se cassent parfois un membre en tombant dans la salle de bains.

EXPERTS CONSULTÉS

Alison Crane est présidente de l'American Association for Therapeutic Humor. Elle est également vice-présidente de Strombach, Crane et Associates, une firme conseil de Skokie, en Illinois, qui se spécialise dans l'élaboration de programmes de lutte contre le stress dans les hôpitaux.

Le Dr Grady Deal est chiropraticien, nutritionniste et psychothérapeute à Koloa, Kauai, à Hawaï. Il est également le fondateur et le propriétaire de la station thermale Dr Deal's Hawaiian Fitness Holiday à Koloa.

Le Dr Edward R. Eichner, spécialiste de la physiologie de l'exercice, est professeur de médecine et directeur du Service d'hématologie de la faculté de médecine de l'université d'Oklahoma City.

Patricia H. Harper est la porte-parole de l'American Dietetic Association et conseillère en diététique dans la région de Pittsburg, en Pennsylvanie.

Le Dr John O. Lawder est un médecin de famille spécialisé en nutrition et en médecine préventive à Torrance, en Californie.

Le Dr Paul Rousseau est directeur du Service de gériatrie du Centre médical Carl T. Hayden Veterans Administration de Phoenix, en Arizona. Il est aussi professeur au Service du développement des adultes et du vieillissement à l'université Arizona State, à Tempe.

Le Dr Marvin Schuster est directeur du Service des maladies digestives du Centre médical Francis Scott Key de Baltimore, au Maryland. Il est aussi professeur de médecine et de psychiatrie à la faculté de médecine de l'université Johns Hopkins, à Baltimore.

Le Dr Lewis R. Townsend pratique la médecine à Bethesda, au Maryland. Il est professeur d'obstétrique et de gynécologie à l'hôpital universitaire Georgetown et médecin-chef au Colombia Hospital for Women Medical Centre, à Washington, D.C.

Cors et durillons

20 façons de les soulager

Vous adorez faire des randonnées dans la nature mais ces derniers temps vos cors et vos durillons vous font tellement souffrir et perdre l'équilibre que vous préférez rester à la maison.

Ces vilaines petites bosses ne sont autre qu'un épaississement de cellules épidermiques mortes. Cet épaississement est dû au frottement et à l'irritattion du pied contre la chaussure ou au frottement des os adjacents.

«Grâce aux durillons, l'organisme se protège contre les pressions répétées, explique le Dr Neal Kramer, podologue à Bethlehem, en Pennsylvanie. Ils s'épaississent à mesure que la pression augmente. Quand le durillon a un centre dur, on l'appelle cor. On voit apparaître des cors mous entre les orteils lorsque les os de deux orteils adjacents sont trop rapprochés. Les cors restent mous à cause de la transpiration des pieds. La peau s'épaissit pour se protéger contre la pression constante.»

«Les durillons sont moins embêtants que les cors, dit le Dr Richard Cowin, directeur de la Cowin's Foot Clinic à Libertyville, en Illinois. Lorsqu'ils sont douloureux, les cors, comme les maux de dents, peuvent vous empoisonner la vie.» Pour partir du bon pied, suivez ces conseils:

Évitez les instruments coupants. En tout premier lieu, les experts déconseillent de jouer au chirurgien. Résistez à la tentation d'inciser les cors et les durillons avec une lame de rasoir, une paire de ciseaux ou tout autre instrument coupant.

«La chirurgie maison peut être extrêmement dangereuse, explique le Dr Nancy Lu Conrad, podologue à Circleville, en Ohio. Vous pouvez infecter la région incisée. J'ai vu trop de gens se blesser gravement en voulant jouer au chirurgien.» Les diabétiques ne devraient jamais tenter de régler seuls leurs problèmes de pieds (voir l'Alerte médicale *Laissez vos pieds tranquilles!* à la page 124).

Utilisez les pansements médicamenteux avec prudence. Si vous utilisez des pansements pour les cors ou d'autres produits à base d'acide salicylique sous forme de liquide, de baume ou de pansements, suivez rigoureusement les conseils du Dr Suzanne M. Levine, podologue adjointe à l'hôpital Mount Sinai de New York. «Appliquez ces produits uniquement sur la région affectée et non sur la peau adjacente. Lorsque vous traitez un cor, posez d'abord un pansement non médicamenteux en forme d'anneau pour protéger la peau adjacente. N'en posez pas plus de deux par semaine, et consultez un médecin si le cor n'est pas guéri après deux semaines de traitement.»

Le mieux est de ne pas en utiliser du tout. Le Dr Kramer est catégorique: «Je déconseille tous les pansements pour les cors ou tout autre médicament en vente libre. Ce ne sont ni plus ni moins que des acides qui attaquent indifféremment les cors, les durillons et la peau adjacente. Ils soulagent peut-être, mais ils blessent la peau et peuvent causer des brûlures ou des ulcères.»

Faites tremper vos pieds. «C'est un sac rempli de fluide situé entre l'os et le cor qui est à l'origine de la douleur. Ce sac, également appelé bourse séreuse, s'enflamme et augmente de volume, explique le Dr Levine. Pour un soulagement temporaire de la douleur, faites tremper vos pieds dans une solution de sels d'Epsom et d'eau tiède. La solution réduira le volume de la bourse séreuse, de même que la pression sur les nerfs sensitifs adjacents. N'oubliez pas cependant que, si vous remettez des chaussures trop serrées, la bourse enflera à nouveau.»

Faites une infusion. Si le tissu calleux est épais, le Dr Levine recommande de tremper ses pieds dans une solution très diluée de camomille. L'infusion soulage et ramollit la peau durcie. La camomille laisse des traces qui disparaissent facilement avec de l'eau et du savon.

Utilisez un produit abrasif. «Avant de traiter un durillon, laissez tremper vos pieds dans de l'eau chaude pendant plusieurs minutes. Puis, avec une lime ou une pierre ponce, frottez légèrement le durillon et enlevez les couches supérieures de la peau, conseille le Dr Cowin. Appliquez ensuite un peu de crème pour les mains, comme la crème Carmol 20, qui contient 20 % d'urée, une substance qui aide à dissoudre la peau durcie. Si vos durillons sont très coriaces, répétez ce traitement tous les jours après votre douche ou votre bain.»

Le Dr Cowin déconseille les abrasifs pour les cors durs, car ils les rendent encore plus sensibles et plus douloureux.

Enveloppez le durillon dans un sac en plastique. Dans le cas d'un gros durillon ou d'un durillon crevassé, surtout au talon, essayez la suggestion du Dr Mavin Sandler, directeur de chirurgie podologique à l'hôpital Sacred Heart de Allentown, en Pennsylvanie. Enduisez un morceau de papier d'aluminium ou de papier ciré de pommade Whitfield et de crème d'hydrocortisone, à parts égales. On trouve ces deux produits en vente libre dans les pharmacies. Appliquez le papier sur le pied, recouvrez-le d'un sac en plastique et d'une chaussette avant d'aller au lit. N'y touchez plus jusqu'au lendemain matin. Puis frottez le durillon avec une serviette un peu rugueuse ou une brosse dure. Répétez au besoin pour les durillons coriaces au talon.

Prenez 5 comprimés d'aspirine®. «Une autre façon de ramollir des durillons, dit le Dr Levine, consiste à mélanger cinq ou six aspirines® broyées à 15 ml d'eau et 15 ml de jus de citron. Appliquez la pâte sur les durillons et recouvrez le pied d'un sac en plastique. Enroulez-le ensuite dans une serviette chaude. Le plastique et la serviette aident la pâte à pénétrer dans la peau durcie. Laissez en place pendant au moins 10 minutes. Frottez les durillons avec une pierre ponce. Toute la peau morte et calleuse devrait se détacher facilement.»

ALERTE MÉDICALE

Laissez vos pieds tranquilles!

«Les personnes qui souffrent de diabète ou d'insensibilité aux pieds ne devraient jamais se traiter elles-mêmes, déclare le Dr Kramer. Le diabète attaque les petits vaisseaux sanguins de l'organisme, y compris ceux des pieds, ce qui diminue l'apport sanguin, et empêche les blessures de guérir ou de résister à l'infection.»

«Les personnes qui ont des troubles de circulation ne risquent rien tant que leur peau reste intacte», explique le Dr Kramer. Par contre, si elles se coupent, elles risquent gros. Le plus souvent, les personnes qui ne ressentent pas très bien la douleur ou la pression ne se rendent pas compte qu'elles se sont blessées ou que la blessure est grave. Sans le savoir, elles risquent l'infection.»

Agissez sans tarder. «Il faut agir dès que le cor commence à se former», dit le Dr Frederick Haas, généraliste à San Rafael, en Californie. Au début, un cor n'est qu'un petit cercle de peau durcie qui est à peine sensible. Vous devriez immédiatement masser la région affectée avec de la lanoline pour ramollir le cor et le rendre moins sensible à la pression. Appliquez ensuite un pansement pour soulager la pression.

Espacez les orteils. «Comme les cors mous sont dus au frottement des os de deux orteils adjacents, explique le Dr Cowin, placez un objet souple, par exemple un petit morceau de mousse, entre les orteils pour les séparer.»

Essayez la laine de mouton. «Utilisez de la laine de mouton de bonne qualité, suggère le Dr Elizabeth H. Roberts, professeur émérite au New York College of Podiatric Medicine de New York. Évitez la laine grossière qu'utilisent les salons de beauté. Enroulez l'un des orteils dans les fils sans trop serrer. Retirez les fils de laine avant de prendre votre bain.

Le Dr Mark D. Sussman, podologue à Wheaton, au Maryland, déconseille de mettre du coton entre les orteils. Contrairement à la laine, le coton durcit et irrite la peau.

Fabriquez des fers à cheval. «Pour protéger les cors, dit le Dr Roberts, n'utilisez pas les pansements à ouverture ovale.»

Ces pansements exercent une pression sur la région adjacente et font saillir le cor ou le durillon dans l'ouverture. Si vous avez des pansements de ce type, il suffit de les tailler en forme de fer à cheval. Placez le pansement à l'écart du cor afin que ce dernier ne frotte pas contre la chaussure durant la marche.

Utilisez un sparadrap rond.

Selon le Dr Roberts, les sparadraps ronds sont plus efficaces que les pansements conçus pour les cors, car ils sont munis d'un centre de gaze stérile. Cependant, ce médecin vous déconseille les sparadraps de forme allongée qu'il faut enrouler autour de l'orteil. Ils risquent d'irriter la peau et de causer un certain inconfort.

Rembourrez la région affectée.

«Afin de réduire la pression, je vous conseille de placer un morceau de gaze ou de coton absorbant sur le durillon et de le recouvrir d'une mince bande de moleskine», dit le Dr Roberts. Ce médecin recommande également d'enlever le pansement tous les soirs et avant de prendre un bain afin de laisser la peau respirer et d'éviter un excès d'humidité.

Lorsque vous retirez la moleskine, tendez bien la peau de la plante du pied et tirez lentement la moleskine vers le talon. Si vous faites le geste brusquement ou si vous tirez dans la direction opposée, vous risquez de déchirer la peau.

Faites tailler vos semelles.

Selon le Dr Sussman, cette méthode facile permet de réduire la pression sur les durillons. Procurez-vous une paire de semelles de caoutchouc-mousse et portez-les pendant une semaine. Vos durillons laisseront des marques. Vous saurez ainsi où s'exerce une forte pression et à quel endroit rembourrer la semelle pour répartir la pression.

Si le durillon se trouve au milieu de la plante du pied, taillez deux morceaux de mousse ou de feutre de quelques millimètres d'épaisseur (environ 1 cm de large et de 5 cm de long). Collez-les sur la semelle de chaque côté de la dépression formée par le durillon. Prenez un autre morceau de mousse ou de feutre de 5 cm sur 5 cm et placez-le derrière la dépression. Si le durillon se déplace sur un côté, utilisez plusieurs morceaux de mousse. Ces petits coussinets redistribuent le poids et réduisent la pression.

Élargissez vos chaussures.

Parfois, il suffit simplement d'élargir ses chaussures afin d'éliminer la pression. Vous pouvez demander à votre cordonnier d'élargir vos chaussures, ou suivre la méthode du Dr Sandler. Appliquez sur vos chaussures une solution qui assouplit le cuir et permet aux fibres de s'allonger pendant la marche. Répétez l'application et portez vos chaussures pendant que le cuir est encore humide et jusqu'à ce qu'elles soient confortables.

Essayez une bande métatarsienne. «Si vous avez des durillons à la base du pied, vous pouvez faire modifier vos chaussures. Demandez à votre cordonnier d'attacher une bande métatarsienne, de caoutchouc ou de cuir, sur la semelle, dit le Dr Sandler. Cette bande permet à la plante du pied de pivoter dans la chaussure et, par conséquent, évite le frottement contre les os adjacents. N'oubliez pas de remplacer la bande lorsqu'elle est usée.»

Soyez prudent, car ces bandes peuvent rester accrochées aux marches des escaliers, aux tapis ou aux bords des trottoirs et vous faire tomber. Elles ne sont pas recommandées aux personnes âgées. Il existe toutefois un autre type de bande métatarsienne, plus sécuritaire mais moins efficace, qui forme une surface plane et continue avec la semelle. Toutefois, ces bandes n'empêchent pas les métatarses d'appuyer douloureusement contre l'intérieur de la chaussure. Vous aurez peut-être aussi besoin d'un coussinet intérieur amovible.

Évitez les talons hauts. «Les femmes qui portent des talons hauts ont souvent des problèmes», dit le Dr Conrad. Les spécialistes disent que pour tenir au pied, un bon escarpin doit être étroit et bien ajusté. C'est vrai. Les chaussures à lanières, par contre, ont une boucle qui maintient la chaussure et le talon bien en place, et empêche le pied de glisser et d'exercer une pression sur le cou-de-pied. Dans un escarpin, le pied glisse vers l'empeigne et se coince dans un espace trop restreint. Pour éviter les problèmes, portez des chaussures bien ajustées qui n'ont pas un talon trop haut. Les hommes n'ont pas vraiment ce problème; on peut les convaincre de porter de bonnes chaussures. Je conseille aux femmes de porter des chaussures à talons moyens pour le travail. Les talons hauts conviennent à certaines occasions, mais les talons plats sont nettement supérieures pour tous les jours. «Si vous devez absolument porter des chaussures à talons hauts, précise le Dr Levine, prenez celles qui sont doublement rembourrées sous le devant du pied ou demandez à votre cordonnier de mettre plus de mousse. Si vous avez des durillons à l'arrière du talon, évitez de porter des chaussures à brides.»

Achetez la bonne pointure. «Lorsque vous achetez une paire de chaussures, il est extrêmement important de choisir la

bonne pointure, dit le Dr Terry L. Spilken, podologue à New York et à Edison au New Jersey. Quel que soit le prix, vos chaussures vous causeront des ennuis si vous n'avez pas la bonne pointure. Idéalement, il faut qu'il y ait un espace de la largeur du pouce entre l'orteil le plus long et le bout de la chaussure. (L'orteil le plus long n'est pas nécessairement le gros orteil.) La plante du pied doit pouvoir bien reposer à plat et l'empeigne ne doit pas exercer de pression sur les orteils.»

Choisissez de préférence des chaussures de cuir, un matériau qui respire. Et n'oubliez pas qu'une chaussure trop grande est aussi dangereuse pour le pied qu'une trop serrée. Si elle est trop grande, le pied glisse et subit une friction. Cette friction sur la peau peut entraîner la formation d'un durillon ou d'un cor exactement comme si la chaussure comprimait le pied.

À quelque chose malheur est bon! Savez-vous que les durillons ont leur utilité? «Les personnes qui marchent souvent pieds nus ont des durillons sous la plante des pieds, dit le Dr Haas. C'est parfaitement normal. Ils protègent la peau des aspérités du terrain ou de la chaleur du sol. S'ils sont gros et durs, ils peuvent éviter les coupures d'objets pointus. Ces durillons sont rarement douloureux.»

Parfois, un durillon apparaît pour protéger la peau d'un ongle incarné. Lorsque le bout pointu de l'ongle s'enfonce dans le tissu adjacent, la peau s'épaissit et durcit pour éviter que l'ongle ne s'enfonce davantage.

«Si vous avez ce genre de durillon, n'y touchez pas», dit le Dr Haas. S'il devient douloureux, faites tremper le pied dans de l'eau chaude savonneuse, mais n'essayez jamais de l'enlever. Lorsque la douleur devient insupportable, consultez un médecin pour faire soigner l'ongle incarné.

EXPERTS CONSULTÉS

Le Dr Nancy Lu Conrad pratique la médecine à Circleville, en Ohio. Ses spécialités sont l'orthopédie, notamment les chaussures orthopédiques pour enfants, et la médecine du sport.

Le Dr Richard Cowin est directeur de la Cowin's Foot Clinic à Libertyville, en Illinois. Il est spécialisé dans la pratique de la chirurgie à incision minimale et de la chirurgie au laser. Il est diplômé de l'American Board of Podiatric Surgery et de l'American Board of Ambulatory Foot Surgery.

Le Dr Frederick Haas est généraliste à San Rafael, en Californie, et attaché à l'hôpital Marin General de Greenbrae. Il est en outre l'auteur de *The Foot Book* et de *What You Can Do About Your Headaches.*

Le Dr Neal Kramer a un cabinet privé de podologie à Bethlehem, en Pennsylvanie.

Le Dr Suzanne M. Levine a un cabinet privé de podologie et est podologue adjointe à l'hôpital Mount Sinai de New York. Elle est l'auteur de *My Feet Are Killing Me* et de *Walk It Off*.

Le Dr Elizabeth H. Roberts est une podologue de New York reconnue depuis 30 ans et professeur émérite au New York College of Podiatric Medicine. Elle est l'auteur de *On Your Feet*.

Le Dr Marvin Sandler est podologue à Allentown, en Pennsylvanie, directeur de chirurgie podologique à l'hôpital Sacred Heart de cette ville. Il est l'auteur de *Your Guide to Foot Care*.

Le Dr Terry L. Spilken est podologue à New York et à Edison au New Jersey. Il est professeur adjoint au New York College of Podiatric Medicine et l'auteur de *Paddings and Strappings of the Foot* et de *The Dancer's Foot Book*.

Le Dr Mark D. Sussman est podologue à Wheaton, au Maryland. Il est coauteur de *How to Doctor Your Feet without the Doctor* et de *The Family Foot-Care Book*.

Coups de soleil

36 façons de les calmer

Vous vous étiez pourtant promis d'être prudent au soleil et de protéger votre peau contre les rayons néfastes au moyen de crèmes solaires. Enfin, c'est le prix de votre négligence! Peut-être y réfléchirez-vous la prochaine fois. Entre temps, voici ce que vous conseillent nos experts.

Prenez un analgésique. L'aspirine® peut aider à soulager la douleur, les démangeaisons et l'enflure d'un coup de soleil léger à modéré. «Prenez deux comprimés toutes les quatre heures, dit le Dr Rodney Basler, dermatologiste et professeur adjoint de médecine interne à l'université du Nebraska. Une dose comparable de Tylenol® aura le même effet ou, si l'ibuprofène, ou Advil®, ne vous irrite pas l'estomac, vous pouvez en prendre trois ou quatre comprimés toutes les huit heures.»

Prévenez l'incomfort. Prenez de l'aspirine® avant que la rougeur n'apparaisse si vous pensez avoir pris trop de soleil. «Certains médecins recommandent 650 mg (2 comprimés) d'aspirine® immédiatement après l'exposition au soleil. Renouvelez la dose jusqu'à six fois

---

ALERTE MÉDICALE

Consultez votre médecin

«Un mauvais coup de soleil peut vous affaiblir considérablement», dit le Dr Rodney Basler. Vous devez consulter votre médecin si vous avez des nausées, des frissons, de la fièvre, des étourdissements, beaucoup de cloques, des démangeaisons, des taches de décoloration ou si vous ressentez une fatigue générale. Sachez qu'une infection pourrait s'ajouter au problème si la brûlure semblait vouloir s'étendre.

---

toutes les quatre heures», dit le Dr Thomas Gossel, professeur de pharmacologie et de toxicologie à l'université Ohio Northern.

Appliquez des compresses. Après un coup de soleil, la peau est enflammée. Essayez de la rafraîchir en appliquant des compresses que vous aurez préalablement trempées dans l'une des substances décrites ci-dessous. Si vous le désirez, vous pouvez diriger l'air frais d'un ventilateur sur la partie brûlée afin de la rafraîchir davantage.

De l'eau froide. «Utilisez l'eau du robinet ou ajoutez-y quelques glaçons», dit le Dr Michael Schreiber, dermatologiste et professeur au Service de médecine interne de la faculté de médecine de l'université d'Arizona. Trempez un chiffon dans de l'eau fraîche, appliquez-le sur le coup de soleil. Trempez à nouveau le chiffon dans le liquide froid lorsqu'il perd de sa fraîcheur. Répétez le traitement de 10 à 15 minutes plusieurs fois par jour.

Le lait écrémé. «Les protéines du lait ont un effet calmant», dit le Dr Schreiber. Mélangez 250 ml de lait écrémé dans un litre d'eau auquel vous ajoutez quelques glaçons. Appliquez les compresses de 10 à 15 minutes et répétez toutes les deux à quatre heures.

L'aluminium acétate. Les poudres antiseptiques à base d'aluminium acétate préviennent la déshydratation de la peau et les démangeaisons. Veuillez suivre les instructions sur la boîte.

L'avoine. Le Dr Fredric Haberman, dermatologiste et professeur de médecine à la faculté de médecine Albert Einstein de l'université

Yeshiva, recommande de l'eau d'avoine pour adoucir la peau. Mettez de l'avoine sèche dans un chiffon ou une gaze. Faites couler de l'eau sur le chiffon. Retirez l'avoine du chiffon et trempez ce dernier dans le liquide. Appliquez toutes les deux à quatre heures.

L'hamamélis. «Mouillez un chiffon avec de l'hamamélis», dit le Dr Haberman. Il faut répéter l'application souvent, car l'hamamélis ne procure qu'un soulagement temporaire. Pour de plus petites brûlures, trempez un tampon de coton dans le liquide et tapotez délicatement la surface des brûlures.

Quoi d'autre?

Les remèdes du placard de cuisine

Certaines denrées de base de votre placard de cuisine sont très efficaces contre les coups de soleil. En cas d'urgence, ayez recours aux produits suivants.

La fécule de maïs. «Mélangez de la fécule de maïs et une quantité suffisante d'eau pour faire une pâte», dit le Dr Fredric Haberman. Appliquez cette pâte directement sur le coup de soleil.

Des tranches de légumes. «Certaines personnes recommandent les tranches de concombre ou de pommes de terre crues», ajoute-t-il. Elles procurent une sensation de fraîcheur et peuvent réduire l'inflammation sur de petites surfaces. Les tranches de pommes aussi sont efficaces.

La laitue. Lia Schorr, une spécialiste des soins de la peau de New York, recommande le remède maison suivant: faites bouillir des feuilles de laitue dans de l'eau. Laissez ensuite refroidir le liquide au réfrigérateur pendant quelques heures. Trempez des tampons de coton dans la solution et tapotez délicatement la peau irritée.

Le yaourt. Le yaourt nature a un effet à la fois rafraîchissant et calmant. Appliquez-le sur les surfaces brûlées. Rincez-vous ensuite sous une douche froide et séchez délicatement votre peau.

Les sachets de thé. Dans le cas de brûlure des paupières, appliquez des sachets de thé que vous aurez fait tremper dans de l'eau froide. «Le thé réduit l'enflure et aide à soulager la douleur», dit Lia Schorr.

Prenez un bain. Prenez un bain froid si votre coup de soleil couvre une grande surface. Ajoutez du liquide au besoin pour garder l'eau à la bonne température. Après le bain, tapotez délicatement la peau avec une serviette. On ne doit pas se frotter la peau de peur de l'irriter davantage. Les produits et conseils suivants peuvent réduire la douleur, les démangeaisons et l'inflammation.

Le vinaigre. «Mélangez 250 ml de vinaigre blanc à un bain d'eau fraîche», dit le Dr Carl Korn, professeur adjoint de dermatologie à l'université Southern California.

De la poudre Aveeno®. «Si le coup de soleil couvre une grande surface, utilisez les sachets d'Aveeno® ou ajoutez 250 ml de traitement pour le bain Aveeno®, un produit à base de flocons d'avoine, à un bain d'eau fraîche», dit le Dr Schreiber. Vous pouvez y rester de 15 à 20 minutes.

Le bicarbonate de soude. «Saupoudrez généreusement du bicarbonate de soude dans un bain d'eau tiède», suggère le Dr Haberman. Laissez sécher la solution sur votre peau.

Utilisez le moins de savon possible. «Le savon peut déshydrater, voire irriter la peau brûlée», dit le Dr Gossel. Si vous tenez à utiliser du savon, choisissez une marque douce, puis rincez abondamment. Ne prenez pas de bain dans de l'eau savonneuse et évitez les bains moussants.

Lubrifiez votre peau. «Les bains et les compresses sont agréables et procurent un soulagement temporaire», dit le Dr Basler, mais ils peuvent déshydrater votre peau si vous n'appliquez pas ensuite une bonne crème hydratante. Séchez-vous et enduisez-vous d'huile de bain.

Réfrigérez votre crème hydratante. Afin d'augmenter l'efficacité de votre crème hydratante, faites-la refroidir avant de l'appliquer.

L'hydrocortisone à la rescousse. «Soulagez l'irritation et l'inflammation de la peau à l'aide d'une lotion, d'un aérosol ou d'une pommade qui contiennent 0,05 % d'hydrocortisone», dit le Dr Basler. (Souvent en vente sur ordonnance).

Êtes-vous photosensible?

Il ne s'agit pas de se faire prendre en photo, mais de savoir que certains médicaments, savons ou cosmétiques augmentent la sensibilité au soleil et provoquent des dermites qui ressemblent à des brûlures.

«Les antibiotiques, les tranquillisants et les antifongiques, de même que les contraceptifs oraux, les diurétiques, les médicaments pour le diabète et même les écrans solaires à base de PABA peuvent provoquer des réactions», dit le Dr Basler. Consultez votre médecin au sujet des effets indésirables des médicaments que vous prenez par voie orale.

Certains aliments ont aussi des effets nocifs. «Deux amies avaient tenté de s'éclaircir les cheveux avec du jus de citron vert sans connaître l'effet photosensibilisateur du fruit, dit-il. Elles ont développé une dermite chronique là où le jus avait coulé, sur le visage et les bras».

Dites adieu à vos brûlures grâce à l'aloès. «De nombreuses études confirment les propriétés cicatrisantes de l'aloès», dit le Dr Basler. Il suffit de casser une feuille et d'appliquer le liquide sur la peau. Faites d'abord un test sur une petite surface afin de vous assurer que vous n'êtes pas allergique à l'aloès.

Prévenez les infections. «Si vous avez une infection ou craignez d'en avoir une, utilisez une pommade antibiotique en vente libre comme la Bacitracine-neomycine®», dit le Dr Schreiber.

Essayez un anesthésique local. «Dans le cas d'un coup de soleil léger, un anesthésique en vente libre peut soulager la douleur et les démangeaisons», dit le Dr Gossel. Choisissez un produit qui contient de la benzocaïne, de l'alcool de benzyle, de la lidocaïne ou de l'hydrochlorure de diphéhydramine. Les aérosols sont plus faciles à utiliser que les crèmes et les pommades. Ne les vaporisez pas sur votre visage, mais plutôt sur un chiffon ou une gaze que vous passerez ensuite sur la peau, en évitant la région des yeux.

Essayez une compresse de glace. La compresse de glace peut aussi soulager la brûlure d'un léger coup de soleil. Placez des glaçons dans un chiffon humide et appliquez la compresse sur le coup de soleil. «Improvisez au besoin», dit le Dr Haberman. Par exemple, les produits surgelés peuvent tout aussi bien faire l'affaire.

Mais enveloppez-les toujours dans un chiffon afin de ne pas mettre la surface glacée directement sur la peau.

Buvez beaucoup d'eau. «Cela est nécessaire pour contrer l'effet déshydratant du coup de soleil», dit le Dr Gossel.

Ayez une bonne alimentation. «Mangez des aliments légers et bien équilibrés», ajoute-t-il. Un bon régime alimentaire fournit à la peau les éléments dont elle a besoin pour se régénérer.

Surélevez les jambes. «Surélevez les jambes au-dessus de la poitrine si vous avez un coup de soleil sur les jambes et que vos pieds sont enflés», dit le Dr Basler. Vous vous sentirez mieux.

Rien de mieux qu'une bonne nuit de sommeil. Dormir avec un coup de soleil est très inconfortable. Cependant, votre corps a grandement besoin de repos afin de se remettre de la brûlure. «Essayez de saupoudrer vos draps de talc afin de minimiser le frottement», dit le Dr Haberman. Vous dormirez mieux sur un lit d'eau ou un matelas pneumatique.

Soyez prudent avec les ampoules. Un coup de soleil accompagné d'ampoules est grave. «Si les elles ne couvrent qu'une petite surface, vous pouvez les percer et drainer le liquide, dit le Dr Basler, mais il ne faut jamais enlever la peau qui les recouvre. Les cloques sont moins douloureuses et risquent moins de s'infecter si l'air n'entre pas en contact avec les terminaisons nerveuses sous-cutanées.»

Pour drainer le liquide, stérilisez d'abord une aiguille à la flamme. Percez le côté de la cloque et appuyez délicatement afin de faire évacuer le liquide. «Répétez trois fois au cours des premières 24 heures, dit le Dr Basler, puis n'y touchez plus.»

Méfiez-vous de la glace et de la neige. «Faites preuve de vigilance en hiver, dit Butch Farabee, coordonnateur des Services d'urgence du National Park Service. La réflexion des rayons du soleil sur la glace et la neige peut donner de vilains coups de soleil. Couvrez-vous bien et appliquez de la crème solaire sur toutes les parties exposées.»

Évitez de commettre deux fois la même erreur. «La peau met de trois à six mois à se regénérer complètement après un coup de soleil, dit le Dr Schreiber. Après un premier coup de soleil, les couches supérieures de la peau pèlent et la nouvelle peau est plus sensible que jamais. Cela signifie que vous pourriez brûler deux fois plus vite si vous n'êtes pas prudent.»

Suivez les règles. Pendant que votre coup de soleil est encore frais à votre mémoire, prenez de bonnes résolutions et suivez les conseils du Dr Norman Levine, directeur de dermatologie à la faculté de médecine de l'université d'Arizona.

- Appliquez de la crème solaire 30 minutes avant de sortir, même si le temps est couvert. (Les rayons du soleil passent à travers les nuages.) N'oubliez pas de vous protéger les lèvres, les mains, les oreilles et l'arrière du cou. Faites une nouvelle application après la baignade ou si vous transpirez abondamment.
- Soyez particulièrement prudent entre 10 h et 15 h, quand le soleil est à son zénith.
- Si vous tenez absolument à vous faire bronzer, faites-le graduellement. Commencez par une exposition de 15 minutes et augmentez le temps d'exposition de quelques minutes à la fois.
- Portez des vêtements protecteurs lorsque vous n'êtes pas dans l'eau ou ne prenez pas de bain de soleil. Les chapeaux, les tissus serrés et les manches longues aident à protéger votre peau du soleil.

EXPERTS CONSULTÉS

Le **Dr Rodney Basler** est dermatologiste et professeur adjoint de médecine interne à l'université du Nebraska à Lincoln.

Butch Farabee est coordonnateur des Services d'urgence du National Park Service à Washington, D.C. Il a 22 ans d'expérience pratique comme garde forestier.

Le **Dr Thomas Gossel** est professeur de pharmacologie et de toxicologie, et directeur du Service de pharmacologie et de sciences biomédicales à l'université Ohio Northern, à Ada. Il est aussi spécialiste des produits en vente libre.

Le **Dr Fredric Haberman** est dermatologiste à Bergen County, au New Jersey et à New York. Il est professeur de médecine à la faculté de médecine Albert Einstein de l'université Yeshiva à New York. Il est l'auteur de *Your Skin: A Dermatologist's Guide to a Lifetime of Beauty and Health*. Il est de plus président fondateur de Save Our Children's Skin (SOCS), une fondation dévouée à la prévention du cancer de la peau et d'autres maladies infantiles de la peau.

Le **Dr Carl Korn** est professeur adjoint de dermatologie à la faculté de médecine de l'université d'Arizona à Tucson.

Le **Dr Norman Levine** est directeur de dermatologie à la faculté de médecine de l'université d'Arizona à Tuscon.

Lia Schorr est une spécialiste des soins de la peau à New York et l'auteur de *Lia Schorr's Seasonal Skin Care*.

Le **Dr Michael Schreiber** a un cabinet privé de dermatologie à Tucson, en Arizona. De plus, il est professeur au Service de médecine interne de la faculté de médecine de l'université d'Arizona, à Tucson.

Coupures et égratignures

12 façons de soulager une blessure

Votre chute sur le pavé est survenue si soudainement que, par réflexe, vous avez projeté les mains vers l'avant pour réduire le choc. En un instant, vous avez durement frappé le sol. Étourdi, vous vous relevez enfin, les mains et les genoux écorchés.

Vous remarquez que vos paumes sont pleines de petites égratignures sanguinolentes. En outre, votre genou droit est coupé et saigne abondamment.

Pas de chance! La vie est ainsi remplie de surprises. Vous vous coupez le doigt en pelant une pomme de terre; votre chien vous laisse la marque de ses griffes en guise d'affection et vous vous écorchez les mains à nettoyer vos rosiers.

Cependant, vous pouvez soigner ces petites plaies avec des produits que vous gardez dans la cuisine ou dans la pharmacie de la salle de bains. Voici des conseils pratiques pour les premiers soins.

Arrêtez le saignement. Le moyen le plus rapide d'arrêter un saignement consiste à exercer une pression directement sur la plaie. Placez un tissu absorbant propre (un pansement ou une serviette) sur la coupure et appuyez fermement avec la main. Si vous n'avez pas de tissu propre, servez-vous de vos doigts. En général, le saignement cesse en une minute ou deux. Si le premier bandage devient imbibé de sang, superposez un deuxième bandage et continuez d'exercer une pression. En retirant le premier bandage, vous risquez d'interrompre le processus de coagulation des cellules.

Si le saignement persiste, élevez le membre atteint au-dessus du cœur afin d'alléger la pression sanguine sur la blessure. Continuez d'exercer une pression sur la plaie. Le saignement devrait cesser rapidement.

Lavez la plaie. Il est très important de laver la plaie afin d'éviter l'infection, la décoloration permanente ou le tatouage. «Lavez

Comment enlever les sparadraps sans douleur

Vous croyiez que votre blessure était guérie jusqu'à ce que vous enleviez le sparadrap.

Voici quelques conseils pratiques qui vous permettront d'enlever les sparadraps sans douleur. Les deux premiers nous ont été communiqués par une infirmière qui travaille dans une école en Nouvelle-Angleterre, et le dernier, par Ed Watson, un porte-parole de la société Johnson & Johnson.

- Utilisez de petits ciseaux pour séparer le pansement des parties adhésives. Enlevez le pansement délicatement. Retirez ensuite les parties adhésives.
- Si la croûte est collée au pansement, trempez la blessure dans une solution saline tiède. (Mélangez environ une cuillerée de sel à quatre litres d'eau.) Soyez patient. Le pansement finira par se décoller.
- «Si le sparadrap est collé dans le poil de l'avant-bras, de la jambe ou de la poitrine, tirez-le dans le sens du poil», dit Ed Watson. Utilisez un tampon de coton imbibé d'huile pour bébés ou d'alcool à friction pour bien humecter l'adhésif avant de l'enlever.

la blessure à l'eau savonneuse ou à l'eau claire, dit le Dr Hugh Macaulay, médecin d'urgence à l'hôpital Aspen Valley d'Aspen, au Colorado. Il s'agit de réduire la concentration des bactéries dans la plaie et d'enlever les débris. De plus, si vous ne retirez pas les cailloux ou le sable de la coupure, ils peuvent laisser sous la peau des pigments qui la coloreront. Lavez délicatement la plaie deux fois par jour.»

Faites un bandage. «Lorsque le saignement diminue ou cesse, pansez fermement la plaie à l'aide d'un morceau de tissu ou d'un bandage élastique, de manière à appliquer une pression, sans couper la circulation», dit John Gillies, technicien d'urgence médicale et directeur du Programme de services de santé de la Colorado Outward School de Denver. Si vous êtes blessé au bras ou à la jambe, vérifiez votre circulation sanguine en appuyant sur l'ongle d'un doigt ou d'un orteil. L'ongle doit devenir blanc sous la pression et redevenir rose lorsque vous le relâchez. Desserrez le bandage au besoin.

Appliquez encore plus de pression. Si la coupure continue de saigner, elle peut être plus grave que vous le pensez.

Quand faut-il consulter un médecin?

Les premiers soins ne suffisent pas toujours. Consultez un médecin lorsque:

- le sang est rouge clair et qu'il gicle de la plaie. Vous pourriez avoir atteint une artère importante;
- vous n'arrivez pas à enlever tous les débris de la plaie;
- vous êtes blessé au visage ou à tout autre endroit où vous souhaitez minimiser le risque de cicatrice;
- la plaie rougit, devient purulente ou lorsque l'inflammation s'étend à plus d'un centimètre de la plaie;
- la plaie est large et profonde. Selon le Dr Macaulay, elle nécessite peut-être des points de suture. N'essayez surtout pas de recoudre vous-même une plaie, même s'il n'y a pas de médecin ou d'assistance médicale à proximité.

Vous devriez consulter un médecin dans les plus brefs délais. Durant le trajet, appuyez sur le point de pression le plus près de la plaie, c'est-à-dire celui qui se trouve entre celle-ci et le cœur. Les points de pression se situent habituellement aux endroits où vous prenez votre pouls, soit à l'intérieur du poignet, à l'intérieur de l'avant-bras à mi-chemin entre le coude et l'aisselle, et dans l'aine, là où les jambes se rattachent au tronc. Pressez l'artère contre l'os. Relâchez la pression environ une minute après l'arrêt du saignement. Si celui-ci recommence, appuyez de nouveau sur le point de pression.

N'utilisez pas de garrot. Dans la plupart des coupures ou des égratignures, les premiers soins suffisent. La pose d'un garrot est une mesure extrême qui peut présenter des dangers. «Lorsque vous mettez un garrot, le blessé peut perdre le membre en raison d'une irrigation sanguine insuffisante», prévient M. Gillies.

Appliquez une crème antibiotique en vente libre. Selon le Dr James J. Leyden, professeur de dermatologie à l'université de Pennsylvanie, les pommades antibiotiques à large spectre sont les plus efficaces. Vous pouvez utiliser les crèmes suivantes: la Trophoseptine® et la pommade Lelong®.

Quoi d'autre?

Les douceurs du sucre

«Vous voulez accélérer la guérison d'une coupure ou d'une plaie avec un peu de sucre de table», dit le Dr Richard A. Knutson, chirurgien orthopédique au Delta Medical Center de Greenville, au Mississipi. Au cours des dix dernières années, le Dr Knutson a traité plus de 5 000 blessures bénignes ou graves (depuis les petites coupures, les égratignures et les brûlures jusqu'à l'amputation de bouts de doigts) avec un mélange d'iode dénaturé et du sucre. (L'iode non dénaturé brûle la peau.)

À son avis, le sucre empêche les bactéries de puiser les éléments nutritifs dont elles ont besoin pour croître et se multiplier. En général, les plaies guérissent rapidement, sans former de croûte et sans laisser de cicatrice. Les chéloïdes (de grosses cicatrices irrégulières) sont réduites au minimum.

Préparez l'une des pommades sucrées du Dr Knutson en mélangeant du sucre de table avec de la Bétadine® (un antibactérien à base d'iode qu'on trouve dans toutes les pharmacies). Mélangez 15 ml de solution Bétadine®, 140 g de sucre et 40 g d'onguent Bétadine®. Enduisez la plaie de cette préparation et couvrez-la soigneusement d'une gaze. Rincez la plaie quatre fois par jour avec de l'eau et du peroxyde d'hydrogène, et enduisez-la à nouveau de pommade fraîche. Diminuez la fréquence des traitements, une fois que la guérison est bien amorcée.

Mise en garde: assurez-vous que la plaie est propre et que le saignement est interrompu avant d'appliquer le mélange, car le sucre active le saignement. N'utilisez que du sucre raffiné, car les autres sucres, comme le sucre glace et le sucre brun, contiennent de l'amidon, un neutralisant de l'iode. Les plaies traitées avec ces sucres formeront des croûtes.

«Les personnes utilisant une pommade qui combine trois antibiotiques topiques et le bon type de pansement guérissent 30 % plus rapidement», dit Patricia Mertz, professeur adjoint de recherche à la faculté de médecine de l'université de Miami, et spécialiste du processus de la cicatrisation.

Patricia Mertz préconise la prudence dans l'emploi de pommades en vente libre à base de néomycine ou d'un grand nombre d'agents de conservation qui peuvent provoquer des réactions allergiques. Lorsque cela se produit, des rougeurs et des démangeaisons apparaissent et la plaie peut s'infecter.

Vous pouvez aussi utiliser les remèdes en vente libre tels que le mercurochrome et la teinture d'iode.

Protégez la plaie. «Lorsqu'elles sont exposées à l'air, les coupures forment des croûtes qui ralentissent la croissance des nouvelles cellules», dit Patricia Mertz. Elle recommande donc un pansement semblable à une pellicule de plastique qu'on utilise pour couvrir les aliments. Ces pansements sont proposés par la plupart des grands fabricants, et dans toutes les tailles. Sinon, utilisez de la gaze imprégnée de vaseline. Ces deux types de pansements emprisonnent l'humidité dans la plaie tout en permettant à un peu d'air de passer. Les cellules se régénèrent plus rapidement dans un environnement humide.

Êtes-vous immunisé contre le tétanos? Vous vous êtes coupé le pouce avec un couteau bien aiguisé? Vous avez marché sur une pointe rouillée? Vous vous êtes égratigné le genou sur le pavé? Ces petites blessures devraient vous rappeler de ne pas négliger votre immunisation active. «Si vous n'avez pas reçu de vaccin contre le tétanos depuis cinq ans, vous devriez y penser, dit le Dr Macaulay. Les services de santé communautaire dispensent ces vaccins à peu de frais ou gratuitement», ajoute-t-il. Si vous ne connaissez pas la date de votre dernier vaccin, faites-vous inoculer dans les 24 heures qui suivent la blessure.

EXPERTS CONSULTÉS

John Gillies est technicien d'urgence médicale et directeur du Programme de services de santé de la Colorado Outward School de Denver.

Le Dr Richard A. Knutson est chirurgien orthopédique au Delta Medical Center de Greenville, au Mississipi.

Le Dr James J. Leyden est professeur de dermatologie au Service de dermatologie de l'université de Pennsylvanie, à Philadelphie.

Le Dr Hugh Macaulay est médecin d'urgence à l'hôpital Aspen Valley d'Aspen, au Colorado.

Patricia Mertz est professeur adjoint de recherche au Service de dermatologie et de chirurgie de la peau de la faculté de médecine de l'université de Miami, en Floride.

Décalage horaire

22 conseils pratiques pour arriver frais et dispos à destination

À votre avis, que se passerait-il si au printemps nous avancions montres et horloges de trois heures au lieu d'une?

Nous rendrions nos soirées d'été interminables et, de plus, nous serions tous déboussolés. Régler notre horloge biologique n'est pas aussi facile que de déplacer les aiguilles de la pendule du vestibule.

Pourtant, lorsque nous traversons plusieurs fuseaux horaires, nous demandons à notre organisme de s'adapter instantanément à une nouvelle heure et à un nouveau milieu. N'est-ce pas un peu exagéré? Nous sommes alors victimes du décalage horaire; et plus nous traversons de fuseaux horaires, plus nous souffrons.

«En général, chaque fois que nous traversons un fuseau horaire, nous avons besoin d'une journée pour récupérer», déclare le Dr Charles Ehret, auteur de *Overcoming Jet Lag* et président de General Chronobionics, à Hinsdale, en Illinois. (La chronobiologie est l'étude des effets du temps sur les plantes, les animaux et les hommes.)

Le Dr Ehret compare l'horloge biologique à un ensemble de mécanismes horaires contrôlés par une horloge mère. «Chaque cellule du corps se comporte comme une horloge, dit-il, et son rythme est régularisé par le centre de commande central du cerveau.»

Nos horloges biologiques suivent habituellement des cycles d'environ 24 ou 25 heures. Mais lorsque l'on change brusquement de fuseau horaire, l'équilibre est rompu. Les méfaits du décalage horaire se font alors sentir: fatigue, léthargie, insomnie, difficulté de se concentrer et de prendre des décisions, irritabilité, parfois même diarrhée légère et manque d'appétit.

Vous n'aviez sûrement pas pensé aux effets du décalage horaire quand vous avez décidé de vous offrir un voyage de rêve dans les Caraïbes. Ce n'est pas une raison pour changer de destination, encore moins pour rester à la maison! Lisez d'abord ce qui suit.

Combattez le décalage horaire en festoyant et en jeûnant

Le désormais célèbre régime antidécalage horaire mis au point par le Dr Charles Ehret est le résultat de longues recherches sur les animaux au Argonne National Laboratory. «En fait, c'est plus qu'un régime. La lumière du jour, les activités sociales, les habitudes de sommeil, l'exercice physique et mental contribuent tous au succès du régime», déclare le Dr Ehret.

L'élément principal du régime consiste en une alternance de festin et de jeûne pendant les quatre jours précédant le départ. Dans ce régime bien particulier, un festin signifie manger autant que vous le désirez et un jeûne, manger très légèrement.

Voici quelques exemples de menus pour un jour de festin. Petit déjeuner: 2 œufs et 1 morceau de pain grillé, légèrement beurré (214 calories). Déjeuner: 1 blanc de poulet sans peau; 1 tasse de bouillon, 125 g de fromage blanc (245 calories). Dîner: une petite portion de pâtes légèrement recouvertes de margarine; 250 g de légumes cuits (brocolis, haricots verts, courge d'été ou carottes); une boisson en option alcoolisée, (355 calories).

La caféine occupe une place très importante dans le régime. En effet, des expériences menées sur des animaux de laboratoire ont démontré que la caféine peut être consommée pour régler l'horloge biologique.

Examinons maintenant d'autres aspects du régime mis au point par le Dr Ehret. Prenons par exemple un vol en direction de l'ouest, avec un décalage horaire de trois heures. Imaginons un vol New York-San Francisco, avec arrivée à San Francisco à 8 h 30, heure locale.

Modifiez vos habitudes de consommation de caféine. Trois jours avant le départ, buvez du café seulement entre 15 h et 16 h 30; la veille du départ, entre 7 h et 8 h. Le jour du départ, buvez deux à trois tasses de café noir avant 11 h 30 et n'en prenez plus le reste de la journée.

Mettez votre montre à l'heure de votre destination. Commencez à vous accoutumer au décalage horaire; demeurez mentalement actif pendant la demi-heure qui précède le moment où l'on prend le petit déjeuner à destination.

Reportez votre petit déjeuner. Arrangez-vous pour qu'il vous soit apporté à l'heure où les gens de votre destination mangent. Dans l'exemple ci-haut, ce serait peu de temps avant l'atterrissage.

Déjeunez à l'heure locale. Même si vous arrivez à San Francisco tôt le matin, évitez de manger avant l'heure du déjeuner. N'oubliez pas que c'est aussi un jour de fête, alors profitez-en.

Fixez-vous un horaire. Essayez d'adopter un horaire judicieux quelques semaines ou, au moins, quelques jours avant le départ. «Les personnes qui vivent sans horaire fixe, qui regardent le dernier film à la télévision ou qui font leur lessive la nuit souffrent davantage du décalage horaire», déclare le Dr Ehret. Faites en sorte que votre rythme circadien soit bien synchronisé.

Dormez suffisamment. «Des nuits de sommeil écourtées accentuent sûrement les effets du décalage horaire, déclare le Dr Ehret. Quelques jours avant votre départ, essayez de dormir 15 minutes de plus chaque nuit.»

Voyagez de jour et atterrissez de nuit. «Il est préférable d'arriver à destination au milieu de la soirée, de prendre un repas léger et d'aller au lit vers 23 h, heure locale», dit le Dr Timothy Monk, professeur adjoint de psychiatrie et directeur du Programme de recherche en chronobiologie humaine de la faculté de médecine de l'université de Pittsburgh.

Il pense en effet que l'organisme s'adapterait ainsi mieux au changement des fuseaux horaires.

Buvez beaucoup de liquides pendant le vol. «Nous savons tous que l'air des cabines d'avions est extrêmement sec, dit le Dr Monk. Les liquides aident à combattre la déshydratation. En effet, vous souffrirez davantage des effets du décalage horaire si vous êtes déshydraté.»

Évitez de boire de l'alcool. Buvez plutôt des jus de fruit. L'alcool est un diurétique qui vous déshydratera davantage.

Imaginez vous ailleurs qu'en avion. C'est ce que fait Maryse Foulon, une hôtesse de bord d'Air France, lorsqu'elle voyage pour son plaisir. «Je mets un oreiller sous la tête et je ferme les yeux», dit-elle. J'évite toutefois de m'endormir; je m'imagine ailleurs qu'en avion. Je pense à des choses agréables ou je planifie ma semaine.»

Maryse n'a pas tenté l'expérience sur les vols intercontinentaux; toutefois, sa méthode est efficace lorsqu'elle traverse en avion deux fuseaux horaires.

Soyez calme et reposez-vous. C'est l'attitude qu'adopte Maryse Foulon lorsqu'elle prend un vol transcontinental. Elle profite de son voyage pour jouir de la solitude. De cette manière, son organisme réagit mieux au décalage horaire.

Faites comme les Romains. Habituez-vous à votre nouveau milieu dès votre arrivée. «Soyez actif, prêtez attention au nom des rues et écoutez les gens parler leur langue», conseille le Dr Ehret. Vous vous adapterez ainsi plus facilement.

Bavardez avec les gens. Suivez ce bon conseil, surtout si l'envie de dormir vous frappe en plein jour après votre arrivée. «Par définition, l'être humain vit de jour. C'est pourquoi notre organisme considère qu'il fait jour lorsque nous bavardons ou communiquons avec d'autres gens», pense le Dr Marijo Readey, chercheur au Argonne National Laboratory. Ainsi, un grand nombre de travailleurs de nuit doivent surmonter des problèmes d'adaptation semblables à ceux que cause le décalage horaire.

Oubliez la sieste. Ou alors limitez cette dernière à une heure. Selon le Dr Monk, faire la sieste retarde le processus d'adaptation au nouveau fuseau horaire.

Prenez le soleil. «L'une des écoles de pensée, à laquelle j'adhère, suggère de rester au soleil le plus longtemps possible une fois à destination», dit le Dr Monk. Selon cette théorie, l'exposition aux rayons du soleil stimule l'horloge biologique et maintient éveillé pendant toute la journée.

«Lorsque la lumière touche l'œil, des neurotransmetteurs sont libérés et transmettent sur le champ un signal à des régions précises du cerveau, explique le Dr Ehret. À leur tour, ces régions cérébrales stimulées informent le reste du corps qu'il entre dans un état actif de veille.»

Prenez rendez-vous avec le soleil. Certains experts pensent que le moment de la journée où vous sortez a aussi son importance. «La lumière du matin semble régler l'horloge biologique une heure plus tôt, alors que l'exposition à la lumière plus tard dans la journée a un effet contraire», nous dit le Dr Al Lewy, psychiatre à la faculté de médecine de l'université Oregon Health Sciences.

Ainsi, si vous vous dirigez vers l'est, le Dr Lewy vous suggère de profiter de la lumière du matin; si vous vous dirigez vers l'ouest, il vous conseille celle de l'après-midi. Toutefois, cette recommandation n'est valable que si vous traversez six fuseaux horaires ou moins.

Quoi d'autre?

Voici comment trois globe-trotters célèbres ont essayé de combattre le décalage horaire

Que peuvent bien avoir en commun Dwight D. Eisenhower, Henry Kissinger et Lyndon B. Johnson?

Ils avaient tous les trois développé une stratégie personnelle pour lutter contre les effets du décalage horaire. Dans son ouvrage *Overcoming Jet Lag*, le Dr Charles Ehret décrit chacune d'elles, mais il ajoute qu'aucune n'est vraiment fiable. Nous vous les présentons tout de même à titre d'information.

Arrivez plusieurs jours avant. L'ancien président des États-Unis Dwight Eisenhower essayait d'arriver à destination quelques jours avant sa rencontre avec les chefs d'État étrangers. D'après le Dr Ehret, le grave problème de cette stratégie, c'est que le président Eisenhower ne pouvait arriver suffisamment à l'avance pour ne pas souffrir du décalage horaire, si l'on considère qu'un fuseau horaire équivaut à une journée de récupération.

Suivez la route diplomatique. Plusieurs jours avant de prendre l'avion, commencez à vous coucher une heure plus tôt et à vous lever une heure plus tard. C'est la méthode d'Henry Kissinger. Selon le Dr Ehret, le point faible de cette méthode est sa rigidité. Kissinger lui-même n'arrivait pas à la suivre et la plupart des gens auraient probablement le même problème. De plus, ajoute le Dr Ehret, rien ne prouve que cette méthode réduise vraiment les effets du décalage horaire.

Ne changez pas d'heure. En arrivant à une nouvelle destination, le président Lyndon B. Johnson insistait pour garder son ancien horaire: il mangeait et il dormait à ses heures habituelles. Il organisait même des rencontres aux heures qui lui convenaient, au détriment souvent des autres personnes.

«Le président des États-Unis peut à la rigueur se permettre ce genre d'extravagance», dit le Dr Ehret, mais le voyageur moyen n'aurait certainement pas la possibilité de réserver une table pour dîner à 2 heures du matin, même à Los Angeles.

Faites de l'exercice. «Les personnes qui voyagent devraient poursuivre leurs activités physiques une fois arrivées à destination», dit le Dr Monk. Continuez donc de faire votre jogging. Cela vous mettra en bonne forme, vous tiendra éveillé et vous fera prendre l'air pendant la journée.

Une étude menée à l'université de Toronto révèle que l'exercice peut également réduire le nombre de jours d'adaptation au décalage horaire. Les chercheurs ont exposé des hamsters dorés (animaux nocturnes dont les cycles d'activité sont stables) à la lumière artificielle et ont avancé le crépuscule de huit heures, simulant ainsi un vol intercontinental vers l'Est.

À la tombée de la nuit, on a placé et fait courir un groupe de hamsters dans une roue. L'autre groupe a surtout dormi. Les hamsters qui ont dormi ont mis en moyenne 5,4 jours à s'adapter et à reprendre leurs activités nocturnes normales, les hamsters qui ont couru, eux, se sont adaptés en 1,6 jours environ.

Réfléchissez avant de réagir. «Ne prenez aucune décision importante avant 24 heures ou au moins avant de vous sentir bien reposé», conseille le Dr Ehret. Après un long voyage, vous n'aurez pas les idées très claires.

«En affaires, dit-il, il est arrivé qu'on prenne de mauvaises décisions qui ont par la suite été attribuées au décalage horaire.»

Inversez le processus. Dans la mesure du possible, inversez le processus pour préparer le retour à la maison. Le décalage horaire va dans les deux sens.

EXPERTS CONSULTÉS

Le **Dr Charles Ehret** est président de General Chronobionics à Hinsdale, en Illinois et l'auteur de *Overcoming Jet Lag*. Il est chercheur principal à la retraite de l'Argonne National Laboratory, une division du ministère de l'Énergie.

Le **Dr Al Lewy** est psychiatre à la faculté de médecine de l'université Oregon Health Sciences de Portland. Il a effectué des études sur les effets de la lumière sur l'horloge biologique humaine.

Le **Dr Timothy Monk** est professeur adjoint de psychiatrie et directeur du Programme de recherche en chronobiologie humaine de la faculté de médecine de l'université de Pittsburgh, en Pennsylvanie.

Le **Dr Marijo Readey** est chercheur au Argonne National Laboratory, une division du ministère de l'Énergie.

Dépression

22 façons de surmonter le cafard

La vie peut se comparer aux montagnes russes. Les riches, les pauvres, les clochards ou les voleurs; les médecins, les avocats ou les chefs indiens, tout le monde a ses hauts et ses bas. Même les plus grands spécialistes de la dépression.

Cependant, ces experts savent par expérience qu'ils peuvent guérir presque tous les cas de dépression, même les plus graves. Quant aux crises de cafard et de déprime, des techniques fort simples réussissent souvent à en venir à bout.

Alors, si vous vous sentez abattu et mélancolique, si la vie vous semble lourde à porter, essayez l'une des méthodes qui ont fait leur preuve pour vous remonter le moral.

Laissez-vous aller. Benjamin Franklin disait qu'il n'y avait aucune certitude dans la vie, sauf les impôts et la mort. Eh bien! il oubliait quelque chose: la tristesse.

William Knaus, un psychologue dans un cabinet privé à Long Meadow, au Massachusetts, estime que se sentir triste n'a rien d'exceptionnel. Le Dr Fred Strassburger, psychologue et professeur adjoint de psychiatrie clinique à la faculté de médecine de l'université George Washington, ajoute: «Sachez bien que les sentiments dépressifs ne durent pas. Ne vous sentez pas triste d'être triste.»

Multipliez vos activités. Tourner en rond chez vous accentuera votre dépression. Notre remède maison: sortir. «Peu importe l'activité que vous choisissez, soyez actif», déclare le Dr Jonathan W. Stewart, psychiatre et chercheur à l'institut psychiatrique New York State à New York. Allez vous promener à pied ou en bicyclette, allez voir des amis, jouez aux échecs, lisez un roman ou faites du bénévolat. Mais attention! Regarder la télévision n'est pas considéré comme une activité!

Faites des choses amusantes. La meilleure façon de choisir une activité consiste à écrire sur une feuille de papier ce que vous aimeriez faire. Le problème, c'est que tout nous semble ennuyeux quand on est déprimé. Que pouvez-vous faire alors? «Eh bien, énumérez toutes les activités qui vous plaisaient avant d'être déprimé, suggère le Dr C. Eugene Walker, professeur de psychologie et directeur de la formation en psychologie pédiatrique au Centre de santé de l'université d'Oklahoma. Puis choisissez-en une et faites-la!»

Parlez de votre dépression. «On se sent mieux quand on partage ses sentiments avec quelqu'un», dit le Dr Bonnie R. Strickland, professeur de psychologie à l'université du Massachusetts, à Amherst. Trouvez des amis qui se soucient de vous et parlez-leur de vos problèmes.»

Ne retenez pas vos larmes. «Si le fait de parler de vos problèmes vous donne envie de pleurer, ne retenez pas vos larmes.

Aider les autres à surmonter leur dépression

Quelle est la meilleure façon de venir en aide à l'un de vos proches déprimé?

«Être à l'écoute, dit le Dr Robert Jaffe. Votre ami a besoin avant tout d'une oreille compatissante.»

«Si quelqu'un de proche vous semble déprimé et n'en parle pas, prenez les devants et demandez-lui ce qui se passe», suggère le Dr Jaffe. Puis continuez et essayez de savoir depuis quand il est déprimé. D'après ce médecin, cette question est très utile. En effet, en sachant exactement quand la dépression a commencé, il est plus facile d'en trouver l'élément déclencheur.

Voici quelques autres recommandations du Dr Jaffe:

- À mesure que votre ami s'ouvre à vous et vous parle de sa dépression, essayez de créer une atmosphère sécurisante. Ne minimisez pas le problème avec des remarques comme: «Allons, tu n'as aucune raison d'être déprimé».
- N'offrez pas de solution toute faite comme: «Tu sais, tu n'as qu'à faire ceci ou cela». Laissez plutôt la personne trouver elle-même ses solutions et se servir de vous comme banc d'essai pour ses idées.
- Essayez d'amener la personne déprimée à pratiquer des activités physiques, de l'exercice par exemple.
- Essayez de l'amener à trouver des solutions. «N'oubliez pas que la dépression peut se définir comme un manque d'intérêt pour toutes choses», ajoute le Dr Jaffe.

Quoi d'autre?

Surveillez votre alimentation

D'après le Dr Priscilla Slagle, professeur adjoint à la faculté de médecine de l'université de Californie à Los Angeles (UCLA), l'alimentation, plus que tout autre facteur, influe sur notre état d'esprit. Les meilleurs éléments nutritifs pour combattre la dépression? Avant tout, les vitamines du groupe B et certains acides aminés. Voici la formule magique du Dr Slagle:

Si vous avez le cafard, prenez de 1 000 à 3 000 mg d'acide aminé L-tyrosine, en vous levant le matin (l'estomac vide). Puis 30 minutes plus tard, prenez un supplément de vitamines du groupe B avec votre petit déjeuner.

Dans le cerveau, la L-tyrosine se convertit en norépinéphrine, composé chimique qui rend de bonne humeur et donne de la motivation et de l'énergie. Les vitamines du groupe B, en particulier la vitamine B_6, permettent à l'organisme de métaboliser les acides aminés.

«Tous les patients souffrant de dépression légère réagissent bien à ce traitement», déclare le Dr Slagle. Mais, avant de prendre des suppléments, consultez votre médecin.

Selon les représentants de l'American Medical Association et de l'American Psychiatric Association, l'état actuel des recherches ne permet ni de confirmer ni d'infirmer la théorie du Dr Slagle.

Pleurer est un excellent moyen de se soulager, surtout quand on sait pourquoi on pleure», dit le Dr Robert Jaffe, thérapeute conjugal et familial de Sherman Oaks, en Californie.

Prenez le temps d'analyser la situation. «Très souvent, trouver la source de la dépression peut être d'un grand secours, dit le Dr Strassburger. Une fois que vous avez compris le problème, vous pouvez commencer à essayer de le résoudre.»

Soyez persévérant, puis soyez capable d'abandonner. «Enfant ou adolescent, on se fait une certaine idée de ce que la vie nous réserve. Il arrive qu'on s'y accroche même si c'est irréaliste», dit le Dr Arnold H. Gessel, psychiatre à Broomall, en Pennsylvanie. D'après lui, se fixer des buts difficiles à atteindre peut conduire à la dépression. Il vient un moment où il faut se dire «J'ai fait tout ce que je pouvais faire» et être capable d'abandonner.

Faites de l'exercice. De nombreuses études démontrent que l'exercice peut aider à surmonter la dépression. Si vous faites régulièrement de l'exercice et si vous êtes en excellente forme physique, mais en mauvaise forme psychologique, «poussez la machine à fond», suggére le Dr Gessel. Voilà un bon moyen pour libérer vos tensions.

Mettez-vous au dessin. Vous pouvez exprimer vos sentiments en les mettant sur papier ou, mieux encore, en les dessinant, dit le Dr Ellen McGrath, présidente de l'American Psychological Association's National Task Force on Women and Depression et professeur adjoint à l'université de New York.

«Vous serez surpris de ce que vous découvrirez de vos émotions si vous dessinez immédiatement après un événement bouleversant», dit-elle. Utilisez beaucoup de couleurs. Le rouge peut traduire la colère; le noir, la tristesse; le gris, l'anxiété.

Rectifiez les faits. «Parfois, en confrontant vos suppositions à la réalité, vous vous rendez compte que les choses ne sont

---

ALERTE MÉDICALE

À quel moment chercher de l'aide

Si vous vous sentez déprimé et que ce sentiment persiste — même après avoir tout essayé —, c'est le moment de prendre un rendez-vous avec un professionnel de la santé mentale. Les experts du National Institute for Mental Health estiment que toute personne qui ressent au moins quatre des symptômes suivants, pendant plus de deux semaines consécutives, devrait se faire aider.

- Sentiments persistants de tristesse, d'anxiété ou «de vide»
- Sentiments de désespoir et/ou de pessimisme
- Sentiments de culpabilité, d'inutilité et/ou d'impuissance
- Manque d'intérêt ou de plaisir dans les activités quotidiennes, y compris la sexualité
- Troubles du sommeil (incluant l'insomnie ou l'insomnie matinale, ou une tendance à trop dormir)
- Troubles alimentaires (appétit capricieux et/ou diminution ou augmentation de poids)
- Manque d'énergie, fatigue, ou sentiment de fonctionner au ralenti
- Obsession de la mort, pensées suicidaires ou tentatives de suicide
- Agitation ou irritabilité, difficulté de concentration et de mémoire, ou difficulté de prendre des décisions.

pas telles que vous les imaginiez», dit le Dr Knaus. Par exemple, si vous soupçonnez votre mari ou votre femme d'infidélité (raison suffisante pour être déprimé), posez-lui la question sans hésiter. Vous êtes peut-être dans l'erreur.

Faites quelque chose de vraiment ennuyeux. Pour que votre dépression disparaisse, vous avez peut-être simplement besoin d'une distraction qui vous enlèvera vos idées noires.

«Choisissez une activité vraiment ennuyeuse et faites-la», suggère le Dr Knaus. Par exemple, lavez les carreaux de la salle de bains avec une brosse à dents. Ou bien examinez la même feuille pendant des heures et des heures.

Ralentissez votre rythme de vie. De nos jours, on mène parfois une vie assez trépidante. «Si vous avez le sentiment qu'un surcroît de travail serait à l'origine de votre dépression, vous avez peutêtre simplement besoin de repos, dit le Dr Strickland. Accordez-vous davantage de temps pour de bons bains chauds par exemple, ou des massages.»

Évitez de prendre des décisions importantes. «Vous ne pouvez pas vous fier à votre jugement lorsque vous êtes déprimé», dit le Dr Robert S. Brown Sr, professeur de psychiatrie à la faculté de médecine de l'université de Virginie. Le Dr Brown conseille aux personnes atteintes de dépression de reporter les décisions importantes et de les prendre quand elles se sentiront mieux: elles pourraient en effet en prendre de mauvaises, ce qui aggraverait leur dépression.

Respectez les autres. «Les personnes déprimées sont souvent blessantes avec leur entourage», dit le Dr Knaus. Évitez d'être désagréable, car les autres pourraient vous répondre sur le même ton. C'est la dernière chose dont vous ayez besoin.

N'allez pas dans les magasins. «Faire du shopping peut avoir un effet boomerang», prévient le Dr Knaus. Cela vous procurera peut-être beaucoup de plaisir sur le coup, mais pensez à votre désarroi quand les factures arriveront.

Fermez le réfrigérateur. «Les fringales aussi ont un effet boomerang», dit le Dr Knaus. Vous vous sentirez peut-être mieux sur le moment, mais votre dépression augmentera au même rythme que

les centimètres de votre tour de taille. S'il le faut, sortez de chez vous pour lutter contre vos fringales.

EXPERTS CONSULTÉS

Le Dr Robert S. Brown Sr est professeur de psychiatrie à la faculté de médecine de l'université de Virginie à Charlottesville, où il a un cabinet privé de psychiatrie.

Le Dr Arnold H. Gessel a un cabinet privé de psychiatrie à Broomall, en Pennsylvanie. Il est spécialisé dans les troubles reliés au stress et à la tension, et il travaille avec beaucoup d'anciens combattants de la Guerre du Vietnam.

Le Dr Robert Jaffe est thérapeute conjugal et familial à Sherman Oaks, en Californie. Il détient une maîtrise en thérapie.

Le Dr William Knaus possède un cabinet privé de psychologie à Long Meadows, au Massachusetts. Il est l'auteur de sept ouvrages, dont *How to Get Out of a Rut* et *The Illusion Trap*.

Le Dr Ellen McGrath a un cabinet privé de psychologie à New York. Elle est en outre professeur adjoint à l'université de New York et présidente de l'American Psychological Association's National Task Force on Women and Depression.

Le Dr Priscilla Slagle est professeur adjoint à la faculté de médecine de l'université de Californie à Los Angeles (UCLA). Elle a un cabinet privé de psychiatrie à Los Angeles. Elle est l'auteur de *The Way Up From Down*.

Le Dr Jonathan W. Stewart est psychiatre et chercheur au Depression Evaluation Service de l'institut psychiatrique New York State à New York. Il est aussi professeur adjoint de psychiatrie clinique à la faculté de médecine de l'université Columbia de cette ville.

Le Dr Fred Strassburger a un cabinet privé de psychologie. Il est professeur adjoint de psychiatrie et de sciences du comportement à la faculté de médecine de l'université George Washington de Washington, D.C.

Le Dr Bonnie R. Strickland est professeur de psychologie à l'université du Massachusetts à Amherst. Elle a déjà été présidente de l'American Psychological Association.

Le Dr C. Eugene Walker est professeur de psychologie et directeur de la formation en psychologie pédiatrique au centre de santé de l'université d'Oklahoma à Oklahoma City.

Dermite et eczéma

23 moyens de garder une belle peau

La première question qui vous vient spontanément à l'esprit quand le médecin diagnostique une dermite est la suivante: Pourquoi moi? Pourquoi suis-je affligé de démangeaisons, de rougeurs et d'irritations cutanées?

Votre médecin est sans doute la personne la plus qualifiée pour vous répondre. Sachez néanmoins que vous n'êtes pas le seul à être atteint de cette maladie. En effet, les plus récentes statistiques montrent que chaque année des millions de gens souffrent d'une forme quelconque de dermite.

Les conseils pratiques énumérés dans ce chapitre ont pour but d'aider les personnes atteintes d'eczéma ou de dermite à les soulager de leurs démangeaisons et du dessèchement de leur peau, phénomènes qui accompagnent souvent ces affections.

Les spécialistes estiment généralement que la meilleure façon de traiter soi-même les démangeaisons causées par l'eczéma ou par une dermite consiste à lubrifier la peau asséchée. C'est pour leurs propriétés lubrifiantes d'ailleurs que la plupart des remèdes recommandés à la rubrique *Peau sèche et démangeaisons hivernales* à la page 486 sont efficaces.

Méfiez-vous de l'air trop sec. L'air sec aggrave la dermite, surtout les mois d'hiver lorsque l'air de la maison est surchauffé.

D'après le Dr Howard Donsky, dermatologiste attaché au Toronto General Hospital, les systèmes de chauffage qui soufflent de l'air sont plus nocifs que les autres pour la peau. L'air sec exacerbe les démangeaisons de l'eczéma ou de la dermite; les personnes qui souffrent de ces maladies et leur famille devraient en tenir compte. «Un bon humidificateur va contrecarrer l'effet de ce type de chauffage», remarque le Dr Donsky.

Cependant, ne vous attendez pas à régler le problème en mettant un humidificateur dans une seule pièce. «Les gens pensent qu'il suffit

Êtes-vous allergique au nickel?

«L'allergie au nickel est probablement la dermite de contact la plus répandue», déclare le Dr Howard Donsky. «Malheureusement, les gens ne sont souvent pas conscients de ce problème; ils pensent être allergiques à l'or.»

L'allergie au nickel touche dix fois plus de femmes que d'hommes. Elle survient souvent chez les femmes lorsqu'elles se font percer les oreilles. Phénomène étrange, se faire percer les oreilles peut provoquer des rougeurs sur d'autres parties du corps de la personne à la suite de son contact avec le nickel. Brusquement, les bracelets, les colliers et les autres bijoux portés depuis des années peuvent déclencher une dermite de contact.

Si vous croyez être allergique au nickel, voici quelques conseils.

Achetez des boucles d'oreilles à pivots d'acier inoxydable. Lorsque vous vous faites percer les oreilles, ne portez que des boucles d'oreilles à pivots d'acier inoxydable pendant la période de cicatrisation (environ trois semaines).

Restez au frais. La transpiration joue un grand rôle dans cette allergie en se combinant au nickel des bijoux plaqués de ce métal. Nous vous suggérons de ne pas porter ce type de bijoux si vous sortez quand il fait très chaud.

Misez sur l'or. «N'achetez que des bijoux en or de bonne qualité, dit le Dr Donsky. De l'or de moins de 24 carats contient inévitablement du nickel, dit-il, et moins il y a de carats, plus il y a de nickel.»

N'en faites pas une obsession. Certains dermatologistes européens conseillent à leurs patients qui souffrent d'allergie au nickel de surveiller leur alimentation. Ils ont observé que l'allergie au nickel peut survenir sans le moindre contact avec ce métal et ils conseillent à leurs patients d'éviter de consommer des abricots, du café, de la bière, du thé, des noix et d'autres aliments riches en nickel.

Cette théorie intéressante n'a pas connu beaucoup de succès dans les pays occidentaux. «Il n'est pas encore démontré que les aliments riches en nickel soient la cause de cette allergie, dit le Dr Donsky. «Par contre, si vous souffrez d'une allergie grave au nickel, la théorie pourrait s'appliquer.»

de mettre un seul humidificateur dans leur appartement pour que le tour soit joué», dit le Dr Hillard H. Pearlstein, dermatologiste dans un cabinet privé et professeur adjoint de dermatologie à la faculté de médecine Mount Sinai à New York. Les humidificateurs sont comme les climatiseurs; seuls les gros modèles sont vraiment efficaces. Si vous placez un humidificateur dans votre chambre à coucher pour la nuit, près de votre lit, il aura une certaine efficacité.

Optez pour l'eau tiède. La croyance populaire selon laquelle les personnes atteintes de dermite doivent éviter les bains est de plus en plus remise en question. Certains médecins croient que des bains trop fréquents peuvent aggraver la situation, d'autres au contraire estiment qu'ils réduisent les risques d'infection et aident à assouplir la peau.

La plupart de nos experts appartiennent à la deuxième école de pensée. «Prenez des bains, dit le Dr Donsky, mais des bains tièdes. Évitez l'eau trop chaude ou trop froide.»

Hydratez-vous. Vous pouvez utiliser du savon, mais, après avoir pris votre bain, enduisez votre peau d'un agent hydratant pour combattre le dessèchement de la peau. Vous pouvez vous baigner aussi souvent que vous le désirez, pourvu que vous appliquiez par la suite un corps gras sur la peau. Ce corps gras retient l'eau. Le dessèchement de la peau est causé par la déperdition d'eau et non par la perte de matière grasse.

Parmi les émollients après le bain les plus utilisés, mentionnons l'émollient Oleatum®. Si votre peau reste sèche après que vous avez appliqué ces lotions, essayez des crèmes comme Nivea®.

Prenez un bain aux flocons d'avoine. «Faites-vous plaisir, dit le Dr Donsky, ajoutez de la farine d'avoine colloïdale, de l'Aveenoderm® par exemple, dans votre bain et utilisez-la comme savon. Ajoutez 500 mg d'avoine colloïdale à un bain d'eau tiède. Le mot colloïdal signifie simplement que l'avoine a été réduite en une fine poudre qui reste en suspension dans l'eau. Il suffit de mettre un peu de farine d'avoine colloïdale dans un mouchoir que vous attachez ensuite avec un élastique. Plongez-le dans l'eau et utilisez-le comme gant de toilette.

Évitez les déodorants. Les sels métalliques comme le chlorure et le sulfate d'aluminium ainsi que le chlorhydrate de zinc font partie des ingrédients actifs d'un grand nombre de déodorants. Or, ces substances provoquent des irritations cutanées aux personnes à la peau sensible. «Habituellement, c'est le produit contre la transpiration plutôt que le déodorant qui est en cause, dit le Dr Donsky. Je recommande l'Aqueous Zephiran®, un produit en vente libre dans les pharmacies. Ou, si vous désirez continuer à utiliser un produit vendu dans le commerce, choisissez un produit qui contient

un anti-irritant comme de l'allantoénate, de l'oxyde de zinc, de l'oxyde de magnésium, de l'hydroxyde d'aluminium ou du triéthano-lamine.»

Essayez ce remède en vente libre. Pour soulager les démangeaisons et l'inflammation causées par la dermite ou l'eczéma, on a souvent recours aux crèmes, aux pommades et aux lotions to-piques à base de cortisone. L'hydrocortisone est la plus faible des hormones stéroïdes de la famille de la cortisone. On la trouve sous forme d'émollient non irritant dans la plupart des pharmacies.

«On peut se procurer sans ordonnance une crème d'hydrocorti-sone à 0,05 %, dit le Dr Pearlstein, elle n'a aucun effet nocif.» Cependant, les crèmes plus concentrées risquent de provoquer des effets secondaires graves et ne peuvent être utilisées sans surveil-lance médicale.

ALERTE MÉDICALE

Un loup dans la bergerie

Il fut un temps où les loups circulaient librement dans toute l'Europe et sur le vaste continent asiatique, et s'en prenaient aux habitants. Ceux qui survi-vaient à leurs attaques portaient parfois les marques des crocs sur leur visage. D'autres personnes portaient des marques similaires sans jamais avoir été mor-dues par l'animal. On disait d'elles qu'elles avaient le lupus, par analogie avec le loup.

Nous savons aujourd'hui que le lupus fait partie des maladies inflamma-toires auto-immunes, lesquelles entraînent une auto-destruction de l'organisme. Il existe deux formes de lupus: la première forme n'affecte que la peau, alors que la deuxième attaque à la fois la peau et plusieurs organes vitaux. La mala-die peut être déclenchée après une exposition au soleil, l'absorption de cer-tains médicaments ou à la suite de problèmes émotionnels.

Le lupus laisse toujours sa marque, une éruption rouge en forme de papillon qui apparaît sur la joue ou sur l'arête du nez.

Dès qu'une plaque disparaît, une autre se forme. Le lupus, dont les lésions sont finement squameuses, provoque des démangeaisons. Les per-sonnes qui en sont atteintes peuvent être en proie à d'intenses douleurs articu-laires, à de la fièvre et à une inflammation pulmonaire. Si vous reconnaissez chez vous ces symptômes, consultez immédiatement votre médecin.

Emmitouflez-vous dans du coton.

«Il est nettement préférable de porter des vêtements de coton plutôt que de polyester et surtout de laine», dit le Dr John F. Romano, dermatologiste et professeur au centre médical Cornell du New York Hospital. Évitez les tissus synthétiques ou qui démangent, ainsi que les vêtements trop serrés ou mal ajustés. En plus d'être peu seyants, ils vous irriteront la peau.

Ne portez pas de faux ongles.

Des études récentes menées à la Cleveland Clinic Foundation ont démontré que les produits de manucure à base d'acrylique provoquent fréquemment des dermites. Ces produits, qui entrent dans la composition des faux ongles, causent non seulement des dermites allergiques, mais également des irritations aux yeux, au nez et aux voies respiratoires

Autrefois, on utilisait ces produits uniquement dans les salons de beauté. Aujourd'hui, on peut les appliquer soi-même à la maison. «Les ongles artificiels ne causent aucun problème à la plupart des gens», dit le Dr Donsky. Auparavant, presque tous les fixatifs contenaient de la formaldéhyde, certains en contiennent encore de nos jours. Ce composé peut irriter la peau qui entre en contact avec lui, de la même façon que les autres polymères contenus dans les ongles artificiels.

Si vous pensez être allergique à ce genre de produits, nous vous conseillons de ne pas les utiliser.

Appliquez des compresses sur votre peau.

Des compresses humides froides peuvent soulager les démangeaisons provoquées par la dermite de contact. «Je conseille à mes patients de remplacer l'eau par le lait», dit le Dr Romano. Le lait semble avoir un effet plus calmant.

Voici ce qu'il vous conseille: mettre du lait et des glaçons dans un verre. Laissez reposer quelques minutes. Puis versez le liquide sur un tampon de gaze ou sur un mince tissu de coton. Appliquez ce pansement sur la peau irritée deux ou trois minutes. Trempez-le à nouveau dans le lait et répétez le traitement pendant environ dix minutes.

Selon le Dr Romano, ce traitement n'est pas recommandé dans les cas de dermite ou d'eczéma généralisé, surtout lorsque l'eczéma commence à suinter. Certains médecins suggèrent de soulager cette maladie, connue sous le nom d'eczéma exsudatif, en appliquant plusieurs fois par jour des compresses froides sur la peau. Cependant, si votre état ne s'améliore pas, consultez sans tarder votre médecin.

Essayez la lotion de calamine. «Elle est efficace pour toutes sortes d'irritations suintantes qui doivent être asséchées», dit le Dr Romano. De plus, une lotion de calamine additionnée de menthol ou de phénol soulage beaucoup mieux les démangeaisons que la lotion de calamine ordinaire. Enfin, elle est disponible dans toutes les pharmacies.

Testez votre alimentation. «Les allergies alimentaires sont à l'origine de nombreuses dermites topiques qui affectent les enfants», estime le Dr Pearlstein. C'est particulièrement le cas jusqu'à l'âge de six ans. Aussi, en modifiant le régime alimentaire des enfants, on peut mieux maîtriser les inflammations cutanées.

On dit souvent que certains aliments comme les œufs, le jus d'orange et le lait aggravent l'eczéma des enfants. «Pour ma part, je ne condamnerai pas ces aliments en bloc», dit le Dr Pearlstein. C'est pourquoi les parents devraient consulter leur médecin avant d'essayer les régimes d'élimination qui semblent favorables avant l'âge

---

Quoi d'autre?

L'huile de primevère

Les recherches préliminaires semblaient prometteuses. Une étude publiée par la prestigieuse revue médicale britannique *Lancet* signalait que de fortes doses d'huile de primevère sous forme de gélules réduisaient de manière sensible les symptômes de l'eczéma Cependant, d'autres études n'ont pu confirmé cette hypothèse et la controverse de l'huile de primevère dure toujours.

«On a beaucoup parlé de l'huile de primevère dans les médias, dit le Dr Hillard H Pearlstein, mais nous ne croyons pas à son effet thérapeutique.» Aucune preuve scientifique n'appuie cette hypothèse. Le Dr John F. Romano est sceptique lui aussi. «On a rapporté que l'huile de primevère pouvait être efficace dans certains cas de dermite atopique, mais je n'en suis pas convaincu.»

Si vous êtes malgré tout tenté de l'essayer, sachez qu'il faut prendre ces capsules très coûteuses en grandes quantités pendant six mois avant d'obtenir les premiers résultats. De plus, on a découvert qu'il existait de fausses capsules d'huile de primevère sur le marché. Il faut donc se méfier des capsules vendues sans marque ou au rabais. On trouve de l'huile de primevère dans les magasins d'aliments naturels.

de deux ans. Après six ans, l'alimentation joue un rôle négligeable dans la plupart des cas.

Le Dr Pearlstein laisse à ses patients adultes la responsabilité de leur régime alimentaire. Si vous croyez que certains aliments ne conviennent pas à votre peau, n'en mangez plus et voyez ce qui se passe. Si votre problème disparaît, il est possible que vous souffriez d'une allergie alimentaire.

Évitez les changements brusques de température.

«Si vous souffrez d'eczéma, dit le Dr Donsky, les grands écarts de température peuvent être une source d'ennuis.» Passer d'une pièce surchauffée à l'air froid de l'hiver, ou encore d'une pièce climatisée à une douche chaude, peut provoquer des démangeaisons. «La meilleure façon de se protéger consiste à porter plusieurs vêtements l'un par-dessus l'autre, particulièrement des vêtements de coton», dit le Dr Donsky. De plus, les personnes qui souffrent d'eczéma doivent éviter les douches et les bains trop chauds. Un peu de prévention peut aider à éliminer les démangeaisons.

Employez du papier hygiénique blanc. «Pour enrayer

les démangeaisons de la dermite de contact, employez toujours du papier hygiénique blanc», dit le Dr Donsky. C'est la teinture qui irrite la peau.

Méfiez-vous des lotions pour bébés. Évitez d'uti-

liser les lotions pour bébés dans le cas d'eczéma infantile, dit le Dr Romano. Elles contiennent un fort pourcentage d'eau et peuvent donc dessécher et irriter la peau par évaporation. Certains parfums et ingrédients actifs qui entrent dans la composition des lotions pour bébés (lanoline et huile minérale) sont des causes fréquentes d'allergies cutanées.

«Choisissez de préférence des crèmes ou des pommades, dit-il, notamment la crème La Roche Posay® ou la formule dermatologique Vaseline.»

Employez des émollients à base d'urée. «Les émol-

lients contenant de l'urée soulagent beaucoup les démangeaisons provoquées par l'eczéma ou la dermite», dit le Dr Pearlstein. L'urée, un agent exfoliant, est un excellent produit. On peut l'employer lorsque la peau s'épaissit à la suite de frottements répétés. Parmi les produits à base d'urée, mentionnons Carmol 10 ou 20 ou Ultra Mide 25. Le Dr Pearlstein recommande aussi les émollients contenant de l'acide lactique.

Essayez les antihistaminiques.

Les antihistaminiques bloquent la sécrétion des histamines par les mastocytes, réduisant ainsi les réactions allergiques classiques comme les maux de tête, l'écoulement nasal et les démangeaisons. «C'est la raison pour laquelle les antihistaminiques comme la Polaramine® peuvent soulager l'eczéma», dit le Dr Romano.

Les antihistaminiques réduisent les démangeaisons en empêchant les histamines d'atteindre les cellules cutanées fragiles. Toutefois, une mise en garde s'impose: il faut souvent prendre de grandes quantités d'antihistaminiques avant d'en sentir les effets. Ces médicaments peuvent provoquer de la somnolence, ce qui rend dangereux le maniement d'outils et la conduite de véhicules automobiles.

Lavez une fois, rincez deux fois.

D'après le Dr Romano, lorsqu'on lave le linge de personnes qui souffrent d'eczéma ou de dermite, la marque de détergent à utiliser est moins importante que l'opération de rinçage.

«Vous devez vous assurer que le détergent a complètement disparu», dit-il. N'utilisez pas trop de détergent et, surtout, rincez le linge deux fois afin d'enlever toute trace de savon.

Consultez un bon ophtalmologiste.

Une étude s'étalant sur 20 ans et portant sur 492 patients de la clinique Mayo à Rochester, au Minnesota, a démontré que les personnes qui souffrent de dermite atopique développent des cataractes. En effet, l'incidence des cataractes est plus élevée parmi les personnes qui souffrent de dermite atopique, confirme le Dr Pearlstein. Ces personnes devraient consulter régulièrement leur ophtalmologiste.

EXPERTS CONSULTÉS

Le **Dr Howard Donsky** est professeur adjoint de médecine à l'université de Toronto et dermatologiste attaché à l'hôpital Toronto General. Il est l'auteur de *Beauty is Skin Deep.*

Le **Dr Hillard H. Pearlstein** a un cabinet privé de dermatologie. Il est professeur adjoint de dermatologie à la faculté de médecine Mount Sinai de l'université de New York.

Le **Dr John F. Romano** est dermatologiste. Il est attaché à l'hôpital St. Vincent et au Centre médical de New York. Il est aussi professeur adjoint de médecine au Centre médical New York Hospital-Cornell University, à New York.

Diabète

51 façons de le surveiller

L'insuline, en bonne entremetteuse, s'attache à monsieur Glucose, une molécule de sucre célibataire, et va frapper à la porte de mademoiselle Cellule. Reconnaissant le signal de l'insuline, mademoiselle Cellule, elle-même célibataire, ouvre la porte. J'ai quelqu'un pour vous, dit l'insuline en poussant monsieur Glucose à l'intérieur. Ensemble, mademoiselle Cellule et monsieur Glucose développent une belle énergie.

C'est de cette manière que la production d'énergie devrait fonctionner. Mais, pour des millions de gens qui souffrent du diabète de type II (ou diabète de l'adulte), quelque chose cloche. L'insuline ne trouve pas la porte (le récepteur cellulaire), ou ses molécules sont en nombre insuffisant pour s'attacher aux molécules de sucre ou ces dernières ne font pas bien leur travail. C'est alors qu'apparaît le diabète sucré.

Les personnes atteintes de diabète ont de plus grandes prédispositions aux troubles cardiaques et rénaux, à l'athérosclérose, aux lésions nerveuses, à l'infection et à la cécité. De plus, elles guérissent plus lentement. C'est pourquoi elles doivent être constamment sous surveillance médicale. On ne saurait trop le répéter. Ce qui vous convient peut être très nocif à votre ami diabétique .

Chaque diabétique sait qu'il doit maintenir normaux ses taux de sucre et de lipides sanguins. Son régime repose sur trois pierres angulaires: l'alimentation, le contrôle du poids et l'exercice. En suivant fidèlement le régime mis au point avec son médecin, il peut éliminer pratiquement tous les symptômes de la maladie, autrement dit, la «contrôler».

Il faut tout d'abord adopter une meilleure alimentation. Toutefois, avant de changer votre régime alimentaire, vous devriez consulter votre médecin.

Suivez le régime de l'ADA. En 1986, l'American Diabetes Association (ADA) a révisé ses directives en matière de nutrition. Nous savons que les connaissances dans le domaine des besoins

ALERTE MÉDICALE

Trois dangers menacent les diabétiques

Trois risques importants et potentiellement dangereux sont associés au diabète: l'hypoglycémie, l'hyperglycémie et les blessures. De plus, dans certaines circonstances, les diabétiques doivent être suivis par leur médecin lorsqu'ils ont la grippe. Voici l'avis des experts.

L'hypoglycémie survient lorsque le taux de glucose dans le sang est trop faible. Vous pouvez traiter vous-même les symptômes bénins (voir l'encadré *Auto-traitement de l'hypoglycémie légère* à la page 165). Les symptômes graves de l'hypoglycémie comprennent les maux de tête, la confusion, l'agressivité ou la perte de conscience.

Lorsque l'un de ces symptômes survient, il faut immédiatement se rendre à la salle d'urgences d'un hôpital où un médecin vous fera une injection de glucose. «Si vos réactions hypoglycémiques sont fréquentes, dit le Dr Karl Sussman, ancien président de l'American Diabetes Association, consultez immédiatement votre médecin. Il vous demandera peut-être d'apporter des changements dans vos habitudes alimentaires.»

L'hyperglycémie survient lorsque le taux de sucre sanguin est trop élevé. Les mictions fréquentes, l'augmentation de l'appétit, la soif, la vision brouillée ou les étourdissements font partie des symptômes bénins de l'hyperglycémie. «Comme elle est parfois asymptomatique, vous pouvez ignorer que vous en êtes atteint à moins de faire vérifier votre taux de glycémie», dit le Dr Sussman. Les symptômes graves de l'hyperglycémie sont la perte d'appétit, les douleurs à l'estomac, les nausées, les vomissements, la déshydratation, la fatigue, le souffle court et le coma.

Les blessures et les plaies, surtout aux pieds et aux jambes, s'infectent rapidement chez les personnes qui souffrent de diabète. Pour cette raison, faites soigner vos blessures par un médecin.

Si vous pensez avoir la grippe, consultez immédiatement votre médecin, ou rendez-vous à la salle d'urgences d'un hôpital dans les cas suivants:

- si vous vomissez ou si avez des douleurs à l'abdomen;
- si votre urine contient de grandes quantités de sucre et d'acétone;
- si votre taux de glycémie est supérieur à 11,1 mmol/l;
- si votre température est supérieure à 37,7 °C.

nutritifs ne cessent d'être discutées à mesure qu'elles s'étendent; cependant, les directives adoptées ici sont fondées sur des résultats qui font actuellement consensus. Chaque personne doit adapter son régime alimentaire à ses besoins et à son style de vie, dit Marion

Franz, nutritionniste, vice-présidente du département de nutrition au International Diabetes Center de Minneapolis, au Minnesota. Le régime de l'ADA se fonde sur les principes suivants:

Consommer des hydrates de carbone. L'ADA recommande aux personnes qui souffrent de diabète de Type II de puiser entre 50 % et 60 % de leurs calories dans les hydrates de carbone. En général, on en recommande environ 50 %, dit Marion Franz. Il existe deux types d'hydrates de carbone: les hydrates de carbone simples (sucre) et complexes (amidon). Chaque gramme d'hydrates de carbone produit quatre calories.

Ne laissez pas vos pieds vous trahir

À l'exception de l'insuline, la principale faiblesse des diabétiques est le pied. Les lésions nerveuses causées par le diabète émoussent l'acuité de la douleur, si bien que les diabétiques risquent de ne pas sentir une blessure aux pieds. Lorsque les vaisseaux sanguins sont endommagés, les blessures et les infections mettent plus de temps à guérir. Une petite plaie peut se gangrener et mener à l'amputation. «Si vous perdez une jambe à la suite d'une amputation due au diabète, dit le podologue Marc A. Brenner, ancien président de l'American Society of Podiatric Dermatology, les probabilités de perdre l'autre jambe s'élèvent à 75 %, et ce, dans les trois à cinq années qui suivent. Un diabétique ne doit jamais oublier cela. La meilleure façon de remédier à cette faiblesse, c'est de perdre du poids et faire de l'exercice.»

Perdez du poids. N'est-ce pas une raison suffisante pour perdre du poids? Pensez au traitement que vous faites subir à vos pieds. Les pieds, tout comme les fondations d'un édifice, souffrent de soutenir un poids supplémentaire. «Tout comme un édifice se lézarde, les pieds se fatiguent», dit le Dr Brenner. La majeure partie des patients des podologues se recrutent chez les obèses plutôt que chez les gens minces.

Inspectez souvent vos pieds. «Inspectez vos pieds deux ou trois fois par jour», conseille le Dr Brenner. Si votre vue est mauvaise, demandez à quelqu'un d'autre de le faire pour vous. Vos pieds ne doivent avoir ni rougeurs, ni ecchymoses, ni coupures, ni ampoules, ni crevasses, ni inflammation, ni enflure, ni infection!

Gardez les pieds propres. Lavez vos pieds au savon doux tous les jours.

Séchez parfaitement vos pieds. Appliquez une bonne poudre pour les pieds entre les orteils et changez de chaussettes souvent.

N'abusez pas des protéines. Selon l'ADA, les protéines ne devraient compter que pour 12 % à 20 % des calories absorbées. Chaque gramme de protéine équivaut à quatre calories.

Évitez les matières grasses. L'ADA recommande d'éliminer autant que possible les matières grasses de l'alimentation. Elles ne doivent pas représenter plus de 30 % des calories. Chaque gramme de matières grasses produit neuf calories. «Si possible, remplacez les graisses saturées, qui contribuent à boucher les artères, par des graisses polyinsaturées ou, mieux encore, monoinsaturées, ou par des hydrates de carbone complexes», dit Marion Franz.

Pédicure en herbe. Coupez bien vos ongles d'orteils. Soignez sans attendre le pied d'athlète ou d'autres problèmes mineurs. Ne marchez jamais pieds nus. Adoucissez vos callosités avec une pierre ponce. Ne prenez pas de bains de pieds prolongés.

Temps froid, pieds chauds. N'utilisez pas de bouillotte ni de coussin électrique, vous pourriez vous brûler sans vous en rendre compte.

Bonnes chaussures, bonne pointure. Des recherches ont démontré que les chaussures de course protègent mieux les pieds des diabétiques que la plupart des chaussures sur mesure qui coûtent des milliers de francs. «Les chercheurs ont consacré beaucoup plus de temps aux chaussures de marche et de course qu'aux chaussures de ville», dit le Dr Brenner. La chaussure de marche fait partie intégrante d'un système de support du pied», dit-il. C'est pourquoi ces chaussures sont devenues un excellent équipement biomécanique pour les pieds.

N'oubliez pas les chaussettes. Avant d'enfiler l'une de ces paires de chaussures biomécaniques, n'oubliez pas de mettre des chaussettes. «Les chaussettes aussi font partie d'un système de support du pied», dit le Dr Brenner. Quand on porte des souliers de marche ou de course, le Dr Brenner recommande les Thor-Lo-Socks, ligne de chaussettes spécialisées comportant 11 modèles. La plupart sont munies de talons épais coussinés et de coussins pour les orteils qui protègent les pieds des diabétiques.

Il n'existe pas encore de chaussettes habillées pour les diabétiques, mais «elles pourraient bientôt faire leur apparition sur le marché», estime le Dr Brenner.

Consommez des aliments riches en fibres. On a découvert que les fibres alimentaires naturelles ont des effets bénéfiques sur tout le monde, en particulier chez les diabétiques. L'ADA leur recommande donc d'augmenter progressivement leur consommation de fibres à 40 g par jour. Les produits de blé entier, l'orge, l'avoine, les légumineuses, les fruits et les légumes figurent parmi les meilleures sources de fibres et d'éléments nutritifs.

Chez les diabétiques, les fibres favorisent la diminution du taux de cholestérol. «On a démontré que les fibres hydrosolubles contenues dans les légumineuses, l'avoine, l'orge et les fruits, combinées à une alimentation faible en matières grasses, font diminuer les taux de lipides sanguins», dit Marion Franz. Comme elles forment une sorte de gélatine dans le tube digestif, elles peuvent aussi ralentir l'absorption des sucres alimentaires, ce qui permet à l'insuline de contrôler la glycémie.

Les fibres facilitent aussi la modération de l'appétit. «Je crois que l'un des principaux avantages des fibres tient au volume qu'elles occupent dans l'estomac surtout chez les diabétiques de type II qui essaient de consommer moins de calories et de maîtriser leur poids», dit Marion Franz.

Les fibres procurent une agréable sensation de satiété; de plus, elles sont très bonnes pour la santé. «Elles contiennent souvent de grandes quantités de vitamines et de minéraux», ajoute Marion Franz.

Diminuez votre cholestérol. L'ADA recommande un apport alimentaire quotidien de 300 mg de cholestérol seulement, ce qui signifie que vous devez consommer beaucoup moins d'abats et de jaunes d'œuf, manger moins de viande et moins de produits laitiers. Ajoutez aussi des fibres à votre régime. (Pour plus de renseignements, voir la rubrique *Le cholestérol*, à la page 93.)

Remplacez le sucre.
La recherche a démontré que le sucrose et le sucre de table, consommés avec une quantité égale de féculents, n'augmentaient pas davantage le taux de glycémie que d'autres féculents comme les pommes de terre ou le blé. C'est pour cette raison que l'ADA permet aux diabétiques dont la maladie est stable de consommer de petites quantités de sucre raffiné, à moins qu'ils ne souffrent d'obésité. Dans ce cas, il est préférable de prendre un succédané de sucre. Les succédanés ne présentent aucun danger, dit Marion Franz. L'ADA a approuvé les succédanés sans calorie comme l'aspartame et la saccharine, ainsi que les édulcorants caloriques comme le fructose et le sorbitol.

Auto-traitement de l'hypoglycémie légère

L'hypoglycémie survient lorsque le taux de sucre dans le sang est trop bas. Comme les diabétiques ont beaucoup de mal à maintenir leur taux de sucre sanguin normal, ils souffrent souvent d'hypoglycémie. Les personnes atteintes du diabète de type II se retrouvent en état hypoglycémique lorsqu'elles retardent ou sautent un repas ou lorsqu'elles font un exercice vigoureux non prévu.

Les symptômes de l'hypoglycémie légère comprennent l'engourdissement de la bouche, la peau moite et froide, une sensation de palpitation dans la poitrine et la faim.

«Pour traiter vous-même les symptômes bénins de l'hypoglycémie», dit le Dr Karl Sussman, ancien président de l'American Diabetes Association et directeur adjoint en recherche et développement à l'hôpital Veterans Administration de Denver, au Colorado, prenez du sucre sous une forme facile à avaler. Par exemple buvez du jus d'orange ou mangez un morceau de chocolat ou des pastilles à la menthe que vous garderez toujours sur vous.

Soyez prudent. Selon l'ADA, les personnes dont le diabète est bien contrôlé peuvent utiliser le fructose et le sorbitol sans trop d'ennuis. De tous les édulcorants caloriques, le fructose est celui qui augmente le moins le taux de glycémie. Cependant, prévient le Dr Stanley Mirsky, professeur adjoint à la faculté de médecine Mount Sinai de l'université de New York, «chez des personnes aux faibles réserves d'insuline, le fructose augmente les taux de triglycérides. En outre, ajoute le Dr Mirsky, pris en grande quantité, le fructose et le sorbitol peuvent provoquer la diarrhée.»

Attention: des calories à l'horizon. Le fructose et le sorbitol que l'on trouve dans les fruits (dans l'organisme, le sorbitol se transforme en fructose) contiennent beaucoup de calories et ne remplacent pas les édulcorants non caloriques. Ainsi, si vous avez changé la saccharine par le fructose, vous avez malgré tout ajouté des calories à votre régime alimentaire.

Prenez plusieurs petits repas par jour. «L'organisme des diabétiques supporte plus facilement les petits repas, car la transformation métabolique de l'apport en sucre qu'ils contiennent exige une moins grande quantité d'insuline», dit Marion Franz. Moins de glucose veut dire moins d'insuline, donc un taux de glycémie plus constant. Certains régimes pour diabétiques recommandent trois repas

Quoi d'autre?

Liste des suppléments recommandés par un médecin

«Le régime alimentaire de l'ADA satisfait aux exigences nutritionnelles en vitamines et en minéraux si vous le suivez scrupuleusement», dit le Dr Ronald Hoffman. Cependant, le diabète exige une plus grande quantité d'éléments nutritifs pour réussir à maintenir dans l'organisme une glycémie normale et à éviter les complications.

Après avoir discuté avec votre médecin de vos besoins particuliers, vous devrez peut-être prendre certains des suppléments suivants. Prenez-les toujours immédiatement après le repas, sauf indication contraire. Sachant que ces produits peuvent entraîner d'importants effets toxiques, le Dr Hoffman suit ses patients diabétiques de très près. Ne vous aventurez jamais à utiliser ces suppléments sans l'approbation et la surveillance de votre médecin. Et surtout, ne dépassez jamais la dose prescrite.

Chrome FTG. «FTG signifie facteur de tolérance au glucose, dit le Dr Hoffman. Vous trouverez ce produit dans les magasins d'aliments naturels. Il semble avoir la propriété d'augmenter l'efficacité de l'insuline», dit-il. Le Dr Hoffman recommande le picolinate de chrome, la forme la plus bioaccessible. La levure de bière contient plusieurs composés de chrome. Les personnes souffrant de Candida ou d'allergie à la levure doivent éviter ces sources de chrome.

Niacine. Cette importante vitamine du groupe B permet d'augmenter l'effet du chrome, dit le Dr Hoffman. Prenez-la pendant les repas. Cependant, en grande quantité, la niacine peut être nocive, particulièrement pour les diabétiques. Prenez-la donc en quantité modérée et demandez à votre médecin de vérifier votre taux de niacine.

Inositol. L'inositol est une autre vitamine du groupe B que l'on trouve dans la lécithine. «L'inositol permet d'éviter les lésions nerveuses causées par l'hyperglycémie», dit le Dr Hoffman.

par jour ou trois petits repas et deux collations. Marion Franz, elle, préconise un plus grand nombre de repas. Elle estime que si un grand laps de temps s'écoule entre les repas, les personnes ont tellement faim qu'elles ne se contrôlent plus au repas suivant. Elle suggère également de manger entre les repas un fruit ou quelques biscottes.

Acide enthocyanique. Connu aussi sous le nom d'extrait de myrtilles, «l'acide anthocyanique réduit le taux de glycémie», dit-il.

Vitamine C. Cette vitamine permet de prévenir l'infection et d'accélérer la cicatrisation. Elle permet aussi au collagène (protéines fibreuses que l'on trouve dans tous les tissus) de se former.

Zinc. «Le zinc est très important chez les diabétiques, dit le Dr Hoffman, car il joue un rôle dans le système immunitaire et dans la régénération cellulaire.» Le Dr Hoffman recommande de prendre du zinc sous forme de picolinate ou de gluconate.

Magnésium. «Les diabétiques perdent du magnésium par les reins», dit-il. Le magnésium occupe une grande place dans la production de l'énergie cellulaire. Optez pour une forme chélatée de magnésium.

Vitamine B6. «La vitamine B6 est un cofacteur important de nombreuses réactions cellulaires, et les diabétiques semblent en avoir le plus grand besoin, dit le Dr Hoffman. Cependant, à forte dose, la vitamine B6 est toxique. Ne prenez jamais de suppléments de vitamine B6 sans surveillance médicale.»

Thiamine (vitamine B1). «La vitamine B1 joue un rôle très important dans le métabolisme du glucose», dit-il.

Ail. «Les diabétiques sont particulièrement sujets aux mycoses. En effet, les levures prolifèrent dans un milieu riche en glucose, dit le Dr Hoffman. L'ail neutralise la levure», dit-il. Les gélules d'ail sans odeur sont les meilleures.

Acidophilus. «La présence de ce micro-organisme dans la flore intestinale entrave la multiplication des levures», dit le Dr Hoffman. Ce produit est vendu sous forme de gélules.

Méfiez-vous de l'alcool. L'ADA recommande aux diabétiques de ne pas boire plus de 60 ml d'alcool par semaine, ce qui représente environ 90 ml de spiritueux, 270 ml de vin ou 720 ml de bière. De plus, il est préférable de boire l'alcool en mangeant. La bière légère ou le vin sec conviennent particulièrement aux diabétiques, en raison de leur faible teneur en hydrates de carbone.

Un lien entre l'alcool et les lipides. En fait, vous n'échangez les calories de l'alcool que par celles des matières grasses, dit l'ADA. En effet, l'alcool contient beaucoup de calories par gramme et il se métabolise comme les matières grasses.

Évitez l'huile de poisson. Les capsules d'oméga-3 peuvent contribuer à prévenir l'athérosclérose, autre complication du diabète. «Cependant, l'absorption d'une trop grande quantité d'oméga-3 fait augmenter le taux de glucose sanguin car ce produit contient beaucoup de calories», déclare le Dr Ronald Hoffman, directeur médical du Hoffman Center for Holistic Medicine. Une étude a prouvé le phénomène de «détérioration métabolique rapide» chez des patients qui avaient pris 5,5 g d'oméga-3 par jour pendant un mois. Cependant, la consommation de poisson gras est recommandée.

Perdez du poids. «Perdre du poids doit être la priorité des diabétiques», dit le Dr Mirsky. Quatre-vingt pour cent des diabétiques de type II sont trop gros. Ils mènent souvent une vie sédentaire et mangent beaucoup. L'obésité peut empêcher le fonctionnement des récepteurs d'insuline. Le glucose n'arrive plus à s'infiltrer dans les cellules et reste donc dans le sang. Si vous faites de l'embonpoint, un régime amaigrissant et de l'exercice réussiront presque certainement à diminuer votre poids et à rétablir un taux de glycémie normal. «C'est peut-être le seul traitement nécessaire», dit le Dr Mirsky. Il suffit souvent de perdre de 2,5 à 5 kg et le tour est joué.

De la modération en tout. Peut-être avez-vous essayé tous les régimes alimentaires à la mode, même le jeûne, sans réussir à perdre du poids. «Il est vrai que les diabétiques maigrissent plus difficilement», dit Marion Franz. Elle leur recommande plutôt de surveiller leur poids, en suivant parfois un régime amaigrissant, mais surtout en adoptant de meilleures habitudes alimentaires et en faisant de l'exercice. Ce régime aide à stabiliser la glycémie et le taux de lipides dans le sang.

N'adoptez pas un régime à la mode uniquement par frustration. «Si tous les régimes à la mode étaient efficaces, d'autres n'apparaîtraient pas sans cesse sur le marché. Ils ne sont pas toujours sains et ils sont tellement stricts que les gens se découragent. De plus, ils ne vous aident pas à changer vos habitudes alimentaires», déclare Marion Franz.

«Pour un diabétique de type II qui ne prend pas d'insuline sous forme injectable ou de médicaments anti-diabétiques oraux, un jeûne d'une journée ne présente pas plus de danger que pour une autre personne», dit Marion Franz. Si vous stabilisez votre diabète par un régime alimentaire et de l'exercice, un jeûne ne vous fera pas de tort, mais il ne vous fera pas de bien non plus. Vous ne perdrez même pas un demi-kilo en jeûnant pendant une journée et vous risquez de compenser en mangeant trop le lendemain.

«Il ne faut pas non plus sauter de repas dans l'espoir de maigrir», ajoute Marion Franz. Ce mini-jeûne est rarement efficace. Combien de gens sautent le petit déjeuner ou le déjeuner, pour s'empiffrer plus tard. Les régimes à la mode, le jeûne ou l'habitude de sauter des repas ne fonctionnent pas et, tôt ou tard, vous n'arriverez plus à stabiliser votre diabète.

Faites-en une affaire de famille. «La famille entière doit changer ses habitudes alimentaires, sinon c'est très difficile, voire impossible, pour un diabétique, de le faire seul», déclare Marion Franz.

L'exercice. La pratique régulière de l'exercice profite à tout le monde, diabétiques ou non. Mais les diabétiques ont une raison supplémentaire de bouger et d'accélérer leur rythme cardiaque. L'exercice renforce les battements du cœur, aide à stabiliser le taux de glycémie et augmente la circulation aux extrémités du corps. Il peut également réduire les taux de cholestérol et de triglycérides, tout en faisant augmenter le taux de lipoprotéines à haute densité (le bon cholestérol qui protège des maladies cardiaques). L'exercice aide à contrôler votre poids, à mieux dormir et vous donne de l'énergie en sus. De plus, il rend de meilleure humeur. «L'exercice a des effets bénéfiques sur l'humeur, surtout en cas de dépression», dit le Dr Paula Hartman-Stein, psychologue au Akron General Medical Center d'Ohio.

On pense aussi que l'exercice augmente le nombre de récepteurs d'insuline à la surface des cellules. De cette manière, l'insuline trouve plus facilement un site où introduire le glucose, c'est-à-dire dans les cellules. En fait, l'exercice agit comme une dose d'insuline chez les personnes qui souffrent de diabète.

Les mouvements rythmiques répétitifs qui font appel aux gros muscles des bras et des jambes sont particulièrement recommandés aux diabétiques. Les spécialistes préconisent la marche, le jogging, la natation, le cyclisme ou l'aviron. Vous devez faire de l'exercice régulièrement, au moins trois fois par semaine, de 20 à 30 minutes. Votre médecin peut même vous prescrire de l'exercice cinq à sept fois par semaine. Des études ont prouvé que, chez les diabétiques, le simple fait d'arrêter de faire de l'exercice pendant deux ou trois jours en inverse les bienfaits.

Commencez à marcher. «L'activité physique qui convient le mieux aux diabétiques est la marche rapide, dit le Dr Henry Dolger, spécialiste du diabète et ancien directeur du Service de diabète à la faculté de médecine Mount Sinai de l'université de New York. C'est le sport le plus sûr, le moins stressant et le plus bénéfique. Il augmente l'efficacité de chaque dose d'insuline produite ou prise par l'organisme», explique le Dr Dolger. En effet, vous tirerez davantage profit de chaque gramme de nourriture si vous faites de la marche rapide. De plus, cet exercice ne requiert aucun équipement et vous donne une agréable sensation de bien-être. En marchant 1,5 km par jour, vous brûlerez 100 calories. Au bout d'un an, vous aurez perdu presque cinq kg.

Consultez votre médecin. Si vous souffrez de diabète instable ou d'autres complications, l'exercice peut aggraver votre état. Par exemple, si vous êtes atteints d'hypertension artérielle, prenez rendez-vous avec votre médecin avant de commencer à faire de l'exercice. Il vous conseillera peut-être un test de stress et voudra sans doute vérifier les effets des médicaments que vous prenez.

Évitez certains exercices. Ne levez pas de lourds poids et ne faites pas d'exercices qui comportent la manipulation de gros objets lourds. Ce genre d'exercice augmente le taux de glycémie et la tension artérielle, et peut aggraver les maladies des yeux liées au diabète.

Prenez soin de vos dents. «Une personne qui souffre de diabète doit avoir une hygiène buccale irréprochable, dit le Dr Roger P. Levin, président de la Baltimore Academy of General Dentistry. Les diabétiques, qui sont en effet beaucoup plus sujets aux infections, le sont donc également à la gingivite, une infection bactérienne. Ils doivent suivre très scrupuleusement toutes les directives concernant les soins dentaires, consulter leur dentiste plus fréquemment, se brosser les dents et passer un fil dentaire très consciencieusement pour éliminer le tartre et la plaque dentaire. (Voir la rubrique *Tartre et plaque dentaire*, à la page 641.)

Faites bien ajuster vos prothèses. «La pose de prothèses dentaires doivent être particulièrement minutieux dans le cas des diabétiques», dit le Dr Levin. Des prothèses, des ponts ou des couronnes mal ajustés peuvent causer des irritations de la bouche qui mettent beaucoup de temps à guérir et qui risquent de s'infecter. De plus, comme les plaies des diabétiques guérissent difficilement, les implants dentaires ne sont pas indiqués dans leur cas.

Réduisez le stress.

«Le stress et l'anxiété peuvent déséquilibrer le diabète de deux manières», estime le Dr Hartman-Stein. Dans certains cas, le taux de glycémie augmente de façon spectaculaire, dans d'autres, il chute. De plus, lorsqu'un diabétique est stressé ou anxieux, il suit moins fidèlement son régime et reprend ses mauvaises habitudes alimentaires ainsi que sa vie sédentaire.

Le diabète, avec toutes ses exigences émotionnelles et physiques, est une maladie stressante. «Si vous avez des problèmes personnels difficiles à résoudre, allez voir un psychologue ou un autre thérapeute», conseille le Dr Hartman-Stein. Voici quelques suggestions pour soulager le stress:

Détendez-vous. Le Dr Hartman-Stein a testé l'efficacité de la thérapie de relaxation et de la thérapie cognitive dans le contrôle du diabète. Selon elle, ces deux thérapies pourraient être d'une certaine utilité. Les techniques de relaxation font appel à la respiration contrôlée et à la visualisation. Elles sont faciles à apprendre avec un professeur ou même dans un livre.

Apprenez à prendre la vie du bon côté. «La thérapie cognitive apprend aux gens à reconnaître les formes de pensée qui affectent l'humeur», dit-elle. Plutôt que de ressasser de tristes idées et de vous dire: «Mes jambes sont laides avec leurs marques d'injection» ou «Je panique chaque fois que je dois tester mon urine», prenez la vie du bon côté. Pensez alors: «Personne d'autre que moi ne prête attention à ces marques sur mes jambes» ou «Un test d'urine, c'est comme une expérience de chimie». Le Dr Hartman-Stein recommande à ses patients de lire *Feeling Good* de David Burns. «Il s'agit d'un excellent ouvrage sur les problèmes de l'humeur», dit-elle.

Changez votre façon de voir les choses. «Certaines personnes pensent trop à leur maladie. Elles se voient en malades chroniques et cette étiquette prend toute la place», dit le Dr Hartman-Stein. Il ne faut pas en faire une obsession. Bien sûr, vous devez être plus discipliné en ce qui concerne vos heures de repas, mais ne vous empoisonnez pas la vie. Vous pouvez malgré tout vous accorder de petits plaisirs. Une personne diabétique ne peut pas manger une boîte de biscuits pour se remonter le moral, il lui faut trouver autre chose. Une des patientes du Dr Levin louait des vidéos ou s'achetait quelque chose quand elle se sentait déprimée ou tendue. Faites donc quelque chose d'agréable, offrez-vous un nouveau vêtement, téléphonez à un ami auquel vous n'avez pas parlé depuis longtemps. Profitez des petites choses de la vie que vous n'avez pas à planifier des semaines à l'avance, mais dont vous pouvez jouir tous les jours ou une fois par semaine.

Testez votre sang. «Les tests de glycémie en vente libre peuvent devenir coûteux si vous devez en faire quatre fois par jour, mais ils en valent la peine, dit Marion Franz. Les tests d'urine ne conviennent pas aux personnes atteintes de diabète de type II. En effet, le taux de glycémie peut augmenter considérablement avant que le glucose n'apparaisse dans l'urine, surtout chez les patients âgés. Les tests sanguins vous indiquent si vous faites de l'hyperglycémie (taux de glucose trop élevé) asymptomatique. Si votre diabète est léger ou bien stable, vous n'avez peut-être pas besoin de tester votre sang quatre fois par jour. Vous devez vous-même déterminer votre rythme et lire correctement votre taux de glucose.

Attention aux médicaments en vente libre. Certains médicaments en vente libre contiennent du sucre et d'autres ingrédients qui peuvent faire varier votre taux de glycémie. «Méfiez-vous des médicaments en vente libre», dit le Dr Mirsky. Vérifiez toujours si l'étiquette porte une mise en garde à l'attention des diabétiques, mais cette information n'est peut-être pas suffisante. En cas de doute, demandez conseil à votre pharmacien et surveillez vos réactions. Et, bien sûr, consultez votre médecin.

Voici quelques-uns des produits dont il faut se méfier:

L'aspirine®. Si vous prenez de l'aspirine® en grande quantité pour la douleur chronique, sachez qu'elle peut abaisser votre taux de glycémie. Si vous n'en prenez qu'à l'occasion et en petite quantité, un ou deux cachets pour un mal de tête, vous n'avez pas à vous inquiéter.

La caféine. Les coupe-faim en vente libre sont composés principalement de caféine qui, prise en grande quantité, peut faire augmenter le taux de glycémie. De nombreux médicaments contre les maux de tête et le rhume contiennent également de la caféine.

L'éphédrine ou l'épinéphrine. Ces substances sont aussi présentes dans certains médicaments contre les maladies respiratoires, mais elles peuvent faire augmenter le taux de glucose sanguin chez les personnes qui souffrent de diabète de type II. La phényléphrine, composé que l'on trouve dans les vaporisateurs nasaux et les remèdes contre le rhume, a le même effet.

EXPERTS CONSULTÉS

Le Dr Marc A. Brenner a un cabinet privé à Glendale, dans l'État de New York. Il a été président de l'American Society of Podiatric Dermatology. Il est en outre l'auteur de *The Management of the Diabetic Foot.*

Le Dr Henry Dolger est l'ancien directeur du Service de diabète à la faculté de médecine Mount Sinai de l'université de New York.

Le Dr Marion Franz est conseillère en diabète. Elle est vice-présidente de la nutrition à l'International Diabetes Center de Minneapolis, au Minnesota, et présidente du Council on Nutritional Sciences and Metabolism à l'American Diabetes Association.

Le Dr Paula Hartman-Stein est psychologue aux Services de médecine et de chirurgie Akron General Medical Center, en Ohio. Elle se spécialise en psychologie de la santé, notamment chez les diabétiques.

Le Dr Ronald Hoffman est médecin nutritionniste et directeur médical du Hoffman Center for Holistic Medicine à New York. De plus, il anime une émission hebdomadaire de radio à New York et il est coauteur de *Diet-Type Weight-Loss Program.*

Le Dr Roger P. Levin est président de la Baltimore Academy of General Dentistry et professeur invité à l'université du Maryland, à Baltimore.

Le Dr Stanley Mirsky a un cabinet privé à New York; il est professeur adjoint à la faculté de médecine Mount Sinai de l'université de New York.

Le Dr Karl Sussman est directeur adjoint à la recherche et au développement de l'hôpital Veterans Administration de Denver, au Colorado, et professeur de médecine au Centre de sciences de la santé de la faculté de médecine, à Denver. Il a été président de l'American Diabetes Association.

Diarrhée

16 façons d'en venir à bout

«La diarrhée aiguë est l'un des meilleurs mécanismes de défense de l'organisme», dit le Dr Lynn V. McFarland, adjointe de recherche au Service de chimie médicinale à l'université de Washington. C'est la façon dont l'organisme se débarrasse des substances irritantes et nocives.

Cette remarque ne vous est peut-être pas d'un grand réconfort. Cependant, elle nous fait mieux comprendre pourquoi les médecins conseillent souvent à leurs patients d'attendre avant de prendre des médicaments.

«Autrefois, explique le Dr McFarland, dès qu'une personne souffrait de diarrhée, les médecins lui prescrivaient un antidiarrhéique. De nos jours, nous pensons qu'il est préférable de laisser la maladie suivre son cours.»

Le Dr David A. Lieberman, professeur adjoint de médecine à la faculté de médecine de l'université Oregon Health Sciences, est du même avis. «Je ne recommande pas d'antidiarrhéique à mes patients à moins qu'ils doivent absolument sortir de chez eux, pour une réunion d'affaires très importante par exemple. Sinon, il est préférable d'attendre que la diarrhée se passe d'elle-même: c'est encore le meilleur moyen de hâter la guérison.»

La plupart des conseils qui suivent ont pour but de vous aider à supporter les désagréments de la diarrhée, Tenter de l'arrêter risquerait paradoxalement de la prolonger. Toutefois, pour les personnes qui ne peuvent faire autrement, voici une liste de moyens susceptibles d'atténuer les symptômes.

Pensez au lait. «En Amérique du Nord, l'une des principales causes de diarrhée est l'intolérance au lactose», dit le Dr William Y. Chey, professeur de médecine à la faculté de médecine et de dentisterie de l'université de Rochester.

Bien qu'un grand nombre de nos spécialistes ne pensent pas que l'intolérance au lactose soit la principale cause de la diarrhée (la plupart croient qu'il s'agit le plus souvent d'une infection virale), tous s'entendent pour dire qu'elle en constitue néanmoins une cause importante chez les adultes.

«L'intolérance au lactose peut apparaître durant l'enfance ou se manifester à l'âge adulte», dit le Dr Chey. Un beau jour, vous buvez un verre de lait et s'ensuivent des douleurs, des flatulences et de la diarrhée.»

Le meilleur remède consiste évidemment à éliminer les aliments qui contiennent du lactose, c'est-à-dire la plupart des produits laitiers, à l'exception du yaourt et de certains fromages vieillis. «Le problème disparaît alors de lui-même», dit le Dr Chey.

Faites un test de tolérance. Étant donné que le degré d'intolérance au lactose dépend de la dose avalée et qu'elle peut se déclencher à n'importe quel moment, comment savoir si les produits laitiers sont la cause de vos problèmes actuels?

«Je recommande à mes patients d'éliminer complètement les produits laitiers de leur alimentation pendant une ou deux semaines et de voir s'ils vont mieux», dit le Dr Lieberman.

«Si leur état s'améliore au bout d'une semaine, dit-il, je leur demande d'ajouter graduellement des produits laitiers à leur régime alimentaire. Je les préviens qu'ils peuvent atteindre un seuil où les symptômes de l'intolérance au lactose apparaissent à nouveau.» Mais, fait remarquer le Dr Lieberman, lorsqu'une personne connaît son seuil de tolérance au lactose, elle peut éviter la diarrhée avec une consommation de produits laitiers au-dessous de ce seuil. (Voir la rubrique *Intolérance au lactose*, à la page 359).

Prenez-vous des médicaments? Nos spécialistes pensent que les brûlures d'estomac dont vous avez souffert au cours de la journée sont certainement à l'origine de la diarrhée. En fait, il n'y a pas vraiment de lien entre les brûlures d'estomac et les intestins. La diarrhée serait surtout provoquée par le médicament anti-acide que vous avez pris.

Les anti-acides sont la principale cause de diarrhée médicamenteuse, dit le Dr Harris Clearfield, professeur de médecine et directeur du département de gastro-entérologie à l'hôpital universitaire Hahnemann de Philadelphie, en Pennsylvanie. Les antiacides Maalox® et Dimalan® contiennent de l'hydroxyde de magnésium qui agit comme le lait de magnésie. C'est pourquoi ces médicaments entraînent fréquemment la diarrhée.

Pour éviter la diarrhée liée aux brûlures d'estomac, le Dr Clearfield suggère de prendre des anti-acides contenant de l'hydroxyde d'aluminium, mais sans magnésium. Ils sont moins aptes à

ALERTE MÉDICALE

Quand faut-il consulter un médecin?

La diarrhée disparaît généralement au bout d'un ou deux jours, sans laisser de séquelles. Cependant, chez les nourissons, les jeunes enfants et les personnes âgées, malades ou déshydratées, la diarrhée aiguë peut être particulièrement grave et exiger des soins médicaux.

Consultez également un médecin si la diarrhée ne cesse pas au bout d'un ou deux jours, ou si elle est accompagnée de fièvre, de fortes douleurs abdominales, d'irritations cutanées, d'ictère (jaunissement de la peau et du blanc des yeux) ou d'extrême faiblesse. Si vous avez du sang, du pus ou du mucus dans vos selles, appelez immédiatement votre médecin.

«Le risque le plus grave associé à la diarrhée est la déshydratation, dit le Dr Harris Clearfield. Une personne qui souffre de diarrhée aiguë et qui ne mange ni ne boit peut nécessiter des soins d'urgence. Cherchez du secours», conseille-t-il.

causer de la diarrhée; cependant, ils sont moins efficaces, dit le Dr Clearfield.

Outre les anti-acides, les antibiotiques, la quinidine, le lactulose et la colchicine peuvent aussi provoquer de la diarrhée. Si vous pressentez que ces médicaments, ou d'autres, sont à la source de vos ennuis, consultez votre médecin.

Mettez-vous à un régime liquide. Que se passe-t-il? Vous n'avez pas fait d'abus, mais vous avez quand même la diarrhée. Vous avez faim, vous êtes de mauvaise humeur et vous vous demandez si vous pouvez manger. Oui, répondent nos experts, mais en prenant quelques précautions.

«Commencez par un régime de liquides clairs, dit le Dr Chey. J'entends par là du bouillon de poulet, de la gelée aromatisée ou d'autres aliments ou liquides au travers lesquels vous pouvez voir. Lorsque vous souffrez de diarrhée, votre intestin a besoin de repos. C'est la raison pour laquelle vous devez suivre ce genre de régime jusqu'à ce que la diarrhée cesse. Vous ne voulez pas surcharger davantage votre système digestif.»

Après quelques jours de régime liquide au bouillon et à la gelée, vous pouvez ajouter graduellement à votre alimentation du riz, des

La diarrhée à un âge dangereux

La diarrhée peut être dangereuse pour les bébés et les jeunes enfants. Ils se déshydratent facilement, car ils sont incapables de vous expliquer ce qu'ils ressentent. Pour vous aider à traiter ces cas de diarrhée aiguë, nous avons consulté le Dr Loraine Stern de New Hall, en Californie. Voici ce qu'elle recommande.

Ayez recours aux bonnes solutions. «L'eau et les jus de fruit ne sont pas les meilleurs liquides à utiliser pour hydrater un bébé», dit le Dr Loraine Stern. Que recommande-t-elle? Les solutions hydratantes sont excellentes durant la phase aiguë de la diarrhée. Vous pouvez préparer votre propre solution hydratante en ajoutant 15 mg de sucre et une pincée de sel dans un litre d'eau. Le problème, c'est que si vous faites une erreur, vous risquez de donner trop de sel au bébé. Il est donc préférable d'acheter les préparations commerciales en vente libre dans les pharmacies.

Continuez à nourrir l'enfant. «Vous devez continuer à nourrir l'enfant», dit le Dr Stern. Cependant, si la diarrhée est importante, il est préférable d'enlever le lait de son alimentation pendant une journée. Les aliments à donner à l'enfant varient suivant son âge. Pour un bébé, je recommande des céréales de riz, de la compote de pomme et des bananes pendant un ou deux jours. Ces aliments ont tendance à se coaguler. Aux enfants plus âgés, donnez du pain grillé, des biscottes, du poulet sans peau et d'autres aliments doux.

Sachez quand arrêter. «La plus grande erreur consiste à ne pas arrêter le traitement à temps», dit le Dr Stern. Les selles de l'enfant peuvent être molles longtemps après le début de la diarrhée. Il peut même avoir une ou deux selles liquides par jour pendant les deux semaines qui suivent. Si l'enfant n'a pas d'autres symptômes, ne lui faites pas suivre un régime restreint pendant plus de deux jours.

Essayez une cure de carottes. «Certaines personnes considèrent la purée de carottes comme le meilleur remède pour lutter contre les symptômes de la diarrhée chez les enfants», dit-elle. Vous pouvez en ajouter à son alimentation. (Les carottes aident à accélérer la guérison en remplaçant les électrolytes et les minéraux perdus pendant la diarrhée.)

Refaites le plein de bactéries. «Après les premiers jours, le yaourt contribue à rétablir la flore bactérienne de l'intestin», dit le Dr Stern. On peut en ajouter environ 100 ml par jour au régime alimentaire de l'enfant.

N'oubliez pas les conseils de maman. «Le bouillon de poulet ou de bœuf convient parfaitement à un enfant de plus d'un an», dit-elle. Dans certains cas, la teneur en sel du bouillon force les enfants à boire même s'ils n'en ont pas envie. Mais évitez de leur en donner plus d'une ou deux fois par jour.

bananes, de la compote de pommes ou du yaourt à mesure que vos symptômes disparaissent.

Buvez beaucoup de liquides. «Le genre d'aliments que vous consommez n'a pas vraiment beaucoup d'importance», dit le Dr McFarland, pourvu que vous buviez beaucoup de liquides. Bien que la plupart des gens n'aient pas envie de boire lorsqu'ils ont la diarrhée, nos spécialistes reconnaissent que vous devez augmenter votre consommation de liquides pour éviter la déshydratation.

Les boissons qui contiennent du sel et de petites quantités de sucre sont particulièrement efficaces, car ils aident l'organisme à remplacer le glucose et les minéraux perdus pendant la diarrhée. Vous pouvez facilement préparer une bonne «solution hydratante» en ajoutant 15 mg de sucre et une pincée de sel à un litre d'eau; ou une solution plus savoureuse en ajoutant 7 ml de miel et une pincée de sel dans un grand verre de jus de fruit (250 ml). Mélangez bien. Buvez-en plusieurs fois par jour.

Nous recommandons aux personnes qui n'ont pas envie de préparer quoi que ce soit la Gatorade®. Cette préparation contient du glucose et des électrolytes en quantité suffisante pour remplacer ceux que votre organisme a perdus.

Évitez certains aliments. Même s'il est plus important de boire que de manger lorsqu'on a la diarrhée, certains aliments sont à proscrire, en raison de leur nature potentiellement explosive. Parmi les plus évidents, mentionnons les haricots, le chou et le chou de Bruxelles.

D'autres aliments contenant de grandes quantités d'hydrates de carbone difficiles à assimiler peuvent aggraver la diarrhée, notamment le pain, les pâtes et les autres produits du blé, les pommes, les poires, les pêches et les prunes, le maïs, les pommes de terre et le son.

Au cas où vous auriez une fringale de glace, sachez qu'il est préférable d'éviter les produits laitiers lorsque vous souffrez de diarrhée. Ils aggravent en effet le problème, qu'ils en soient ou non la cause.

Évitez les bulles. «Je conseille d'éviter aussi les boissons gazeuses, dit le Dr Clearfield. Le gaz qu'elles contiennent ajoute un élément explosif à une situation délicate.»

Ne faites pas la cuisine. Puisque nous sommes toujours dans le domaine de l'alimentation, mentionnons que toute personne qui souffre de diarrhée ne doit pas préparer les repas des autres membres de la famille avant la disparition complète des symptômes. Pour éviter de transmettre une infection parasitaire à votre entourage, il est recommandé de vous laver soigneusement les mains. (Dans certains pays, la loi peut exiger que vous preniez un congé de maladie jusqu'à ce que tous vos symptômes aient disparu si votre travail vous met en contact avec bon nombre de personnes ou si vous manipulez des aliments.)

S'il le faut, prenez un médicament pour soulager vos symptômes. Nos spécialistes répètent que le meilleur traitement consiste à laisser la maladie suivre son cours. Cependant, si vous avez un rendez-vous très important et devez absolument sortir, l'Imodium® est le meilleur remède. Ce produit existe sous forme de gélules ou sous forme liquide.

«L'Imodium® est très efficace», dit le Dr Clearfield. Il agit en resserrant l'intestin, ce qui ralentit le transport des matières digestives.

Il existe des préparations hydrophiles (hydro signifie eau et phile, ami), comme le Kaologeais® qui est parfois utile dans des cas de diarrhée bénigne.

Les anti-acides contenant de l'hydroxyde d'aluminium, contrairement à leurs homologues à base de magnésium, ont des propriétés hydrophiles et peuvent réduire les symptômes de la diarrhée. Essayez le Phosphalugel®.

Les remèdes peu sérieux. Certaines personnes ont recours à toutes sortes de moyens pour traiter la diarrhée, notamment la pectine, les comprimés d'acidophile, la poudre de caroube, l'orge, les bananes, le fromage suisse et une foule d'aliments exotiques, de tisanes et autres remèdes de grand-mère. «Ces produits agissent en coagulant les selles, ce qui ralentit le passage de la diarrhée dans le tube digestif», dit le Dr McFarland. Malheureusement, ce n'est pas vraiment l'effet que vous recherchez. Vous ne faites que prolonger la présence de ce qui cause la diarrhée dans votre organisme, alors que vous souhaitez vous en débarrasser au plus vite.

«Laissez plutôt la nature suivre son cours», dit-il.

EXPERTS CONSULTÉS

Le Dr William Y. Chey est professeur de médecine à la faculté de médecine et de dentisterie de l'université de Rochester.

Le Dr Harris Clearfield est professeur de médecine et aussi directeur du Service de gastro-entérologie à l'hôpital universitaire Hahnemann de Philadelphie, en Pennsylvanie.

Le **Dr David A. Lieberman** est professeur adjoint de médecine à la faculté de médecine de l'université Oregon Health Sciences de Portland.

Le **Dr Lynn V. McFarland** est adjointe de recherche au Service de chimie médicinale à l'université de Washington à Seattle et directeur des affaires scientifiques chez Biocodex, Inc.

Le **Dr Loraine Stern** a un cabinet privé à New Hall, en Californie.

Diarrhée du voyageur

24 moyens de la prévenir

La diarrhée du voyageur porte plusieurs noms, notamment la tourista, la vengeance de Montezuma, l'intestin de Delhi, le hot-dog de Hong Kong, la gigue de Katmandu. Mais les citoyens du Mexique, de l'Inde ou du Népal et des autres pays pourraient tout aussi bien la baptiser la malédiction de Paris; en effet, toutes ces personnes en sont atteintes lorsqu'elles visitent la France.

«Si vous séjournez à l'étranger pendant une certaine période de temps, il est probable que ayez la diarrhée plusieurs fois, dit le Dr Stephen Bezruchka, médecin d'urgence au Centre médical Providence de Seattle, dans l'État de Washington. En théorie, on devrait pouvoir complètement la prévenir; en pratique, rares sont les gens qui y échappent totalement. En fait, vous avez 50 % de chances d'attraper la diarrhée, même si vous prenez toutes les précautions.»

La bactérie appelée l'*Escherichia coli* est le plus souvent à l'origine de la diarrhée. Ce micro-organisme très répandu réside normalement dans l'intestin où il joue un rôle dans la digestion. Mais les souches étrangères (pour un étranger, une souche française est étrangère) de l'*Escherichia coli* peuvent provoquer la diarrhée en produisant une toxine qui empêche les intestins d'absorber l'eau que vous avalez sous la forme de liquide ou celle qui se trouve dans les aliments.

Ainsi, comme la toxine empêche l'absorption de l'eau, «vous retenez plus d'eau dans votre corps et elle doit être évacuée, dit le Dr Bezruchka. La toxine n'est pas absorbée. Dans la plupart des

Comment éviter la diarrhée du voyageur

Parfois, même si vous prenez des précautions, vous finissez par être victime d'un parasite intestinal étranger. Cependant, il existe des moyens de minimiser les risques.

- Évitez les légumes crus, surtout en salade, les fruits qu'on ne peut pas peler, la viande saignante, les crustacés crus, les glaçons et les boissons préparées avec de l'eau impropre à la consommation (l'alcool que l'on ajoute dans les boissons ne tue pas les bactéries de la diarrhée).
- Lavez la vaisselle et les ustensiles en argent dans de l'eau purifiée.
- Ne buvez que de l'eau gazeuse, en bouteilles ou en canettes scellées.
- Lavez à l'eau purifiée la partie du contenant sur laquelle vous posez les lèvres. Pour purifier l'eau, vous pouvez la faire bouillir de trois à cinq minutes et y ajouter de l'iode liquide ou en comprimés.
- Buvez le plus possible de boissons acides comme le Coca-Cola® ou le jus d'orange qui permettent de faire diminuer la population d'*E. coli*, bactérie le plus souvent responsable des troubles digestifs.
- Buvez du lait à l'acidophile ou mangez du yaourt avant de partir en voyage. Les colonies bactériennes, bien localisées dans votre système digestif avant votre départ et qui y resteront pendant votre séjour à l'étranger, réduisent les risques d'invasion de bactéries étrangères.

cas, vous ne vous sentez pas malade, mais incommodé par quelques flatulences. En réalité, ce n'est pas le cas.»

La diarrhée peut être provoquée par d'autres bactéries comme la *schigella* et la *salmonella* et, plus rarement, par le *rotavirus* ou par la *giardia*. Les changements dans l'alimentation, la fatigue, le décalage horaire et le mal des montagnes ont aussi été mis en cause, mais sans preuve suffisante. En fait, plus de 50 % des diarrhées du voyageur restent inexpliquées.

«Heureusement, dit le Dr Bezruchka, la diarrhée est une maladie qui disparaît d'elle-même». Le corps humain existe depuis plus de 40 000 ans et il a été conçu pour résister à la plupart des problèmes qu'il pourrait rencontrer.

Afin d'éliminer la bactérie *Escherichia coli*, il faut purger ses intestins. Vous aurez plusieurs selles liquides pendant un à cinq jours. Vous pourrez aussi avoir des nausées ou des crampes, et même faire un peu de fièvre, mais, en général, le seul symptôme est la diarrhée elle-même. Il existe des moyens qui peuvent aider votre organisme à lutter contre la diarrhée, à y mettre fin ou à réduire les risques de l'attraper. Les voici:

Buvez de l'eau en grande quantité. Lorsque vous avez la diarrhée, vos selles contiennent surtout de l'eau. Alors, pourquoi le traitement le plus important se résume-t-il à boire beaucoup de liquides? Parce que la déshydratation, ou perte d'eau et d'électrolytes, peut être fatale. La diarrhée cause la mort de centaines de milliers d'enfants chaque année. Dans la majorité des cas, les parents croyaient qu'en donnant des liquides à boire à leurs enfants, ils aggraveraient la diarrhée.

Se réhydrater quand on souffre de diarrhée n'est pas facile. «Une grande partie des liquides que vous absorbez est évacuée aussitôt, dit le Dr Thomas Gossel, professeur de pharmacologie et de toxicologie, et directeur du Service de pharmacologie et de sciences biomédicales à l'université Ohio Northwestern. Mais votre organisme se stabilisera à la longue et commencera à retenir les liquides. Si vous ne remplacez pas les liquides perdus, vous pouvez vous déshydrater en une journée.»

«La façon la plus simple de se réhydrater consiste à boire de l'eau, si c'est tout ce que vous avez à votre disposition, dit le Dr Bezruchka. Buvez de l'eau, même si vous ne pouvez pas la purifier. Si vous êtes déshydraté au point d'en avoir des vertiges quand vous

---

ALERTE MÉDICALE

Méfiez-vous des infections

Bien que la diarrhée disparaisse d'elle-même dans la plupart des cas, les symptômes suivants exigent des soins médicaux.

- Des selles rouges ou noires sont souvent le signe d'une hémorragie ou d'une infection parasitaire, tandis que des selles blanches ou pâles traduisent des troubles hépatiques.
- La fièvre peut signaler une infection grave. «Si vous avez des selles sanguinolentes ou si vous faites de la fièvre, dit le Dr Bezruchka, il est recommandé de prendre l'antibiotique Bactrim® et de voir votre médecin le plus rapidement possible.»
- Les ballonnements, les vomissements et la douleur sont des signes de colite, d'obstruction intestinale ou d'appendicite. Si vous vomissez, vous n'arriverez pas à garder dans votre organisme la solution réhydratante.

«Si vous avez l'un ou l'autre de ces symptômes, ne prenez pas d'antidiarrhéique», préviennent les médecins.

vous levez, il est préférable de remplacer les liquides perdus sans vous soucier de la pureté de l'eau.

Utilisez une solution de réhydratation. Une bien
meilleure façon de se réhydrater consiste à prendre oralement une solution de réhydratation, découverte pendant les années soixante comme solution de rechange à la réhydratation intraveineuse. Il s'agit d'une boisson contenant du sucre, du sel et des substances qui aident à remplacer les électrolytes perdus dans la diarrhée. Ces boissons sont tellement efficaces qu'elles sauvent des milliers de vies dans le Tiers Monde.

Vous pouvez vous procurer des solutions de réhydratation en vente libre et en emporter en voyage. Il existe plusieurs marques, dont Gastrolyte®, Pedialyte® et Rehydralyte®. Certaines sont vendues sous forme de poudre, d'autres de liquide. Les formules varient un peu de l'une à l'autre. D'après le Dr Gossel, ces produits se ressemblent beaucoup.

Si vous craignez d'avoir un excédent de bagage, vous pouvez préparer vos propres solutions de réhydratation. Voici ce que vous devrez faire une fois à l'étranger.

Un vrai cocktail! Cette recette nous a été communiquée par le Service de santé publique des États-Unis. Mettez dans un verre 250 ml de jus de fruits, 2,5 ml de miel, de sirop de maïs ou de sucre, et une pincée de sel. Dans un autre verre, versez 250 ml d'eau purifiée, ajoutez une pincée de bicarbonate de soude. Buvez quelques gorgées de chaque verre en alternant jusqu'à ce que vous ayez tout bu.

La combinaison de l'OMS. «Dans la plupart des pays du Tiers Monde, on peut trouver maintenant des sachets contenant la formule de l'Organisation Mondiale de la Santé», dit le Dr Bezruchka. Le seul problème, c'est qu'ils sont très coûteux. Mais vous pouvez faire vous-même cette préparation si vous avez à votre disposition une balance métrique. Sinon, demandez-le à un pharmacien. Voici la formule de l'OMS: glucose, 20 g; sel, 3,5 g; bicarbonate de soude, 2,5 g; chlorure de potassium, 20 g. Ajoutez-y un litre d'eau purifiée et buvez.

«Si vous n'avez pas d'autre choix que d'acheter un sachet, demandez sous quel nom cette formule est vendue», dit-il. Vous les trouverez en vente libre dans les pharmacies et les dispensaires partout dans le monde.

La non-formule. Si vous n'avez pas sous la main de solution toute préparée, buvez des jus de fruits clairs, des boissons gazeuses

Quoi d'autre?

Le guide de survie

Voilà. Vous êtes au bout du monde et vous avez emporté votre trousse de premiers soins (Dimalan®, Parapsyllium®, antibiotiques, Imodium®) avec vous. Pour couronner le voyage, vous avez la diarrhée. Que faire?

Nous avons demandé au sergent Thomas Squier, instructeur de techniques de survie pour les forces spéciales de l'armée américaine à Fort Bragg, en Caroline du Nord, quelles méthodes de survie il enseignait à ses élèves. J'ai essayé les suivantes, nous a-t-il dit, et elles se sont avérées efficaces. Cependant, vous ferez sans doute comme ses hommes: n'utilisez ces méthodes qu'en dernier recours.

L'argile. «Nous enseignons aux soldats à manger de l'argile», dit le sergent Squier. Bon nombre de médicaments antidiarrhéiques vendus dans le commerce comme le Kaologeais® et l'Actapulfite® contiennent du kaolin, une sorte d'argile qu'on trouve souvent sur le bord des rivières.

La cendre. Nous leur apprenons aussi à utiliser les cendres des feux de camp, ou de la poudre d'os brûlé ou séché. Ces produits ont un effet astringent lorsqu'on les infuse dans du thé.

L'acide tannique. Que faire si vous êtes à court de poudre d'os? «Tout ce qui est à base d'acide tannique peut faire cesser les contractions musculaires de l'intestin», dit le sergent Squier. Essayez des glands ou de l'écorce de chêne, ou d'autres bois durs que vous ferez bouillir pour en faire une infusion.

sans caféine ou du thé léger, sucré. Toutes ces boissons peuvent être prises en plus de la solution de réhydratation.

Faites subir un test à votre vessie. Plus votre urine est jaune, plus vous avez besoin de liquides. «Vous devriez uriner abondamment au moins deux fois par jour et même davantage», dit le Dr Bezruchka.

Évitez les produits laitiers et les aliments solides. Tout au moins au début de la diarrhée, car ils sont trop difficiles à

Les racines de mûrier. «Une infusion de racines de mûrier dans du thé, voilà un autre excellent remède que l'on trouve facilement sous un climat tempéré», dit-il. Si vous n'avez pas d'eau chaude, vous pouvez tremper ces plantes dans de l'eau froide, cela prendra plus de temps évidemment.

Le plantain. «Le plantain est une plante très répandue qui pousse presque partout», assure le sergent Squier. Les variétés à feuilles larges aussi bien que celles à feuilles étroites ont des propriétés très astringentes. La pectine est une substance qu'on trouve dans les pommes et qui sert à faire de la gelée. Pour soulager la diarrhée, vous pouvez faire bouillir des épluchures de pommes et en boire le liquide obtenu.

Les myrtilles. «C'est peut-être une croyance populaire sans fondement, dit le sergent Squier, mais on prétend que l'une des raisons pour lesquelles les ours sont colériques à certains moments de l'année, c'est parce qu'ils mangent trop de myrtilles et qu'ils sont constipés. Ils sont victimes de violentes crampes. D'après un trappeur d'Alaska, on entend les borborygmes des ours des kilomètres à la ronde. Moi-même, je me souviens m'être gavé un jour de myrtilles dans le Vermont et avoir été constipé pendant trois jours. Les personnes âgées conseillent de toujours emporter des myrtilles séchées dans ses bagages. En cas de diarrhée, il suffit d'en prendre cinq ou six.»
Avez-vous d'autres questions?

digérer. Ne prenez pas d'alcool, car vous seriez déshydraté. Lorsque la diarrhée cesse, mangez des aliments solides plus faciles à digérer comme les bananes, les biscottes ou du riz.

Prenez des agents absorbants. Certains spécialistes estiment qu'en ralentissant le passage du contenu de l'intestin, on laisse les bactéries séjourner plus longtemps dans le système digestif. Les antidiarrhéiques peuvent aussi absorber une partie de la solution de réhydratation. Mais il arrive un moment où cela vous est égal. Parmi les agents absorbants, citons Smecta® et Kaologeais®.

Faites un petit effort. Les laxatifs à base de fibres naturelles contre la constipation comme le Parapsyllium® soulagent aussi la diarrhée. «Certains d'entre eux absorbent jusqu'à 60 fois leur poids d'eau et forment un gel dans l'intestin, dit le Dr Gossel. Vous aurez à expulser malgré tout un excès d'eau, dit le Dr Gossel, mais vos selles seront moins fluides et moins fréquentes: disons sept ou huit fois par jour au lieu de dix.» Il existe d'autres marques de laxatifs à base de fibres naturelles.

Faites l'essai d'un narcotique pour un soulagement rapide. Les antidiarrhéiques à base d'opium diminuent le péristaltisme intestinal et ralentissent le passage du contenu de l'intestin, permettant ainsi l'absorption de l'eau et des électrolytes. D'autres produits ne contenant pas d'opium sont tout aussi efficaces. Le lopéramide, par exemple, vendu sous le nom d'lmodium®, est le plus récent des antidiarrhéiques ayant les mêmes propriétés que les médicaments à base d'opium.

Mise en garde: comme les absorbants, les narcotiques peuvent obstruer l'intestin et ralentir l'expulsion des bactéries.

Utilisez des antibiotiques en vente libre. Aux États-Unis et en France, les antibiotiques ne sont vendus que sur ordonnance, mais ils sont en vente libre dans beaucoup d'autres pays. Le Bactrim® et la doxocycline (Vibramycine®) ont fait l'objet de recherches sérieuses et sont très efficaces. «Lorsque je les ai essayés, une seule dose a suffi. Ces médicaments agissent en tuant la majeure partie des bactéries et en laissant l'organisme s'occuper du reste», dit le Dr. Bezruchka. Il conseille de prendre un comprimé de Bactrim® ou de doxocycline deux fois par jour, jusqu'à ce que la diarrhée cesse. Mais avant de partir en voyage, demandez à votre médecin si vous pouvez prendre ces médicaments sans danger.

Doublez la dose. Votre diarrhée de voyageur passera rapidement si vous prenez à la fois un antibiotique et un antidiarrhéique. Attention! les antibiotiques sont des médicaments puissants qui ont des effets secondaires désagréables, notamment l'hypersensibilité au soleil, et ils peuvent ouvrir la porte à une nouvelle infection. Encore une fois, demandez l'avis de votre médecin.

Combattez les bactéries à l'aide de bactéries. Le Dr Khem Shahani, professeur de science et de technologie de l'alimentation à l'université du Nebraska, ainsi que d'autres chercheurs ont découvert que la bactérie *Lactobacillus* pourrait être celle dont votre intestin a besoin. «Ces bactéries modifient favorablement la micro-écologie de l'intestin, dit-il, et produisent des substances qui arrêtent la croissance des bactéries pathogènes.»

Il a été prouvé qu'un traitement antibiotique avec des bactéries du type *Lactobacillus* se révélait très efficace. «En effet, la plupart des micro-organismes qui favorisaient le bon fonctionnement de l'intestin avaient disparu», déclare le Dr Shahani.

La meilleure forme de lactobacilles semblent être ceux du type *acidophilus* que l'on trouve dans le lait à l'acidophile, suivie du type *bulgaricus*, que l'on trouve dans le yaourt. Les gélules d'*acidophilus* et de *bulgaricus* se vendent en pharmacie. On peut en mettre dans ses bagages. «Cependant, elles sont moins efficaces que le yaourt ou le lait à l'acidophile», dit le Dr Shahani.

En voyage, vous trouverez le *lactobacillus* dans n'importe quel sorte de yaourt. Sachez qu'au Japon, le yaourt se dit yakult; en Corée, yaogurt, en Inde, dahi, en Égypte, leben et lebenraid, en Turquie, eyran, en Sardaigne, gioddu et en anglais yogourt.

EXPERTS CONSULTÉS

Le **Dr Stephen Bezruchka** est médecin d'urgence au Centre médical Providence de Seattle, dans l'État de Washington. Il est également l'auteur de *The Pocket Doctor*.

Le **Dr Thomas Gossel** est professeur de pharmacologie et de toxicologie, ainsi que directeur du Service de pharmacologie et de sciences biomédicales à l'université Ohio Northwestern, à Ada. C'est un expert des produits en vente libre.

Le **Dr Khem Shahani** est professeur de science et de technologie de l'alimentation à l'université du Nebraska, à Lincoln.

Le **sergent Thomas Squier,** des forces spéciales de l'armée américaine, est instructeur au JFK Special Warfare Center and School, Survival-Evasion-Resistance-Escape-Terrorist Counteraction Department, à Fort Bragg, en Caroline du Nord. C'est un herboriste cherokee et il est le petit-fils d'un guérisseur. Il écrit une chronique dans un journal, intitulée *Living off the Land*.

Diverticulose

21 remèdes maison

Au début du siècle, la diverticulose faisait partie des très nombreuses affections rares dont les médecins connaissaient l'existence sans jamais l'avoir soignée. Même aujourd'hui, cette maladie est encore rare dans les pays du Tiers Monde.

Malheureusement, elle est assez répandue en Occident, où les gens peuvent facilement se nourrir d'aliments transformés.

«La diverticulose est une maladie reconnue», déclare le Dr Paul Williamson, chirurgien général qui pratique aussi la chirurgie du côlon et du rectum au Centre médical régional d'Orlando, en Floride. Elle s'est répandue en même temps que les aliments transformés qui ont une faible teneur en fibres. (Les fibres ont un rôle important à jouer; en effet, elles réduisent la tension s'exerçant sur le côlon et l'aident à se distendre au moment de la défécation.)

Beaucoup de choses ont changé depuis 1900. Les études démontrent que plus de la moitié des personnes de plus de 60 ans souffrent de diverticulose, maladie caractérisée par l'apparition de petits sacs en forme de raisin (diverticules) le long de la paroi externe du côlon.

«On peut voir les diverticules aux rayons X. Cependant, comme la plupart des gens ne subissent jamais de radiographie de cette partie du corps, ils ne savent même pas qu'ils sont atteints de la maladie», dit le Dr Samuel Klein, professeur adjoint de gastro-entérologie et de nutrition humaine à la faculté de médecine de l'université du Texas, à Galveston.

«Parmi les victimes, déclare le Dr Klein, seulement 10 % d'entre elles souffriront d'une diverticulite, une inflammation douloureuse qui peut devenir grave. En résumé, vous pouvez être atteint de diverticulose sans être nécessairement condamné à des douleurs insupportables et à un séjour à l'hôpital.

De plus, par bonheur, vous pouvez jouer un rôle actif dans la prévention et le traitement de la diverticulose. Voici quelques suggestions de nos spécialistes.

Augmentez la teneur en fibres de votre alimentation

Vous savez qu'une alimentation suffisamment riche en fibres (de 30 g à 35 g par jour) est l'élément le plus important dans la prévention et dans le traitement de la diverticulose. Mais savez-vous combien de fibres contiennent ces aliments riches en fibres ou comment ajouter des fibres à votre régime alimentaire sans manger un bol de son naturel tous les jours?

Voici quelques conseils qui vous permettront de passer à un régime plus riche en fibres.

- Prenez l'habitude de manger du pain de grains entiers au lieu du pain blanc.
- Succombez à vos fringales de sucre en mangeant des fruits, notamment des petits fruits, des bananes et des pêches.
- Prenez davantage de repas végétariens.
- Ne pelez pas les pommes ni les pêches ni les poires quand vous les faites cuire.
- Ajoutez à vos repas des fruits secs comme les raisins ou les abricots.
- Remplacez le bœuf par les haricots dans les plats mijotés.
- Ajoutez de l'orge dans les soupes de légumes.

Ajoutez du volume à vos fibres. «Une personne moyenne consomme environ 16 g de fibres par jour, soit seulement la moitié de l'apport nutritionnel recommandé, dit le Dr Marvin Schuster, directeur du Service des maladies gastro-intestinales au Centre médical Francis Scott Key de Baltimore, au Maryland. Les fibres de son semblent les plus efficaces», dit-il.

Les fibres imbibent d'eau la matière fécale et rend ainsi plus facile le passage du contenu intestinal. Le pain de blé entier et les céréales de son constituent d'excellentes sources de son. Vous pouvez également saupoudrer vos aliments de son naturel.

«Les fruits et les légumes sont une autre source de fibres, dit le Dr Klein. Pour obtenir votre ration de fibres, mangez une pomme au lieu de boire son jus. En règle générale, un jus de fruits ne contient pas de fibres.»

Augmentez graduellement votre apport en fibres. «Augmentez votre consommation de fibres petit à petit (sur six à huit semaines)», suggère le Dr Klein. Votre système digestif a besoin de temps pour s'adapter.

ALERTE MÉDICALE

Quand la diverticulose se transforme en maladie grave

Si vous vivez longtemps, vous risquez fort d'être atteint de diverticulose. Cependant, vous avez peu de chances de souffrir de diverticulite, une inflammation douloureuse qui peut devenir une maladie grave. Il est cependant préférable que vous en connaissiez les signes précurseurs.

«Les symptômes prouvant qu'une diverticulose s'est transformée en diverticulite sont la fièvre et une douleur aiguë dans la partie inférieure gauche de la région abdominale», dit le Dr Schuster.

Cette maladie doit être prise très au sérieux.

«La diverticulite peut provoquer des hernies et des hémorragies, dit le Dr Albert J. Lauro. Ces complications arrivent rarement, sachez cependant que l'on peut mourir de diverticulite.»

Pour cette raison, consultez un médecin dès que les symptômes de la diverticulite surviennent. Soyez calme, les chances sont encore de votre côté. «S'il s'agit seulement d'une infection, dit le Dr Lauro, on pourra la traiter avec des antibiotiques, du repos et un régime alimentaire approprié. Dans ce cas, vous n'avez rien à craindre.»

«Les premières semaines, attendez-vous à des ballonnements et à des flatulences», dit le Dr Schuster. La plupart des gens surmontent toutefois ce problème.

Si vous ne pouvez pas manger suffisamment de fibres, prenez des suppléments. «Je recommande de prendre des suppléments de graines de psyllium, comme le Metamucil®», dit le Dr Schuster. C'est un produit naturel.

Buvez beaucoup de liquides. «Buvez de six à huit grands verres d'eau par jour», conseille le Dr Klein. Il ajoute que l'eau joue un rôle aussi important que celui des fibres pour lutter contre la constipation, un phénonème relié à la diverticulose.

«En vous forçant à aller à la selle, dit le Dr Schuster, vous étirez les petits diverticules à travers la paroi musculaire du côlon.»

L'appel de la nature. Si vous résistez à l'appel de la nature, il ne sert à rien d'ajouter des fibres à votre régime alimentaire ni de prendre davantage de liquides. «Ne réprimez jamais le besoin d'aller à la selle», conseille le Dr Williamson.

L'exercice. L'exercice ne tonifie pas uniquement les muscles des jambes et des hanches, mais aussi ceux du côlon. «L'exercice facilite les mouvements péristaltiques. Vous irez plus aisément à la selle», dit le Dr Klein.

N'employez pas de suppositoires. Même s'ils soulagent rapidement la constipation, ce ne sont pas les meilleurs médicaments pour stimuler le fonctionnement de l'intestin. «L'organisme devient rapidement dépendant des suppositoires», explique le Dr Klein. C'est un cercle vicieux, vous en aurez de plus en plus besoin.

Prenez des remèdes naturels. «Les prunes, le jus de prunes et les tisanes sont des laxatifs naturels très efficaces», dit le Dr Schuster. Des tisanes spécialement formulées sont en vente dans la plupart des magasins d'aliments naturels.

Ne fumez pas. «Parmi les nombreux méfaits du tabac, il faut ajouter qu'il aggrave la diverticulose», dit le Dr Albert J. Lauro, directeur des Services d'urgence de l'hôpital Charity de la Nouvelle-Orléans, en Louisiane.

Ne consommez pas trop d'aliments transformés. Ce conseil est valable pour la santé en général, mais il s'applique également au traitement de la diverticulose. «Lorsque vous mangez beaucoup d'aliments transformés, généralement pauvres en fibres», déclare le Dr Klein, vous n'avez plus d'appétit pour les aliments riches en fibres dont votre organisme a besoin.

Mastiquez bien les graines. «Les aliments comme les noix et le maïs soufflé contiennent des graines et d'autres particules dures qui peuvent se loger dans les diverticules et causer une inflammation», dit le Dr Klein.

«Si vous avez déjà fait une crise de diverticulite, ajoute le Dr Lauro, évitez complètement les aliments contenant des graines.»

Consommez de l'alcool avec modération. «Consommé avec modération, un ou deux verres par jour, l'alcool détend les spasmes du côlon et peut même améliorer la situation», dit le Dr Schuster.

Évitez la caféine. «Le café, le chocolat, les thés et les boissons gazeuses à base de caféine semblent tous posséder des propriétés irritantes», dit le Dr Williamson.

Identifiez les coupables. «Certains aliments peuvent perturber vos habitudes ou causer des selles molles, ajoute le Dr Williamson. Essayez d'identifier ces aliments et de les éviter.»

EXPERTS CONSULTÉS

Le Dr Samuel Klein est professeur adjoint de gastro-entérologie et de nutrition humaine à la faculté de médecine de l'université du Texas, à Galveston. Il est en outre conseiller à la rédaction du magazine *Prevention*.

Le Dr Albert J. Lauro est directeur des Services d'urgence de l'hôpital Charity à la Nouvelle-Orléans, en Louisiane.

Le Dr Marvin Schuster est directeur du Service des maladies gastro-intestinales au Centre médical Francis Scott Key de Baltimore, au Maryland, et professeur de médecine et de psychiatrie à la faculté de médecine de l'université Johns Hopkins de Baltimore.

Le Dr Paul Williamson est chirurgien général et chirurgien du côlon et du rectum au Centre médical régional d'Orlando, en Floride.

Douleurs au cou

24 solutions pour détortiller le cou

Dites-vous bien que, dans la plupart des cas, c'est vous qui êtes responsable de vos douleurs au cou.

Vous n'avez qu'à vous en prendre à vous-même.

En effet, les douleurs au cou surviennent souvent par suite d'une mauvaise position de la tête, par exemple lorsque vous avancez la tête de sorte que la ligne des oreilles soit devant les épaules, déclare Joanne Griffin, physiothérapeute en chef et spécialiste du traitement des maux de tête au New England Center for Headache de l'hôpital de Greenwich, au Connecticut. «C'est de cette façon que marchent la plupart de gens qui ont des douleurs au cou.»

Certaines personnes bien sûr sont plus sujettes que d'autres aux douleurs au cou selon le métier qu'elles exercent. «C'est le cas des esthéticiennes qui travaillent la tête penchée toute la journée, dit le Dr Robert Kunkel, directeur de la section des maux de tête au Service de médecine interne de la Cleveland Clinic, en Ohio.

Quels que soient votre métier ou votre style de vie, vous ne vous sentirez plus coupable et surtout vous ne souffrirez plus de douleurs au cou en pratiquant quelques méthodes éprouvées, en adoptant de meilleures habitudes de vie et en faisant régulièrement des exercices pour le cou. Gardez la tête haute et les yeux ouverts. Nous sommes là pour vous aider.

Appliquez de la glace. Dès que vous ressentez une raideur dans le cou, appliquez un contenant réfrigérant ou de la glace que vous aurez roulé dans une serviette. «C'est un excellent remède», déclare Joanne Griffin. En effet, si vous avez subi un léger traumatisme au cou, la glace permettra de réduire l'enflure.

Quelques exercices pour soulager les douleurs au cou

Eh! oui, les muscles de votre cou ont également besoin d'être étirés et développés. Voici quelques exercices qui combattront et préviendront la raideur de votre cou. Les deux premières semaines, ne pratiquez que les trois premiers exercices. Puis, deux fois par jour, faites chacun de ces exercices cinq fois.

* Penchez lentement la tête vers l'avant aussi loin que possible. Puis renversez-la lentement vers l'arrière aussi loin que possible.
* Inclinez la tête sur votre épaule (votre épaule doit rester immobile). Redressez la tête et inclinez-la sur l'autre épaule.
* Tournez lentement la tête d'un côté, puis de l'autre aussi loin que possible.
* Placez une main sur un côté de la tête pour exercer une résistance et poussez. Restez ainsi pendant cinq secondes, puis relâchez. Répétez cet exercice trois fois. Recommencez de l'autre côté de votre tête.
* Refaites l'exercice précédent en exerçant sur votre front une légère résistance tout en poussant la tête vers l'avant. Puis exercez une légère résistance à l'arrière de votre tête tout en poussant vers l'arrière.
* Prenez dans vos mains des poids légers (1,5 à 2,5 kg) et haussez les épaules. Gardez les bras le long du corps.

Cherchez de la chaleur. Lorsque la glace a réduit l'inflammation, la chaleur d'un coussin chauffant ou d'une douche chaude procure un merveilleux soulagement.

Les «vertus» du baume qui réchauffe. «Les pommades qu'on trouve en vente libre soulagent peut-être la douleur, mais elles ne guérissent pas vraiment car elles restent à la surface de la peau, dit Steve Antonopulos, entraîneur en chef de l'équipe de football des Broncos de Denver. Ne les utilisez jamais en même temps qu'un coussin chauffant, ajoute-t-il. Elles procurent des bienfaits psychologiques, tout au plus.»

Les bons vieux remèdes. Les anti-inflammatoires en vente libre comme l'aspirine® ou l'ibuprofène soulagent la douleur et réduisent l'inflammation. Prenez-en deux comprimés trois à quatre fois par jour.

Asseyez-vous sur une chaise droite. La colonne vertébrale est reliée aux os du cou. Donc, si vous vous asseyez sur une chaise qui ne soutient pas bien le dos, vous aggraverez certainement vos douleurs au cou et vous en provoquerez de nouvelles. Ainsi parle Mitchell A. Price, chiropraticien de Temple, en Pennsylvanie.

Prenez une serviette pour vous soutenir le dos. Roulez une serviette et placez-la dans le bas de votre dos lorsque vous êtes assis sur une chaise. «Elle vous redressera la colonne vertébrale et vous soutiendra le dos», dit Joanne Griffin.

Reposez le cou. Tout comme les pieds ont besoin de repos lorsque vous restez longtemps debout, le cou lui aussi a besoin de détente lorsque vous restez longtemps assis. La tête pèse environ 3,5 kg, dit Joanne Griffin, c'est très lourd pour le cou qui doit la porter sans le soutien du reste du corps. Je vous conseille donc de vous lever périodiquement et de marcher un peu.

Gardez le menton bien haut. «Gardez la tête bien droite, mais rentrez le menton comme pour faire un double menton, dit Joanne Griffin. Afin de ne pas étirer les muscles de l'arrière du cou, évitez aussi de pencher tout le temps la tête lorsque vous travaillez à un bureau ou que vous lisez», conseille-t-elle.

ALERTE MÉDICALE

Le traumatisme cranio-cervical

«Si, à la suite d'un accident de voiture, vous souffrez de violentes douleurs au cou, vous êtes peut-être victime d'un traumatisme cranio-cervical et vous devriez consulter un médecin, conseille Mitchell A. Price. Entre-temps, appliquez sur votre cou de la glace plutôt que de la chaleur, car cette dernière pourrait enflammer la région blessée.»

En règle générale, des douleurs persistantes au cou requièrent des soins professionnels. «Dans des cas extrêmes, elles peuvent signaler la présence d'une tumeur dans la colonne vertébrale, dit Joanne Griffin, physiothérapeute.»

Placez votre écran à la hauteur des yeux. «Si vous travaillez sur ordinateur toute la journée, il est important de placer votre moniteur à la hauteur des yeux, dit Mitchell Price. Si vous abaissez et levez les yeux constamment plusieurs heures d'affilée, vous risquez de provoquer des contractions dans votre cou», ajoute-t-il.

Raccrochez! Si vous parlez beaucoup au téléphone, raccrochez de temps en temps, surtout si vous essayez d'écrire en même temps. En effet, vous avez le cou de travers, vous risquez de ressentir par la suite des raideurs et des douleurs.

Soulevez les poids avec prudence. On oublie trop souvent qu'il y a une bonne et une mauvaise manière de soulever des objets lourds. «La bonne manière, dit Mitchell Price, consiste à plier les genoux en tenant la colonne vertébrale bien droite et en plaçant l'objet à soulever entre les pieds écartés à la largeur des épaules. Lorsque vous soulevez l'objet, gardez-le aussi près du corps que possible.»

Rien de tel qu'un bon matelas. «Beaucoup de douleurs au cou sont causées ou aggravées par de mauvaises habitudes de sommeil. Il est très important de dormir sur un matelas ferme», dit Mitchell Price.

Ne vous battez pas avec votre oreiller. Mettez-le de
côté. Beaucoup de gens qui souffrent de douleurs au cou se sentent mieux s'ils dorment à plat, sans oreiller, dit le Dr Kunkel.

Achetez un oreiller cervical. Cet oreiller, en vente dans
tous les grands magasins, offre au cou un soutien approprié, déclare Mitchell Price.

Ne dormez pas sur le ventre. Dormir ainsi est non seule-
ment mauvais pour le dos, mais aussi pour le cou, déclare Mitchell Price.

Dormez comme un bébé. C'est-à-dire dans la position fœ-
tale: sur le côté, les genoux relevés vers la poitrine, conseille Mitchell Price.

Emmitouflez-vous. Vous portez probablement un chapeau,
lorsque le temps est froid et humide. Vous devriez aussi vous couvrir le cou. «La température peut aggraver la raideur et les douleurs au cou», estime le Dr Kunkel.

Détendez-vous. Lorsque vous êtes tendu, vous contractez
inconsciemment les muscles de votre cou et vous vous faites vous-même souffrir. Si vous subissez de fortes pressions ou si vous vous sentez très tendu, essayez certaines techniques de relaxation comme la méditation ou la relaxation progressive. Il existe également sur le marché des cassettes pour la détente.

EXPERTS CONSULTÉS

Steve Antonopulos est l'entraîneur en chef de l'équipe de football des Broncos de Denver.

Joanne Griffin est physiothérapeute en chef et spécialiste du traitement des maux de tête au New England Center for Headache de l'hôpital de Greenwich, au Connecticut.

Le Dr Robert Kunkel est directeur de la section des maux de tête au Service de médecine interne de la Cleveland Clinic, en Ohio. Il est en outre président de la National Headache Foundation.

Mitchell A. Price exerce le métier de chiropraticien à Temple, en Pennsylvanie.

Douleurs aux genoux

16 façons de les soulager

On pourrait l'appeler l'erreur de notre Créateur. En effet, parmi les 187 articulations que possède notre corps, aucune ne cause probablement autant d'ennuis que celle du genou.

Maintenant que les gens pratiquent de plus en plus un sport, les traumatismes aux genoux sont beaucoup plus fréquents. On estime que des millions de gens ont souffert ou souffrent actuellement de traumatismes ou de douleurs aux genoux. Ce ne sont pas seulement les sportifs qui en sont atteints. Un accident de la route sur trois provoque un traumatisme aux genoux. On peut bien sûr se blesser en montant un escalier, en lavant un plancher ou en glissant sur un pavé mouillé. La liste est interminable.

Le problème découle en partie de la morphologie du genou ou plutôt de son incapacité à s'adapter à toutes les exigences de la vie. «Le genou n'arrive pas à nous suivre, dit le Dr James M. Fox, directeur du Centre des affections du genou à Van Nuys, en Californie, et auteur de *Save Your Knees*. «Le genou n'a pas une morphologie qui lui permet de jouer au football, de subir des accidents d'automobile, d'être menuisier ou plombier, ou de rester plié toute la journée. À l'origine, le genou avait une morphologie qui lui convenait, mais on ne pouvait pas prévoir qu'avec l'évolution de l'homme, on lui en demanderait autant.» Si vous faites partie des nombreuses personnes qui abusent de leurs genoux, voici quelques conseils qui vous feront pardonner vos abus.

Perdez du poids. «L'excès de poids est l'une des principales causes des problèmes de genou», dit le Dr Fox. Chaque livre gagnée se traduit par un stress six fois plus grand dans la région du genou. 5 kg en trop correspondent par conséquent à une surcharge de 30 kg sur les genoux. Et comme le dit le Dr Fox, on n'utilise pas les pneus de la deux chevaux sur un poids-lourd.

Éviter les supports pour les genoux. Vous pouvez vous procurer des supports pour les genoux dans tous les magasins

---

ALERTE MÉDICALE

Quand avoir recours aux soins d'un médecin

Hier, en jouant au basket ou au football, vous vous êtes tordu le genou. Simultanément, vous avez entendu un léger claquement. D'habitude, ce genre de bruit ne vous inquiète pas, mais cette fois-ci ce bruit provenait de votre genou. Pire encore, vous vous écroulez de douleur.

Le lendemain, vous avez le genou enflé, sensible, douloureux et même décoloré. Vous pouvez à peine le bouger.

Qu'est-il arrivé à votre genou? Trois scénarios sont envisageables: une déchirure du cartilage, une déchirure du ligament ou les deux à la fois.

Que faut-il faire? C'est très facile. Mettez de la glace dessus et voyez votre médecin dès aujourd'hui.

---

d'équipement de sport, mais les spécialistes consultés estiment qu'il vaut mieux ne pas les utiliser. «Il existe des supports vraiment préventifs, mais il s'agit d'appareils coûteux faits sur mesure», dit le Dr Fox. Malheureusement, ceux qui sont vendus dans le commerce ne servent à rien sinon à vous rappeler que vous avez une douleur au genou.

Marjorie Albohm, entraîneur diplômé d'athlétisme et directrice adjointe de l'International Institute of Sports Science and Medicine à la faculté de médecine de l'université d'Indiana, est encore plus directe. «N'utilisez jamais les supports vendus dans le commerce, dit-elle. Certains modèles poussent la rotule dans l'articulation et font plus de mal que de bien.»

Choisissez un médicament en vente libre. L'ibuprofène (Advil®) est l'analgésique que recommandent nos spécialistes. Contrairement à l'aspirine®, il réduit l'inflammation et soulage la douleur sans irriter l'estomac. Le paracétamol (Tylenol®) est un excellent analgésique, très doux pour l'estomac, mais il réduit peu l'inflammation.

Des études récentes ont démontré que l'ibuprofène augmente considérablement la mobilité des articulations chez les personnes souffrant de traumatisme aigu aux ligaments du genou. «Comparé à l'aspirine® ou au paracétamol, l'ibuprofène est le compromis idéal», conclut Marjorie Albohm.

Faites de l'exercice. «Ce sont les muscles et les ligaments qui tiennent les genoux ensemble, dit le Dr Fox. C'est pourquoi il est très important de les renforcer. Si les muscles de vos genoux ne sont pas assez forts pour supporter le poids de votre corps, vous aurez inévitablement des problèmes.»

Toutes les personnes qui souffrent de douleurs aux genoux devraient faire un peu d'exercice. Des muscles forts renforcent l'articulation, laquelle peut ainsi supporter l'incroyable pression qu'on lui fait subir, simplement en marchant ou en gravissant des marches. «Vous n'avez que deux genoux, déclare le Dr Fox, et les pièces de rechange qui existent ne sont pas de bonne qualité.» Alors, n'attendez plus. Les exercices suivants sont faciles à effectuer et beaucoup moins pénibles à supporter qu'une douleur au genou.

Exercice isométrique pour les genoux. «Les quadriceps et les ischio-jambiers sont les muscles que vous devez renforcer», déclare le Dr Fox. Voici ce qu'un médecin recommande dans le cas des quadriceps, les muscles situés sur la face antérieure de la cuisse:

Asseyez-vous par terre en allongeant devant vous le genou qui vous fait souffrir. Placez une serviette roulée sous le genou, puis tendez les muscles de la jambe sans bouger le genou. Gardez les muscles contractés et répétez l'exercice jusqu'à ce que vous puissiez maintenir la contraction ainsi pendant au moins 30 secondes, puis détendez-vous. Répétez cet exercice jusqu'à 25 fois.

Élévation des jambes en position assise. Voici la meilleure façon de faire des élévations pour les personnes qui sont faibles des genoux.

Asseyez-vous le dos au mur, placez un oreiller dans le bas du dos. (En vous asseyant contre le mur, vous êtes sûr que ce sont les muscles de la jambe qui travaillent. Cet exercice n'aggravera pas vos maux de dos.) Une fois dans cette position, faites la contraction isométrique décrite dans l'exercice précédent en comptant jusqu'à cinq, puis levez la jambe et tenez jusqu'à cinq. Laissez ensuite tomber la jambe et détendez-la en comptant jusqu'à cinq. Répétez cet exercice jusqu'à 10 fois en comptant toujours jusqu'à cinq entre chacune des trois phases.

Développement des ischio-jambiers. Pour que vos genoux soient vraiment forts, vous devez développer non seulement les quadriceps, mais aussi les ischio-jambiers, les muscles situés sur la face postérieure de la cuisse. «Ces deux types de muscles doivent s'équilibrer, dit le Dr Fox. Si les uns sont forts et les autres faibles, ces derniers subiront un stress.»

Afin de développer vos ischio-jambiers, étendez-vous sur le ventre le menton au sol. Avec un poids fixé à la cheville et le genou plié, levez la jambe de 15 cm à 30 cm au-dessus du sol et baissez-la en vous arrêtant avant que le pied ne touche le sol. Répétez ce mouvement lentement et régulièrement. Continuez jusqu'à ce que vous réussissiez à faire trois séries de mouvements, autant de fois que possible. Le nombre dépend en grande partie du poids qui est fixé à votre cheville.

Une mise en garde s'impose. «Vous devez absolument cesser de faire l'exercice dès que vous sentez un malaise ou de la douleur, dit le Dr Fox. Dans ce cas, l'exercice est défavorable. Écoutez d'abord votre corps.»

Modifiez votre façon de vivre. «Un athlète qui souffre d'un problème chronique doit modifier son entraînement et ses activités quotidiennes, dit Marjorie Albohm. Mais ce n'est pas une raison pour tout arrêter. Toutefois, si vous pratiquez un sport qui aggrave votre douleur au genou, vous devrez tôt ou tard l'abandonner.»

Quoi faire d'autre? Essayez la natation, le cyclisme ou l'aviron, ou toute activité physique qui n'exerce pas de pression sur les genoux. L'essentiel, c'est d'éviter de soulever des poids.

En fait, des exercices tels que la natation et le cyclisme permettent aux muscles des cuisses de se développer et renforcent les mucles du genou. En outre, vous bénéficiez des bienfaits de l'exercice tout en brûlant des calories.

Ne prenez surtout pas de mauvaises habitudes parce que vous avez mal aux genoux. «Tout le monde peut rester actif, dit Marjorie Albohm. Il suffit simplement d'éviter les activités qui causent des douleurs aux genoux.»

Courez sur une surface moins dure. Voici d'abord une mauvaise nouvelle pour les personnes qui font beaucoup de course ou de jogging: «la tendinite dont elles souffrent souvent est causée par de mauvaises habitudes d'entraînement», dit le Dr Fox. Voilà maintenant la bonne nouvelle: ces problèmes mécaniques ne sont

pas graves et l'on peut généralement y remédier en changeant de chaussures de sport ou en courant sur une surface moins dure.

Parlons d'abord de la surface de course. Le problème se résoudra de la sorte: courez sur une surface gazonnée plutôt que sur de l'asphalte, mais préférez l'asphalte au béton. Le béton est en effet la surface la plus dure. Ne prenez pas l'habitude de faire du jogging sur les trottoirs; un terrain de golf ou un parc serait l'idéal. «Rappelez-vous que lorsque vous courez un kilomètre, votre pied frappe le sol entre 375 et 500 fois», ajoute le Dr Fox.

Un traitement en quatre étapes. Si vous ressentez de la douleur après une activité physique, immobilisez le membre souffrant, appliquez des compresses de glace, faites une compression et une élévation pendant 20 à 30 minutes.

«Ne sous-estimez pas l'utilité de la glace, dit Marjorie Albohm. Si vous êtes consciencieux, vous appliquerez d'autres compresses de glace plus tard dans la soirée ou le lendemain matin en vous levant. La glace est un puissant anti-inflammatoire et ses bienfaits sont immédiats.»

«Ne vous compliquez pas la vie», dit-elle. Lorsque vous rentrez du travail, levez la jambe, enroulez-la dans une bande élastique et appliquez de la glace pendant 20 à 30 minutes. C'est la première chose à faire pour soulager la douleur.

N'abusez pas de la chaleur. Lorsqu'il n'y a pas d'enflure, vous pouvez appliquer un coussin chauffant avant d'amorcer une activité physique, ce qui maîtrisera la douleur. Mais si votre genou est enflé ou si vous n'en êtes pas certain, évitez toute source de chaleur.

«Et surtout, ajoute-t-elle, jamais de chaleur après un exercice. L'activité physique irrite la région douloureuse et la chaleur ne fait qu'augmenter l'irritation.»

Changez de chaussures. «Les chocs, s'ils ne sont pas absorbés par vos chaussures, se répercuteront ailleurs», dit le Dr Gary M. Gordon, directeur des programmes de course et de jogging au Centre de médecine du sport de l'université de Pennsylvanie.

En fait, les chocs traversent les chaussures, montent dans les mollets et aboutissent dans les genoux. Il arrive aussi que leur répercussion se poursuive dans la hanche et jusqu'au dos.

«Les personnes qui courent plus de 40 kg par semaine doivent changer de chaussures tous les deux ou trois mois», dit le

Dr Gordon. Les coureurs moins assidus doivent changer les leurs tous les quatre à six mois. Les personnes qui pratiquent la danse aérobique, le basketball ou le tennis deux fois par semaine doivent changer de chaussures tous les quatre à six mois; celles qui en font quatre fois par semaine doivent aussi changer de chaussures tous les deux mois. Malheureusement, la plupart des gens ne respectent pas ces règles.

Rétrogradez. De nombreux spécialistes recommandent la bicyclette comme solution de rechange au jogging et à son cortège de douleurs aux genoux. Le cyclisme comporte aussi des dangers si l'on n'est pas prudent. Ceux qui le pratiquent peuvent également souffrir des genoux, surtout ceux qui s'imaginent qu'en pédalant plus fort l'exercice sera plus efficace.

Ainsi, selon le type de cyclisme que vous pratiquez (les pentes abruptes ne sont pas recommandées), cet exercice pourra être trop exigeant. Ce que vous cherchez, c'est de pédaler rapidement à une vitesse qui n'exige pas trop d'efforts. «En général, une vitesse de base qui exige moins d'efforts s'avère plus adéquate», dit Marjorie Albohm.

Trouver le point déclencheur. «À l'intérieur de la cuisse se trouve un point déclencheur qui provoque le syndrome de Pellegrini-Stieda», lequel se caractérise par une faiblesse dans le genou, explique Rich Phaig, codirecteur de l'American Institute of Sports Massage de New York et de l'Institute of Clinical Biomechanics à Eugene, en Oregon. Ce point déclencheur est également à l'origine des principales douleurs localisées dans le genou.

Afin de soulager cette douleur, faites glisser votre main le long de la face antérieure de la cuisse jusqu'à environ huit centimètres de la rotule, puis déplacez-la vers l'intérieur de la cuisse de 6 à 10 centimètres. Appuyez fermement le pouce à cet endroit jusqu'à ce que vous sentiez le muscle se détendre, puis relâchez. «Cela peut prendre de 30 à 90 secondes», déclare Rich Phaig.

Faites toujours des étirements. Lisa Dobloug est consultante en forme physique dans la ville de Washington, D.C. Sa clientèle est surtout composée de personnes d'un certain âge qui doivent faire particulièrement attention à leurs genoux. Lisa Dobloug insiste sur la qualité plutôt que sur la quantité des exercices, de même que sur la nécessité de faire des étirements.

«Les périodes de réchauffement et de refroidissement sont très importantes, dit-elle. Avant n'importe quel exercice physique violent, faites 10 minutes d'étirements légers. Il ne s'agit pas d'étirements de souplesse, mais de très légers étirements. Vous pouvez faire les mouvements de l'exercice que vous allez pratiquer sans vous étirer au maximum. Puis un peu de gymnastique aérobique, un peu de jogging ou de marche, par exemple. Après cet échauffement, vous devez vraiment vous étirer. Essayez tout de même de prévenir les tensions que l'exercice fera subir à vos genoux.»

Lisa Dobloug recommande l'exercice d'étirement suivant afin d'éviter les raideurs. Étendez-vous sur le dos et ramenez les genoux sur la poitrine. Puis étirez une jambe comme si vous vouliez toucher le plafond avec le talon. Tenez pendant 10 secondes, puis détendez la jambe. Faites le même exercice avec l'autre jambe.

EXPERTS CONSULTÉS

Marjorie Albohm est entraîneur diplômé d'athlétisme et directrice adjointe de l'International Institute of Sports Science and Medicine à la faculté de médecine de l'université d'Indiana, à Mooresville. Elle a fait partie de l'équipe médicale aux Jeux olympiques d'hiver de 1980 et aux Jeux panaméricains de 1987.

Lisa Dobloug est consultante en forme physique de Washington, D.C. Elle est présidente de la Scandinavian Fitness Corporation. Sa clientèle est composée en majeure partie de personnes d'un certain âge qui désirent rester actives et qui apprécient ses conseils sur le réchauffement, l'étirement et le refroidissement.

Le Dr James M. Fox est directeur du Centre des affections du genou à Van Nuys, en Californie, et auteur de *Save Your Knees*. Il a aussi fait partie de l'équipe médicale aux Jeux olympiques d'été de 1984.

Le Dr Gary M. Gordon est directeur des programmes de course et de jogging au Centre de médecine du sport de l'université de Pennsylvanie. Il est spécialisé en podologie, en chirurgie du pied et en médecine du sport.

Rich Phaig est codirecteur de l'American Institute of Sports Massage de New York et de l'Institute of Clinical Biomechanics à Eugene, en Oregon. De plus, il enseigne au East-West College of the Healing Arts de Portland. M. Phaig est l'auteur de *Athletic Massage* et a travaillé avec des vedettes de la course comme Alberto Salazar et Joan Samuelson.

Douleurs menstruelles

13 antidotes faciles

«Bon nombre de femmes souffrent encore inutilement de douleurs menstruelles», dit le Dr Penny Wise Budoff, directrice du Centre médical des femmes de Bethpage, dans l'État de New York.

«La douleur menstruelle, ou dysménorrhée dans le langage médical, est d'origine chimique», explique le Dr Budoff. Chaque mois, la paroi de l'utérus produit des composés chimiques, les prostaglandines, qui aident les muscles utérins à se contracter et à expulser des tissus et des fluides pendant les menstruations. Les taux élevés de prostaglandines provoquent la contraction des muscles utérins, d'où les douleurs.

Les femmes ne souffrent pas toutes de douleurs menstruelles, mais si c'est votre cas, voici des remèdes maison qui pourraient vous procurer un certain bienfait.

Équilibrez votre alimentation. «Nombreuses sont les femmes qui sautent des repas et consomment trop d'aliments sucrés ou salés à un moment où elles devraient porter attention à leurs choix alimentaires, dit le Dr Budoff. Certes, un régime alimentaire équilibré ne fait pas disparaître les douleurs, mais il contribue à vous garder en bonne santé. Éliminez les aliments salés ou sucrés qui vous donnent l'impression d'être ballonnée et allourdie. Remplacez-les par des fruits et des légumes, du poulet et du poisson. Évitez de manger trois copieux repas par jour. Prenez plutôt un plus grand nombre de repas légers».

Prenez des vitamines. Selon le Dr Budoff, nombre de ses patientes ont moins de crampes lorsqu'elles prennent des doses suffisantes de vitamines et de minéraux. Prenez des suppléments multivitaminiques et de minéraux, particulièrement du calcium. Optez pour de faibles doses à prendre plusieurs fois par jour après les repas.

N'oubliez pas les minéraux. «Le calcium, le potassium et le magnésium jouent aussi un rôle important dans le soulagement des douleurs menstruelles», dit le Dr Susan Lark, directrice du PMS Self-Help Center à Los Altos, en Californie. Selon le Dr Lark, les femmes qui prennent des suppléments de calcium souffrent moins de douleurs menstruelles que les autres. «Le magnésium aussi est important, dit-elle, car il favorise l'absorption du calcium par l'organisme.» Ce médecin suggère aussi d'augmenter sa consommation de calcium et de magnésium avant et pendant les menstruations.

Consommez moins de caféine. «La caféine contenue dans le café, le thé, les boissons gazeuses et le chocolat vous rend plus nerveuse et, par conséquent, augmente la douleur durant les menstruations, dit le Dr Budoff. Éliminez la caféine. De plus, les huiles que contient le café peuvent irriter l'intestin.»

Ne buvez pas d'alcool. «Si vous faites de la rétention d'eau pendant vos menstruations, l'alcool ne fera qu'aggraver le problème», dit le Dr Lark. Elle recommande donc de ne pas prendre d'alcool ou de se contenter d'un ou de deux verres de vin.

Ne prenez pas de diurétiques. Certaines femmes pensent que les diurétiques soulagent les ballonnements associés aux

---

Quoi d'autre?

L'acupression à la rescousse

«Le soulagement des douleurs menstruelles est peut-être au bout de vos doigts», dit Alexis Phillips, instructrice de massage médical et superviseur de la Peter Ling Clinic du Swedish Institute de New York.

«Le pied comporte des points d'acupression qui semblent être rattachés le long des voies énergétiques internes jusqu'à la ceinture pelvienne», explique-t-elle. Ces points, qui seront plus sensibles durant les menstruations, se trouvent dans les dépressions de part et d'autre du talon. Appuyez légèrement avec le pouce et le bout des doigts. Faites la même chose de chaque côté du tendon d'Achille en remontant le long du mollet.

Essayez cette technique d'acupression sur chaque pied pendant quelques minutes.

menstruations, mais le Dr Lark les déconseille vivement. Les diurétiques ont en effet le désavantage d'éliminer beaucoup de minéraux importants en même temps que l'eau. Le Dr Lark conseille plutôt de réduire la consommation de substances qui causent la rétention d'eau comme le sel et l'alcool.

Réchauffez-vous.
«La chaleur accélère la circulation sanguine et détend les muscles, notamment dans la région pelvienne congestionnée et douloureuse», dit le Dr Budoff. Buvez beaucoup de tisane et de limonade chaude. Vous pouvez appliquer une bouillotte ou un coussin chauffant sur l'abdomen pendant quelques minutes.

Prenez un bain de sels minéraux.
«Préparez-vous un bain comme le proposent les stations thermales, afin de détendre vos muscles et de soulager les douleurs», suggère le Dr Lark. Ajoutez 250 ml de sel marin et 250 ml de bicarbonate de soude à un bain d'eau chaude. Baignez-vous pendant 20 minutes.

Faites une promenade.
«Marchez ou faites souvent un peu d'exercice en tout temps, mais surtout avant vos règles. Vous vous sentirez mieux lorsqu'elles se déclencheront», dit le Dr Budoff.

Faites des étirements de yoga.
«Les étirements de yoga ont également du bon», dit le Dr Lark. Par exemple, agenouillez-vous sur le sol et asseyez-vous sur vos talons. Appuyez ensuite le front au sol et placez les bras le long du corps. Restez dans cette position aussi longtemps que possible.

Ayez des relations sexuelles.
Selon le Dr Lark, l'orgasme est un bon moyen d'apaiser les douleurs. Les contractions musculaires vigoureuses qui l'accompagnent aident à évacuer le sang et d'autres fluides de la région congestionnée, d'où le soulagement de la douleur.

Prenez un cachet.
«L'aspirine® et le paracétamol sont de bons remèdes contre les douleurs menstruelles. Mais des médicaments comme l'ibuprofène, connus sous le nom d'Advil®, sont encore plus efficaces, dit le Dr Budoff, car ils contiennent une substance qui inhibe l'effet des prostaglandines. Prenez l'un de ces médicaments, avec du lait ou des aliments afin de prévenir les brûlures d'estomac, aussitôt que vous avez des douleurs, et continuez à en prendre jusqu'à ce que celles-ci disparaissent.

EXPERTS CONSULTÉS

Le Dr Penny Wise Budoff est directrice du Centre médical des femmes de Bethpage, dans l'État de New York, et l'auteur de nombreux ouvrages, dont *No More Menstrual Cramps and Other Good News, No More Hot Flashes and Other Good News.*

Le Dr Susan Lark est directrice du PMS Self-Help Center à Los Altos, en Californie, et l'auteur de *Dr. Susan Lark's Premenstrual Syndrome Self-Help Book.*

Alexis Phillips est instructrice de massage médical et superviseur de la Peter Ling Clinic du Swedish Institute de New York.

Douleurs musculaires

41 façons de les soulager

Le Dr Ted Percy, professeur adjoint de chirurgie orthopédique et directeur du Service de médecine du sport du Arizona Health Sciences Center de la faculté de médecine de l'université d'Arizona, associe la douleur musculaire à l'abus physique. Les personnes qui ne ménagent pas leur corps sont les premières victimes de ces douleurs.

Voici donc les premiers conseils de traitements visant à soulager vos douleurs musculaires, qu'il s'agisse d'une crampe, d'un étirement ou d'une douleur généralisée.

On se calme! «Chaque fois que vous faites de l'exercice, vous abusez de vos muscles, déclare le Dr Gabe Mirkin qui pratique la médecine du sport au Sportsmedicine Institute de Silver Spring, au Maryland. Il leur faut 48 heures pour s'en remettre. Qui dit douleur dit traumatisme. Vous devriez vous arrêter dès que vous ressentez une douleur.»

Pas besoin de courir un marathon pour endolorir vos muscles: travailler dans le jardin, passer la journée au zoo, ou simplement rester assis dans la même position pendant longtemps peuvent causer des traumatismes musculaires.

Selon le Dr Allan Levy, directeur du Service de médecine du sport à l'hôpital Pascack Valley du New Jersey, la durée du repos que vous devrez accorder à vos muscles dépendra de l'importance de la lésion et de l'endroit du corps où elle se trouve.

Quelques minutes de repos suffisent pour une crampe.
Par contre, un étirement exige quelques jours ou parfois des semaines de repos. Malheureusement, il ne vous est pas toujours possible de laisser au muscle le temps nécessaire de guérison. «Par exemple, si en faisant une excursion à pied vous vous étirez un muscle, reposez-vous pendant au moins quelques heures, puis étirez doucement le muscle avant d'essayer de continuer votre marche», conseille le Dr Levy. Ne sous-estimez jamais la valeur du repos.

Mettez vite de la glace.
La glace est le meilleur moyen de lutter contre l'enflure et vous devriez en appliquer dès le début du mal, dit Carol Folkerts, coordonnatrice orthopédique de physiothérapie à l'hôpital universitaire de l'université du Maryland à Baltimore. Elle recommande d'appliquer de la glace (glaçons dans une serviette ou dans un sac en plastique) pendant 20 minutes plusieurs fois par jour.

«Appliquez la glace 20 minutes et laissez passer 20 minutes avant de recommencer, car la glace entraîne la contraction des vaisseaux sanguins. Or, ils ne doivent pas rester contractés trop longtemps», dit Carol Folkerts.

Vous pourriez détruire les tissus viables de la région touchée. Cela s'applique particulièrement aux personnes qui souffrent de troubles cardiaques, de diabète ou de troubles vasculaires. Cette catégorie de personnes ne devraient appliquer de la glace qu'avec l'accord de leur médecin.

Enveloppez le membre blessé.
Ne transformez pas en momie un mollet blessé ou une cheville foulée, mais enveloppez-les dans un bandage élastique pour enrayer l'enflure. «Soyez prudent», conseille le Dr Levy. Ne serrez pas trop fort en faisant le bandage, car l'enflure pourrait se déplacer vers la région blessée. La compression également peut soulager les crampes, mais d'après le Dr Levy, ce procédé est plutôt douleureux.

Surélevez les pieds.
Il faut suivre ce conseil lorsque vous vous êtes blessé au pied, à la cheville ou au mollet. «Surélevez le membre blessé au-dessus du cœur afin d'empêcher le sang de s'y accumuler et de causer de l'enflure», dit M. Bob Reese, entraîneur en

ALERTE MÉDICALE

Lorsque la douleur devient le symptôme d'une maladie

Une crampe musculaire soudaine, un étirement ou une douleur extrême peuvent vous faire tellement souffrir que vous croyez ne jamais redevenir normal.

En général, la douleur est plus grave que la blessure elle-même, mais ce n'est pas toujours le cas.

«Les crampes, par exemple, peuvent survenir à la suite d'un traumatisme nerveux ou, plus rarement, d'une phlébite, l'inflammation d'une veine». La phlébite peut devenir dangereuse si elle atteint une veine profonde, elle ne l'est pas si l'inflammation ne touche qu'une veine superficielle.

Un étirement peut dissimuler un mal plus grave. «Cela arrive rarement, dit le Dr Levy. Pour ma part, j'ai eu un patient qui pensait s'être étiré un muscle de la cuisse en faisant de la bicyclette fixe. Comme son état ne s'améliorait pas, nous l'avons opéré et nous avons découvert une énorme tumeur maligne dans le muscle».

Nous ne cherchons pas à vous effrayer. Sachez seulement que les traumatismes musculaires qui prennent des proportions anormales et ne guérissent pas peuvent être plus sérieux que vous ne le croyez. N'hésitez pas à consulter votre médecin.

chef des Jets de New York et président de la Professional Football Athletic Trainers Society.

Passez à la chaleur. Dans le cas de douleur ou d'étirement aigu, Carol Folkerts recommande d'utiliser de la glace. En général, les gens préfèrent la chaleur, car elle est plus relaxante que le froid. La chaleur dilate les vaisseaux sanguins et favorise la guérison.

Les bains chauds, les bains bouillonnants et les coussins chauffants apaisent tous temporairement, les crampes, les étirements musculaires ou les muscles endoloris. Mais n'en abusez pas.

Rappelez-vous qu'il ne faut pas passer trop brusquement du froid au chaud, cela pourrait faire enfler la partie meurtrie de votre corps. «Il n'est d'ailleurs pas nécessaire d'appliquer de la chaleur», dit Carole Folkerts, la glace suffit.

Comment renforcer ses muscles

Si vous accordez à vos muscles toute l'attention dont ils ont besoin, ils feront leur travail sans maugréer. Si vous les ignorez, ils sauront attirer votre attention.

Lorsque cela se présente, calmez vos muscles en faisant quelques étirements. Prenez l'habitude de faire des exercices d'étirement régulièrement afin d'éviter des problèmes.

Voici quelques suggestions de médecins, entraîneurs et physiothérapeutes qui vous aideront à oublier les douleurs musculaires.

Utilisez une serviette. Pour étirer et renforcer les muscles de votre cheville, asseyez-vous sur le sol et enroulez une serviette autour de la plante du pied en tenant les extrémités dans les mains. Pointez les orteils alternativement vers le haut et vers le bas en tirant la serviette vers vous et en gardant les jambes bien droites. Recommencez cet exercice plusieurs fois avec chaque pied.

De nouveau une serviette. Mais cette fois-ci, ne bougez pas les orteils. Penchez-vous vers l'arrière en gardant la serviette enroulée autour du pied jusqu'à ce que vous sentiez un étirement dans le muscle du mollet. Maintenez cette position pendant 15 secondes. Recommencez l'exercice plusieurs fois.

Mettez-vous sur la pointe des pieds. Pour développer les muscles des mollets, mettez-vous lentement sur la pointe des pieds et ramenez lentement les talons au sol. Recommencez cet exercice au moins 10 fois.

Allez au lit. Asseyez-vous en étendant une jambe sur le lit et en laissant l'autre pendre au sol. Inclinez-vous ensuite vers l'avant jusqu'à ce que vous sentiez un étirement dans les ischio-jambiers (les muscles de la face postérieure de la cuisse). Maintenez cette position de 10 à 15 secondes. Recommencez l'exercice plusieurs fois, puis changer de position et étirez les muscles de l'autre jambe.

Faites attention aux baumes analgésiques réchauffants. Les avis de nos spécialistes dans ce domaine sont partagés. D'après le Dr Levy, tous les baumes réchauffants sont valables, car ils augmentent la température de la région affectée.

Pour leur part, une grande majorité des entraîneurs ne croient pas beaucoup aux vertus curatives des baumes analgésiques que vous pouvez trouver en vente libre. «Ils irritent souvent la peau», dit

Imitez le flamant rose. Pour étirer les quadriceps (les muscles de la face antérieure de la cuisse), mettez-vous sur une jambe et pliez le genou de l'autre jambe jusqu'à ce que la cheville touche le fessier. Maintenez cette position pendant 10 secondes. Recommencez l'exercice cinq fois avec chaque jambe.

Renversez la vapeur. Pour renforcer sans danger les muscles abdominaux, étendez-vous sur le dos les mains placées le long du corps ou sur l'estomac. Pliez les genoux et ramenez-les sur la poitrine. Abaissez lentement les jambes en vous concentrant sur les muscles abdominaux. Recommencez l'exercice de 5 à 10 fois.

Pliez le bras vers l'arrière. Pour bien étirer les épaules, placez un bras, le coude plié derrière la tête et, en vous servant de la main opposée, tirez doucement sur le bras.

Pliez le bras devant vous. Vous pouvez aussi vous étirer les épaules en tenant un bras, le coude plié devant la poitrine et en tirant sur celui de la main opposée.

Faites l'exercice du clavier. Vous devez renforcer les muscles qui travaillent toute la journée au clavier de votre ordinateur. Asseyez-vous devant une table et soulevez dans la main un poids léger d'environ 2 kg. Tournez la paume de la main vers le haut, appuyez l'avant-bras sur la table et laissez pendre le poignet au bord de la table. Levez lentement le poids en fléchissant le poignet. Recommencez cet exercice de 10 à 20 fois avec chaque poignet.

Tournez les paumes vers le bas. Voici un autre excellent exercice pour le poignet que vous pouvez pratiquer en position assise. Faites l'exercice précédent, mais en tournant la paume de la main vers le sol. N'utilisez que des poids légers et recommencez cet exercice de 10 à 20 fois.

Mike McCormick, directeur de médecine du sport à l'université DePaul. Ces baumes procurent un faux sentiment de bienfait: ils n'agissent qu'en surface et ne réchauffent pas vraiment les muscles.

Appliquez des crèmes à base d'aspirine®. Ces crèmes, disponibles en vente libre, remplacent très bien les baumes réchauffants. Elles ne sont pas huileuses, risquent moins d'irriter la peau et ne produisent pas de sensation de chaleur comme la plupart des autres baumes. Elles agissent de la même façon que l'aspirine®, c'est-à-dire qu'elles soulagent la douleur et l'inflammation.

Prenez une combinaison d'aspirine® et d'ibuprofène.

«Parmi tous les médicaments non stéroïdiens, c'est l'équipe d'anti-inflammatoires par excellence, dit le Dr Percy. Pris ensemble, l'aspirine® et l'ibuprofène contribuent à soulager la douleur.

Étirez-vous.

«En cas de crampes ou de spasmes musculaires, étirez graduellement le muscle afin qu'il puisse se détendre», dit le Dr Levy.

«Non seulement les étirements soulagent-ils la douleur, mais ils la préviennent», ajoute Mike McCormick. «On doit étirer les muscles qui ont été blessés pendant l'exercice, car ils rétrécissent pendant la guérison, explique le Dr Mirkin. Et si on ne les étire pas, ils resteront tendus et risqueront d'être blessés ou déchirés.» (Pour en savoir davantage sur les exercices d'étirement, voir l'encadré *Comment renforcer ses muscles*, à la page 210.)

Massez vos muscles.

Comme ce serait agréable d'avoir un masseur à domicile 24 heures par jour. Eh bien! vous en avez un: le masseur, c'est vous. Massez-vous doucement et, comme pour n'importe quel autre exercice, arrêtez dès que vous ressentez de la douleur, dit le Dr Levy. Vous pouvez aussi réchauffer la région endolorie avant de la masser.

Portez des vêtements chauds.

Si vous faites de l'exercice par un temps froid et si vous vous sentez un peu raide, mettez un vêtement de plus. Vous pourriez ainsi mettre fin sur-le-champ à vos problèmes musculaires.

«Par temps froid, nous demandons aux joueurs de porter des collants sous leur uniforme», dit Bob Reese, cette méthode tient les joueurs bien au chaud et les collants soutiennent un peu les muscles.

Desserrez vos vêtements.

Si vous sentez que vous allez avoir une crampe à la jambe, il est préférable d'enlever vos collants ou tout autre vêtement serré pour laisser davantage de place à vos muscles.

Les crampes nocturnes vous empêchent de dormir

Vous dormez profondément et soudainement, vous vous écriez en agrippant votre mollet, bien éveillé par le cauchemar des crampes nocturnes.

Que s'est-il passé? Le muscle du mollet est resté contracté. En effet, les muscles des jambes se contractent lorsque vous vous tournez ou vous vous étirez pendant votre sommeil. Lorsqu'un muscle reste contracté, une crampe peut survenir sans crier gare.

Voici comment prévenir les crampes nocturnes et éviter qu'elles ne se reproduisent à l'avenir.

Servez-vous d'un mur. Mettez-vous debout à un mètre ou un mètre et demi d'un mur en gardant les talons au sol et les jambes bien droites. Puis penchez-vous vers le mur en vous appuyant sur les mains. Maintenez cette position pendant 10 secondes et recommencez l'exercice plusieurs fois.

Massez le mollet. «Massez votre mollet «depuis le haut de la cheville vers le cœur, conseille Carol Folkerts, coordonnatrice orthopédique de physiothérapie. Si vous souffrez souvent de crampes nocturnes, massez le mollet avant d'aller au lit», ajoute-t-elle.

N'utilisez pas trop de couvertures. «La pression exercée sur les jambes par le poids des couvertures pourrait être à l'origine de ce problème, du moins en partie», dit Carol Folkerts.

Portez un pyjama ample. Des pyjamas aussi serrés qu'un jeans sont la dernière chose à porter pour dormir.

Chauffez votre lit à l'électricité. La couverture électrique fait bien plus que de vous garder au chaud pendant les nuits d'hiver; «elle peut aussi réchauffer les muscles de vos mollets et vous éviter beaucoup de douleur inutile», dit Carol Folkerts.

Dormez comme un bébé. «Dormir sur le ventre, les mollets tendus, est un risque, dit le Dr Scott Donkin. Essayez de dormir sur le côté, les genoux repliés vers le haut et placer un oreiller entre eux.

Prenez des suppléments de calcium. «Une carence en calcium peut entraîner les crampes musculaires, car elle provoque des contractions plus prononcées», dit le Dr Donkin. Évidemment, consultez votre médecin avant de modifier votre alimentation ou de prendre des suppléments vitaminiques.

Changez de position. «Si vous passez la journée penché sur un clavier d'ordinateur ou sur un guidon de bicyclette, vos mains et vos avant-bras seront sujets aux crampes et à la douleur», dit le Dr Scott Donkin, associé du Rohrs Chiropractic Center de Lincoln, au Nebraska.

Il existe pourtant une différence marquée entre un cycliste et un employé de bureau: les cyclistes peuvent en effet choisir le modèle de bicyclette qui convient à chacun, tandis que les employés, qui ont des mains et des doigts de tailles différentes, utilisent le même équipement de bureau.

«On doit se servir de ses poignets et de ses mains dans une position neutre», dit le Dr Donkin. Dans cette position, le poignet n'est plié ni vers l'avant, ni vers l'arrière, ni vers l'intérieur, ni vers l'extérieur.

Si vous avez les mains et les doigts longs, vous pouvez réduire la tension de vos muscles en plaçant le clavier de votre ordinateur dans une position plus horizontale, (à plat sur la surface de travail) de telle sorte que les muscles des bras et des épaules ne soient pas tendus.

Les personnes qui ont les mains et les doigts courts doivent utiliser un clavier d'ordinateur, de machine à écrire ou à calculer plus inclinés, afin d'atteindre les touches plus facilement.

Levez-vous. «C'est simple, mais c'est souvent tout ce qu'il faut faire pour arrêter une crampe dans la jambe ou dans le pied», dit le Dr Levy.

Recommencez le jour suivant l'activité qui a causé la douleur. «De quelle manière? Recommencez la même activité le jour suivant, dit Bob Reese, mais beaucoup moins intensément. Cela contribuera à soulager la douleur, du moins en partie.»

Puis continuez à alterner les exercices vigoureux et les exercices modérés. «Nous recommandons cette façon de procéder en raison de la période de 48 heures dont les muscles ont besoin pour récupérer», dit le Dr Mirkin. Tous les athlètes sérieux s'entraînent ainsi.

Variez vos activités. «Ce conseil est peut-être encore plus judicieux que le précédent», dit le Dr Mirkin. Aux personnes qui souffrent de douleurs aux jambes quand elles font de la marche, ce médecin suggère de combiner la natation ou le cyclisme (qui font travailler la cuisse) à la marche. De cette façon elles pourront continuer à s'entraîner tout en laissant aux muscles le temps de récupérer.

Perdez du poids. Si vous souffrez de douleurs et d'étirements musculaires chroniques, les kilos en trop pourraient être en partie responsables de vos problèmes.

Faites-vous une raison. Si, par exemple, vous avez toujours des douleurs musculaires quand vous courez, vous devriez peut-être adopter un autre sport. «La course est le sport qui occasionne le plus de blessures», déclare le Dr Mirkin.

Ralentissez au lieu de vous arrêter brusquement.

«Après un exercice ou un travail physique vigoureux, la circulation sanguine est saturée d'acide lactique qui s'accumule dans le sang lorsqu'il y a un déficit d'oxygène», explique le Dr Mirkin. Lorsque le taux d'acide lactique est trop élevé, il perturbe les réactions chimiques des muscles et peut causer des douleurs musculaires.

Comment faire disparaître l'excès d'acide lactique dans le sang? «Continuez à faire de l'exercice physique, mais d'une façon plus lente et plus détendue», conseille le Dr Mirkin. Il insiste sur le fait que cette façon de procéder fera peut-être disparaître la douleur immédiate, mais qu'elle n'aura aucun effet sur celle du lendemain. «Cette douleur-là est causée par le déchirement des fibres musculaires», dit-il.

Changez de chaussures. Le port de chaussures qui ne conviennent pas ou de chaussures qui vous serrent est l'une des causes des douleurs aux jambes, aux pieds et au dos quand vous faites de l'exercice, dit Mike McCormick.

Renforcez vos muscles. La faiblesse musculaire et le manque de souplesse sont souvent à l'origine des étirements chroniques. En général, les hommes sont moins souples que les femmes. En revanche, les femmes ont besoin de renforcer leurs muscles et c'est ce que nous leur suggérons. «Pour ma part, je conseille autant aux hommes qu'aux femmes de développer la force et la souplesse musculaires», dit Mike McCormick. (Voir l'encadré *Comment renforcer mes muscles*, à la page 210.)

Soyez patient. Plus la blessure est grave (un étirement des ischio-jambiers, par exemple), plus vous devrez être patient. C'est le prix à payer pour une guérison complète et sans rechute.

Buvez beaucoup. La déshydratation contribue beaucoup aux crampes, dit Mike McCormick. On ne saurait trop insister sur l'importance de boire beaucoup de liquides avant, pendant et après une activité physique, et vous savez pourquoi.

EXPERTS CONSULTÉS

Le Dr Scott Donkin fait partie du Rohrs Chiropractic Center de Lincoln, au Nebraska, en tant qu'associé. De plus, en tant que consultant industriel, il apprend aux travailleurs à réduire le stress relié à l'utilisation de postes de travail et il a écrit *Sitting on the Job.*

Carol Folkerts est coordonnatrice orthopédique de physiothérapie à l'hôpital universitaire de l'université du Maryland à Baltimore.

Le Dr Allan Levy est directeur du Service de médecine du sport à l'hôpital Pascack Valley du New Jersey. Il est en outre le médecin de l'équipe de football des Giants de New York et de l'équipe de basketball des Jets du New Jersey.

Mike McCormick est directeur de médecine du sport à l'université DePaul à Chicago en Illinois. Il fait partie des entraîneurs athlétiques accrédités.

Le Dr Gabe Mirkin pratique la médecine du sport au Sportsmedicine Institute de Silver Spring, au Maryland, et est professeur adjoint de pédiatrie à la faculté de médecine de l'université Georgetown à Washington, D.C. Il est en outre l'auteur de nombreux ouvrages de médecine du sport, notamment *Dr. Gabe Mirkin's Fitness Clinic.* Il rédige une chronique dans les journaux et anime une émission à la radio.

Le Dr Ted Percy est professeur adjoint de chirurgie orthopédique et directeur de la section de médecine du sport à l'université Arizona College of Medicine, du Centre des sciences de la santé de l'Arizona, à Tucson.

Bob Reese est l'entraîneur chef des New York Jets et président de la Professional Football Athletic Trainers Society.

Douleurs aux seins

16 façons de soulager des seins sensibles

Vous êtes peut-être enceinte et avez du mal à croire que ces seins énormes et douloureux sont bien les vôtres. Le soir, vous n'arrivez jamais à trouver une position confortable pour dormir.

Ou alors vous êtes peut-être encore bouleversée par cette grosseur dure que vous avez sentie en faisant votre auto-examen mensuel des seins, même si votre médecin vous a assuré qu'elle était bénigne.

Dites-vous bien que vous n'êtes pas la seule à avoir des inquiétudes à ce sujet. On estime en effet qu'environ 70 % des femmes constatent des changements bénins, mais inquiétants, dans leurs seins, à un moment donné de leur vie.

Les femmes ont les seins sensibles pendant une grossesse ou avant leurs règles à cause des cycles naturels des hormones reproductrices, l'œstrogène et la progestérone. Ces hormones commandent aux cellules des glandes lactées de s'activer, de sorte que la région autour de ces glandes se gonfle de sang et d'autres liquides pour nourrir les cellules. Les tissus ainsi alourdis peuvent étirer les fibres nerveuses et causer des douleurs.

Les changements fibrokystiques, qui comprennent les grosseurs et les kystes, se produisent généralement dans les parties inactives du sein: les cellules adipeuses, les tissus fibreux et les autres parties du sein qui ne contribuent pas à la production ou au transport du lait.

Dans ce cas, les conseils pratiques vous permettront de trouver un soulagement et de favoriser votre guérison. Voici donc ce que recommandent nos spécialistes.

Modifiez votre régime alimentaire. Adoptez un régime alimentaire faible en gras et riche en fibres, notamment les produits de grains entiers, les légumes et les haricots secs. Une étude menée à la faculté de médecine de l'université Tuft a démontré qu'un tel régime modifie le métabolisme de l'œstrogène. «Les femmes évacuent

---

Bénigne?
Seul votre médecin le sait

On a déjà diagnostiqué la grosseur que vous avez au sein comme bénigne. Lors de votre dernier auto-examen des seins, vous en avez découvert une autre. Pouvez-vous supposer qu'elle est bénigne elle aussi?

Non. Faites de l'examen médical une règle d'or: dès que vous constatez une nouvelle grosseur au sein, vous devez consulter votre médecin. Il se peut qu'il vous demande de faire une biopsie du sein ou qu'il se serve d'une aiguille pour drainer un kyste.

«Environ 90 % des grosseurs dans les seins ne sont pas découvertes par des médecins ou des infirmières, ou à la suite de mammographies, mais par les femmes elles-mêmes lors d'un auto-examen», dit l'infirmière Kerry McGinn.

Le meilleur moment pour s'examiner les seins est une semaine après le début de vos règles. En effet, les grosseurs qui apparaissent parfois brusquement juste avant les règles peuvent s'en aller tout aussi vite juste après.

---

davantage d'œstrogène dans leurs selles et en laissent donc moins dans leur organisme», explique le Dr Christiane Northrup, professeur adjoint d'obstétrique et de gynécologie à la faculté de médecine de l'université du Vermont. Cette situation entraîne également une moins grande stimulation hormonale des seins.

Restez mince. Cela signifie que vous devrez maintenir un poids assez proche du poids idéal pour votre taille et votre ossature. «Dans les cas de femmes très obèses, la perte de poids leur permettra de soulager leurs douleurs aux seins», dit Kerry McGinn, auteur de *Keeping Abreast: Breast Changes That Are Not Cancer.*

Chez les femmes, l'excès de graisse agit comme une glande additionnelle qui produit et emmagasine de l'œstrogène. Si votre corps a trop de graisse, il y a sans doute plus d'œstrogène que l'exige votre système. «Et les tissus des seins sont très réceptifs aux hormones», dit le Dr Gregory Radio, chef du Service d'endocrinologie à l'hôpital Allentown, en Pennsylvanie.

Prenez des vitamines. «Consommez des aliments riches en vitamine C, en calcium, en magnésium et en vitamines du groupe B», dit le Dr Northrup. Ces vitamines ont la propriété de régulariser la production de la prostaglandine E qui, à son tour, stimule la sécrétion de la prolactine, une hormone qui active les tissus des seins.

Ne mangez pas de margarine ni d'autres graisses hydrogénées.
«Les graisses hydrogénées empêchent votre organisme de convertir les acides gras essentiels de vos aliments en acide gamma linoléique, dit le Dr Northrup. L'acide gamma linoléique est important, car il contribue à la production de la prostaglandine E, laquelle permet de garder sous contrôle la prolactine, un activateur des tissus mammaires.

Restez calme.
«L'adrénaline, une substance produite par les glandes surrénales lorsque vous êtes stressée, nuit aussi à la conversion de l'acide gamma linoléique», dit le Dr Northrup.

Éliminez la caféine.
On n'a pas encore prouvé que la caféine contribuait aux douleurs des seins. Certaines études le soutiennent, d'autres le nient. Quoi qu'il en soit, le Dr Thomas

---

Quoi d'autre?

Le soulagement par l'huile de castor

Pour soulager l'inflammation des seins, essayez la compresse d'huile de ricin que recommande le Dr Christiane Northrup. Elle estime que ces compresses favorisent également la guérison d'infections mammaires mineures.

Pour confectionner une telle compresse, vous avez besoin d'huile de ricin pressée à froid, d'un linge en flanelle, d'un bout de plastique et d'un coussin chauffant.

Pliez le linge en quatre et imbibez-le d'huile de ricin. Ne l'imbibez pas trop, l'huile ne doit pas dégouliner sur vos seins. Appliquez le linge sur les seins, couvrez-le avec le plastique et placez le coussin chauffant par-dessus. «Chauffez modérément, puis augmentez l'intensité, si vous le supportez», dit le Dr Northrup. Laissez la compresse en place pendant une heure.

«L'huile de ricin pressée à froid contient une substance qui stimule la fonction des lymphocytes T11, explique le Dr Northrup, ce qui accélère la guérison de toute infection.

Pour obtenir de bons résultats, vous devrez vous appliquer de telles compresses pendant une période de trois à sept jours. «Ce traitement s'avère souvent très utile pour soulager les douleurs», ajoute-t-elle.

Smith, directeur du Breast Health Center au Centre médical de Nouvelle-Angleterre, à Boston, recommande fortement d'éliminer la caféine.

«J'ai vu des femmes qui avaient des douleurs aux seins, ou d'autres symptômes de changements bénins des seins, se sentir beaucoup mieux quand elles eurent cessé de consommer de la caféine. Vous devez absolument éliminer la caféine», affirme-t-il. Cela signifie que vous devez également oublier les boissons gazeuses, le chocolat, les glaces, le thé et tous les analgésiques à base de caféine disponibles en vente libre.

Évitez les aliments très salés. «Les aliments très salés vous font gonfler», dit le Dr Yvonne Thornton, professeur adjoint d'obstétrique et de gynécologie à la faculté de médecine de l'université Cornell. Vous devez éviter d'en consommer de 7 à 10 jours avant vos règles.

Évitez les diurétiques. On sait que les diurétiques peuvent contribuer à évacuer les liquides de votre organisme et à réduire le gonflement des seins. «Ce soulagement temporaire risque néanmoins de vous coûter cher», déclare le Dr Thornton. L'ingestion trop fréquente de diurétiques entraîne une carence en potassium, et perturbe l'équilibre de vos électrolytes et la production de glucose.

Achetez des médicaments en vente libre. Le Dr Sandra Swain, directrice du Comprehensive Breast Service au Vincent Lombardi Cancer Center de la faculté de médecine de l'université de Georgetown, recommande l'ibuprofène (Advil®, Nuprin®) pour soulager les douleurs aux seins. Évitez de prendre des anti-inflammatoires stéroïdiens topiques, dit-elle. Les femmes enceintes ne devraient pas prendre de médicaments sans l'approbation de leur médecin.

Appliquez du froid. Kerry McGinn déclare qu'un certain nombre de femmes plongent leurs mains dans de l'eau froide et les posent ensuite sur leurs seins pour se soulager.

Essayez un traitement à la chaleur. Certaines femmes, dit Kerry McGinn, soulagent leur douleur en appliquant sur leurs seins un coussinet chauffant ou une bouillotte, en prenant une douche ou un bain chaud. D'autres soutiennent par ailleurs que des traitements où l'on fait alterner le chaud et le froid sont ceux qui leur conviennent le mieux.

Portez un bon soutien-gorge. Les soutiens-gorge à maintien ferme, tout comme ceux fabriqués pour le sport, contribuent à empêcher les fibres nerveuses des seins déjà étirées par les tissus gorgés d'eau de s'étirer encore davantage. «Certaines femmes estiment que porter un tel soutien-gorge pour dormir leur apporte un certain réconfort», déclare le Dr Radio.

Songez à un moyen de contraception autre que la pilule. «Selon votre état de santé, dit le Dr Radio, le taux d'œstrogène des pilules contraceptives peut contribuer ou nuire à vos efforts pour atténuer les effets des changements bénins dans vos seins. En général, les pilules faibles en œstrogène soulagent de véritables troubles fibrocystiques, mais aggravent une fibro-adénomatose, dont la caractéristique est la présence d'une grosseur dure, mais souvent mobile.»

Essayez le massage pour réduire l'accumulation de liquide. D'après le Dr McGinn, certaines femmes parviennent à soulager la douleur qu'elles éprouvent à leurs seins en les massant doucement. De cette manière, le surplus de liquide retourne dans les canaux du système lymphatique. D'autre part, Carolyn Gale Anderson, masseuse, a mis au point une technique qui consiste à savonner les seins en faisant des rotations des doigts en très petits cercles sur la surface des seins, puis en pressant les seins avec les mains, d'abord vers l'intérieur, puis vers le haut.

Décodez le message émotionnel que cachent vos symptômes physiques. «C'est toujours la première chose que je considère, déclare le Dr Northrup. Quand je demande à mes patientes comment elles se sentent à l'égard des soins qu'elles donnent aux autres et des soins qu'elles reçoivent, je les vois souvent verser quelques larmes.»

«Les seins, en tant que symboles d'attention maternelle, sont le siège d'émotions très fortes», ajoute-t-elle. Vous connaissez cette sensation de picotement qui accompagne l'allaitement? Eh bien, certaines femmes ménopausées ressentent encore ces picotements lorsqu'elles entendent un bébé pleurer. Ce phénomène montre bien à quel point les seins sont étroitement liés aux émotions.

EXPERTS CONSULTÉS

Kerry **McGinn** fait partie du personnel infirmier de l'unité hospitalière Planetree Model, au Pacific Presbyterian Medical Center, à San Francisco. Elle est l'auteur de *Keeping Abreast:*

Breast Changes That Are Not Cancer.

Le Dr Christiane Northrup est professeur adjoint d'obstétrique et de gynécologie à la faculté de médecine de l'université du Vermont, à Burlington. Elle est aussi présidente de l'association américaine de médecine holistique et pratique la médecine au centre Women to Women, à Yarmouth, dans l'État du Maine.

Le Dr Gregory Radio a un cabinet d'obstétrique et de gynécologie à Allentown, en Pennsylvanie. Il est aussi chef du Service d'endocrinologie à l'hôpital Allentown.

Le Dr Thomas J. Smith est chef du Service d'oncologie chirurgicale et directeur du Breast Health Center au Centre médical de Nouvelle-Angleterre, à Boston, au Massachusetts. Il est aussi professeur de chirurgie à la faculté de médecine de l'université Tuft, à Boston.

Le Dr Sandra Swain est professeur de médecine à l'université de Georgetown et directrice du Comprehensive Breast Service au Vincent Lombardi Cancer Center de la faculté de médecine de l'université de Georgetown, à Washington, D.C.

Le Dr Yvonne Thornton est spécialisée en médecine prénatale et professeur adjoint en obstétrique et en gynécologie à la faculté de médecine de l'université Cornell, à New York. Elle est aussi directrice du service de diagnostic prénatal et médecin attaché à l'hôpital de New York et au Centre médical de l'université

Ecchymoses

6 façons de les masquer

À moins de vivre dans un cocon, vous ne parviendrez jamais à éviter toutes les ecchymoses. Cependant, vous pouvez diminuer les risques de grosses ecchymoses et apprendre à traiter celles que vous n'avez pu prévenir. Voici comment.

Mettez vite de la glace. «Utilisez des sacs de glaçons pour traiter les blessures qui peuvent causer une ecchymose, dit le Dr Hugh Macaulay, médecin à l'hôpital Aspen Valley, à Aspen, au Colorado. Appliquez le sac de glaçons le plus rapidement possible à la suite d'une blessure et poursuivez le traitement pendant 24 heures si la bosse semble vouloir se coiffer d'une grosse ecchymose.»

Appliquez le sac de glaçons à intervalles de 15 minutes. N'appliquez pas de la chaleur entre ces traitements; laissez plutôt la peau se réchauffer naturellement.

Le froid contracte les vaisseaux sanguins: il y a donc moins de sang pour irriguer les tissus, ce qui minimise la couleur de l'ecchymose, l'enflure et la douleur.

Après le froid, la chaleur. «Après 24 heures, utilisez de la chaleur pour dilater les vaisseaux sanguins et améliorer la circulation sanguine», dit le Dr Sheldon V. Pollack, dermatologiste et professeur adjoint de médecine à la faculté de médecine de l'université Duke.

Gardez les pieds surélevés. Les ecchymoses sont de petits réservoirs de sang. Or, le sang, comme tout autre liquide, descend. Si vous passez beaucoup de temps debout, le sang qui s'est accumulé dans une ecchymose descendra dans des tissus mous et trouvera de nouveaux endroits où se loger.

Ajoutez de la vitamine C à votre alimentation. Des études menées au Centre médical de l'université Duke à Durham, en Caroline du Nord, démontrent que les personnes dont l'alimentation présente une carence en vitamine C ont tendance à avoir plus souvent des ecchymoses et à guérir plus lentement.

«La vitamine C favorise la croissance du tissu collagénique autour des vaisseaux sanguins dans la peau», explique le Dr Pollack. «Vous avez moins de collagène dans le visage, les mains ou les pieds que dans les cuisses par exemple, de sorte que les ecchymoses à ces endroits sont souvent plus foncées», ajoute le Dr Macaulay.

Si vous êtes sujet aux ecchymoses, le Dr Pollack vous suggère de prendre 500 mg de vitamine C trois fois par jour pour favoriser la

---

ALERTE MÉDICALE

Une ecchymose qui porte un autre nom

Si vous constatez que vous êtes sujet aux ecchymoses sans pouvoir en déterminer la cause, parlez-en à votre médecin. Il arrive que les ecchymoses soient signes de maladie. Par exemple, certains troubles sanguins peuvent entraîner des ecchymoses sans raison apparente. Le syndrome d'immunodéficience acquise (SIDA) peut causer des bosses violacées semblables à des ecchymoses qui ne veulent pas disparaître.

Il n'est pas nécessaire de se cogner pour avoir une ecchymose

Les sportifs du dimanche remarquent parfois qu'ils ont des ecchymoses le lundi ou le mardi après un match de football ou une séance d'aérobic. L'exercice peut en effet causer des micro-déchirures dans les vaisseaux sanguins sous-cutanées. Lorsque la déchirure se produit, le sang s'infiltre dans les tissus et il en résulte une ecchymose.

Si vous avez des ecchymoses un ou deux jours après avoir fait de l'exercice, optez pour un traitement par la chaleur, pour commencer.

---

production de collagène. Bien que la vitamine C ne soit pas toxique, obtenez l'autorisation de votre médecin avant de prendre de fortes doses.

Méfiez-vous des médicaments. Les personnes qui prennent de l'aspirine® contre les maladies cardiaques constatent qu'elles sont beaucoup plus vulnérables aux ecchymoses. Il arrive aussi que les personnes qui prennent des anticoagulants aient le même problème. D'autres médicaments comme les anti-inflammatoires, les antidépresseurs et les médicaments contre l'asthme peuvent inhiber la coagulation sous-cutanée et causer de plus grosses ecchymoses. Les personnes qui font des abus d'alcool et de drogue y sont aussi très sujettes. Si vous prenez ces médicaments, parlez-en à votre médecin.

EXPERTS CONSULTÉS

Le Dr Hugh Macauley est médecin en salle d'urgence à l'hôpital Aspen Valley, à Aspen, au Colorado.

Le Dr Sheldon Pollack est professeur adjoint de médecine au Service de dermatologie de la faculté de médecine de l'université Duke, à Durham, en Caroline du Nord.

Écoulement post-nasal

13 moyens d'y remédier

Écoulement nasal? Dans votre cas, c'est un euphémisme. Vous avez le nez qui coule comme une fontaine!

Mais d'où proviennent toutes ces sécrétions? C'est simple. Au cours d'une journée, vous respirez plus de 10 000 litres d'air. Le nez réchauffe cet air à 37,7 °C et l'humidifie entièrement avant qu'il ne parvienne aux poumons, 20 cm plus bas. S'il n'est pas suffisamment humide et chaud, l'air peut endommager les tissus pulmonaires.

L'humidification dépend dans une large mesure des glandes dans la paroi du nez et dans la cavité des sinus. Tous les jours, ces glandes produisent environ deux litres de liquide en vue de lubrifier les muqueuses des sinus, du nez, de la bouche et de la gorge.

«Normalement, ces sécrétions sont balayées par les cils et s'éliminent à l'arrière du nez et de la gorge», explique le Dr Gilbert Levitt, oto-rhino-laryngologiste à Puget Sound et instructeur en oto-rhino-laryngologie à la faculté de médecine de l'université de Washington. Les cils sont munis de courts prolongements qui se déplacent le long de la surface des tissus. Ils protègent également les voies nasales contre les particules étrangères.

De temps en temps, et plus particulièrement pendant l'hiver, les mucosités s'assèchent. Elles semblent s'épaissir et l'activité des cils ralentit. Un virus peut complètement paralyser les cils. Lorsque ceux-ci interrompent leur mouvement de va-et-vient, les mucosités s'accumulent dans le fond du nez. Elles s'épaississent et vous voilà aux prises avec un problème d'écoulement post-nasal.

Comment pouvez-vous rendre ces mucosités claires et liquides sans assécher complètement la partie supérieure de votre tractus respiratoire?

Voici ce que conseillent nos experts.

Mouchez-vous régulièrement. «Cette mesure peut paraître tellement évidente qu'on finit par l'oublier, dit le Dr Jerold Principato, oto-rhino-laryngologiste dans un cabinet privé à Bethesda, au Maryland, et professeur adjoint d'oto-rhino-laryngologie à la faculté de médecine de l'université George Washington. Le simple fait de se moucher élimine l'écoulement post-nasal excédentaire dans la partie antérieure du nez.»

«Cependant, ne vous mouchez pas avec trop de zèle. Sachez aussi que vous ne devriez jamais vous mettre un cure-oreilles ou un mouchoir en papier dans les narines», ajoute-t-il.

Rincez-vous les narines à l'eau salée. Vous avez besoin d'eau, de sel et d'un aspirateur miniature afin de débloquer l'arrière du nez et vous débarrasser de la mauvaise haleine qui, souvent, accompagne l'écoulement post-nasal.

Voici la recette du docteur Principato. Faites dissoudre 2,5 ml de sel dans 235 ml d'eau tiède. (Réduisez la quantité de sel à 1,5 ml si vous souffrez d'hypertension). Remplissez l'aspirateur d'eau salée et introduisez l'embout dans l'une de vos narines. Renversez la tête en arrière et tenez l'aspirateur de manière à ce qu'il forme un angle droit avec votre visage et soit parallèle à votre palais. Respirez pour que votre narine absorbe l'eau.

Au début, vous aurez peut-être de la difficulté à faire ce traitement. Avec le temps et un peu d'entraînement, vous y parviendrez aisément. Changez de narine et crachez l'eau dans l'évier. Il vous faudra peut-être renouveler ce traitement plusieurs fois avant d'éprouver un soulagement. Lorsque vous aurez terminé, mouchez-vous pour vous débarrasser des sécrétions liquides.

Le Dr Principato conseille d'irriguer les narines trois fois par jour pendant cinq jours.

Gargarisez-vous à l'eau salée. Préparez la même solution que précédemment: 2,5 ml de sel (ou 1,5 ml de sel si vous êtes hypertendu) dans 235 ml d'eau tiède. «Ce traitement, dit le Dr Principato, contribuera à vous dégager la gorge et à régler vos problèmes de voix causés par un écoulement post-nasal excessif.»

Résistez à certaines envies. Vous adorez l'agneau au cari ou les plats mexicains au chili? Si vous avez un problème d'écoulement post-nasal, vous auriez intérêt à éviter ces mets. «Les irritants comme les piments forts et les épices indiennes peuvent provoquer des affections nasales chroniques», dit le Dr Principato.

Quoi d'autre?

Préparez le «neti»

Si vous recherchez la pureté absolue, faites comme les yogis. Servez-vous d'un récipient appelé «neti» pour vous rincer les voies nasales à l'eau salée. Ce récipient ressemble à une théière munie d'un bec allongé. En général, il peut contenir plusieurs centilitres d'eau.

Les adeptes du yoga croient qu'en protégeant les voies respiratoires contre les sécrétions sèches, ils revitalisent leur organisme. Ils soutiennent par ailleurs que l'utilisation régulière du neti peut aussi prévenir tous les problèmes de sinus causés par des obstructions nasales.

Comment utiliser le neti? Voici les instructions d'un porte-parole du Himalayan International Institute:

Remplissez le récipient d'eau chaude et ajoutez-y une pincée de sel. Utilisez juste assez de sel pour que l'eau ne soit pas plus salée que vos larmes. Si la solution provoque une sensation de brûlure, elle est trop salée.

Penchez la tête sur le côté, au-dessus de l'évier. Introduisez le bec du récipient dans une narine et versez jusqu'à ce que le récipient soit vide. Le liquide devrait ressortir par l'autre narine.

Remplissez de nouveau le récipient, penchez la tête de l'autre côté et irriguez l'autre narine. Au début, vous aurez peut-être quelques difficultés. Entraînez-vous!

Lorsque vous avez terminé, mouchez bien les deux narines.

Si vous le désirez, vous pouvez faire ce traitement deux fois par jour.

«C'est un traitement agréable et facile, dit le porte-parole de l'Himalayan International Institute. Cela fait dix ans que je m'y soumets à raison de deux fois par jour. Il dégage les voies obstruées par les sécrétions dans le système le plus vital de l'organisme, celui qui nous donne notre air. Lorsque ces voies sont bouchées, notre organisme au complet s'en ressent.»

Renoncez au lait. «Essayez et vous verrez bien!», suggère le Dr John A. Henderson, oto-rhino-laryngologiste et allergologiste dans un cabinet privé à San Diego, en Californie, aussi professeur adjoint de chirurgie à la faculté de médecine de l'université de Californie, à San Diego. Certains spécialistes en nutrition sont convaincus que les produits laitiers comme le lait et les glaces favorisent la production de sécrétions. D'autres n'en sont pas certains.

«Le lait de vache est complètement différent du lait humain, dit le Dr Henderson. Le problème, c'est qu'il est très riche en glucose et que ce sucre, appelé lactose, nourrit les bactéries et les moisissures logées dans la gorge et le tractus intestinal. Une trop forte concentration de ces organismes risque d'affecter le système immunitaire.»

Détendez-vous. «Le stress est la principale cause des affections nasales chroniques, dit le Dr Principato. Pourquoi? Le réchauffement et l'entretien des parois nasales incombent au système nerveux parasympathique. Or, ce système est très influencé par le stress, précise-t-il. Plus une personne est stressée, plus le processus est accéléré. Résultat: les parois nasales produisent plus de sécrétions qu'il ne faut.»

Des techniques de relaxation comme la relaxation progressive des muscles ou la méditation peuvent vous faire du bien si vous constatez que votre problème d'écoulement post-nasal s'aggrave lorsque vous êtes stressé.

Buvez beaucoup de liquides. Les muqueuses doivent être gardées bien humides pour que les cils puissent fonctionner normalement. «Boire beaucoup contribue à humidifier les mucosités qui se trouvent dans la partie supérieure du pharynx, dit le Dr Alvin Katz, oto-rhino-laryngologiste dans un cabinet privé à New York et chirurgien au Eye, Ear, Nose and Throat Hospital, à Manhattan.

«Les tisanes avec du citron et du miel ou simplement de l'eau chaude citronnée constituent d'excellentes boissons, dit le Dr Levitt. Aidez les sécrétions à s'écouler à l'arrière de la gorge au lieu d'essayer de vous éclaircir la gorge. Comme l'acide chlorhydrique dans l'estomac détruit toutes les substances que contiennent les mucosités, vous n'avez pas à vous inquiéter.»

Branchez l'humidificateur. Un bon humidificateur, c'est-à-dire un appareil qui peut contenir quelques dizaines de litres d'eau, contribue à humidifier vos voies nasales pendant les mois d'hiver. Il peut aussi empêcher vos sécrétions de s'assécher et de durcir.

«Utilisez de l'eau distillée dans votre humidificateur, ce qui éliminera les impuretés, dit le Dr Katz. De plus, prenez soin de le nettoyer une fois par semaine avec de l'eau additionnée d'un peu de vinaigre blanc afin d'éviter les moisissures», conseille-t-il.

N'abusez pas des décongestionnants. «Je vous déconseille de prendre des gouttes pour le nez dans le cas d'écoulement post-nasal, dit le Dr Principato. Il est préférable que vous les réserviez à l'infection des sinus», conseille-t-il. Comme bon nombre d'autres professionnels de la santé, il croit que personne ne devrait prendre des gouttes et des médicaments en vaporisateur pendant plus de quelques jours d'affilée.

Voyez du côté de l'estomac. Ce que vous prenez pour un écoulement post-nasal excessif pourrait être un reflux gastro-œsophagien appelé communément brûlures d'estomac. «Ce reflux provoque les mêmes symptômes que l'écoulement post-nasal, dit le Dr Mark Baldree, oto-rhino-laryngologiste dans un cabinet privé à Phoenix, en Arizona, également membre du personnel du Service d'oto-rhino-laryngologie à l'hôpital St. Joseph's à Phoenix. Certains nouveaux médicaments contre l'hypertension peuvent provoquer un écoulement post-nasal, même si vous souffrez de brûlures d'estomac.»

Vérifiez votre taux d'œstrogènes. L'œstrogène est une hormone qui influe sur les muqueuses de la cavité nasale. Certains contraceptifs oraux ont une forte concentration en œstrogènes. Un accroissement de la quantité d'œstrogènes dans l'organisme peut dilater la paroi nasale et favoriser une production excessive de mucosités.

Si vous avez un problème d'écoulement post-nasal et prenez des pilules contraceptives, parlez-en à votre gynécologue. Il pourra peut-être vous prescrire des pilules moins dosées en œstrogènes.

Évitez les antihistaminiques. «En général, ils sont peu utiles, dit le Dr Baldree. Non seulement ils ne sont pas très efficaces, mais ils causent de la somnolence. Il est préférable de prendre un anti-congestionnant ordinaire.»

EXPERTS CONSULTÉS

Le Dr Mark Baldree est oto-rhino-laryngologiste dans un cabinet privé à Phoenix, en Arizona, et membre du personnel du Service de chirurgie, section d'oto-rhino-laryngologie, à l'hôpital St. Joseph's, à Phoenix.

Le Dr John A. Henderson est oto-rhino-laryngologiste et allergologiste dans un cabinet privé à San Diego, en Californie, et professeur adjoint de chirurgie à la faculté de médecine de l'université de Californie, à San Diego.

Le Dr Alvin Katz est oto-rhino-laryngologiste dans un cabinet privé à New York et chirurgien au Eye, Ear, Nose and Throat Hospital, à Manhattan. Il a été président de l'American Rhinologic Society.

Le Dr Gilbert Levitt est oto-rhino-laryngologiste. Il travaille en collaboration avec la Group Health Cooperative, à Puget Sound, dans l'État de Washington. Il est aussi instructeur en oto-rhino-laryngologie à la faculté de médecine de l'université de Washington, à Seattle.

Le Dr Jerold Principato est oto-rhino-laryngologiste dans un cabinet privé à Bethesda, au Maryland, et professeur adjoint d'oto-rhino-laryngologie à la faculté de médecine de l'université George Washington. Il est également instructeur au sein de l'American Academy of Otolaryngology.

Emphysème

24 remèdes pour mieux respirer

«Vous faites de l'emphysème!» Le diagnostic est tombé comme un couperet. En l'espace de quelques secondes, le sol s'est dérobé sous vos pieds. Hier, tout allait bien. Aujourd'hui, vous avez le sentiment que votre corps vous trahit!

Ce que vous apprenez par la suite n'est guère plus réjouissant. Il est très rare de souffrir d'emphysème seulement. Le plus souvent, la maladie s'accompagne d'une bronchite ou d'asthme chronique. De plus, il n'existe ni traitement médical ni moyen de réparer les dommages qu'ont subis vos voies respiratoires. Il vous faut accepter l'inéluctable: vos poumons ont vieilli avant vous!

Graduellement, vous vous reprenez en main: vous vaincrez la maladie, car vous êtes plus fort qu'elle. Vous travaillerez de façon plus rationnelle, mènerez une vie plus simple et consacrerez votre énergie à ce qui vous tient le plus à cœur!

Afin de vous faciliter la tâche, voici quelques conseils:

Cessez de fumer dès maintenant. Votre médecin vous l'a déjà dit, et nous nous permettons de vous le rappeler.

«Il n'est jamais trop tard pour cesser de fumer, dit le Dr Henry Gong, professeur de médecine à l'université de Californie, à Los Angeles, et chef du Service des maladies pulmonaires au Centre médical de l'UCLA. Même si vous arrêtez vers la cinquantaine ou la soixantaine, vous contribuez à ralentir la détérioration de vos poumons.» Autre avantage non négligeable: votre forme physique n'en sera que meilleure.

La fumée de cigarette incite les neutrophiles, les composants des globules blancs qui combattent la maladie, à migrer vers les poumons de façon ponctuelle. «Apparemment, les neutrophiles expulsent les enzymes qui peuvent assimiler les tissus pulmonaires, explique le Dr Gong. Chez les personnes en bonne santé, il se crée un équilibre entre ces enzymes et les antitrypsines, des protéines plasmatiques.

Il arrive que des non-fumeurs souffrent d'emphysème mais ces cas sont rares. Victimes d'un trouble protéinique héréditaire, ces personnes présentent des niveaux insuffisants d'antitrypsines.

Évitez les fumeurs. La fumée que vous respirez dans votre entourage est tout aussi néfaste. «Après des dizaines d'années de vie commune, une personne qui ne fume pas peut être atteinte du cancer du poumon si son conjoint fume», explique le Dr Gong.

Évitez les allergènes. «Les victimes aussi atteintes d'allergies qui leur causent des problèmes respiratoires doivent à tout prix éviter les substances qui pourraient provoquer des crises.» (Voir la rubrique *Allergies* à la page 13)

Maîtrisez ce que vous pouvez. «Bien sûr, vous ne pouvez pas réparer vos voies respiratoires. Cependant, vous pouvez apprendre non seulement à mieux respirer en vous servant de vos muscles, mais à travailler plus efficacement», dit le spécialiste des poumons Robert Sandhaus, consultant auprès du National Jewish Center for Immunology and Respiratory Medicine et auprès d'autres centres de santé à Denver, au Colorado. Par exemple, si vous réorganisez votre cuisine de façon à vous éviter des pas inutiles, vous améliorerez votre sort», ajoute-t-il.

Faites de l'exercice. Tous nos experts conviennent qu'il est vital pour les personnes atteintes d'emphysème de faire de l'exercice. Quels sont les meilleurs exercices?

«La marche est probablement le meilleur exercice qui soit, déclare le Dr Robert B. Teague, professeur adjoint de médecine à la faculté de médecine Baylor. Vous devriez aussi tonifier les muscles de vos membres supérieurs. Essayez de soulever des poids de 0,5 kg à 1 kg et de faire travailler les muscles du cou, du haut des épaules et de la poitrine. C'est très important, car les personnes qui souffrent de maladies pulmonaires chroniques sollicitent davantage les muscles du cou et les muscles respiratoires de la partie supérieure de la poitrine.»

«La natation convient particulièrement aux personnes qui font de l'asthme et de l'emphysème. Elle leur permet de respirer de l'air saturé d'humidité», affirme le Dr Teague.

Mangez peu, mais souvent. À mesure que l'emphysème s'aggrave et que les voies respiratoires deviennent de plus en plus obstruées, les poumons se gonflent d'air. Or, des poumons hypertrophiés exercent une pression sur l'abdomen, de sorte que l'estomac a moins d'espace pour se dilater.

C'est pourquoi vous vous sentirez beaucoup mieux en prenant six petits repas plutôt que trois gros. Selon le Dr Teague, il est préférable de consommer, en petite quantité, des aliments qui contiennent beaucoup de calories, par exemple des aliments riches en protéines.

N'oubliez pas non plus qu'une longue digestion draine du sang et de l'oxygène dans l'estomac, ce qui prive d'autres parties du corps qui pourraient en avoir besoin.

Maintenez un poids idéal. «Certaines personnes qui souffrent d'emphysème prennent beaucoup de poids et ont tendance à retenir les liquides, dit le Dr Teague. Cet excès de poids demande plus d'énergie. Par conséquent, plus vous vous rapprocherez de votre poids idéal, mieux vos poumons fonctionneront.»

«En revanche, les patients gravement atteints d'emphysème ont tendance à être très maigres, ajoute le Dr Teague, car ils doivent dépenser plus d'énergie pour respirer. Si vous êtes au-dessous de votre poids idéal, prenez soin de consommer plus de calories, recommande le Dr Teague. Les aliments riches en protéines sont une bonne source de calories.»

Devenez un «champion» de la respiration. Certaines techniques permettent de mieux respirer. En voici quelques-unes:

Respirez uniformément. En effectuant une étude sur 20 patients souffrant d'emphysème, le Dr Teague et ses collègues ont découvert que, dans des conditions normales, tous ses patients respiraient très irrégulièrement. Ils prenaient de longues respirations, puis les raccourcissaient, les allongeaient à nouveau, et ainsi de suite. «Nous leur avons appris à respirer plus uniformément, ce qui leur a fait du bien, du moins à court terme.»

Respirez avec le diaphragme. C'est la façon la plus efficace de respirer. Les bébés le font naturellement. Si vous observez un bébé, vous verrez son ventre se gonfler et se dégonfler à chaque respiration.

Vous ne savez pas si vous respirez avec le diaphragme ou la poitrine? Le Dr Francisco Perez, professeur adjoint de neurologie et de physiologie à la faculté de médecine Baylor, demande à ses patients de s'étendre sur le dos, de mettre un gros annuaire téléphonique sur le ventre, et d'observer ce qui se produit lorsqu'ils respirent.

Gardez vos voies respiratoires bien ouvertes. «Vous pouvez renforcer vos muscles respiratoires si vous expirez en vous pinçant les lèvres pendant trente minutes tous les jours, dit le Dr Gong. Essayez de mettre deux fois plus de temps à expirer. Cette technique vous aidera à débarrasser vos poumons de leur air vicié et à laisser pénétrer de l'air plus pur.»

Vous pouvez aussi vous procurer chez votre pharmacien un dispositif qui offre une certaine résistance lorsque vous soufflez dedans. «Ce dispositif ressemble à une espèce de bec avec un anneau au bout, explique le Dr Sandhaus. En tournant l'anneau, vous réglez l'ouverture du bec. Commencez par ouvrir le bec au maximum, faites une grande inspiration, puis expirez. Faites le même exercice avec une ouverture moins large.»

Prenez de la vitamine C et de la vitamine E. Le Dr
Sandhaus conseille à ses patients qui souffrent d'emphysème de prendre deux fois par jour au moins 250 mg de vitamine C et 800 de vitamine E. (Bien entendu, vous ne devez entreprendre ce traitement vitaminique que sous la surveillance de votre médecin.)

Le Dr Sandhaus souligne que, même si les bienfaits de ce traitement n'ont pas été prouvés, il ne présente aucun danger. Il est convaincu que les vitamines A et E sont bénéfiques en raison de leurs propriétés anti-oxydantes. «Il ne fait aucun doute que les oxydants dans la fumée de cigarette attaquent les poumons», précise-t-il.

Accordez-vous une période de deuil. Si vous faites de
l'emphysème, votre vie ne sera plus jamais comme avant. «Accordez-vous du temps pour chacune des étapes de votre deuil, conseille le

Dr Perez. «Bien sûr, ce n'est pas facile, mais vous vous apercevrez vite que vous conservez un certain contrôle sur votre maladie.»

«Pour s'adapter à la situation, il faut accepter le compromis, dit-il. Faites preuve d'une certaine souplesse et cessez de voir les choses en noir.»

Relaxez. «Si vous percevez votre maladie comme une menace, vous risquez de déclencher des mécanismes physiologiques qui aggraveront votre emphysème, explique le Dr Perez. Si vous êtes constamment inquiet, vous aurez besoin de beaucoup d'oxygène. Or, vous êtes maître des pensées qui sont responsables de cette inquiétude. Par conséquent, vous pouvez exercer un certain contrôle sur vos mécanismes physiologiques.»

Concentrez-vous sur le présent. «Lorsque vous vous reprochez votre maladie, concentrez-vous sur le présent et ne vous attardez qu'à ce qui se passe maintenant, dit le Dr Perez. Le passé est ce qu'il est. Vous ne pouvez rien y changer. Essayez plutôt d'en tirer des leçons.»

La colère et le remords sont des sentiments légitimes. Une fois exprimés, n'y revenez plus.

Fixez-vous de petits buts. «Le meilleur moyen de ne pas considérer l'emphysème comme une maladie débilitante est de se fixer des petits buts réalistes», conseille le Dr Perez.

«L'exercice est idéal pour vous donner confiance, ajoute-t-il. Fixez-vous des buts fondés sur vos capacités physiques réelles. Notez vos progrès sur des tableaux et des graphiques. Vous aurez ainsi une évaluation objective de vos capacités physiques.»

Joignez-vous à un groupe de réadaptation. «Joignez-vous à un groupe de réadaptation pour personnes atteintes de troubles pulmonaires», dit le Dr Gong. S'il n'en existe pas dans votre quartier, demandez à votre médecin. Un groupe de réadaptation peut vous renseigner sur votre maladie et vous apporter un certain soutien moral. «Les statistiques indiquent que ces programmes font diminuer le nombre des hospitalisations», précise le Dr Gong.

Choisissez un «supporter» parmi les membres de votre famille. «Demandez à votre conjoint de vous encourager et de vous aider à surmonter les moments difficiles, suggère le Dr Perez. Cette personne peut vous être d'un grand secours au moment de faire vos exercices de relaxation. Demandez-lui d'être à vos côtés lorsque vous donnez libre cours à vos pensées et émotions avant et pendant une crise d'emphysème. Psychologiquement, une personne atteinte d'emphysème est tout à fait normale. Dès qu'elle s'exprime, elle se rend compte que ses pensées sont ridicules et se met à rire. Aussitôt, elle se détend et retrouve son souffle.»

Ne vous isolez pas. «Évitez de généraliser au sujet de vos essoufflements, prévient le Dr Teague. Certaines personnes atteintes d'emphysème sont persuadées qu'elles n'arriveront pas à remplir leurs engagements. Comme elles ont peur d'être essoufflées dès qu'elles sortent de chez elles, elles cessent de faire ce qu'elles aiment.» Ne vous isolez pas parce que vous faites de l'emphysème.

Allez à votre rythme. «Les personnes qui font de l'emphysème doivent apprendre à ralentir le pas, dit le Dr Teague. Elles peuvent continuer de faire ce qu'elles aiment, mais elles doivent accepter d'aller à leur propre rythme. Ce n'est pas toujours facile d'apprendre à marcher moins vite.»

Apprenez à travailler plus efficacement. Ce sont les petites choses qui font la différence. Pouvez-vous réorganiser votre espace de travail, afin d'en faire plus avec moins d'efforts? Par exemple, laissez sécher la vaisselle pour éviter de la sortir des armoires au moment des repas.

L'American Lung Association suggère aux personnes atteintes d'emphysème d'utiliser un petit chariot à trois tablettes pour les tâches ménagères. Voilà un autre excellent moyen de conserver son énergie.

Coordonnez vos mouvements et votre respiration. Selon l'American Lung Foundation, vous aurez moins de difficulté à exécuter vos tâches domestiques ou à soulever un poids si vous expirez en vous pinçant les lèvres. Inspirez lorsque vous êtes au repos. De même, si vous montez un escalier, expirez lorsque vous gravissez les marches et arrêtez-vous pour inspirer.

N'employez pas de vaporisateurs inutilement. «N'aggravez pas vos problèmes respiratoires en inhalant des substances inconnues», recommande l'American Lung Association. Employez des gels ou des lotions capillaires et des crèmes ou des lotions désodorisantes. Évitez également les produits de nettoyage en aérosol.

Évitez les vêtements serrés. «Choisissez de préférence des vêtements qui ne vous serrent pas la poitrine et l'abdomen. Évitez les ceintures, les soutiens-gorge et les gaines trop serrés», recommande l'American Lung Association. Les femmes préféreront au soutien-gorge un sous-vêtement léger; les femmes et les hommes peuvent remplacer leurs ceintures par des bretelles.

EXPERTS CONSULTÉS

Le Dr Henry Gong est professeur de médecine à l'université de Californie, à Los Angeles, et chef adjoint du Service des maladies pulmonaires au Centre médical de l'UCLA.

Le Dr Francisco Perez est professeur adjoint de neurologie et de physiologie à la faculté de médecine Baylor, à Houston, au Texas. Il est coauteur d'un document sur la gestion des maladies pulmonaires chroniques.

Le Dr Robert Sandhaus travaille dans un cabinet privé à Denver, au Colorado. Spécialiste des poumons, il est consultant auprès du National Jewish Center for Immunology and Respiratory Medicine et auprès d'autres centres de santé à Denver, au Colorado, notamment l'hôpital Porter Memorial, le Centre médical suédois, l'hôpital Craig et l'hôpital Littleton.

Le Dr Robert B. Teague a un cabinet privé à Houston, au Texas. Il est aussi professeur adjoint de médecine à la faculté de médecine Baylor, à Houston, et coauteur d'un document sur la gestion des maladies pulmonaires chroniques.

Endométriose

13 moyens de la contrer

Depuis des années, les douleurs se manifestent insidieusement. Elles vous empêchent de travailler et vous sapent le moral. Vous avez souvent mal au dos sans raison apparente. Vous avez mal lorsque vous allez à la selle et vos relations sexuelles sont douloureuses. Le premier et même parfois le deuxième jour de vos menstruations, des douleurs insoutenables vous obligent à garder le lit.

Les spécialistes de la gynécologie ont donné à ce mal insidieux le nom d'endométriose. Le tissu endométrial, qui devrait tapisser la paroi interne de l'utérus et être évacué tous les mois au moment des règles, se développe à l'extérieur de l'utérus, sur les ovaires, autour des trompes de Fallope et sur les ligaments qui soutiennent l'utérus. En s'incrustant dans les tissus internes, il tisse un réseau de cicatrices. Au moment des menstruations, il enfle et saigne. N'étant pas expulsé, le résidu peut causer de l'inflammation et des tissus cicatriciels.

Votre médecin essaie sans doute différents traitements pour contrôler la maladie. Mais vous pouvez vous-même vous soulager par des moyens très simples:

Parlez de vos douleurs. «Téléphonez au centre des femmes de votre quartier et demandez s'il existe un groupe de soutien», recommande Mary Lou Ballweg, cofondatrice de la section internationale de l'Endometriosis Association, dont le siège social est à Milwaukee, au Wisconsin. Mary Lou Ballweg a fondé cette association parce qu'elle souffrait elle-même d'endométriose.

«Parfois, on se sent mieux quand on sait que d'autre femmes sont concernées», dit Mary Sinn, coordonnatrice du Centre pour femmes à l'hôpital Gnaden Huetten, à Lehighton, en Pennsylvanie. «De plus, les centres de femmes sont d'excellentes mines de renseignements, poursuit-elle. Chaque femme vient y puiser les conseils dont elle croit pouvoir tirer profit. Les analgésiques conviennent parfaitement à certaines, alors que d'autres doivent se soigner autrement.»

«En premier lieu, familiarisez-vous avec votre maladie, dit Mary Lou Ballweg. Si vous ne comptez que sur votre médecin, vous vous en tirerez moins bien. Les femmes qui essaient de se prendre en main s'en sortent mieux.»

«Les femmes qui ont des problèmes de fertilité causés par l'endométriose peuvent s'enquérir auprès de groupes ou d'associations d'infertilité», ajoute Mary Sinn.

Faites-vous un calendrier. Portez les variations de votre cycle sur un graphique. Notez à quels moments les douleurs sont les plus fortes et à quels moments elles sont pratiquement imperceptibles. «Essayez de voir comment votre régime alimentaire et vos activités physiques influent sur votre cycle, dit Kay Evans, psychothérapeute à Littleton, au Colorado, elle-même victime d'endométriose. Vos symptômes seront plus faibles si vous éliminez tout ce qui vous est néfaste.»

Bloquez la prostaglandine. Si vos règles s'avèrent des plus douloureuses, c'est parce que votre organisme sécrète trop de

Les effets de la grossesse

Selon le milieu médical, la grossesse et l'allaitement provoquent chez les femmes atteintes d'endométriose des changements hormonaux qui font disparaître certains symptômes. Cependant, des études ont démontré que le risque d'infertilité est plus important chez les femmes atteintes d'endométriose. Quant aux femmes enceintes, elles risquent plus de faire une fausse couche ou une grossesse ectopique (l'ovule fertilisé s'implante à l'extérieur de l'utérus).

Pour sa part, l'Endometriosis Association soutient que, même si les symptômes de l'endométriose disparaissent pendant la grossesse, ils réapparaissent souvent après la naissance du bébé.

prostaglandine, une hormone de la paroi de l'utérus. La prostaglandine sollicite beaucoup trop vos muscles utérins. Vous pouvez calmer la douleur à l'aide d'un anti-inflammatoire comme l'aspirine®, mais les meilleurs analgésiques en vente libre sont les anti-prostaglandines comme l'Advil®. «Prenez deux comprimés à la fois», conseille le Dr Camran Nezhat, gynécologue et spécialiste de l'infertilité à Atlanta, en Georgie, également conseiller auprès de l'Endometriosis Association.

Mangez plus de poisson. «Consommez du poisson afin d'ajouter un anti-prostaglandine naturel à votre alimentation, conseille également le Dr Nezhat. Le poisson contient des acides aminés oméga-3 qui empêchent la production de prostaglandine».

Essayez la chaleur. «Certains bons vieux remèdes contre les douleurs menstruelles et les malaises dans la partie inférieure du dos soulagent les douleurs de l'endométriose, dit Mary Sinn. Pour détendre les muscles abdominaux, allongez-vous sur le lit. Appliquez des compresses chaudes ou un coussin chauffant sur votre ventre et buvez des boissons chaudes», conseille-t-elle.

Essayez le froid. «Si la chaleur ne vous procure aucun bienfait, vous êtes peut-être de celles qui sont plus réceptives au froid, ajoute Mary Sinn. Par conséquent, appliquez des compresses froides sur la région inférieure de l'abdomen.»

Faites des exercices. L'exercice fait diminuer le taux d'œstrogènes, ce qui peut ralentir la progression de l'endométriose. L'exercice augmente également la production d'endorphines, des substances naturelles qui soulagent la douleur. Optez pour un exercice doux comme la marche, car les exercices trop violents peuvent rendre les adhérences et les tissus cicatriciels plus sensibles.

Nancy Fletcher, victime d'endométriose depuis 1980 et coordonnatrice du programme de soutien et de développement de l'Endometriosis Association, fait une promenade de 3 km tous les jours et parcourt une distance de 6,5 km au pas de course trois fois par semaine. Elle considère que l'exercice, conjugué à une attitude positive, contribue à atténuer ses symptômes.

Pas de caféine. Selon le Dr Nezhat, la caféine contenue dans les boissons gazeuses, le thé ou le café peut aggraver les douleurs chez certaines femmes. Ce médecin conseille à ces dernières d'éviter ces boissons.

Évitez les tampons. «Laisser le flux menstruel s'écouler librement peut aider à prévenir l'endométriose, dit le Dr Nezhat. Les tampons hygiéniques augmentent les douleurs menstruelles en bloquant le vagin à la façon d'un bouchon de liège. Prenez plutôt des serviettes hygiéniques, surtout si votre vagin est étroit ou si l'ouverture est très petite.»

Changez de position. Les femmes qui souffrent d'endométriose ont parfois l'utérus basculé, d'où d'importantes douleurs lorsqu'elles font l'amour. «Pendant la relation sexuelle, explique le Dr Nezhat, le pénis exerce une pression contre l'utérus et les terminaisons nerveuses. Tout simplement, changez de position.» Pour éviter que la pénétration ne soit douloureuse, ce médecin suggère que l'homme se mette sur les genoux, derrière la femme accroupie sur les mains et les genoux.

Utilisez un lubrifiant naturel. «N'hésitez pas à utiliser plus de lubrifiant afin de faciliter les rapports sexuels, ajoute le Dr Nezhat. Les femmes qui ont du mal à tomber enceintes, ce qui est fréquent lorsqu'elles souffrent d'endométriose, devraient remplacer la vaseline par du blanc d'œuf. La vaseline peut tuer les spermatozoïdes, prévient-il, pas le blanc d'œuf. Le blanc d'œuf peut même faciliter le déplacement des spermatozoïdes vers l'ovule.»

Essayez l'acupression. L'acupression permet de soulager les douleurs sans médicaments. La technique est précieuse pour Susan Anderson, présidente de la section de l'Endometriosis Association à Los Angeles, en Californie. Lorsqu'elle commence à

Quoi d'autre?

Une technique qui vient de Chine

«Certaines femmes recourent à une technique de guérison chinoise afin de soulager les symptômes douloureux de l'endométriose», dit la psychothérapeute Kay Evans, elle-même victime de cette maladie.

Il s'agit d'une méthode appelée moxibustion. Vous prenez des bâtonnets de moxa, faits d'armoise vulgaire roulée très serrée, que vous allumez à un bout et laissez brûler jusqu'à ce qu'ils rougeoient. Puis vous rapprochez les bouts incandescents le plus près possible des points d'acupression correspondant aux régions douloureuses. Vous les maintenez en place jusqu'à ce que la peau rosisse et devienne très chaude. Évitez cependant de la brûler.

Selon les femmes qui ont utilisé le traitement, le soulagement dure des heures. «Avant d'essayer cette technique, dit Kay Evans, vous devez savoir comment utiliser les bâtonnets de moxa et où les placer. On les trouve dans certains magasins d'aliments naturels et dans les boutiques orientales. Demandez à un acupuncteur d'en expliquer le processus.»

ressentir des douleurs, elle appuie sur deux points précis et obtient un soulagement immédiat.

L'un de ces points est situé à l'intérieur de la jambe, à environ 5 cm au-dessus de l'os de la cheville. «C'est un point sensible. Vous savez où il se trouve dès que vous le touchez, affirme Mme Anderson. L'autre point se trouve à l'endroit où les os du pouce et de l'index se touchent. Pressez ces points aussi fort que vous le pouvez.»

EXPERTS CONSULTÉS

Susan Anderson est présidente de la section de l'Endometriosis Association à Los Angeles, en Californie

Mary Lou Ballweg est cofondatrice de l'Endometriosis Association, un groupe de soutien à Milwaukee, au Wisconsin. Elle est aussi l'auteur de *Overcoming Endometriosis.*

Kay Evans est psychothérapeute à Littleton, au Colorado. Elle souffre d'endométriose et a été membre de la direction de la section de l'Endometriosis Association à San Diego, en Californie.

Nancy Fletcher est coordonnatrice du programme de soutien et de développement de l'Endometriosis Association. Son endométriose a été diagnostiquée en 1980.

Le Dr Camran Nezhat est gynécologue et spécialiste de l'infertilité à Atlanta, en Georgie.

Il est également directeur du Centre de fertilité et d'endocrinologie de cette ville et conseiller auprès de l'Endometriosis Association depuis 1985.

Mary Sinn est infirmière et coordonnatrice du Centre pour femmes à l'hôpital Gnaden Huetten, à Lehighton, en Pennsylvanie.

Engelures

17 façons de se protéger du froid

À l'âge de 18 ans, Tod Schimelpfenig voulait vivre une grande aventure avec un copain. En plein hiver, ils décidèrent de partir faire de la randonnée et de l'escalade dans un coin sauvage du Vermont aux États-Unis.

«Nous pensions que nous étions de vrais montagnards, mais la montagne a eu raison de nous», raconte Tod Schimelpfenig, directeur de la sécurité et de l'entraînement à la National Outdoor Leadership School. Après quelques heures de montée, les orteils de mon pied droit sont devenus blancs et durs «comme du poulet congelé», se souvient-il en riant. Heureusement, ils trouvèrent un abri pour la nuit. Afin de ne pas aggraver le mal, il ne fit pas dégeler son pied. La nuit, il garda son corps au chaud mais laissa son pied gelé hors du sac de couchage et le surveilla jusqu'au petit matin.

«Le lendemain, nous avons parcouru 13 km et tout s'est bien passé. J'ai encore tous mes orteils.»

L'ironie est que Tod Schimelpfenig occupe aujourd'hui le poste de directeur de la sécurité et de l'entraînement à la National Outdoor Leadership School, à Lander, au Wyoming. Il fait également ment du bénévolat comme technicien médical d'urgence. Il reconnaît qu'il y a un peu plus de vingt ans, il a eu ce qu'il méritait. «Par temps très froid, dit-il, vous pouvez rapidement souffrir d'engelures rien qu'en mettant le nez dehors.» Les engelures sont le lot de ceux qui restent prisonniers du froid. Voici quelques suggestions pour les prévenir et les soulager, qu'elles soient mineures ou importantes.

ALERTE MÉDICALE

L'hypothermie: le froid à l'intérieur du corps

La température du corps humain est de 37,2 °C. Une chute de température d'à peine 3,7 °C peut entraîner la mort. «Au-dessous de 33,3 °C, il peut y avoir arrêt cardiaque», prévient le Dr James Sturm.

«L'hypothermie ou chute de la température corporelle commence à environ 35,6 °C», précise le Dr Sturm. Parmi les principaux symptômes de l'hypothermie, mentionnons, entre autres, des frissons, un ralentissement du pouls, un comportement léthargique et une importante baisse d'énergie. Si la température du corps devient trop basse, les muscles se raidissent et la victime peut perdre connaissance.

Quiconque tombe dans un étang glacé peut faire de l'hypothermie en moins d'une heure. Cependant le plus souvent, l'hypothermie résulte d'une exposition prolongée à des températures très froides. Le risque d'hypothermie est plus important chez les personnes âgées, car leur organisme régularise moins vite la température.

En cas d'hypothermie, le Dr Sturm recommande de prendre les mesures suivantes et de conduire immédiatement la victime chez un médecin:

- Transportez la victime dans un endroit chaud.
- Enveloppez-la dans des couvertures.
- Faites-lui boire des boissons chaudes. «Surtout, ne lui donnez pas d'alcool, dit le Dr Sturm, car l'alcool ne donne qu'une sensation de chaleur artificielle.»

Apprenez à reconnaître les signes d'une engelure.

Les engelures superficielles ou engelures mineures laissent la peau engourdie et blanche.

«Ce sont les joues, le bout du nez et les oreilles qui sont le plus souvent atteints d'engelures légères, dit le Dr Bruce Paton, professeur de chirurgie à l'université du Colorado, à Denver. Une fois la peau réchauffée, il arrive qu'elle pèle ou cloque.

Cette réaction de la peau est plus fréquente dans les cas d'engelures superficielles, engelures plus graves qui surviennent lorsque les tissus du corps gèlent. La peau gèle davantage que dans le cas d'engelures légères, mais elle ne perd pas pour autant son élasticité.

«Les engelures sont une réaction de l'organisme qui tente de conserver sa chaleur en drainant le sang vers une extrémité», explique le Dr Ruth Uphold, directrice médicale du Service des urgences à l'hôpi-

En cas d'engelures, soyez prompt à agir

Les engelures graves nécessitent l'intervention d'un médecin. La désagrégation des tissus peut avoir des conséquences graves: infection, amputation de doigts ou d'orteils et même perte d'un bras ou d'une jambe.

Lorsque l'engelure est profonde, la peau devient froide, dure, blanche et engourdie. Lorsqu'elle se réchauffe, elle peut prendre une couleur bleuâtre ou violacée. Elle peut même enfler et se couvrir d'ampoules. Un conseil: traitez l'engelure rapidement afin d'éviter les complications. En attendant les secours médicaux, voici ce que vous devez faire:

Faites rapidement dégeler la région touchée. «La tendance actuelle est de faire dégeler la région touchée aussi rapidement que possible tout en limitant les risques. Bien sûr, l'opération est très douloureuse», reconnaît le Dr Ruth Uphold. En général, on utilise de l'eau chaude dont la température varie entre 40 °C et 42,2 °C. «L'eau conduit la chaleur beaucoup plus efficacement que l'air», précise le Dr Uphold.

Ne laissez pas regeler une région qui a déjà souffert d'engelures. «Faites attention que cela ne se reproduise pas, recommande le Dr Uphold. Les cristaux d'eau sont plus gros lorsque la peau a gelé une première fois. Les tissus risquent d'être très endommagés.»

Servez-vous de votre tête pour sauver votre pied. «Il est déconseillé de marcher lorsqu'on a le pied gelé. Si vous y tenez vraiment, ne laissez pas votre pied dégeler puis regeler, et ne retirez pas votre chaussure ou votre botte, conseille le Dr Paton. Votre pied pourrait cloquer et enfler, explique-t-il, si bien que vous ne pourriez plus remettre votre chaussure ou votre botte.»

tal du centre médical du Vermont, à Burlington. «Malheureusement, lorsque vous souffrez d'une engelure, vous risquez de ne pas vous en apercevoir à cause de l'engourdissement.»

Mettez-vous à l'abri du vent. Idéalement, il faudrait que
vous trouviez un endroit chaud. Si la chose est impossible, mettez-vous à l'abri du vent. Le vent abaisse la température et favorise la formation des engelures.

N'essayez pas de vous réchauffer à tout prix. «Si
vous souffrez d'engelures, dit le Dr Paton, évitez les sources directes de chaleur comme les lampes chauffantes ou les feux de camp, car la peau gelée brûle facilement.

Prenez-vous en main. Exploitez la chaleur de votre corps. Par exemple, réchauffez-vous les doigts et les mains en les mettant sous vos aisselles. «Mettez-vous en boule afin de garder toute votre énergie», dit Tod Schimelpfenig.

Évitez de vous frictionner avec de la neige. «Ce n'est pas bon pour la peau, dit le Dr Uphold. De plus, vous perdez deux fois plus de chaleur lorsque vous êtes complètement mouillé.»

Essayez de rester au sec. «Le corps perd très vite de la chaleur lorsque la peau est mouillée», confirme le Dr Paton.

Couvrez-vous bien. «Portez des moufles plutôt que des gants. Les moufles sont plus chaudes. Portez aussi un bonnet pour ne pas avoir froid aux oreilles», conseille le Dr Sturm, spécialiste en médecine d'urgence au Centre médical St. Paul-Ramsey, au Minnesota.

Ne buvez pas d'alcool. «Vous croyez que l'alcool vous réchauffe, mais ce n'est pas vrai. En fait, l'alcool diminue la chaleur dans l'organisme», explique le Dr Uphold.

Ne fumez pas. «La cigarette limite la circulation périphérique, dit le Dr Uphold, ce qui rend vos extrémités encore plus vulnérables.»

Portez des vêtements amples. Afin de favoriser la circulation sanguine, portez des vêtements amples. Évitez les bagues aux doigts», dit Tod Schimelpfenig.

N'attendez pas qu'il soit trop tard. Tod Schimelpfenig l'a appris à ses dépens. «Bien sûr, vous pouvez toujours vous dire que vous n'avez pas froid aux pieds et que, de toute façon, vous serez bientôt à la maison. Aujourd'hui, je sais quand j'ai chaud ou froid aux pieds, je ne me raconte plus d'histoires.»

Travaillez en équipe! Regardez le visage de celui ou celle qui vous accompagne dans vos excursions, par exemple. Voyez si ses oreilles, son nez ou ses joues n'ont pas changé de couleur. Demandez-lui de faire la même chose pour vous.

Évitez tout contact avec du métal. Par temps très froid, le simple contact de votre main nue avec un objet en métal peut provoquer une engelure.

Restez dans votre véhicule. «Si vous êtes prisonnier de votre véhicule à cause du froid, ne vous aventurez pas dehors, conseille Tod Schimelpfenig. Vous risquez l'hypothermie, c'est-à-dire un abaissement anormal de la température de votre corps. (Voir l'encadré *L'hypothermie: le froid à l'intérieur du corps* à la page 242.) «Il n'est pas rare de retrouver morts des gens qui s'étaient perdus en allant chercher de l'aide», ajoute-t-il.

EXPERTS CONSULTÉS

Le Dr Bruce Paton est professeur de chirurgie à l'université du Colorado, à Denver.

Tod Schimelpfenig est directeur de la sécurité et de l'entraînement à la National Outdoor Leadership School, à Lander, au Wyoming. Il fait aussi du bénévolat comme technicien médical d'urgence.

Le Dr James Sturm est médecin au Service de médecine d'urgence au Centre médical St. Paul-Ramsey, au Minnesota.

Le Dr Ruth Uphold est directrice médicale du Service des urgences à l'hôpital du Centre médical du Vermont, à Burlington.

Épuisement dû à la chaleur

27 moyens d'y remédier

Il suffit que le temps soit incertain pour prendre un parapluie. Mais prenez-vous un chapeau lorsque la météo annonce un soleil radieux? Si vous ne le faites pas, vous risquez de souffir d'épuisement, un trouble associé à une perte excessive de liquide et à un élèvement anormal de la température du corps.

«Personne n'est à l'abri de l'épuisement dû à la chaleur, pas même les athlètes en parfaite condition physique, dit le Dr Richard Keller, médecin au Service des urgences à l'hôpital St. Therese à Waukegan, en Illinois. Plus nous avons chaud, plus nous transpirons. Or, une transpiration trop abondante entraîne inévitablement la déshydratation.»

L'épuisement dû à la chaleur est causé par la déshydratation ou, dans de rares cas, par un épuisement des réserves de sel, étant donné que la sueur contient du sel.

La soif, généralement le premier symptôme, est suivie par la perte de l'appétit, des maux de tête, une pâleur excessive, des étourdissements et des symptômes semblables à ceux de la grippe, par exemple des nausées et des vomissements. Dans les cas extrêmes, la victime peut souffrir de palpitations et se concentrer difficilement.

Espérons que vous n'aurez jamais ces symptômes. Dans le cas contraire, voici quelques conseils utiles:

Mettez-vous à l'ombre. «Cela semble évident, mais c'est

indispensable si vous souffrez d'épuisement dû à la chaleur. Si vous restez au soleil, la température de votre corps continuera de s'élever, même si vous vous reposez et buvez de l'eau, affirme le Dr Keller. Ne vous exposez pas de nouveau au soleil pendant une période prolongée, même plusieurs heures plus tard. Vous risqueriez de faire une rechute.»

Buvez de l'eau. «C'est encore le meilleur moyen de se réhy-

drater», dit le Dr Keller. Buvez-en un petit peu à la fois. «Idéalement, souligne ce médecin, vous devriez en boire de grandes quantités avant de vous exposer au soleil.»

Consommez plus de fruits et de légumes. «Habi-

tuellement, ils ont une teneur élevée en eau et présentent un bon équilibre sodique», affirme le Dr Keller.

Buvez des boissons diluées à base d'électrolytes.

Le Gatorade®, qui est le meilleur exemple connu, est couramment utilisé par les sportifs professionnels. «Par exemple, les joueurs de football américains, qui jouent deux matchs par jour pendant les mois de juillet et d'août, transpirent abondamment et ont tendance à perdre beaucoup de potassium et de sodium», dit Bob Reese, entraîneur en chef des Jets de New York et président de la Professional Football Athletic Trainers Society. «Nous avons nos réserves de Gatorade® et d'eau à chaque match», confie-t-il.

Évitez les comprimés de sel. Autrefois administrés aux athlètes et à toute personne qui en demandait, les comprimés de sel ont aujourd'hui perdu la faveur de la plupart des médecins. «Ils ont des effets contraires», dit le Dr Larry Kenney, professeur adjoint de physiologie appliquée au Laboratory for Human Performance Research, à l'université de l'État de Pennsylvanie. «Plus il y a de sel dans l'estomac, moins il y a de liquides pour la transpiration.»

Évitez l'alcool. «L'alcool contribue à déshydrater l'organisme, dit Danny Wheat, entraîneur adjoint de l'équipe de base-ball des Rangers du Texas. Quand nos joueurs disputent des matchs au Texas où la température dépasse les 38 °C, nous leur demandons de limiter leur consommation d'alcool la veille », dit-il.

Évitez la caféine. «La caféine, comme l'alcool, accélère la déshydratation et peut faire beaucoup transpirer », dit le Dr Keller.

Ne fumez pas. La cigarette contribue à contracter les vaisseaux sanguins, d'où la difficulté des fumeurs à s'adapter à la chaleur.

Acclimatez-vous lentement. «Il est inconcevable de rester enfermé toute la semaine et de ne prendre l'air que les week-ends, dit le Dr Keller. Dès qu'il commence à faire beau, mettez le nez dehors afin de vous acclimater graduellement à la chaleur ambiante.»

Ralentissez le rythme. «Lorsqu'il fait très chaud dehors, faites ce que vous avez à faire plus lentement que d'habitude», suggère le Dr Keller.

Aspergez-vous le visage et la nuque d'eau froide. «Par temps très chaud et sec, appliquez de l'eau froide sur le visage et la nuque, conseille le Dr Keller. L'eau froide vous rafraîchira en s'évaporant. Cependant, si l'air est très humide, ce traitement ne sera d'aucune utilité.»

Éventez-vous. Servez-vous d'un journal ou d'une serviette comme éventail.

Premiers soins en cas d'insolation

«Une insolation peut être mortelle», affirme le Dr Larry Kenney.

«Évidemment, aucune personne saine ne se retrouve spontanément à l'article de la mort. L'insolation est mortelle quand on ignore ou reconnaît trop tard les symptômes de l'épuisement dû à la chaleur et les symptômes d'insolation», explique le Dr Richard Keller.

«Il est parfois difficile de faire la distinction entre l'épuisement dû à la chaleur et l'insolation», avance-t-il . Voilà pourquoi il faut conduire tout de suite la victime chez le médecin si elle n'a pas réagi aux premiers soins administrés après 30 minutes. «Si vous souffrez d'épuisement dû à la chaleur, vous aurez, comme premier symptôme, l'impression d'avoir l'esprit confus. Si, en plus, vous avez de la difficulté à marcher ou si vous perdez connaissance, il n'y a aucun doute: vous souffrez d'insolation.»

L'insolation est une défaillance importante du système de régulation thermique de l'organisme. Elle entraîne une élévation anormale de la température interne du corps. Les symptômes sont semblables à ceux de l'épuisement dû à la chaleur, c'est-à-dire des étourdissements et des nausées. La victime peut se sentir désorientée et devenir très agitée. Le plus souvent, lorsque l'organisme ne régularise plus la température suite à une insolation, la victime cesse de transpirer. Il y a toutefois des exceptions: «Il arrive que les jeunes de moins de 30 ans continuent de transpirer, dit le Dr Keller, mais il faut pour cela qu'ils soient en très grande forme.»

Autre symptôme courant de l'insolation: l'évanouissement. «Si une personne qui s'évanouit revient à elle au bout de deux à cinq minutes, il est probable qu'elle ne souffre que d'épuisement dû à la chaleur», explique le Dr Keller. Ce médecin précise que les convulsions et le coma sont les autres symptômes de l'insolation.

«Il est indispensable de conduire immédiatement la victime d'insolation chez un médecin afin qu'elle reçoive des soins d'urgence et soit mise sous observation, dit le Dr Kinney. Il peut en effet y avoir des complications, comme un choc ou de l'insuffisance rénale.»

Contournez le problème. Il est impossible d'échapper au soleil. Par conséquent, habituez-vous à sortir tôt le matin et plus tard l'après-midi. «Lorsqu'il fait très chaud, nous commençons à travailler à l'aube et nous arrêtons vers 14 heures ou 15 heures», dit David Tanner, directeur de la sécurité et gestion-

Si jamais vous aviez à donner les premiers soins à une victime d'insolation, voici quelques conseils qui vous permettront de la soulager avant de la conduire chez un médecin:

Rafraîchissez-la avec de l'eau froide. «Si vous le pouvez, aspergez-la d'eau froide, conseille le Dr Keller. L'eau s'évaporera rapidement et produira un effet rafraîchissant.»

Servez-vous de la technologie. Si vous le pouvez, installez la victime dans un endroit climatisé.

Faites-lui boire des liquides. «Il n'y a rien de mieux que l'eau. Cependant, ne faites boire la victime que si elle est consciente», dit le Dr Keller.

Rafraîchissez-la avec des compresses fraîches. C'est préférable à l'immersion dans de l'eau glacée.

Intervenez même si on vous en décourage. Certaines victimes d'insolation mettent un point d'honneur à ne pas se faire traiter quand il est encore temps. «La réfection d'un toit peut exposer une personne à une chaleur très intense. Le goudron est à une température de 165 °C lorsque nous l'étendons, sans compter le soleil et l'humidité, dit le directeur de sécurité David Tanner. J'ai déjà vu des travailleurs délirer et courir sur le toit. Ils risquaient de se faire très mal.»

Soyez prudent avec les personnes à risque. «Les bébés sont très vulnérables», explique le Dr Kenney, car leurs glandes sudoripares ne sont pas encore complètement formées. «En général, les personnes âgées s'hydratent moins bien, ajoute le Dr Keller. De plus, certains médicaments comme les antihypertenseurs peuvent empêcher l'hydratation.»

naire de projet chez Tip Top Roofers, une entreprise d'Atlanta, en Georgie.

Pesez-vous. Il faut plus d'une journée pour souffrir d'épuisement dû à la chaleur. La déshydration survient en quelques jours. «Nous pesons nos joueurs chaque jour pour nous assurer que toute l'eau qu'ils perdent pendant l'entraînement est bien remplacée», explique Bob Reese.

Essayez des formules pour bébés.

«L'Adiaril® et les autres formules réhydratantes pour nourrissons sont assez efficaces pour que l'entraîneur des Rangers du Texas les prescrivent à ses joueurs lorsqu'il fait extrêmement chaud», dit Danny Wheat. Ces formules contiennent surtout du glucose, du sodium et du potassium. Il est conseillé d'en boire un premier litre avant une course ou un match de tennis et un deuxième pendant ou après», dit le Dr Keller.

Faites confiance aux météorologues.

Les météorologues ne sont pas infaillibles. L'hiver, il suffit qu'ils annoncent un temps radieux pour avoir de la pluie ou de la neige. L'été, ils se trompent plus rarement question chaleur et humidité. Lorsqu'ils prédisent un soleil de plomb, n'en profitez pas pour repeindre l'extérieur de la maison!

Portez un chapeau.

Choisissez de préférence un chapeau très aéré qui vous protège la nuque, par exemple un chapeau ajouré à larges rebords. «Les vaisseaux sanguins dans la tête et le cou sont très près de la surface de la peau, de sorte que nous absorbons, ou perdons, très rapidement de la chaleur par la tête et le cou, explique le Dr Kenney. De plus, les personnes partiellement ou complètement chauves ont le dessus de la tête très sensible.»

Ne vous découvrez pas le torse.

«Vous absorbez plus de chaleur radiante lorsque vous êtes torse nu, explique le Dr Lanny Nalder, directeur du Human Performance Research Center au Centre de bien-être de l'université de l'État de l'Utah. Lorsque vous vous mettez à transpirer et qu'il fait du vent, votre chemise vous sert de mécanisme de refroidissement», ajoute-t-il.

Prévoyez une chemise de rechange.

Si vous êtes trempé de sueur, enlevez votre chemise et rincez-la. «Le sel séché contenu dans la sueur empêche la chemise de bien respirer», dit le Dr Nalder. Changez votre chemise dès qu'elle est mouillée.

Portez des vêtements de coton et de polyester.

Les tissus de coton et de polyester mélangés respirent mieux que les tissus 100% coton ou les fibres de nylon tissées serrées.

Portez des couleurs claires. «Les couleurs claires réfléchissent la chaleur, tandis que les couleurs foncées l'absorbent.», dit le Dr Nalder.

EXPERTS CONSULTÉS

Le Dr Richard Keller est médecin au Service des urgences à l'hôpital St. Therese, à Waukegan, en Illinois.

Le Dr Larry Kenney est professeur adjoint de physiologie appliquée au Laboratory for Human Performance Research, à l'université de l'État de Pennsylvanie, à University Park.

Le Dr Lanny Nalder est directeur du Human Performance Research Center au Centre de bien-être de l'université de l'État de l'Utah, à Logan.

Bob Reese est entraîneur en chef des Jets de New York et président de la Professional Football Athletic Trainers Society.

David Tanner est directeur de la sécurité et gestionnaire de projet chez Tip Top Roofers, une entreprise d'Atlanta, en Georgie.

Danny Wheat est entraîneur adjoint de l'équipe de base-ball des Rangers du Texas, à Arlington, au Texas.

Fatigue

35 conseils pour des tonnes d'énergie

Soyons honnêtes! Lorsque nous entendons parler de «crise de l'énergie», pensons-nous aux embargos sur le pétrole ou à tout le mal que nous avons à faire une journée complète en pleine forme? Nous sommes tous victimes d'un manque d'énergie.

Tout le monde éprouve de la fatigue à un moment ou à un autre. Nous aimerions tous avoir plus d'énergie. Malheureusement, c'est un peu comme pour l'argent: c'est plus facile d'en parler que d'en amasser! Pourtant, augmenter son taux d'énergie n'est pas si difficile. La plupart des médecins vous prescriront beaucoup de repos, un régime alimentaire équilibré et de l'exercice. Dans le présent ouvrage, cependant, les médecins et autres spécialistes de la fatigue vont bien au-delà de ces généralités et vous font des suggestions plus précises et plus efficaces.

Les voici:

Ne vous pressez pas. «Le matin, accordez-vous 15 minutes de grâce avant de commencer la journée, dit le Dr Vicky Young, professeur adjoint au Service de médecine préventive au Medical College du Wisconsin. Ainsi, poursuit-elle, vous ne commencerez pas la journée en vous sentant déjà fatigué.»

Prenez un petit déjeuner équilibré. «Les trois éléments principaux d'un bon petit déjeuner sont les hydrates de carbone, les protéines et les lipides», explique le Dr Rick Ricer, professeur adjoint de médecine clinique familiale à la faculté de médecine de l'université de l'État de l'Ohio. Bien sûr, vous ne voulez pas ajouter de gras à votre repas du matin. Vous en trouverez amplement dans les aliments riches en protéines qui constituent une bonne source d'énergie pour refaire vos réserves.

Même des céréales (un hydrate de carbone complexe) avec du lait (une source de protéines) vous permettront de commencer la journée sur le bon pied. Le pain de blé entier constitue aussi un bon choix d'hydrates de carbone complexes. Quant aux protéines, vous en trouverez dans le yaourt faible en graisses, le fromage blanc ou un petit morceau de poulet ou de poisson.

Le Dr Ricer déconseille vivement les petits déjeuners extrêmement riches en hydrates de carbone et composés surtout de sucres simples. «En fait, vous pouvez suractiver votre insuline et faire chuter votre taux de glycémie, ce qui vous rendra très agité», dit-il. Évitez donc d'entrer dans une pâtisserie en vous rendant au travail.

Soyez ordonné. Sans ordre du jour ni planification, vous serez sans doute trop fatigué pour passer une bonne journée. «Prenez quelques instants tous les matins pour organiser votre journée, dit le Dr David Sheridan, professeur adjoint au Service de médecine préventive de la faculté de médecine de l'université de Caroline du Sud. Décidez de ce que vous voulez faire et ne vous laissez pas distraire par d'autres événements ou occupations routinières.»

Arrêtez les voleurs d'énergie. «Si vous avez un conflit au travail ou un problème à la maison, vous devez le régler», dit le Dr M.F. Graham, conseiller auprès de l'American Running and Fitness

Association, à Dallas, au Texas, et auteur de *Inner Energy: How to Overcome Fatigue.*

«Si vous ne pouvez pas régler le problème, prenez au moins le temps de l'oublier momentanément», suggère le Dr Ricer. Par exemple, si vous occupez un deuxième emploi, quittez-le ou prenez un congé sans solde; et si certains membres de votre famille abusent de votre hospitalité, suggérez-leur poliment de revenir une autre fois.

Coupez la télé. La télévision est le médium, sinon le piège, par excellence, pour rendre n'importe qui léthargique. «Optez plutôt pour la lecture, conseille le Dr Ricer. «À mon avis, c'est une activité beaucoup plus énergisante.»

Faites de l'exercice. «En fait, l'exercice donne de l'énergie», dit le Dr Young. Bon nombre d'études, dont une étude menée par la National Aeronautics and Space Administration (la NASA), l'ont déjà prouvé. On a fait suivre à plus de 200 employés fédéraux un programme d'exercice régulier. Le résultat: 90 % des sujets ont rapporté ne jamais s'être si bien sentis. La moitié d'entre eux ont même reconnu éprouver moins de stress et le tiers ont signalé qu'ils dormaient mieux.

Le Dr Young recommande de prendre votre dose d'exercice énergisant pendant 20 à 30 minutes — marcher d'un bon pas suffit — de trois à cinq fois par semaine, au plus tard deux heures avant le coucher.

Écoutez votre corps. Même si l'exercice fait beaucoup de bien, n'en devenez pas l'esclave. Soyez honnête avec vous-même.

Selon Mary Trafton, randonneuse, athlète de marathon et skieuse qui travaille au Appalachian Mountain Club, à Boston, au Massachusetts, il faut se rappeler à l'ordre constamment et faire relâche.

Faites une chose à la fois. «Faites-vous une liste, conseille le Dr Sheridan. Très souvent, les gens se sentent fatigués parce qu'ils sont débordés de choses à faire et qu'ils ne savent plus par quoi commencer. En vous fixant des priorités et en effectuant une chose à la fois, vous serez maître de votre horaire, ce qui est très énergisant.»

Prenez une multi-vitamine par jour. «Si vous vous sentez coupable parce que vous sautez des repas, suivez un régime amaigrissant ou négligez votre alimentation, dit le Dr Young, songez à prendre un supplément de vitamines et de minéraux tous les jours». «Une mauvaise alimentation peut causer de la fatigue; des suppléments vitaminiques et minéraux vous fourniront les nutriments que votre alimentation ne vous procure pas. Ne croyez pas cependant que les vitamines vous donneront instantanément de l'énergie», souligne le Dr Ricer.

«Ne croyez pas non plus que de plus fortes doses de vitamines feront disparaître votre fatigue, ajoute-t-il. C'est un mythe. Seule une bonne alimentation peut y contribuer.»

Apprenez à connaître le rythme circadien de votre organisme. Le rythme circadien est en fait l'horloge de l'organisme. Tout au long de la journée, il élève et abaisse la tension artérielle et la température du corps. Cette réaction chimique provoque les fluctuations d'énergie que nous connaissons quand nous passons d'un état de vigilance (état de veille) à un ralentissement mental et physique (état de sommeil).

Sait-on pourquoi certaines personnes connaissent leur plus grande vivacité pendant la nuit, par exemple? «Je crois que certaines personnes adoptent un cycle particulier sans le savoir», dit William Fink, physiologiste et directeur adjoint du Human Performance Laboratory à l'université d'État Ball.

Dans ce cas, William Fink conseille de modifier son horaire, dans la mesure du possible, afin d'altérer les rythmes circadiens. Par exemple, vous pouvez vous lever 15 minutes plus tôt ou plus tard, jusqu'à ce que vous trouviez l'horaire qui vous convienne le mieux.

Cessez de fumer. Les médecins conseillent toujours à leurs patients de cesser de fumer. Vous pouvez ajouter les raisons sui-

---

ALERTE MÉDICALE

Lorsque la fatigue devient pathologique

Il arrive que la fatigue ne soit qu'un signe vous avisant de mieux gérer votre vie ou de prendre garde au rhume ou à la grippe. Elle peut aussi être le signe d'une maladie grave. «Toute maladie chronique comme le diabète, une maladie pulmonaire ou l'anémie cause de la fatigue», explique le Dr Ricer.

La fatigue est aussi un symptôme de nombreuses autres maladies, y compris l'hépatite, la mononucléose, les maladies thyroïdiennes et le cancer. Si votre fatigue persiste, n'essayez pas de diagnostiquer le problème. Consultez un médecin.

vantes à leur liste: la cigarette a une influence défavorable sur le transport de l'oxygène vers les tissus, ce qui provoque de la fatigue.

Cependant, ne vous attendez pas à un regain d'énergie immédiat en cessant de fumer. La nicotine a un effet stimulant et l'abandon de la cigarette peut provoquer une fatigue temporaire.

Faites de l'exercice une activité constante. Que vous vous exerciez tôt le matin, à l'heure du déjeuner ou le soir, ne réservez pas la période de conditionnement physique à un seul moment de la journée. «Levez-vous et dégourdissez-vous les jambes environ toutes les deux heures», dit le Dr Sheridan.

Les possibilités sont illimitées, notamment faire de la bicyclette sur place dans son bureau, utiliser les escaliers au lieu de l'ascenseur ou faire des exercices isométriques assis à son bureau.

Apprenez à dire non. «Apprenez à déléguer, conseille le Dr Sheridan. Si vous avez trop d'obligations ou d'engagements, apprenez à dire non aux personnes qui veulent vous confier d'autres tâches.»

Perdez du poids. «Si vous êtes obèse, c'est-à-dire si votre poids est de 20 % supérieur à votre poids idéal, maigrir vous fera le plus grand bien», explique le Dr Fink. Bien entendu, vous devez suivre un régime alimentaire sensé et faire de l'exercice. Non seulement est-il malsain de perdre du poids trop rapidement, mais cela cause aussi de la fatigue.

Ne dormez pas trop. On peut abuser des bonnes choses, et même du sommeil. «Si vous dormez trop, vous vous sentirez amorphe toute la journée, dit le Dr Fink. En moyenne, les gens ont besoin de six à huit heures de sommeil par nuit.»

Mais dormez suffisamment. Si vous brûlez la chandelle par les deux bouts, c'est-à-dire si vous ne vous couchez jamais avant deux heures du matin et vous levez trois heures plus tard, vous aurez tôt fait de vous sentir complètement «brûlé». Ne vous privez pas de sommeil.

Faites des siestes. «Les siestes ne conviennent pas à tout le monde, mais elles peuvent être utiles aux personnes âgées qui ne dorment pas aussi profondément qu'elles le devraient», dit le Dr Ricer. Les jeunes qui ont des horaires très exigeants et des nuits plutôt courtes devraient aussi songer à faire des siestes à l'occasion. Si vous décidez d'en faire, il faut que ce soit tous les jours à la même heure. Ne dormez pas plus d'une heure.

Respirez profondément. Selon bon nombre de médecins et d'athlètes, respirer profondément est l'une des meilleures façons de se relaxer et de refaire le plein d'énergie.

Restreignez votre consommation d'alcool. «L'alcool est un dépresseur, souligne le Dr Ricer. L'alcool calme, il ne donne pas d'énergie. Limitez donc votre consommation d'alcool à un seul verre, ou ne buvez pas du tout.»

Mangez légèrement le midi. Certains médecins conseillent aux gens de déjeuner légèrement afin d'éviter la somnolence durant l'après-midi. Dans certains cas, c'est la meilleure solution; un potage, une salade et un fruit constituent un repas léger, mais nourrissant.

Prenez votre gros repas le midi. «Si un repas léger s'avère insuffisant, prenez votre plus gros repas le midi, suggère le Dr Young, puis allez marcher vingt minutes.» Consommer la majeure partie de vos calories tôt dans la journée vous procurera l'énergie dont vous avez besoin pour fonctionner efficacement. Cependant, vous devez bien choisir vos aliments. Les hydrates de carbone, par exemple, brûlent rapidement. En revanche, les graisses brûlent beaucoup plus lentement, ce qui signifie qu'elles contribueront aussi à vous ralentir.

Prenez des vacances. «Dans de nombreux cas, prendre des vacances est presque obligatoire, dit le Dr Ricer. Si vous n'en avez pas pris depuis très longtemps, c'est peut-être le meilleur moyen de refaire le plein d'énergie.» C'est là un excellent conseil.

Canalisez votre énergie. «Les émotions très intenses sont épuisantes mentalement, mais elles peuvent aussi l'être physiquement», dit le Dr Young. Redirigez les émotions violentes, comme la colère, et canalisez-les dans votre travail ou dans une séance d'exercice.

Mettez un peu de couleur dans votre vie. «Vous vous sentirez plus fatigué si vous vivez dans une maison très sombre», dit le Dr Ricer. Il conseille de mettre un peu de soleil dans votre vie, au propre ou au figuré. Plusieurs études ont démontré qu'un vaste éventail de couleurs et de la variété jouent un rôle important dans le

Tout se passe dans la tête

Le corps écoute souvent ce que lui dicte l'esprit. De nos jours, cette hypothèse est acceptable. Mais croyez-vous vraiment que vos pensées peuvent influencer considérablement le degré de fatigue que vous éprouvez?

C'est pourtant un fait. Voici donc quelques comportements favorables:

Soyez ouvert et dynamique. Les champions de sport et les dirigeants qui ont du succès ont d'abord un esprit ouvert et dynamique. Faites-en autant.

«L'attitude compte pour tout, dit Mary Trafton, randonneuse convaincue et grande sportive. Au cours d'une randonnée, si je mets accidentellement les pieds dans une flaque d'eau, je ne me dis pas que j'aurai froid et que je me fatiguerai davantage. Je pense plutôt aux chaussettes épaisses qui me protègent et me gardent au chaud.»

Soyez motivé. Pourquoi? Parce qu'il est pratiquement impossible de s'attaquer à une tâche qui demande beaucoup d'énergie lorsque le cœur n'y est pas.

Prenons par exemple le cas de E. Drummond King, qui prend part aux compétitions Iron Man, triathlon d'Hawaï, où les participants doivent nager, faire de la bicyclette et courir de longues distances pendant des heures. E. Drummond King nous dit qu'il a terminé la compétition en marchant plutôt qu'en courant après avoir pris un trop grand écart pour gagner dans son groupe (50 à 54 ans). Il avoue toutefois trouver l'énergie nécessaire pour continuer de courir s'il pense avoir la chance de gagner ou si l'on a parié sur lui.

Ayez confiance en vous. Si vous sentez que vous pouvez réussir, vous aurez l'énergie voulue et vous prendrez les mesures qui s'imposent. Une fois vos preuves faites, vous aurez davantage confiance en vous-même.

C'est ce que l'on croit à l'université de Miami, où la victoire est toujours ce qu'on attend des joueurs de football. «Nous encourageons nos athlètes en leur disant qu'ils sont en meilleure forme que ceux de l'équipe adverse et que nous serons maîtres du quatrième quart», dit Bill Foran, entraîneur dans cette université.

maintien de taux d'énergie élevés. Par exemple, le rouge procure à court terme une stimulation énergisante, tandis que le vert sert à éliminer les distractions et à soutenir la concentration pendant de longues périodes.

Écoutez de la musique. «La musique peut vous donner de l'énergie», dit le Dr Ricer. Écoutez de la musique qui vous plaît et qui vous donne de l'entrain.

Fixez-vous des échéances. «Certaines personnes ont besoin d'échéances précises pour continuer à avancer», explique le Dr Sheridan. Si c'est votre cas, fixez-vous des échéances à court terme et à long terme afin que votre vie ne devienne trop monotone.

Rafraîchissez-vous le visage avec de l'eau froide.

Lorsque la fatigue s'abat sur le courtier d'un marché monétaire, il cesse toute activité de vente ou d'achat, et s'arrête le temps de se rafraîchir le visage avec de l'eau froide.

S'il était chez lui, une douche froide lui permettrait sans doute de refaire le plein d'énergie plus efficacement. L'eau qui tombe en cascade libère dans l'air des ions négatifs qui entourent le corps. Or, on croit que les ions négatifs rendent certaines personnes plus heureuses et plus énergiques.

Buvez beaucoup. Pas de l'alcool, mais de l'eau. Les médecins vous conseillent de boire beaucoup d'eau la veille d'une journée bien remplie et le jour même. Vous éviterez ainsi la déshydratation qui peut provoquer de la fatigue.

E. Drummond King, un athlète de triathlon de plus de cinquante ans, a appris à ses dépens qu'il vaut mieux commencer à boire de l'eau une journée avant que l'organisme n'en ait besoin.

«Le grand problème est la déshydratation et la fatigue qui l'accompagne inévitablement, dit-il. Maintenant, je garde une bouteille d'eau à la main pendant toute la journée qui précède une course.»

Examinez les médicaments que vous prenez. Avez-

vous vraiment besoin de prendre tous ces médicaments sur ordonnance ou en vente libre? Si ce n'est pas le cas, vous découvrirez avec étonnement tous les bienfaits de réduire, voire d'éliminer, certains médicaments que vous prenez.

Les somnifères, par exemple, sont bien connus pour les effets de gueule de bois ressentis le lendemain. Selon les médecins, d'autres médicaments causent aussi des réactions indésirables, notamment les antihypertenseurs, les antitussifs et les médicaments contre le rhume.

Si vous soupçonnez qu'un médicament vous vole beaucoup d'énergie, discutez-en avec votre médecin. Peut-être pourra-t-il modifier l'ordonnance ou, mieux encore, cesser de vous le prescrire. N'oubliez pas cependant que vous ne devez jamais arrêter de prendre un médicament sur ordonnance sans le consentement de votre médecin.

Si vous aimez les massages, profitez-en. On ne peut nier les bienfaits des massages, des bains bouillonnants et des saunas. «Il est difficile de prouver scientifiquement s'ils atténuent ou non la fatigue, dit William Fink. Mais il y a des gens qui ne jurent que par eux. Pour ma part, je crois fermement que lorsqu'une personne se sent bien, elle donne un meilleur rendement.»

Changez, explorez! La fatigue est parfois causée par un état d'inertie. Un changement, si minime soit-il, peut faire une différence. Par exemple, si vous lisez toujours le journal en vous levant, essayez de lire quelque chose de plus inspirant. Si vous mangez toujours du poisson le lundi soir, essayez de varier votre menu. Si vous avez l'habitude de faire du jogging, faites des randonnées à bicyclette.

Réduisez votre consommation de caféine. «Une ou deux tasses de café le matin vous donneront l'énergie nécessaire pour commencer la journée», dit le Dr Ricer, mais c'est là l'unique bienfait de la caféine. Les excès de caféine sont tout aussi néfastes que les autres excès. En passant la journée à boire du café, vous risquez d'en subir certains contre-coups.

«La caféine a un effet magique», dit le Dr Ricer. Elle donne l'illusion d'avoir plus d'énergie, mais ce n'est qu'une illusion.

Le Dr Ricer suggère aux gens de réduire leur consommation de café suffisamment pour en éliminer l'effet déstabilisant. «Si une personne me demandait quoi prendre pour avoir plus d'énergie, j'hésiterais à lui recommander la caféine.»

EXPERTS CONSULTÉS

William Fink est physiologiste et directeur adjoint du Human Performance Laboratory à l'université d'État Ball, à Munice, en Indiana.

Bill Foran est instructeur sportif à l'université de Miami, à Coral Gables, en Floride.

Le Dr M. F. Graham est pédiatre et conseiller auprès de l'American Running and Fitness Association, à Dallas, au Texas. Il est aussi l'auteur de *Inner Energy: How to Overcome Fatigue*.

E. Drummond King est athlète de triathlon et avocat à Allentown, en Pennsylvanie.

Le Dr Rick Ricer est professeur adjoint de médecine clinique familiale à la faculté de médecine de l'université de l'État de l'Ohio, à Columbus.

Le Dr David Sheridan est professeur adjoint au Service de médecine préventive de la faculté de médecine de l'université de Caroline du Sud, à Columbia.

Mary Trafton est randonneuse, athlète de marathon et skieuse. Elle travaille au Appalachian Mountain Club, à Boston, au Massachusetts.

Le Dr Vicky Young est professeur adjoint au Service de médecine préventive au Medical College du Wisconsin, à Milwaukee.

Fatigue des yeux

10 moyens de l'éviter

«Vers l'âge de 40 ou de 45 ans, la faculté d'accommoder la vision s'atténue, ce qui peut fatiguer les yeux, dit le Dr Samuel L. Guillory, ophtalmologiste à New York et professeur adjoint au Centre médical Mount Sinai de l'université de la ville de New York. Il s'agit d'un processus graduel qui frappe tout le monde.»

Une personne peut souffrir de fatigue des yeux à n'importe quel âge, surtout si elle passe ses journées à fixer un écran d'ordinateur.

Cependant, si le simple fait de lire des cartes de vœux ou un court texte sur un écran cathodique vous fatigue les yeux, voici quelques conseils pratiques:

Souciez-vous de l'éclairage. «Un éclairage tamisé n'endommage pas la vue, mais vous pouvez fatiguer vos yeux s'il n'y a pas suffisamment de contrastes, explique le Dr Guillory. Pour lire, il faut un éclairage doux, avec suffisamment de contrastes. N'utilisez jamais une lampe qui réfléchit la lumière directement dans les yeux.»

Essayez des verres de lecture. On peut en demander à son médecin ou les acheter dans une pharmacie. «Si vous n'êtes pas myope, mais avez de la difficulté à voir de près, rendez-vous à la pharmacie la plus proche et achetez-vous des lunettes pour lire, conseille l'ophtalmologiste David Guyton, professeur à la faculté de médecine de l'université Johns Hopkins. Résistantes et de bonne qualité, elles sont très utiles.»

Choisissez des verres de l'intensité qui vous convient. Vous êtes la personne la mieux placée pour choisir les lunettes appropriées. «Choisissez des lunettes à faible intensité, lesquelles vous permettront de lire à la distance voulue, dit le Dr Guyton. Si vous achetez des lunettes trop fortes, vous verrez bien de près, mais pas de loin.»

ALERTE MÉDICALE

Les problèmes qui requièrent les soins d'un médecin

À l'occasion, la fatigue des yeux peut être causée par des facteurs plus graves que franchir le cap des quarante ans. «Il peut y avoir de la fatigue quand les yeux ne sont pas parfaitement alignés; par exemple, l'œil qui louche légèrement vers l'intérieur ou l'extérieur, dit le Dr David Guyton. Dans ce cas, on doit consulter un ophtalmologiste. Il peut suggérer des exercices particuliers, le port de verres correcteurs ou, au besoin, une chirurgie des muscles oculaires pour réaligner les yeux.»

De toutes façons, si vous avez mal aux yeux, vous devez consulter un ophtalmologiste dans les plus brefs délais.

Faites des pauses. Sauvegardez le travail que vous avez fait sur ordinateur à intervalles réguliers. «Si vous êtes devant l'ordinateur pendant des périodes continues de six à huit heures, dit le Dr Guillory, faites une pause toutes les deux ou trois heures. Occupez-vous à autre chose, le temps de reposer vos yeux de l'écran, de 10 à 15 minutes.» Vous pouvez aussi travailler sur papier.

Assombrissez votre écran. Outre les chiffres et les lettres affichés à l'écran, ce dernier comporte aussi de minuscules ampoules électriques qui envoient de la lumière directement dans les yeux. Il faut en diminuer l'intensité. «Faites en sorte que les lettres ne soient pas trop éclatantes, conseille le Dr Guillory. Réduisez l'intensité au minimum et compensez la différence en augmentant le contraste.» Un conseil: indiquez l'endroit sur le bouton de réglage de l'ordinateur au moyen d'un crayon feutre. Si quelqu'un dérègle votre écran, vous pourrez le rajuster facilement.

Travaillez dans l'ombre. Pour ne pas fatiguer vos yeux, «ombragez votre écran en vous servant d'un bout de carton», suggère le Dr Guillory. Allez dans une papeterie et achetez un morceau de carton noir épais. Placez-le sur le dessus de votre écran et rabattez-le de chaque côté. Il se trouvera littéralement enfermé dans une boîte qu'on peut aisément déplacer vers l'avant ou vers l'arrière. Cela permet de réduire l'intensité au minimum.»

Quoi d'autre?

Le yoga

Meir Schneider croit que le yoga n'est pas seulement la clé d'une vision spirituelle, mais aussi la clé de la vision tout court. «Le yoga a aidé à guérir ma cécité», soutient Meir Schneider, aveugle de naissance. Il a maintenant une vision de 20/60, et elle s'améliore constamment.

Les techniques que Meir Schneider enseigne au Center for Self Healing qu'il a fondé à San Francisco, en Californie, et qu'on retrouve dans son ouvrage *Self-Healing: My Life and Vision,* s'inspirent des travaux controversés du Dr William Bates, ophtalmologiste et partisan des exercices pour les yeux du début du siècle. «J'ai pris la méthode Bates et je l'ai perfectionnée», dit Meir Schneider. Même si les techniques ne guérissent pas la cécité, certaines d'entre elles peuvent soulager la fatigue des yeux.

Faites une pause-thé. Non pas pour le boire, mais pour reposer vos yeux. «Prenez une serviette, dit Meir Schneider, et trempez-la dans du thé d'Euphraise. Étendez-vous, fermez les yeux et couvrez-les de la serviette chaude. Laissez cette dernière en place de 10 à 15 minutes, et la fatigue disparaîtra.» Le thé ne doit pas toucher les yeux. Et laissez-le toujours refroidir un peu avant d'y tremper la serviette.

Essayez une coordination différente des yeux et des mains. «Vos yeux ont besoin d'un coup de main, dit Meir Schneider. Joignez les mains et frottez-les jusqu'à ce qu'elles deviennent chaudes. Fermez les yeux et placez-y les paumes. N'exercez pas de pression. Il faut simplement couvrir les yeux. Respirez lentement et profondément, et visualisez la couleur noire. Répétez ce traitement tous les jours, pendant 20 minutes.

Clignez des yeux. Les yeux ont leur masseur personnel: les paupières. «Prenez l'habitude de cligner des yeux 300 fois par jour, sans les plisser, dit Meir Schneider. Chaque clignement nettoie les yeux et leur procure un petit massage, ajoute-t-il. Et cet excellent traitement est gratuit!»

Bloquez la lumière en vous fermant les yeux. Selon nos experts, le repos est la meilleure façon de soulager la fatigue des yeux. Et c'est beaucoup plus facile qu'on ne le croit. «L'exercice peut être fait lorsque vous êtes au téléphone, dit le Dr Guillory. Si vous n'avez pas besoin de lire ou d'écrire, fermez les yeux tandis que vous parlez. Selon le temps que vous passez au téléphone, vous pourrez reposer vos yeux peut-être une heure ou deux tous les jours. Les gens qui ont adopté cette pratique soutiennent que cela soulage leurs yeux.»

EXPERTS CONSULTÉS

Le Dr Samuel L. Guillory est ophtalmologiste et professeur adjoint au Centre médical Mount Sinai de l'université de la ville de New York.

Le Dr David Guyton est ophtalmologiste et professeur d'ophtalmologie à la faculté de médecine de l'université Johns Hopkins, à Baltimore, au Maryland.

Meir Schneider est directeur du Center for Self Healing, à San Francisco, en Californie. Il est l'auteur de *Self Healing: My Life and Vision.*

Fièvre

26 moyens d'améliorer les choses

«Vous êtes brûlant!»

Votre température a fait un bond, et vous n'allez pas bien du tout. Vous avez l'impression d'avoir plus chaud que si vous étiez aux Tropiques. Avant de faire tomber votre fièvre, voyez d'abord ce que disent les médecins à ce sujet.

Faites-vous vraiment de la fièvre? Bien que 37,7 °C soit la température normale du corps, elle n'est pas immuable. La température «normale» varie d'une personne à une autre, et «fluctue considérablement pendant la journée. La nourriture, des vêtements trop chauds, des émotions intenses ou de l'exercice vigoureux peuvent tous élever la température corporelle, dit le Dr Donald Vickery, consultant en santé auprès des entreprises et professeur adjoint à la faculté de médecine de l'université de Georgetown. En fait, l'exercice vigoureux peut élever la température du corps à 39,4 °C.» De plus, elle est souvent plus élevée chez les enfants et varie plus ou moins au cours d'une journée.

«En général, il se peut que vous fassiez de la fièvre si votre température se situe entre 37,7 °C et 37,9 °C. Si elle monte au-dessus de 37,9 °C, il s'agit bien de fièvre», précise le Dr Vickery.

Le Dr Leonardo Banco, professeur adjoint de pédiatrie à la faculté de médecine de l'université du Connecticut, ajoute que l'apparence d'une personne est encore le meilleur thermomètre qui soit. «Un enfant dont la température s'est élevée et qui a l'air malade nécessitera des soins plus rapidement qu'un enfant avec le même degré de température mais qui a l'air bien.»

Ne luttez pas. Si vous faites de la fièvre, n'oubliez pas ceci: la fièvre elle-même est un symptôme, et non une maladie. «En fait, elle est un mécanisme de défense de l'organisme contre l'infection, dit le Dr Stephen Rosenberg, spécialiste en santé publique et professeur adjoint au Service de santé publique de l'université Columbia. La fièvre peut même jouer un rôle utile: elle peut écourter la maladie, accroître l'efficacité des antibiotiques et rendre l'infection moins contagieuse. Ne vaut-il pas mieux supporter une petite poussée de fièvre et la laisser suivre son cours?»

Suivez les conseils ci-dessous en guise de soulagement supplémentaire:

Évitez la déshydratation. Lorsque vous avez chaud, votre corps transpire pour se refroidir. Si vous perdez trop d'eau, ce qui se produit dans le cas de forte fièvre, votre corps bloque ses canaux sudoripares et interrompt la perte d'eau. La fièvre est alors plus difficile à supporter. La solution: buvez beaucoup de liquide, beaucoup d'eau. Voici ce que les médecins recommandent:

Les jus de fruits et de légumes. «Ces boissons sont riches en vitamines et en minéraux», explique le Dr Eleonore Blaurock-Busch, conseillère en nutrition, et présidente et directrice de Trace Minerals International, à Boulder, au Colorado. Elle recommande plus particulièrement le jus de betterave et le jus de carotte, tous deux riches en nutriments. «Si vous préférez le jus de tomate, souligne le Dr Thomas Gossel, professeur en pharmacologie et président du Service de pharmacologie et de sciences biomédicales à l'université Ohio Northern, choisissez une marque à faible teneur en sodium.»

La tisane spéciale d'un médecin. «Toutes les tisanes vous procurent le liquide dont vous avez besoin, mais certaines sont particulièrement indiquées en cas de fièvre», précise le Dr Blaurock-Busch. (On trouve ces tisanes dans les commerces d'aliments naturels.) L'un des mélanges qu'elle préfère se compose de quantités égales de thym, de fleurs de tilleul et de fleurs de camomille séchée. «Le thym possède des propriétés antiseptiques, la camomille réduit l'inflammation et le tilleul favorise la transpiration», explique-t-elle. Faites infuser 5 ml du mélange dans 235 ml d'eau pendant 5 minutes. Filtrez et buvez chaud. Buvez-en plusieurs tasses par jour.

La tisane de tilleul. «Le tilleul seul fait du bien, poursuit le Dr Blaurock-Busch. Il favorise la transpiration et peut faire tomber la fièvre. Laissez infuser 5 ml de fleurs de tilleul séchées dans 235 ml d'eau bouillante. Buvez souvent de cette tisane pendant la journée.

La tisane d'écorce de saule. Cette écorce est riche en salicylates, des composés apparentés à l'aspirine®. On considère la tisane d'écorce de saule comme le «remède naturel contre la fièvre», dit le Dr Blaurock-Busch. On vous conseille toutefois d'en prendre à faibles doses.

Quelques précisions au sujet des thermomètres

Votre mère pouvait vérifier votre température en vous touchant le front. Si vous êtes moins doué, ou si vous ne faites pas confiance à ce moyen trop simple, voici comment procéder pour bien lire un thermomètre:

- Avant de vous servir d'un thermomètre au mercure, tenez-le par le bout et non par le réservoir. Agitez-le en donnant de petits coups de poignet et attendez que la colonne de mercure arrive sous les 35,5 °C. «Si vous craignez que le thermomètre ne vous échappe des mains et ne se brise, agitez-le au dessus d'un lit», conseille le Dr Stephen Rosenberg.

- «Ne faites pas de lecture orale moins de 30 minutes après avoir mangé, bu ou fumé», ajoute t-il. Ces activités modifient la température dans la bouche et vous obtiendrez une lecture inexacte.

- Placez le thermomètre sous la langue, dans l'une des cavités situées de chaque côté, et non sur le bout de la langue. Ces cavités se trouvent à proximité de vaisseaux sanguins qui reflètent la véritable température corporelle.

- Maintenez le thermomètre en place en le retenant avec vos lèvres, et non avec vos dents. Respirez par le nez plutôt que par la bouche. Ainsi, la température ambiante ne faussera pas la lecture. Gardez le thermomètre dans la bouche au moins trois minutes (certains spécialistes recommandent de le garder de cinq à sept minutes).

- Une température rectale est préférable dans le cas d'enfants de moins de cinq ans. Elle est généralement de 0,5 degré supérieure à la température orale. Les thermomètres pour le rectum ont un bout plus court et plus arrondi.

- «Lorsque vous utilisez un thermomètre rectal, placez l'enfant sur le ventre, sur vos genoux, et posez une main sur ses fesses pour l'empêcher de bouger», dit le Dr Donald Vickery. Lubrifiez le bout du thermomètre avec de la vaseline. Insérez-le doucement et enfoncez le de 2,5 cm, sans forcer. Le mercure se mettra à monter au bout de quelques secondes. Retirez le thermomètre lorsque le mercure cesse de monter, c'est-à-dire au bout d'une minute ou deux.

- Si le thermomètre se brise dans la bouche ou dans le rectum, ne paniquez pas. Le mercure, dans ce cas, n'est pas toxique et les dommages se limitent généralement à une égratignure superficielle. Appelez un médecin si vous ne retrouvez pas tous les morceaux de verre.

- Après l'usage, lavez le thermomètre de verre dans de l'eau fraîche et savonneuse. N'utilisez pas d'eau chaude. Il ne faut pas non plus ranger un thermomètre en verre près d'une source de chaleur.

- Dans le cas d'un thermomètre à affichage numérique, suivez les instructions qui l'accompagnent. Après l'usage, nettoyez le bout avec de l'eau tiède et du savon, ou avec de l'alcool. N'immergez pas le thermomètre dans l'eau et ne l'aspergez pas, car vous risquez de le rendre inutilisable. On doit changer la pile à peu près tous les deux ans.

La tisane de sureau noir. «Efficace contre la fièvre, le sureau noir est préférable à l'écorce de saule si vous ne tolérez pas l'aspirine®, dit le Dr Blaurock-Busch. Pour cette tisane, infusez à la fois les fleurs et les fruits.

Les glaçons. Si vous êtes saturé de liquides, vous pouvez toujours sucer des glaçons ou faire congeler du jus de fruits dans un bac à glaçons. Dans le cas d'un enfant fiévreux, faites congeler un raisin ou une fraise au milieu du glaçon.

Faites-vous des compresses.
«Les compresses humides contribuent à réduire la chaleur que dégage le corps, dit le Dr Blaurock-Busch. Ironiquement, ajoute-t-elle, ce sont les compresses chaudes et humides qui donnent les meilleurs résultats. Lorsqu'un malade commence à avoir trop chaud, changez les compresses chaudes pour des froides, et appliquez-les sur le front, les poignets et les mollets. Gardez le reste de son corps couvert.»

«Si la fièvre monte au-dessus de 39,4 °C, poursuit-elle, ne faites que des compresses froides afin d'empêcher la fièvre de s'intensifier. Changez les compresses lorsqu'elles atteignent la température du corps, mais continuez le traitement jusqu'à ce que la fièvre baisse.

Épongez la sueur.
L'évaporation peut aussi contribuer à abaisser la température du corps. Mary Ann Pane, infirmière à Philadelphie, en Pennsylvanie, recommande de l'eau froide du robinet pour aider la peau à dissiper l'excès de chaleur. On peut éponger le corps du malade, mais elle conseille d'accorder une attention particulière aux régions qui dégagent le plus de chaleur, soit les aisselles et l'aine. Essorez l'éponge et essuyez une région à la fois, en gardant le reste du corps couvert. La chaleur du corps éliminera l'humidité; et vous n'aurez pas à sécher le malade avec une serviette.

Les médecins soulignent que même si l'alcool s'évapore plus rapidement que l'eau, cela peut s'avérer désagréable pour une personne fiévreuse. En outre, les vapeurs d'alcool peuvent être inhalées ou absorbées par la peau.

Prenez un bain.
«Lorsque je fais de la fièvre, il arrive très souvent que je me mette à frissonner, dit le Dr Gossel. Si cela se produit, j'aime bien prendre un bain chaud.»

Dans le cas des nourrissons, le Dr Banco conseille des bains dans de l'eau à la température ambiante. Comme solution de rechange, il suggère de mettre le nourrisson entre deux serviettes mouillées et de les changer toutes les quinze minutes.

Ne souffrez pas. Si vous vous sentez très souffrant, prenez un analgésique. Le Dr Vickery recommande aux adultes de prendre deux comprimés d'aspirine® ou de paracétamol toutes les quatre heures. «L'avantage du paracétamol, dit-il, c'est que la plupart des gens n'y sont pas allergiques.»

«L'aspirine® et le paracétamol agissent de manière légèrement différente», ajoute-t-il. Vous pouvez les combiner si l'un ou l'autre ne neutralise pas assez vite votre fièvre. Prenez deux comprimés d'aspirine® et deux comprimés de paracétamol (un total de quatre comprimés) toutes les six heures. Vous pouvez aussi prendre deux comprimés d'aspirine®, puis deux comprimés de paracétamol trois heures plus tard. Obtenez d'abord l'autorisation de votre médecin avant de suivre cette méthode.

Donnez du paracétamol aux enfants. De préférence, les personnes de moins de 21 ans devraient éviter l'aspirine®, car ce médicament peut déclencher le syndrome de Reye, une maladie neurologique qui peut être mortelle pour les enfants fiévreux. Le Dr George Sterne, pédiatre et professeur de pédiatrie à la faculté de médecine de l'université Tulane, à la Nouvelle-Orléans, recommande de 10 à 14 mg de paracétamol par kg de poids corporel, toutes les quatre heures. À son avis, de plus fortes doses ne sont pas nécessaires. «En outre, des doses excessives sur une période de plusieurs jours peuvent être dangereuses», souligne-t-il.

Couvrez-vous adéquatement. «Faites preuve de bon sens en ce qui concerne les vêtements et les couvertures, dit Mary Ann Pane. Si vous avez très chaud, enlevez les couvertures et les vêtements en trop afin de laisser la chaleur de votre corps s'échapper. Si vous avez des frissons, cependant, couvrez-vous suffisamment.

«Surveillez bien les enfants qui ne peuvent pas se déshabiller seuls quand ils ont trop chaud, dit le Dr Sterne. En fait, dit-il, habiller un enfant trop chaudement ou le laisser dans un endroit chaud, une voiture, par exemple, peut provoquer de la fièvre.»

Créez un climat de guérison. «Faites de votre mieux pour créer dans la chambre du malade une atmosphère qui favorise la guérison», dit le Dr Blaurock-Busch. Ne la surchauffez pas; les médecins allemands recommandent généralement de maintenir la pièce à une température qui ne dépasse pas 18,4 °C. Ouvrez juste assez pour laisser pénétrer de l'air frais, sans faire de courant d'air. Gardez l'éclairage tamisé, ce qui créera une atmosphère de détente.

Mangez si vous le désirez. Doit-on manger si l'on a de la fièvre? Certains médecins, notamment le Dr Blaurock-Busch, préconisent de boire des jus de fruits jusqu'à ce que la fièvre soit tombée et la température redevenue normale. D'autres médecins estiment cependant qu'une personne fiévreuse devrait manger parce que la chaleur de son corps lui fait brûler des calories. Quoi qu'il en soit, la décision relève de vous et de votre appétit. Il faut toutefois que vous buviez beaucoup de liquides.

EXPERTS CONSULTÉS

Le Dr Leonardo Banco est professeur adjoint de pédiatrie à la faculté de médecine de l'université du Connecticut, à Farmington. Il est aussi directeur des Services de pédiatrie ambulatoire et directeur adjoint du Service de pédiatrie à l'hôpital Hartford, au Connecticut.

Le Dr Eleonore Blaurock-Busch est présidente et directrice de Trace Minerals International Inc., un laboratoire de chimie clinique à Boulder, au Colorado. Conseillère en nutrition, elle est spécialisée dans le traitement des allergies et des maladies chroniques au Alpine Chiropractic Center dans cette même ville et auteur d'un ouvrage intitulé *The No-Drugs Guide to Better Health*.

Le Dr Thomas Gossel est professeur de pharmacologie et de toxicologie à l'université Ohio Northern, à Ada, et président du Service de pharmacologie et de sciences biomédicales de cette université. Il se spécialise dans les produits en vente libre.

Mary Ann Pane est infirmière à Philadelphie, en Pennsylvanie. Elle est affiliée aux services communautaires de santé familiale, un organisme qui s'occupe de personnes qui ont besoin de soins de santé spécialisés à la maison.

Le Dr Stephen Rosenberg est professeur adjoint de santé publique au Service de santé publique de l'université Columbia, à New York. Il est l'auteur de *The Johnson & Johnson First Aid Book*.

Le Dr George Sterne est pédiatre dans un cabinet privé à la Nouvelle-Orléans, en Louisiane. Il est aussi professeur de pédiatrie à la faculté de médecine de l'université Tulane.

Le Dr Donald Vickery est président du Center for Corporate Health Promotion, à Reston, en Virginie. Il est professeur adjoint de médecine familiale et de médecine communautaire à la faculté de médecine de l'université Georgetown, à Washington, D.C. Il est aussi professeur adjoint de médecine familiale au collège médical de Virginie, à Richmond. Il est l'auteur de *Life Plan for Your Health* et coauteur de *Take Care of Yourself*.

Fissures

14 solutions en douceur

Les ressemblances entre les fissures et les hémorroïdes sont superficielles. Les hémorroïdes sont habituellement des veines enflées, alors que les fissures sont des ulcérations ou des crevasses dans la peau qui se forment dans la même région que les hémorroïdes.

«Les fissures ressemblent beaucoup aux fendillements qui surviennent aux extrémités de la bouche», dit le J. Byron Gathright Jr, chef du Service de chirurgie du côlon et du rectum à la clinique Ochsner, à la Nouvelle-Orléans, en Louisiane, et professeur adjoint de chirurgie à l'université Tulane. Les fissures anales et orales se produisent aux endroits où la peau touche à des muqueuses fragiles. «Dans l'anus, les fissures sont souvent causées par l'évacuation de selles volumineuses et dures», dit le Dr Gathright.

Si vous souffrez de fissures anales, vous savez que ces petites plaies peuvent être des plus inconfortables. Elles provoquent des sensations de brûlure, des démangeaisons et des saignements. Dans les pages qui suivent, les spécialistes expliquent comment remédier au problème le plus rapidement possible.

Beaucoup de fibres et beaucoup de liquides. L'orifice anal n'est pas fait pour l'évacuation de selles volumineuses et dures. En général, les selles dures sont le sous-produit d'une alimentation occidentale trop faible en fibres et peuvent provoquer des fissures anales et des hémorroïdes.

La solution: un régime alimentaire riche en fibres et en liquides. Il faut consommer plus de fruits, de légumes et de grains entiers, et boire au moins six à huit verres d'eau par jour. C'est «le meilleur remède et la meilleure mesure préventive» contre les fissures anales, dit le Dr Gathright, lesquelles se mettront à guérir d'elles-mêmes si les selles sont ramollies.

Essayez de la vaseline. Une consommation accrue de fibres fera ramollir vos selles, mais vous pouvez aussi protéger les

---

ALERTE MÉDICALE

Un problème qui s'aggrave

En général, les fissures anales ne sont pas dangereuses. «En ce qui concerne les fissures, mieux vaut prévenir que guérir. Il ne faut pas les ignorer pendant trop longtemps. Un ulcère qui ne guérit pas peut devenir cancéreux», dit le Dr Lewis R Townsend, instructeur en obstétrique et en gynécologie à l'hôpital de l'université de Georgetown, à Washington, D.C.

«Si vous souffrez de fissures qui n'ont pas guéri au bout de quatre à huit semaines, consultez un médecin, recommande le Dr Townsend. N'oubliez pas qu'une plaie qui ne guérit pas est l'un des sept grands signes de cancer.»

De plus, si vous remarquez que vos sécrétions anales sont purulentes, consultez un médecin immédiatement. «Les abcès dans l'anus sont parfois très dangereux», dit le Dr John O Lawder.

---

parois de l'anus en les lubrifiant avant d'aller à la selle. «Une petite quantité de vaseline enfoncée à une profondeur d'environ un centimètre dans l'anus rendra l'évacuation des selles plus facile sans causer d'autres dommages», dit le Dr Edmund Leff, proctologue dans un cabinet privé à Phoenix et à Scottsdale, en Arizona.

Le talc à la rescousse. Appliquez du talc dans la région anale après avoir pris une douche ou être allé à la selle. Le talc permet non seulement de garder la région anale au sec, mais aide aussi à réduire les frictions pendant la journée», dit le Dr Marvin Schuster, chef du Service des maladies digestives au Centre médical Francis Scott Key, à Baltimore, au Maryland, et professeur de médecine et de psychiatrie à la faculté de médecine de l'université Johns Hopkins.

Méfiez-vous de la diarrhée. Cela peut sembler étrange, mais les fissures anales peuvent résulter non seulement de selles trop dures, mais aussi de la diarrhée. «En plus de ramollir les tissus de l'anus, les selles liquides contiennent un acide qui peut brûler la région anale et provoquer des irritations cutanées, ce qui ne fait qu'aggraver la situation», dit le Dr Schuster.

Ne vous grattez pas avec les ongles. «Vous aurez sûrement envie de vous gratter si vous souffrez de fissures anales.

Résistez, car vos ongles risquent de faire d'autres déchirures dans des tissus déjà sensibles», dit le Dr Lawder.

Perdez vos kilos en trop. «Les personnes qui font de l'embonpoint transpirent plus. Or, la transpiration autour de l'anus ne fait que ralentir la guérison des fissures anales», dit le Dr Lawder.

Appliquez une crème médicamenteuse. «Les crèmes topiques en vente libre contenant de l'hydrocortisone peuvent enrayer l'inflammation qui accompagne souvent les fissures anales», dit le Dr Gathright.

Essayez des onguents vitaminiques. «Les onguents en vente libre à base de vitamine A et de vitamine D sont très efficaces contre les douleurs et favorisent la guérison des fissures anales», dit le Dr Schuster.

Prenez un bain chaud. «Un bain chaud détend les muscles du sphincter et, par conséquent, atténue le mal que vous causent vos fissures anales», dit le Dr Leff.

Évitez certains aliments. «Bien que les fissures anales ne soient pas causées par un type précis d'aliments, certaines substances peuvent causer des irritations excessives lorsqu'elles sont évacuées. Méfiez-vous des plats très épicés et des aliments marinés», dit le Dr Schuster.

Procurez-vous un coussin spécial. «La position assise est souvent douloureuse pour la personne qui souffre de fissures anales. Si c'est votre cas, réduisez les douleurs et l'inconfort en vous procurant un coussin en forme de beignet. On les trouve dans la plupart des pharmacies et des commerces de fournitures médicales», dit le Dr Lawder.

Essuyez-vous doucement. Du papier hygiénique un peu rugueux et des mouvements trop vigoureux nuisent à la guérison des fissures anales. Par conséquent, prenez soin de vous essuyer doucement. Achetez toujours du papier hygiénique de qualité, blanc et sans parfum. «Les parfums et les colorants peuvent irriter une région déjà très sensible, dit le Dr John O. Lawder, médecin spécialisé en nutrition et en médecine préventive à Torrance, en Californie. Humectez le papier hygiénique sous le robinet avant de vous essuyer», recommande-t-il.

Offrez-vous ce qu'il y a de mieux. «Le meilleur papier hygiénique reste le mouchoir de papier enduit de lotion hydratante. Il réduit les frictions au minimum; il ne risque donc pas de vous irriter davantage», dit le Dr Lawder.

Faites l'essai de cet appareil. Si vous avez la région rectale très sensible, vous trouvez sans doute très désagréable de vous essuyer avec du papier hygiénique, même le plus doux. Heureusement, il existe une autre solution.

Il s'agit d'un petit dispositif qu'on installe sous le siège de toilette et qu'on relie au conduit d'eau de la salle de bain. Il fait gicler un mince filet d'eau qui remplit la même fonction que le papier hygiénique, mais plus doucement et plus efficacement. Vous n'avez plus besoin de papier, sinon pour vous assécher.

«Ce petit dispositif très pratique sert à nettoyer le rectum après qu'on est allé à la selle», dit le Dr John A. Flatley, chirurgien du côlon et du rectum à Kansas City, et instructeur en chirurgie à la faculté de médecine de l'université du Missouri, à Kansas City. Le Dr Flatley, qui possède un de ces appareils, rappelle toutefois à ses patients que le dispositif est conçu pour soulager les fissures et les hémorroïdes. Ce n'est pas un «remède».

EXPERTS CONSULTÉS

Le Dr John A. Flatley est chirurgien du côlon et du rectum à Kansas City, au Missouri. Il est aussi instructeur en chirurgie à la faculté de médecine de l'université du Missouri, à Kansas City.

Le Dr J. Byron Gathright Jr est président du Service de chirurgie du côlon et du rectum à la clinique Ochsner, à la Nouvelle-Orléans, en Louisiane. Il est professeur adjoint de chirurgie à l'université Tulane de la Nouvelle-Orléans et président de l'American Society of Colon and Rectal Surgeons.

Le Dr John O. Lawder est médecin spécialisé en nutrition et en médecine préventive à Torrance, en Californie.

Le Dr Edmund Leff est spécialiste du côlon et du rectum. Il a un cabinet privé à Phoenix et à Scottsdale, en Arizona.

Le Dr Marvin Schuster est chef du Service des maladies digestives au Centre médical Francis Scott Key, à Baltimore, au Maryland, et professeur de médecine et de psychiatrie à la faculté de médecine de l'université Johns Hopkins, à Baltimore.

Le Dr Lewis Townsend a un cabinet privé à Bethesda, au Maryland. Il est instructeur en obstétrique et en gynécologie à l'hôpital de l'université de Georgetown et il est directeur du groupe de médecins du Centre médical pour femmes de l'hôpital Columbia. Ces deux hôpitaux se trouvent à Washington, D.C.

Flatulences

5 façons de se débarrasser de ses gaz

Comment peut-on garder son sérieux en parlant de flatulences? Même les scientifiques qui se penchent sur le sujet ont du mal à ne pas faire de plaisanteries.

Prenons par exemple le Dr Michael D. Levitt, l'un des plus grands chercheurs en la matière. Ses pairs disent de lui qu'il a donné un statut au flatus et une certaine classe aux gaz. Bref, le Dr Levitt décrit son travail comme une tentative de recueillir des données dans un domaine rempli surtout d'air chaud.

L'air chaud pourrait avoir une histoire bien colorée. Hippocrate a fait beaucoup de recherches sur les flatulences, et les anciens médecins qui se spécialisaient dans ce champ d'étude sont connus sous le nom de «pneumatistes». Au début de l'histoire américaine, de grands chercheurs comme Benjamin Franklin se sont creusé les méninges pour trouver un remède au «vent qui s'échappe».

Plus récemment, le Dr Stephen Goldfinger, spécialiste des maladies digestives, a écrit que «quand tout le reste échoue, fixer son voisin droit dans les yeux peut arranger bien des choses». En effet, il est difficile de rester sérieux quand on parle de flatulences.

Cependant, le problème mérite une certaine attention. Voici ce que nous vous conseillons si le problème se présente:

Ne blâmez pas que le lactose. «Si vous ne tolérez pas le lactose, vous risquez d'avoir des problèmes de flatulences causés par votre consommation de produits laitiers», dit le Dr Dennis Savaiano, professeur adjoint de sciences alimentaires et de nutrition à l'université du Minnesota, à Minneapolis. (Pour plus d'informations à ce sujet, veuillez vous reporter à la rubrique *Intolérance au lactose* à la page 359.) Les personnes qui ne tolèrent pas le lactose présentent un faible taux de lactase, une enzyme intestinale nécessaire à la digestion du lactose, le type de glucose présent dans de nombreux produits laitiers.

Cependant, vous n'avez pas besoin d'un diagnostic d'intolérance au lactose pour être victime de flatulences. Certaines personnes ne peuvent digérer que certaines quantités ou certains types de produits laitiers. Si votre médecin ou vous-même soupçonnez que votre produit laitier préféré est en cause, réduisez vos portions un jour ou deux, ou seulement aux repas, jusqu'à ce que vous puissiez déterminer à quel moment les gaz deviennent gênants.

Évitez les aliments qui donnent des gaz. «La principale cause des flatulences est l'incapacité du système digestif d'absorber certains hydrates de carbone», explique le Dr Samuel Klein, professeur adjoint de gastro-entérologie et de nutrition humaine à la faculté de médecine de l'université du Texas, à Galveston.

Vous savez sans doute que les haricots secs donnent inévitablement des flatulences, mais vous doutiez-vous que le chou, le brocoli, les choux de Bruxelles, les oignons, le chou-fleur, la farine de blé entier, les radis, les bananes, les abricots, les bretzels et de nombreux autres aliments causent aussi des flatulences?

Combattez les flatulences causées par les fibres. «Nous recommandons souvent aux gens de consommer plus de fibres. Mais certains fruits et légumes riches en fibres peuvent intensifier les flatulences», explique le Dr Richard McCallum, professeur de médecine et chef du Service de gastro-entérologie au Centre des sciences de la santé de l'université de Virginie.

Comment neutraliser les flatulences que causent les haricots secs

Si vous raffolez des haricots secs et des légumineuses, mais déplorez les conséquences, il y a peut-être une solution.

C'est un fait: les haricots secs et les légumineuses causent des flatulences. Plus ils sont cuits, cependant, moins le problème est grave. En effet, les haricots secs semblent perdre dans l'eau les propriétés qui causent les flatulences. Des études ont démontré que faire tremper les haricots secs 12 heures, ou les faire germer sur une serviette mouillée pendant 24 heures peut réduire considérablement les composés responsables des gaz intestinaux. Faire tremper les haricots, puis faites-les cuire à l'auto-cuiseur 30 minutes, à une pression de 7 kg par 2,5 cm carrés, réduit ces composés dans une proportion pouvant aller jusqu'à 90 %.

Si vous ajoutez des fibres à votre alimentation pour des raisons de santé, commencez par en consommer de petites quantités afin que vos intestins s'y habituent. Vous réduirez ainsi vos flatulences. En fait, les médecins ont constaté que la plupart des gens reviennent à un taux de flatulences normal quelques semaines après avoir adopté une alimentation plus riche en fibres.

Utilisez le charbon pour parvenir à vos fins.

«Certaines études ont démontré que les comprimés de charbon activé sont efficaces pour éliminer les gaz trop fréquents, dit le Dr Klein. C'est sans doute le meilleur traitement qui existe, une fois les modifications nécessaires apportées à l'alimentation et les autres maladies gastro-intestinales traitées», précise-t-il. Consultez votre médecin si vous prenez des médicaments, car le charbon activé peut neutraliser leurs effets.

Un soulagement rapide grâce à des médicaments en vente libre.

Bien que de nombreux médecins recommandent du charbon activé pour soulager les gaz intestinaux, les pharmaciens soutiennent que les produits qui contiennent du siméthicone sont très populaires auprès des consommateurs. Parmi les plus vendus, citons notamment le Maalo®.

Contrairement à l'action absorbante du charbon activé, l'action anti-moussante du siméthicone réduit, ou empêche, les flatulences, les poches de gaz enrobées de mucus dans l'estomac et les intestins.

EXPERTS CONSULTÉS

Le Dr Samuel Klein est professeur adjoint de gastro-entérologie et de nutrition humaine à la faculté de médecine de l'université du Texas, à Galveston. Il travaille aussi comme conseiller auprès du rédacteur en chef du magazine *Prevention*.

Le Dr Richard McCallum est professeur de médecine et chef du Service de gastro-entérologie au Centre des sciences de la santé de l'université de Virginie, à Charlottesville. Il se spécialise dans les recherches sur les problèmes gastro-intestinaux.

Le Dr Dennis Savaiano est professeur adjoint de sciences alimentaires et de nutrition à l'université du Minnesota, à Minneapolis

Furoncles

12 conseils pratiques contre l'infection

Les furoncles sont les volcans de l'organisme humain. Ils apparaissent soudainement, font éruption et laissent leur marque.

Mais quelle est l'explication biologique des furoncles? Ce sont des staphylocoques qui pénètrent par une fissure dans la peau et infectent une glande sébacée ou un follicule pileux bouché. Le système immunitaire de l'organisme dépêche des globules blancs sur les lieux pour tuer les envahisseurs; la bataille (l'inflammation) laisse des débris (du pus). Un abcès rempli de pus se développe juste sous la surface de la peau et prend la forme d'un gros bouton rouge et douloureux. À

ALERTE MÉDICALE

Les dangers inhérents aux furoncles

Si les bactéries d'un furoncle s'infiltrent dans le flux sanguin, elles peuvent causer un empoisonnement du sang. Il ne faut pas pincer un furoncle près des lèvres ou du nez: l'infection pourrait migrer jusqu'au cerveau. Les autres zones dangereuses sont les aisselles, l'aine et les seins d'une femme qui allaite.

«Il vaut mieux consulter un médecin si le furoncle est extrêmement sensible, ou creux sous la peau, dans le dos par exemple, ou encore si la victime est très jeune, très âgée ou malade, dit le Dr Rodney Basler. Il faut aussi consulter un médecin si des lignes rouges irradient du furoncle ou s'il s'accompagne de symptômes organiques généraux comme de la fièvre et des refroidissements, ou une inflammation des glandes lymphatiques», ajoute-t-il. L'infection peut s'être propagée. «Les diabétiques sont particulièrement sujets à ces furoncles, dit le Dr Adrian Connolly, et doivent parfois suivre un traitement aux antibiotiques. Les furoncles récurrents peuvent être des symptômes de maladies plus graves.»

l'occasion, l'organisme réabsorbe le furoncle, mais ce même furoncle peut aussi enfler, faire éruption, évacuer le pus et se résorber.

Les furoncles sont douloureux, disgracieux et peuvent même laisser des cicatrices. Cependant, la plupart des furoncles se traitent à la maison en toute sécurité. Voici comment.

Appliquez des compresses chaudes. «Les compresses chaudes sont le traitement de prédilection, dit le Dr Rodney Basler, dermatologiste et professeur adjoint à la faculté de médecine de l'université du Nebraska. Le furoncle mûrira, se videra et guérira beaucoup plus rapidement.»

Au premier signe d'un furoncle, couvrez-le d'une compresse à l'aide d'un simple gant de toilette trempé dans de l'eau chaude, de 20 à 30 minutes. Répétez le traitement trois ou quatre fois par jour en réchauffant la compresse de temps en temps. «Il n'est pas rare qu'un furoncle mette de cinq à sept jours à mûrir», dit le Dr Basler.

Continuez les compresses. «Vous devez continuer le traitement des compresses chaudes pendant trois jours après avoir drainé votre furoncle, dit le Dr Basler. Vous devez absolument laisser sortir tout le pus que contiennent les tissus.» Vous pouvez couvrir le furoncle d'un pansement afin de le garder propre, mais cela

---

Quoi d'autre?

Des remèdes de grand-mère

Les aliments servent non seulement à nous nourrir, mais aussi à nous guérir. En fait, la plupart des aliments qui suivent sont recommandés par Michael Blate, fondateur du G-Jo Institute, à Hollywood, en Floride. Leur action se compare plus ou moins aux compresses chaudes décrites plus haut. Si vous faites l'essai des remèdes maison ci-dessous, changez-les au bout de quelques heures.

- Une tranche de tomate chauffée
- Une tranche d'oignon
- De l'ail émincé
- Des feuilles de chou
- Un sachet de thé noir

n'est pas essentiel puisque le pansement évite au pus de tacher les vêtements.

Passez à l'attaque. «On peut se permettre de stériliser une aiguille à la flamme et de percer le furoncle, de le pincer lorsqu'il a mûri, si le bouton de pus n'est pas trop gros et s'il ne présente pas de signe laissant supposer que l'infection s'est étendue», dit le Dr Basler.

Certains médecins craignent que cette procédure n'aggrave l'infection et qu'elle s'étende jusqu'au système lymphatique. «En réalité, dit le Dr Basler, c'est très rare. Dans notre cabinet, nous pinçons les furoncles tout simplement afin d'évacuer le pus.» À son avis, laisser le furoncle éclater de lui-même pourrait faire encore plus de dégâts. Cela pourrait se produire durant la nuit.

Mettez un antiseptique si vous le désirez. Traiter un furoncle ouvert avec un antiseptique n'est pas nécessaire. «Cela n'est d'aucune utilité, étant donné que l'infection est localisée, dit le Dr Basler. L'important est de bien le drainer.» Cependant, le Dr Adrian Connolly, professeur adjoint à l'université de médecine et de dentisterie du New Jersey, recommande une pommade antiseptique en vente libre afin de prévenir l'infection.

Détruisez les staphylocoques. «Si vous êtes sujet aux furoncles, vous pouvez peut-être réduire leur fréquence, dit le Dr Connolly. Je ne pense pas que vous puissiez les prévenir complètement, mais nettoyez votre peau à l'aide d'un savon antiseptique, comme le savon à la Bétadine». Ce nettoyage aidera à contrôler les invasions de staphylocoques. Une autre mesure préventive: les furoncles sont des kystes infectés. Or, «jouer avec un kyste est la meilleure façon de le transformer en furoncle», dit le Dr Basler. Ne touchez pas aux kystes. Demandez plutôt à un médecin de le soigner.

Ne laissez pas l'infection se propager. «Lorsqu'on draine un furoncle, il faut garder la peau autour bien propre», dit le Dr Connolly. Douchez-vous au lieu de prendre un bain afin que l'infection ne s'étende à d'autres parties du corps. Après avoir traité un furoncle, lavez-vous bien les mains avant de préparer des aliments, car les staphylocoques peuvent causer des intoxications alimentaires.

Essayez les vieux remèdes maison. Le Dr Varro E. Tyler, professeur de pharmacologie à l'université Purdue, suggère de vieux remèdes maison comme des cataplasmes de pain et de lait chaud, des feuilles de bardane ou de la boue de nid de guêpes. «Tous ces remèdes sont en somme des cataplasmes qui aident à faire mûrir le furoncle et qui sont sans doute tout aussi efficaces que les compresses d'eau chaude», dit le Dr Tyler.

EXPERTS CONSULTÉS

Le Dr Rodney Basler est dermatologiste et professeur adjoint à la faculté de médecine de l'université du Nebraska, à Lincoln.

Michael Blate est fondateur du G-Jo Institute, à Hollywood, en Floride, une organisation de santé nationale qui préconise l'acupression et la médecine orientale traditionnelle.

Le Dr Adrian Connolly est professeur adjoint à l'université de médecine et de dentisterie du New Jersey, à Newark.

Le Dr Varro E. Tyler est professeur de pharmacognosie à l'université Purdue, à West Lafayette, en Indiana, et auteur de *The Honest Herbal*. Il est aussi conseiller au magazine *Prevention*.

Gingivite

21 façons d'enrayer la maladie des gencives

Il fut une époque où le mot tartre n'était pour vous qu'un terme médical que brandissait votre dentiste chaque année, mais auquel vous ne prêtiez pas la moindre attention.

Aujourd'hui, vous vous en repentez. Vos gencives sont rouges et enflées. Elles ont saigné pendant la séance de nettoyage. Votre dentiste vous informe que vous souffrez de gingivite. Et si vous ne la faites pas traiter, vous allez perdre vos dents.

Le mal est fait. Votre négligence vous coûte cher, n'est-ce pas?

Mais vous n'êtes pas seul. Un sondage publié dans le *Journal of the American Dental Association* indique que la majorité des adultes présentent des signes précoces de maladie périodontale. Or, la gingivite en est le premier signe. En fait, les adultes perdent leurs dents principalement à cause des maladies des gencives.

Ne désespérez pas. Votre dentiste n'avait pas que de mauvaises nouvelles. Vous pouvez sauver vos dents si vous prenez les mesures qui s'imposent. Les voici:

Il faut prendre le temps. «Si vous voulez enrayer la gingivite, il faut y mettre le temps. Un bon brossage dure de trois à cinq minutes. On doit le répéter deux ou trois fois par jour, puis passer le fil dentaire entre chaque dent», dit le dentiste et ancien président de l'American Academy of Periodontology, Robert Schallhorn, d'Aurora, au Colorado.

Brossez-vous les dents à la hauteur des gencives. La gingivite se développe autour des gencives, là où s'accumule le tartre. «C'est l'endroit que nous négligeons le plus», dit le Dr Vincent Cali, dentiste à New York et auteur de *The New, Lower-Cost Way to End Gum Trouble without Surgery*. Brossez doucement en gardant un angle de 45 degrés par rapport à vos dents: vous nettoierez à la fois les gencives et les dents, comme il se doit.

Ayez toujours deux brosses à dents. «On se sert de l'une, tandis que l'autre s'aère», dit le Dr Cali.

Offrez-vous une brosse à dents électrique. Des études démontrent que les brosses à dents électriques enlèvent 98,2 % du tartre; les brosses à dents ordinaires, 48,6 %.

Renforcez vos os. La gingivite est le début de ce que le Dr Cali appelle l'ostéoporose périodontale. Les os de la mâchoire, tout comme le reste du squelette, peuvent s'atrophier et développer la maladie de Lobstein, qui les rend plus fragiles. Par conséquent, renforcez vos os en consommant beaucoup de calcium (que l'on trouve dans les produits laitiers, le saumon, les amandes et les légumes vert foncé) et en faisant de l'exercice. De préférence, ne fumez pas.

Essayez un massage des gencives. «Prenez-vous les gencives entre le pouce et l'index (l'index à l'extérieur) et frottez», suggère le Dr Richard Shepard, un dentiste à la retraite qui vit à Durango, au Colorado. À son avis, un tel massage stimule la circulation sanguine dans les gencives.

ALERTE MÉDICALE

N'en tenez pas compte: le mal disparaîtra!

Que vous arriverait-t-il si vous ignoriez les saignements et les douleurs qui sont un signe de gingivite? Vous risqueriez de développer une maladie périodontale plus grave et de perdre vos dents.

Voici les signes précurseurs d'une gingivite qui s'aggrave. Consultez immédiatement votre dentiste si l'un d'eux se manifeste.

- Votre mauvaise haleine persiste pendant plus de 24 heures.
- Vos dents vous semblent plus longues, car vos gencives rétrécissent.
- Vous avez l'impression d'avoir la bouche maloccluse parce que vos dents ne se touchent plus de la même façon lorsque vous fermez la bouche.
- Votre prothèse partielle ne tient plus de la même façon.
- Vous avez du pus entre les dents et les gencives.
- Vos dents bougent et tombent.

Consultez de nouveau votre dentiste si vos gencives continuent de saigner lorsque vous vous brossez les dents et si elles demeurent douloureuses et enflées, malgré vos efforts.

Faites-vous des réserves de vitamine C. Selon une étude effectuée au Western Nutrition Research Center, au ministère de l'Agriculture des États-Unis, à San Francisco, en Californie, la vitamine C ne guérit pas la gingivite, mais elle peut contribuer à faire cesser les saignements des gencives.

Achetez une brosse spéciale. «Il s'agit d'une brosse spéciale (en vente dans la plupart des pharmacies) qui a la forme d'une toute petite brosse à récurer les bouteilles. Elle glisse entre les dents et sous les couronnes», dit le Dr Roger P. Levin, président de la Baltimore Academy of General Dentistry.

Gargarisez-vous au Listerine®. Une étude dont les résultats ont été publiés dans le *Journal of Clinical Periodontology* a démontré l'efficacité du gargarisme Listerine® contre le tartre et la gingivite.

Lisez les étiquettes. Achetez un gargarisme qui contient du chlorure de cétylpridinium ou du bromure de domiphène. Des recherches ont démontré que ces agents actifs dans les gargarismes réduisent le tartre dentaire.

Examinez votre style de vie. Subissez-vous trop de stress? Prenez-vous suffisamment de temps pour vous relaxer? Votre travail vous expose-t-il à des produits chimiques toxiques? N'importe lequel de ces facteurs peut avoir un effet nuisible sur vos gencives. Le Dr Cali affirme que les gens doivent examiner tous les aspects de leur style de vie et prendre les mesures qui s'imposent.

Dominez vos vices. «Fumer et boire excessivement privent l'organisme des vitamines et des minéraux essentiels à une bouche saine», dit le Dr Cali.

Grattez-vous la langue. En somme, il faut gratter les bactéries et les toxines qui s'y cachent. «N'importe quel petit objet fera l'affaire à partir du moment où il n'est pas pointu», dit le Dr Cali. Par exemple une cuiller à thé, un jeton de poker, un bâtonnet plat, une spatule pour déprimer la langue ou une brosse à dents. Grattez de l'arrière à l'avant de 10 à 15 fois de suite.

Faites une pause. N'essayez pas d'accomplir toutes ces tâches d'hygiène dentaire en une journée. «Massez les gencives une journée, puis grattez la langue le lendemain», suggère le Dr Cali. Utilisez de nouvelles techniques après vous être brossé les dents et passé la soie dentaire afin de briser la monotonie. Vos dents en bénéficieront.

Rincez-vous la bouche. «Procurez-vous de l'eau oxygénée à 3 volumes et ajoutez-y une quantité égale d'eau. Rincez-vous la bouche 30 secondes. N'avalez pas la solution. Répétez trois fois par semaine. Voilà qui ralentira la prolifération des bactéries», dit le Dr Cali.

Servez-vous d'un dispositif d'irrigation buccale. «Utilisez ce dispositif pour vous rincer les dents et les gencives, dit le Dr Cali. Vous devez diriger le filet d'eau entre vos dents et non vers le bas de vos gencives.»

«Ne partez jamais sans lui». «Lorsque vous partez en voyage, apportez un dispositif d'irrigation buccale portatif. C'est-à-dire une seringue ou un long tube surmonté d'une poire, dit le Dr Cali. Remplissez-le d'eau, puis rincez vos dents.»

Un stimulateur pour gencives.
«Pour vous masser les gencives, dit le Dr Cali, prenez un stimulateur triangulaire en caoutchouc plutôt qu'un cure-dents. Ce petit dispositif nettoie les surfaces entre les dents. Placez la pointe en caoutchouc de manière à ce qu'elle repose entre deux dents. Dirigez ensuite le bout vers le haut jusqu'à ce que le dispositif forme un angle de 45 degrés par rapport aux gencives. Dessinez un mouvement circulaire pendant dix secondes, puis passez à la dent suivante.»

Un légume cru tous les jours.
«Vous éviterez ainsi la gingivite», dit le Dr Cali. Les aliments durs et fibreux nettoient et stimulent les dents et les gencives.

Faites l'essai de la solution de bicarbonate de soude et d'eau.
Prenez du bicarbonate de soude et mélangez-le avec un peu d'eau. Appliquez cette pâte en petite quantité sur une partie des gencives à la fois, puis brossez. Répétez. Ce traitement nettoiera et polira vos dents. Il neutralisera en outre les résidus bactériens acides et vous désodorisera la bouche», explique le Dr Cali.

Procurez-vous du gel d'aloès.
«Certaines personnes se brossent les gencives avec du gel d'aloès», dit le Dr Eric Shapira, dentiste dans un cabinet privé à El Granada, en Californie, et professeur adjoint à l'école de dentisterie de l'université du Pacifique. «C'est un agent qui guérit et fait disparaître une certaine quantité du tartre qui se forme dans la bouche», ajoute-t-il.

EXPERTS CONSULTÉS

Le Dr Vincent Cali est dentiste à New York et auteur de *The New, Lower-Cost Wave to End Gum Trouble without Surgery*. Il est aussi titulaire d'un post-doctorat en nutrition clinique de l'institut Fordham Page de l'université de Pennsylvanie, à Philadelphie.

Le Dr Roger P. Levin est président de la Baltimore Academy of General Dentistry et conférencier invité à l'université du Maryland, à Baltimore.

Le Dr Robert Schallhorn est dentiste dans un cabinet privé à Aurora, au Colorado. Il a été président de l'American Academy of Periodontology.

Le Dr Eric Shapira a un cabinet privé à El Granada, en Californie. Il est aussi professeur adjoint et conférencier à l'école de dentisterie de l'université du Pacifique, à San Francisco, en Californie, et titulaire d'une maîtrise en sciences et en biochimie.

Le Dr Richard Shepard est un dentiste retraité qui vit à Durango, au Colorado. Il s'occupe de la rédaction du bulletin d'information de la Holistic Dental Association.

Goutte

17 bonnes idées pour faire face au problème

La goutte est un type d'arthrite qui frappe comme un coup de tonnerre dans un ciel bleu. Sa douleur insoutenable et lancinante se manifeste la nuit. La peau devient rouge, et brûlante, l'articulation est douloureuse et enflée. Pire encore, la crise peut durer des jours.

Autrefois, on considérait le problème comme une affection royale. La goutte est en fait causée par l'acide urique contenue dans le sang de tout un chacun. Si vous souffrez de goutte, «c'est que vous en produisez trop ou que vous n'en filtrez pas assez», dit le Dr Branton Lachman, professeur adjoint de pharmacie à l'école de pharmacie de l'université Southern California. Dans un cas comme dans l'autre, l'excès d'acide urique se transforme en petits cristaux nuisibles qui provoquent l'inflammation des articulations.

Le gros orteil est la cible préférée de la goutte, mais elle peut frapper n'importe quelle articulation. Et bien sûr, n'importe qui. Toutefois, la victime cible est l'homme d'âge mûr, souvent obèse, qui présente des antécédents familiaux de la maladie. Voici ce que les experts vous conseillent si vous souffrez de goutte ou croyez en être victime un jour:

Reposez-vous. «Pendant une crise grave, gardez l'articulation touchée surélevée et au repos», dit le Dr Agatha Thrash, pathologiste en Alabama et cofondatrice du Uchee Pines Institute, un Centre de santé sans but lucratif à Seale, en Alabama. Vous n'aurez sans doute aucun mal à suivre ce conseil, car les douleurs seront très vives. Pendant cette phase de la maladie, la plupart des patients ne peuvent même pas supporter le poids d'un drap sur l'articulation endolorie.

Prenez de l'ibuprofène. L'inflammation autour de l'articulation provoque une grande douleur. «Si vous devez prendre un analgésique, dit le Dr Jeffrey R. Lisse, professeur adjoint de rhumatologie à la faculté de médecine de l'université de Texas, à Galveston, assurez-vous qu'il s'agit d'un anti-inflammatoire, de l'ibuprofène, par exemple. Suivez les instructions du fabricant. Consultez votre médecin avant d'augmenter la dose si vous n'êtes pas soulagé», dit-il.

Évitez l'aspirine® et le paracétamol. Tous les analgésiques n'agissent pas de la même façon. «En fait, l'aspirine® peut

---

Quoi d'autre?

Les vertus curatives des cerises et du charbon activé...

Les cerises. Bien qu'il n'existe pas de preuves concrètes, certains prétendent que les cerises contribuent à soulager la goutte, qu'elles soient sucrées, fraîches ou en conserve. Les quantités consommées varient aussi considérablement: d'une poignée de cerises par jour à 250 g par jour. Le Dr Agatha Thrash dit qu'il y a aussi des gens qui obtiennent de bons résultats en prenant quotidiennement 15 ml de concentré de cerise.

Les cataplasmes de charbon. Le Dr Thrash recommande des cataplasmes de charbon. Ils ont pour effet d'extraire les toxines de l'organisme. Mélangez 235 ml de charbon activé pulvérisé avec quelques cuillerées à soupe de graines de lin (pulvérisées dans un mélangeur) et suffisamment d'eau chaude pour en faire une pâte. Appliquez le cataplasme sur l'articulation touchée et couvrez-le d'un linge ou d'un bout de plastique afin de le maintenir en place. Changez-le toutes les quatre heures ou laissez-le toute la nuit. Comme le charbon peut tacher, protégez vos vêtements et vos draps.

Les bains au charbon. «Vous pouvez aussi ajouter du charbon dans l'eau d'un bain de pieds», dit le Dr Thrash. Servez-vous d'une vieille bassine, car elle risque de rester tachée. Mélangez 125 ml de charbon pulvérisé avec suffisamment d'eau pour en faire une pâte. Ajoutez ensuite suffisamment d'eau chaude pour vous couvrir les pieds et laissez-les tremper de 30 à 60 minutes.

Le charbon par voie orale. «On peut prendre du charbon activé par voie orale pour réduire le taux d'acide urique dans le sang», dit le Dr Thrash. Prenez-en de 2,5 ml à 5 ml quatre fois par jour: au lever, au milieu de la matinée, au milieu de l'après-midi et au coucher.

aggraver la goutte en inhibant l'excrétion d'acide urique», dit le Dr Lisse. D'autre part, le paracétamol n'est pas un anti-inflammatoire assez puissant pour remédier au problème.

Mettez de la glace. «Si l'articulation en cause n'est pas trop sensible au toucher, mettez de la glace, dit le Dr John Abruzzo, directeur du Service de rhumatologie à l'université Thomas Jefferson. Elle aura un effet apaisant sur la douleur. Enveloppez la glace dans une serviette ou un tissu éponge, appliquez-la sur l'articulation douloureuse et laissez-la environ dix minutes. Recommencez au besoin.

Évitez les aliments riches en purine. «Les aliments riches en purine élèvent les taux d'acide urique», dit le Dr Robert Wortmann, professeur adjoint de médecine et codirecteur du Service de rhumatologie au collège médical du Wisconsin.

Les aliments les plus susceptibles de provoquer la goutte contiennent de 150 à 1 000 mg de purine par portion de 100 g et comprennent des produits du règne animal riches en protéines comme les anchois, la cervelle, les consommés, les sauces, le cœur, le hareng, les rognons, le foie, les extraits de viande, les moules, les sardines et les ris de veau.

Limitez votre consommation d'autres aliments contenant de la purine. Les aliments qui peuvent contribuer à une crise de goutte contiennent des quantités modérées de purine (de 50 à 150 mg de purine par portion de 100 g). Ils comprennent notamment les asperges, les haricots secs, le chou-fleur, les lentilles. les champignons, l'avoine, les pois secs, les mollusques, les épinards, les céréales de grains entiers et la levure. Les personnes qui souffrent de graves accès de goutte devraient limiter leur consommation à une portion par jour.

Le poisson, la viande et la volaille se rangent aussi dans cette catégorie. Limitez la consommation de ces aliments à une portion de 100 g, cinq jours par semaine.

Buvez beaucoup d'eau. Les liquides consommés en grandes quantités peuvent contribuer à filtrer l'excès d'acide urique avant qu'il ne cause des dommages. Le Dr Robert H. Davis, professeur de physiologie au collège de médecine podologique de Pennsylvanie, recommande surtout de l'eau. «La plupart des gens ne boivent pas suffisamment d'eau, dit-il. Pour obtenir de bons résultats, il faut en boire au moins cinq ou six verres par jour.»

D'une pierre deux coups: boire beaucoup d'eau pourrait aussi ralentir la formation de calculs rénaux, affection fréquente chez les personnes qui souffrent de goutte.

Songez aux tisanes. Les tisanes sont une autre bonne façon de consommer suffisamment de liquides. Comme elles ne contiennent ni caféine ni calories, vous pouvez en consommer de grandes quantités sans effets d'agitation. Le Dr Eleonore Blaurock-Busch, conseillère en nutrition, présidente et directrice de Trace Minerals International, recommande plus particulièrement la salsepareille, l'achillée, l'églantine et la menthe poivrée. Infusez-les comme du thé et buvez-en souvent.

Évitez l'alcool. «Ne buvez pas d'alcool si vous avez des antécédents de goutte», dit le Dr Gary Stoehr, professeur adjoint de pharmacie au Service de pharmacie de l'université de Pittsburgh. L'alcool semble accroître la production d'acide urique et en inhiber l'excrétion, ce qui peut provoquer des crises de goutte chez certaines personnes. «La bière est particulièrement contre-indiquée car elle est plus riche en purine que le vin ou les spiritueux», dit le Dr Blaurock-Busch.

Si vous cédez à la tentation, suivez le conseil du Dr Felix O. Kolb, professeur de médecine à la faculté de médecine de l'université de Californie, à San Francisco: «Buvez lentement et tempérez les effets du vin avec des hydrates de carbone qui s'absorbent rapidement, comme des biscuits salés, des fruits et des fromages».

Les médicaments utilisés pour votre tension artérielle. «Si vous êtes atteints d'hypertension artérielle en plus de souffrir de goutte, vous avez un double problème, car certains médicaments prescrits pour diminuer la tension artérielle font augmenter les taux d'acide urique», dit le Dr Lachman. Par conséquent, il serait sage d'adopter certaines mesures qui abaisseraient votre tension artérielle. Essayez par exemple de réduire votre consommation de sel, de perdre du poids et de faire de l'exercice. Rappelez-vous de ne jamais cesser de prendre un médicament sous ordonnance sans avoir consulté votre médecin.

Méfiez-vous des régimes amaigrissants à la mode. «Si vous faites de l'embonpoint, vous devez perdre du poids. Les personnes obèses présentent généralement des taux d'acide urique plus élevés. Faites attention aux régimes amaigrissants à la mode: ils ont tendance à déclencher des accès de goutte», dit le Dr Lisse. De tels régimes, y compris les jeûnes, amènent les cellules à se dégrader et à libérer de l'acide urique. De préférence, consultez votre médecin qui planifiera un régime amaigrissant sur mesure.

Consultez votre médecin au sujet de suppléments alimentaires.

«Soyez prudent avec les vitamines, dit le Dr Blaurock-Busch, car de trop fortes doses de certaines substances nutritives, plus particulièrement de niacine et de vitamine A, peuvent aggraver la goutte», précise-t-elle. Par conséquent, consultez toujours votre médecin avant d'augmenter les doses.

Faites attention de ne pas vous blesser.

Pour une raison inconnue, la goutte frappe souvent une articulation qui a déjà subi un traumatisme quelconque. «Par conséquent, faites attention de ne pas vous heurter le gros orteil ou de vous infliger quelque autre blessure, dit le Dr Abruzzo. Ne portez pas non plus de chaussures trop serrées, elles multiplient les risques de blessures mineures aux articulations.»

EXPERTS CONSULTÉS

Le Dr John Abruzzo est directeur du Service de rhumatologie et professeur de médecine à l'université Thomas Jefferson, à Philadelphie, en Pennsylvanie.

Le Dr Eleonore Blaurock-Busch est présidente et directrice de Trace Minerals International, un laboratoire de chimie clinique à Boulder, au Colorado. Elle est aussi conseillère en nutrition et se spécialise dans le traitement des allergies et des maladies chroniques au Alpine Chiropractic Center. Elle est l'auteur de *The No-Drug Guide to Better Health*.

Le Dr Robert H. Davis est professeur de physiologie au collège de médecine podologique de Pennsylvanie, à Philadelphie.

Le Dr Felix O. Kolb est professeur de médecine à la faculté de médecine de l'université de Californie, à San Francisco.

Le Dr Branton Lachman est professeur adjoint de pharmacie à l'école de pharmacie de l'université Southern California, à Los Angeles. Il est aussi vice-président des services cliniques chez Lachman Medical, à Corona, en Californie.

Le Dr Jeffrey R. Lisse est professeur adjoint de rhumatologie à la faculté de médecine de l'université du Texas, à Galveston.

Le Dr Gary Stoehr est professeur adjoint de pharmacie au Service de pharmacie de l'université de Pittsburgh, en Pennsylvanie.

Le Dr Agatha Thrash est pathologiste en Alabama et cofondatrice du Uchee Pines Institute, un centre de santé à but non lucratif à Seale, en Alabama. Elle donne des conférences dans le monde entier et est l'auteur de *Charcoal*.

Le Dr Robert Wortmann est professeur adjoint de médecine et codirecteur du Service de rhumatologie au collège médical du Wisconsin, à Milwaukee. Il est aussi directeur de la médecine au Clement J. Zablocki Veterans Medical Center, dans la même ville.

Grippe

21 remèdes pour combattre les microbes

Avez-vous le front brûlant, des douleurs musculaires et d'horribles élancements dans la tête? Vous avez sans doute attrapé le virus de la grippe, et ce n'est que le début.

On devrait qualifier ce virus insidieux de monstre aux mille visages. Bien qu'il n'en existe que trois grands types de virus (Influenza A, B et C), ils ont une capacité de mutation illimitée. Même si votre organisme développe une immunité à la grippe contre le virus d'une souche particulière, il se peut qu'après la mutation dudit virus, vous ressentiez les effets quelques mois plus tard et même l'année suivante.

Peut-on échapper à la grippe? Cela dépend. Il existe en effet certaines mesures préventives que l'on peut essayer (voir l'encadré ci-après). Cependant, quand le virus se manifeste, il est déjà trop tard.

Oubliez les antibiotiques. La grippe est causée par une infection virale, et les antibiotiques n'ont aucun effet sur ces virus. Le seul recours: soulager les symptômes le mieux possible. Voici comment:

Restez à la maison. «La grippe est une maladie très contagieuse qui se propage comme les flammes, dit le Dr Pascal James Imperato, professeur et chef du Service de médecine préventive et de santé communautaire au Centre des sciences de la santé du collège de médecine de Brooklyn, à l'université de l'État de New York. Par conséquent, ne jouez pas au bourreau de travail ni au martyr. N'allez pas au travail, ni ailleurs, jusqu'à ce que votre température revienne à la normale pendant une journée entière. N'envoyez pas non plus vos enfants à l'école tant qu'ils ne sont pas parfaitement rétablis.

Reposez-vous! Si vous avez la grippe, vous n'aurez aucun mal à suivre ce conseil, car vous serez trop malade pour faire autre

Toute la vérité sur la grippe

Comment peut-on distinguer une grippe d'un rhume? Il ne s'agit pas d'une énigme. Bien qu'il existe des similarités entre ces deux maladies, et leur traitement, elles sont causées par des micro-organismes très différents. La phase la plus aiguë d'un rhume dure plus longtemps que celle de la grippe. En revanche, la grippe nous fait sentir plus misérable. Voici, selon le Dr Thomas Gossel, professeur de pharmacologie et de toxicologie à l'université Ohio Northern, la liste des symptômes courants du rhume et de la grippe, et leurs différences:

La fièvre. Elle est une caractéristique de la grippe et se déclenche soudainement. Un rhume cause rarement de la fièvre.

Les maux de tête. Un symptôme important de la grippe, rarement du rhume.

Les malaises généralisés. En cas de grippe, les malaises généralisés sont courants et souvent assez graves. Un rhume ne cause qu'un léger malaise.

La fatigue. La fatigue est extrême en cas de grippe et peut persister pendant deux ou trois semaines; un rhume ne provoque qu'une légère fatigue.

Les écoulements du nez. À l'occasion, dans le cas d'une grippe; très courants dans le cas d'un rhume.

Les maux de gorge. Des maux de gorge accompagnent parfois la grippe, mais ils sont surtout un symptôme courant du rhume.

La toux. Elle est fréquente en cas de grippe et peut devenir grave; un rhume ne provoque qu'une toux légère ou modérée.

chose. «Le repos au lit est essentiel, dit le Dr Imperato, car votre corps mettra toute son énergie à combattre le virus. Si vous vous dépensez trop, vous réduisez vos défenses naturelles et vous exposez à une rechute.»

Buvez beaucoup de liquide. Surtout si vous faites de la fièvre, car vous risquez de vous déshydrater. De plus, les liquides peuvent vous fournir les substances nutritives nécessaires si vous vous sentez trop malade pour manger. Les potages et les jus de fruits et de légumes vous feront beaucoup de bien. Le Dr Eleonore

Déjouez le virus

L'immunité individuelle d'une part, et la souche particulière du virus d'une grippe d'autre part déterminent dans une large mesure qui sera atteint et qui ne le sera pas. Quoi qu'il en soit, il y a des mesures à prendre pour réduire la propension à un virus virulent.

Faites-vous vacciner contre la grippe. Tous les ans, les chercheurs mettent au point un virus contre la plus récente souche du virus en circulation. «Par conséquent, protégez-vous contre la grippe en vous faisant vacciner à l'automne ou au début de l'hiver», dit l'épidémiologiste Suzanne Gaventa. Elle recommande plus particulièrement le vaccin anti-grippe aux résidents de foyers pour convalescents et aux personnes âgées, aux malades chroniques qui souffrent notamment de maladies cardiaques ou pulmonaires, aux personnes de plus de 65 ans et à la plupart des personnes qui travaillent en milieu hospitalier.

Il arrive que le vaccin ne prévienne pas la grippe, mais qu'il atténue considérablement la gravité de la maladie. Agissez avant que le virus ne soit présent dans votre région, car ses effets mettent environ deux semaines à se manifester. Mise en garde: ce vaccin ne convient pas aux personnes qui sont allergiques aux œufs, car il est fabriqué à base de ce produit.

Évitez les foules. «Puisque le virus est très contagieux, évitez les cinémas, les théâtres, les centres commerciaux et les autres endroits bondés pendant une épidémie», dit le Dr Pascal James Imperato. De plus, tenez-vous loin des personnes qui éternuent ou qui toussent, même si vous devez pour cela changer d'ascenseur ou renoncer à un siège dans le bus.

Ne restez pas au froid. Une exposition prolongée à des températures humides et froides diminue votre résistance et augmente vos risques d'infection.

Débarrassez-vous de vos mauvaises habitudes. La cigarette et l'alcool peuvent aussi miner votre résistance. «La cigarette endommage surtout les voies respiratoires et vous rend plus sensible à la grippe», dit le Dr Imperato.

À vos risques! Les baisers sont l'une des meilleures façons de propager la grippe. En fait, le simple fait de dormir dans la même chambre qu'un conjoint malade présente des risques considérables. Si vous le pouvez, couchez dans une autre pièce tant que votre partenaire n'est pas rétabli.

Ménagez vos forces. Prenez soin de ne pas vous fatiguer. Si vous avez à repeindre votre salon, nettoyer le grenier ou transformer le sous-sol en salle de jeu pour les enfants, ne le faites pas en période de grippe.

Blaurock-Busch, conseillère en nutrition et présidente de Trace Minerals International, à Boulder, au Colorado, recommande plus particulièrement les jus de betterave et de carotte, les deux riches en vitamines et en minéraux.

Le Dr Jay Swedberg, professeur adjoint de médecine familiale au collège des sciences de la santé de l'université du Wyoming, recommande aux gens de diluer les jus de fruits en leur ajoutant une quantité égale d'eau. «Une petite quantité de sucre vous fournira le glucose dont vous avez besoin, mais une trop grande quantité peut provoquer une diarrhée lorsque vous êtes malade, explique-t-il. Diluez aussi la bière de gingembre et les autres boissons gazeuses sucrées. Laissez les bulles s'évaporer avant de les consommer: elles produisent des gaz dans l'estomac et peuvent provoquer de la nausée.»

Prenez des analgésiques. L'aspirine®, le paracétamol ou l'ibuprofène peuvent soulager la fièvre, les maux de tête et les douleurs qui accompagnent souvent une grippe. «Prenez deux comprimés toutes les quatre heures», dit le Dr Donald Vickery, conseiller en santé auprès des entreprises, en Virginie, et professeur adjoint à la faculté de médecine de l'université de Georgetown. Comme les symptômes sont souvent plus prononcés l'après-midi et le soir, prenez vos médicaments régulièrement pendant cette période de la journée.

Ne donnez pas d'aspirine® aux jeunes. «Les jeunes de moins de 21 ans qui ont la grippe ne doivent jamais prendre d'aspirine® ou des médicaments contenant de l'aspirine®», dit l'épidémiologue Suzanne Gaventa, attachée aux Centers for Disease Control à Atlanta, en Georgie. Des études ont démontré que l'aspirine® rend les jeunes souffrant de la grippe plus susceptibles de développer le syndrome de Reye, une maladie neurologique qui peut mettre leur vie en danger. Administrez plutôt du paracétamol aux jeunes et suivez les directives du médecin.

Pensez-y à deux fois avant de prendre d'autres médicaments. «Les médicaments en vente libre contre le rhume peuvent temporairement soulager vos symptômes», dit le Dr Imperato.

Les antihistaminiques peuvent notamment assécher un nez qui coule. Mais agissez avec prudence, car ces médicaments peuvent supprimer les symptômes et vous donner l'impression d'être guéri sans l'être vraiment. En reprenant prématurément vos activités, vous risquez une rechute ou de graves complications.

Gargarisez-vous à l'eau salée. «Les maux de gorge sont une caractéristique de la grippe. Afin d'obtenir un certain soulagement et de débarrasser la gorge des sécrétions qui s'y accumulent, gargarisez-vous avec une solution d'eau salée, dit Mary Ann Pane, infirmière à Philadelphie, en Pennsylvanie. Faites dissoudre 5 ml de sel dans un demi-litre d'eau chaude. Cette concentration, qui correspond à peu près au pH des tissus de l'organisme, produit un effet apaisant», ajoute Mary Ann Pane. Faites-le aussi souvent que vous le désirez, mais n'avalez pas la solution, car elle contient beaucoup trop de sel.

Sucez des bonbons ou des pastilles. «Sucer des bonbons durs ou des pastilles peut garder votre gorge humide, de sorte que vous vous sentirez mieux», dit Mary Ann Pane. De plus, ces produits contiennent des calories dont votre organisme a besoin durant la période où vous mangez peu.

Humidifiez l'air. Accroître le degré d'humidité dans votre chambre adoucira les misères de la toux, les maux de gorge et la sécheresse à l'intérieur des narines. «Un humidificateur ou un vaporisateur peuvent être utiles si vous souffrez de congestion pulmonaire ou nasale», dit le Dr Calvin Thrash, fondateur du Uchee Pines Institute, un centre d'éducation en santé sans but lucratif à Seale, en Alabama.

Dorlottez votre nez. À force de moucher, votre pauvre nez est meurtri. «Lubrifiez fréquemment vos narines afin de prévenir l'irritation», dit Mary Ann Pane. De préférence, employez un produit comme le K-Y Jelly® plutôt que de la vaseline, qui sèche rapidement.»

Laissez la chaleur vous soulager. La grippe s'accompagne généralement de douleurs et de fatigue musculaires. «Réchauffez vos muscles et soulagez vos douleurs à l'aide d'un coussin chauffant», conseille Mary Ann Pane.

Réchauffez-vous les pieds. «Faites tremper vos pieds dans de l'eau chaude, vous soulagerez vos maux de tête et votre congestion nasale», dit le Dr Thrash.

Respirez de l'air frais. «Assurez-vous que votre chambre à coucher est bien ventilée et que de l'air frais circule constamment», dit le Dr Thrash. Prenez soin, cependant, d'éviter les courants d'air et les refroidissements en vous bordant bien sous les couvertures.

Ne sous-estimez pas la grippe

La grippe peut être aussi mortelle de nos jours qu'elle l'a été en 1918, l'année où elle a tué plus de 20 millions de personnes dans le monde. Par conséquent, le Dr Pascal James Imperato vous conseille de voir un médecin si:

- vous avez la voix rauque
- vous ressentez des douleurs à la poitrine
- vous avez de la difficulté à respirer
- vous crachez des sécrétions jaunâtres ou verdâtres.

«Sachez aussi que des vomissements prolongés peuvent mener à la dé-shydratation, qui peut s'avérer particulièrement grave chez les très jeunes enfants et les personnes âgées», dit Mary Ann Pane. Les douleurs abdomi-nales peuvent être le signe d'un autre problème, l'appendicite, par exemple. Consultez un médecin si les douleurs ou les vomissements persistent plus d'une journée.

Faites-vous masser. «Non seulement un massage du dos peut contribuer à stimuler le système immunitaire pour combattre la grippe, dit le Dr Thrash, mais il est généralement très béné-fique.

Mangez légèrement et intelligemment. Pendant la phase la plus aiguë de la grippe, vous n'aurez sans doute pas d'appé-tit. «Lorsque vous serez prêt à passer d'un régime liquide à un régime plus substantiel, je vous conseille des aliments fades et riches en amidon, dit le Dr Swedberg. Le pain grillé nature est un bon choix, tout comme les bananes, la purée de pommes, le fromage blanc, le riz bouilli, les puddings, les céréales cuites et les pommes de terre au four, que vous pouvez garnir de crème fraîche.» Pour un dessert rafraîchissant, faites congeler des bananes bien mûres. Puis, à l'aide d'un robot culinaire, passez-les en purée.

EXPERTS CONSULTÉS

Le Dr Eleonore Bleurock-Buoch est présidente et directrice de Trace Minerals International Inc., un laboratoire de chimie clinique à Boulder, au Colorado. Elle est aussi conseillère en nutrition et se spécialise dans le traitement des allergies et des maladies chroniques au Alpine Chiropractic Center dans cette ville. Elle est l'auteur de *The No-Drugs Guide to Better Health.*

Suzanne Gaventa est épidémiologue au Service des maladies virales aux Centers for Disease Control à Atlanta, en Georgie.

Le Dr Thomas Gossol est professeur de pharmacologie et de toxicologie à l'université Ohio Northern, à Ada, et chef du Service de pharmacologie et de sciences médicales de cette université. Il se spécialise dans les médicaments en vente libre.

Le Dr Pascal James Imperato est professeur et chef du Service de médecine préventive et de santé communautaire au Centre des sciences de la santé du collège de médecine de Brooklyn, à l'université de l'état de New York. Il est aussi rédacteur au New York State Journal of Medicine et auteur de *What to Do about the Flu.* Il a aussi été membre de la commission sur la santé de la ville de New York.

Mary Ann Pane est infirmière à Philadelphie, en Pennsylvanie. Elle est affiliée aux Community Home Health Services, un organisme qui s'occupe de personnes qui ont besoin de soins de santé à domicile.

Le Dr Jay Swedberg est professeur adjoint de médecine familiale au collège des sciences de la santé de l'université du Wyoming, à Laramie.

Le Dr Calvin Trash est fondateur du Uchee Pines Institute, un centre d'éducation en santé à but non lucratif à Seale, en Alabama. Il est aussi coauteur de *Natural Remedies: A Manual.*

Le Dr Donald Vickery est président du Centre de promotion de la santé dans les entreprises, à Reston, en Virginie. Il est aussi professeur adjoint de médecine familiale et de médecine communautaire à la faculté de médecine de l'université de Georgetown, à Washington, D.C., et professeur adjoint de médecine familiale au collège médical de Virginie, à Richmond. Il est l'auteur de *Life Plan for Your Health* et co-auteur de *Take Care of Yourself.*

Gueule de bois

18 façons de s'en remettre

Il fait un temps superbe, mais vous voulez mourir. Non seulement le chant des oiseaux vous exaspère, mais les rayons du soleil qui filtrent à travers la fenêtre vous transpercent les yeux comme des poignards et vous aveuglent. Aujourd'hui, la vie n'a vraiment rien de drôle!

C'est simple! Vous êtes victime de vos excès. Mais que pouvez-vous faire pour vous sentir un peu mieux? Malheureusement, pas grand-chose. Le temps est le seul remède. Il existe toutefois quelques moyens pour atténuer les maux de tête, la nausée et la fatigue, et survivre jusqu'au lendemain.

Buvez des jus de fruits. «Les jus de fruits contiennent du fructose, un sucre qui aide l'organisme à brûler l'alcool plus rapidement», explique le Dr Seymour Diamond, directeur de la clinique Diamond Headache, à Chicago, en Illinois. Buvez un grand verre de jus d'orange ou de tomate le lendemain matin. Votre organisme filtrera l'alcool plus rapidement», dit-il.

Le lendemain de la fête

Vous adorez faire la fête et vous vous en portez très bien: peu importe la quantité d'alcool ingurgitée, vous êtes toujours en forme le lendemain matin.

Méfiez-vous. Selon une étude menée à l'université Stanford, en collaboration avec les forces navales américaines, le fait de se sentir en forme est une illusion.

L'équipe de l'université de Stanford a suivi de près des pilotes de chasseurs P-3. À l'aide de simulateurs de vols, les chercheurs ont évalué les compétences des pilotes parfaitement sobres, puis 14 heures après de joyeuses libations.

Les résultats: «Bien qu'ils prétendaient le contraire, les pilotes faisaient preuve d'un meilleur rendement quand ils n'avaient pas bu la veille», dit le Dr Von Lierer, directeur de recherche et propriétaire de Decision Systems, une firme de recherche et de développement à Stanford, en Californie.

En d'autres termes, l'alcool peut être encore présent dans le sang, même quand on n'en ressent plus les effets.

«Si vous avez un important rendez-vous, devez faire un exposé, ou donner le meilleur de vous même, évitez de boire la veille», conseille le Dr Lierer.

Les pilotes d'avion ne sont pas les seuls à subir les conséquences néfastes de l'alcool. Selon une étude suédoise dont les résultats ont été publiés dans le *Journal of the American Medical Association,* les chauffeurs de véhicules ont les mêmes problèmes de rendement que les pilotes lorsqu'ils boivent.

Des chercheurs suédois ont fait subir à 22 volontaires un test de conduite sur un parcours à obstacles, au volant d'un break. Au moment où il s'y attendait le moins, on donnait l'ordre au chauffeur de contourner une balise. Le temps de freinage et le nombre d'obstacles franchis constituait la mesure de dextérité au volant.

Les résultats: 19 des 22 volontaires ont affiché des résultats nettement inférieurs parce qu'ils avaient la gueule de bois.

Comment éviter la gueule de bois

Si vous vous êtes déjà levé avec la gueule de bois, vous souhaitez sans doute ne plus jamais avoir à revivre l'expérience! Or, sachez que vous n'avez pas à renoncer à l'alcool pour vous amuser le soir et être en forme le lendemain.

«De nouvelles recherches commencent à démontrer que la principale cause de la gueule de bois est le sevrage aigu d'alcool, dit le Dr Mack Mitchell, vice-président de la fondation de recherche médicale sur les boissons alcoolisées, à Baltimore, au Maryland, et professeur de médecine à l'université Johns Hopkins. En présence d'alcool, des cellules du cerveau subissent une transformation physique. Lorsque votre organisme est débarrassé complètement de l'alcool, vous vous trouvez dans un état de manque tant que ces cellules ne se sont pas réadaptées à l'absence de la substance.»

En outre, si l'on considère les effets de l'alcool sur les vaisseaux sanguins dans la tête, lesquels peuvent enfler considérablement selon la quantité d'alcool consommée, il n'est pas étonnant que les victimes ne veuillent plus jamais avoir la gueule de bois.

Buvez lentement. Plus vous buvez lentement, moins il y a d'alcool qui se rend à votre cerveau. Selon le Dr Mitchell, ce phénomène s'explique par un simple calcul d'arithmétique. Votre organisme brûle l'alcool à un rythme donné, soit environ 30 ml à l'heure. Plus vous lui laissez le temps de le faire, moins il y a d'alcool qui s'infiltre dans le flux sanguin et atteint le cerveau.

Buvez l'estomac plein. «De préférence, mangez si vous buvez. C'est la meilleure chose à faire pour éviter la gueule de bois ou l'atténuer, dit le Dr Mitchell. Les aliments ralentissent l'absorption de l'alcool. Or, plus votre organisme absorbe l'alcool lentement, moins votre cerveau risque d'être affecté.» Ce que vous mangez n'a aucune importance.

Pensez à ce que vous allez boire. «Ce que vous buvez peut grandement influencer la façon dont vous vous sentirez le lendemain», soutient le Dr Blum. Méfiez-vous des congénères.

Mangez des biscuits salés et du miel. Le miel est une source très concentrée de fructose. «Si vous en mangez le lendemain matin, vous aiderez votre organisme à filtrer l'alcool qui reste dans votre système», dit le Dr Diamond.

Prenez des analgésiques. Les maux de tête se classent parmi les premiers symptômes de la gueule de bois. «Vous pouvez prendre de l'aspirine®, du paracéamol, mais rien de plus fort, dit le

«Les congénères sont d'autres formes d'alcool (l'éthanol qui rend ivre) présentes dans pratiquement toutes les boissons alcoolisées, dit le Dr Blum. On ne connaît pas la façon dont ils agissent, mais ils sont étroitement liés aux inconforts que vous ressentez après avoir bu.»

L'alcool le moins dangereux est la vodka; les pires sont les cognacs et les champagnes de toutes sortes. Le vin rouge présente aussi certains risques, mais pour d'autres raisons. Il contient de la tyramine, une substance semblable à l'histamine qui donne de graves maux de tête. Si vous avez déjà fait des excès de vin rouge, vous connaissez sans doute le problème.

Évitez les bulles. Pas uniquement celles du champagne. Les Drs Mitchell et Blum en conviennent. Toute boisson gazeuse pose un problème particulier, par exemple le rhum avec du coca-cola est aussi néfaste que le champagne. Les bulles accélèrent le rythme auquel l'alcool pénètre dans la circulation sanguine. Le foie essaie de fonctionner normalement, mais il n'y arrive pas, de sorte que le surplus d'alcool se déverse dans le sang. Et, le lendemain matin, vous avez la gueule de bois!

Tenez compte de votre poids. À quelques exceptions près, une personne de 55 kg ne peut absolument pas boire autant que celle qui pèse le double. Ne l'oubliez pas. Une personne de 55 kg ressentira les mêmes effets même si elle a bu deux fois moins.

Prenez de l'alka-seltzer® avant de vous coucher. «Il n'existe pas de données scientifiques incontestables sur le sujet, mais mon expérience en clinique et celle de nombreux autres médecins m'ont convaincu du fait que boire de l'eau et prendre de l'alka-seltzer avant le coucher peut grandement atténuer la gueule de bois du lendemain», dit le Dr John Brick. D'autres soutiennent que prendre deux aspirines, soit l'équivalent d'une dose d'alka-seltzer® sans les bulles, peut aussi réduire la gravité de la gueule de bois.

Dr Diamond. Les analgésiques plus puissants présentent des risques d'accoutumance. Votre premier problème ne doit pas en créer un deuxième!»

L'écorce de bouleau. «L'écorce de bouleau est l'alternative naturelle si vous recherchez un analgésique organique», dit le Dr Kenneth Blum, chef du Service des maladies associées à l'alcool au Centre des sciences de la santé de l'université du Texas, à

San Antonio. L'écorce de bouleau contient une forme particulière de salicylate, l'agent actif de l'aspirine®, qui se libère lorsque vous le mâchez», explique le Dr Blum.

Faites-vous des bouillons. «Les bouillons faits à partir de sachets de concentré ou les bouillons maison vous aideront à remplacer le sel et le potassium que vous avez perdus en prenant de l'alcool», dit le Dr Diamond.

Reconstituez vos réserves d'eau. «L'alcool déshydrate les cellules de l'organisme», dit le Dr John Brick, chef de la recherche au Centre d'études sur l'alcool à l'université d'État Rutgers, au New Jersey. «Beaucoup d'eau au coucher et au lever atténuera les malaises de la déshydratation.»

Prenez des vitamines du groupe B. L'alcool prive l'organisme de ces précieuses vitamines. Des recherches démontrent que l'organisme a besoin de vitamines du groupe B pour lutter contre le stress. «Or, la fatigue causée par les abus d'alcool, de bière ou de vin est une source de stress», dit le Dr Blum. Par conséquent, avec des réserves de vitamines du groupe B, les effets de la gueule de bois se dissiperont plus rapidement.

Prenez des acides aminés. Les acides aminés agissent en tant que matériaux de construction des protéines. L'alcool les expulse de l'organisme, avec les vitamines et les minéraux. Par conséquent, vous devez refaire vos réserves d'acides aminés afin de minimiser les dommages. Une petite quantité d'hydrates de carbone aidera à refaire vos réserves d'acides aminés dans le sang. On peut aussi se procurer des gélules d'acides aminés dans la plupart des commerces d'aliments naturels.

Buvez deux tasses de café. «Le café a un effet vasoconstricteur; il réduit la dilatation des vaisseaux sanguins, laquelle cause les maux de tête, explique le Dr Diamond. Deux tasses de café peuvent faire des merveilles contre les maux de tête de la gueule de bois.» Prenez soin cependant de ne pas trop en boire, à cause des effets néfastes de la caféine.

Prenez un bon repas. Si vous le pouvez, bien entendu! «Un repas équilibré remplacera les substances nutritives essentielles perdues», dit le Dr Blum. Mangez légèrement, et évitez les graisses et les fritures.

Laissez le temps faire son œuvre. Le seul remède éprouvé et infaillible pour guérir la gueule de bois est de lui accorder une période de 24 heures. Traitez les symptômes du mieux possible. Offrez-vous une bonne nuit de sommeil et, le surlendemain, vous aurez sans doute oublié.

EXPERTS CONSULTÉS

Le Dr Kenneth Blum est chef du Service des maladies associées à l'alcool au Centre des sciences de la santé de l'université du Texas, à San Antonio.

Le Dr John Brick est chef de la recherche au Service d'éducation et de formation du Centre d'études sur l'alcool de l'université d'État Rutgers, à Piscataway, au New Jersey.

Le Dr Seymour Diamond est directeur de la clinique Diamond Headache et de l'unité responsable des patients souffrant de maux de tête à l'hôpital Louis A. Weiss Memorial, à Chicago, en Illinois. Il est aussi directeur général de la National Headache Foundation et coauteur de divers ouvrages sur les maux de tête.

Le Dr Von Lierer est directeur de recherche et propriétaire de Decision Systems, une firme de recherche et de développement à Stanford, en Californie. Il a aussi été psychologue à l'université Stanford.

Le Dr Mack Mitchell est vice-président de la Fondation de recherche médicale sur les boissons alcoolisées, à Baltimore, au Maryland. Il est aussi professeur adjoint de médecine à l'université Johns Hopkins.

Hémorroïdes

18 remèdes pour les soulager

Les hémorroïdes sont une source de tracas pour bon nombre de personnes. Il ne devrait pas en être ainsi. En fait, les hémorroïdes sont l'une des affections les plus courantes et l'on estime que huit personnes sur 10 en souffrent à un moment ou à un autre de leur vie. Napoléon souffrait d'hémorroïdes. On prétend même que la douleur qu'il ressentait a contribué à sa cinglante défaite à Waterloo.

Vous pouvez toutefois faire en sorte que les hémorroïdes ne soient pas des défaites. Comme les varices, la dilatation des veines de l'anus est en partie héréditaire. Une mauvaise alimentation et un

ALERTE MÉDICALE

Quand faut-il consulter un médecin?

Si vous n'avez jamais eu la moindre affection dans la région du rectum ou de l'anus et que vous ressentez soudainement de la douleur, vous souffrez probablement d'hémorroïdes. Ce pourrait aussi être autre chose. Vous pourriez, par exemple, souffrir d'une infestation parasitaire. Vous rentrez d'un voyage à l'étranger et la douleur s'accompagne de démangeaisons. Dans ce cas, vous avez besoin de soins médicaux afin de traiter le problème.

«Toute personne qui a du sang dans ses selles devrait consulter un médecin, dit le Dr Edmund Leff. Les hémorroïdes ne se transforment jamais en cancer. Cependant, les hémorragies peuvent être causées tant par des hémorroïdes que par un cancer.»

«Il arrive qu'il se forme dans la veine tuméfiée des caillots qui provoquent une ecchymose très douloureuse dans la région anale, dit le Dr John O. Lawder. Dans la plupart des cas, votre médecin peut facilement exciser le caillot.»

manque d'hygiène en sont la cause; une alimentation équilibrée et une bonne hygiène en sont le remède.

Lisez donc ce que les experts ont à dire à ce sujet:

Facilitez l'évacuation des selles. La stratégie la plus efficace contre les hémorroïdes consiste à s'attaquer directement à la source. En général, les personnes qui souffrent d'hémorroïdes ont de la difficulté à aller à la selle. Les efforts durant la défécation entraînent une tension qui cause la dilatation des veines du rectum. Les selles dures aggravent le problème en irritant une région déjà sensible. La solution: buvez beaucoup de liquides, mangez beaucoup de fibres et lisez souvent les conseils qui suivent.

Lubrifiez votre tube digestif. Vos selles devraient être plus molles et plus faciles à évacuer lorsque vous augmentez la teneur en fibres et en fluides de votre alimentation. «Vous pouvez toutefois faciliter davantage la défécation en lubrifiant votre anus avec un peu de vaseline», dit le Dr Edmund Leff, un chirurgien du côlon et du rectum qui pratique à Phoenix et à Scottsdale, en Arizona. À l'aide d'un tampon de coton ou d'un doigt, étendez la vaseline jusqu'à une profondeur d'environ un centimètre dans le rectum.

Lavez-vous délicatement. Le traitement des hémorroïdes ne s'arrête pas une fois que vous êtes allé à la selle. «Il est très important de bien laver la région anale, dit le Dr John O. Lawder, médecin de famille spécialisé en médecine préventive et en nutrition de Torrance, en Californie. Le papier hygiénique peut être irritant. En outre, certaines marques contiennent des produits chimiques. Utilisez toujours du papier hygiénique blanc, non parfumé et humectez-le.

Choisissez un papier hygiénique plus doux. Si vous n'avez jamais entendu parler du papier hygiénique lubrifié, c'est qu'il n'existe pas encore. Mais il existe des mouchoirs de papier enduits de crème lubrifiante. Selon le Dr Lawder, c'est le papier hygiénique le plus doux pour les hémorroïdes.

Ne vous grattez pas. Les hémorroïdes peuvent causer des démangeaisons. Ne succombez pas à la tentation de vous gratter. «Vous pourriez endommager les parois délicates des veines et aggraver la situation», dit le Dr Lawder.

Évitez les objets lourds. «Soulever des objets lourds ou s'adonner à des exercices vigoureux peut avoir le même effet que les efforts durant la défécation», dit le Dr Leff. Si vous avez une prédisposition aux hémorroïdes, demandez à un ami de vous aider à déménager un meuble lourd ou embauchez quelqu'un pour le faire.

Prenez un bain de siège. Il s'agit de s'asseoir dans huit à 10 cm d'eau tiède dans le bain, les genoux relevés. Le bain de siège reste le remède de prédilection de la plupart des experts. «L'eau tiède soulage la douleur tout en activant la circulation dans la région affectée, ce qui contribue à réduire la taille des veines tuméfiées», dit le Dr J. Byron Gathright Jr, directeur du Service de chirurgie du côlon et du rectum à la clinique Ochsner de la Nouvelle-Orléans, en Louisiane, et professeur adjoint de chirurgie à l'université Tulane.

Achetez un médicament contre les hémorroïdes. Il existe sur le marché de nombreuses crèmes et des suppositoires contre les hémorroïdes. Contrairement à ce que prétendent les publicités, ces produits ne guérissent pas les hémorroïdes. «La plupart agissent comme un anesthésique local et peuvent simplement soulager la douleur», dit le Dr Gathright.

Choisissez une crème. «De préférence, choisissez une crème plutôt qu'un suppositoire, dit le Dr Leff. Ce dernier est tout à fait inutile dans le cas d'hémorroïdes externes et même internes. Il s'enfonce trop profondément dans le rectum pour être d'un certain secours», dit-il.

L'hamamélis peut faire des miracles. «L'hamamélis est l'un des meilleurs remèdes contre les hémorroïdes externes, surtout en cas d'hémorragie», dit le Dr Marvin Schuster, directeur du Service des maladies digestives du Centre médical Francis Scott Key de Baltimore, au Maryland, et professeur de médecine et de psychiatrie à la faculté de médecine de l'université Johns Hopkins. Appliquez l'hamamélis sur la région rectale à l'aide d'un tampon de coton. «Les barbiers appliquent de l'hamamélis lorsqu'ils coupent leurs clients. Il a un effet vasoconstricteur, il réduit donc la taille des vaisseaux sanguins», dit-il.

Le froid, même de l'eau froide, soulage la douleur des hémorroïdes. Mais l'hamamélis glacé fait des miracles. Mettez une bouteille d'hamamélis dans un seau à glace. «Trempez un tampon de coton dans l'hamamélis glacé et appliquez-le sur vos hémorroïdes jusqu'à ce qu'il perde sa fraîcheur. Répétez le traitement», suggère le Dr Schuster.

Quoi d'autre?

La prunelle ordinaire, la solution de l'herboriste

«L'un de mes patients a découvert que le collinsonia est le seul remède efficace contre ses hémorroïdes», dit le Dr Grady Deal, chiropraticien et psychothérapeute nutritionnel à Koloa, Kauai, à Hawaï. Le collinsonial, également connu sous le nom de prunelle ordinaire, est un vieux remède très populaire au siècle dernier. On peut s'en procurer dans les magasins d'aliments naturels.

Dans *New Age Herbalist*, de Richard Mabey, le Collinsonia canadensis, ou prunelle ordinaire, est décrit comme «une plante qu'on utilise principalement pour renforcer la structure et la fonction des veines. Il est particulièrement efficace dans le traitement des hémorroïdes». Selon le Dr Deal, la plante possède des propriétés astringentes qui peuvent soulager les hémorroïdes.

«En cas de crise aiguë, prenez deux gélules de 375 mg deux fois par jour avec les repas. Certaines personnes doivent prendre deux gélules par jour indéfiniment afin de contrôler leurs symptômes», dit le Dr Deal. «J'en ai toujours sous la main pour mes patients.» Consultez d'abord votre médecin.

Surveillez votre poids. «Puisque le poids exerce une plus grande pression sur les extrémités inférieures, les personnes obèses sont plus sujettes aux hémorroïdes et aux varices», explique le Dr Lawder.

Limitez votre consommation de sel. Vous adorez les frites très salées? «Malheureusement, l'excès de sel peut aggraver les hémorroïdes, car il retient les fluides dans le système circulatoire, ce qui fait saillir les veines dans l'anus et dans le corps», dit le Dr Lawder.

Évitez certains aliments et certaines boissons. Sans aggraver les hémorroïdes, certains aliments peuvent contribuer au problème en irritant l'anus au moment de la défécation. «Méfiez-vous du café, des épices, de la bière et des boissons à base de caféine», dit le Dr Leff.

Vous êtes enceinte? Allégez la pression. «Les femmes enceintes ont une grande prédisposition aux hémorroïdes, car l'utérus s'appuie directement sur les vaisseaux sanguins des veines hémorroïdales», dit le Dr Lewis R. Townsend, professeur d'obstétrique et de gynécologie à l'hôpital universitaire Georgetown à Washington, D.C. Si vous êtes enceinte, le Dr Townsend vous recommande de vous coucher sur le côté gauche 20 minutes toutes les quatre à six heures. Vous réduirez ainsi la pression sur la veine principale qui irrigue la moitié inférieure du corps.

Donnez-leur une petite poussée. Parfois, les hémorroïdes ne sont pas causées par la tuméfaction des veines, mais par l'affaissement de la paroi de l'anus. Si vous avez ce genre d'hémorroïdes protubérantes, essayez de les repousser dans le canal anal», dit le Dr Townsend. Lorsqu'elles font saillie, il se forme des caillots dans les veines tuméfiées.

Asseyez-vous sur un beignet. Il s'agit bien sûr de coussins en forme de beignet. On peut se les procurer dans les pharmacies ou dans les magasins de fournitures médicales. «Ils s'avèrent surtout utiles pour les personnes qui doivent rester assises pendant de longues périodes», dit le Dr Townsend.

Faites l'essai d'un gicleur miniature. Ce petit dispositif se fixe sous le siège des toilettes et fait gicler un mince filet d'eau dans le rectum chaque fois que vous allez à la selle. Il nettoie bien le rectum et sert aussi de petit bain de siège.

EXPERTS CONSULTÉS

Le Dr Grady Deal est chiropraticien et psychothérapeute nutritionnel à Koloa Kauai, à Hawaï. Il est également le fondateur et propriétaire de la station thermale Dr Deal's Hawaiian Fitness Holiday à Koloa.

Le Dr Byron Gathright Jr est directeur du Service de chirurgie du côlon et du rectum à la clinique Ochsner de la Nouvelle-Orléans, en Louisiane, et professeur adjoint de chirurgie à l'université Tulane de la même ville. Il est en outre président de l'American Society of Colon and Rectal Surgeons.

Le Dr John O. Lawder est un médecin de famille spécialisé en médecine préventive et en nutrition de Torrance, en Californie.

Le Dr Edmund Leff est un chirurgien du côlon et du rectum qui pratique à Phoenix et à Scottsdale, en Arizona.

Le Dr Marvin Schuster est directeur du Service des maladies digestives du Centre médical Francis Scott Key de Baltimore, au Maryland. Il est aussi professeur de médecine et de psychiatrie à la faculté de médecine de l'université Johns Hopkins.

Le Dr Lewis R. Townsend a un cabinet privé à Bethesda, au Maryland. Il est aussi professeur d'obstétrique et de gynécologie à l'hôpital universitaire Georgetown et directeur des médecins du Centre de santé des femmes de l'hôpital Columbia à Washington, D.C.

Herpès génital

17 stratégies de guérison

Vous avez joué à la roulette russe sexuelle et vous avez perdu. Des plaies brûlantes sont apparues sur les organes génitaux. Vous vous sentez affaibli et fiévreux. Le médecin vous fait passer quelques tests et constate que vous souffrez d'herpès génital, aussi connu sous le nom d'herpès simplex II. Il vous explique qu'il s'agit d'une maladie récurrente.

Ne vous en faites pas. Voici quelques mesures qui vous faciliteront la vie.

Gardez la tête haute. Pourquoi? Si vous êtes comme la plupart des gens, la première crise d'herpès, qui dure deux ou trois semaines, est la pire. Les épisodes suivants sont peu fréquents et généralement moins graves. Si vous êtes une victime de l'herpès,

La connexion entre l'esprit et le corps

Pourquoi certaines personnes ont-elles le virus de l'herpès pendant des années sans jamais avoir de rechutes, alors que d'autres en ont régulièrement?

«La réponse est dans la tête, dit le Dr Christopher W. Stout, psychologue de Denver spécialisé en psychoneuro-immunologie. Les personnes qui sont tendues, déprimées, hostiles et colériques semblent plus vulnérables au virus de l'herpès, dit le Dr Stout. On croit que les attitudes négatives affaiblissent le système immunitaire de l'organisme.»

Pour sa part, l'infirmière Judy Hurst déclare: «Peu importe les recherches qui se feront au cours des mille prochaines années, je suis convaincue que le stress sera toujours le principal facteur.»

Vous n'étiez peut-être pas stressé avant d'apprendre que vous aviez le virus de l'herpès, mais tout a changé depuis lors. En fait, le stress provoque les crises, qui à leur tour augmentent le stress, et ainsi de suite. Alors comment brise-t-on ce cercle vicieux?

Renseignez-vous bien. «Lisez tout ce que vous trouvez sur l'herpès génital. Parlez-en à votre médecin et essayez de bien comprendre de quoi il s'agit, afin de prendre les mesures qui s'imposent et de mieux maîtriser la situation», dit le Dr Stout.

Joignez-vous à une association d'entraide. «Il existe des associations de ce genre dans toutes les grandes villes. Vous y trouverez des relations de camaraderie, du soutien et un lieu d'échanges et d'informations», dit Judy Hurst.

Envisagez une thérapie à court terme. «En apprenant que vous êtes victime d'herpès génital, vous ressentirez peut-être de la tristesse, de la dépression, de la colère et de la culpabilité. En quelques rencontres seulement, un bon psychothérapeute devrait pouvoir vous aider à voir la vie plus clairement», dit le Dr Stout.

Apprenez des techniques de relaxation. Il existe d'innombrables techniques de relaxation, dont la méditation, la relaxation dirigée, la visualisation et la rétroaction. «Essayez de trouver la technique qui vous sied le mieux», dit le Dr Stout.

sachez qu'il existe maintenant un médicament sur ordonnance, appelé acyclovir® qui peut réduire la fréquence des épisodes dans une proportion pouvant aller jusqu'à 90 %. En fait, «en raison de sa progression naturelle ou grâce à une intervention thérapeutique, l'herpès est loin d'être une maladie sans espoir», explique le Dr Will

---

ALERTE MÉDICALE

Un médicament qui favorise la guérison

«Vous voudrez sans doute consulter un médecin si vous souffrez d'un grave accès d'herpès ou si vous avez souvent des récidives. Il vous prescrira de l'acyclovir®, un médicament éprouvé qui favorise la guérison et atténue la gravité de l'infection», dit le Dr Stephen L. Sacks. Si vous avez de l'herpès génital pour la première fois, si vous faites de fréquentes récidives ou si vous croyez qu'elles sont fréquentes, votre médecin pourra sans doute vous aider.

Si vous êtes enceinte et si vous avez de l'herpès génital, dites-le au médecin qui vous traite. «N'y manquez surtout pas, car vous pouvez transmettre le virus au bébé», dit le Dr Sacks.

«On a déjà soupçonné qu'il existait un rapport très étroit entre l'herpès génital et le cancer du col de l'utérus. Bien que l'opinion ait changé, on suggère aux femmes atteintes d'herpès génital de faire faire un frottis vaginal tous les ans», dit le Dr Whittington.

Whittington, chercheur au Service des maladies transmissibles sexuellement (MTS) aux Centers for Disease Control, à Atlanta, en Georgie.

Renforcez votre système immunitaire. Les experts ne savent pas vraiment ce qui amène le virus de l'herpès à rester inactif pendant de longues périodes ni pourquoi il refait surface sans crier gare. Bon nombre d'entre eux croient cependant qu'un affaiblissement du système immunitaire favorise la réapparition du virus. Peu importe l'exactitude de l'hypothèse, vous auriez sans doute intérêt à garder votre système immunitaire en bon état en adoptant une alimentation équilibrée, en prenant bien soin de vous reposer et de bien vous détendre, et en faisant régulièrement de l'exercice.

De l'eau et du savon. À la découverte de plaies sur vos organes génitaux, vous vous jetez sur n'importe quel médicament dans votre pharmacie. Surtout, ne faites pas cela! Comme pour n'importe quelle plaie, il faut éviter qu'une infection bactérienne secondaire ne se développe. «N'utilisez que de l'eau et du savon, dit le Dr Whittington. Vous ne parviendrez pas à éliminer le virus à l'aide des médicaments de votre pharmacie. De plus, bon nombre d'entre eux peuvent aggraver le problème. L'acyclovir® est le seul médicament éprouvé qui puisse soulager les personnes atteintes d'herpès génital», dit le Dr Whittington.

Évitez les pommades. Les plaies génitales ont besoin d'être bien aérées pour guérir. «La vaseline et les pommades antibiotiques peuvent bloquer l'aération de l'air et ralentir le processus de guérison, dit le Dr Stephen L. Sacks, professeur adjoint de médecine à l'université de Colombie-Britannique, également fondateur et directeur de la UBC Herpes Clinic. N'appliquez jamais de pommade à la cortisone. Elle peut inhiber le système immunitaire et favoriser le développement de l'herpès», explique-t-il.

Comptez sur la chaleur comme soulagement. Une douche ou un bain chaud, trois ou quatre fois par jour, vous soulagera au premier accès d'infection herpétique, au deuxième aussi. La plupart des gens estiment que ce traitement leur fait du bien. En sortant de la douche ou de la baignoire, asséchez vos organes

---

Quoi d'autre?

L'huile de ricin peut-elle vous aider à lutter contre l'herpès?

Appliquer des compresses d'huile de castor sur l'abdomen? Pourquoi? Parce que l'huile de castor renforce le système immunitaire et qu'un système immunitaire fort peut empêcher le virus de l'herpès de se manifester.

C'est du moins ce qu'affirme le Dr Norman Shealy, directeur du Shealy Institute for Comprehensive Pain and Health Care à Springfield, au Missouri. La théorie du Dr Shealy repose sur les écrits du médium et guérisseur Edgar Cayce, aujourd'hui décédé, et sur des recherches encore non publiées, menées dans une grande université.

«Afin de vraiment renforcer votre système immunitaire, dit le Dr Shealy, versez 235 ml d'huile de castor sur deux épaisseurs de flanelle. Étalez l'étoffe imbibée d'huile sur le ventre et couvrez-la de plastique. Placez un coussin chauffant sur le plastique, réglez-le à une température agréable et laissez-le en place une heure. Au début, faites ce traitement une fois par jour, tous les jours pendant un mois; puis, trois fois par semaine, et plus fréquemment, lorsque vous souffrez d'un accès d'herpès.

génitaux à l'aide d'un sèche-cheveux réglé à une température assez basse pour ne pas vous brûler. «L'air chaud soulage et peut même accélérer la guérison en asséchant les plaies», dit le Dr Sacks.

Portez des sous-vêtements amples en coton.

«Comme une plaie a besoin d'air pour cicatriser, portez uniquement des sous-vêtements qui laissent votre peau respirer, c'est-à-dire des sous-vêtements en coton et non en tissu synthétique, dit l'infirmière Judith M. Hurst, coordonnatrice et conseillère à Toledo HELP, un groupe de soutien de la région de Toledo, en Ohio, créé à l'intention des personnes atteintes d'herpès génital. Si vous portez des collants, l'entre-jambes devrait être en coton. Si votre maillot de bain n'est pas doublé de coton, vous pouvez découper l'entre-jambes dans une paire de sous-vêtements de coton et le coudre dans la culotte du maillot», suggère Judith Hurst.

Rendez vos mictions moins douloureuses. Les personnes qui font leur première infection herpétique, plus particulièrement les femmes, ressentent parfois des douleurs très vives lorsque de l'acide urique touche les plaies. «Utilisez un bout de papier hygiénique et essayez de diriger l'écoulement de l'urine de manière qu'il ne touche pas à vos plaies», conseille le Dr Sacks. En dernier ressort, vous pouvez toujours uriner dans la baignoire après avoir pris votre bain», dit Judith Hurst.

Ne touchez pas à vos plaies. «Ne touchez jamais à vos plaies, car vous risquez de transmettre le virus à d'autres parties de votre corps, dit Sandy Moy, coordonnatrice du Herpes Resource Center, à l'American Social Health Association. Si vous craignez de vous gratter pendant la nuit, couvrez les plaies d'un tissu qui respire bien, de la gaze par exemple.»

Considérez les suppléments suivants. Certaines personnes, et même certains médecins, soutiennent que des substances comme le zinc sous forme de pommade ou de gélules, de la lysine, un acide aminé, ou de l'hydroxytoluène butylé, un additif alimentaire, pris comme suppléments, peuvent empêcher une infection herpétique de se manifester. Les études sur leur efficacité sont incomplètes et la vaste majorité des médecins les considèrent comme des remèdes non éprouvés. Si vous décidez d'en faire l'essai, sachez qu'elles peuvent être dangereuses à fortes doses et qu'elles ne devraient être prises que sous la surveillance d'un médecin.

Ne faites pas aux autres ce que... Vous souvenez-vous comment vous avez attrapé l'herpès? Vous avez maintenant la responsabilité de protéger les autres. Lorsque vous avez des plaies, vous êtes très contagieux. Les rapports sexuels sont à proscrire. Lorsque vous n'avez pas de plaies, le virus ne se transmet pas généralement, mais le préservatif est de rigueur, pour votre partenaire et pour votre tranquillité d'esprit. En outre, vous pourriez attraper une autre souche du virus même si vous êtes déjà porteur d'herpès génital. «Bien que cela soit rare, la maladie peut réapparaître à cause du virus d'une autre souche», confirme le Dr Sacks.

EXPERTS CONSULTÉS

Judith M. Hurst est coordonnatrice et conseillère à Toledo HELP, un groupe de soutien de la région de Toledo, en Ohio, créé à l'intention des personnes atteintes d'herpès génital. Elle est aussi infirmière en obstétrique à l'hôpital Toledo.

Sandy Moy est coordonnatrice du Herpes Resource Center, à l'American Social Health Association (A S H A), une organisation à but non lucratif qui vise à renseigner le public sur les maladies transmissibles sexuellement (MTS). Elle est titulaire d'une maîtrise en travail social.

Le Dr Stephen L. Sacks est professeur adjoint de médecine à l'université de Colombie-Britannique, à Vancouver, également fondateur et directeur de la UBC Herpes Clinic Expert. Reconnu en matière de gestion de l'herpès génital, il est l'auteur d'un ouvrage sérieux sur le sujet, intitulé *The Truth about Herpes*.

Le Dr Norman Shealy est directeur du Shealy Institute for Comprehensive Pain and Health Care à Springfield, au Missouri. Il est aussi professeur au Forest Institute of Professional Psychology, président-fondateur de l'American Holistic Medical Association et auteur de divers ouvrages, dont *The Pain Game* et *The Creation of Health*.

Le Dr Christopher W. Stout a un cabinet privé dans la région de Denver, au Colorado. Psychologue spécialisé en psychoneuro-immunologie (l'étude du rapport entre le système immunitaire et les émotions), il travaille aussi comme consultant auprès des entreprises.

Le Dr Will Whittington est chercheur au Service des maladies transmissibles sexuellement (MTS) aux Centers for Disease Control à Atlanta, en Georgie.

Hoquet

17 remèdes maison éprouvés

Le hoquet n'a vraiment aucune utilité. La plupart d'entre nous avaient toutefois le hoquet déjà avant de naître, l'auront à l'occasion et jusqu'à la fin de leurs jours.

Certains scientifiques pensent que le hoquet est le dernier vestige d'un réflexe primitif qui a déjà eu son utilité. Bien que le hoquet ait mille et une causes, les experts l'attribuent surtout à la goinfrerie et à l'aérophagie, ce qui semble logique.

Les remèdes contre le hoquet existaient déjà dans l'Antiquité. Aujourd'hui, il y en a des centaines, sinon des milliers, sur le marché. Ils ont pour but d'augmenter le taux de gaz carbonique dans le sang ou d'arrêter les influx nerveux qui causent le spasme. Fonctionnent-ils? Certains médecins prétendent que cela importe peu puisque la plupart des hoquets cessent après quelques minutes. Espérons que l'une des méthodes suivantes saura vous soulager.

La cure infaillible du Dr Dubois. «À mon avis, l'un des meilleurs remèdes consiste à avaler environ 5 g de sucre sec, dit le Dr André Dubois, gastro-entérologue à Bethesda, au Maryland. Le hoquet cesse en quelques minutes. La réaction du sucre dans la bouche modifie probablement les influx nerveux qui causent la contraction spasmodique du diaphragme».

«J'utilise ce remède depuis ma tendre enfance, dit Steve Lally, rédacteur adjoint du magazine *Prevention*. C'est infaillible.» Cependant, Lally recommande d'augmenter le sucre à 15 g au lieu de 5 g. C'est sans doute une question de goût. Quoi qu'il en soit, certains médecins croient que le sucre est la solution idéale contre le hoquet. (À l'intention des parents: une demi-cuillerée à café de sucre dissous dans 125 ml d'eau peut faire des miracles pour le hoquet de bébé.)

La déglutition garantie de Mac McCallum. «Pour arrêter mes hoquets, je prends un grand verre d'eau, je me penche vers

Une liste pour soulager le hoquet

La plupart des médecins réagissent de la même façon que vous lorsqu'ils ont le hoquet. Ils essaient leurs traitements préférés jusqu'à ce qu'il y en ait un qui fonctionne.

Le *Journal of Clinical Gastroenterology* a gracieusement publié une liste à l'intention des médecins dont la liste de remèdes maison était insuffisante. Voici quelques-uns des conseils pratiques recommandés:

- Tirez vigoureusement sur la langue.
- Soulevez la luette (la petite saillie charnue en forme de «V» à l'arrière de la bouche) à l'aide d'une cuillère.
- Chatouillez le palais à l'aide d'un tampon de coton à l'endroit où la voûte du palais rencontre le voile du palais.
- Mastiquez et avalez du pain sec.
- Comprimez la poitrine en remontant les genoux ou en vous penchant vers l'avant.
- Gargarisez-vous avec de l'eau.
- Retenez votre respiration.

Voici deux autres traitements qui pourraient être d'une certaine utilité:

- Sucez de la glace concassée.
- Placez un sac de glace sur le diaphragme juste au-dessous de la cage thoracique.

l'avant et je bois à l'envers», déclare le Dr Richard MacCallum, professeur de médecine et directeur du Service de gastro-entérologie au Centre de Sciences de la Santé de l'université de Virginie. «Ce truc fonctionne à tout coup et je le recommande toujours à mes patients en bonne santé.»

Le dégonfleur Dreisbach. Christine Dreisbach travaille pour l'une des principales maisons d'édition de l'Est des États-Unis. Il lui arrive souvent de déjeuner en travaillant et d'en subir les conséquences: une vilaine attaque de hoquet. «Avant, j'essayais de retenir ma respiration, dit-elle, mais maintenant j'expire lentement et plus régulièrement lorsque j'ai le hoquet. Aussi simple qu'elle puisse paraître, cette méthode fonctionne.»

Le remède de Betty Shaver. «Quand vous mangez, abstenez-vous de parler, dit Betty Shaver, qui donne des conférences sur la phytothérapie et d'autres cures à la station thermale New Age

Health Spa de Neversink, dans l'État de New York. Et vous n'aurez pas le hoquet.»

Voici un autre conseil de prévention judicieux: «Retenez votre respiration aussi longtemps que possible et avalez lorsque vous sentez venir le hoquet. Répétez trois ou quatre fois, puis prenez une grande respiration et recommencez le traitement. Le hoquet devrait cesser.»

Cette méthode a fait des miracles pour une auteur bien connue qui avait le hoquet chaque fois qu'elle devait lire à haute voix devant un public. «J'avais besoin d'une méthode qui fonctionne rapidement, car j'avais le hoquet avant que ne vienne mon tour, dit-elle. Grâce à la méthode Betty Shaver, j'ai réussi mes épreuves de lecture.»

Le soulagement-minute. Dawn Horvath est spécialiste des troubles digestifs. Éditrice comme Christine Dreishack, elle souffre souvent de hoquet.

Voici ce que préconise Dawn Horvath: Remplissez un gobelet d'eau et placez-le sur un comptoir, puis appuyez vos index sur vos oreilles. Inclinez-vous vers l'avant et mettez le gobelet entre le pouce et l'auriculaire de chaque main. En retenant votre respiration, avalez l'eau en une ou deux gorgées.

Le hoquet des enfants. À la garderie, il est rare qu'une journée passe sans que l'un des enfants n'ait le hoquet.

«Je les chatouille pendant qu'ils retiennent leur respiration et essaient de ne pas éclater de rire, dit Ronnie Fern, directrice de la garderie ACJC Day-Care Center à Easton, en Pennsylvanie. Cela fonctionne, dit-elle. J'imagine que l'enfant cherche à respirer au plus vite, ce qui rétablit le fonctionnement normal du diaphragme», dit-elle. De toute façon, la méthode est des plus amusantes.

Le sac en papier brun. Nous pensions omettre le vieux tour du sac en papier brun, croyant que tout le monde le connaissait. Pire encore, nous n'étions pas convaincus qu'il fonctionnait jusqu'à ce que nous entendions parler de Pat Leayman, préposée au courrier dans une importante firme du centre des États-Unis. Il paraît qu'elle aurait guéri le hoquet d'innombrables collègues.

«C'est la technique qui compte, dit Pat Leaymen. Vous devez inspirer et expirer exactement dix fois et aussi profondément que possible. Vous devez le faire rapidement en appuyant fermement le sac autour de la bouche pour empêcher l'air d'y pénétrer. Si vous suivez fidèlement ces instructions, dit-elle, le sac en papier brun est toujours efficace.»

EXPERTS CONSULTÉS

Le Dr André Dubois est gastro-entérologue à Bethesda, au Maryland.

Ronnie Fern est directrice de la garderie ACJC Day-Care Center de Easton, en Pennsylvanie.

Le Dr Richard McCallum est professeur de médecine et directeur du Service de gastro-entérologle du Centre des sciences de la santé de l'université de Virginie, à Charlottesville. Il poursuit en outre des recherches sur les troubles gastro-intestinaux.

Betty Shaver donne des conférences sur la phytothérapie et d'autres cures à la station thermale New Age Health Spa de Neversink, dans l'État de New York.

Hyperventilation

8 tactiques pour surmonter le problème

La première fois, Marc Garnier a pensé qu'il faisait une crise cardiaque. «Mon cœur battait à toute vitesse et j'avais des fourmillements.»

Marc Garnier a eu la peur de sa vie, mais les médecins au Service des urgences lui ont confirmé que son cœur était en parfaite santé. Ils ont diagnostiqué de l'hyperventilation.

«Hyperventilation signifie «respiration rapide», dit le Dr Stephen J. Harrison, résident principal au Service des urgences du Centre médical du Delaware, à Wilmington.

«L'hyperventilation provient souvent de l'anxiété, dit le Dr Gabe Mirkin, spécialiste de médecine du sport à Silver Spring, au Maryland, et professeur adjoint à la faculté de médecine de l'université Georgetown. Sous le coup d'un choc, certaines personnes se mettent à respirer plus rapidement et plus profondément, même si elles ne requièrent pas une plus grande quantité d'oxygène. Elle expirent

---

ALERTE MÉDICALE

Laissez le diagnostic à votre médecin

Vous respirez normalement et, voilà que, de manière incontrôlable, votre cœur s'emballe, vous avez les paumes des mains moites et des fourmillements dans les doigts. Votre respiration est saccadée. Vous avez l'impression d'être sur le point de mourir. Rassurez-vous, vous serez sans doute là le mois prochain.

«Dans la plupart des cas, l'hyperventilation provient de l'anxiété. Si cela ne vous est jamais arrivé, vous devriez probablement consulter un médecin», dit le Dr Stephen J. Harrison.

Dans de rares cas, l'hyperventilation peut être causée par une maladie pulmonaire, une infection du sang, une pneumonie, voire un empoisonnement. Il peut aussi s'agir d'une crise cardiaque.

Quoi qu'il en soit, laissez le diagnostic à votre médecin.

---

ainsi une trop grande quantité de gaz carbonique, ce qui augmente l'alcalinité du sang. Ce déséquilibre entraîne à son tour les symptômes d'un accès de panique.»

Les crises peuvent durer des heures. En général, elles cessent après 20 ou 30 minutes. Cependant, pour les personnes qui en souffrent, cela peut sembler l'éternité.

Bien sûr, Marc Garnier était soulagé d'apprendre qu'il ne s'agissait pas d'une crise cardiaque. Malheureusement, les accès d'hyperventilation peuvent se répéter. Voici ce que l'on peut faire pour arrêter, voire prévenir les accès d'hyperventilation.

Respirez dans un sac en papier. Ce traitement de prédilection contre l'hyperventilation existe depuis très longtemps. On pense qu'il permet de remplacer le gaz carbonique expiré pendant l'hyperventilation.

Selon le Dr Harrison, respirer dans un sac en papier n'est pas dommageable si vous avez déjà souffert d'hyperventilation et que, selon votre médecin, vous ne souffrez d'aucune maladie grave. C'est le cas de la plupart des gens qui souffrent d'hyperventilation, mais il y a des exceptions. (Voir l'encadré «Laissez le diagnostic à votre médecin» ci-dessus.)

Marc Garnier affirme que le tour du sac en papier l'a aidé non seulement à mettre fin à ses crises d'hyperventilation, mais aussi à les prévenir. «Je luttais contre ce problème quotidiennement», dit-il.

Je gardais toujours un sac en papier sur moi. Le seul fait de l'avoir à portée de la main me rassurait.»

Asseyez-vous et détendez-vous. «L'essentiel est de ralentir sa respiration, dit le Dr Mirkin. Plus vous êtes tendu, plus vous respirez rapidement.»

Apprenez à respirer naturellement. «N'exagérez pas, mais ne respirez pas trop superficiellement non plus. Respirez naturellement, c'est-à-dire toutes les six secondes ou 10 respirations à la minute. Faites cet exercice deux fois par jour pendant 10 minutes, conseille le Dr Mirkin.»

Pensez à autre chose. «Après ma première crise d'hyperventilation, je suis devenu obsédé par l'idée d'en avoir une deuxième. J'en ai d'ailleurs eu un bon nombre», dit Marc Garnier. Le Dr Mirkin suggère aux gens de ne pas y penser, sauf quand ils font leurs exercices de respiration.

«Après tout, dit le Dr Harrison, la respiration est une fonction normale.»

Faites de l'exercice. «L'exercice fait diminuer l'anxiété et procure une sensation de bien-être», dit le Dr Harrison. Après un exercice, il est normal de respirer un peu plus rapidement.

Évitez les situations inconfortables. Pour Marc Garnier, cela signifie ne pas rester prisonnier dans une foule pendant de longues heures. Reconnaissez les situations qui déclenchent vos accès d'hyperventilation et essayez de les éviter. «Si votre peur des chats noirs vous donne des crises d'hyperventilation, fuyez les chats noirs», dit le Dr Mirkin.

Évitez la caféine. «La caféine est un stimulant, donc un déclencheur potentiel de l'hyperventilation, dit le Dr Harrison. Évitez le café, le thé, les boissons gazeuses à base de caféine et le chocolat.

Ne fumez pas. La nicotine aussi est un stimulant.

EXPERTS CONSULTÉS

Le Dr Stephen J. Harrison est résident principal à l'urgence du Centre médical du Delaware, à Wilmington.

Le **Dr Gabe Mirkin** pratique la médecine au Sportsmedicine Institute de Silver Spring, au Maryland. Il est professeur adjoint de pédiatrie à la faculté de médecine de l'université Georgetown, à Washington, D.C. Il est en outre l'auteur de nombreux ouvrages de médecine du sport, notamment *Dr. Gabe Mirkin's Fitness Clinic,* collabore à un quotidien et anime une émission à la radio.

Impuissance

14 façons d'améliorer le problème

La soirée avait si bien commencé! Tout était en place. Il y avait des roses, votre vin préféré, un éclairage tamisé et la compagne de vos rêves. Rien ne manquait, tout allait comme prévu... tout, sauf une partie vitale de votre anatomie.

Perplexe et déconcerté, vous vous êtes posé des tas de questions. Que s'est-il passé? Est-ce que cela se reproduira? Que puis-je faire?

Vous n'êtes pas une exception. «Si les hommes étaient honnêtes, ils avoueraient tous avoir connu, un jour ou l'autre, un problème d'impuissance», affirme le Dr Neil Baum, directeur de la Clinique d'infertilité masculine de la Nouvelle-Orléans et professeur adjoint d'urologie à la faculté de médecine de l'université Tulane. «On ne gagne pas à tous les coups! Bien sûr, c'est une expérience dévastatrice, ajoute-t-il. L'homme est profondément atteint dans sa virilité.»

Les experts estiment qu'au moins dix millions d'hommes sont victimes d'impuissance, c'est-à-dire d'une incapacité à accomplir l'acte sexuel normal et complet.

Jusqu'au début des années soixante-dix, les experts pensaient que la plupart des problèmes d'érection témoignaient d'un trouble psychique. Aujourd'hui, le milieu médical reconnaît que presque la moitié des hommes impuissants souffrent de troubles physiques ou structurels qui seraient en partie responsables de l'impuissance.

Rassurez-vous! Nos experts vous proposent quelques techniques pour contrer le problème.

Donnez-vous du temps. «En vieillissant, l'homme a besoin d'une stimulation génitale plus longue avant d'atteindre l'érection, explique le Dr Baum. Pour les hommes de 18 à 20 ans, quelques secondes suffisent. Pour ceux qui sont dans la trentaine et la quarantaine, la stimulation peut prendre une ou deux minutes.

L'homme de 60 ans qui n'a pas une érection après une ou deux minutes n'est pas impuissant, il a simplement besoin de plus de temps.»

L'intervalle entre l'éjaculation et la prochaine érection s'allonge aussi avec l'âge. Chez certains hommes de 60 à 70 ans, il peut s'écouler une journée entière. «C'est la conséquence normale du vieillissement», dit le Dr Baum.

Prenez-vous des médicaments? Les médicaments que votre médecin vous prescrit sont peut-être responsables de vos troubles, mais les antihistaminiques, les diurétiques et les sédatifs en vente libre ont aussi des effets non négligeables. N'oubliez pas que les médicaments agissent différemment selon les personnes.

«On a découvert que plus de 200 médicaments peuvent rendre impuissants les hommes de plus de 50 ans, souligne le Dr Baum. Une étude de l'*American Medical Journal* portant sur 188 sujets montre que 25 % des cas d'impuissance sont causés par des médicaments.»

Si vous pensez que les médicaments sont responsables de votre impuissance, consultez votre médecin ou votre pharmacien. Il pourra modifier la posologie ou vous prescrire un autre médicament.

Méfiez-vous des drogues récréatives. Parmi les substances dénoncées par le Dr Richard E. Berger, urologue au Centre médical Harborview de Seattle, dans l'État de Washington, dans son ouvrage *Biopotency: A Guide to Sexual Success*, mentionnons la cocaïne, la marijuana, les opiacés, l'héroïne, la morphine, les amphétamines et les barbituriques.

Modérez votre consommation d'alcool. Shakespeare avait bien raison lorsqu'il disait, dans *Macbeth*, que si l'alcool attise le désir, il diminue la performance. «L'alcool a un effet dépresseur. Il inhibe les réflexes et abaisse le degré d'excitation, explique le Dr Berger. Il suffit de deux verres pour affaiblir la performance sexuelle.»

Avec le temps, l'alcool risque aussi de provoquer un déséquilibre hormonal.

«L'alcoolisme chronique peut causer des lésions nerveuses et hépatiques, explique le Dr Baum. Les lésions hépatiques entraînent parfois la sécrétion d'une trop grande quantité d'hormones femelles dans l'organisme. Pour que tout fonctionne bien, le taux de testostérone doit être normal.»

Ce qui est bon pour les artères l'est aussi pour le pénis.

«Il apparaît évident aujourd'hui que le pénis est un organe vasculaire», dit le Dr Irwin Goldstein, codirecteur du New England Male Reproductive Center au Centre médical de l'université de Boston, au Massachusetts. Par conséquent, les substances qui bouchent vos artères, le cholestérol alimentaire et les graisses saturées affectent aussi le flux sanguin dans le pénis. En fait, la plupart des hommes de plus de 38 ans souffrent d'un rétrécissement des artères du pénis.

Il est donc conseillé de surveiller son alimentation. «L'excès de cholestérol semble affecter le tissu érectile.»

Évitez de fumer.

«Des études ont démontré que la nicotine peut provoquer la constriction des vaisseaux sanguins», affirme le Dr Baum. Une étude portant sur des chiens bâtards en bonne santé, effectuée à l'université de Californie à San Francisco, révèle que l'inhalation de la fumée de deux cigarettes suffisait à causer un défaut d'érection chez cinq chiens, tandis que six autres n'arrivaient pas à rester en érection. Les chercheurs pensent que l'inhalation de fumée de cigarette bloque l'érection en inhibant la relaxation des muscles lisses du tissu érectile.

Soyez bien dans votre peau.

Songez-vous à perdre quelques kilos? Faites-vous du sport? «La forme physique compte pour beaucoup dans l'acte sexuel, dit le Dr James Goldberg, directeur de la recherche à la Clinique Crenshaw de San Diego, en Californie. Plus une personne se sent bien dans sa peau, plus elle aborde la relation sexuelle avec confiance.»

Ne faites pas trop d'exercice.

Si vous vous surmenez physiquement, vous stimulez la production d'endorphines dans votre corps. Les endorphines sont des opiacés naturels qui soulagent la douleur. «Leur fonctionnement est encore mal connu, mais on pense qu'elles atténuent les sensations, dit le Dr Goldberg. Des exercices modérés sont excellents pour l'organisme, mais lorsqu'on dépasse un certain seuil, le corps prend l'habitude de se protéger.»

En cas de douleur, abstenez-vous.

«Votre corps produit aussi ses propres opiacés lorsque vous souffrez beaucoup, dit le Dr Goldberg. En même temps, ils font disparaître tout désir sexuel. Il n'y a pas grand-chose à faire, ajoute-t-il, sauf attendre un moment plus propice.»

Détendez-vous. Il est extrêmement important que vous soyez détendu. En voici la raison. Votre système nerveux a deux modes de fonctionnement. Lorsque le système nerveux sympathique est dominant, l'organisme est «en alerte»: les hormones surrénales vous préparent à lutter ou à fuir. Les nerfs drainent le sang du système digestif et du pénis vers les muscles.

«Il suffit d'un peu d'anxiété pour déclencher le système nerveux sympathique, dit le Dr Baum. Chez certains hommes, la peur de l'échec est tellement grande qu'elle entraîne une sécrétion anormale de noradrénaline, une autre hormone surrénale, et par conséquent une absence d'érection.»

Le secret consiste à vous détendre et à laisser le système parasympathique prendre le dessus. Les influx nerveux qu'émet ce système favorisent l'expansion des artères et des sinus du pénis, de même que l'afflux de sang dans les tissus.

Évitez les stimulants comme la caféine et les substances sensées augmenter la performance. «Pendant l'acte sexuel, le plus important est de rester détendu, dit le Dr Goldberg. Les stimulants font l'effet contraire. Ils contractent les muscles lisses qui doivent se dilater pour qu'il y ait érection.»

Soyez plus sensuel. Essayez d'abord de vous détendre avec votre partenaire. Profitez de ce moment d'intimité pour vous aimer tendrement sans penser à votre érection.

«La peau et non le pénis est le plus grand organe sexuel du corps, dit le Dr Goldberg. Ne vous laissez pas guider par votre pénis. Laissez s'ouvrir votre corps tout entier.»

Planifiez votre réaction. Selon le Dr Berger, il peut être utile de prévoir votre réaction en cas de non-érection. «Quels sont les choix qui s'offrent à vous? Si vous ne vous focalisez pas sur l'érection elle-même, il y a de fortes chances pour qu'elle se produise», précise ce médecin.

Confiez-vous à votre partenaire. Dissipez un malentendu qui peut ternir les relations avec la personne que vous aimez le plus. Essayez de trouver ensemble la cause du problème. Êtes-vous surchargé de travail? Vous inquiétez-vous au sujet d'un enfant malade? Êtes-vous triste, déprimé, exaspéré?

«Si vous trouvez la cause du problème, vous comprendrez mieux ce qui se passe au moment voulu», dit le Dr Berger. Il vous faudra également discuter des choix qui s'offrent à vous. Continuerez-vous de faire l'amour même en l'absence d'érection? Ne laissez pas l'impuissance détruire votre intimité.

EXPERTS CONSULTÉS

Le Dr Neil Baum est directeur de la Clinique d'infertilité masculine de la Nouvelle-Orléans, professeur adjoint d'urologie à la faculté de médecine de l'université Tulane et urologue à la Touro Infirmary de la Nouvelle-Orléans.

Le Dr Richard E. Berger est urologue au Centre médical Harborview de Seattle, dans l'État de Washington. Il est l'auteur de *Biopotency: A Guide to Sexual Success.*

Le Dr James Goldberg est directeur de la recherche à la Clinique Crenshaw de San Diego, en Californie, et chercheur en pharmacologie clinique.

Le Dr Irwin Goldstein est codirecteur du New England Male Reproductive Center au Centre médical de l'université de Boston, au Massachusetts, et professeur adjoint d'urologie à la faculté de médecine de l'université de Boston.

Incontinence

20 conseils pratiques

L'incontinence urinaire est un symptôme et non une maladie. Cependant, la miction involontaire a parfois des conséquences graves sur l'estime de soi, la vie sociale et le travail.

«Je considère l'incontinence comme une maladie sociale», mentionne le Dr Robert Schlesinger, professeur adjoint de chirurgie à la faculté de médecine de l'université Harvard et codirecteur du Centre de traitement de l'incontinence de l'hôpital Faulkner de Boston, au Massachusetts. «Certaines personnes sont prêtes à tout pour cacher leur handicap. L'une de nos patientes a même refusé de sortir de chez elle pendant trois ans tellement elle avait honte.»

«Le Dr Schlesinger ainsi que d'autres experts estiment que l'incontinence ne doit pas être perçue comme un mal incurable, dit le

Dr Katherine Jeter, fondatrice de Help for Incontinent People (HIP) et professeur adjoint d'urologie à la faculté de médecine de l'université de Caroline du Sud. On peut en guérir ou, au moins, en diminuer les effets.» De quoi réjouir les millions de personnes qui en souffrent! (Aux États-Unis seulement, l'incontinence est courante chez dix millions d'adultes.)

Le degré d'incontinence varie d'une personne à l'autre. «Il ne s'agit pas d'une manifestation normale du vieillissement», dit le Dr Neil Resnick, directeur du Service de gériatrie et directeur du Centre de continence de l'hôpital Brigham et de l'hôpital Women's de Boston, au Massachusetts, également professeur adjoint de médecine à la faculté de médecine de l'université Harvard.

L'incontinence n'est ni inévitable ni irréversible. Parfois, il suffit de faire un petit effort pour atténuer et même prévenir ses effets. Il convient de donner à ce handicap la place qui lui revient et de se prendre en main. Les quelques conseils pratiques qui suivent vous y aideront:

Tenez un carnet de bord. «Pendant une semaine, notez tout ce que vous mangez et buvez, à quel moment vous êtes allé aux toilettes et à quel moment vous avez uriné involontairement», suggère le Dr Jeter. Votre journal aidera votre médecin à trouver avec vous l'origine du problème.

Ne buvez pas trop de liquides. «Votre carnet de bord vous révélera peut-être que vous buvez plusieurs litres d'eau par jour, dit le Dr Jeter. Habituellement, les gens consomment beaucoup d'eau lorsqu'ils suivent un régime amaigrissant. Buvez moins et vous aurez moins souvent envie d'uriner. Évitez également de boire avant de vous coucher.»

Ne tombez pas dans l'excès inverse. Si vous réduisez considérablement votre consommation de liquides sans l'accord de votre médecin, vous risquez de vous déshydrater, ce qui pourrait aggraver vos problèmes urinaires et même favoriser l'apparition d'une maladie plus grave.

Proscrivez l'alcool. Il a un effet stimulant sur la vessie.

Évitez la caféine. C'est un autre diurétique bien connu. Certaines boissons, voire certains médicaments, contiennent de la caféine. Votre carnet de bord vous aidera à savoir quelles boissons et quels médicaments sont responsables de votre incontinence.

Ne buvez pas de jus de pamplemousse. Le jus de pamplemousse est également connu pour ses propriétés diurétiques. Voilà pourquoi il y a quelques années, il était l'un des éléments dans un régime bien connu.

Prenez plutôt du jus de canneberge. Il est acide, sa teneur en cendres est faible et il a un effet bénéfique sur la vessie.

Évitez la constipation. Optez pour une alimentation riche en fibres et buvez une bonne quantité de liquides. Les médecins qui traitent le problème de l'incontinence recommandent une portion quotidienne de maïs soufflé.

Ne fumez pas. La nicotine irrite la surface de la vessie. De plus, si vous faites de l'incontinence en période de stress, la toux peut précipiter la miction involontaire.

Perdez du poids. Selon Cheryle Gartley, présidente de la Simon Foundation for Incontinence de Wilmette, en Illinois, la correspondance adressée à la fondation révèle que la perte de quelques kilos contribue à résoudre partiellement le problème.

Videz complètement votre vessie. Urinez jusqu'à ce que vous ayez l'impression que votre vessie est vide. Levez-vous, asseyez-vous, penchez-vous vers l'avant et essayez d'uriner une deuxième fois.

Allez aux toilettes quand vous en ressentez le besoin. «Un bon conseil: videz votre vessie régulièrement», dit le Dr Jeter. Lorsque vous êtes à table, par exemple, et que vous avez envie d'uriner, n'attendez pas la fin du repas. Vous risquez une infection urinaire et une dilatation de la vessie. De plus, si votre vessie est trop pleine et que votre sphincter ne se contracte pas suffisamment, vous risquez de ne pas pouvoir vous retenir quand vous éternuez, toussez ou riez. Que faire? Tout simplement, videz la vessie avant et après les repas, également avant d'aller au lit.

Prenez de bonnes habitudes. Tout d'abord, videz votre vessie à intervalles réguliers, disons toutes les heures, et espacez graduellement les intervalles. Pour une raison inconnue, cette méthode s'avère très efficace dans certains types d'incontinence. «Nous ne savons pas si cette routine aide la vessie à fonctionner normalement ou si elle conditionne le cerveau à composer avec une dysfonction persistante de la vessie», dit le Dr Resnick.

Attendez trois heures minimum, six maximum. «On a évalué l'intervalle moyen entre les mictions entre trois et six heures, dit le Dr Jeter. Essayez de vous conditionner graduellement sur une période de quelques semaines.»

Contrez le vieillissement. «Quand on vieillit, il est normal de se mouvoir plus lentement, reconnaît le Dr Jeter. Il est aussi normal de mettre plus de temps à se rendre aux toilettes une fois le signal reçu.» Bref, essayez de dormir à proximité des toilettes.

Préparez-vous à des situations d'urgence. Gardez un pot de chambre près du lit.

Faites des exercices appropriés. Les exercices de Kegel ont été mis au point par le Dr Arnold Kegel à la fin des années quarante afin d'aider les femmes devenues incontinentes par suite de stress éprouvé durant et après la grossesse. Les experts conviennent que ces exercices peuvent réduire, voire prévenir, certaines formes d'incontinence tant chez les hommes que chez les femmes de tous âges. Voici les recommandations de l'association américaine Help for Incontinent People:

Sans contracter les muscles des jambes, des cuisses ou de l'abdomen, imaginez que vous essayez de réprimer l'évacuation des selles en serrant le muscle annulaire (sphincter) autour de l'anus. Cet exercice concerne la partie postérieure des muscles pelviens.

Lorsque vous urinez, arrêtez volontairement l'écoulement, puis relâchez les muscles et recommencez. Cet exercice concerne la partie antérieure des muscles pelviens.

Vous êtes maintenant prêt à répéter l'exercice au complet. De l'arrière vers l'avant, contractez les muscles en comptant lentement jusqu'à quatre, puis relâchez-les. Faites l'exercice pendant deux minutes, au moins trois fois par jour.

Prévenez les «accidents». Si vous avez envie d'éternuer, de tousser, ou si vous devez sauter ou soulever un objet, contractez d'avance votre sphincter.

Ne paniquez pas. L'incontinence ne prévient pas toujours.

Ne paniquez surtout pas. Dès que vous ressentez le besoin d'uriner, détendez-vous, contractez le sphincter et détendez les muscles abdominaux. Une fois l'envie réprimée, marchez lentement jusqu'aux toilettes les plus proches.

Achetez des produits absorbants. Il existe plusieurs

marques de produits absorbants, tels que des caleçons ou des serviettes hygiéniques. Les produits les plus récents absorbent de 50 à 500 fois leur poids d'eau et neutralisent les odeurs. Choisissez un produit adapté à votre anatomie et à votre degré d'incontinence.

EXPERTS CONSULTÉS

Cheryle Gartley est présidente de la Simon Foundation for Incontinence de Willmette, en Illinois, et rédactrice de la revue *Managing Incontinence.*

Le Dr Katherine Jeter est fondatrice et directrice de Help for Incontinent People (HIP). Elle est en outre professeur adjoint d'urologie à la faculté de médecine de l'université de Caroline du Sud, à Charleston. Elle pratique la thérapie entérostomale au Centre médical régional de Spartanburg, en Caroline du Sud.

Le Dr Neil Resnick est directeur du Service de gériatrie et du Centre de continence de à Brigham et du Women's Hospital de Boston, au Massachusetts. Il est également professeur adjoint de médecine à la faculté de médecine de l'université Harvard.

Le Dr Robert Schlesinger est professeur adjoint de chirurgie à la faculté de médecine de l'université Harvard à Boston, au Massachusetts, et codirecteur du Centre de traitement de l'incontinence de l'hôpital Faulkner dans cette même ville.

Incontinence nocturne

5 façons d'en venir à bout

L'incontinence nocturne est pour de nombreux enfants une source de malaise et de gêne. Heureusement, ce problème disparaît presque toujours avec l'âge. Entre-temps, vous pouvez mettre à profit les suggestions suivantes:

Restez discret. «Ne faites ni louanges ni réprimandes, conseille Ann Price, coordonnatrice de l'éducation au National Academy of Nannies, Inc (NANI), à Denver, au Colorado. Refaites le lit sans dire un mot. Le problème se réglera de lui-même. Comme il s'agit toujours d'un accident, ne louangez pas un enfant lorsqu'il ne mouille pas son lit et ne le punissez pas si cela lui arrive.»

Laissez votre enfant s'organiser. Afin de minimiser le stress psychologique, Ann Price recommande de réorganiser la chambre afin que l'enfant puisse lui-même changer son drap. «Placez un drap de feutre plastifié près de son lit pour qu'il puisse recouvrir la partie mouillée lorsqu'il urine pendant la nuit. Laissez-lui un pyjama propre à portée de la main. Au moins, il n'aura pas l'impression d'être traité comme un bébé.»

Et pourquoi ne pas se munir d'un système d'alarme? «Les systèmes d'alarme peuvent être efficaces dans le cas d'incontinence nocturne, dit le Dr Bryan Shumaker, urologue à l'hôpital St. Joseph Mercy, à Pontiac, au Michigan. Ces systèmes émettent un tintement ou une sonnerie lorsque l'enfant est mouillé. Le principe est de conditionner celui-ci à se réveiller lorsqu'il a besoin d'uriner. Au bout d'un certain temps, la miction est réprimée et la dilatation de la vessie devient le signal d'éveil.

«La plupart des enfants répondent à ce genre de conditionnement au bout de 60 jours, dit le Dr Shumaker. On considère que le problème d'incontinence nocturne d'un enfant est réglé lorsqu'il passe 21 jours consécutifs sans mouiller son lit.»

Il existe de nouveaux systèmes d'alarme beaucoup plus petits et plus sensibles à l'humidité que ceux qu'on trouvait autrefois. Ils fonctionnent à l'aide de piles semblables à celles des appareils auditifs et sont équipés de senseurs d'humidité qu'on installe sur les sous-vêtements. Les taux de récidive sont de 10 à 15 %, comparativement à 50 % pour les anciens modèles.

Renforcez les muscles de la vessie. «Si votre enfant a l'habitude d'aller aux toilettes plusieurs fois pendant la journée, des exercices d'extension de la vessie peuvent lui être utiles», dit Linda Jonides, infirmière en pédiatrie à Ann Arbor, au Michigan. Sa recommandation: lui faire boire beaucoup de liquides et lui faire faire des exercices afin qu'il se retienne le plus longtemps possible.

Faites preuve de patience et d'amour. «De tous les enfants atteints, 15 % cessent de mouiller leur lit chaque année», dit le Dr Shumaker. Cela signifie que lorsqu'ils arrivent à la puberté, seulement 1 ou 2 % d'entre eux sont encore victime d'incontinence nocturne. Soyez patient et compréhensif. Dites-vous qu'aucun enfant ne mouille son lit par plaisir. Ils sont les premiers à trouver la chose désagréable, inconfortable et inacceptable, car à leurs yeux, seuls les bébés urinent involontairement. L'amour et le soutien sont, en fin de compte, les meilleurs remèdes.

EXPERTS CONSULTÉS

Linda Jonides est infirmière en pédiatrie à Ann Harbor, au Michigan.

Ann Price est coordonnatrice de l'éducation au National Academy of Nannies, Inc (NANI), à Denver, au Colorado, et coauteur de *Successful Breastfeeding*, de *Dr Mom* et de divers autres ouvrages.

Le Dr Bryan Shumaker est urologue à l'hôpital St. Joseph Mercy, à Pontiac, au Michigan.

Infections d'oreilles

10 idées pour soulager les symptômes

Agité, le bébé se tourne et se retourne dans son petit lit. Vous regardez l'heure; il est déjà minuit. Vous tirez sur vos couvertures et essayez de vous rendormir, mais sans succès.

Le bébé s'agite davantage. Il vous appelle en pleurnichant. Il a mal aux oreilles. Épuisé, vous vous levez, vous demandant ce que vous pourriez faire pour qu'il dorme plus paisiblement?

Chez les enfants, les infections de l'oreille interne se manifestent pour diverses raisons, notamment parce que leurs trompes d'Eustache, les canaux qui relient l'arrière de la gorge, sont plus larges et plus courtes que celles d'un adulte. Il se peut aussi que le système nerveux dans cette région ne soit pas encore pleinement développé, ce qui peut aussi affecter les trompes. De plus, les enfants qui vont en garderie sont généralement plus exposés à des rhumes, un autre risque d'infections d'oreilles.

Les adultes ne sont pas non plus à l'abri des maux d'oreilles. Il suffit qu'un adulte ait les sinus bloqués et qu'il prenne l'avion ou néglige un rhume et une congestion nasale pour que se développe l'infection.

«L'infection de l'oreille interne est habituellement caractérisée par des douleurs et une perte de l'ouïe, bien que certains adultes et enfants puissent faire des infections sans douleurs, dit le Dr George W. Facer, oto-rhino-laryngologiste à la clinique Mayo, à Rochester, au Minnesota. Les antibiotiques constituent le meilleur traitement des infections d'oreilles, même si certaines disparaissent d'elles-mêmes. Vos oreilles auront retrouvé leur état normal au bout d'une semaine ou dix jours.

Mais qu'allez-vous faire, ce soir, si bébé a mal? Et comment pouvez-vous prévenir les infections d'oreilles?

LES PETITS SOINS

On cherche toujours un moyen de soulager la douleur lorsqu'on a mal. Voici ce que préconisent les experts.

Prenez du paracétamol. Ce genre d'analgésique (Tylenol®) est le médicament de prédilection du médecin. Une dose au coucher peut suffire à enrayer la douleur. (N'administrez jamais d'aspirine® à une personne de moins de 21 ans, en raison du risque de provoquer le syndrome de Reye, une maladie neurologique qui peut s'avérer mortelle.)

Gardez la tête haute. «Vos trompes d'Eustache se nettoient naturellement lorsque vous tenez la tête droite», explique le Dr Dudley J. Weider, oto-rhino-laryngologiste au Centre médical Dartmouth-Hitchcock, à Hanover, au New Hampshire. C'est peut-être pourquoi les enfants atteints d'une infection d'oreilles ne semblent jamais avoir de douleurs pendant la journée. Ils sont occupés à courir et à jouer, ce qui permet à leurs trompes d'Eustache de se drainer constamment.

Prenez un verre. «Siroter de l'eau, puis l'avaler, déclenche le mouvement musculaire qui aide les trompes d'Eustache à s'ouvrir et à se drainer, dit le Dr Weider. Les douleurs s'atténuent habituellement lorsqu'elles sont ouvertes.»

Prenez un décongestionnant avant le coucher. Les enfants et les adultes qui semblent souffrir fréquemment d'infections d'oreilles trouvent parfois un soulagement en prenant un décongestionnant en vente libre avant d'aller dormir. Le médicament peut assécher le liquide qui se loge à l'intérieur des oreilles, ce qui permet d'atténuer la douleur tout en favorisant le sommeil.

ALERTE MÉDICALE

N'attendez pas d'avoir mal

«Consultez votre médecin si vous entendez mal ou si vous avez encore les oreilles bouchées plus de deux jours après un rhume. Vous pourriez déjà souffrir d'une infection d'oreilles ou avoir du liquide dans l'oreille interne», dit le Dr George W. Facer.

«Non traitée, l'infection d'oreilles peut causer des dommages auditifs permanents tant chez les enfants que chez les adultes», dit ce médecin. On prescrit un traitement antibiotique pendant 10 à 14 jours.

Vaporisez vos narines et asséchez vos oreilles.

«Avant le coucher, les adultes peuvent prendre un décongestionnant nasal en atomiseur, en plus d'un décongestionnant ou d'un antihistaminique oral. N'utilisez les gouttes qu'un jour ou deux, dit le Dr Facer. Une consommation excessive du produit pourrait entraîner un effet contraire, empirant ainsi la congestion nasale.»

LES SOINS PRÉVENTIFS

Bien qu'il soit pratiquement impossible de prévenir les infections d'oreilles, il existe certaines mesures qui permettent de les éviter.

Allaitez votre bébé. Certains experts croient que cela réduit les risques de maux d'oreilles.

À Helsinki, une étude menée auprès de 237 enfants a démontré que 6 % des bébés allaités au sein avaient souffert d'une infection de l'oreille moyenne avant l'âge d'un an, comparativement à 19 % de ceux nourris au lait maternisé. À l'âge de trois ans, seulement 6 % des bébés allaités au sein avaient fait une infection d'oreilles, contre 26 % chez ceux nourris au lait maternisé.

Comment explique-t-on cette différence? Les chercheurs croient que les bébés nourris au sein ont développé une plus grande réponse immunitaire aux infections respiratoires.

Cessez de fumer. «La cigarette peut entraîner une infection chez un adulte qui souffre de problèmes d'oreilles en contaminant l'air de substances irritantes qui, à leur tour, mènent à une congestion des trompes d'Eustache», dit le Dr Wider. En outre, ces substances polluantes peuvent causer le même problème aux enfants sujets aux maux d'oreilles.

Éteignez le feu dans la cheminée. Éteignez-le pour les mêmes raisons de salubrité de l'air qui devraient vous amener à cesser de fumer. La suie et la fumée d'une cheminée contaminent l'air de toxines difficiles à respirer et à tolérer.

Choisissez soigneusement la crèche de votre enfant. «Les enfants exposés à des groupes nombreux sont plus vulnérables aux microbes qui provoquent les infections d'oreilles. Par conséquent, vous devriez choisir un endroit qui accueille peu d'enfants, si le vôtre est sujet à de telles infections», dit le Dr Weider.

Soyez patient. «Certains enfants ne cessent de faire des infections d'oreilles que vers l'âge de trois ans», dit le Dr Facer. Parents et enfants peuvent alors dormir paisiblement.

EXPERTS CONSULTÉS

Le Dr George W. Facer est oto-rhino-laryngologiste à la clinique Mayo, à Rochester, au Minnesota.
Le Dr Dudley J. Weider est oto-rhino-laryngologiste à la clinique médicale Dartmouth-Hitchcock, à Hanover, au New Hampshire.

Infections mycosiques

26 antidotes naturels

Le *Candida albicans* est un type de levure qui croît normalement sur les muqueuses des voies gastro-intestinales et uro-génitales.

«Cette levure fait partie de la flore naturelle et vit comme les bactéries de la bouche, dit le Dr Michael Spence, obstétricien et gynécologue à la faculté de médecine de l'université Hahnemann. Vous aurez une plus grande prédisposition aux infections mycosiques et vaginales après un traitement aux antibiotiques ou si vous souffrez de diabète.»

La grossesse, l'usage de contraceptifs oraux ou la prise d'hormones à la ménopause, les douches vaginales chimiques, les spermicides, les lésions à la paroi vaginale causées par les tampons, la sécheresse vaginale au cours des relations sexuelles et les relations sexuelles avec un partenaire infecté peuvent aussi favoriser les infections mycosiques.

Si vous pensez souffrir d'une infection mycosique, le médecin confirmera le diagnostic en examinant les sécrétions vaginales au microscope. Il pourra alors prescrire un médicament qui détruira l'excès de levure dans le vagin.

Trois façons d'enrayer une infection

Boise, Idaho (UPI) — Des pompiers ont effectué un raid anti-slip, si l'on peut dire, lorsqu'une femme a téléphoné au poste pour signaler de la fumée dans son grenier.

Lorsque les pompiers sont arrivés sur les lieux, ils ont découvert que la source de la fumée était un slip que la femme avait mis au four à micro-ondes.

La femme, dont le nom n'a pas été dévoilé, a déclaré aux pompiers qu'elle avait mis le slip en nylon dans le four à micro-ondes afin de se débarrasser d'une infection mycosique.

La cuisson aux micro-ondes est peut-être une excellente façon d'apprêter les légumes, mais, comme l'atteste l'entrefilet ci-dessus, elle ne convient pas au traitement d'infections vaginales.

La «cure» aux micro-ondes est le résultat d'une étude menée par des chercheurs de l'université de Floride et du Baylor College qui ont découvert que le micro-organisme responsable des infections mycosiques, le *Candida albicans*, peut être tué par les micro-ondes. Les scientifiques disent que les spores bactériennes se déposent dans les slips des femmes infectées. La lessive ne tue pas les spores, qui sont toutefois détruites lorsqu'elles sont exposées aux micro-ondes. Malheureusement, cette méthode peut aussi provoquer des incendies.

«Il est inutile de mettre ses slips au four à micro-ondes», dit le Dr Marjorie Crandall, une spécialiste des candidoses qui a écrit une brochure intitulée *How to Prevent Yeast Infections*. Les chercheurs ont démontré qu'une fois déposées sur les slips, les spores du *Candida albicans* survivent aux cycles normaux de lavage et de séchage et infectent à nouveau la patiente.

Que doivent-elles faire?

Frottez bien votre slip. «Comme mesure préventive, frottez bien l'entrejambes de vos slips à l'aide d'un savon non parfumé avant de les mettre dans la lessive», dit le Dr Crandall. N'employez pas de javellisant ou d'assouplisseur de tissus, car ils irritent la peau.

Faites bouillir la bactérie. Une autre étude sur la lessive des sous-vêtements révèle que, pour détruire le Candida, vous pouvez faire bouillir les slips ou les faire tremper dans un javellisant pendant 24 heures avant de les porter à nouveau. Lavez les slips dans du savon non parfumé avant de les porter.

Tuez les spores à la chaleur. On détruit le Candida lorsqu'on repasse les slips au fer chaud.

Les femmes atteintes d'infections mycosiques savent que ce n'est pas aussi simple. En fait, les levures causent des démangeaisons, une sensation de brûlure, une odeur, de même qu'un écoulement épais et jaûnatre. De plus, ces infections sont récurrentes. Certaines personnes présentent une plus grande prédisposition aux infections mycosiques que d'autres.

Le Dr Marjorie Crandall est spécialiste des candidoses et fondatrice de Yeast Consulting Services à Torrance, en Californie. Elle dit comprendre les femmes qui essaient par tous les moyens de soulager les symptômes d'une infection mycosique. Pendant 20 ans, elle a souffert d'infections mycosiques chroniques qui lui ont rendu la vie difficile. Aujourd'hui guérie, elle est l'un des plus grands spécialistes du traitement de cette affection.

Voici ce qu'elle et d'autres experts recommandent pour les personnes qui souffrent d'infections mycosiques.

Dormez nue. «Les spores prolifèrent dans un climat chaud et humide», dit le Dr Spence. L'une des meilleures mesures préventives contre l'infection mycosique consiste à garder la région vaginale bien ventilée, c'est-à-dire au frais et au sec. Dormez nue ou ne portez pas de slip sous votre chemise de nuit et donnez à votre corps un repos de huit heures.

Portez des vêtements amples. «Pendant la journée, évitez de porter des vêtements serrés ou des vêtements confectionnés à partir de fibres qui entravent la circulation de l'air, notamment le plastique, le polyester et le cuir», dit le Dr Spence. Ne portez pas plusieurs vêtements l'un par-dessus l'autre. Ne portez pas de slip sous un jeans serré. Lorsque vous rentrez à la maison, enlevez les couches de vêtements superflues comme les collants et laissez votre corps respirer. Le plus souvent portez des jupes.

N'utilisez pas de poudre. «L'amidon est le milieu de culture idéal pour la croissance des spores, dit le Dr Spence. Comme la plupart des sels de bain sont produits à base d'amidon, vous ne faites qu'encourager l'infection si vous en appliquez. Évitez surtout d'en mettre dans vos slips.

Employez un médicament en vente libre. Les médicaments sur ordonnance éliminent peut-être les spores, mais vous pouvez soulager les démangeaisons à l'aide d'un médicament en vente libre comme l'Allerga®. Vous pouvez appliquer une crème à l'hydrocortisone autour de la vulve et de l'orifice du vagin. Cependant,

---

ALERTE MÉDICALE

Laissez le diagnostic à votre médecin

Les médecins font souvent des cultures ou examinent les sécrétions vaginales au microscope, car elles ne sont pas toutes causées par les spores. Un tampon oublié ou une inflammation pelvienne grave peuvent être la cause de symptômes similaires, notamment des démangeaisons et des écoulements odorants.

Il peut aussi s'agir de gardnerella vaginalis, (une infection bactérienne), de Trichomonas (une infection parasitaire), de chlamydia, de gonorrhée ou de syphilis. Ne jouez pas au médecin. Laissez le diagnostic à un professionnel.

---

n'utilisez pas ce genre de crème avant d'avoir consulté votre médecin, car elle peut masquer une infection et rendre le diagnostic plus difficile.

Appliquez un lubrifiant naturel. «L'huile minérale, la vaseline, le blanc d'œuf ou le yaourt nature sont d'excellents lubrifiants pour les relations sexuelles», dit le Dr Crandall. Ils ne contiennent aucun irritant chimique et n'auront aucun effet, à moins que vous n'y soyez allergique. (N'appliquez pas de vaseline sur des préservatifs, car elle perce le latex. N'utilisez pas non plus les huiles pour bébés, car elle contiennent du parfum qui pourrait vous irriter.)

Dites non aux produits chimiques. L'utilisation de produits chimiques est le meilleur moyen d'aggraver une infection mycosique. «Évitez donc les douches vaginales, les mousses et les aérosols contraceptifs, les comprimés antifongiques et les déodorants vaginaux», dit le Dr Crandall.

Préparez-vous un bain curatif. Au lieu d'utiliser des douches vaginales, faites des bains de siège. Remplissez un bain d'eau tiède jusqu'à la hauteur des hanches, puis ajoutez-y:

- du sel (en quantité suffisante pour que l'eau ait un goût salé, environ 125 mg) afin d'équilibrer la salinité de l'eau et la salinité naturelle du corps, ou
- du vinaigre (125 ml) qui permet de rééquilibrer le pH vaginal à 4,5.

Asseyez-vous dans le bain, les jambes écartées jusqu'à ce que l'eau refroidisse. Vous obtiendrez le résultat escompté.

Mettez les spermicides de côté. Les spermicides sont des produits chimiques à proscrire, surtout si vous avez une prédisposition aux infections vaginales. «Si vous tenez à utiliser une crème spermicide, appliquez-la à l'intérieur du préservatif, où elle jouera son rôle plus efficacement», dit le Dr Crandall.

Évitez les produits parfumés. Choisissez des produits d'hygiène personnelle non parfumés. Les tampons et les serviettes hygiéniques parfumés ou les déodorants peuvent irriter la paroi vaginale ou déclencher une vaginite.

Lavez-vous à l'eau claire. Le savon, le shampoing, les sels et les huiles de bain enlèvent les huiles naturelles qui protègent la peau et peuvent laisser un dépôt irritant. Lavez la région vaginale en vous frictionnant à l'eau claire. Un pommeau de douche mobile est idéal pour diriger le jet d'eau.

Optez pour le coton. Les slips en coton absorbent l'humidité de la peau, alors que le nylon retient la moiteur et la chaleur, un terrain favorable à la croissance mycosique. Si vous préférez le nylon, choisissez des slips à fond de coton. Sinon, portez des protège-slips.

Portez toujours des slips dont l'entrejambe est en coton afin que l'air puisse circuler pour rafraîchir et garder le vagin au sec. Et il n'est pas nécessaire de porter un slip sous un collant. Moins vous avez de vêtements superposés, meilleure est la ventilation.

Du papier hygiénique blanc seulement. La teinture aussi peut avoir un effet irritant. Le Dr Crandall suggère du papier hygiénique blanc non parfumé.

Faites la chasse aux microbes. Essuyez-vous de l'avant vers l'arrière lorsque vous allez à la selle. Lavez tout ce qui entre en contact avec l'anus avant de toucher le vagin.

Lavez-vous avant les relations sexuelles. Si votre partenaire et vous êtes parfaitement propres, il y a moins de risques. Mais quoi qu'il en soit, lavez-vous les mains et les organes génitaux avant les relations sexuelles.

Rincez-vous à l'eau claire.
Le vagin se nettoie naturellement, mais certaines femmes sentent le besoin de prendre des douches vaginales. «Si c'est votre cas, dit le Dr Crandall, douchez-vous à l'eau claire, mais n'en abusez pas. C'est malgré tout ce qu'il y a de moins irritant pour le vagin.»

Évitez les douches vaginales pendant les règles, car le col de l'utérus est ouvert et le jet peut pousser l'infection dans l'utérus. Évitez aussi ces douches pendant la grossesse, à moins que votre médecin ne vous y autorise.

Faites-vous des douches au vinaigre.
Le taux d'acidité du vinaigre se rapproche beaucoup de celui du vagin. C'est la raison pour laquelle une douche composée d'un mélange de vinaigre et d'eau (60 ml de vinaigre dans un litre d'eau) est parfois recommandée. Certains médecins pensent qu'un vagin dont le pH est équilibré défavorise la croissance excessive de levures.

Il existe sur le marché des solutions d'eau et de vinaigre déjà préparées.

Évitez les relations sexuelles lorsque vous souffrez de vaginite.
Les relations sexuelles peuvent irriter davantage l'inflammation causée par une infection mycosique. De plus, vous pouvez transmettre les spores à votre partenaire qui pourrait vous infecter à nouveau.

Urinez avant et après les relations sexuelles.
«Tant les hommes que les femmes devraient se laver et uriner avant et après les relations sexuelles pour évacuer les microbes de l'urètre et éviter les infections de la vessie», dit le Dr Crandall.

Utilisez un préservatif.
Un préservatif lisse non lubrifié est moins irritant et il empêche l'inoculation de l'infection d'un partenaire à l'autre.

Contrôlez vos infections mycosiques.
Les femmes qui ont des infections mycosiques à répétition peuvent devenir allergiques aux aliments à base de levure. Évitez les aliments et les boissons comme le pain, les beignets, la bière, le vin, le vinaigre, les cornichons, les aliments fermentés, le fromage, les champignons et les jus de fruits.

Surveillez votre taux de glucose sanguin.
Selon une étude de l'hôpital Mount Sinai de Hartford, au Connecticut, les levures

prolifèrent en présence de glucose. La consommation excessive de sucre contribue aux infections mycosiques, car elle les alimente. Les diabétiques, qui ont une grande prédisposition aux infections mycosiques, devraient surveiller étroitement leur taux de glucose sanguin. En outre, la consommation de produits laitiers riches en lactose et d'édulcorants artificiels augmente les risques d'infection mycosique.

Renforcez votre système immunitaire. Une personne en bonne santé résiste mieux aux infections. Pour renforcer votre système immunitaire, faites régulièrement de l'exercice, ayez une alimentation saine et de bonnes habitudes de sommeil, ne fumez pas et ne prenez pas de drogues. Modérez aussi votre consommation d'alcool et de café.

De préférence, choisissez des fibres naturelles. Utilisez des tampons de coton au lieu des tampons de fibre synthétique. Les super-absorbants et les tampons à usage prolongé (12 heures) favorisent la croissance des bactéries. Voici une autre suggestion: des serviettes hygiéniques la nuit et des tampons le jour.

EXPERTS CONSULTÉS

Le **Dr Marjorie Crandall** est spécialiste des candidoses et fondatrice de Yeast Consulting Services à Torrance, en Californie. Elle est en outre l'auteur de *How to Prevent Yeast Infections*.

Le **Dr Michael Spence** est obstétricien et gynécologue à la faculté de médecine de l'université Hahnemann à Philadelphie, en Pennsylvanie.

Infections urinaires

11 remèdes pour traiter d'ennuyeux problèmes

Vous allez fréquemment aux toilettes, mais ne parvenez qu'à évacuer quelques gouttes d'urine. Chaque fois, vous ressentez une sensation de brûlure.

De quoi s'agit-il au juste? Nous parlons ici d'un problème très répandu chez les femmes. Les hommes peuvent aussi souffrir d'infections urinaires, ou infections du tractus urinaire, mais les cas sont tellement rares que l'on considère l'infection urinaire comme une maladie de femmes.

«C'est assurément l'une des infections les plus courantes que les médecins ont à traiter», dit le Dr David Staskin, professeur adjoint en urologie à la faculté de médecine de l'université de Boston.

«Nous croyons que la moitié des femmes souffrent d'une infection urinaire à un moment ou un autre de leur vie, et 20 % d'entre elles en font plus qu'une. En fait, certaines femmes sont atteintes d'une ou deux infections tous les ans.»

Quelle en est la cause?

«Les infections urinaires sont causées par les bactéries *E. coli* qui se logent d'abord dans le vagin, puis remontent dans l'urètre, c'est-à-dire le canal qui excrète l'urine, dit le Dr Elliot L. Cohen, professeur adjoint en urologie à la faculté de médecine Mount Sinai de l'université de la ville de New York. Les bactéries dans le vagin ne causent pas de problème, du moins jusqu'à ce qu'elles atteignent les voies urinaires.»

Ces bactéries sont courantes chez toutes les femmes. Et l'on a constaté que les femmes plus vulnérables aux infections urinaires ont un métabolisme comparable à celles qui n'en font pas.

«On emploie le terme infection des voies urinaires pour désigner la présence d'un grand nombre de microbes dans l'urine, soutient le Dr Staskin. En général, leur effet sur la patiente est relativement mineur. Les bactéries irritent la paroi de la vessie, explique-t-il. Dans

Quoi d'autre?

Une cure au jus de canneberge

Toute femme qui a souffert d'une infection urinaire a entendu parler de la cure au jus de canneberge. Or, voici la grande question: la cure est-elle efficace? La réponse dépend de la personne à qui vous le demandez. Certains médecins prétendent que oui, d'autres que non. Au fil des ans, diverses études ont authentifié les effets de la cure. Toutefois, une controverse subsiste quant à son efficacité.

«À mon avis, l'effet thérapeutique tient moins de la canneberge à proprement parler que de la quantité de liquide bu», dit le Dr David Staskin.

Le Dr Joseph Corriere émet quelques réserves. Selon lui, «le jus de canneberge contient de l'acide quinique, qui se convertit en acide hippurique dans le foie, et de la vitamine C. Or, on a démontré que ces substances ont un effet bénéfique sur l'infection, dit le Dr Corriere, mais il faudrait boire des dizaines de litres de jus de canneberge tous les jours pour obtenir un effet.»

Bien que l'on doute fortement des vertus curatives du jus de canneberge, vous ne perdez rien à l'essayer.

la plupart des cas, c'est un peu comme si la vessie avait eu un vilain coup de soleil.»

Outre l'inconfort, les victimes d'infections urinaires souffrent de sensations de brûlure et de picotement. Heureusement, il existe de nombreuses mesures préventives contre ces infections. Celles qui suivent ont toutes été éprouvées par des médecins.

Consommez beaucoup de liquides. De tous les conseils, celui-ci est sans doute le plus important et ce, pour deux raisons: le bien-être et la santé.

«Certaines femmes souffrant d'une infection urinaire constatent que la douleur se manifeste surtout au passage de l'urine. Elles pensent qu'absorber moins de liquides leur permettra d'uriner moins, donc d'avoir moins mal. Elle se retiennent de boire, ce qui est la pire chose à faire», explique le Dr Cohen.

Pourquoi? Parce que plus l'urine séjourne longtemps dans la vessie, plus les bactéries se multiplient. Les *E. coli* doublent toutes les vingt minutes», précise le Dr Staskin. Et plus les bactéries sont nombreuses, plus les douleurs sont vives.

«Consommer beaucoup de liquides est le meilleur remède qu'une femme puisse adopter afin de permettre l'élimination des bactéries qui causent l'inflammation et de combattre les sensations de brûlure qu'elle ressent au moment de la miction», dit le Dr Cohen.

«On recommande donc de boire beaucoup, tant pour prévenir les infections urinaires que pour les guérir, dit le Dr Staskin. Dans le cadre d'études effectuées auprès de volontaires, on a introduit des bactéries dans leur organisme. Or, deux mictions suffisaient à stériliser parfaitement leur vessie.»

Le message: plus vous boirez, moins vos douleurs persisteront. Si votre urine est claire, c'est que vous buvez suffisamment. Si elle ne l'est pas, vous pouvez y remédier facilement.

Prenez un bain chaud. «Beaucoup de femmes disent qu'un bain chaud contribue à soulager leurs douleurs», dit le Dr Richard J. Macchia, professeur et chef du Service d'urologie au Centre des sciences de la santé du collège de médecine de Brooklyn,

---

ALERTE MÉDICALE

Les signes d'un trouble grave

Quatre symptômes devraient pousser une personne atteinte d'infection urinaire à consulter son médecin. Les voici:

- du sang dans l'urine;
- des douleurs dans la partie inférieure du dos ou dans les flancs;
- de la fièvre;
- des nausées et des vomissements.

«Environ 90 % des femmes qui souffrent d'une infection urinaire réussissent à se débarrasser des bactéries après avoir pris un ou deux antibiotiques, bien que les symptômes puissent persister deux ou trois jours, dit le Dr David Staskin. Un petit nombre de femmes peut cependant développer des problèmes rénaux plus graves. Si elles ressentent les symptômes énumérés ci-dessus, elles doivent consulter un médecin sur-le-champ.»

Les symptômes d'une infection urinaire peuvent être associés à ceux d'une autre maladie, notamment un cancer, surtout s'il y a du sang dans l'urine. Consultez votre médecin dans les plus brefs délais.

à l'université de l'État de New York. Selon lui, personne n'a étudié le mécanisme exact, mais le bain chaud se révèle souvent efficace dans les cas d'inflammation.»

Prenez de l'aspirine® ou de l'ibuprofène. «Ces médicaments sont des anti-inflammatoires», dit le Dr Macchia. Ils réduisent l'inflammation de la vessie et, par conséquent, diminuent la sensation de brûlure.

Prenez de la vitamine C. «Environ 1 000 mg de vitamine C pris au cours de la journée rendent l'urine suffisamment acide pour nuire à la croissance des bactéries, dit le Dr Macchia. Vous avez intérêt à prendre de la vitamine C si vous êtes sujette aux réinfections ou s'il vous est impossible d'avoir accès à des soins médicaux en cas de récidive.» Mise en garde: certains antibiotiques sur ordonnance contre les infections urinaires sont moins efficaces lorsque l'urine est très acide. Par conséquent, si vous prenez de la vitamine C, faites-le savoir à votre médecin. La vitamine C n'est pas toxique, mais 1 000 mg est une forte dose. Vous devriez consulter votre médecin avant d'absorber de telles quantités.

Essuyez-vous de l'avant vers l'arrière. «S'essuyer de l'avant vers l'arrière contribue à prévenir une récurrence de l'infection», disent les médecins. S'essuyer de l'arrière vers l'avant est l'une des causes d'infection les plus courantes, notamment dans le cas d'infections récurrentes. Ce n'est qu'une question de bon sens. Il s'agit d'éloigner les bactéries du vagin et non de les rapprocher.

Allez aux toilettes avant une relation sexuelle. «Cela aide à évacuer les bactéries présentes dans le vagin qui pourraient remonter vers la vessie pendant la relation sexuelle», disent les experts.

Allez aux toilettes après une relation sexuelle. Selon le Dr Staskin, le pénis peut transporter les bactéries présentes dans l'urètre vers la vessie. En urinant après une relation sexuelle, vous vous nettoyez la vessie.

«Sans aucun doute, les infections urinaires sont plus courantes chez les femmes sexuellement actives, dit le Dr Cohen. Cependant, ces infections sont dues au fait qu'elles ne savent pas se protéger. Si des bactéries ont effectivement été repoussées dans la vessie, uriner en éliminera la majeure partie.»

Songez à changer de méthode contraceptive. «Des

études ont démontré que les diaphragmes favorisent les infections des voies urinaires, surtout chez les femmes qui en font à répétition, dit le Dr Staskin. Dans ces cas, deux mécanismes entrent en jeu: d'abord les bactéries envahissent le diaphragme lui-même, qui est ensuite inséré dans le vagin. Puis le diaphragme entrave le bon fonctionnement de la vessie, car les bactéries qui s'y trouvent déjà ne sont pas éliminées.»

Discutez avec votre médecin de la possibilité d'une autre méthode de contraception si vous utilisez un diaphragme et souffrez fréquemment d'infection urinaire.

Des serviettes hygiéniques plutôt que des tampons. «On ne peut confirmer pourquoi certaines femmes font plus

de récidives, mais les contacts avec le vagin pendant la relation sexuelle ou le port d'un diaphragme ou d'un tampon semblent toujours les précéder», dit le Dr Joseph Corriere, directeur du Service d'urologie au Centre des sciences de la santé de l'université du Texas, à Houston.

«Je conseille à mes patientes atteintes d'infection chronique d'utiliser des serviettes hygiéniques plutôt que des tampons au moment de leurs règles», ajoute-t-il.

Soignez votre hygiène. Pour soigner votre hygiène, portez

des sous-vêtements en coton qui vous gardent au sec et évitez les pantalons serrés qui nuisent à l'aération. Enfin, lavez-vous bien.

«Vous vous exposez à des risques d'infections récurrentes si vous ne douchez pas la région périnéale (située entre le vagin et le rectum) afin d'éliminer les bactéries, explique le Dr Staskin. Toutefois, trop se laver peut avoir des effets contraires. En fait, vous risquez d'introduire des bactéries nuisibles dans le vagin et de remplacer par des bactéries *E. coli* les bactéries vaginales non infectieuses. Une irritation de l'urètre peut s'ensuivre, laquelle peut être associée à une infection urinaire. Les savons antibactériens qui modifient la flore vaginale peuvent produire les mêmes résultats.

Le message: lavez-vous, sans que l'hygiène ne devienne une obsession.

EXPERTS CONSULTÉS

Le Dr Elliot L. Cohen est professeur adjoint en urologie à la faculté de médecine Mount Sinai de l'université de la ville de New York.

Le **Dr Joseph Corriere** est directeur du Service d'urologie au Centre des sciences de la santé de l'université du Texas, à Houston.

Le **Dr Richard J. Macchia** est professeur et chef du Service d'urologie au Centre des sciences de la santé du collège de médecine de Brooklyn à l'université de l'État de New York.

Le **Dr David Staskin** est professeur adjoint en urologie à la faculté de médecine de l'université de Boston, au Massachusetts.

Infertilité

18 conseils en faveur de la conception

Vous avez décidé d'avoir un enfant et vous vous êtes débarrassée il y a quelques mois déjà de tous vos contraceptifs. Malheureusement, après de nombreux essais, le bébé se fait attendre et vous commencez à vous inquiéter. Combien de temps faut-il avant de concevoir? Que pouvez-vous faire pour aider Dame nature?

LES COUPLES

Voici ce que les experts conseillent aux couples qui s'inquiètent:

Attendez un an. Nos experts conseillent d'essayer pendant un an si vous avez moins de 28 ans, si vos relations sexuelles sont satisfaisantes ou si vous ne présentez aucun antécédent médical qui signalerait un problème potentiel de conception.

«Environ 60 % des couples conçoivent après six mois et 90 % après un an, dit le Dr Mitchell Levine, gynécologue et obstétricien à la clinique Women-Care de Cambridge, au Massachusetts. Naturellement, avec l'âge, la fertilité diminue un peu.»

«Même les femmes âgées d'une vingtaine d'années n'ovulent pas tous les mois», dit le Dr Joseph H. Bellina, directeur de l'Omega International Institute, une clinique de fertilité de la Nouvelle-Orléans, en Louisiane. Passé la trentaine, les probabilités d'ovuler tous les mois s'atténuent davantage. C'est pourquoi il faut consulter un spécialiste à mesure que l'on avance en âge.

ALERTE MÉDICALE

Quand la cigogne est débordée de travail

Vous aimeriez avoir un enfant, mais votre corps ne coopère pas. Devriez-vous attendre encore un peu ou consulter un spécialiste de la fertilité? Voici ce que vous conseillent nos experts:

- Vos règles sont peu abondantes ou irrégulières. En outre, les sécrétions du col de l'utérus ne fluctuent pas selon les cycles. Il se pourrait que vous n'ovuliez pas.
- Vous utilisez une trousse à ovulation en vente libre depuis trois cycles et n'avez jamais eu la moindre indication que vous ovuliez.
- Vous avez moins de 35 ans et avez des relations sexuelles sans contraceptif depuis un an; ou vous avez plus de 35 ans et n'avez pas réussi à tomber enceinte depuis six mois.
- Vous produisez du lait ou une pilosité se développe sur les seins, la lèvre supérieure ou le menton. Vous pourriez souffrir d'un déséquilibre hormonal.
- Vous ou votre partenaire avez déjà été victime de Chlamydia, une maladie transmissible sexuellement qui peut causer l'inflammation des trompes de Fallope ou la fibrose des conduits du système reproducteur chez l'homme.
- Vous avez des antécédents d'infections pelviennes, d'endométriose ou du syndrome des ovaires polykistiques; vous avez déjà subi une chirurgie abdominale ou urinaire ou encore des blessures au périnée; vous avez déjà été atteint de fortes fièvres, des oreillons ou de la rougeole.
- Vous avez déjà porté un stérilet.
- Vous ou votre partenaire soupçonnez avoir été exposé à une substance qui réduit la fertilité, le plomb, par exemple.

Parlez-en. Êtes-vous tous les deux certains de vouloir un enfant ou l'un de vous est-il ambivalent? Nos experts ont traité de nombreux couples qui n'arrivent pas à concevoir tant que l'incertitude de l'un des partenaires n'est pas résolue.

«J'ai connu un couple où l'homme était plus âgé et avait des enfants d'un premier mariage. Il n'était pas certain de vouloir être père à cette époque de sa vie, dit le Dr Levine. Après en avoir discuté sérieusement à quelques reprises avec sa partenaire, il s'est enthousiasmé à l'idée d'être père à nouveau et ce n'est qu'à ce moment-là qu'ils ont réussi à concevoir.»

Quoi d'autre?

Adieu gelée Y, bonjour blanc d'œuf

Son auditoire a été sidéré lorsque le Dr Andrew Toledo, professeur adjoint au Service de gynécologie et d'obstétrique et spécialiste de la fertilité à l'université Emory, a suggéré du blanc d'œuf comme lubrifiant vaginal afin de déclencher la conception.

«Ce n'est pas un remède miracle, précise le Dr Toledo. Le blanc d'œuf n'est utile que pour les couples qui ont des problèmes de sécheresse vaginale.»

Il conseille de n'utiliser le blanc d'œuf que pendant quelques jours tous les mois lorsque la femme est fertile, et de reprendre ensuite le lubrifiant de leur choix.

Pourquoi du blanc d'œuf?

Le Dr Toledo avoue avoir été intrigué par les résultats d'une étude menée au Canada, laquelle indique que le blanc d'œuf a un effet moindre sur la motilité et la survie des spermatozoïdes.

«C'est logique, dit-il. Le blanc d'œuf est entièrement constitué de protéines, la même substance qui entre dans la composition des spermatozoïdes; ces derniers se meuvent moins facilement dans une substance dont la structure est différente de la leur.»

«Les couples qui m'ont avoué avoir besoin d'un lubrifiant ont trouvé que le blanc d'œuf a été utile. Plusieurs d'entre eux ont conçu après en avoir fait l'essai.»

«Mais n'utilisez pas de blanc d'œuf si vous y êtes allergique», prévient-il. Sortez l'œuf du réfrigérateur pour qu'il soit à la température de la pièce et séparez le jaune du blanc. Vous pouvez appliquer cette substance sur le gland du pénis ou dans le vagin.

«C'est fascinant, ajoute le Dr Marylin Milkman, gynécologue et obstétricienne de San Francisco et professeur à l'université de Californie à San Francisco. Quatre de mes patientes m'ont consultée pour un test de fertilité. Elles sont ensuite tombées enceintes en moins d'un mois.»

Laissez la passion vous emporter. «Oubliez les tables d'ovulation, l'examen de sécrétions et les rapports sexuels programmés jusqu'à ce que vous y soyez contrainte. Si vous en avez le temps, laissez plutôt votre passion vous emporter, conseille le Dr Milkman. C'est souvent ce qui fonctionne le mieux.»

Réduisez vos heures de travail. Le Dr Levine croit que
l'obsession du travail et le stress peuvent inhiber la conception. «Je vois souvent des femmes d'affaires et je leur dis: «Quel genre de message donnez-vous à votre corps?» Selon le Dr Levine, tout s'enchaîne. En matière de reproduction, l'organisme sait qu'une période de stress n'est pas idéale.

Adoptez la position du missionnaire si vous pensez que votre partenaire est fertile. «C'est la position idéale
si l'on veut concevoir», dit le Dr Bellina. La femme doit rester allongée pendant 20 minutes après l'éjaculation de son partenaire.

Cessez de fumer. Le tabac peut réduire le taux de fertilité
tant chez les hommes que chez les femmes. Des études ont montré que les hommes qui fument sont plus susceptibles de produire un taux anormalement faible de spermatozoïdes ou des spermatozoïdes dont la motilité est insuffisante. Une étude menée en Angleterre auprès de 17 032 femmes révèle que l'infertilité s'accroît avec le nombre de cigarettes fumées par jour. Les chercheurs soupçonnent le tabac de causer un déséquilibre hormonal chez les femmes.

À L'INTENTION DES FEMMES
Voici quelques mesures qui permettent aux femmes d'augmenter leurs chances de grossesse.

Assurez-vous que vous ovulez. Vos règles sont-elles
régulières? Dans le cas contraire, vous n'ovulez peut-être pas.

«L'un des signes de l'ovulation est le changement dans les sécrétions du col de l'utérus au milieu du cycle menstruel, dit le Dr Milkman. Les sécrétions deviennent fluides, aqueuses et claires. La sensibilité des seins, les crampes et la douleur de l'ovulation, que les Allemands appellent Mittelschmerz, sont d'autres signes de l'ovulation», dit-elle.

Vous pouvez aussi vérifier si vous ovulez au moyen d'une trousse d'ovulation que vous trouverez en pharmacie. «Toutefois, la trousse, qui affiche les taux hormonaux dans l'urine pendant l'ovulation, n'est efficace qu'à 50 % avec une lecture soir et matin», dit le Dr Bellina. Le moment idéal du test se situe entre 10 h et midi.

Si vous obtenez un résultat positif dès le premier mois, à la bonne heure! Si vous obtenez des résultats négatifs pendant trois mois consécutifs, il est possible que la trousse ne puisse détecter vos cycles ou que vous n'ovuliez pas. Dans les deux cas, consultez votre médecin.

Devenez une déesse de la fertilité. Certaines femmes se mettent à ovuler lorsqu'elles prennent ou perdent quelques kilos. En général, certains experts croient que plus votre poids se rapproche du poids idéal, plus vous avez de chances d'ovuler. Vous devez donc maintenir votre poids entre 95 % et 120 % de ce poids idéal.

Des chercheurs ont découvert que la graisse corporelle produit et emmagasine de l'œstrogène, une hormone qui prépare le corps à la grossesse. Un taux d'œstrogène trop faible ou trop élevé peut déséquilibrer le système reproducteur. Les graisses corporelles favorisent la production d'œstrogène.

Une étude menée par le Dr G. William Bates, endocrinologue de la reproduction, professeur d'obstétrique et de gynécologie et doyen de la faculté de médecine de l'université médicale de Caroline du Sud, a démontré que 29 femmes minces qui n'ovulaient pas se sont mises à ovuler lorsqu'elles ont atteint 95 % de leur poids idéal. Trois ans après avoir adhéré au programme, 24 des 29 femmes étaient enceintes. Une autre étude dirigée par le Dr Bates, portant sur 13 femmes obèses qui n'ovulaient pas, a montré que 11 d'entre elles se sont mises à ovuler après avoir perdu du poids. Dix sont tombées enceintes.

Ne faites pas trop d'exercice. Pour deux raisons: premièrement, vous pourriez cesser d'ovuler si l'exercice vous fait perdre trop de graisse corporelle. Deuxièmement, vous pourriez aussi réduire vos chances de tomber enceinte si vous consacrez plus d'une heure par jour à des exercices vigoureux comme la course, le ski de fond ou la natation, même si vous maintenez un poids normal.

Au cours d'une étude menée auprès de 346 femmes atteintes de troubles ovulatoires, le Dr Beverly Green, spécialiste de la santé maternelle et infantile, a découvert que les femmes qui n'ont jamais eu d'enfant et qui consacrent plus d'une heure par jour à un exercice vigoureux augmentent leurs risques d'infertilité. L'étude a aussi démontré que l'exercice agit différemment sur la fertilité et la perte de poids.

Comment explique-t-on ce phénomène? Selon le Dr Bellina, les endorphines, des substances sécrétées pendant un exercice vigoureux, pourraient affecter les taux de prolactine des femmes tout comme la morphine. Les taux élevés de prolactine pourraient inhiber l'ovulation.

Quoi qu'il en soit, le Dr Green, elle-même une marathonienne qui n'a eu aucune difficulté à avoir des enfants, prévient les gens de ne pas interpréter les résultats de son étude de façon alarmiste. Que conseille-t-elle aux athlètes? «Essayez de faire un peu moins d'exercice et de voir si cela a un effet.»

Comptez bien les jours. «Si vous ovulez normalement, il se pourrait simplement que vous ne fassiez pas l'amour au bon moment», dit le Dr Levine.

«Parfois, les deux partenaires ont des carrières exigeantes. Ils ne font l'amour que deux fois par semaine sans tomber sur les bons jours», dit-il.

Comment pouvez-vous remédier à la situation? «Essayez de prévoir votre ovulation. La façon la plus simple consiste à déterminer la date de vos prochaines règles et de soustraire 14 jours. Puis faites l'amour tous les soirs entre le onzième et le seizième jour. Il existe aussi des trousses en vente libre qui prédisent l'ovulation de 24 à 36 heures à l'avance. Lorsque le test est positif, faites l'amour le soir même et le lendemain», conseille le Dr Bellina.

Ne prenez pas de douche vaginale. Toute substance qui modifie le pH du vagin, y compris les douches vaginales, les agents lubrifiants et les gelées, peut être nocive pour les spermatozoïdes.

«Je conseille à mes patientes de ne jamais prendre de douche vaginale, dit le Dr Milkman. Le vagin peut très bien se nettoyer sans intervention de votre part.»

Diminuez votre consommation de caféine. Vous pouvez réduire vos probabilités de tomber enceinte en prenant plus d'une tasse de café par jour. Il en est de même pour le chocolat, les boissons gazeuses ou toute autre boisson à base de caféine.

Dans une étude menée auprès de 104 femmes qui tentaient de tomber enceintes, des chercheurs ont découvert que celles qui buvaient plus d'une tasse de café par jour réduisaient de 50 % leurs chances de concevoir, comparativement à celles qui en consommaient moins.

À L'INTENTION DES HOMMES

Voici quelques conseils pour combattre l'infertilité masculine.

Laissez à votre sperme le temps de se renforcer.

«Toute infection virale accompagnée de fièvre peut diminuer la production de spermatozoïdes jusqu'à environ trois mois, dit le Dr Neil Baum, directeur de la Clinique d'infertilité masculine de la Nouvelle-Orléans, en Louisiane, et professeur adjoint d'urologie à la faculté de médecine de l'université Tulane. Les mauvais rhumes peuvent avoir le même effet.»

Pourquoi cet effet est-il aussi prolongé? Selon le Dr Baum, le cycle normal de production du sperme est de 78 jours. Il faut compter 12 jours de plus pour que les spermatozoïdes atteignent la maturité. Le sperme normal contient plus de 20 millions de spermatozoïdes par 15 ml. Si vous examinez le sperme au microscope, plus de 60 % semble se déplacer dans le liquide.

Un rhume ou une grippe n'affectera pas votre fertilité, si votre taux de spermatozoïdes est normal. Toutefois, si vous êtes à la limite, une maladie pourrait vous rendre infertile.

Ne prenez pas de stéroïdes.

«Les stéroïdes anabolisants inhibent la fonction de l'hypophyse et modifient l'équilibre hormonal normal, dit le Dr Baum. Les athlètes ont souvent des problèmes d'infertilité, ajoute-t-il. L'usage prolongé des stéroïdes peut causer des dommages permanents aux testicules.»

Méfiez-vous des médicaments et de l'alcool.

Plusieurs médicaments sur ordonnance et d'autres médicaments en vente libre peuvent réduire la production de spermatozoïdes. Consultez votre pharmacien ou votre médecin si vous soupçonnez que ces médicaments sont la cause de votre infertilité. Méfiez-vous particulièrement du Tagamet®, médicament anti-ulcéreux, des agents de chimiothérapie et de certains antibiotiques. Diverses études ont démontré que la consommation régulière d'alcool et de marijuana pourrait aussi en être la cause.

Restez au frais.

La façon qu'a trouvé mère Nature d'abaisser d'un degré la température des testicules a été de les placer à l'extérieur du corps. Vous pouvez réduire votre taux de spermatozoïdes si vous élevez votre température corporelle ou celle de vos testicules.

Si vous souhaitez devenir père, le Dr Baum vous conseille de vous méfier de l'activité physique excessive, des températures extrêmes, des bains chauds et des sous-vêtements serrés.

N'oubliez pas que l'abstinence renforce l'activité des spermatozoïdes.

Si vous souhaitez avoir un enfant, il est possible

que vos relations sexuelles quotidiennes aillent à l'encontre de votre objectif, car elles peuvent réduire votre taux de spermatozoïdes.

«Cela n'a aucune importance chez un couple normal, dit le Dr Levine, mais peut être préjudiciable aux couples qui ont des difficultés à concevoir. Abstenez-vous donc de relations sexuelles deux jours avant la période de fertilité de votre partenaire afin d'augmenter le taux de spermatozoïdes. Puis faites l'amour tous les deux jours.»

EXPERTS CONSULTÉS

Le Dr G. William Bates est endocrinologue de la reproduction, professeur d'obstétrique et de gynécologie et doyen de la faculté de médecine de l'université médicale de Caroline du Sud.

Le Dr Neil Baum est directeur de la Clinique d'infertilité masculine de la Nouvelle-Orléans, en Louisiane, et professeur adjoint d'urologie à la faculté de médecine de l'université Tulane. Il est en outre urologue à la Touro Infirmary de la même ville.

Insomnie

19 secrets pour une bonne nuit de sommeil

Il est déjà trois heures du matin et vous n'arrivez toujours pas à vous endormir, bien que vous soyez allé au lit tôt. Vous donneriez n'importe quoi pour une bonne nuit de sommeil. Rassurez-vous, il y a des millions de gens comme vous.

L'insomnie se classe quatrième, après le rhume, les troubles gastriques et les maux de tête, pour la consultation médicale. Un sondage mené auprès de 1 000 personnes a révélé que plus de 30 % d'entre elles sont victimes d'insomnie. Ces personnes se plaignaient de se réveiller la nuit et de ne plus pouvoir se rendormir.

Dans le passé, les médecins prescrivaient automatiquement un ou deux comprimés pour induire le sommeil. Toutefois, les choses

---

ALERTE MÉDICALE

Les insomniaques crient à l'aide

Certains troubles du sommeil peuvent se transformer en insomnie chronique et avoir pour conséquences des troubles psychiatriques ou respiratoires, ou des secousses musculaires soudaines dans les jambes au milieu de la nuit. Les experts conviennent qu'il vous faut consulter un spécialiste si vous éprouvez des difficultés à vous endormir ou à rester endormi toute la nuit pendant plus d'un mois, .

L'American Sleep Disorders Association vous conseille d'expliquer d'abord vos problèmes à votre médecin de famille. Si ce dernier ne peut rien faire pour vous, il vous référera à un spécialiste.

---

ont changé. Les chercheurs et les médecins élargissent constamment leur champ de connaissances sur le sommeil et sont en mesure de mieux traiter les problèmes qui y sont associés.

En fait, il existe plusieurs solutions à l'insomnie. À l'occasion, un seul traitement peut suffire, mais ce n'est pas toujours le cas. Quoi qu'il en soit, la discipline est la clé du succès. «Si le sommeil est un phénomène physiologique naturel, c'est aussi un comportement acquis», précise le Dr Michael Stevenson, psychologue et directeur clinique du North Valley Sleep Disorders Center de Mission Hill, en Californie.

Fixez-vous un horaire de sommeil rigide sept jours par semaine. «Le sommeil fait inévitablement partie des activités d'une journée de 24 heures, dit le Dr Merrill M. Mitler, directeur de la recherche en médecine thoracique, soins critiques et médecine du sommeil à la Scripps Clinic and Research Foundation à La Jolla, en Californie. Nous insistons pour que nos patients adoptent des habitudes de sommeil aussi régulières que possible.»

La solution: dormir suffisamment pour passer la journée sans somnolence. Essayez donc de vous mettre au lit à la même heure tous les soirs afin de régler votre rythme circadien, c'est-à-dire l'horloge biologique qui assure la régulation de la plupart des fonctions internes de l'organisme. Vous devez également vous lever à la même heure tous les matins.

Fixez-vous un nombre d'heures précis de sommeil, disons environ cinq heures. Si vous arrivez à dormir profondément durant cette période, ajoutez 15 minutes chaque semaine jusqu'à ce que vous vous réveilliez la nuit. Attendez de dormir sans interruption avant de répéter l'exercice. Lorsque vous aurez suffisamment dormi, vous vous réveillerez frais et dispos, énergique et prêt à affronter la journée.

Le Dr Mitler conseille toutefois de ne pas lutter si vous vous réveillez pendant la nuit et n'arrivez pas à vous rendormir en 15 minutes. Restez plutôt au lit et écoutez la radio jusqu'à ce que vous commenciez à somnoler.

Ne trichez pas. Levez-vous quand même à l'heure prévue sans essayer de reprendre le sommeil «perdu». Ce conseil vaut aussi pour les fins de semaines. Ne faites pas de grasse matinée les samedi et dimanche matin, sinon il vous sera difficile de vous endormir le dimanche soir et vous vous sentirez épuisé le lundi matin.

Ne restez pas inutilement au lit. L'organisme requiert moins de sommeil en vieillissant. La plupart des nouveau-nés dorment 18 heures par jour, alors qu'à 10 ans, les enfants ne dorment plus que neuf ou dix heures par jour.

Les experts conviennent que les besoins varient d'un adulte à un autre. Sept à huit heures par jour est une bonne moyenne, mais certains se contentent de cinq heures de sommeil, tandis que d'autres ont besoin de dormir 10 heures. Il s'agit donc de devenir ce que les experts appellent un dormeur efficace.

«N'allez au lit que lorsque vous avez envie de dormir», conseille le Dr Edward Stepanski, directeur de la Clinique d'insomnie au Centre de recherche sur les maladies du sommeil de l'hôpital Henry Ford de Detroit, au Michigan. Si vous n'arrivez pas à vous endormir en 15 minutes, levez-vous et adonnez-vous à une activité agréablement monotone. Lisez une revue et non un livre qui risque de vous passionner. Tricotez, regardez la télévision ou faites votre comptabilité. Ne jouez pas aux jeux vidéo qui pourraient vous exciter et n'entreprenez pas de tâches comme la lessive ou le ménage.

Retournez au lit dès les premiers signes de fatigue. Si vous n'arrivez pas à vous endormir, recommencez le même manège jusqu'à ce que le sommeil vienne. N'oubliez surtout pas que vous devrez vous lever à la même heure le lendemain matin.

Prenez le temps de vous détendre avant d'aller au lit. «La plupart des gens sont tellement occupés qu'ils ne prennent pas le temps de faire le bilan de leur journée avant de se mettre au

Quoi d'autre?

Éclairez votre vie

Les chercheurs du National Institute of Mental Health (NIMH) ont recours à la lumière vive le matin afin d'aider les insomniaques chroniques à régler leur rythme circadien.

Selon le Dr Jean R. Joseph-Vanderpool, psychiatre au Service de psychobiologie clinique du NIMH, bon nombre de gens souffrent du syndrome de décalage du sommeil, c'est-à-dire qu'ils n'arrivent pas à se lever le matin.

C'est la raison pour laquelle on place ces patients devant des lampes fluorescentes de forte intensité pendant environ deux heures dès leur réveil. Cette lumière intense se rapproche de la lumière naturelle par un matin d'été. L'organisme reçoit alors le message suivant: c'est le matin et il est temps de se mettre en marche. De même, le soir, les sujets portent des verres fumés afin de signaler à l'organisme qu'il est temps de se détendre.

La thérapie du Dr Joseph-Vanderpool donne des résultats plus que favorables. Après quelques semaines, ses patients rapportent qu'ils sont plus alertes le matin et dorment mieux la nuit.

Vous pouvez obtenir les mêmes résultats à la maison en sortant faire une promenade, en vous asseyant au soleil ou en faisant du jardinage dès que vous vous levez. Pendant l'hiver, utilisez la lumière artificielle. Votre médecin peut vous renseigner à ce sujet.

lit», dit le Dr David Neubauer, psychiatre au centre de troubles du sommeil du Centre médical Francis Scott Key de l'université Johns Hopkins de Baltimore, au Maryland.

Une ou deux heures avant d'aller au lit, asseyez-vous pendant environ 10 minutes. Réfléchissez aux événements de la journée. Évaluez vos sources de stress et vos difficultés et cherchez des solutions. Planifiez tranquillement la journée du lendemain.

Cet exercice libérera votre esprit des contrariétés et des problèmes qui pourraient vous garder éveillé. Vous pourrez ainsi tourner votre esprit vers des pensées et des images agréables qui vous permettront de sombrer dans le sommeil.

Ne transformez pas votre lit en bureau ou en boudoir. «Lorsqu'on va au lit, c'est pour dormir, dit le Dr Magdi Soliman, professeur de neuropharmacologie au Service de pharmacologie de l'université Florida A&M. Il est difficile de s'abandonner au sommeil quand on a l'esprit occupé.»

Une fois au lit, ne regardez pas la télévision, ne téléphonez pas, ne vous querellez pas avec votre partenaire et ne mangez pas. La chambre à coucher est l'endroit privilégié du repos et des relations intimes.

Évitez les stimulants après la tombée de la nuit. Le café et le chocolat contiennent de la caféine, un puissant stimulant qui pourrait vous empêcher de dormir. «Essayez de vous en priver après 16 h», dit le Dr Mitler. Ne fumez pas non plus, car la nicotine aussi est un stimulant.

Ne prenez pas d'alcool le soir. «Évitez l'alcool au dîner et pendant la soirée», suggère le Dr Stevenson. Évitez surtout de prendre un dernier verre pour vous détendre avant d'aller au lit. L'alcool est non seulement un dépresseur du système nerveux central, mais il peut aussi perturber le sommeil. En quelques heures, habituellement au milieu de la nuit, son effet aura disparu, votre organisme entrera en état de manque et vous vous réveillerez.

Prenez-vous des médicaments? Certains médicaments, notamment les bronchodilatateurs, peuvent perturber le sommeil. Si vous prenez régulièrement des médicaments sur ordonnance, demandez à votre médecin quels en sont les effets secondaires. Il pourra vous prescrire un autre médicament ou changer l'heure à laquelle vous devez le prendre s'il croit qu'un médicament est la cause de votre insomnie,

Examinez votre horaire de travail. «Des recherches ont démontré que les personnes qui travaillent sur des quarts, alternant entre les postes de jour et les postes de nuit, souffrent souvent de troubles du sommeil», dit le Dr Mortimer Mamelak, directeur du laboratoire de sommeil de la clinique de l'université de Toronto à l'hôpital Sunnybrook. Le stress qu'occasionne le changement d'horaire provoque une fatigue chronique comparable à celle du décalage horaire qui peut perturber les mécanismes du sommeil. La solution: essayez d'obtenir un poste de travail plus régulier, même s'il s'agit d'un poste de nuit.

Prenez un léger en-cas avant d'aller au lit. «Mangez un morceau de pain et un fruit une heure ou deux avant de vous

coucher, dit le Dr Sonia Ancoli-Israel, psychologue et professeur adjoint de psychiatrie à la faculté de médecine de l'université de Californie à San Diego. Vous pouvez aussi boire un bon verre de lait chaud. Évitez les goûters sucrés qui excitent et les repas lourds qui stressent l'organisme.»

Mise en garde: les personnes âgées doivent éviter de boire beaucoup de liquides avant d'aller au lit. Le besoin d'uriner risque de les réveiller au milieu de la nuit.

Aménagez une chambre à coucher confortable.

«L'insomnie est souvent causée par le stress, dit le Dr Stevenson. Si vous allez au lit nerveux ou anxieux, votre système nerveux réagira en conséquence et vous empêchera de dormir. Éventuellement, vous attribuerez l'insomnie à votre chambre à coucher.» Si c'est le cas, repeignez la chambre de vos couleurs préférées, insonorisez-la et installez des rideaux épais qui bloqueront la lumière. Procurez-vous un lit confortable, un matelas à ressorts, un lit d'eau, un lit-vibrateur ou une natte au sol. Portez des vêtements de nuit amples. Réglez la température de la pièce pour qu'elle ne soit ni trop chaude ni trop froide. Et surtout, ne placez pas de réveil matin qui pourrait vous distraire à proximité de votre lit.

Faites le vide dans votre esprit. «Ne ressassez pas vos

soucis de la journée, mais tournez plutôt votre esprit vers des pensées paisibles, dit le Dr Stevenson. Écoutez de la musique douce, des chants d'oiseaux et des sons de la nature: cascades d'eau, bruit des vagues ou clapotis de la pluie. La règle d'or: évitez la musique forte ou distrayante.

Protégez-vous. «Les boules Quies® peuvent vous aider à

trouver le sommeil, surtout si vous habitez sur une rue passante ou à proximité d'un aéroport», dit le Dr Ancoli-Israel. Un masque vous protégera de la lumière et une couverture électrique vous tiendra au chaud, surtout si vous êtes frileux.

Apprenez à pratiquer des techniques de relaxation. Tous vos efforts pour dormir pourraient avoir l'effet contraire.

C'est pourquoi nous vous conseillons de vous détendre avant d'aller au lit.

«L'un des principaux problèmes liés à l'insomnie est l'acharnement que mettent les gens à vouloir dormir, dit le Dr Stevenson. La meilleure méthode pour s'endormir facilement consiste à faire le vide.»

Les exercices de rétroaction (*biofeedback*), de respiration profonde, d'étirement ou de yoga peuvent s'avérer utiles. Il existe des enregistrements sur cassette qui vous apprennent à détendre tous vos muscles progressivement.

«Au début, c'est un peu plus difficile», dit le Dr Neubauer. C'est un peu comme suivre un régime amaigrissant; il faut s'y tenir. Les résultats ne sont pas immédiats, cela vaut la peine de persévérer.»

Les médecins préconisent les deux techniques suivantes:

•   Ralentissez votre rythme respiratoire en visualisant l'air qui circule dans vos poumons pendant que vous respirez du diaphragme. Faites en l'essai durant la journée afin de vous faciliter la tâche avant d'aller au lit.

•   Chassez les idées noires à mesure qu'elles surgissent. Pensez à des choses agréables et à des moments heureux. Laissez-vous aller à des fantasmes ou jouez mentalement. Comptez des moutons ou comptez de 1 000 à 0 en soustrayant sept chiffres à la fois.

Faites une promenade. «L'exercice en fin d'après-midi ou au début de la soirée est un bon remède, disent le Dr Neubauer et le Dr Soliman. Évitez les exercices trop vigoureux; une courte promenade suffit. En plus de fatiguer les muscles, l'exercice élève la température du corps. Une certaine somnolence peut survenir lorsque la température corporelle revient à la normale. L'exercice favorise le sommeil réparateur dont l'organisme a besoin pour reprendre ses forces.

Faites l'amour avant de dormir. Pour bon nombre de personnes, il s'agit d'une façon agréable et relaxante de se préparer au sommeil. Des chercheurs ont découvert que les mécanismes hormonaux déclenchés pendant l'activité sexuelle favorisent le sommeil.

«Chaque cas est différent», dit le Dr James K. Walsh, polysomnographe et directeur du Centre des troubles du sommeil de l'hôpital Deaconess de St. Louis, au Missouri.

«Si les relations sexuelles sont une source de stress et d'anxiété, il est préférable de vous en abstenir, dit-il. Mais si elles sont une source de plaisir, elles peuvent vraiment prédisposer au sommeil.»

Prenez un bain chaud. Les experts soutiennent que les températures normales du corps suivent le rythme circadien. Elles sont plus faibles pendant le sommeil et à leur maximum durant la journée.

On pense donc que la somnolence est déclenchée lorsque la température corporelle baisse. En prenant un bain chaud quatre ou cinq heures avant d'aller au lit, vous élevez la température de votre corps. Vous ressentirez plus de fatigue à mesure qu'elle revient à la normale, ce qui vous aidera à vous endormir.

EXPERTS CONSULTÉS

Le Dr **Sonia Ancoli-Israel** est psychologue et professeur adjoint au Service de psychiatrie de la faculté de médecine de l'université de Californie à San Diego.

Le Dr **Jean R. Joseph-Vanderpool** est psychiatre au Service de psychobiologie clinique du National Institute of Mental Health de Bethesda, au Maryland.

Le Dr **Mortimer Mamelak** est directeur du laboratoire de sommeil de la clinique de l'université de Toronto à l'hôpital Sunnybrook. Il est l'auteur d'une plaquette intitulée *Insomnia*.

Le Dr **Merrill M. Mitler** est directeur de la recherche en médecine thoracique, soins critiques et médecine du sommeil à la Scripps Clinic and Research Foundation à La Jolla, en Californie. Il est en outre professeur de psychiatrie à l'université de Californie à San Diego.

Le Dr **David Neubauer** est psychiatre au Service de psychiatrie de l'université Johns Hopkins de Baltimore,au Maryland. Il est également associé au centre de troubles du sommeil du Centre médical Francis Scott Key de l'université Johns Hopkins, à Baltimore.

Le Dr **Magdi Soliman** est professeur de neuropharmacologie au département de pharmacologie de l'université Florida A&M, à Tallahassee, en Floride.

Le Dr **Edward Stepanski** est directeur de la clinique d'insomnie au Centre de recherche sur les maladies du sommeil de l'hôpital Henry Ford de Detroit, au Michigan.

Le Dr **Michael Stevenson** est psychologue et directeur clinique du North Valley Sleep Disorders Center de Mission Hill, en Californie.

Le Dr **James K. Walsh** est un polysomnographe accrédité par l'American Sleep Disorders Association. Il est directeur du Centre des troubles du sommeil de l'hôpital Deaconess de St. Louis, au Missouri.

Intolérance au lactose

15 façons de vous soulager

Un verre de lait vous donne des ballonnements, et une simple glace ou du fromage agissent sur vous comme un laxatif. Savez-vous pourquoi?

C'est simple, vous souffrez probablement d'intolérance au lactose, ce qui signifie que votre intestin ne produit pas suffisamment de lactase, l'enzyme responsable de la digestion du lactose, le glucose naturel contenu dans les produits laitiers. Ne vous inquiétez pas, ce n'est pas dangereux.

Vous n'êtes d'ailleurs pas la seule personne à souffrir d'intolérance au lactose. Selon le Dr Seymour Sabesin, directeur du Service des maladies digestives au Centre médical Rush-Presbyterian-St. Luke de Chicago, en Illinois, la plupart des gens ont déjà souffert d'intolérance au lactose à divers degrés avant l'âge de 20 ans. Aux États-Unis, par exemple, plus de 30 millions de personnes en ont déjà été affectées. Il existe toutefois des solutions qui permettent aux victimes de manger de la glace sans éprouver des troubles du système digestif. En voici quelques-unes.

Faites un test de tolérance. «Le degré de tolérance au lactose varie fortement d'une personne à une autre. Il vaut mieux connaître la quantité de lactose que l'on peut consommer sans provoquer des symptômes d'intolérance», dit le Dr Theodore Bayless, directeur de gastro-entérologie clinique à l'hôpital universitaire Johns Hopkins de Baltimore, au Maryland.

De toute évidence, il faut diminuer la consommation de produits laitiers jusqu'à ce que les symptômes disparaissent.

«Certaines personnes ne tolèrent même pas quelques gorgées de lait, dit-il. Environ 30 % des personnes qui souffrent d'intolérance au lactose ne ressentiront les premiers symptômes qu'après avoir bu un litre de lait, et 30 à 40 % réagiront après un verre.»

N'oubliez pas de prendre du calcium. «Les produits laitiers sont une source importante de calcium, rappelle le Dr Bayless.

Bon nombre de gens ont besoin d'une quantité de calcium équivalente à deux verres de lait.» Si vous devez couper votre consommation de lait, compensez en mangeant des sardines avec les arêtes, des épinards et du brocoli. Les suppléments de calcium peuvent aussi s'avérer favorables.

Ne prenez jamais du lait seul. «Certaines personnes prétendent que leurs symtômes disparaissent lorsqu'elles prennent les produits laitiers pendant le repas», dit le Dr Bayless.

Désensibilisez-vous. Afin de favoriser la tolérance au lactose, le Dr Bayless recommande de prendre chaque jour des produits laitiers en petite quantité, puis d'augmenter progressivement la dose jusqu'à ce que les symptômes réapparaissent.

Mangez du yaourt. «Les micro-organismes dont est composé le yaourt produisent aussi la lactase, une enzyme qui digère le lactose», dit le Dr Naresh Jain, un gastro-entérologue de Niagara Falls, dans l'État de New York. En outre, les bactéries dégradent probablement elles-mêmes le lactose du lait. Le Dr Jain estime que 70 à 80 % de ses patients devraient facilement tolérer le yaourt puisque la plupart d'entre eux ne présentent qu'une faible intolérance au lactose.

Selon le Dr Sabesin, le yaourt ne contient environ que 75 % du lactose que renferme une quantité équivalente de lait. Cet écart peut favoriser une tolérance au lactose. En fait, 125 à 175 ml de yaourt par jour vous permettrait d'éliminer les flatulences.

Voici quelques conseils concernant le yaourt:

Choisissez le yaourt frais plutôt que surgelé. «Le yaourt surgelé pose un problème uniquement s'il a été pasteurisé deux fois, dit le Dr Jain. Le yaourt est fait à partir de lait pasteurisé, mais certains fabricants répètent le processus avant de le surgeler. Ce double procédé a pour effet de détruire les micro-organismes producteurs de lactase. Choisissez une marque de yaourt qui n'a été pasteurisée qu'une seule fois.»

Choisissez du yaourt faible en matières grasses. «Les matières grasses ralentissent l'évacuation gastrique, dit le Dr Jain. Le yaourt riche en matières grasses séjourne plus longtemps dans l'estomac, ce qui permet aux sucs gastriques de détruire une plus grande quantité de micro-organismes.»

La digestion du lactose se produit dans l'intestin grêle. Les micro-organismes doivent donc y être transportés le plus rapidement possible, même si les sucs gastriques ne les ont pas détruits. «Il ne s'agit là que d'une théorie», dit le Dr Jain. Toutefois, il est préférable de manger du yaourt faible en matières grasses.

Mangez-en tous les jours. «Des personnes qui avaient consommé du yaourt quotidiennement ont vu leur digestion s'améliorer considérablement», dit le Dr Jain.

Choisissez le yaourt plutôt que la glace. «Le fait de manger du yaourt cinq à quinze minutes avant une glace, ou tout autre produit laitier, pourrait alléger vos symptômes d'intolérance au lactose», dit le Dr Jain.

Essayez le babeurre. «Le babeurre se tolère facilement»,
dit le Dr Jain. Malgré son nom, le babeurre contient moins de cholestérol et moins de matières grasses que le lait partiellement écrémé.

Le fromage. «Le fromage contient moins de lactose que le
lait», dit le Dr Jain. «Les fromages à pâte dure comme le gruyère sont les meilleurs, ajoute le Dr Bayless, car ils sont vieillis plus longtemps». Le Dr Sabesin recommande particulièrement le fromage suisse et le cheddar extra fort qui contiennent de très faibles quantités de lactose et sont moins susceptibles de troubler la digestion.

Le lait à l'acidophilus n'est d'aucun secours. «Bien
que l'acidophilus soit bénéfique pour la digestion, cette bactérie colonise le gros intestin», note le Dr Jeffrey Biller, gastro-entérologue au Centre de gastro-entérologie et de nutrition pédiatrique à Boston, au Massachusetts. L'acidophilus ne participe pas à la digestion du lactose dans l'intestin grêle.

Méfiez-vous des agents de remplissage. Le lactose
est souvent utilisé comme agent de remplissage dans les médicaments et les suppléments nutritifs. «Certains comprimés contiennent suffisamment de lactose pour incommoder certaines personnes, prévient le Dr Jain. Lisez attentivement les étiquettes et demandez à votre pharmacien de vous indiquer quels médicaments contiennent un agent de remplissage à base de lactose.»

Intoxication alimentaire

23 moyens de se remettre sur pied

Une très belle journée ensoleillée et un festin de roi! Vous en aviez déjà l'eau à la bouche: du poulet cuit sur le gril, des palourdes au beurre, de la salade de pommes de terre et de la merveilleuse tarte à la crème.

Quelques heures plus tard, cependant, rien ne va plus. Outre les étourdissements, vous avez des nausées, vous vous mettez à vomir et la diarrhée s'ensuit.

Que s'est-il passé? Il y a de fortes chances que les mets aient été contaminés par des bactéries et qu'ils aient, par conséquent, provoqué une intoxication alimentaire.

Quelle que soit la cause du malaise, ces bactéries s'attaquent aux intestins. Pendant un jour ou deux, vous vous retrouvez dans un état lamentable; votre organisme cherche désespérément à se débarrasser des parasites. Voici ce que les experts recommandent dans le cas d'une intoxication alimentaire.

Consommez beaucoup de liquides. En irritant votre tractus intestinal, les bactéries déclenchent des vomissements

---

ALERTE MÉDICALE

Certaines personnes ont besoin de soins particuliers

«En général, les intoxications alimentaires sont caractérisées par des crampes, des nausées, des vomissements, de la diarrhée et des étourdissements qui disparaissent au bout d'une journée ou deux, dit le Dr Lynne Mofenson. Toutefois, l'intoxication alimentaire peut s'avérer très grave dans le cas de très jeunes enfants, de personnes âgées ou de personnes atteintes de maladies chroniques ou de troubles du système immunitaire. Il faut consulter un médecin aux premiers signes d'empoisonnement.»

Peut-être vous ne faites pas partie de l'un de ces groupes, mais appelez immédiatement un médecin si, en plus des symptômes habituels, vous éprouvez les symptômes suivants:

* de la difficulté à avaler, à parler ou à respirer; une modification de la vision, de la faiblesse musculaire ou une paralysie, particulièrement si celle-ci survient après la consommation de champignons, d'aliments en conserve ou de mollusques;
* de la fièvre excédant 37,7 °C;
* des vomissements aigus: vous ne pouvez même pas garder de liquides.
* une diarrhée aiguë qui persiste pendant plus d'une journée ou deux;
* des douleurs abdominales localisées qui persistent;
* de la déshydratation: vous avez extrêmement soif, vous avez la bouche sèche, vous urinez peu et, si vous vous pincez la peau du dos de la main, elle ne reprend pas sa forme lorsque vous lâchez prise.

---

et de la diarrhée qui vous font perdre beaucoup d'eau. L'eau est le meilleur liquide de remplacement. Par ailleurs, vous pouvez consommer des liquides clairs, comme du jus de pomme et du bouillon. «Vous pouvez aussi prendre des boissons gazeuses, mais laissez les bulles s'évacuer, dit le Dr Vincent F. Garagusi, professeur de médecine et de microbiologie et directeur du Service des maladies infectieuses à l'hôpital de l'université de Georgetown. Les bulles pourraient vous irriter l'estomac davantage, précise-t-il. Pour des raisons encore inconnues, il semble que le coca-cola éventé stabilise l'estomac. (Le Dr Garagusi dit qu'on peut rapidement débarrasser une boisson gazeuse de ses bulles en la transvidant plusieurs fois d'un verre dans un autre.)

Ne vous laissez plus prendre

Vous pouvez toujours tenir la nourriture du petit restaurant à l'autre bout de la ville responsable de vos troubles d'estomac. Cependant, selon le Dr Daniel Rodrigue, de nombreux cas d'intoxication alimentaire résultent de négligences à la maison. Par conséquent, suivez les règles élémentaires présentées ci-dessous et vous diminuerez considérablement vos risques d'intoxication alimentaire.

- Avant de toucher à de la nourriture, lavez-vous les mains afin d'éviter la transmission de bactéries comme les staphylocoques, qui se trouvent surtout sur la peau et dans la gorge, ou des Shigella, en provenance des matières fécales. Lavez-vous les mains de nouveau après avoir manipulé de la viande ou des œufs crus.
- Ne consommez pas de protéines crues comme du poisson, de la volaille, de la viande, du lait ou des œufs. Évitez le sushi, les huîtres, les salades préparées avec des œufs crus et le lait de poule non pasteurisé. Ne prenez jamais d'œufs dont la coquille est fêlée. Les aliments crus peuvent contenir des bactéries.
- Chauffez ou réfrigérez les aliments crus. Les bactéries ne se multiplient pas à des températures supérieures à 65,5 °C ou inférieures à 4,4 °C.
- Cuisez la viande jusqu'à ce qu'elle perde sa couleur rosée, le poulet jusqu'à ce que la viande se détache aisément des os et le poisson jusqu'à ce qu'il se défasse en morceaux. Une cuisson complète est la seule façon de détruire toutes les bactéries potentiellement nocives.
- Utilisez un thermomètre à viande, surtout lorsque vous faites cuire de la viande ou de la volaille dans un four à micro-ondes.
- Ne mangez pas de ragoût de porc ou de potage au poisson tant que les viandes ne sont pas parfaitement cuites. Faites bien cuire la pâte à biscuits avant d'y goûter.
- Évitez de laisser du jus de viande crue en contact avec d'autres aliments, car il pourrait les contaminer.

Buvez lentement, en petites quantités. «Boire trop rapidement de grandes quantités de liquide risque de déclencher les vomissements», dit le Dr Garagusi.

Confectionnez-vous un cocktail spécial. Les vomissements et la diarrhée peuvent priver votre organisme d'importants électrolytes, c'est-à-dire de potassium, de sodium et de glucose. «Vous

- Servez-vous de planches à découper et d'ustensiles distincts pour préparer vos viandes et lavez-les avec de l'eau savonneuse ou même de l'eau javellisée après les avoir utilisés. Vous éviterez ainsi de contaminer d'autres aliments.
- Lavez bien vos ouvre-boîtes afin de détruire toutes les bactéries.
- Remplacez souvent vos éponges et utilisez des serviettes de papier pour bien récurer votre plan de travail dans la cuisine.
- Ne laissez pas d'aliments à la température de la pièce plus de deux heures et ne consommez pas un aliment sorti du réfrigérateur deux heures plus tôt. Les bactéries se multiplient dans les aliments protéiques tièdes à base de viande ou d'œufs, dans les pâtisseries à la crème, les salades de pommes de terre, notamment.
- Laissez décongeler la viande au réfrigérateur. Les bactéries peuvent se multiplier à la surface pendant que le centre est encore congelé.
- Mettez immédiatement les restes de nourriture au réfrigérateur, même s'ils sont encore chauds. Faites refroidir un ragoût dans plusieurs petits contenants que vous mettrez au réfrigérateur.
- Ne mangez jamais les champignons sauvages que vous venez de cueillir. Certains d'entre eux contiennent des toxines qui s'attaquent au système nerveux et peuvent être mortels. La cueillette des champignons sauvages devrait être laissée aux experts.
- Ne goûtez jamais à des conserves maison sans d'abord les avoir fait bouillir 20 minutes. Si elles ne sont pas préparées selon les règles, elles peuvent contenir des bactéries qui produisent une toxine dangereuse.
- Ne goûtez jamais à des aliments dont l'odeur ou l'apparence vous semble douteuse. Ne consommez pas les aliments contenus dans des pots fendillés ou des boîtes de conserves bombées ou déformées. Ne consommez pas non plus de liquides clairs devenus laiteux ou d'aliments en pots ou en conserve qui dégagent une odeur inhabituelle. Tous ces aliments peuvent contenir des bactéries dangereuses. Mettez-les dans un endroit sûr pour éviter qu'un chien ou un chat ne s'intoxique.

pouvez les remplacer en buvant des boissons préparées commercialement, par exemple du Gatorade®», suggère le Dr Lynne Mofenson, directrice adjointe du Service de recherches cliniques aux National Institutes of Health. Vous pouvez aussi préparer le cocktail suivant: prenez du jus de fruit (riche en potassium) et ajoutez-y 2,5 ml de miel ou de sirop de maïs (glucose) et une pincée de sel de table (chlorure sodique).

Gardez les anti-acides pour les brûlures d'estomac.
Les antiacides peuvent réduire l'acidité dans l'estomac et affaiblir vos mécanismes de défense contre les bactéries. «Si vous prenez un antiacide, explique le Dr Mofenson, les bactéries risquent de se multiplier plus efficacement et plus rapidement.»

Laissez les progrès suivre leur cours.
«Votre corps essaie d'évacuer les micro-organismes toxiques, explique le Dr Daniel Rodrigue, épidémiologiste aux Centers for Disease Control, à Atlanta, en Georgie. Dans certains cas, les anti-diarrhéiques comme de l'Imodium® ou du Lomotil® peuvent empêcher l'organisme de lutter efficacement contre l'infection.» Par conséquent, évitez ces médicaments et laissez la nature suivre son cours. Si vous croyez que vous devez prendre un médicament quelconque, consultez d'abord votre médecin.

Ne vous faites pas vomir.
«Ne laissez pas l'idée d'une intoxication alimentaire vous effrayer au point de vous mettre les doigts dans la gorge pour vous faire vomir, car ce n'est vraiment pas nécessaire», précise Bonnie Dean, directrice adjointe du Centre anti-poison de l'hôpital pour enfants de Pittsburgh, en Pennsylvanie.

Recommencez lentement à manger des aliments doux.
En général, vous êtes prêt à recommencer à manger de quelques heures à une journée après que les vomissements ou la diarrhée ont cessé. Soyez toutefois prudent, car votre estomac a été victime d'une violente attaque. Il est par conséquent faible et très irrité. «De préférence, commencez par des aliments qui se digèrent facilement», suggère le Dr Mofenson. Par exemple, choisissez des céréales, des biscottes ou des bouillons. Évitez les aliments épicés, acides, gras ou sucrés, les aliments riches en fibres et les produits laitiers, car ils risquent de vous irriter l'estomac davantage. Soyez sage pendant un jour ou deux, puis recommencez à manger normalement.

EXPERTS CONSULTÉS

Bonnie Dean est directrice adjointe du Centre anti-poison de l'hôpital pour enfants de Pittsburgh, en Pennsylvanie.

Le Dr Vincent F. Garagusi est professeur de médecine et de microbiologie et directeur du Service des maladies infectieuses à l'hôpital de l'université de Georgetown, à Washington, D.C.

Le Dr Lynne Mofenson est directrice adjointe du Service de recherches cliniques aux National Institutes of Health. Elle a été commissaire adjointe à la Division of Communicable Disease Control de l'État du Massachusetts au ministère de la Santé publique de l'État du Massachusetts.

Le Dr Daniel Rodrigue est épidémiologiste au Service de maladies entériques aux Centers for Disease Control, à Atlanta, en Georgie.

Irritation due aux couches

5 solutions faciles

L'irritation due aux couches peut perturber la vie paisible d'un bébé heureux et de ses parents. Si votre bébé souffre d'érythème fessier, vous en subirez aussi les conséquences. Heureusement, dans environ 50 % des cas, l'irritation disparaît spontanément en une journée. Dans le cas des 50 % restants, l'irritation peut durer 10 jours ou plus.

Si vous lisez ce texte, c'est que vous êtes curieuse d'en savoir davantage. Vous découvrirez notamment que les enfants allaités souffrent moins d'érythème fessier que les bébés nourris au biberon. Qui plus est, des recherches ont démontré que cette résistance se prolonge longtemps après que l'enfant ait été sevré.

Voici ce que nos experts recommandent dans le cas d'irritation due aux couches:

Aérez les fesses du bébé. Le plus vieux remède reste encore le meilleur. «Laissez les fesses du bébé à l'air», dit Ann Price, coordonnatrice pédagogique à la National Academy of Nannies Inc. (NANI) à Denver, au Colorado.

Enlevez la couche du bébé et placez-le sur le ventre, la tête tournée d'un côté, sur des serviettes protégées par une alèse. Laissez le bébé dans cette position aussi longtemps que vous pouvez le surveiller.

Le mystère des «petites perles»

Un journal médical a publié un article sur des parents qui avaient signalé à leur pédiatre l'apparition d'une irritation étrange. Il semble que les fesses du bébé étaient couvertes de «petites perles luisantes». Les pédiatres se sont penchés sur cette mystérieuse épidémie d'irritations et ont découvert que les petites victimes portaient toutes des couches jetables super-absorbantes. Peut-on établir un lien?

Oui. Les «perles» sont en fait le gel absorbant qui rendent les couches super-absorbantes. Apparemment, de petites quantités de gel se détachent, s'infiltrent dans la couche, et viennent se loger sur la peau du bébé. Les médecins affirment que ce gel n'est pas toxique et qu'il ne faut pas s'en inquiéter.

Les super couches à la rescousse. «Je vous conseille les nouvelles couches super-absorbantes, dit le Dr Morris Green, directeur du Service de pédiatrie à la faculté de médecine de l'université d'Indiana. J'estime qu'elles sont le meilleur moyen d'éviter l'irritation due aux couches.»

Des études récentes confirment l'observation du Dr Green. Les couches contenant un gel absorbant (les Pampers Ultra, par exemple) réduisent considérablement la moiteur de la peau et maintiennent un pH plus normal que les couches jetables conventionnelles ou les couches de tissu.

Serviette contre sèche-cheveux. Il n'y a rien de mieux que de garder la peau des fesses propre et sèche si l'on veut accélérer la guérison. Toutefois, les serviettes peuvent irriter la peau sensible du bébé. Que faire? «Prenez un sèche-cheveux», dit Linda Jonides, infirmière pédiatrique à Ann Arbor, au Michigan. Séchez les fesses au moyen d'un sèche-cheveux réglé à faible intensité afin de ne pas irriter davantage la peau mouillée. Lorsque les fesses sont bien sèches, vous pouvez appliquer une pommade à l'oxyde de zinc comme A&D® ou Desitin®.

Rincez les couches de tissu au vinaigre. «L'addition d'un peu de vinaigre à l'eau du dernier rinçage lorsque vous lavez les couches aide à leur donner un pH proche de celui de la peau du bébé», dit Ann Price. Elle précise que les enzymes de l'irritation sont plus actives dans un milieu dont le pH est élevé, ce qui est le cas des couches après la lessive. Ajoutez 30 ml de vinaigre à quatre litres d'eau de rinçage.

Le jus de canneberge. Lorsque l'urine et les selles se mélangent dans la couche, leur taux de pH augmente, ce qui favorise l'irritation.

Aussi étrange que cela puisse paraître, Linda Jonides avance qu'en faisant boire de 50 à 75 ml de jus de canneberge aux bébés plus âgés, il se forme un résidu acide dans l'urine qui permet de réduire les taux de pH et, par conséquent, l'irritation due aux couches.

EXPERTS CONSULTÉS

Le Dr Morrie Green est directeur du Service de pédiatrie à la faculté de médecine de l'université d'Indiana, à Indianapolis.

Linda Jonides est infirmière pédiatrique à Ann Arbor, au Michigan.

Ann Price est coordonnatrice pédagogique à la National Academy of Nannies, Inc. (NANI) à Denver, au Colorado, et coauteur de plusieurs ouvrages, dont *Successful Breastfeeding* et *Dr Mom*.

Irritations de la peau

10 façons d'y remédier

La meilleure équipe de lutteurs de l'université Ohio State portait depuis dix ans des maillots de sport de coton gris.

En 1987, on a remplacé leur tenue par un maillot de polyester et de coton, à la fois épais et durable. Mais les lutteurs n'ont pas tardé à s'en plaindre. Les maillots frottaient contre le visage et le cou, laissant la peau irritée et endolorie. Même si on les lavait tous les jours, le tissu demeurait raide et rêche. Les irritations augmentent habituellement les risques d'infection et, avec le temps, huit des 42 membres de l'équipe ont contracté un herpès au visage ou au cou.

En 1988, l'équipe est revenue aux maillots de coton. Les lutteurs ont eu moins d'irritations de la peau et les cas d'herpès ont diminué.

Que doit-on faire si un vêtement irrite la peau et cause des rougeurs? Lisez ce qui suit:

Adoptez les fibres naturelles. Des médecins de la faculté de médecine de l'université Ohio State ont identifié la source du problème des lutteurs: les maillots épais en tissu synthétique. Le problème a disparu lorsque les membres de l'équipe ont remis leurs maillots de coton.

Lavez les vêtements neufs avant de les porter. «C'est un conseil judicieux, précise le Dr Richard H. Strauss, spécialiste de médecine du sport à la faculté de médecine de l'université Ohio State. Souvent, le lavage assouplit suffisamment les tissus pour atténuer l'irritation.

Portez un bandage. «Les personnes obèses ou celles qui ont les cuisses fortes sont plus vulnérables. Elles peuvent porter un bandage autour des parties de la jambe qui frottent entre elles afin de se protéger», dit le Dr Tom Barringer, un médecin de famille de Charlotte, en Caroline du Nord. Le bandage protège la peau lorsque les cuisses frottent l'une contre l'autre. Assurez-vous de bien le fixer afin qu'il ne bouge pas.

Portez des vêtements serrés. «Une combinaison de tissu extensible et un short de lycra aux couleurs électriques sont recommandés, car il s'agit de vêtements à la fois serrés et extensibles qui ne causent aucune friction sur la peau», dit le Dr Barringer.

Optez pour le coton. «Si votre tenue de sport est fabriquée en nylon ou dans un autre tissu abrasif, portez un sous-vêtement de coton pour vous protéger la peau, dit le Dr Strauss. Bon nombre d'athlètes masculins portent un sous-vêtement de coton sous leur tenue», ajoute-t-il.

Évitez les tissus rêches. «Plus le tissu de votre tenue de sport est rêche, plus il vous irritera, dit le Dr Barringer. Il m'arrive de courir 80 km par semaine lorsque mon emploi du temps le permet. J'ai découvert qu'il est parfois préférable de se défaire d'un vêtement qui irrite et d'en essayer un autre.»

Lubrifiez votre corps. «La vaseline, appliquée entre les cuisses, autour des orteils, sous les bras ou à tout autre endroit irrité, agira comme lubrifiant entre deux surfaces de la peau», dit le Dr Robert Boyce, professeur adjoint de physiologie de l'exercice à l'université de Caroline du Nord de Charlotte.

N'oubliez pas la poudre. Voici un vieux truc contre l'irritation. Peut-être votre mère y recourait-elle lorsque vous étiez enfant. Tout comme la vaseline, le talc agit comme lubrifiant. Il aide la peau à glisser sans frottement.

Quelques conseils pratiques: Mettez de la poudre dans un grand mouchoir et retenez les quatre coins pour en faire une grosse houppette. Ainsi, vous ne tacherez pas le plancher.

Protégez-vous à l'aide d'un sparadrap. Protégez simplement la région irritée au moyen d'un pansement adhésif. Les femmes qui font du jogging, par exemple, placent souvent un sparadrap sur leurs mamelons afin de se protéger contre l'irritation.

Pratiquez un autre sport. «Les personnes obèses ont souvent des problèmes d'irritation de la peau», dit le Dr Boyce. Il conseille de changer de sport jusqu'à ce que l'irritation disparaisse. Si la marche vous cause des irritations, essayez la bicyclette stationnaire. Si celle-ci aussi vous cause des ennuis, faites de la natation, un sport qui ne cause pratiquement jamais d'irritation cutanée.

EXPERTS CONSULTÉS

Le **Dr Tom Barringer** est médecin de famille à Charlotte, en Caroline du Nord.

Le **Dr Robert Boyce** est professeur adjoint de physiologie de l'exercice à l'université de Caroline du Nord de Charlotte.

Le **Dr Richard H. Strauss** est un spécialiste de médecine du sport à la faculté de médecine de l'université Ohio State de Columbus.

Laryngite

16 suggestions efficaces

D'ordinaire, vous avez la voix claire comme de l'eau de roche quand vous chantez votre refrain sous la douche. Ce matin, c'était différent! Vous ne proféniez que des sons rauques. Vous avez tenté de vous éclaicir la voix. Peine perdue!

L'origine du problème? De mauvaises vibrations.

Lorsque vous parlez normalement, l'air que vous expulsez par le larynx fait vibrer les cordes vocales d'une certaine manière. Lorsque les cordes vocales sont enflées ou irritées, elles n'ont plus la forme voulue pour contenir l'air.

Une légère modification des cordes vocales suffit à rendre la voix méconnaissable. Les cordes vocales renferment un muscle central, diverses couches de tissu conjonctif et une enveloppe membraneuse appelée muqueuse. «L'altération de l'une ou l'autre de ces couches perturbe la vibration normale des tissus», explique le Dr Scott Kessler, un oto-rhino-laryngologiste qui compte parmi ses patients de grandes vedettes d'opéra et des chanteurs de rock.

Forcer la voix nuit au bon fonctionnement des cordes vocales qui gardent temporairement des cicatrices. Par ailleurs, une infection des voix respiratoires ou une allergie, par exemple, peuvent causer l'inflammation des cordes. Même l'air sec peut favoriser l'accumulation de mucus entre les cordes vocales. Dans chaque cas, vous faites une laryngite.

Comment retrouver votre voix? Voici ce que conseillent nos experts.

Évitez de parler. «Quelle que soit la cause de votre laryngite, laissez reposer vos cordes vocales», conseille le Dr Laurence Levine, oto-rhino-laryngologiste à Creve Cœur et à St. Charles, au Missouri, également professeur adjoint d'O.R.L. à la faculté de médecine de l'université de Washington. Essayez de parler le moins possible pendant un ou deux jours.»

ALERTE MÉDICALE

À quel moment la laryngite est-elle dangereuse?

«Vous devriez consulter votre médecin sans tarder, si la perte de voix s'accompagne de fortes douleurs quand vous avalez, conseille le Dr George T. Simpson II. L'enflure de la partie supérieure du larynx peut bloquer les voix respiratoires.»

Vous devriez aussi consulter votre médecin si vous crachez du sang, si votre respiration est bruyante ou si vous constatez que le repos vocal n'améliore pas votre enrouement. Une laryngite chronique peut être le signe d'une tumeur à la gorge. Consultez également votre médecin si votre voix ne revient pas à la normale après trois à cinq jours.

Évitez de chuchoter. Si vous devez communiquer, écrivez des notes. «Chuchoter nuit davantage aux cordes vocales que crier à tue-tête, dit le Dr George T. Simpson II, directeur du Service d'oto-rhino-laryngologie à la faculté de médecine de l'université de Boston, à l'Hôpital Universitaire et à l'hôpital Boston City.

Ne prenez pas d'aspirine®. «Si vous avez perdu la voix à force de crier, vous avez probablement causé la rupture d'un capillaire, dit le Dr Levine. Dans ce cas, ne prenez pas d'aspirine®, car ses propriétés anti-coagulantes freinent par conséquent le processus de guérison.»

Utilisez un humidificateur à air froid. La muqueuse qui recouvre les cordes vocales doit rester humide. Lorsqu'elle s'assèche, le mucus adhère à la surface et retient les agents irritants. «Pour contrer le problème, installez un humidificateur à air froid», dit le Dr Kessler.

Essayez la vapeur. La vapeur peut hydrater les cordes vocales. Le Dr Robert Feder, oto-rhino-laryngologiste et professeur de chant à Los Angeles en Californie, suggère de placer la tête au-dessus d'un bol d'eau bouillante pendant cinq minutes deux fois par jour.

Buvez beaucoup de liquides. Le Dr Simpson conseille
de boire de huit à 10 verres de liquides par jour, de préférence de
l'eau. Pour sa part, le Dr Feder recommande de prendre des jus de
fruit et du thé avec du miel ou du citron.

Évitez de boire des boissons glacées. «Les liquides
chauds sont préférables aux boissons glacées, qui peuvent aggraver
le mal», dit le Dr Feder.

Respirez par le nez. «La respiration par le nez a un effet
humidificateur naturel, dit le Dr Kessler. Les personnes qui ont une
déviation de la cloison nasale respirent par la bouche en dormant,
ce qui expose leurs cordes vocales à de l'air froid et sec. Pour bien
comprendre la cause de votre enrouement, examinez la façon dont
vous respirez.»

Ne fumez pas. «La fumée de cigarette est l'une des princi-
pales causes de l'assèchement de la gorge», dit le Dr Kessler.

Lubrifiez vos cordes vocales avec de l'orme roux.
«La tisane d'écorce d'orme roux est un excellent lubrifiant de la
gorge, affirme le Dr Kessler. Le fait de boire ne lubrifie pas directement les cordes vocales, car la luette se referme sur celles-ci comme
une trappe. Cependant, en buvant, vous aidez les muqueuses du
larynx à protéger les cordes vocales.»

Choisissez de bonnes pastilles pour la toux. «Évitez
les produits qui contiennent de la menthe ou du menthol, dit le Dr
Feder. Préférez-leur des pastilles pour la toux aromatisées au miel ou
aux fruits.»

Méfiez-vous de l'air pressurisé des avions. Savez-
vous que vous ne devriez pas parler dans un avion? L'air pressurisé
est tellement sec qu'il peut affecter votre voix. «Afin que vos cordes
vocales restent bien hydratées, respirez par le nez, conseille le Dr
Kessler. Mâchez du chewing-gum, sucez une pastille ou un bonbon,
ce qui vous forcera à garder la bouche fermée tout en favorisant la
production de la salive.»

Vérifiez vos médicaments. Selon nos experts, certains
médicaments vendus sur ordonnance ont des effets très déshy-
dratants. Renseignez-vous auprès de votre médecin. Parmi les

médicaments incriminés, mentionnons les antihypertenseurs et les médicaments pour la thyroïde, de même que les antihistaminiques.

N'élevez pas la voix, amplifiez-la. Si votre travail exige que vous éleviez la voix pour vous faire entendre, pourquoi ne pas utiliser un porte-voix? «Nous ne pensons pas assez souvent aux systèmes qui amplifient la voix et qui, par conséquent, la protègent», dit le Dr Levine.

Respectez votre voix. Si vous devez faire une présentation et que vous êtes enroué, il est préférable de l'annuler plutôt que de risquer d'abîmer vos cordes vocales.

Apprenez à placer votre voix. Si vous avez à parler souvent, pourquoi ne pas prendre des cours d'élocution? «Lorsque la voix est mal placée, les muscles du larynx viennent frotter les uns contre les autres», explique le Dr Levine. Les cours d'élocution vous apprennent à les faire travailler ensemble.

EXPERTS CONSULTÉS

Le Dr Robert Feder est oto-rhino-laryngologiste. Il exerce dans un cabinet privé de la région de Los Angeles, en Californie. Il est également professeur de théâtre et professeur d'O.R.L. à l'université de Californie, à Los Angeles. De plus, il enseigne le chant à l'école de musique de l'université Southern California de Los Angeles.

Le Dr Scott Kessler est un oto-rhino-laryngologiste de New York, spécialisé en médecine des arts de la scène. Il compte parmi sa clientèle plusieurs chanteurs du Metropolitan Opera et du City Opera de New York, ainsi que des vedettes de Broadway et des chanteurs de cabaret. Il est rattaché à l'hôpital Mount Sinai et à l'hôpital Beth Israel de New York.

Le Dr Laurence Levine est oto-rhino-laryngologiste à Creve Cœur et à St Charles, au Missouri. Il est également professeur adjoint d'O.R.L. à la faculté de médecine de l'université Washington de St. Louis.

Le Dr George T. Simpson II est directeur du Service d'O.R.L. à la faculté de médecine de l'université de Boston, à l'Hôpital Universitaire et à l'hôpital Boston City, au Massachusetts. Il est aussi rattaché au Children's Hospital Medical Center et à l'hôpital Veterans Administration et il est membre du comité scientifique consultatif de la Voice Foundation.

Lèvres gercées

12 trucs pour les soulager

Les lèvres gercées rendent le sourire difficile. En effet, lorsque vous avez les lèvres rouges, fendillées et crevassées, la moindre ébauche de sourire aggrave votre problème. Pas étonnant que vous vous sentiez peu aimable. Essayez les trucs suivants pour soulager vos lèvres gercées et vous retrouverez le sourire.

Utilisez un baume. «La meilleure façon de soulager les lèvres gercées est d'éviter le temps froid et sec qui en est la cause», dit le Dr Joseph Bark, un dermatologiste de Lexington, au Kentucky. «Mais, comme la plupart des gens n'ont pas les moyens de fuir sous les tropiques, il reste la pharmacie.»

Avant de sortir et à plusieurs reprises lorsque vous êtes au grand air, enduisez vos lèvres de baume. Comme les baumes ne tiennent pas longtemps sur les lèvres, répétez l'application chaque fois que vous mangez, que vous buvez ou que vous vous essuyez la bouche.

Utilisez un écran solaire. «N'oubliez pas non plus que le soleil grille les lèvres et cela, en toutes saisons, dit le Dr Bark. Il est donc préférable de choisir un baume qui contient un écran solaire.»

Le Dr Nelson Lee Novick, professeur adjoint de dermatologie à la faculté de médecine Mount Sinai de l'université de New York, est du même avis. «Les dommages causés par le soleil peuvent entraîner le dessèchement des lèvres comme du reste de la peau. La lèvre inférieure est la plus affectée, car elle est davantage exposée aux rayons ultraviolets.»

On ne doit donc pas utiliser n'importe quel baume à lèvres, mais plutôt un produit qui contient un écran solaire comme les baumes Vichy®ou Roc®.

Portez du rouge à lèvres. «En plus d'un écran solaire, un rouge à lèvres hydratant peut protéger les lèvres gercées», dit Glenn Roberts, directrice de la création esthétique chez Elizabeth Arden à

New York. «Le seul fait de porter du rouge à lèvres protège les lèvres et peut même prévenir les gerçures.»

«Comme le rouge à lèvres est opaque, il filtre toute la lumière, y compris la lumière visible nuisible, dit le Dr Bark. De plus, je crois que le fait de porter du rouge à lèvres protège les femmes contre le cancer des lèvres. En 14 ans de pratique, je n'ai vu qu'un ou deux cas de cancer des lèvres chez les femmes, mais des centaines chez les hommes.»

Soulager et guérir. «Il existe toujours un risque que les lèvres gercées s'infectent, dit le Dr Diana Bihova, dermatologiste et professeur à la faculté de médecine de l'université de New York. Pour prévenir l'infection, appliquez une pommade antibiotique en vente libre comme Lelong pommade®. Les onguents à l'hydrocortisone (sur ordonnance) peuvent aussi aider à soulager les lèvres gercées, mais ils ne préviennent pas l'infection. Si vos lèvres sont très gercées, utilisez ces deux types de préparation. Appliquez-en une le matin et l'autre le soir.»

La vitamine B. «Les carences alimentaires, notamment les carences en vitamines du groupe B et en fer, peuvent jouer un rôle dans la desquamation des lèvres. Pour éviter ces carences, prenez un supplément multivitaminique», dit le Dr Novick.

Buvez beaucoup. Hydratez vos lèvres de l'intérieur en buvant davantage en hiver. «Je recommande de boire quelques millilitres d'eau toutes les deux ou trois heures, dit le Dr Bihova. En vieillissant, les cellules perdent leur capacité de rétention d'eau et le problème du dessèchement augmente un peu plus chaque hiver. Une autre façon de prévenir le dessèchement des lèvres en hiver est d'humidifier l'air à la maison et au bureau.»

Essayez la cire d'abeille. «À mon avis, le meilleur produit pour les lèvres gercées est Carmex®. Il s'agit d'un bon vieux produit qui contient, entre autres, de la cire d'abeille et du phénol, dit le Dr Rodney Basler, professeur adjoint à la faculté de médecine de l'université du Nebraska. Il n'y a pas de médicament sur ordonnance qui soit plus efficace.»

Évitez de passer la langue sur les lèvres. Selon le Dr Basler, les gerçures aux lèvres sont causées par la déshydratation. Lorsque vous passez la langue sur les lèvres, vous y appliquez momentanément un hydratant, mais celui-ci s'évapore rapidement et laisse les lèvres encore plus sèches. De plus, la salive contient des enzymes digestives. Même à faible concentration, celles-ci sont dommageables pour les lèvres gercées.

«Passer la langue sur les lèvres gercées peut entraîner une dermite, prévient le Dr Bark. Ce genre de dermite affecte surtout les enfants, mais les adultes aussi peuvent en souffrir.» Lorsque vous passez la langue sur les lèvres, vous enlevez toute l'huile provenant des régions environnantes. (Les lèvres elles-mêmes ne contiennent pas de glandes sébacées.) Bientôt, vous ne passez plus la langue uniquement sur les lèvres, mais aussi sur les régions environnantes. Rapidement, un cercle de dermite apparaît autour de la bouche. La morale: évitez de vous passer la langue sur les lèvres.

Renoncez au dentifrice. «Certaines personnes sont allergiques ou sensibles aux agents de sapidité des dentifrices, des bonbons, du chewing-gum et des gargarismes. Tous ces produits peuvent faire gercer les lèvres, dit le Dr Thomas Goodman, dermatologiste et professeur adjoint au Centre de sciences de la santé de l'université du Tennessee. Selon mon dentiste, les nouveaux dentifrices anti-tartre sont encore plus desséchants que les autres. Je conseille donc à mes patients de ne plus utiliser de dentifrice et de se brosser les dents uniquement avec la brosse à dents ou en y saupoudrant un peu de bicarbonate.»

Le zinc. «Certaines personnes bavent pendant leur sommeil, ce qui peut dessécher les lèvres, dit le Dr Novick. Si c'est votre cas, appliquez une pommade à base d'oxyde de zinc tous les soirs avant le coucher. Celle-ci crée une barrière protectrice sur les lèvres.»

Utilisez vos huiles naturelles. «Voici ce que je conseille aux fermiers qui travaillent à l'extérieur et qui n'ont pas de produit hydratant sous la main, dit le Dr Bark. Passez le doigt le long des narines, puis sur les lèvres. Vous recueillez ainsi un peu de l'huile naturelle de la peau. C'est le même type d'huile que les lèvres obtiennent du contact avec la peau adjacente. Il n'y a pas de remède plus naturel!»

Un truc inusité. Voici un autre truc de la ferme. «Il existe un produit dont les fermiers enduisent les pis de vaches lorsque ces derniers sont irrités. Vous pouvez aussi en enduire vos lèvres, dit le Dr Bihova. Il s'agit d'une préparation à base de vaseline que l'on peut se procurer dans les magasins de fournitures pour la ferme, les rayons de produits vétérinaires et dans certains magasins d'aliments naturels ou pharmacies.»

EXPERTS CONSULTÉS

Le Dr Joseph Bark a un cabinet privé de dermatologie à Lexington, au Kentucky, et il est l'auteur de *Retin-A and Other Youth Miracles and Skin Secrets: A Complete Guide to Skin Care for the Entire Family.*

Le Dr Rodney Basler est dermatologiste et professeur adjoint de médecine interne à la faculté de médecine de l'université du Nebraska, à Lincoln.

Le Dr Diana Bihova a un cabinet privé de dermatologie et est professeur à la faculté de médecine de l'université de New York. Elle est coauteur de *Beauty from the Inside Out.*

Le Dr Thomas Goodman Jr a un cabinet privé de dermatologie et il est professeur adjoint de dermatologie au Centre de sciences de la santé de l'université du Tennessee. Il est l'auteur de *Smart Face* et de *The Skin Doctor's Skin Doctoring Book.*

Le Dr Nelson Lee Novick est professeur adjoint de dermatologie à la faculté de médecine Mount Sinai de l'université de New York et l'auteur de *Super Skin* et de *Saving Face.*

Glenn Robert est directrice de la création esthétique chez Elizabeth Arden à New York.

Mains gercées

24 mesures adoucissantes

D'où sortez-vous ces brosses à récurer? Je ne parle pas bien sûr de celles qui se trouvent sous l'évier, mais de vos mains, tellement rouges, sèches, gercées et endolories que vous n'en souhaiteriez pas de pareilles à votre pire ennemi. Des mains qui gercent à la Toussaint et ne refleurissent qu'à Pâques. Soyez réaliste, même un crocodile en pleurerait.

Comment en êtes-vous arrivé là? Hélas! vous êtes probablement l'artisan de votre propre malheur! C'est vrai, en automne et en hiver, l'air sec dessèche votre peau, mais cela n'est pas votre faute. Puis, en vieillissant, votre corps produit de l'huile en plus petite quantité, ce n'est pas votre faute non plus. Mais de mauvaises habitudes de vie, de la simple négligence et une vilaine peau peuvent rendre vos mains rêches au point que vous ne puissiez plus les voir. Et cela, c'est votre faute!

Alors, que pouvez-vous faire? Voici ce que préconisent nos experts.

Évitez l'eau. «Si vous avez les mains gercées, évitez l'eau à tout prix, déclare le Dr Joseph Bark, dermatologiste de Lexington, au Kentucky. «C'est comme si vous mettiez de l'acide sur vos mains! Les lavages répétés abîment beaucoup les mains, car ils enlèvent la couche d'huile naturelle qui protège votre peau, ce qui entraîne la déshydratation.»

Ne vous lavez que les paumes des mains. «Si vous devez vous laver les mains souvent, n'en lavez que les paumes, recommande le Dr Diana Bihova, dermatologiste et professeur à la faculté de médecine de l'université de New York, car la peau du dos de la main est plus mince et plus fragile.»

Utilisez une lotion plutôt que du savon. «Lavez-vous les mains avec une lotion sans gras comme le Cetaphil® plutôt qu'avec du savon, déclare le Dr Bark. Appliquez-le sur la peau, faites mousser et essuyez avec un mouchoir en papier. C'est un excellent moyen de se laver la peau sans l'irriter.»

La prévention est la meilleure solution

«Mieux vaut éviter les gerçures que de les guérir», dit le Dr Diana Bihova. Voici de quelle manière.

N'utilisez pas d'eau chaude. «La règle d'or consiste à éviter l'eau chaude, les détergents et les solvants domestiques forts», dit le Dr Bihova.

Évitez de savonner. N'utilisez pas de savons durs ou alcalins. Prenez plutôt un savon doux qui contient une crème hydratante. Je recommande souvent de tels produits à mes patients», dit le Dr Joseph Bark.

Humidifiez l'air. «La peau s'hydrate naturellement depuis l'intérieur vers l'extérieur, signale le Dr Rodney Basler. Lorsqu'il y a de l'humidité dans l'air, la peau perd moins d'eau. Ayez toujours un humidificateur à la maison.»

Prenez soin de vos mains. «N'appliquez pas seulement de la lotion hydratante sur votre visage le matin et le soir, mais aussi sur vos mains», dit le Dr Bihova. Elles resteront plus souples et gerceront moins facilement. Traitez vos mains au moins deux fois par jour, mais de préférence après chaque lavage.»

Essayez un traitement à l'huile de bain. Le Dr Rodney Basler, professeur adjoint à la faculté de médecine de l'université du Nebraska, recommande de se laver les mains à l'huile de bain. «Vos mains vous sembleront peut-être moins propres que si vous les aviez lavées avec du savon, mais elles ne gerceront pas.»

Essayez les crèmes topiques. Appliquez un émollient topique chaque fois que vous vous lavez les mains. «Le taux de concentration nécessaire dépendra de la gravité de vos gerçures, dit le Dr Basler. Les lotions hydratent moins que les crèmes, et les crèmes moins que les pommades. Essayez tout d'abord une lotion, Si ce traitement ne suffit pas à affronter les froids de l'hiver sans gerçures, soignez vos mains avec une crème, sinon une pommade.»

Apportez une serviette. «Si vous ne pouvez vous sécher les mains qu'à l'air chaud à votre travail, apportez une serviette de la maison», conseille le Dr Bihova. Ces appareils à air chaud dessèchent vraiment les mains. Si c'est la seule option, gardez les mains à une distance d'au moins 15 cm de la bouche d'air et séchez vos mains complètement.

Faites tremper vos mains. En général, on recommande de ne pas mettre les mains dans l'eau, mais un «bain thérapeutique» peut à l'occasion faire du bien. «L'effet hydratant est comparable à celui des lotions pour la peau, mais il est plus économique. Trempez vos mains dans de l'eau tiède quelques minutes. Agitez-les afin d'éliminer l'excès d'eau. Appliquez par la suite de l'huile végétale sur les mains encore humides», dit le Dr Howard Donsky, professeur adjoint de médecine à l'université de Toronto.

Le Dr Basler est du même avis. Il recommande de faire tremper les mains dans une solution d'eau et d'huile. «Versez quatre bouchons d'une huile de bain contenant un bon agent dispersant (Alpha-Keri® de préférence) dans environ un demi-litre d'eau. À la fin de la journée, plongez-y vos mains 20 minutes.»

Essayez les crèmes bon marché. «Les crèmes coûteuses ne donnent pas nécessairement de bons résultats, convient le Dr Donsky. Pour une peau normale ou sèche, les hydratants les moins chers sont le beurre de cacao, la lanoline, la vaseline et l'huile minérale légère.

Faites une double application. «Avec une lotion ou une crème, adoptez ce que le Dr Bark appelle la technique de la double

Suivez les conseils des mannequins

Lorsque vos mains sont votre gagne-pain, vous devez en prendre grand soin. Posez la question à Trisha Webster, mannequin vedette à l'agence Wilhelmina de New York. Ce sont souvent ses mains qu'on voit dans les publicités de bijoux ou de cosmétiques. Elles doivent être parfaites en tout temps. Comment Trisha Webster s'y prend-elle pour avoir d'aussi belles mains? Eh bien! de la même façon que vous.

Prévenir plutôt que guérir. «J'essaie de ne jamais mettre les mains dans l'eau, dit Trisha Webster. Je laisse toujours quelqu'un d'autre faire la vaisselle. Si je ne peux absolument pas éviter de me mouiller les mains, quand je prends un bain par exemple, j'utilise un hydratant aussitôt après. Quelques minutes suffisent pour déshydrater la peau.»

Protégez vos mains. «Je ne sors jamais l'hiver sans me protéger les mains. J'applique une bonne couche de lotion hydratante et je porte des gants.»

Méfiez-vous du soleil. «J'ai cessé depuis longtemps d'aller au soleil. Il déshydrate et vieillit les mains autant que le visage.»

Si vous n'êtes pas prête à renoncer au soleil, le Dr Diana Bihova suggère d'appliquer une lotion solaire hydratante sur les mains. «Les écrans solaires hydratent les mains et leur donne une apparence jeune. Prenez l'habitude d'en appliquer tous les jours, dit-elle. Évitez les gels ou les écrans solaires à base d'alcool, ils dessèchent la peau. De plus, les produits contenant du PABA peuvent irriter la peau sensible.»

application. Il s'agit d'appliquer une couche très mince que vous laissez pénétrer quelques minutes, puis une deuxième couche mince. Deux couches minces de crème hydratante sont beaucoup plus efficaces qu'une seule épaisse.»

Essayez l'huile de citron. «Mélangez quelques gouttes de glycérine à quelques gouttes d'huile de citron (on trouve ces produits en pharmacie) afin de soulager vos mains irritées. Faites pénétrer ce mélange dans les mains avant de vous coucher», recommande Lia Schorr, spécialiste des soins de la peau à New York.

Couvrez-vous les mains. Bon nombre d'activités domestiques contribuent à gercer les mains sans que l'on s'en rende vraiment compte. «Je recommande de porter des gants de coton blanc pour toute activité où l'on ne se mouille pas les mains, dit le Dr

Bihova, y compris lire le journal et même ranger les provisions. En effet, toute friction exercée sur une peau déjà desséchée, crevassée ou rougie en aggrave l'état. Les gants de coton ont l'avantage de laisser la peau respirer tout en absorbant l'humidité qui s'accumule. De cette manière, vos mains ne s'irriteront pas davantage.»

En outre, selon le Dr Nelson Lee Novick, professeur adjoint de dermatologie à la faculté de médecine Mount Sinai de l'université de New York, les gants de coton gardent les mains propres. Ainsi, en vous lavant moins souvent les mains, vous risquez moins de les irriter.

«Si vous avez besoin d'une meilleure prise, portez des gants de cuir», recommande le mannequin Trisha Webster.

Mélangez coton et caoutchouc. «Si vous travaillez avec des produits liquides, vous devez porter des gants de coton sous vos gants de caoutchouc, dit le Dr Novick. Dès qu'ils sont mouillés, mettez une autre paire de gants de coton. De toute manière, vous devriez les changer au bout de 20 minutes. La transpiration, les lotions et les pommades médicamenteuses s'accumulent dans les gants et irritent la peau très vite. Je ne recommande pas les gants de caoutchouc doublé de coton, car ils sont difficiles à laver. Les gants de coton se lavent avec un savon doux.»

Le Dr Bihova est du même avis. «Les femmes qui ont les mains sèches ne devraient jamais porter que des gants de caoutchouc, car ce dernier emprisonne l'humidité, empêche la peau de respirer et cause trop de friction.»

«À l'occasion, on peut se passer de gants», dit le Dr Thomas Goodman, dermatologiste et professeur adjoint au Center for Health Sciences de l'université du Tennessee. «Pour faire la vaisselle, par exemple, prenez une brosse à long manche. Ainsi, vous garderez vos mains complètement hors de l'eau.»

Portez des gants la nuit. Il arrive que le Dr Goodman recommande à ses patients de porter des gants de coton pour dormir. Le traitement est des plus adoucissants. «Enduisez l'intérieur des gants de vaseline afin d'éviter qu'ils n'absorbent la crème hydratante des mains. Avant de vous coucher, appliquez de la crème hydratante sur vos mains, enfilez les gants et gardez-les toute la nuit. Vos mains sont ainsi couvertes d'une sorte de pansement qui les aide à guérir.»

Pour sa part, le Dr Bark croit qu'il est particulièrement important de ne pas enlever la crème de ses mains dès que l'on se lève le matin. Il déconseille en outre les gants en plastique pour dormir, car il estime qu'ils font transpirer les mains.

Ayez recours à l'hydrocortisone. Les crèmes et les pommades à l'hydrocortisone sont parfois très efficaces dans le traitement des mains gercées. «Appliquez d'abord n'importe quelle crème à 0,5 %, plusieurs fois par jour», dit le Dr Goodman, puis un produit plus gras et plus épais. Les crèmes à l'hydrocortisone ne remplacent pas les soins que vous devez prodiguer à vos mains, mais c'est un bon traitement auxiliaire. Répétez l'application chaque fois que vous vous lavez les mains.

Faites comme chez le coiffeur. «Croyez-le ou non, même le shampoing peut irriter les mains gercées, dit le Dr Stephen Schleicher, codirecteur du Dermatology Center, en Pennsylvanie, et professeur au Collège de médecine ostéopathique de Philadelphie.

ALERTE MÉDICALE

Les mains qui ont besoin de soins médicaux

«Si vos mains sont craquelées et crevassées, ou si vous avez de petites ampoules le long des doigts, c'est peut-être que vous souffrez d'eczéma. Vous devriez alors consulter un dermatologiste, conseille le Dr Bark. Dans ce cas, un traitement est indispensable.»

Vous pourriez être atteint d'affections plus graves. Elles se manifestent de plusieurs manières. «Par exemple, si l'état de vos mains ne s'améliore pas après deux semaines d'auto-traitement, vous devriez consulter un dermatologiste», dit le Dr Bark. Vous pourriez souffrir d'une infection fongique ou de psoriasis des mains.

Le Dr Diana Bihova signale que certaines personnes, notamment les médecins, les infirmières, les chefs cuisiniers et les femmes au foyer, dont les occupations les obligent à se tremper souvent les mains dans l'eau, peuvent facilement contracter un panaris périunguéal, c'est-à-dire une infection fongique des cuticules. Cette maladie affecte particulièrement les barmans et les serveurs de bière, car la bière contient de la levure. Lorsque l'infection survient, les petites peaux qui protègent l'ongle rougissent, enflent et deviennent douloureuses.

Demandez à quelqu'un de vous laver les cheveux ou portez des gants en caoutchouc.»

Traitez vos mains à l'avoine. Pour éliminer les squames de la couche supérieure de la peau, le Dr Schorr recommande un traitement adoucissant hebdomadaire à l'avoine. «Broyez 250 mg de flocons d'avoine dans un mélangeur jusqu'à l'obtention d'une fine poudre. (Évitez les flocons d'avoine à cuisson rapide.) Placez la poudre ainsi obtenue dans un bol et frottez vos mains avec la solution en enlevant délicatement les squames. Rincez à l'eau fraîche, essuyez, puis appliquez généreusement une couche de crème hydratante. Attendez deux minutes et appliquez une nouvelle couche de crème.»

Embauchez un cuisinier. «Les jus de viande et de légumes crus comme les pommes de terre, les oignons, les tomates et même les carottes sont parfois très toxiques pour la peau, surtout si elle est déjà irritée. Embauchez un cuisinier, plaisante le Dr Goodman, ou portez des gants en caoutchouc très mince lorsque vous manipulez des aliments.»

«Évitez particulièrement de presser des fruits acides comme les oranges, les citrons ou les pamplemousses, ajoute le Dr Schleicher. Ils sont terriblement irritants et dessécheront davantage vos mains.»

EXPERTS CONSULTÉS

Le Dr Joseph Bark a un cabinet privé de dermatologie à Lexington, au Kentucky, et il a écrit *Retin-A and Other Youth Miracles and Skin Secrets: A Complete Guide to Skin Care for the Entire Family.*

Le Dr Rodney Basler est dermatologiste et professeur adjoint de médecine interne à la faculté de médecine de l'université du Nebraska, à Lincoln.

Le Dr Diana Bihova a un cabinet privé de dermatologie; elle est professeur à la faculté de médecine de l'université de New York. Et coauteur de *Beauty from the Inside Out.*

Le Dr Howard Donsky est professeur adjoint de médecine à l'université de Toronto et dermatologiste à l'Hôpital général de Toronto. Il est l'auteur de *Beauty is Skin Deep.*

Le Dr Thomas Goodman Jr a un cabinet privé de dermatologie; il est professeur adjoint de dermatologie au Center for Health Sciences de l'université du Tennessee. Il est l'auteur de *Smart Face* et de *The Skin Doctor's Skin Doctoring Book.*

Le Dr Nelson Lee Novick est professeur adjoint de dermatologie à la faculté de médecine Mount Sinai de l'université de New York et l'auteur de *Super Skin* et de *Saving Face.*

Le Dr Stephen Schleicher est codirecteur du Dermatology Center, un centre qui possède plusieurs bureaux à travers tout l'Est de la Pennsylvanie. Il est également professeur de dermatologie au Collège de médecine ostéopathique de Philadelphie et l'auteur de *Skin Sense.*

Lia Schorr est spécialiste des soins de la peau à New York et l'auteur de *Lia Schorr's Seasonal Skin Care.*
Trisha Webster est mannequin vedette attaché à l'agence Wilhelmina Inc. de New York. Elle possède presque 20 ans d'expérience dans ce domaine.

Mal des transports

25 modes de guérison rapides

Le ciel est bleu, la mer est verte et, confortablement assis sur le pont d'un beau voilier, vous vous laissez bercer au gré des vagues. Mais une sensation désagréable au creux de l'estomac vient soudainement gâcher votre plaisir. Les nausées vous envahissent et, pris de panique, vous cherchez un coin ou vous pourriez vous soulager. Qu'est-ce qui vous arrive!

Vous êtes atteint de ce qu'on appelle le mal de mer. Même les marins les plus aguerris peuvent en souffrir. En avion, on l'appelle le mal de l'air et sur terre, le mal de la route. Ce sont des manifestations d'un mal unique, le mal des transports, qui se traduit par des malaises, des nausées et des vomissements.

«Le mal des transports est un trouble fonctionnel causé par des mouvements répétitifs angulaires, linéaires ou verticaux qui survient lorsque les influx nerveux donnent au cerveau une information erronée sur des conditions environnantes, dit le Dr Rafael Tarnopolsky, professeur d'O.R.L. à l'University of Osteopathic Medicine and Health Sciences. Pour maintenir notre équilibre, nos systèmes sensoriels emmagasinent continuellement des renseignements qu'ils interprètent et transmettent ensuite de l'oreille interne au cerveau.»

«Le mal des transports se manifeste lorsque l'équilibre de l'organisme note une contradiction entre ce que perçoit l'oreille et ce que voient les yeux», dit le Dr Horst Konrad, président du Committee on Equilibrium of the American Academy of Otolaryngology/Head and Neck Surgery. Il ne touche pas tout le monde, mais lorsqu'il frappe, ses effets sont sans équivoque. Les personnes atteintes ressentent des étourdissements, elles transpirent, blêmissent, ont des nausées et, si leur état ne s'améliore pas, elles vomissent.

Il est presque impossible d'interrompre le mal des transport lorsqu'il se manifeste, surtout quand la nausée commence. Les remèdes suivants peuvent toutefois en soulager les symptômes, voire les prévenir la fois suivante.

Dites-vous que tout ira bien. «Le mal des transports est

en partie psychologique, dit le Dr Konrad. Si vous pensez que vous allez être malade, vous le serez sûrement. Pensez plutôt à quelque événement joyeux.

Laissez quelqu'un d'autre s'occuper des malades.

La situation suivante est assez fréquente.Vous êtes sur un bateau et tout va bien. Soudainement, quelqu'un commence à avoir le mal de

---

Un traitement révolutionnaire

La plupart des médecins vous diront que le mal des transports résulte d'un déséquilibre de l'oreille interne. Mais le Dr Roderic W. Gillilan, qui traite des patients atteints de ce trouble depuis près de 25 ans, voit les choses d'un autre œil. «Le mal des transports, du moins sur terre, est avant tout visuel», dit-il.

Le Dr Gillilan soigne aussi bien les personnes qui ne peuvent pas lire en voiture sans être malades, ce qui compte selon lui pour environ un tiers de la population, que les cas extrêmes où l'on souffre de nausées, de vertiges ou de maux de tête à n'importe quel moment.

«En général, ces perturbations n'ont aucun lien avec des affections de la vue ou avec le besoin de porter des verres correcteurs, déclare le Dr Gillilan. Elles concernent plutôt la difficulté d'adaptation des yeux aux mouvements changeants et rapides.»

Pour élucider ce problème, il fait suivre à ses patients quelques cours de thérapie visuelle adaptative dynamique (Dynamic Adaptative Vision Therapy), une méthode de désensibilisation. «On n'apprend pas à renforcer ses muscles, mais à utiliser ses yeux comme si l'on apprenait à faire du ski ou à rouler à bicyclette», dit-il. Une fois qu'ils maîtrisent cette technique, mes patients ne l'oublient pas et ne présentent plus de symptômes du mal des transports pendant des années.

Le Dr Gillilan donne des séminaires de thérapie visuelle et a publié, à l'intention de ses collègues, une brochure qui explique la technique. Si cette thérapie vous intéresse, renseignez-vous auprès de votre optométriste.

mer. Vous vous précipitez afin de réconforter la personne en lui offrant peut-être une épaule compatissante. Mais bientôt, c'est à votre tour de ressentir le malaise, et tout le monde suit. C'est l'effet domino. «Aussi cruel que cela puisse paraître, essayez d'ignorer les personnes malades», conseille le Dr Konrad.

Évitez les mauvaises odeurs. «Les mauvaises odeurs comme les vapeurs d'essence que dégage le moteur du bateau, les poissons que l'on met sur la glace au fond du bateau ou le sandwich de sardines peuvent contribuer à déclencher la nausée, dit le Dr Konrad. Ne restez pas dans la cabine; allez respirer l'air frais.»

Ne fumez pas. Les fumeurs pensent qu'une cigarette calmera leur mal de mer. Grave erreur. «La fumée de cigarette contribue aussi à déclencher la nausée», dit le Dr Konrad. C'est pourquoi les non-fumeurs ont tout intérêt à rester dans la section qui leur est réservée, que ce soit dans l'avion, le train ou l'autocar.

Voyagez la nuit. «Les risques de souffrir du mal des transports sont moindres la nuit, car vous ne voyez pas aussi bien que le jour», dit le Dr Roderic W. Gillilan, un optométriste d'Eugene, en Oregon, qui a aidé des centaines de personnes à surmonter ce problème.

Évitez certains mets. Si vous digérez mal certains aliments lorsque vous êtes sur la terre ferme, ils vous conviendront encore moins dans un véhicule. «Les repas copieux ne sont pas conseillés en voyage», dit le Dr Robert Salada, directeur du Centre de santé des voyageurs aux University Hospitals de Cleveland, en Ohio, et professeur adjoint de médecine à la faculté de médecine de l'université Case Western Reserve.

Allez prendre l'air. «Soulagez la nausée en prenant une bouffée d'air frais», suggère le Dr Salada. En voiture, ouvrez une vitre. En bateau, montez sur le pont et respirez l'air marin. En avion, mettez le ventilateur en marche.

Réfléchissez avant de prendre de l'alcool. «Pris en trop grande quantité, l'alcool trouble la perception des conditions environnantes par le cerveau et peut donc déclencher les symptômes du mal des transports, dit le Dr Konrad. De plus, l'alcool peut se mêler aux fluides de l'oreille interne, ce qui provoquerait des

Le traitement des astronautes

«Quatre, trois, deux, un, décollage!» Dans un grondement assourdissant, les propulseurs chauffés à blanc projettent Spacelab 3 et ses quatre membres d'équipage dans la stratosphère, laissant les contrôleurs au sol complètement abasourdis. Mais ils ne sont pas les seuls à subir les contrecoups de l'explosion. Après sept minutes de vol, l'un des membres d'équipage est pris de vomissements, phénomène qui se produira à plusieurs reprises pendant la mission.

Le mal des transports pose de nombreux problèmes aux astronautes. «L'équipage tout entier pourrait se trouver mal simultanément, dit le Dr Patricia Cowings, directrice du laboratoire de recherche en psychophysiologie au Centre de recherche Ames de la NASA, à Moffett Field, en Californie. Cette situation pourrait s'avérer catastrophique, surtout lorsque les astronautes portent le scaphandre.» Il n'existe pas de solution facile au mal des transports depuis que l'on sait que les médicaments contre le malaise peuvent avoir des effets secondaires néfastes.

Grâce à de nouveaux programmes de rétroaction (*biofeedback*), on commence à comprendre le mécanisme en cause. Ainsi, depuis 15 ans, le Dr Cowings et ses collègues mènent des expériences auprès de volontaires qui acceptent de se placer dans des conditions semblables aux simulations que doivent subir les astronautes.

«Le but est de provoquer le mal des transports chez ces personnes et de les faire vomir, dit le Dr Cowings. Nous utilisons une chaise qui pivote pendant que le sujet bouge la tête sous différents angles, un procédé qui déséquilibre l'oreille interne en quelques minutes. Cette méthode est infaillible.»

Pendant la période de rotation, nous mesurons les réactions physiologiques du sujet, notamment son rythme cardiaque, son rythme respiratoire, sa transpiration et ses contractions musculaires. «Les réactions varient d'un sujet à un autre, explique le Dr Cowings. Le mal des transports est comme l'empreinte digitale: il est unique chez chaque personne.» Une fois son cas établi, chaque personne peut apprendre à maîtriser ses réactions avec des techniques qui combinent la relaxation profonde et les exercices musculaires. Cela permet de développer des muscles dont nous ne sommes pas conscients, comme ceux des vaisseaux sanguins.

Lorsqu'une personne arrive à maîtriser ses premières réactions, elle peut prévenir les plus graves. «Nous avons entraîné plus de 250 personnes et notre taux de réussite est fort impressionnant, dit le Dr Cowings. Environ 60 % d'entre elles éliminent tous leurs symptômes au deuxième test sur la chaise, et 25 % réussissent à les réduire considérablement. De plus, cet entraînement s'avère efficace pendant au moins trois ans.»

«Les résultats sont suffisamment prometteurs, dit le Dr Cowings, pour entrevoir une guérison du mal des transports.»

vertiges. Buvez toujours modérément lorsque vous êtes en avion ou en bateau.»

Quoi d'autre?

De vieilles recettes toujours populaires

Les remèdes traditionnels ne fonctionnent pas à tout coup et ne conviennent pas à tout le monde, mais ils existent depuis des siècles. Certains sont toujours populaires et valent la peine d'être essayés.

Le gingembre. Les premiers colons du Nouveau Monde pourraient en avoir pris durant leur traversée de l'Atlantique afin de la rendre plus agréable. Bien que cette tradition remonte à des centaines d'années, ce n'est que récemment qu'une étude scientifique a montré que deux gélules de poudre de gingembre étaient plus efficaces qu'une dose de Dramamine® pour prévenir le mal des transports. Le gingembre absorberait les sucs gastriques et bloquerait la nausée dans le tube digestif.

Les olives et le citron. Selon certains médecins, quand les premiers symptômes du mal des transports surviennent, on produit un excès de salive qui s'écoule dans l'estomac et qui donne des nausées. Or, les olives contiennent des tannins qui assèchent la bouche. Manger des olives aux premiers signes de nausée ou sucer un morceau de citron peut en diminuer les effets.

Les biscottes. Elles n'empêchent pas la salivation, mais permettent d'absorber l'excès de liquides qui s'accumule dans l'estomac. Les ingrédients miracle sont le bicarbonate de soude et la crème patissière.

Les bracelets d'acupression. Ces bracelets sont vendus dans les magasins d'équipement nautique ou de voyage. Ils sont très légers et ils sont munis d'un bouton de plastique qui doit être porté sur ce que les médecins orientaux appellent le point d'acupression Nei-Kuan situé à l'intérieur de chaque poignet. En principe, la personne qui les porte peut se protéger de la nausée en appuyant sur le bouton pendant quelques minutes.

Dormez suffisamment. «Les risques de souffrir du mal des transports augmentent avec la fatigue, dit le Dr Gillilan. Il faut bien dormir avant un voyage. Dans une voiture ou dans un avion, une petite sieste vous permettra de lutter contre le mal des transports, vous évitant ainsi d'être exposé à tous les stimuli qui pourraient déclencher le malaise chez vous.»

Restez immobile. Votre cerveau est déjà suffisamment confus sans que vous lui imposiez des mouvements additionnels. Gardez surtout la tête parfaitement immobile.

Conduisez. «Lorsque vous êtes au volant de votre voiture, regardez droit devant vous», dit le Dr Gillilan. Vous pourrez ainsi prévoir tout changement brusque dans les mouvements du véhicule.

Évitez de lire. «Ne lisez pas en voiture, en avion ou en bateau», dit le Dr Tarnopolsky. Le mouvement du véhicule fait bouger les caractères d'imprimerie, ce qui peut vous causer le vertige.

«Si vous voulez vraiment lire, il existe des moyens de le faire sans être malade», dit le Dr Gillilan. En voici quelques-uns.

• Calez-vous bien au fond de votre siège et tenez le livre ou la revue au niveau des yeux. «Ce n'est pas le fait de lire qui vous rend malade, mais l'angle sous lequel vous le faites», explique-t-il. Lorsque vous baissez les yeux alors que vous roulez en voiture, le mouvement du paysage visible par la vitre vient frapper l'œil à un angle inhabituel et peut ainsi déclencher le mal des transports. Cette méthode permet de garder les yeux dans la même position que si vous regardiez la route devant vous.»
• Placez les mains près des tempes en guise de visière ou tournez le dos à la fenêtre la plus près de vous.

Trouvez le centre le plus résistant. «Sur un bateau, réservez une cabine au milieu du pont, où le roulis et le tangage se font le moins sentir», conseille le Dr Tarnopolsky. Sur une petite embarcation, c'est plus difficile, mais une cabine à l'avant est mieux indiquée qu'une cabine à l'arrière.

Ne restez pas à fond de cale. «En restant caché sur le pont inférieur, surtout dans un endroit mal ventilé, vous courrez au devant des ennuis», dit le Dr Salada. Sortez, où que vous soyez.

Posez le regard sur un objet fixe. Il faut que vous rétablissiez l'équilibre de votre système sensoriel. Ne fixez pas l'horizon, il bouge avec les mouvements du bateau. Regardez plutôt un point fixe dans le ciel ou sur la terre, dans le lointain.

Prenez un médicament préventif. «Si vous êtes sujet au mal des transports, prenez un médicament en vente libre comme la Dramamine®. Si vous le prenez une ou deux heures avant le départ, il préviendra l'apparition des symptômes», dit le Dr Salada. Une dose d'un ou deux comprimés est efficace jusqu'à 24 heures. Mais attention! Prenez-les avant votre départ: ils sont sans effet une fois les symptômes apparus.

Le temps finit toujours par faire son œuvre. Et cela vaut aussi pour le mal de mer. Vous avez peut-être l'impression d'être sur le point de rendre l'âme, mais sachez que le mal des transports ne tue pas. Votre corps finira par s'adapter à son nouvel environnement – après quelques jours peut-être – et cessera de réagir.

Soyez patient. Tout finira par s'arranger.

EXPERTS CONSULTÉS

Le Dr Patricia Cowings est directrice du laboratoire de recherche en psychophysiologie au Centre de recherche Ames de la NASA, à Moffett Field, en Californie.

Le Dr Roderic W. Gillilan a un cabinet privé d' optométrie à Eugene, en Oregon, où elle se spécialise dans le traitement du mal des transports.

Le Dr Horst Konrad est président du Committe on Equilibrium of the American Academy of Otolaryngology/Head and Neck Surgery. Il est en outre professeur et directeur du département d'O.R.L. de la faculté de médecine de l'université Southern Illinois, à Springfield.

Le Dr Robert Salada est directeur du Centre de santé des voyageurs aux University Hospitals de Cleveland, en Ohio, et professeur adjoint de médecine à la faculté de médecine de l'université Case Western Reserve.

Le Dr Rafael Tarnopolsky est professeur d'O.R.L. à l'University of Osteopathic Medicine and Health Sciences, à DesMoines, en Iowa.

Mauvaise haleine

16 tactiques pour éliminer l'ennemi

Vous vous présentez à une entrevue après avoir déjeuné, espérant décrocher le poste rêvé. Tout se déroule à merveille. Vous avez répondu aux questions de votre interlocuteur sans la moindre hésitation. L'atmosphère est détendue, vous riez même ensemble. En quittant son bureau, vous êtes persuadé que l'on vous offrira l'emploi.

Vous vous levez et vous serrez la main de votre interlocuteur en lui disant: «Je suis très heureux d'avoir fait votre connaissance et j'espère avoir de vos nouvelles bientôt.»

Votre interlocuteur fait une toute petite grimace. Vous sentez qu'il y a quelque chose qui cloche. Votre mauvaise haleine vient en effet de compromettre votre avenir.

Vous ne vous attendiez pas à cela. Était-ce ce que vous avez mangé au déjeuner? Peut-être? À moins que ce ne soit le repas de la veille. Pour découvrir d'où vient cette mauvaise haleine et éviter de vous trouver dans une situation aussi embarrassante à l'avenir, continuez d'en chercher la cause.

Méfiez-vous de l'ail. L'odeur des plats très relevés reste souvent dans la bouche très longtemps après un repas. Les épices recirculent souvent dans les huiles essentielles qu'elles laissent dans la bouche. Selon la quantité consommée, l'odeur peut s'attarder dans la bouche pendant 24 heures, même si vous vous brossez plusieurs fois les dents. Les aliments à éviter de consommer plus particulièrement sont l'ail, les oignons et les piments forts.

Laissez de côté la charcuterie. La charcuterie comme le pastrami, le salami et le pepperoni laissent aussi dans la bouche des huiles bien longtemps après leur consommation. Vous respirez. Elles respirent. Si vous voulez avoir l'haleine fraîche pour une entrevue importante, ne mangez pas de charcuterie au moins 24 heures avant.

Méfiez-vous des fromages. Le camembert et le roquefort, par exemple, dégagent de fortes odeurs qui peuvent se mêler à votre haleine de manière très tenace. L'odeur de certains autres produits laitiers peut aussi rester très longtemps dans votre bouche.

Le poisson peut aussi vous jouer de mauvais tours. Votre garniture d'anchois dans la salade ou votre sandwich au thon peuvent laisser sur vos interlocuteurs une impression durable qui n'est pas nécessairement en votre faveur!

Restez-en à l'eau. Le café, la bière, le vin et le whisky font partie des boissons qui donnent la plus mauvaise haleine. Elles laissent toutes un résidu qui se dépose sur le tartre dentaire et s'infiltre dans le système digestif. Vous en expirez des relents dès que vous ouvrez la bouche.

Ne sortez pas sans votre brosse à dents. Vous pouvez éliminer certaines odeurs, de manière temporaire ou permanente, en vous brossant les dents immédiatement après un repas. Le principal responsable de la mauvaise haleine est la pellicule collante de bactéries vivantes et mortes qui adhère aux dents et aux gencives, explique le Dr Eric Shapira, professeur adjoint au département de dentisterie à l'université du Pacifique, à San Francisco. Cette pellicule est ce qu'on appelle le tartre. Environ 50 milliards de ces organismes microscopiques se logent habituellement dans la bouche. Ils

---

Pour vérifier votre haleine

Votre mauvaise haleine est-elle vraiment affreuse? Si vous n'avez pas d'ami qui puisse vous le dire, essayez les deux tests du Dr Eric Shapira.

Mettez-vous les mains en coupe. Mettez-vous les mains en coupe et couvrez-vous la bouche. Respirez et expirez. Reniflez l'odeur de votre haleine. «Si elle ne vous plaît pas, dites-vous qu'elle est dix fois pire pour les autres», dit le Dr Shapira.

Passez-vous de la soie dentaire entre les dents. Non pas pour vous nettoyer les dents, mais pour vérifier votre haleine. Sentez votre haleine lorsque vous passez d'une dent à l'autre. Si vous détectez une mauvaise odeur, vous saurez que vous avez mauvaise haleine.

s'infiltrent partout et s'alimentent de toutes les particules d'aliments qui vous restent dans la bouche, ce qui produit inévitablement de mauvaises odeurs. Dès que vous expirez, les bactéries expirent aussi. Par conséquent, prenez soin de vous brosser les dents après chaque repas pour éliminer le tartre et vous débarrasser ainsi d'une partie de votre problème.

Rincez-vous la bouche. «Quand vous ne pouvez pas vous brosser les dents après avoir mangé, allez aux toilettes et rincez-vous bien la bouche afin d'éliminer l'odeur des aliments que vous venez de manger», dit le Dr Jerry F. Taintor, président de Endodontics au collège de dentisterie de l'université du Tennessee. Recrachez l'eau, bien entendu.

Prenez trois repas par jour. Vous pouvez aussi avoir mauvaise haleine parce que vous n'avez pas mangé. En fait, l'un des effets secondaires du jeûne et d'une mauvaise alimentation est la mauvaise haleine.

Gardez une gorgée d'eau dans la bouche pendant quelques secondes. «Si vous mangez au restaurant et n'avez ni votre brosse à dents ni votre soie dentaire, vous pouvez discrètement

prendre une gorgée d'eau pour vous rincer la bouche. Cela vous rafraîchira un peu l'haleine», dit le Dr Shapira.

Gargarisez-vous avec une eau dentifrice à la men-the. Si vous voulez avoir l'haleine fraîche pendant au moins vingt minutes, vous pouvez vous gargariser la bouche avec une eau den-tifrice. La solution n'est toutefois que temporaire. Après un certain temps, la magie disparaitra et vous devrez remettre votre main sur la bouche pour parler.

Choisissez un produit d'après sa couleur et sa saveur. Ceux à l'ambre ou à l'arôme médicamenteuse contiennent des huiles es-sentielles comme du thym, de l'eucalyptus, de la menthe poivrée, de l'essence de wintergreen, ainsi que du benzoate de sodium ou de l'acide benzoïque. Les produits pour gargarismes épicés et très rouges peuvent contenir des composés du zinc. Ces deux types de produits neutraliseront les odeurs que dégagent les bactéries buc-cales.

Sucez un bonbon à la menthe ou mâchez du chewing-gum. Comme les gargarismes, les bonbons à la menthe et le chewing-gum camouflent momentanément la mauvaise haleine, le temps d'une courte entrevue, d'un bref déplacement en voiture ou d'un rendez-vous amoureux éclair!

Mangez du persil. Cette plante n'ajoute pas seulement une touche de couleur dans votre assiette; elle rafraîchit l'haleine de fa-çon naturelle. Ne laissez plus cette branche de persil dans le plat! Mâchez-la.

Découvrez les épices qui rafraîchissent l'haleine. Certaines herbes et épices d'usage courant rafraîchissent naturelle-ment l'haleine. C'est le cas du clou de girofle, du fenouil et des graines d'anis. Mâchez-en après des plats aux odeurs particulière-ment relevées.

Brossez-vous la langue. «La plupart des gens omettent de se brosser la langue, déclare le Dr Shapira. Sous un microscope, la surface de la langue ressemble à une forêt de champignons sous les-quels se déposent le tartre et d'imperceptibles particules d'aliments. Tout cela cause la mauvaise haleine.»

Le conseil du Dr Shapira: lorsque vous vous brossez les dents, donnez-vous aussi un petit coup de brosse sur la langue.

Ne laissez pas survivre de bactéries qui favorisent la mauvaise haleine.

EXPERTS CONSULTÉS

Le Dr Roger P. Levin est président du Baltimore Academy of General Dentistry et professeur invité à l'université du Maryland, à Baltimore.

Le Dr Eric Shapira pratique dans un cabinet privé à El Granada, en Californie. Il est professeur adjoint au département de dentisterie de l'université du Pacifique, à San Francisco, et titulaire d'une maîtrise en sciences et en biochimie.

Le Dr Jerry F. Taintor est président d'Endodontics au collège de dentisterie de l'université du Tennessee, à Memphis, et auteur de *The Oral Report: The Consumer's Common Sense Guide to Better Dental Care.*

Maux de dents

13 moyens de soulager la douleur

Les maux de dents sont très douloureux. Ils vous font mal quand vous souriez ou froncez les sourcils, quand vous buvez ou mangez, quand vous serrez et desserrez les mâchoires et quand vous tournez la tête dans n'importe quelle direction. Parfois, le simple fait de respirer exacerbe le mal, car l'air froid qui entre dans la bouche irrite la dent sensible.

Selon le Dr Phillip D. Corn, dentiste à Philadelphie, en Pennsylvanie, et directeur de la Pennsylvania Academy of General Dentistry, les maux de dents peuvent être le symptôme de toutes sortes de troubles dentaires: une infection du pulpe d'une dent ou de la gencive autour d'une molaire douloureuse, une carie ou une fracture. «Vous pourriez avoir reçu un coup sur la bouche, ou l'irritation pourrait simplement être causée par une particule d'aliment coincée entre deux dents, ajoute le Dr Jerry F. Taintor, directeur du département d'endodontie de la faculté de dentisterie de l'université du Tennessee. À moins que vous ne souffriez d'une affection de vos sinus.»

Seul votre dentiste pourra en déterminer la cause exacte. Prenez donc rendez-vous avec lui. Vous devez cependant maîtriser la douleur sur le champ. Voici de quelle façon.

Rincez-vous la bouche. «Prenez une gorgée d'eau (à la température du corps) et rincez-vous bien la bouche», dit le Dr Taintor. Un bon rinçage peut déloger les particules d'aliments qui sont coincées entre vos dents.

Passez délicatement la soie dentaire. «Si le rinçage ne suffit pas, essayez la soie dentaire», dit le Dr Taintor. Allez-y doucement, car vos gencives sont sans doute très sensibles.

Ayez recours à l'alcool afin d'engourdir la douleur. «Gardez une gorgée de whisky sur la dent qui vous fait souffrir, déclare le Dr Corn. Les gencives absorberont un peu d'alcool et la douleur sera engourdie. N'avalez pas ce qui reste.»

Rincez à l'eau salée. «Après chaque repas et à l'heure du coucher, mélangez une cuillerée à café de sel dans 250 ml d'eau (toujours à la température du corps)», dit le Dr Corn. Rincez-vous bien la bouche avec chaque gorgée d'eau, puis crachez.

Ménagez la sensibilité de vos dents

«C'est un vrai mal de dents si vous ne pouvez même pas la toucher, dit le Dr Roger P. Levin. Mais si la dent réagit simplement à la chaleur et au froid, c'est un problème de sensibilité.»

Des millions d'Occidentaux souffrent d'hypersensibilité dentaire. Cette affection commence lorsque la dentine située sous l'émail dentaire se trouve à découvert, souvent près des gencives.

L'âge, le déchaussement des dents, la chirurgie et les brossages trop vigoureux peuvent mettre à nu la dentine. Parfois, la plaque dentaire use l'émail jusqu'à ce qu'elle expose la dentine.

Le Dr Phillip D. Corn recommande aux personnes qui souffrent d'hypersensibilité dentinaire d'utiliser un dentifrice particulier (en vente libre) et une brosse à dents à poils de nylon très doux. Parmi ces dentifrices, nous vous conseillons notamment le Sensodyne®.

Consultez votre dentiste si vous notez une hypersensibilité de vos dents pour la première fois. Vous souffrez peut-être d'une autre affection.

Essayez un massage. Voilà un truc qui réduira peut-être de moitié la douleur que provoque un mal de dent. Prenez un glaçon entre le pouce et l'index et glissez-le délicatement dans l'espace endolori pendant cinq à sept minutes.

Une étude menée par le Dr Ronald Melzack, chercheur canadien et ancien président de l'International Association for the Study of Pain, a démontré qu'un massage de glace soulageait les maux de dents chez 60 à 90 % des personnes qui en avaient fait l'essai.

Cette étude a montré que la douleur provient d'impulsions qui parcourent le nerf le long de la mâchoire. En frottant le parcours du nerf avec de la glace, on devrait faire disparaître la douleur.

Appliquez de l'huile de clou de girofle. «C'est un remède en vente libre que beaucoup de gens emploient depuis des années», dit le Dr Richard Sheppard, dentiste à la retraite à Durango, au Colorado. On trouve des bouteilles d'huile de clou de girofle dans la plupart des pharmacies. Laissez tomber une goutte d'huile directement sur la dent qui vous fait souffrir ou bien mettez-en un peu sur un tampon de coton que vous placez ensuite près de la dent.

Ne mordez pas. «Si vous avez reçu un coup sur une dent, mangez de l'autre côté, dit le Dr Corn. Si elle n'est pas abîmée, elle reprendra sa vitalité d'elle-même.»

Sucez de la glace. «Réglez le problème comme s'il s'agissait d'une ecchymose, c'est-à-dire avec de la glace», conseille le Dr Corn. Mettez un glaçon pendant 15 minutes sur la dent qui vous fait souffrir ou sur la joue du même côté. Recommencez le traitement au moins trois ou quatre fois par jour.

Gardez la bouche fermée. «Si l'air froid vous donne mal aux dents, gardez simplement la bouche fermée», dit le Dr Roger P. Levin, président de la Baltimore Academy of General Dentistry et professeur invité à l'université du Maryland.

Ou gardez-la ouverte. Certains maux de dents sont causés par un mauvais alignement des dents. «Dans ce cas, dit le Dr Levin, évitez autant que possible de fermer la bouche, jusqu'à ce qu'un dentiste vous ait examiné.»

Avalez votre aspirine®. N'ajoutez pas foi à la vieille croyance selon laquelle il faut placer une aspirine® directement sur la gencive endolorie. «L'aspirine® peut brûler les tissus, dit le Dr Taintor. Pour soulager la douleur, avalez une aspirine® toutes les quatre à six heures, en cas de besoin.»

Restez au frais. «N'appliquez rien de chaud sur une dent endolorie, même si ce traitement semble soulager la douleur», prévient le Dr Corn. S'il s'agit d'une infection, la chaleur l'attirera vers l'extérieur de la mâchoire et l'aggravera.

EXPERTS CONSULTÉS

Le Dr Phillip D. Corn a un cabinet dentaire privé à Philadelphie, en Pennsylvanie. Il est le directeur de la Pennsylvania Academy of General Dentistry.

Le Dr Roger P. Levin est président de la Baltimore Academy of General Dentistry et professeur invité à l'université du Maryland, à Baltimore.

Le Dr Richard Shepard est un dentiste à la retraite de Durango, au Colorado. Il est le rédacteur en chef du bulletin d'information de la Holistic Dental Association.

Le Dr Jerry F. Taintor est directeur du département d'endodontie de la faculté de dentisterie de l'université du Tennessee, à Memphis. Il est l'auteur de *The Oral Report: The Consumer's Common Sense Guide to Better Dental Care.*

Maux de dos

24 façons de soulager les douleurs

Voici une loi physique qu'on énonce rarement: plus un objet est lourd, plus il faut le déplacer souvent. En voici une autre: les objets seront toujours mieux placés à l'endroit le plus éloigné de l'endroit où on les a disposés la première fois.

L'effort que l'on met pour déplacer tout objet lourd et fixe est l'une des principales causes de problèmes de dos. On se penche, se tourne et force son dos en faisant des contorsions qu'on aurait jamais cru possibles. Le résultat: des douleurs au dos dont on n'arrive pas toujours à se débarrasser. Certains spécialistes des douleurs lombaires soutiennent que 80 % des gens souffriront de maux de dos à un moment de leur vie. Finalement, les blessures au dos amènent les entreprises à verser d'immenses sommes à titre d'indemnités versées aux travailleurs.

Par conséquent, si en soulevant un objet lourd vous avez grimacé de douleur, sachez qu'il est possible dorénavant d'éviter les douleurs au dos en prenant certaines précautions.

LE SOULAGEMENT DES CRISES DE DOULEURS LOMBAIRES

Les douleurs lombaires se présentent sous deux formes: les douleurs aiguës et les douleurs chroniques. Les premières, soudaines et très intenses, peuvent être causées par des foulures, de la fatigue ou des étirements des muscles du dos. La douleur peut durer plusieurs jours, mais les médecins estiment qu'on peut s'en débarrasser seul et ne pas avoir de séquelles en suivant les consignes suivantes.

Ne restez pas debout. Votre dos vous en saura gré. «Le meilleur remède en cas de problèmes graves est le repos au lit», dit le Dr Edward Abraham, chirurgien spécialisé en orthopédie et professeur adjoint à la faculté de médecine de l'université de Californie, à Irvine. En fait, vous n'aurez sans doute envie que de cela. La moindre activité physique, simplement aller vous chercher un verre d'eau, risque de vous faire souffrir. Par conséquent, pendant une journée ou deux, réduisez vos activités physiques au minimum.

Ne gardez pas le lit trop longtemps. «Le temps que vous passez au lit dépend de la gravité de vos douleurs, dit le Dr Abraham. Si le mal persiste au bout de deux jours, une journée de plus au lit ne vous fera pas de tort. Cependant, il est préférable de vous lever le plus tôt possible. Laissez vos douleurs vous dicter votre conduite.»

«La plupart des gens pensent qu'une semaine au lit fera disparaître leurs douleurs, ajoute le Dr Lehrman, chef de chirurgie en orthopédie à l'hôpital St. Francis, à Miami, en Floride, et fondateur du Lehrman Back Center dans cette même ville. Malheureusement, ils se trompent. Chaque semaine au lit vaut deux semaines de réadaptation.»

En effet, un projet de recherche réalisé au Centre des sciences de la santé de l'université du Texas a confirmé cette observation. Des chercheurs de l'hôpital ont mené une étude auprès de 203 patients qui se plaignaient de douleurs aiguës au dos. Ils ont conseillé à certains patients de rester au lit deux journées entières; d'autres, sept jours. «Les douleurs ont diminué au même rythme dans les deux groupes», signale le Dr Richard A. Deyo, qui faisait partie de l'équipe de chercheurs et qui est maintenant directeur de la recherche sur les services de santé, au Centre médical Veterans Administration, à Seattle. Cependant, les patients qui sont restés couchés seulement deux jours ont pu retourner au travail beaucoup plus tôt.

«La durée du séjour au lit n'influence pas vraiment le rétablissement, dit le Dr Deyo. Pour certaines personnes, la position couchée est simplement la plus confortable durant les premiers jours.»

ALERTE MÉDICALE

Certains dos exigent les soins d'un médecin

À quel moment devez-vous consulter un médecin pour vos douleurs lombaires? Lorsque vous éprouvez les symptômes suivants:

- des douleurs au dos qui se manifestent soudainement, sans raison apparente;
- des douleurs au dos qui s'accompagnent d'autres symptômes comme de la fièvre, des crampes d'estomac, des douleurs à la poitrine ou de la difficulté à respirer;
- une crise de douleurs aiguës qui persiste sans répit plus de deux ou trois jours;
- des douleurs chroniques qui persistent plus de deux semaines sans s'atténuer;
- des douleurs au dos qui se propagent dans les jambes, jusqu'aux genoux ou aux pieds.

«Vous ne devriez jamais présumer que vos douleurs au dos ne sont que de simples problèmes de dos, note le Dr Fried. Elles pourraient être le signal d'un autre trouble de santé.»

Le confort au volant

Votre dos vous fait-il souffrir dès que vous bouclez votre ceinture de sécurité? Si c'est le cas, c'est peut-être le siège sur lequel vous êtes assis qui est responsable de votre mal de dos.

«Si vous avez des maux de dos, le siège de votre voiture pourrait en être la cause», dit le Dr Roger Minkow, qui redessine les sièges pour des fabricants d'avions et de voitures. Les voitures allemandes sont les pires, dit-il. Les sièges des voitures américaines sont plutôt mauvais eux aussi, mais il est possible de les ajuster. En revanche, les voitures japonaises ont d'excellents sièges, de même que les suédoises comme la Volvo et la Saab.»

La prochaine fois que vous vous achèterez une voiture, le Dr Minkow vous conseille de vérifier tout autant les sièges que le confort général de la voiture. Les conseils suivants vous aideront à faire un choix plus éclairé.

Achetez une voiture pour ses sièges. «Cherchez un siège doté d'un support lombaire réglable et réglez ce dernier le plus bas possible, dit-il. Voyez si la position vous convient ainsi. Si vous devez modifier le réglage du siège de votre voiture, faites-le toujours en partant de la position la plus basse.»

Rendez vous-même votre voiture confortable. Si le siège de votre voiture ne convient pas à votre dos et que vous conduisez une américaine, vous pourrez sans doute régler le problème vous-même sans trop d'efforts. La plupart des sièges des voitures américaines sont munis de fermetures éclair au bas du coussin du dossier. «Vous n'avez qu'à descendre la fermeture éclair et à glisser à l'intérieur un support lombaire que vous aurez fabriqué vous-même», dit-il. Voici comment procéder:

Allez chez un tapissier et achetez un coussin de mousse qui dispose d'une bonne élasticité, c'est-à-dire de la mousse de 1 à 1,5 kg. À l'aide d'un couteau électrique, coupez une bande de mousse de 14 cm de largeur et de 2,5 cm d'épaisseur. Coupez ensuite la bande sur la longueur, aux dimensions exactes du siège de la voiture Prenez soin de couper le bord en biseau, afin d'éviter que l'enveloppe du siège ne fasse remonter la mousse lorsque vous la refermez. Placez la mousse sous l'enveloppe, puis procédez aux ajustements nécessaires jusqu'à ce que la bande de mousse soit à la hauteur de votre ceinture, et non à la hauteur du creux du dos.

«Vous mettrez environ 15 minutes à faire ce support lombaire et il ne vous coûtera pas plus de 15 F, au lieu de 800 F dans le commerce. De plus, il vous conviendra tout aussi bien», dit le Dr Minkow.

Traitez vos douleurs avec de la glace. «La glace est le meilleur remède contre les douleurs d'une crise aiguë, dit le Dr Ronald Melzack, chercheur canadien spécialisé dans l'étude de la douleur lombaire, et professeur à l'univerité McGill, à Montréal. La glace permet de réduire l'inflammation et la pression sur vos muscles lombaires. «Placez un sac rempli de glaçons sur la région douloureuse et massez cette région sept ou huit minutes.» Continuez ce traitement pendant un jour ou deux.

Essayez la chaleur. «Au bout de deux ou trois jours de traitement à la glace, les médecins recommandent un traitement à la chaleur», déclare le Dr Milton Fried, fondateur de la Milton Fried Medical Clinic, à Atlanta, en Georgie. Plongez une serviette moelleuse dans une cuvette d'eau chaude. Essorez-la bien et mettez-la à plat pour qu'il n'y ait pas de plis. Étendez-vous sur la poitrine, des oreillers sous les hanches et les chevilles, et la serviette sur la partie douloureuse de votre dos. Couvrez cette dernière de plastique, puis d'un coussinet chauffant réglé à «moyen». Si vous le pouvez, recouvrez le coussinet d'un objet lourd, un annuaire téléphonique par exemple, afin d'exercer une certaine pression. «Ce traitement procure de la chaleur humide et contribue à réduire les spasmes musculaires», explique le Dr Fried.

Alternez le chaud et le froid. Selon le Dr Abraham, les personnes qui n'arrivent pas à déterminer quel traitement soulage le mieux la douleur peuvent recourir aux deux, et même en tirer des bienfaits supplémentaires. «En fait, des traitements au chaud et au froid en alternance atténueront vos douleurs, dit le Dr Abraham. Faites un traitement de 30 minutes de froid suivi de 30 minutes de chaud. Répétez autant de fois que vous le désirez.»

Étirez-vous pour atténuer un spasme. «Vous guérirez plus vite si vous vous étirez le dos», déclare le Dr Lehrman. Un bon étirement pour soulager les douleurs de la partie inférieure du dos consiste à vous mettre en position étendue et à ramener doucement les genoux sur la poitrine. Exercez ensuite un peu de pression sur vos genoux. Étirez-vous ensuite, puis détendez-vous. Recommencez l'exercice.

«En vous étirant, vos muscles sont soulagés plus rapidement que si vous restez immobile», dit le Dr Lehrman.

Roulez votre corps pour sortir du lit. Si vous devez vous lever, les médecins recommandent de le faire en roulant sur vous-même. Faites-le lentement et avec précaution.

«Vous pouvez minimiser la douleur en roulant sur vous-même jusqu'au bord du lit, dit le Dr Lehrman. Une fois au bord du lit, tenez votre dos bien droit et sortez d'abord les jambes de votre lit. Ce mouvement vous donnera un élan et vous pourrez ainsi soulever plus aisément la partie supérieure de votre corps.»

SOULAGEMENT DES DOULEURS QUI PERSISTENT

Pour certaines personnes, les douleurs au dos sont leur lot quotidien et durent pendant ce qui peut leur paraître une éternité. Parmi ces personnes, il y a celles qui souffrent de douleurs récurrentes; le moindre mouvement peut déclencher de nouvelles douleurs. C'est ce qu'on appelle des douleurs chroniques. Les conseils qui suivent s'adressent d'abord à ces personnes, puis à celles qui sont atteintes de douleurs aiguës, car elles pourraient tout aussi bien en tirer profit.

Dormez sur une surface dure. Une planche de bois sous votre matelas vous fera le plus grand bien. «L'idée, c'est d'avoir un lit qui ne creuse pas au centre lorsque vous dormez, dit le Dr Fried. Une planche de contreplaqué entre le matelas et le sommier réglera le problème.»

Noyez vos douleurs dans un lit d'eau. «Un lit d'eau moderne, c'est-à-dire un lit réglable qui ne fait pas trop de vagues, permet de soulager la plupart des maux de dos», dit le Dr Fried.

Le Dr Abraham en reconnaît aussi les bienfaits. «Lorsque vous dormez sur un lit d'eau, vous bénéficiez des changements de pression répartis sur les diverses parties de votre corps, explique-t-il. Pour cette raison, vous pouvez dormir une nuit entière dans la même position.»

Dormez la tête et les genoux surélevés. Votre dos malade ne supporte pas que vous vous couchiez sur le ventre. «La meilleure position pour dormir est la suivante: allongé sur le dos, la tête et les genoux surélevés», dit le Dr Abraham. Étendez-vous sur le dos, puis placez un oreiller sous votre tête et la partie supérieure de votre cou, puis un autre sous les genoux.

Lorsque vous étirez les jambes, les tendons de vos mollets exercent une traction sur la partie inférieure de votre dos, explique-t-il.

En gardant les genoux surélevés, vous détendrez les tendons et allégerez ainsi la tension sur votre dos.

Dormez dans la position du fœtus. Vous dormirez comme un bébé couché sur le côté dans la position du fœtus. «Vous pouvez placer un oreiller entre vos genoux lorsque vous vous couchez en fœtus», précise le Dr Fried. L'oreiller empêchera la jambe du dessus de glisser en avant et de vous faire bouger les hanches, ce qui exercerait une pression supplémentaire sur votre dos.

Prenez un cachet d'aspirine® par jour. Selon le Dr Fried, les douleurs au dos s'accompagnent souvent d'inflammation. Pour cette raison, un anti-inflammatoire en vente libre comme l'aspirine® ou l'ibuprofène peut contribuer à vous soulager. «On obtient de bons résultats même quand l'inflammation est assez grave», ajoute-t-il.

Le paracétamol n'est pas très efficace, car ce n'est pas un anti-inflammatoire.

Faites l'essai d'une substance naturelle. «Si vous êtes à la recherche d'un anti-inflammatoire naturel, essayez l'écorce de saule blanc, qu'on trouve sous forme de gélules dans les magasins d'aliments naturels, dit le Dr Fried. Il s'agit d'un salicylate naturel, c'est-à-dire un ingrédient actif qui donne à l'aspirine® sa propriété anti-inflammatoire, explique-t-il. Il ne vous irritera pas l'estomac si vous le prenez après le repas. Il est efficace contre les douleurs légères et modérées. Cependant, les personnes qui souffrent d'ulcères et de brûlures d'estomac devraient s'abstenir d'en prendre.»

Rêvez sans douleurs. Le milieu de la nuit est souvent le moment où les douleurs s'aiguisent. Elles vous réveillent et vous empêchent de vous rendormir. «Détournez votre attention de la douleur en «visualisant» une situation précise», soutient le Dr Dennis Turk, professeur et directeur de l'institut d'évaluation et de traitement de la douleur, à la faculté de médecine de l'université de Pittsburgh.

«Fermez les yeux et imaginez un citron sur une assiette en porcelaine blanche. Imaginez qu'il y a un couteau juste à côté de l'assiette. Imaginez que vous le prenez et que vous tranchez le citron. Entendez le bruit du couteau qui le tranche. Respirez l'odeur du citron. Portez-le à votre bouche et imaginez son goût.»

Ce n'est qu'un exemple parmi tant d'autres de la façon dont vous pouvez utiliser vos sens pour visualiser une image, dit le Dr

Turk. Plus l'image est vive et détaillée, plus vite aurez-vous tendance à explorer toutes les facettes et à détourner votre attention de votre mal.»

Renversez la douleur. «Une inversion de gravité fait des merveilles pour les douleurs au dos», dit le Dr Fried. Cette thérapie consiste à vous attacher à un dispositif qui bascule vers l'avant et vous incline la tête vers le sol. «Faire graduellement des tractions d'inversion, à l'aide d'un dispositif sûr et approprié, 5 ou 10 minutes par jour, permet d'alléger la douleur dans la partie inférieure du dos», dit-il. Avant d'entreprendre une telle thérapie, obtenez l'accord de votre médecin, surtout si vous souffrez de pincement de disques intervertébraux. Les personnes sujettes au glaucome ne devraient pas recourir à cette thérapie.

Faites du Tai-Chi pour dénouer vos muscles. Le Tai-Chi est une discipline qui remonte à la Chine antique. Cette pratique consiste en des exercices dont les mouvements sont lents et fluides. «C'est une excellente méthode de relaxation qui soulage les muscles du dos», dit le Dr Abraham, adepte de Tai-Chi lui-même. «De plus, cette discipline comprend de nombreux exercices de respiration et des mouvements d'étirement qui suscitent l'équilibre intérieur et l'harmonie.»

L'apprentissage du Tai-Chi demande une grande discipline personnelle, mais le Dr Abraham estime que l'effort en vaut la peine. «Il est plutôt étrange qu'un spécialiste en orthopédie tienne de tels propos, mais je crois que c'est une façon de vivre intelligente et une méthode efficace pour soulager les maux de dos.»

EXPERTS CONSULTÉS

Le Dr Edward Abraham pratique dans un cabinet privé à Santa Ana, en Californie, il est professeur au département d'orthopédie de la faculté de médecine de l'université de Californie, à Irvine. Il est à l'origine du concept de thérapie lombaire en clinique externe aux États-Unis et il est l'auteur de *Freedom from Back Pain*.

Le Dr Richard A. Deyo est directeur de la recherche sur les services de la santé au Centre médical Veterans Administration, à Seattle, et professeur adjoint en médecine et services de la santé à la faculté de médecine de l'université de Washington, à Seattle. Il est également titulaire d'une maîtrise en santé publique.

Le Dr Milton Fried est fondateur et directeur de la Milton Fried Medical Clinic, à Atlanta, en Georgie. Il est aussi diplômé en chiropractie et en thérapie physique.

Le Dr David Lehrman est chef de chirurgie en orthopédie à l'hôpital St. Francis, à Miami, en Floride. Il est aussi le fondateur et directeur du Lehrman Back Center, une maison de séjour pour les personnes atteintes de maux de dos, à Miami également.

Le Dr Ronald Melzack est professeur de psychologie à l'université McGill, à Montréal, Québec, Canada. Il est vice-président de l'International Pain Foundation et il fait de la recherche sur la douleur.

Le Dr Roger Minkow est un spécialiste du dos. Il est le fondateur et le directeur de Backworks, une maison de réadaptation à l'intention des personnes qui souffrent de blessures au dos, à Petaluma, en Californie.

Le Dr Dennis Turk est professeur de psychiatrie et d'anesthésiologie à la faculté de médecine de l'université de Pittsburgh, en Pennsylvanie, et directeur de l'institut d'évaluation et du traitement de la douleur de la même université.

Maux de gorge

25 façons d'éteindre le feu

Il est difficile parfois d'avaler sa colère. Mais quand on a du mal à avaler tout court, on a un problème. Après tout, on ne peut pas rester plus de 15 secondes sans déglutir. Et plus on se retient, pire c'est. Un mal de gorge combiné à une mauvaise toux... c'est la torture.

Les maux de gorge sont souvent les signes avant-coureurs d'une grippe ou d'un rhume, mais ils peuvent survenir aussi à la suite d'une infection bactérienne ou virale. Il s'agit parfois d'une simple irritation mineure, attribuable notamment à l'air sec de l'hiver. Quelle qu'en soit la cause, voici ce que les médecins préconisent pour soulager les maux de gorge.

Sucez des pastilles pour la toux. «S'il s'agit d'une infection virale, les antibiotiques n'auront peut-être aucun effet. Mais des pastilles pour la toux à base de phénol peuvent procurer un certain soulagement», dit le Dr Hueston King, un oto-rhino-laryngologiste de Venice, en Floride. Le phénol détruit souvent les microbes en surface et les empêche ainsi de se propager dans votre organisme. Il a, en outre, un léger effet anesthésiant sur les terminaisons nerveuses de la gorge et soulage ainsi la douleur. Certaines pastilles contiennent une concentration de phénol plus ou moins grande. Suivez les directives qui les accompagnent.

Vaporisez-vous la gorge. Les vaporisateurs pour la gorge à base de phénol procurent eux aussi un soulagement topique. Mais, comme le faisait remarquer le Dr Thomas Gossel, la durée du contact entre l'aérosol et les tissus irrités est relativement courte. Les pastilles ont un effet plus prolongé.

Faites l'essai du zinc. «Les pastilles à base de zinc soulagent les maux de gorge associés au rhume», dit le Dr Donald Davis, chercheur au Clayton Foundation Biochemical Institute de l'université du Texas, à Austin. Nous avons administré à des patients un comprimé de 23 mg de gluconate de zinc toutes les deux heures, en leur demandant de le laisser fondre et non de l'avaler. Le zinc a calmé leurs maux de gorge ainsi que d'autres symptômes du rhume.»

Quelques remèdes de coulisses

Les comédiens doivent être en scène même s'ils ont mal à la gorge. Nous avons donc demandé à des professionnels de la scène comment ils s'y prenaient quand ils souffraient de maux de gorge.

- Plusieurs d'entre eux ont adopté la bonne vieille recette du thé ou de l'eau chaude, aromatisés au jus de citron et au miel. Ils boivent ce liquide à petites gorgées toute la journée.
- Chacun a sa marque préférée de pastilles pour la toux. Le comédien, metteur en scène et auteur George Wolf Reily préfère les menthes aux herbes Ricola de Suisse. «Elles font des merveilles quand j'ai deux spectacles par jour et que ma gorge me fait souffrir.»
- L'acteur Norman Marshall suce des pastilles pour obtenir un soulagement rapide.
- Norman Marshall recommande aussi une cuillerée de bicarbonate de soude dans un grand verre d'eau. «J'en bois toute la journée à petites gorgées quand j'ai la gorge irritée ou quand je ressens les premiers symptômes d'un rhume.»
- La comédienne Elf Fairservis s'hydrate la gorge avec un sauna facial. «J'inhale simplement la vapeur pendant 10 minutes. Quand j'ai le temps, je le fais trois fois par jour, jusqu'à ce que je me sente mieux.»
- Comme mesure préventive, le comédien et chanteur William Perley se protège la gorge «en se gardant dans la meilleure forme possible et en mangeant beaucoup de carottes lesquelles sont reconnues pour leur teneur en vitamine A.» Il ajoute: «Mes professeurs de chant m'ont dit que pour ne pas m'irriter la gorge, il vaudrait mieux ne pas m'éclaircir trop souvent la voix.»

Cependant, le Dr Davis nous met en garde contre une trop grande quantité de zinc, car il interfère avec d'autres minéraux de l'organisme. Si vous n'aimez pas le goût du zinc, prenez des pastilles pour la toux additionnées de zinc.

Gargarisez-vous. «Quand la déglutition est douloureuse, on pense que la partie irritée est située suffisamment haute dans la gorge pour qu'un gargarisme soit efficace», dit le Dr King, qui recommande de se gargariser plusieurs fois par jour avec l'une des préparations suivantes. Mais attention, si vous êtes enroué ou si vous toussez, un gargarisme ne servira à rien.

De l'eau salée. «Mettez une cuillerée à café de sel de table dans un demi-litre d'eau tiède ou à la température ambiante», dit le Dr Gossel. C'est la concentration saline qui se rapproche le plus de la teneur naturelle du corps en sel. Vous verrez comme c'est efficace. Gargarisez-vous environ toutes les heures.»

La camomille. Le Dr Eleonore Blaurock-Busch, conseillère en nutrition, et présidente et directrice de Trace Minerals International, laboratoire de chimie clinique de Boulder, au Colorado, conseille une tisane de camomille tiède pour soulager les muqueuses irritées. Faites infuser une cuillerée à café de camomille séchée dans une tasse d'eau chaude. Passez-la au tamis, puis laissez-la refroidir un peu. Gargarisez-vous ensuite avec la tisane tiède.

Le jus de citron dilué. Le Dr Blaurock-Busch suggère aussi de prendre un peu de jus de citron dilué dans un grand verre d'eau tiède.

Les spiritueux. «J'ajoute parfois une cuillerée de bourbon ou de whisky dans un grand verre d'eau et je me fais un gargarisme, dit le Dr Gossel. C'est une quantité suffisante d'alcool pour engourdir ma gorge endolorie.»

Humidifiez la pièce. Vous êtes-vous déjà réveillé avec un mal de gorge parce que vous aviez dormi la bouche ouverte? Habituellement, les voies nasales humidifient l'air qui passe dans la gorge et les poumons. Mais, en respirant par la bouche, vous contournez cet humidificateur naturel, ce qui assèche et irrite la gorge.

Le Dr Jason Surow, oto-rhino-laryngologiste dans l'État du New Jersey, recommande d'installer un humidificateur dans la chambre à coucher pour rendre l'air plus facilement respirable. «Même si le système de chauffage est muni d'un humidificateur, ajoutez un modèle portatif près du lit, dit-il. Les humidificateurs intégrés ne sont pas efficaces, surtout s'il s'agit d'un système de chauffage à air chaud, particulièrement desséchant.»

Mettez-y de la vapeur. «En cas de maux de gorge particulièrement pénibles, augmentez l'effet de l'humidificateur de la chambre à coucher en faisant des inhalations de vapeur», dit le Dr Surow. Faites couler de l'eau très chaude dans le lavabo de la salle de bains jusqu'à ce que de la vapeur s'en échappe. Laissez l'eau couler et penchez-vous au-dessus du lavabo, en vous couvrant la tête d'une serviette. Inhalez par la bouche et le nez, pendant 10 à 15 minutes. Recommencez le traitement plusieurs fois par jour, au besoin.

Dégagez-vous le nez. Si vous respirez par la bouche parce que vous êtes congestionné, dit le Dr Surow, dégagez vos voies nasales au moyen d'un décongestionnant en aérosol, comme l'Iliadine®, pendant un jour ou deux, mais pas davantage. Suivez attentivement

---

ALERTE MÉDICALE

Les streptocoques et autres problèmes

Une infection soudaine de la gorge par des streptocoques peut s'avérer très douloureuse. Si on ne la traite pas, elle peut entraîner des problèmes plus graves comme la fièvre rhumatismale et le rhumatisme articulaire aigu. Les maux de gorge peuvent être causés par de nombreuses bactéries ou certains virus; c'est pourquoi il faut faire une culture pour bien identifier le type de streptocoque responsable de l'infection. Par bonheur, déclare le Dr Hueston King, les streptocoques sont des bactéries répondant bien aux traitements par les antibiotiques. Selon le Dr Jerome C. Goldstein, les autres raisons pour lesquelles il faut consulter son médecin sans tarder sont les suivantes:

- des maux de gorge graves, prolongés et répétitifs;
- difficulté à respirer, à avaler ou à ouvrir la bouche;
- des douleurs articulaires, des maux d'oreille ou l'apparition d'une bosse dans le cou;
- une fièvre de plus de 38 °C;
- un enrouement qui dure plus de deux semaines;
- du sang dans la salive ou un phlegmon (inflammation avec gonflement des tissus).

les directives du produit, prévient-il, car ce dernier peut créer une accoutumance.

Respirez la brise marine. Si vous ne pouvez pas vous rendre au bord de la mer, recréez les mêmes embruns salins grâce à une solution nasale saline que vous trouverez en pharmacie. «Lorsque vous l'inhalez, dit le Dr Surow, les gouttelettes de solution saline vous hydratent le nez et coulent dans la gorge pour l'hydrater aussi. Parmi les produits disponibles sur le marché, mentionnons Sterimar® et Physiomer®. Contrairement aux décongestionnants en aérosol, les solutions salines n'entraînent pas d'accoutumance.»

Prenez de l'aspirine®. «La plupart des gens oublient que les maux de gorge sont des douleurs comme les autres», dit le Dr Gossel. L'aspirine®, le paracétamol ou l'ibuprofène soulagent l'inconfort. (Il ne faut pas prescrire d'aspirine® aux jeunes de moins de 21 ans, en raison des risques du syndrome de Reye, une affection neurologique grave.)

Augmentez votre consommation de liquides. «Les liquides contribuent à hydrater les tissus irrités de la gorge», dit le Dr Surow. Vous pouvez boire presque n'importe quoi, à l'exception des boissons épaisses à base de lait, qui enrobent la gorge et favorisent la production de mucus qui cause de la toux et aggrave l'irritation de la gorge. Il faut aussi éviter le jus d'orange, dont l'acidité peut brûler les tissus déjà enflammés, et les boissons à base de caféine qui ont un effet diurétique néfaste.

Emmitouflez-vous la gorge. Le Dr Blaurock-Busch recommande d'appliquer un cataplasme chaud de camomille directement sur la gorge. Pour préparer le cataplasme, ajoutez une cuillerée à soupe de fleurs de camomille séchées dans une ou deux tasses d'eau bouillante. Laissez ce mélange infuser cinq minutes, puis passez-le au tamis. Trempez un tissu ou une serviette propre dans la tisane, essorez et appliquez le cataplasme sur la gorge jusqu'à ce que le chiffon ait refroidi. Au besoin, faites un autre cataplasme avec davantage de liquide chaud.

Faites le plein d'ail. «L'ail est l'un des meilleurs antiseptiques et antibiotiques naturels», dit le Dr Blaurock-Busch, qui recommande de prendre des gélules d'huile d'ail (15 grains) six fois par jour. Si vous ressentez des effets secondaires, essayez un autre remède.

Faites comme les Russes. Cette bonne idée nous a été communiquée par le Dr Irwin Ziment, directeur du Service de thérapie respiratoire et médecin-chef du Centre médical Olive View à Sylmar, en Californie. Mélangez une cuillerée à soupe de raifort pur, une cuillerée à café de miel et une cuillerée de clous de girofle moulus dans un verre d'eau, et remuez. «Buvez à petites gorgées lentement, tout en continuant à remuer la solution, car le raifort se dépose facilement, et pensez à des choses agréables. Ou gargarisez-vous avec le mélange.» Le Dr Ziment déclare que c'est son remède russe préféré pour soigner le mal de gorge.

Prenez de la vitamine C. La vitamine C permet de renforcer les tissus et de combattre les microbes qui causent les maux de gorge. «En général, je conseille à mes patients de doubler la dose quotidienne recommandée de 60 mg», dit le Dr King.

Débarrassez-vous de votre brosse à dents. «Croyez-le ou non, votre brosse à dents peut prolonger ou même causer des maux de gorge», dit le Dr Richard T. Glass, directeur du département de pathologie orale de la faculté de médecine et de dentisterie de l'université d'Oklahoma, à Oklahoma City. Les bactéries s'accumulent sur les soies de la brosse à dents et s'infiltrent dans votre organisme chaque fois que vous vous blessez les gencives pendant que vous brossez les dents.

«Dès que vous ressentez les premiers symptômes, jetez votre brosse à dents. Souvent, cela suffit à prévenir la maladie, dit-il. Si vous êtes déjà malade, remplacez votre brosse à dents à nouveau dès que vous commencerez à vous sentir mieux. Vous éviterez ainsi les récidives.»

Comme mesure préventive, le Dr Glass recommande de changer de brosse à dents tous les mois et de la garder ailleurs que dans la salle de bains, foyer idéal pour les bactéries.

Calez votre lit. Dormir la bouche ouverte n'est pas la seule cause du mal de gorge que vous pourriez ressentir le matin. En effet, le refoulement de sucs gastriques dans la gorge pendant la nuit en est une autre. Les acides gastriques sont extrêmement irritants pour les tissus sensibles de la gorge, dit le Dr Jerome C. Goldstein, vice-président de direction de l'American Academy of Otolaryngology et professeur invité d'O.R.L. et de chirurgie de la tête et du cou à la faculté de médecine de l'université Johns Hopkins. Évitez ce problème en élevant la tête de votre lit de 10 à 15 cm. (Vous pouvez utiliser des briques.) N'empilez pas les oreillers sous votre tête, car cela fait plier le cou et augmente la pression qui s'exerce sur l'œsophage. Par mesure préventive, évitez de boire ou de manger, une ou deux heures avant d'aller au lit.

EXPERTS CONSULTÉS

Le Dr Eleonore Blaurock-Busch est présidente et directrice de Trace Minerals International, Inc., laboratoire de chimie clinique de Boulder, au Colorado. Elle est en outre conseillère en nutrition spécialisée dans le traitement des allergies et des maladies chroniques au Alpine Chiropractic Center, de la même ville. Elle est l'auteur de *The No-Drugs Guide to Better Health*.

Le Dr Donald Davis est chercheur au Clayton Foundation Biochemical Institute de l'université du Texas, à Austin. Il est rédacteur du *Journal of Applied Nutrition*.

Elf Fairservis est une comédienne qui a joué dans des productions Off-Broadway et dans de nombreux films commerciaux.

Le Dr Richard T. Glass est directeur du département de pathologie orale de la faculté de médecine et de dentisterie de l'université d'Oklahoma, à Oklahoma City.

Le Dr Jerome C. Goldstein est vice-président de direction de l'American Academy of Otolaryngology à Washington, D.C. Il est en outre professeur invité d'O.R.L. et de chirurgie de la tête et du cou à la faculté de médecine de l'université Johns Hopkins de Baltimore, au Maryland.

Le Dr Thomas Gossel est professeur de pharmacologie et de toxicologie, et directeur du département de pharmacologie et de sciences biomédicales de l'université Ohio Northern, à Ada. C'est un experts des produits en vente libre.

Le Dr Hueston King est oto-rhino-laryngologiste à Venice, en Floride. Il est en outre professeur adjoint d'O.R.L. au Centre médical de l'université Texas Southwest de Dallas.

Norman Marshall est comédien. Il a joué dans des feuilletons télévisés, des films et des pièces de théâtre pour enfants. Il a fondé la No Smoking Playhouse, à New York, et en a assuré la mise en scène pendant 11 ans.

Geoffrey Moore est chanteur professionnel. Il est semi-retraité et vit à Ridgewood, au New Jersey. Il donne un spectacle solo dans les résidences pour les personnes âgées.

William Perley est comédien et chanteur. L'an dernier, il a tenu la vedette dans la pièce *The Mark Twain Drama*, à Elmira, dans l'État de New York, qui a été diffusée sur la chaîne PBS.

George Wolf Reily est comédien, metteur en scène et auteur. Il travaille à Off-Broadway et dans des théâtres régionaux.

Le Dr Jason Surow est oto-rhino-laryngologiste. Il pratique à Teaneck et à Midland Park, au New Jersey. Il est attaché à l'hôpital Valley de Ridgewood, au New Jersey, et à l'hôpital Holy Name de Teaneck.

Le Dr Irwin Ziment est directeur du Service de thérapie respiratoire et médecin-chef du Centre médical Olive View, à Sylmar, en Californie.

Maux d'oreilles

12 façons d'enrayer la douleur

C'est un fait reconnu: les maux d'oreilles s'aggravent la nuit. Certes, il est plus difficile de se faire soigner quand tout le monde dort, mais la situation est particulièrement insupportable dans le cas des maux d'oreilles.

«La plupart du temps, les enfants et les adultes sont victimes de maux d'oreilles à la suite du blocage des trompes d'Eustache, des conduits qui vont du fond de la gorge à l'oreille moyenne», explique le Dr Dudley J. Weider, oto-rhino-laryngologiste au Centre médical Dartmouth-Hitchcock, à Hanover, dans le New Hampshire. Un rhume, une infection des sinus ou une allergie aggravent généralement la situation.

Pendant la journée, vous vous tenez la tête droite, et les sécrétions qui s'accumulent dans les trompes d'Eustache sont naturellement drainées dans le fond de votre gorge. De plus, les muscles des trompes d'Eustache se contractent lorsque vous mastiquez et avalez. Elles s'ouvrent et laissent pénétrer de l'air dans l'oreille moyenne.

Pendant la nuit, la situation est inversée. Vous vous endormez sans ressentir de douleur. Mais comme vous êtes allongé, vos trompes d'Eustache cessent d'évacuer naturellement les sécrétions. En outre, elle reçoivent moins d'air, car vous n'avalez plus aussi souvent que pendant la journée. Quelque peu après, vous vous réveillez avec un mal perçant dans les oreilles.

Les maux d'oreilles surviennent également dans d'autres cas. Par exemple, les infections comme l'otite des piscines peuvent déclencher des douleurs vives dans les oreilles. D'autre part, si vous prenez l'avion ou si vous faites de la plongée sous-marine, la pression atmosphérique a des chances de vous donner un mal d'oreilles. Lors d'une coupe de cheveux, par exemple, de minuscules poils peuvent se loger dans votre canal auditif et vous irriter les oreilles. Enfin, vous pouvez parfois ressentir des tintements d'oreilles à la suite d'une affection des dents, des amygdales, de la gorge, de la langue ou de la mâchoire.

Si vous avez mal aux oreilles, prenez un rendez-vous chez le médecin. Entre temps, voici quelques moyens d'enrayer rapidement vos douleurs.

Asseyez-vous. «Vous asseoir, le dos droit, quelques minutes fera diminuer l'enflure et drainera vos trompes d'Eustache. Avaler vous aidera à soulager la douleur. Si vous le pouvez, gardez la tête légèrement surélevée quand vous dormez. De cette manière, vos trompes d'Eustache se draineront plus facilement», dit le Dr Weider.

Soignez-vous à l'aide d'un sèche-cheveux. Le remède de grand-père, qui consistait à souffler de la fumée de pipe dans les oreilles douloureuses, était efficace pour une raison précise. «En fait, la chaleur soulage, et non pas la fumée», explique le Dr Dan Drew, médecin de famille à Jasper, en Indiana. Troquez la pipe contre un sèche-cheveux. Réglez-le à une température moyenne, puis tenez-le à environ 45 ou 50 cm de votre oreille. Dirigez l'air chaud vers l'intérieur de l'oreille endolorie.

Secouez vos oreilles. Il s'agit d'un test pour déterminer si vous souffrez d'une otite externe, un problème externe comme l'otite des piscines ou d'une otite médiane, une infection de l'oreille moyenne. «Saisissez votre oreille et si vous constatez que vous pouvez la secouer de la main sans ressentir de douleurs, c'est que l'infection se situe sans doute au niveau de l'oreille moyenne. Si cela vous fait mal, c'est qu'elle est probablement logée dans le canal auditif externe», dit le Dr Donald Kamerer, chef de la division d'otologie au Eye and Ear Institute, à Pittsburgh, en Pennsylvanie.

Réchauffez de l'huile à la température du corps. «Mettez une bouteille d'huile pour bébé ou d'huile minérale dans une casserole remplie d'eau chauffée à la température du corps», préconise le Dr Weider. Laissez l'huile reposer dans l'eau jusqu'à ce qu'elle soit, elle aussi, à la température du corps. Une ou deux gouttes d'huile mises dans l'oreille infectée atténuera la douleur. Mais attention! Ne mettez jamais de liquide dans votre oreille si vous pensez que votre tympan pourrait être perforé.

Mâchez du chewing-gum. Cette manière de se déboucher les oreilles en avion, que la plupart des gens connaissent, pourrait vous être utile en pleine nuit. En effet, l'action de mâcher débouche les trompes d'Eustache.

Bâillez. Bâiller actionne les muscles voisins des trompes d'Eustache de manière encore plus efficace que mâcher du chewing-gum ou sucer des bonbons.

Pincez-vous le nez. Selon l'American Academy of Otolaryngology/Head and Neck Surgery, si vous avez mal aux oreilles à 10 000 m d'altitude, pincez-vous le nez et fermez hermétiquement vos narines. Prenez une bonne bouffée d'air par la bouche. Puis, en vous servant des muscles de la gorge et des joues, forcez l'air à ressortir par le nez. Vous sentirez alors vos oreilles se déboucher quand la pression atteindra le même degré à l'intérieur et à l'extérieur de celles-ci. Cette pratique est parfois contestée.

Ne dormez pas lorsque l'avion va atterrir. En avion, dormez au début du voyage plutôt qu'à la fin, recommande l'American Academy of Otolaryngology/Head and Neck Surgery. En effet, vous n'avalez pas aussi souvent quand vous dormez. Dans ce cas, quand l'avion amorce sa descente, vos oreilles ne suivent pas les changements de pression et vous avez mal.

Évitez les problèmes. «Avant d'avoir mal, servez-vous d'un décongestionnant que vous trouverez en vente libre. Par exemple, si vous devez prendre l'avion et que vous savez que vos sinus congestionnés vous boucheront les oreilles, prenez un décongestionnant ou mettez-vous des gouttes dans le nez, une heure avant l'atterrissage», dit le Dr Weider. À la maison, si vous avez la tête lourde avant de vous coucher, prenez un décongestionnant pour éviter d'avoir mal au milieu de la nuit.

Évitez les cagoules trop serrées. Pour ne pas souffrir de maux d'oreilles, les personnes qui font de la plongée sous-marine doivent maintenir une pression à l'intérieur de leurs oreilles égale à celle de l'eau qui les entoure. Selon le journal *The Physician and Sports Medicine*, la plongée en eau peu profonde est davantage susceptible de provoquer des maux d'oreilles, car les plus fortes fluctuations du volume d'air se produisent dans de l'eau relativement peu profonde (moins de 10 m). «Évitez de porter des bouchons d'oreilles qui s'ajustent trop hermétiquement et des cagoules serrées qui empêchent la pression de rester uniforme pendant la descente», recommande le Dr Gary D. Becker, médecin au Centre médical Kaiser Permanente, à Panorama City, en Californie.

«Si vous aimez la natation, sachez que nager à la surface de l'eau exerce moins de pression sur les tympans que de nager sous l'eau», dit le Dr Drew. Il recommande aux nageurs de ne pas plonger à une profondeur de plus de 1 m ou 1,25 m.

Évitez la douleur. Si aucun de ces conseils ne vous convient, évitez tout simplement de prendre l'avion ou de faire de la plongée lorsque vous êtes congestionné.

Comptez sur les analgésiques. N'oubliez pas que les analgésiques en vente libre comme l'aspirine®, le paracétamol ou l'ibuprofène soulageront généralement vos douleurs jusqu'à ce que vous puissiez vous rendre chez un médecin.

EXPERTS CONSULTÉS

Le Dr Gary D. Becker est médecin au Centre médical Kaiser Permanente, à Panorama City, en Californie.

Le Dr Dan Drew est médecin de famille à Jasper, en Indiana. Il est l'inventeur du Goggl'Cap, un bonnet de bain avec masque intégré.

Le Dr Donald Kamerer est chef de la division d'otologie au Eye and Ear Institute, à Pittsburgh, en Pennsylvanie. Il est aussi professeur d'oto-rhino-laryngologie à la faculté de médecine de l'université de Pittsburgh.

Le Dr Dudley J. Weider est oto-rhino-laryngologiste au Centre médical Dartmouth-Hitchcock, à Hanover, au New Hampshire.

Maux de pieds

18 façons de les soulager

Madame, que faites-vous subir à vos pieds? Vous leur imposez des talons hauts et vous les obligez à faire du shopping jusqu'à ce qu'ils ne puissent plus vous supporter.

Dites-vous bien que vous n'êtes pas la seule à maltraiter vos pieds. Vous les tenez pour acquis. Vous vous servez de vos pieds tant

---

ALERTE MÉDICALE

Assurez-vous d'avoir bon pied bon œil

Selon le Dr Mark D. Sussman, vous devez absolument consulter un médecin dans les cas suivants:

- Si vous ressentez des douleurs aux pieds qui s'intensifient tout au long de la journée.
- Si vous avez mal aux pieds au point de ne plus pouvoir garder vos chaussures.
- Si les premiers pas que vous faites le matin en vous levant sont pour vous une véritable agonie.

Sachez que des douleurs brûlantes dans les pieds peuvent être la cause d'une mauvaise circulation sanguine, du pied d'athlète, d'un nerf coincé, du diabète, de l'anémie, d'une maladie thyroïdienne, de l'alcoolisme ou d'autres affections.

---

qu'ils ne vous font pas souffrir. Vous vous servez de vos pieds comme si rien ne pouvait leur arriver. Ce qui n'est pas le cas!

Que pouvez-vous faire, à la fin d'une longue journée, lorsque vos pieds vous font souffrir? Vous avez sans doute intérêt à suivre quelques conseils de spécialistes en la matière.

Surélevez-les. «Lorsque vous rentrez à la maison après une longue journée de travail, voici ce que vous pouvez faire pour soulager vos pieds. Asseyez-vous, surélevez vos pieds et faites des exercices avec vos orteils pour stimuler la circulation sanguine», dit le Dr Gilbert Wright, chirurgien en orthopédie à Sacramento, en Californie, et porte-parole de l'American Orthopedic Foot and Ankle Society. Surélevez vos pieds suivant un angle de 45 degrés par rapport à votre corps, et détendez-vous 20 minutes.

Faites tremper vos pieds. Selon le Dr Mark D. Sussman, podologue au Maryland, il existe un moyen éprouvé et efficace de reposer ses pieds. Faites-les tremper dans de l'eau tiède additionnée de 5 à 10 ml de sels d'Epsom. Rincez-les ensuite dans de l'eau claire et fraîche, avant de les sécher et de les frictionner avec une crème ou un gel hydratant.

Mettez-les sous de l'eau chaude, puis sous de l'eau froide. Le Dr Sussman recommande un traitement qui se pratique beaucoup dans les stations thermales européennes. Asseyez-vous sur le bord de la baignoire et laissez couler de l'eau sur vos pieds en alternant toutes les minutes de l'eau chaude et de l'eau froide. Terminez avec de l'eau froide. Ces bains contrastants revigoreront votre organisme tout entier. Si vous avez une douche amovible, utilisez le jet pour vous masser. Ce genre de douche vous stimulera davantage. Mise en garde: si vous souffrez de diabète ou d'une mauvaise circulation sanguine, ne vous exposez pas les pieds à des températures extrêmes.

Trouvez l'essence de la relaxation. Une aromathérapeuthe de Cos Job, au Connecticut, a mis au point un traitement des pieds similaire. Faites tremper vos pieds dans la baignoire, 20 minutes, dans quelques centimètres d'eau chaude additionnée de six gouttes d'huile d'eucalyptus et de six gouttes d'huile de romarin. Bougez les pieds dans l'eau et laissez l'essence d'eucalyptus vous détendre. Videz l'eau, puis mettez les pieds sous le robinet d'eau froide, puis sous celui d'eau chaude, et alternez. Pour une expérience totalement différente, mettez dans l'eau six gouttes d'huile de genièvre et six d'huile de citron. (Vous trouverez des huiles essentielles dans les magasins de produits naturels).

Prenez des tisanes. Si vous n'avez pas d'huiles essentielles, dit Judith Jackson, faites-vous une tisane de menthe poivrée et de camomille. Laissez infuser quatre sachets de tisane dans 475 ml d'eau bouillante. Versez cette infusion dans quatre litres d'eau chaude. Faites-y tremper vos pieds tel qu'on le décrit ci-dessus, puis mettez-les tour à tour sous l'eau froide et sous l'eau chaude.

Massez les pieds pour faire disparaître la douleur. «Il est vraiment très agréable de se faire masser les pieds avec de l'huile de bébé», dit le Dr Sussman. Mais vous pouvez très bien le faire vous-même. Avant de vous tremper les pieds, ou en même temps, pourquoi ne pas vous offrir un petit massage? Massez tout le pied, étirez les orteils et pressez le dessous du pied, en dessinant un mouvement circulaire. Enfin, faites glisser votre pouce le long de l'arche du pied, en appuyant très fort. Ce dernier mouvement est très efficace.

Laissez les glaçons vous soulager. Pour vous reposer les pieds, prenez quelques glaçons, enveloppez-les dans un gant de toilette humide, puis frictionnez vos pieds et vos chevilles quelques minutes à l'aide du gant. Les glaçons ont un effet anti-inflammatoire et anesthésique, dit le Dr Neal Kramer, podologue à Bethlehem, en Pennsylvanie. Séchez et tamponnez vos pieds en y mettant quelques gouttes d'hamamélis, d'eau de Cologne, d'alcool ou de vinaigre.

Faites de l'exercice.
Nous ne parlons pas ici d'exercice d'aérobic ou d'autre exercice vigoureux. Bon nombre de médecins recommandent aux gens de s'étirer les muscles des jambes et des pieds tout au long de la journée afin de prévenir les douleurs et de stimuler la circulation sanguine. Suivez les conseils des experts de la société Kinney Shoe.

- Si vous ressentez des tensions ou des crampes dans les pieds pendant la journée, secouez-les vigoureusement, comme vous feriez avec vos mains si vous aviez des crampes. Secouez un pied à la fois, puis détendez-vous et fléchissez les orteils de haut en bas et de bas en haut.
- Si vous devez rester debout longtemps, marchez sur place aussi souvent que possible. Changez constamment de posture et essayez de vous reposer de temps en temps, un pied sur un tabouret ou sur une marche d'escalier par exemple. Dans la mesure du possible, restez debout sur un tapis ou de la moquette bien épaisse.
- Pour éliminer les raideurs, enlevez vos chaussures, asseyez-vous sur une chaise et tendez vos pieds devant vous. Faites des rotations des deux pieds à partir des chevilles 10 fois dans une direction, puis 10 fois dans l'autre. Pointez les orteils vers le bas aussi loin que possible, puis fléchissez-les vers le haut aussi haut que possible. Répétez dix fois. Saisissez ensuite vos orteils et tirez-les doucement vers l'arrière, puis vers l'avant.
- Faites-vous un mini-massage. Enlevez vos chaussures et roulez vos pieds sur une balle de golf, une balle de tennis ou un rouleau à pâtisserie, une ou deux minutes.

Lia Schorr, spécialiste de la peau à New York, recommande les exercices suivants pour redonner vie à vos pieds:

- Éparpillez quelques crayons sur le plancher et ramassez-les avec vos orteils.
- Mettez une poignée de haricots secs dans vos pantoufles, chaussez-les et faites le tour de la pièce plusieurs fois. Cet exercice aura donné un bon massage à la voûte de vos pieds.

Ménagez la voûte de vos pieds. Portez des chaussures à semelles épaisses qui amortissent les chocs contre les surfaces rugueuses ou très dures, N'attendez pas que les semelles de vos chaussures soient devenues trop minces ou trop usées pour les remplacer car vous n'aurez plus aucune protection. «Les chaussures pour femmes à semelles minces, à bouts pointus et à talons hauts sont vraiment très mauvaises pour les pieds», dit le Dr Wright. Si vous devez porter des chaussures élégantes, laissez reposer un peu vos pieds en portant des chaussures de marche ou de sport entre la maison et le bureau.

Troquez vos talons hauts contre des chaussures plus plates. «Avec les talons hauts, les muscles du mollet ont tendance à se contracter, ce qui fatigue les pieds», dit le Dr John F. Waller Jr, chirurgien en orthopédie à l'hôpital Lenox Hill de New York. Essayez donc de porter pendant la journée des chaussures à talons un peu moins hauts. Vos pieds s'en porteront certainement bien mieux.

Portez des semelles intérieures. Les talons hauts ont aussi le défaut de pousser le bout du pied vers l'avant de la chaussure, ce qui exerce une pression douloureuse sur la demi-pointe du pied. Pour éviter l'inconfort, portez une demi-semelle intérieure qui empêchera votre pied de bouger. Lorsque vous achetez des chaussures, essayez-les avec vos semelles intérieures afin de vous assurer qu'elles vous vont parfaitement.

Élargissez vos chaussures. «Lorsque vous mettez des semelles intérieures dans vos chaussures», dit le Dr Sussman, vérifiez bien qu'elles ne vous serrent pas les orteils. Si oui, vous pourrez élargir vos chaussures et y placer des semelles. Voici comment: remplissez une chaussette de sable et placez cette dernière dans le bout de la chaussure. Enveloppez ensuite la chaussure dans une serviette humide. Laissez-la sécher 24 heures. Recommencez ensuite une ou deux fois au besoin.

EXPERTS CONSULTÉS

Judith Jackson est conseillère en santé et en soins de beauté à Cos Cob, au Connecticut. Elle est aussi aromathérapeute, et titulaire d'un diplôme en massage et en aromathérapie. Elle est l'auteur du livre *Scentual Touch: A Personal Guide to Aromatherapy*.

Le Dr Neal Kramer est podologue. Il travaille dans un cabinet privé à Bethlehem, en Pennsylvanie.

Lia Schorr est spécialiste de la peau à New York et elle est l'auteur du livre *Lia Schorr's Seasonal Skin Care*.

Le Dr Mark D. Sussman est podologue à Wheaton, au Maryland. Il est coauteur du livre *How to Doctor Your Feet without the Doctor* et de *The Family Foot-Care Book*.

Le Dr John F. Waller est chirurgien en orthopédie et spécialiste des pieds et des chevilles. Il travaille au Service de chirurgie orthopédique de l'hôpital Lenox Hill de New York.

Le Dr Gilbert Wright est chirurgien en orthopédie à Sacramento, en Californie, et porte-parole de l'American Orthopedic Foot and Ankle Society. Il est aussi directeur de la Sacramento Orthopedic Foot Clinic.

Maux de tête

40 moyens de soulager la douleur

«Il est extrêmement rare de rencontrer une personne qui n'a jamais eu de maux de tête», déclare le Dr Seymour Solomon, directeur de l'unité chargé du traitement des maux de tête au Centre médical Montefiore, à New York, et professeur de médecine à la faculté de médecine Albert Einstein de l'université Yeshiva.

Selon la National Headache Foundation, environ 90 % des maux de tête proviennent de tensions ou de contractions musculaires. Ce sont des malaises dont nous rendons responsables le travail, les factures ou les disputes.

En général, la douleur est répartie dans toute la tête. «Vous pouvez ressentir une douleur sourde ou un serrement autour de la tête, qui vous donne parfois le sentiment de ne pas avoir les idées bien claires, dit le Dr Fred Sheftell, directeur du New England Headache Treatment Program, à Stanford, au Connecticut. La plupart des gens disent qu'ils ont l'impression d'avoir un bandeau qui leur serre la tête.» Le Dr Sheftell ajoute cependant: «Nous ne savons pas si la contraction des muscles est toujours la véritable cause de ce que nous appelons les maux de tête dus aux tensions.»

«Certaines personnes naissent avec une structure biologique qui les prédisposent aux maux de tête, explique le Dr Joel Saper, directeur du Michigan Headache and Neurological Institute, à Ann Arbor. Les personnes stressées ne souffrent pas toutes de maux de tête.»

Mais des millions de gens souffrent de maux de tête récurrents. Il s'agit dans ce cas de maux de tête chroniques. De plus, on estime

---

Faites faire de l'exercice à votre visage

«Vous avez simplement besoin d'un miroir pour faire pratiquer de la gymnastique suédoise à votre visage et à votre cuir chevelu», explique le Dr Harry C. Ehrmantrout, auteur de *Headaches: The Drugless Way to Lasting Relief.* Les exercices qu'il décrit dans son livre visent à décontracter les muscles du visage et du cuir chevelu et à apprendre à les maîtriser, afin de réagir aux premiers signes d'un mal de tête. Voici un résumé des 11 exercices pour le visage et le cuir chevelu que recommande le Dr Ehrmantrout.

- Les sourcils: levez les sourcils rapidement, détendez-vous, puis rabaissez-les.
- Le sourcil droit: levez le sourcil droit, puis rabaissez-le. Cet exercice peut vous paraître difficile. Commencez par maintenir votre sourcil gauche avec une main, et levez le sourcil droit comme dans l'exercice précédent.
- Le sourcil gauche: levez le sourcil gauche, puis rabaissez-le.
- Les yeux: fermez les deux yeux en les plissant, puis rouvrez-les. Faites-le rapidement et gardez les yeux fermés pendant un moment, puis détendez-vous.
- L'œil droit: fermez l'œil droit en le plissant très fort, puis relâchez. Plissez le côté droit du visage assez fort pour vous relever le coin de la bouche.
- L'œil gauche: fermez l'œil gauche en le plissant très fort, puis relâchez.
- Le front: froncez les sourcils très fort, puis relâchez. Froncez les sourcils vers le bas et l'arête du nez.
- La mâchoire: bâillez, la bouche grande ouverte, puis refermez-la. Ouvrez ensuite lentement la bouche en abaissant graduellement la mâchoire. Lorsqu'elle est grande ouverte, refermez-la lentement.
- Les joues: ouvrez la mâchoire et bougez-la de droite à gauche. Ouvrez légèrement la bouche et bougez la mâchoire de droite à gauche, puis de gauche à droite.
- Le nez: bougez le nez, plissez-le vers le haut, comme si vous sentiez une odeur désagréable.
- Le visage: faites des grimaces, comme quand vous étiez petit. Ne vous inquiétez pas. Votre visage ne restera pas figé dans une pose ridicule.

que bon nombre d'entre elles sont victimes de migraines, des affections bien plus graves que les maux de têtes dus aux tensions. Les migraines, qui font partie de la famille des maux de tête d'origine vasculaire, frappent surtout les femmes. En fait, 70 % des personnes atteintes de migraines sont des femmes.

«Les migraines invalident beaucoup ceux qui en sont victimes», déclare le Dr Patricia Solbach, directrice du Headache and Internal Medicine Research Center de la clinique Menninger, à Topeka, au Kansas. En fait, elles rendent suffisamment malades pour faire perdre annuellement, aux personnes qui en souffrent, plus de 157 millions de journées de travail.

En général, les migraines provoquent une douleur lancinante aiguë d'un côté de la tête, (bien que dans 40 % des cas, cette douleur se fasse sentir des deux côtés). Très souvent, elles s'accompagnent de nausées et de vomissements, voire de tremblements et d'étourdissements. Certaines personnes en ressentent les premiers signes: vision brouillée, images visuelles «flottantes» ou engourdissement dans un bras ou dans une jambe.

Qu'elles disparaissent et ne reviennent jamais!

Vous ne souhaitez qu'une seule chose: que ces céphalées vasculaires disparaissent et ne reviennent jamais! Malheureusement, elles récidivent souvent, même après de longues périodes de rémission. Ces maux de tête, qui affligent des millions de personnes, dont 90 % sont des hommes, provoquent des douleurs très intenses, généralement autour ou derrière un œil.

Une personne peut souffrir de céphalées vasculaires tous les jours pendant des semaines ou même des mois. La cause en est inconnue, mais, selon le Dr Solomon, il s'agit probablement d'un problème hormonal ou génétique. Des études sur la testostérone sont actuellement en cours pour déterminer s'il existe des rapports entre cette hormone mâle et les céphalées vasculaires.

Les médecins ont pour leur part observé un dénominateur commun. «Pour des raisons que nous ne comprenons pas très bien, les hommes qui souffrent de céphalées vasculaires sont généralement de gros fumeurs», explique le Dr Solomon.

Si c'est le cas, cessez de fumer ou éliminez la cigarette de façon radicale. Et ne faites pas de siestes, conseille le Dr Joel Saper. Ainsi, ces céphalées disparaîtront et ne reviendront peut-être jamais.

Lorsque les maux de tête sont le signe d'un problème grave

«Nous sommes tous victimes à l'occasion de maux de tête dus aux tensions quotidiennes», déclare le Dr Seymour Diamond. Mais ce n'est qu'une affection mineure qui ne présente aucun danger.» Cependant, il arrive que les maux de tête soient le symptôme d'une maladie plus grave. Voici les signes à reconnaître.

- Vous avez plus de 40 ans et vous n'avez jamais souffert de maux de tête répétitifs auparavant.
- Les douleurs causées par vos maux de tête ne sont pas toujours au même endroit.
- Vos maux de tête deviennent plus violents.
- Vos maux de tête deviennent plus fréquents.
- Vous n'arrivez pas à identifier la cause de vos maux de tête: aucun facteur particulier ne semble les provoquer.
- Vos maux de tête perturbent votre vie quotidienne: par exemple, vous avez dû vous absenter de votre travail à plusieurs reprises.
- Vos maux de tête sont accompagnés de symptômes neurologiques, comme des engourdissements, des étourdissements, une vision brouillée ou des trous de mémoire.
- Vos maux de tête coïncident avec d'autres douleurs ou d'autres problèmes de santé.

Consultez votre médecin si vous observez l'un des signes susmentionnés.

Malheureusement, même les médecins traitants qui dirigent des cliniques spécialisées ne peuvent assurer qu'ils seront en mesure de diagnostiquer le type de mal de tête qui affecte un patient. «Il n'existe pas de test en laboratoire qui permet de déterminer si le patient souffre de migraines ou de maux de tête dus aux tensions», dit le Dr Jerome Goldstein, médecin dans un cabinet privé et directeur de la San Francisco Headache Clinic, en Californie. Le diagnostic est souvent fondé sur les antécédents médicaux du patient.

Ainsi, peu importe le nom que vous donniez à vos maux de tête, vous êtes la personne la mieux placée pour déterminer les facteurs qui les déclenchent. Par conséquent, c'est à vous qu'il incombe de prendre les mesures qui vous permettront de les prévenir ou de les traiter. À cet effet, lisez ce qui suit, dès maintenant.

Prenez-en deux et non dix. L'aspirine® ou tout autre anti-inflammatoire en vente libre fera probablement l'affaire pour traiter les maux de tête dus aux tensions dont vous souffrez une ou deux fois par mois.

Sachez cependant qu'abuser de ces médicaments ne fait qu'aggraver la douleur. «C'est un peu comme se gratter une piqûre de moustique. Plus vous vous grattez, plus la démangeaison augmente», déclare le Dr Solbach.

Agissez promptement. «Si vous décidez de prendre de l'aspirine® pour soulager un mal de tête, prenez-en tout au début», conseille le Dr Solbach. Autrement, l'aspirine® risque de ne pas être très efficace.

Faites de l'exercice pour prévenir les maux de tête. «L'exercice est très utile comme mesure préventive, car il libère le stress», dit le Dr Salomon.

Chassez vos légers maux de tête grâce à l'exercice. «Je suis convaincu que l'exercice vous fera du bien si votre mal de tête n'est pas trop douloureux», dit le Dr Solbach. Vous viendrez certainement à bout d'un léger mal de tête dû aux tensions en faisant de l'exercice.»

Ne faites pas d'exercice si vous souffrez d'un violent mal de tête. Cela ne servirait qu'à intensifier la douleur, surtout si vous souffrez d'une migraine.

Dormez. «Bon nombre de personnes dorment pour dissiper leurs maux de tête», dit le Dr Ninan T. Mathew, directeur de la Houston Headache Clinic et président de l'American Association for the Study of Headache.

Mais ne dormez pas trop. «C'est tentant, mais évitez de passer la matinée au lit pendant les week-ends, conseille le Dr Mathew. Sinon vous vous réveillerez avec un mal de tête.»

Ne faites pas la sieste. Une sieste peut contribuer à dissiper un mal de tête, mais ne faites pas de sieste si vous n'avez pas mal à la tête. «Faire la sieste peut provoquer des migraines», dit le Dr Seymour Diamond, directeur de la clinique Diamond Headache et de l'unité responsable des patients qui souffrent de maux de tête à l'hôpital Louis A. Weiss Memorial, à Chicago, en Illinois.

Dormez sur le dos. Dormir dans une position inconfortable, ou même couché sur le ventre, peut contracter les muscles du cou et déclencher des maux de tête. «Il vaut mieux dormir sur le dos», dit le Dr Diamond.

Tenez-vous le dos droit, debout ou assis. Le même principe s'applique ici. «De plus, précise le Dr Diamond, évitez d'appuyer votre tête ou de la tenir penchée d'un seul côté.»

Faites un traitement au froid. «Certaines personnes avouent aimer la sensation de froid sur le front ou dans le cou qui leur fait du bien», explique le Dr Solbach.

Faites un traitement au chaud. «En revanche, ajoute le Dr Solbach, d'autres personnes préfèrent les douches chaudes ou les compresses chaudes sur le cou.»

Respirez profondément. Respirer profondément est un excellent moyen de soulager les tensions. «Vous respirez profondément, dit le Dr Sheftell, lorsque votre estomac se gonfle plus que votre poitrine.»

Vérifiez si vous êtes tendu. Selon le Dr Sheftell, essayez de vous rappeler si vous n'avez pas tendu certains muscles, ce qui aurait pu favoriser l'apparition de maux de tête. Par exemple, avez-vous serré vos dents ou vos poings ou bien avez-vous arrondi vos épaules?

Apprenez la rétroaction. «Des études ont prouvé l'efficacité de la rétroaction afin de soulager les maux de tête dus aux tensions et les migraines», affirme le Dr Solbach.

Servez-vous de vos mains. Selon le Dr Sheftell, les automassages et l'acupression peuvent soulager la douleur. En acupression, il existe deux points clés pour réduire la douleur: l'un se trouve à l'endroit où le pouce rejoint l'index. Pressez à cet endroit jusqu'à ce que vous ressentiez une douleur. L'autre se situe dans la nuque. Servez-vous de vos deux pouces pour appuyer dessus.

Prenez un crayon. «Mettez un crayon entre vos dents comme s'il s'agissait d'une rose, mais ne le mordez pas. Pour le tenir ainsi, vous devez vous détendre», déclare le Dr Sheftell.

Portez un bandeau autour de la tête. «Ce vieux truc de grand-mère, qui se nouait un bandeau serré autour de la tête, présente certains avantages, dit le Dr Solomon. Il diminue la circulation sanguine du cuir chevelu et atténue les douleurs lancinantes qui accompagnent la migraine.»

Évitez les parfums. «Les parfums forts peuvent déclencher des migraines», dit le Dr Solbach.

Allez-y doucement. Croyez-le ou non, la relation sexuelle peut déclencher un mal de tête. «C'est ce que nous appelons un mal de tête provoqué par l'effort», dit le Dr Robert Kunkel, chef de la section responsable du traitement des maux de tête au Service de médecine interne de la clinique Cleveland, en Ohio. «Ces maux de tête sont plus fréquents chez les personnes atteintes de migraines que chez celles qui souffrent de simples maux de tête dus aux tensions.»

Cherchez le calme. Trop de bruit peut très souvent provoquer des maux de tête dus aux tensions.

Protégez vos yeux. «Une lumière éclatante, qu'elle vienne du soleil, d'un éclairage fluorescent, de la télévision ou d'un ordinateur, peut faire cligner les yeux, les fatiguer et déclencher des maux de tête. Par temps très ensoleillé, portez des lunettes de soleil. Si vous travaillez sur ordinateur, arrêtez-vous de temps en temps et portez des verres teintés», suggère le Dr Diamond.

Surveillez votre consommation de caféine. «Si vous ne prenez pas votre dose quotidienne de caféine, vos vaisseaux sanguins se dilateront, ce qui peut vous donner mal à la tête», explique le Dr Solbach. D'autre part, une trop forte consommation de caféine vous donnera aussi mal à la tête. Par conséquent, ne buvez pas plus qu'une ou deux tasses de café par jour.

Pas de chewing-gum. «Les mouvements répétitifs que vous faites en mâchant du chewing-gum peuvent tendre les muscles de la mâchoire et déclencher un mal de tête dû aux tensions», dit le Dr Sheftell.

Salez moins. Une forte consommation de sel peut provoquer des migraines chez certaines personnes.

Mangez à des heures régulières. Si vous sautez un repas ou si vous mangez trop tard, vous pouvez être victime de maux de tête pour deux raisons. D'abord, un repas sauté peut provoquer des tensions musculaires. Ensuite, la chute du taux de glycémie entraîne la contraction des vaisseaux sanguins du cerveau. Lorsque vous mangez de nouveau, ils se dilatent, et cela peut vous donner mal à la tête.

Marie Renaud, qui a déjà souffert de maux de tête chroniques, dit qu'elle développait des maux de tête lorsqu'elle ne mangeait pas assez souvent. Aujourd'hui, elle prend de nombreuses collations et ses maux de tête ont pratiquement disparu.

Trouvez les aliments qui vous donnent mal à la tête. Marie a remarqué que le lait provoquait chez elle des maux de tête. Après avoir diminué sa consommation de produits laitiers, elle avait moins souvent mal à la tête. Sachez que d'autres aliments donnent aussi des maux de tête.

Renoncez à la moutarde et à la charcuterie. «Vous ne perdrez rien sur le plan nutritif et vous vous épargnerez peut-être des maux de tête. Les charcuteries, contiennent des nitrates. Or, ils provoquent une dilatation des vaisseaux sanguins, ce qui peut amener des douleurs très intenses», dit le Dr Mathew.

Évitez certains agents ou condiments. Confucius n'a jamais dit que la sagesse consistait à éviter le glutamate monosodique. Certaines personnes savent cependant qu'elles tolèrent mal cette substance qui peut leur causer des maux de tête lancinants. Beaucoup de mets chinois en contiennent. Méfiez-vous!

Évitez le chocolat. De toute façon, le chocolat risque de faire grossir! Le problème est qu'il contient de la tyramine, une substance qu'on soupçonne de déclencher des maux de tête. Heureusement, les jeunes générations paraissent immunisées contre ce genre de réaction. «L'organisme aurait donc développé une tolérance à la tyramine», explique le Dr Diamond.

Ne donnez pas libre cours à vos envies de noix. Et modérez celles de fromages vieillis également. En effet, les noix et les fromages vieillis sont riches en tyramine.

Ne fumez pas au volant. Vous ne devriez pas fumer du tout. Mais sachez que si vous fumez au volant, lorsque la circulation est dense et que les vitres des portières sont baissées, vous vous offrez une double dose de monoxyde de carbone. Selon le Dr Saper, ce gaz semble nuire à la circulation sanguine dans le cerveau.

Limitez les cocktails.
Un verre d'alcool ne vous fera sans doute pas de tort, mais plusieurs, si. De plus, certaines boissons alcoolisées contiennent de la tyramine.

Méfiez-vous des glaces.
Vous vous souvenez sans doute des innombrables fois où vous avez mordu à belles dents dans une glace pour ressentir, quelques secondes plus tard, une violente douleur dans la tête.

«Mangez une glace lentement, conseille le Dr Saper. Ainsi, votre palais aura le temps de s'habituer au froid au lieu d'en subir le choc.»

Adoptez un rythme de vie plus modéré.
Les personnes âgées semblent y parvenir plus facilement. «Nous constatons que les maux de tête sont plus fréquents chez les personnes jeunes, dit le Dr Diamond, car ils sont plus stressés. Ils essaient de gagner leur vie, de faire vivre une famille. Il est important de ne pas se surmener.»

Exigez-en moins de vous-même et des autres, conseille le Dr Sheftell.

Relaxez-vous grâce à la visualisation.
«Imaginez que les fibres nerveuses dans le cou et dans la tête sont complètement tendues, dit le Dr Sheftell. Puis efforcez-vous de les détendre mentalement.»

Cultivez votre sens de l'humour.
«Il y a des gens qui prennent la vie trop au sérieux, dit le Dr Sheftell. Ces personnes sont faciles à reconnaître, car elles ont toujours le visage très tendu.» Elles sont sans doute en train de se demander pourquoi elles ont encore mal à la tête!

À haute altitude, prenez de la vitamine C et de l'aspirine®.
L'altitude peut provoquer des maux de tête. «En prenant de la vitamine C et de l'aspirine® avant et pendant un séjour au ski, vous vous adapterez sans doute plus facilement à l'altitude», dit le Dr Solomon.

Il conseille de prendre entre 3 000 et 5 000 mg de vitamine C la veille du départ et deux cachets d'aspirine® tous les jours, à compter du jour précédant le départ. (Avant de suivre ce traitement, consultez votre médecin. N'oubliez pas que vous devez toujours obtenir l'approbation de votre médecin avant de prendre de fortes doses de vitamines.)

EXPERTS CONSULTÉS

Le Dr Seymour Diamond est directeur de la clinique Diamond Headache et de l'unité responsable des patients qui souffrent de maux de tête à l'hôpital Louis A. Weiss Memorial, à Chicago, en Illinois. Il est aussi directeur général de la National Headache Foundation et co-auteur de divers ouvrages sur les maux de tête.

Le Dr Harry C. Ehrmantrout est l'auteur de *Headaches: The Drugless Way to Lasting Relief.*

Le Dr Jerome Goldstein travaille dans un cabinet privé et est directeur de la San Francisco Headache Clinic, en Californie.

Le Dr Robert Kunkel est chef de la section responsable du traitement des maux de tête au Service de médecine interne de la clinique Cleveland, en Ohio. Il est aussi vice-président de la National Headache Foundation.

Le Dr Ninen T. Mathew est directeur de la Houston Headache Clinic et président de l'American Association for the Study of Headache.

Le Dr Joel Saper est directeur du Michigan Headache and Neurological Institute, à Ann Arbor. Il est aussi l'auteur de *Help for Headaches.*

Le Dr Fred Sheftell est directeur du New England Headache Treatment Program, à Stanford, au Connecticut.

Le Dr Patricia Solbach est directrice du Headache and Internal Medicine Research Center à la clinique Menninger, à Topeka, au Kansas.

Le Dr Seymour Solomon est directeur de l'unité chargé du traitement des maux de tête au Centre médical Montefiore, à New York. Il est aussi professeur de médecine à la faculté de médecine Albert Einstein de l'université Yeshiva, dans la même ville.

Ménopause

21 façons d'éviter les symptômes

Souffrez-vous d'élan post-ménopausique?

Ne vous inquiétez pas: l'élan post-ménopausique est synonyme de libération. Ce n'est pas du tout un handicap.

L'élan post-ménopausique, ou PMZ (*postmenopausal zest*), est une expression utilisée par l'anthropologue Margaret Mead, qui veut dire que les femmes peuvent profiter de leur ménopause et s'épanouir. «Vous êtes libérée de la contraception, de la grossesse et du cycle menstruel. La vraie liberté», dit-elle.

«C'est le moment d'explorer tous les aspects de votre féminité et non seulement la maternité, dit Irene Simpson, naturopathe à Arlington, dans l'État de Washington. Mes amies et moi arrivons à la ménopause et nous sentons en pleine possession de nos forces. Nous découvrons la croissance personnelle à un âge où les femmes autrefois commençaient à vieillir.»

La ménopause survient lorsque l'activité ovarienne cesse, la sécrétion d'œstrogène ralentit, puis s'interrompt. Les menstruations deviennent irrégulières, puis disparaissent. Normalement, les femmes arrivent à la ménopause avant l'âge de 52 ans.

Cette période de la vie dure de six mois à trois ans et ses symptômes les plus courants sont les bouffées de chaleur et les refroidissements soudains, la chute de la libido, l'assèchement du vagin, les troubles émotionnels et l'insomnie. Votre médecin peut vous conseiller sur la meilleure façon d'y remédier.

ENVISAGEZ LA VIE AVEC ENTHOUSIASME

À vous d'être l'architecte de cette période de votre vie. Vous pouvez vous démolir, ou vous pouvez reconstruire, portée par un élan, post-ménopausique peut-être, mais un élan tout de même! Voici comment.

Renseignez-vous. Une femme qui connaîtrait bien les changements physiologiques et psychologiques qui l'attendent et qui aurait une attitude ouverte surmontrait plus facilement les difficultés qui sont caractéristiques de la ménopause. «En effet, rien ne vaut d'être bien informée pour faire face au stress et aux changements qui bouleversent sa vie à la fin de la quarantaine ou au début de la cinquantaine», dit le Dr Simpson.

Des études ont démontré que les femmes passent le tiers de leur vie en période de postménopause. Il est donc préférable d'en profiter et de se rendre la vie la plus agréable possible, souligne Irene Simpson. Reprenez vos études. Trouvez un nouveau passe-temps. Changez de carrière. Occupez-vous de votre santé. Faites de votre vie une aventure.

Faites de l'exercice tous les jours. Selon une étude réalisée par la faculté de médecine Robert Wood Johnson de l'université de médecine et de dentisterie du New Jersey, la marche, le jogging, la bicyclette, le saut à la corde, la danse, la natation ou n'importe quel autre exercice quotidien peuvent prévenir et soulager bon nombre des symptômes de la ménopause. L'exercice prévient ou fait diminuer les bouffées de chaleur et la sudation nocturne, la dépression et d'autres troubles émotionnels, de même que l'assèchement du vagin.

«Le résultat le plus évident est, bien entendu, l'amélioration de la forme physique. Mais l'exercice favorise également la santé psychologique, car il accélère la sécrétion dans le cerveau des neurotransmetteurs comme la noradrénaline et la sérotonine», dit le Dr Gloria A. Bachmann, professeur adjoint de médecine au service de gynécologie et d'obstétrique de la faculté de médecine Robert Wood Johnson de l'université de médecine et de dentisterie du New Jersey.

Elle recommande l'aérobic et les étirements, de même que le yoga, pour la souplesse, le tonus et la relaxation des muscles. Le yoga nous apprend à nous servir du diaphragme pour respirer, ce qui favorise la relaxation et réduit le stress.

ADIEU AUX BOUFFÉES DE CHALEUR

«Les bouffées de chaleur interviennent quand l'organisme réagit à la réduction du taux d'œstrogène, dit le Dr Greenwood. Avant que l'organisme ne s'y adapte, le déficit d'œstrogène perturbe la régulation de la température par le cerveau», dit-elle.

Environ 80 % des femmes ont des bouffées de chaleur. Celles-ci durent en moyenne 2,7 minutes. Lorsque survient une bouffée de chaleur, vous avez l'impression que votre visage et la partie supérieure de votre corps sont dans un four. Vous avez des rougeurs au visage et vous transpirez abondamment, tandis que la température de votre peau augmente de 4 à 4,5 degrés. Elle revient habituellement à la normale au bout de 30 minutes.

Heureusement, la plupart des femmes sentent venir les bouffées de chaleur et peuvent s'y préparer. Voici comment.

Restez calme. «Une attitude positive sert beaucoup à lutter contre les bouffées de chaleur», dit le Dr Marilyn Poland, professeur adjoint de gynécologie et d'obstétrique à la faculté de médecine de l'université Wayne State.

Lorsque vous sentez venir une bouffée de chaleur, rappelez-vous simplement qu'il s'agit d'un phénomène normal, de courte durée, auquel vous pouvez remédier. Dans la plupart des cas, une attitude positive aide à mieux supporter les bouffées de chaleur.

Apprenez à vous détendre. Selon le Dr Poland, les femmes qui savent se détendre maîtrisent davantage leurs émotions. Apprenez à faire de la méditation ou du yoga, ou bien asseyez-vous tranquillement chaque jour et fermez les yeux pendant quelque temps pour vous détendre.

Maîtrisez les agents déclencheurs. Trouvez les agents déclencheurs de vos bouffées de chaleur et fuyez-les. Pour certaines femmes, ce sont les émotions, pour d'autres un repas chaud, un mets épicé, une pièce surchauffée ou un lit douillet.

Adoptez le style superposé. «Portez des vêtements, pulls et vestes, que vous pouvez enlever l'un après l'autre lorsque survient une bouffée de chaleur, suggère le Dr Poland. Lorsqu'elle est passée, remettez votre vêtement, car la température de votre corps peut réellement tomber sous la normale et vous donner des frissons.»

Ne portez que des fibres naturelles. Les fibres synthétiques emprisonnent la chaleur et la transpiration pendant une bouffée de chaleur, ce qui a pour effet d'en exacerber les symptômes. Les fibres naturelles comme le coton et la laine permettent une meilleure ventilation du corps et lui donnent une agréable sensation de fraîcheur, en laissant évaporer la sueur.

Ayez toujours un éventail. «Achetez quelque chose de joli que vous gardez dans votre sac à main, dit le Dr Poland. Vous pouvez aussi vous procurer un petit ventilateur à piles pour votre bureau. Mettez-le en marche aussitôt que la bouffée de chaleur commence.»

Prenez des petits repas. «Au lieu de prendre trois gros repas par jour, prenez-en cinq ou six petits. De cette façon, votre organisme régulera sa température plus facilement», dit le Dr Greenwood.

Buvez beaucoup d'eau. «N'oubliez pas de vous rafraîchir en buvant beaucoup d'eau fraîche ou de jus de fruits, surtout après un exercice», dit le Dr Greenwood. Voilà encore un moyen de garder votre corps à la bonne température.

Limitez votre consommation de caféine. Les boissons à base de caféine stimulent la production des hormones du stress, qui déclenchent à leur tour les bouffées de chaleur», dit le Dr Greenwood.

Consommez moins d'alcool. Dans certains cas, l'alcool aussi peut déclencher des bouffées de chaleur, dit le Dr Greenwood.

Épongez-vous. Procurez-vous de petites serviettes humides, que vous garderez toujours sur vous. Vous vous en servirez pour vous éponger le front pendant la bouffée, ou pour enlever la sueur une fois la crise passée.

Méfiez-vous de la chaleur. La chaleur sous toutes ses formes peut contribuer à déclencher les bouffées de chaleur. Il est donc recommandé de baisser le thermostat, de laisser une fenêtre ouverte et d'éviter les aliments épicés et les boissons chaudes.

Continuez à avoir une vie sexuelle active. Des études rapportent que les femmes ménopausées qui ont des relations sexuelles régulières (une fois par semaine ou plus) souffrent moins de bouffées de chaleur. Le Dr Norma McCoy, professeur de psychologie à l'université de San Francisco, et le Dr Julian M. Davidson, professeur de physiologie à l'université Stanford, ont étudié le cas de 43 femmes qui commençaient leur ménopause. Elles ont constaté que les relations sexuelles fréquentes ralentissaient la chute du taux d'œstrogène et réduisaient ainsi l'importance des bouffées de chaleur.

Selon le Dr McCoy, lorsque le taux d'œstrogène demeure élevé, la libido se maintient et l'activité sexuelle régulière stimule les ovaires défaillants, ce qui régularise le système endocrinien et prévient les changements brusques du taux d'œstrogène.

Ayez vos propres draps. «Ne faites surtout pas chambre à part, parce que vous craignez de déranger votre mari la nuit à cause de vos accès de sudation», dit le Dr Poland. Ayez plutôt chacun vos couvertures ou une couverture électrique à deux boutons de contrôle: vous pourrez repousser les couvertures sans remords quand vous en sentirez le besoin.

SURMONTER SES PROBLÈMES SEXUELS

Les femmes qui souhaitent poursuivre pendant leur ménopause une vie amoureuse normale devraient suivre les conseils suivants:

Utilisez un lubrifiant. «L'assèchement du vagin à la suite d'un manque d'œstrogène fait diminuer la libido à la ménopause», dit le Dr Poland. «Un lubrifiant hydrosoluble comme Sensilubotry®, de l'huile végétale, une crème ou une huile non parfumée peuvent servir de lubrifiant», dit le Dr Greenwood.

«Vous pouvez aussi extraire de la vitamine E de quelques gélules et vous en servir comme lubrifiant», dit Irene Simpson.

Parlez-en à votre partenaire. C'est le conseil que donne le Dr Simpson. Souvent, la libido est stimulée lorsqu'on discute franchement et ouvertement de ses besoins et de ses sentiments.

Soyez imaginatifs au lit. Essayez de nouvelles positions pour faire l'amour et trouver ainsi celle qui vous convient le mieux. «Les caresses jouent un grand rôle pendant cette période de votre vie», déclare le Dr Greenwood, qui invite les couples à multiplier les étreintes et les massages afin de créer une atmosphère de sensualité et de plaisir.

Faites l'exercice Kegel. «Vous pouvez développer les muscles de l'anus, du vagin et du système urinaire avec l'exercice Kegel», dit le Dr Simpson. De cette manière, vos relations sexuelles seront plus détendues parce que ces muscles seront moins douloureux et vous éprouverez ainsi plus de plaisir. Le raffermissement de ces muscles préviendra également l'incontinence urinaire, affection dont sont victimes certaines femmes ménopausées. Voici comment faire l'exercice.

Imaginez que vous vouliez arrêtez d'uriner. Serrez fermement les muscles du vagin. Comptez jusqu'à trois puis détendez-les. Alternez rapidement la contraction et le relâchement musculaires. Vous pouvez pratiquer cet exercice n'importe où, n'importe quand.

Morsures et piqûres

36 méthodes de traitement

Les piqûres d'insectes n'ont rien de réjouissant. Heureusement, la plupart d'entre elles n'entraînent que des démangeaisons et des rougeurs désagréables pendant une journée ou deux. D'autre part, les petites morsures d'amour de Fifi ou de Fido sont davantage des égratignures que de véritables blessures. Dans les cas où la morsure est pire que le jappement (ou le bourdonnement), les médecins suggèrent les moyens suivants.

MOUCHES ET MOUSTIQUES

Ces pestes volantes peuvent vous causer beaucoup d'ennuis lorsqu'elles décident de vous piquer. Mais voici ce que vous pouvez faire.

Désinfectez la piqûre. «Les mouches et les moustiques sont parfois porteurs de maladies. Il est donc important de bien nettoyer l'endroit de la piqûre avec du savon et de l'eau, puis d'appliquer un antiseptique», déclare le Dr Claude Frazier, allergologue en Caroline du Nord.

Frottez-vous avec de l'aspirine®.

Selon Dr Herbert Luscombe, professeur émérite à la faculté de médecine de l'université Thomas Jefferson, un traitement à l'aspirine® favorise la diminution de l'inflammation. Humectez l'endroit de la piqûre et frottez-le avec de l'aspirine®, immédiatement après avoir été piqué.

Soulagez vos démangeaisons.

Les piqûres de mouches et de moustiques peuvent causer de l'inflammation et des démangeaisons aiguës pendant trois ou quatre jours. Pour y remédier, le Dr Frazier recommande les médicaments suivants:

*   Un antihistaminique oral. Choisissez une préparation en vente libre pour soigner les allergies et le rhume.
*   De la lotion Calamine®.
*   Des compresses d'eau froide.

Lorsque les toutes petites araignées deviennent méchantes

Selon Jeff Rusteen, infirmier et pompier, toutes les araignées sont vénéneuses, mais la plupart d'entre elles ne sont pas assez grosses ou assez puissantes pour transpercer la peau. «Si une araignée vous pique, déclare le Dr Frazier, prenez immédiatement les mesures suivantes»:

*   Nettoyez l'endroit de la morsure et appliquez un antiseptique.
*   Appliquez des glaçons, ils ralentiront l'absorption du venin par votre organisme.
*   Selon le Dr Herbert Luscombe, neutralisez une partie du poison en humectant la piqûre, puis en la frottant avec de l'aspirine®.

Mise en garde: si vous vous faites piquer par une araignée noire vénéneuse, vous pourriez ressentir des douleurs abdominales aiguës comparables à celles d'une crise d'appendicite. Dites tout de suite à votre médecin que c'est une piqûre d'araignée. Il vous administrera alors une injection de gluconate de calcium, dit le Dr Luscombe.

La piqûre d'une araignée brune provoque parfois d'autres affections, ajoute-t-il. Par exemple, si une petite bosse très douloureuse apparaît à l'endroit où vous avez été piqué (parfois quelques semaines plus tard), consultez votre médecin.

- Du sel. Fabriquez une pâte avec de l'eau et du sel et appliquez-la sur la piqûre.
- Du bicarbonate de soude. Faites-en dissoudre 5 ml dans un verre d'eau. Trempez un linge dans la solution et placez celui-ci sur la piqûre pendant 15 à 20 minutes.
- Des sels D'Epsom®. Faites-en dissoudre 15 ml dans un litre d'eau chaude. Laissez refroidir, puis appliquez-les sur la piqûre en suivant les mêmes instructions que celles de la solution à base de bicarbonate de soude.

Soyez prévenant. Vous pouvez éviter les piqûres d'insectes en vous servant des produits anti-moustiques énumérés ci-dessous. N'oubliez pas que plus il fait chaud, plus les mouches et les moustiques deviennent actifs. Les moustiques prolifèrent également dans des endroits humides, près des étangs et des marécages par exemple. Certaines espèces deviennent de véritables pestes, surtout à la fin de la journée, car elles sont attirées la nuit tombée par les lumières extérieures. Alors, restez sur vos gardes après le coucher du soleil!

Chlorure de thiamine. «Absorbée par voie orale, cette vitamine du groupe B repousse les insectes en se libérant par les pores de la peau», explique le Dr Frazier. Il souligne que le chlorure de thiamine peut causer des démangeaisons, des rougeurs et des éruptions cutanées chez certaines personnes.

DEET®. Le Dr Frazier recommande aussi un anti-insectes commercial contenant du N,N-diéthyl-m-toluamide (DEET). Appliquez ce produit généreusement sur toute la peau exposée, mais très peu autour des yeux. Il peut en effet provoquer de douloureux picotements si la transpiration le fait couler dans les yeux. N'abusez pas de ce produit, surtout sur la peau d'un enfant.

Eau javellisée. Le Dr Luscombe vous recommande de prendre avant de sortir à l'extérieur un bain dans de l'eau très légèrement javellisée. Mettez deux bouchons d'eau de Javel dans l'eau de votre bain et baignez-vous pendant 15 minutes. Faites attention de ne pas vous mettre d'eau dans les yeux ni même autour des yeux. L'effet anti-insectes de l'eau de Javel devrait durer plusieurs heures.

Huile de bain. «Certaines huiles de bain comme le Skin-SoSoft® de Avon ont un effet anti-moustiques», dit-il.

Vicks® Vaporub®. Certaines personnes obtiennent paraît-il de bons résultats en utilisant ce produit à cause de son odeur très forte qui éloigne les tiques.

Zinc. Le Dr George Shambaugh Jr, allergologue et professeur émérite à la faculté de médecine de l'université Northwestern, recommande d'absorber des doses quotidiennes de zinc (au moins 60 mg) comme anti-insectes naturel. Sachez cependant que pour que son effet anti-moustiques commence, vous devrez avoir accumulé du zinc dans votre organisme pendant au moins un mois. (Ne prenez des suppléments de zinc que sur l'approbation de votre médecin et sous sa surveillance.)

TIQUES

Les tiques n'ont que faire de l'animal qui leur fournit leurs rations alimentaires. L'humain leur convient aussi. Voici ce que vous devez faire si une tique se nourrit à vos dépens.

Enlevez la tique. La tique est un parasite bien particulier: il pénètre dans la peau et s'y accroche, comme si sa vie en dépendait. Rien ne sert d'essayer de vous en débarrasser de la même façon que vous le feriez avec une mouche. D'autre part, si vous l'arrachez par la force, vous risquez d'en laisser dans votre peau des parcelles qui favoriseront l'infection. Voici donc des méthodes pour vous en débarrasser.

Allez-y doucement. Le Dr Luscombe recommande de prendre une pince à épiler et de retirer la tique très doucement. «Ne tirez pas trop fort, précise-t-il. Et si vous n'y parvenez pas, essayez d'appliquer de la chaleur sur le dos de la tique. Frottez une allumette et placez-la sur la tique. La chaleur lui fera sans doute lâcher prise.»

Irritez l'insecte. Le Dr Frazier déclare qu'une goutte d'essence, d'éther, de benzine ou d'alcool appliquée sur la tête de la tique, finira par lui faire lâcher prise. Cependant, soyez patient: elle peut mettre 10 minutes à réagir. N'oubliez pas que ces substances sont inflammables et que vous ne devez pas vous en servir en même temps qu'une allumette.

Étouffez l'insecte. Le Dr Frazier vous suggère aussi de recouvrir la tique de paraffine ou de vernis à ongles. Ces substances scelleront les minuscules orifices respiratoires de l'insecte et l'étoufferont.

Essayez la méthode Benforado. Lorsque Joseph Benforado, professeur émérite à l'université du Wisconsin, à Madison, était médecin dans un camp de boy-scout, il y a quelques années, il a mis au point une méthode infaillible pour éliminer les tiques.

ALERTE MÉDICALE

Soyez sur vos gardes

Toute morsure peut entraîner des complications. Soyez sur vos gardes, vous pourriez avoir des problèmes.

Infection. «Examinez périodiquement toute blessure que vous a infligée un animal», dit Jeff Rusteen, infirmier et pompier. Consultez alors un médecin. Si l'endroit est rouge, douloureux ou brûlant, une infection s'est probablement développée.

Écrasement. Il arrive parfois qu'un gros chien, comme un berger allemand, morde sans percer la peau. «Si vous observez des marques de morsure de chaque côté d'une extrémité, il peut y avoir blessure interne, dit Jeff Rusteen. Si vous ressentez des picotements, ou si l'extrémité change de couleur et devient bleuâtre par exemple, vous avez peut-être subi des dommages structurels.» Rendez-vous dans un hôpital ou appelez les services d'urgence.

Rage. «Tous les animaux au sang chaud peuvent être porteurs de la rage, dit le Dr Stephen Rosenberg. Demandez au propriétaire si son animal a reçu tous ses vaccins contre la rage. Le traitement contre la rage peut être différé sans danger tant que l'animal ne présente pas de symptômes, dit-il, pourvu que la morsure ne soit pas trop grave ou trop près de la tête. Il arrive qu'on demande de signaler toutes les morsures d'animaux aux autorités; renseignez-vous auprès des services policiers.»

Fièvre pourprée des montagnes Rocheuses. «Si vous avez été mordu par une tique, une éruption cutanée peut se développer autour de vos poignets ou de vos chevilles et s'étendre au reste de votre corps», dit le Dr Herbert Luscombe. Vous pourriez être victime d'une forte fièvre et de graves malaises. Vous pourriez même en mourir. Consultez immédiatement un médecin, si vous présentez de tels symptômes.

Maladie de Lyme. «Les tiques provoquent parfois la maladie de Lyme qui est caractérisée par une marque à l'endroit de la morsure, déclare le Dr Luscombe. Bien que cette maladie soit grave si elle n'est pas traitée, le micro-organisme responsable peut facilement être éliminé à l'aide d'antibiotiques. Les symptômes peuvent mettre quelques semaines à se manifester. Par conséquent, prenez soin de surveiller l'endroit de la piqûre.

Prenez un gros clou et chauffez le bout à l'aide d'une allumette. Glissez la lame d'un canif sous l'abdomen de la tique et placez le clou chauffé sur son dos, de telle sorte qu'elle soit prise entre les deux. Lorsqu'elle se mettra à bouger les pattes, tournez le couteau à un angle de 90°, de manière à la forcer à se tenir sur la tête. Tout en la gardant entre la lame et le clou, tirez-la doucement pour lui faire lâcher prise. Si la tique ne bouge pas les pattes, c'est que le clou n'est pas assez chaud. Essayez de nouveau. «Le but est d'ennuyer la tique plutôt que de la rôtir», dit le Dr Benforado.

Nettoyez la morsure. «Après avoir enlevé la tique, nettoyez l'endroit de la morsure avec de l'eau et du savon, dit le Dr Frazier. Puis, pour prévenir l'infection, appliquez de l'iode ou un autre antiseptique.»

Soyez vigilant. Les tiques prolifèrent surtout les mois de juin et de juillet, mais vous en rencontrerez dans la nature du printemps à l'automne. Alors, si vous passez beaucoup de temps à l'extérieur, surtout dans des régions où il y a beaucoup d'arbres et de hautes herbes, prenez les précautions suivantes:

- Selon le Dr Frazier, attachez un morceau de flanelle blanche à un bout de ficelle et passez-le dans l'herbe. Examinez souvent le morceau de flanelle. S'il y a des tiques à l'endroit où vous vous trouvez, elles s'accrocheront à l'étoffe.
- Si vous vous trouvez dans un endroit où il y a des tiques, couvrez-vous bien la peau. «Portez des pantalons, des chaussettes et des manches longues», dit le Dr Benforado.
- «Avant de vous coucher, ajoute-t-il, examinez-vous bien afin de vous assurer que vous n'avez pas de tiques sur vous. Certaines espèces sont microscopiques, seul un bon coup d'œil vous permettra de les distinguer.»

CHIENS ET CHATS

Voici ce que vous devez faire si l'un de vos amis à quatre pattes se tourne contre vous.

Évaluez les dommages. «Consultez un médecin dans tous les cas de blessures, sauf si elles sont extrêmement mineures», disent les médecins.

Nettoyez bien la morsure. «Les morsures d'animaux, surtout celles des chats, transmettent parfois des infections», dit le

Dr Stephen Rosenberg, professeur adjoint en santé publique au département de santé publique de l'université Columbia. Il conseille de bien nettoyer la morsure à l'eau et au savon pendant cinq bonnes minutes afin d'enlever la salive ou toute autre substance contaminante.

Arrêtez les saignements. «Si vous saignez légèrement,

couvrez la blessure à l'aide d'une épaisse couche de gaze stérilisée ou d'un linge propre, dit le Dr Rosenberg. Si vous ne disposez pas de bandage convenable, lavez-vous bien les mains et appuyez fermement sur la blessure. Vous pouvez également appliquer des glaçons sur la gaze ou le linge, mais pas directement sur la peau. Surélever le membre blessé au-dessus du cœur afin d'interrompre le saignement.

Pansez la blessure. «Lorsque la blessure ne saigne plus, dit

le Dr Rosenberg, recouvrez-la d'un pansement stérilisé ou d'un linge propre. Nouez-le ou collez-le avec du ruban adhésif, sans serrer.»

Réduisez la douleur. «Prenez de l'aspirine® ou du paracéta-

mol pour réduire la douleur, dit Jeff Rusteen. Il convient de prendre ces médicaments, même si la peau n'a pas été perforée. Surélevez la région touchée et, si elle est enflée, appliquez des glaçons.

Faites-vous faire un vaccin antitétanique. «Toute

morsure d'animal peut provoquer le tétanos», dit le Dr Rosenberg. Si vous n'avez pas eu d'injection de rappel au cours des cinq à huit dernières années, il vous en faut une.

EXPERTS CONSULTÉS

Le Dr Joseph Benforado est professeur émérite de médecine à l'université du Wisconsin-Madison, et vice-président du US Pharmacopoeia, l'organisme américain qui établit les normes régissant les médicaments. Il a passé de nombreux étés comme médecin de camps de boy-scout, dans le nord du Wisconsin.

Le Dr Claude Frazier est allergologue et pratique dans un cabinet privé à Asheville, en Caroline du Nord. Il est l'auteur de *Coping with Food Allergies* et de *Allergy and What to Do about Them*.

Le Dr Herbert Luscombe est professeur émérite de dermatologie à la faculté de médecine de l'université Thomas Jefferson, à Philadelphie. Il est aussi dermatologiste principal à l'hôpital de l'université Thomas Jefferson.

Le Dr Stephen Rosenberg est professeur adjoint en santé publique, au département de santé publique de l'université Columbia, à New York. Il est aussi l'auteur de *The Johnson & Johnson First Aid Book*.

Jett Rusteen est infirmier et pompier médical au Service des incendies de Piedmont, en Californie. Il enseigne les techniques médicales d'urgence au collège Chabot, à Hayward, en Californie. Il est aussi l'auteur d'une cassette vidéo intitulée *Until Help Arrives* et du guide qui l'accompagne.

Le Dr George Shambaugh est otologue et allergologue. Il pratique dans un cabinet privé à Hinsdale, en Illinois. Il est membre du personnel de l'hôpital Hinsdale et professeur émérite d'oto-laryngologie et de chirurgie de la tête à la faculté de médecine de l'université Northwestern. Il rédige un bulletin sur la santé qu'il distribue à ses patients.

Nausée

10 façons de soulager l'estomac

Les causes de la nausée sont diverses. Certaines personnes ont des haut-le-cœur quand elles mangent des œufs cuits ou respirent les gaz d'échappement des voitures. D'autres ont l'estomac qui chavire à la vue de la moindre goutte de sang, à l'idée de se rendre à l'hôpital et d'y respirer l'odeur de l'éther.

Si vous-même avez souvent des haut-le-cœur, voici quelques suggestions pour vous remettre l'estomac d'aplomb. Attention: leurs effets varient d'une personne à une autre. Procédez par élimination pour savoir laquelle vous convient le mieux.

Essayez le sirop de cola. «Si vos nausées ne sont pas très fortes, essayez le sirop de cola», conseille le Dr Robert Warren, directeur des Services de pharmacie à l'hôpital Valley Children's de Fresno, en Californie. Le sirop non gazeux contient des hydrates de carbone concentrés qui aident à soulager l'estomac. Selon ce médecin, tout concentré de boisson gazeuse ou même le sirop de sucre ont des effets calmants. Les adultes prendront de une à deux cuillerées à soupe de sirop à la température ambiante, selon les besoins, et les enfants ne dépasseront pas deux cuillerées à café.

Ne prenez que des liquides clairs. «Si vous ressentez le besoin de vous alimenter, contentez-vous de liquides clairs comme le thé ou les jus de fruits, conseille le Dr Kenneth Koch, un

ALERTE MÉDICALE

«On dénombre au moins 25 maladies qui peuvent causer des nausées chroniques», dit le Dr Kenneth Koch. Si la nausée persiste au-delà d'une ou deux journées, il est indispensable que vous consultiez votre médecin.

gastro-entérologiste du Centre médical Hershey de l'université Pennsylvania State qui se consacre à la recherche sur la nausée. De plus, ces liquides doivent être tièdes ou gardés à la température de la pièce. Vous ménagerez ainsi votre estomac. Ne prenez pas plus de 30 à 60 ml à la fois.

Prenez des boissons non gazeuses. «Quand j'étais enfant, ma mère me donnait de la limonade, se souvient le Dr Warren. Mes camarades de classe buvaient des boissons à base de cola ou de gingembre». Cependant, comme nos experts déconseillent les boissons froides et gazeuses, suivez le conseil du Dr Stephen Bezruchka, médecin au Service des urgences au Centre médical Providence, à Seattle, dans l'État du Washington. Attendez que les boissons gazeuses s'éventent et tiédissent avant de les boire.

Mangez des hydrates de carbone. «Si vous éprouvez le besoin de grignoter et ne souffrez pas de violentes nausées, contentez-vous de petites quantités d'hydrates de carbone légers, comme du pain grillé ou des biscottes, dit le Dr Koch. À mesure que la nausée s'estompe, passez aux protéines légères comme le blanc de poulet ou le poisson. Surout, évitez les aliments gras.»

Évitez les anti-acides. Les anti-acides comme Dimalan®, Polysilane® et Maalox® sont recommandés dans les cas de maladies de l'estomac et non d'estomacs délicats. «Si vous avez de légères nausées suite à une inflammation ou à une irritation, vous pouvez en faire l'essai», dit le Dr Koch. Cependant, aucun de nos experts ne les prescrit sans réserve car, comme le fait remarquer le Dr Samuel Klein, professeur adjoint de gastro-entérologie à la faculté de médecine de l'université du Texas à Galveston, «aucun de ces médicaments n'est censé guérir la nausée». D'ailleurs, ils ne

---

Quoi d'autre?

L'acupression à la rescousse

Les Chinois savent depuis des siècles que l'acupuncture est une médecine efficace et indolore exempte de toute médication. L'acupression est une forme d'acupuncture sans aiguilles. «Il convient d'y recourir avant de provoquer des vomissements», précise Joseph M. Helms, acupuncteur et médecin de famille à Berkeley, en Californie. Pourquoi ne pas essayer?

«Exercez une pression entre le pouce et l'index de n'importe quelle main. Appuyez fermement tout en faisant de rapides mouvements de massage pendant quelques minutes», indique le Dr Helms.

«Faites le même exercice sur la partie supérieure du pied, entre les tendons des deuxième et troisième orteils, recommande aussi ce médecin. En même temps, exercez un frottement à l'aide du pouce ou de l'ongle du pouce.»

---

ressemblent pas du tout aux liquides clairs que recommandent les médecins.

Essayez un traitement au gingembre. Le Dr Daniel B. Mowrey, un psychologue et psychopharmacologiste de Lehi dans l'Utah qui se consacre à la recherche sur les plantes médicinales depuis 15 ans, ne jure que par le gingembre. «Il n'y a rien de tel que le gingembre, avance-t-il. Prenez de préférence des gélules de gingembre en poudre. La dose dépend de la force des nausées. Vous saurez quelle dose vous convient lorsque vous aurez des relents de gingembre dans la gorge.»

«De préférence, prenez du gingembre en gélules. Évitez le gingembre frais, car il en faut beaucoup trop pour obtenir le même résultat que le gingembre en poudre», dit le Dr Mowrey. Les boissons et les gâteaux secs au gingembre suffisent si vos symptômes sont très légers.

Mettez fin au supplice. «Finalement, le meilleur moyen de ne plus avoir la nausée est de vomir, dit le Dr Koch. Au mieux, vous serez complètement soulagé; au pire, vous aurez un répit.» Cependant, il vous déconseille de provoquer les vomissements.

EXPERTS CONSULTÉS

Le Dr Stephen Bezruchka est médecin au Service des urgences du Centre médical Providence, à Seattle, dans l'État du Washington. Il est également l'auteur de *The Pocket Doctor.*

Le Dr Joseph M. Helms est médecin de famille à Berkeley, en Californie. Il est en outre président de l'American Academy of Medical Acupuncture.

Le Dr Samuel Klein est professeur adjoint de gastro-entérologie à la faculté de médecine de l'université du Texas à Galveston. Il est également conseiller à la rédaction du magazine *Prevention.*

Le Dr Kenneth Koch est gastro-entérologiste au Centre médical Hershey de l'université Pennsylvania State et l'un des principaux chercheurs sur les causes de la nausée à la NASA.

Le Dr Daniel B. Mowrey de Lehi, dans l'Utah, est psychologue et psychopharmacologiste. Il se consacre à la recherche sur les plantes médicinales depuis 15 ans. Il est en outre l'auteur de *The Scientific Validation of Herbal Medicine* et de *Next Generation Herbal Medicine.*

Le Dr Robert Warren est directeur des Services de pharmacie à l'hôpital Valley Children's de Fresno, en Californie.

Nausée du matin

13 moyens de la combattre

Vous aviez l'intention d'être une madone radieuse, l'une de ces femmes qui embellissent lorsqu'elles sont enceintes. La nausée du matin n'entrait pas dans vos projets.

Le Dr Yvonne Thornton s'en souvient très bien. Professeur adjoint d'obstétrique et de gynécologie à la faculté de médecine de l'université Cornell et mère de deux enfants, le Dr Thornton minimisait les doléances de ses patientes jusqu'à ce qu'elle en fasse l'expérience. «Qu'est-ce qu'un peu de nausée, me disais-je. Mais quand je suis tombée enceinte, je vomissais toutes les 5 minutes!»

Évidemment, votre expérience de la nausée du matin est probablement différente de celle du Dr Thornton et de celle de n'importe quelle autre femme. En effet, la nausée du matin varie d'une femme à l'autre et peut survenir à n'importe quel moment de la journée. Certaines femmes en souffrent le soir après une longue journée de travail. La nausée peut aussi être déclenchée par certaines odeurs.

En général, la nausée du matin survient vers la sixième semaine de la grossesse, au moment où le placenta commence à produire de grandes quantités de gonadotrophine chorionique (HCG), une hormone dont la sécrétion est déclenchée par la gestation. Chez certaines femmes, les symptômes culminent entre la huitième et la neuvième semaine, pour disparaître après la treizième semaine.

Mais, réjouissez-vous, la nausée du matin est un signe que la grossesse se déroule bien. Une étude du National Institute of Child Health and Development portant sur 9 098 femmes enceintes a révélé que les femmes qui vomissent pendant le premier trimestre de grossesse risquent moins de faire une fausse couche ou d'accoucher prématurément.

Voilà qui est rassurant! Mais que pouvez-vous faire pour soulager vos symptômes? Voici ce que nos experts recommandent.

Expérimentez. Le remède qui convenait à votre sœur, votre meilleure amie ou votre voisine ne vous conviendra pas nécessairement. «Il y a autant de remèdes que de femmes», dit Mme Deborah Gowen, infirmière et sage-femme diplômée, attachée à la clinique Women-Care de Cambridge, au Massachusetts. Vous devrez sans doute faire l'essai de plusieurs stratégies avant de trouver celle qui vous convient.

Mangez de la même manière que votre bébé.

L'enfant qui se développe en vous se nourrit en absorbant votre glucose sanguin, 24 heures par jour. Si vous ne prenez pas soin de remplacer ce glucose, votre glycémie peut chuter considérablement.

Selon Tekoa King, infirmière et sage-femme de San Francisco, la meilleure chose à faire consiste à manger de la même manière que votre bébé, c'est-à-dire un peu à la fois. Pour introduire rapidement du glucose dans votre système sanguin, prenez des sucres simples, comme le sucre des fruits. Les sucres simples sont préférables aux sucres complexes. Le jus d'orange ou de raisin sont excellents.

Évitez les aliments gras et la friture. Un hamburger au fromage garni de rondelles d'oignons vous semblait peut-être appétissant la semaine dernière, mais ne vous risquez pas à en manger maintenant.

«Tous les aliments frits semblent donner des nausées aux futures mères, dit Tekoa King. Comme l'organisme met plus de temps à les digérer, dit-elle, ils séjournent plus longtemps dans l'estomac.»

ALERTE MÉDICALE

Quand la nausée du matin devient inquiétante

Consultez votre médecin au sujet de votre nausée du matin, si:

- vous remarquez que vous avez perdu un peu de poids. Normalement, les femmes prennent du poids pendant la grossesse, même si elles vomissent;
- vous vous sentez déshydratée ou n'urinez pas suffisamment;
- vous n'arrivez pas à garder le moindre aliment, ni même du jus de fruit ou de l'eau, pendant quatre à six heures.

Dans les cas les plus graves, la nausée du matin dégénère en une affection que les médecins appellent l'hyperémèse gravidique. Si elle n'est pas traitée, elle peut dérégler l'équilibre électrolytique de l'organisme, causer l'irrégularité du pouls et même entraîner des dommages aux reins et au foie. Elle peut aussi mettre la vie du fœtus en danger. Les cétones produites lorsque l'organisme dégrade les matières grasses déjà accumulées peuvent perturber le développement neurologique du bébé.

Les femmes qui souffrent d'hyperémèse gravidique sont habituellement hospitalisées et traitées à l'aide de perfusions de glucose, d'eau et de vitamines.

Ayez toujours des amandes crues à portée de la main. Deborah Gowen recommande chaudement les amandes crues aux femmes enceintes. Vous pouvez grignoter pendant la journée au lieu de prendre de gros repas. Les amandes contiennent des matières grasses, des protéines et sont riches en vitamines du groupe B. Elles sont faciles à transporter et ont meilleur goût que les biscottes.»

Gardez une collation sur votre table de nuit. Si les amandes ne vous disent rien, gardez des biscottes sur votre table de nuit. «Les nausées surviennent souvent lorsque l'estomac est vide, dit Tekoa King. Il est donc recommandé de manger quelque chose pour élever votre glycémie, avant de vous lever le matin ou pendant la nuit.»

Grignoter évite aussi les brûlures d'estomac. «Vous devriez toujours avoir un petit quelque chose dans l'estomac, ne serait-ce qu'une biscotte ou un morceau de chocolat», conseille le Dr Gregory Radio, gynécologue et obstétricien à Allenstown, en

Pennsylvanie, et directeur du service d'endocrinologie de la reproduction à l'hôpital Allenstown. «L'estomac produit une plus grande
quantité de sucs gastriques pendant la grossesse et ces acides
doivent avoir un substrat sur lequel agir.»

Buvez beaucoup de liquides clairs. Le Dr Radio recommande aussi de boire fréquemment de petites quantités de liquides
clairs, comme du bouillon, de l'eau, des jus de fruit et des tisanes.
«Je ne veux pas faire la promotion d'un produit en particulier, dit-il,
mais le Gatorade® est excellent, car il aide à maintenir l'équilibre

---

Quoi d'autre?

L'acupression à la rescousse

La prochaine fois que votre partenaire compatira à vos souffrances,
dites-lui qu'il peut faire quelque chose pour vous aider.

Demandez-lui de vous faire un massage par acupression.

Un massage complet tous les jours est une excellente mesure préventive, dit Wataru Ohashi, instructeur d'Ohashiatsu et fondateur de l'Ohashi
Institute de New York.

Mais si votre mari est réticent, faites-lui lire les directives suivantes pour
un massage rapide. Il fait des merveilles.

Demandez à votre femme de s'étendre sur le côté droit et asseyez-vous
derrière elle, en lui soutenant le dos avec les jambes. Glissez le bras gauche
sous le sien et empoignez son épaule gauche.

Avec la main droite, massez-lui le cou trois fois. Puis placez la paume
de la main à la base du crâne et tirez la tête.

En vous servant du pouce, exercez une pression dans les dépressions
situées entre l'omoplate et la colonne vertébrale et autour du périmètre de
l'omoplate, vers le côté. Appuyez pendant cinq à sept secondes sur chaque
point. Si vous touchez un point sensible, massez-le davantage. Insérez le
pouce sous l'omoplate, aussi loin que possible, sans lui faire mal.

Commencez par exercer une pression assez faible et laissez votre
femme vous demander de l'augmenter si elle le désire. Utilisez toujours le
poids de votre corps plutôt que la puissance musculaire de vos bras. «Le
résultat est complètement différent», dit M. Ohashi.

«En stimulant la partie externe du corps, vous pouvez en soulager
l'inconfort interne, dit M. Ohashi. Les points qui sont stimulés dans cet exercice sont liés à l'estomac et au système hormonal.»

des électrolytes, des substances qui assurent la régulation de l'équilibre électrochimique de l'organisme.»

La tisane de feuilles de framboisier. Si vous avez la

nausée, prenez une tasse de tisane. Le Dr Radio recommande particulièrement à ses patientes les tisanes de feuilles de framboisier, de camomille et de mélisse.

Deborah Gowen estime, pour sa part, que les tisanes sont plus efficaces lorsqu'elles sont combinées. Par exemple, «la camomille additionnée de menthe poivrée est préférable à la camomille seule», dit-elle.

Les boissons gazeuses au gingembre. Lorsque vous

étiez enfant, votre mère vous faisait-elle prendre une boisson gazeuse au gingembre pour soulager vos douleurs d'estomac? Eh bien! le Dr Thornton recommande aussi les boissons gazeuses au gingembre.

Si vous prenez des vitamines prénatales, consultez votre médecin. Dans certains cas, elles peuvent irriter l'estomac, dit Deborah Gowen.

Faites confiance à la Nature. «Mangez ce dont vous avez

envie, pourvu qu'il ne s'agisse pas d'aliments riches en calories vides, dit Deborah Gowen. Évitez la caféine. les édulcorants artificiels et toute drogue. Mais si vous avez envie de pâtes, ne vous en privez pas. Les femmes qui écoutent leur corps ont beaucoup moins de problèmes.»

Restez calme. Si vous continuez à prendre du poids et ne

souffrez pas de déshydratation, ne vous inquiétez pas.

«En général, les femmes ne rejettent pas plus que ce que l'organisme peut emmagasiner», dit Tekoa King, qui met des enfants au monde depuis dix ans. «Je pense que nous ne comprenons pas la magie de ce qui se passe dans le corps de la mère. J'estime qu'une femme peut souffrir de nausée du matin, tout en continuant à nourrir convenablement son enfant.»

EXPERTS CONSULTÉS

Deborah Gowen est une infirmière et sage-femme diplômée, attachée à la clinique Women-Care de Cambridge, au Massachusetts.

Tekoa King est une infirmière et sage-femme qui met des enfants au monde depuis plus de dix ans et qui a enseigné à des infirmières praticiennes à l'université de Californie, à San Francisco. Elle est affiliée au Bay Area Midwifery Service.

Wataru Ohashi est un professeur de Ohashiatsu de renommée internationale et le fondateur de l'Ohashi Institute, un organisme sans but lucratif de New York.

Le Dr Gregory Radio pratique l'obstétrique et la gynécologie à Allenstown, en Pennsylvanie. Il est le directeur du Service d'endocrinologie de la reproduction à l'hôpital Allenstown.

Le Dr Yvonne Thornton est spécialiste de médecine maternelle fœtale et professeur adjoint d'obstétrique et de gynécologie à la faculté de médecine de l'université Cornell de New York. Elle est en outre directrice du Service de diagnostic prénatal et attaché au Centre universitaire Cornell du New York Hospital.

Odeurs corporelles

12 façons de se sentir frais et propre

«Certains chercheurs croient que les odeurs corporelles, comme l'appendice, sont des vestiges de notre évolution, c'est-à-dire que les odeurs que dégagent certaines parties de notre corps, principalement les aisselles et l'aine, ont peut-être déjà servi à annoncer notre sexualité, dit le Dr Nathan Howe, un médecin attaché au département de dermatologie de la faculté de médecine de l'université médicale de Caroline du Sud. Bien entendu, dit-il, peu importe la fonction que remplissaient alors nos odeurs corporelles; de nos jours, elles sont devenues inacceptables pour la plupart des gens.»

Ce dernier point est peu controversé dans les milieux médicaux ou dans tout autre milieu. Pour se faire des amis et influencer les gens, il ne faut pas sentir mauvais.

Plus facile à dire qu'à faire? En fait, il existe divers moyens de s'attaquer aux odeurs corporelles et de sentir aussi bon qu'une rose.

Frottez-vous bien. «La meilleure façon d'éliminer les odeurs corporelles consiste à bien se laver à l'eau et au savon, en accordant une attention particulière aux parties plus susceptibles de dégager de mauvaises odeurs, comme les aisselles et l'aine», dit le Dr Kenzo Sato, professeur de dermatologie à l'université d'Iowa.

«Les odeurs corporelles sont souvent causées par une combinaison de transpiration et de bactéries», précise-t-il. Se laver à l'eau et au savon éliminera les odeurs attribuables à ces deux facteurs.

Le meilleur type de savon pour régler un problème d'odeurs corporelles est un savon désodorisant, car il inhibera la récurrence des bactéries. La fréquence avec laquelle une personne doit se laver dépend de sa chimie organique, de ses activités, de ses humeurs et de l'époque de l'année. Si vous ne savez pas si vous vous lavez suffisamment, posez la question à un ami. N'oubliez pas que les glandes sudoripares et les bactéries sont actives la nuit comme le jour, ce qui signifie que vous pouvez avoir besoin de prendre une douche le matin et le soir.

Lavez plus que votre corps. Vous pouvez vous laver jusqu'à ce que vous ayez la peau ratatinée comme une vieille prune, mais vous sentirez quand même mauvais si vos vêtements ne sont pas propres. «Porter les mêmes sous-vêtements sept jours d'affilée est un moyen infaillible d'empester les autres», dit le Dr Lenise Banse, dermatologiste à l'hôpital Henry Ford de Detroit, au Michigan. À quelle fréquence doit-on changer de chemise? Cela varie d'une personne à une autre. La plupart des gens n'ont pas besoin de se changer plus d'une fois par jour. Par temps très chaud cependant, il peut être indiqué de se changer plus d'une fois.

Choisissez des étoffes naturelles. Les étoffes naturelles comme le coton absorbent mieux la transpiration que les tissus synthétiques. La transpiration absorbée peut ensuite s'évaporer des vêtements.

Jouez au médecin. Si vous transpirez beaucoup et avez tendance à dégager des odeurs désagréables, un savon désodorisant ordinaire ne sera peut-être pas suffisant. «Vous pouvez alors essayer un produit nettoyant antibactérien, que vous pouvez vous procurer sans ordonnance dans la plupart des pharmacies», dit le Dr Howe. Renseignez-vous auprès de votre pharmacien.

Les antisudorifiques sont ce qu'il y a de mieux. «Dans la plupart des cas, les déodorants vendus dans le commerce sont efficaces pour masquer les odeurs de transpiration des aisselles», dit le Dr Hridaya Bhargava, professeur de pharmacie industrielle au collège de pharmacie du Massachusetts. Ils laissent sur la peau des produits chimiques qui tuent les bactéries responsables des mauvaises odeurs. Cependant, si vous avez des problèmes d'odeurs corporelles qui font fuir à la fois vos amis et vos ennemis, vous avez sans doute besoin d'un antisudorifique. «Il s'agit essentiellement de médicaments qui réduisent la quantité de transpiration que produit l'organisme», explique le Dr Bhargava. Bon nombre d'antisudorifiques vendus dans le commerce contiennent à la fois un désodorisant et un antisudorifique. Les déodorants seuls ne peuvent pas réduire la transpiration.

Ne vous irritez pas. Si vous ne pouvez pas utiliser de déodorants ou d'antisudorifiques commerciaux sans faire d'éruptions cutanées, essayez une crème antibiotique topique. Vous en trouverez dans toutes les pharmacies. «Ces crèmes agissent comme des déodorants, mais ne contiennent pas de parfums irritants», dit le Dr Randall Hrabko, dermatologiste dans un cabinet privé à Los Angeles, en Californie.

Utilisez un produit naturel. «Si vous ne tolérez pas les déodorants et les antisudorifiques ordinaires, faites l'essai d'un produit appelé Le Crystal Naturel», dit le Dr Hrabko. Il s'agit d'un morceau de sels minéraux, sous forme de cristal, qui aide à contrôler les bactéries, sans irriter la peau. Vous en trouverez aux rayons cosmétiques des grands magasins et dans de nombreux commerces d'aliments naturels.

Cherchez la solution dans la nature. Oubliez les derniers parfums à la mode. Les chasseurs ont une façon bien à eux d'élaborer leurs propres fragrances. Selon certains, pour une chasse fructueuse, il faut masquer toute trace d'odeurs corporelles afin de ne pas alerter le chevreuil ou le sanglier, qui s'enfuiraient alors à toute vitesse.

Que font les chasseurs? «Une des façons les plus populaires de masquer les odeurs consiste à utiliser du savon au pin, en vente dans la plupart des commerces de fournitures pour la chasse», dit Dave Petzal, chasseur expérimenté et rédacteur en chef du magazine *Field and Stream*. En plus de masquer vos odeurs corporelles, ce savon laissera sur votre peau l'odeur d'une véritable forêt de pins. Si cela ne vous plaît pas, certains chasseurs recommandent le bon vieux savon à la glycérine.

Surveillez ce que vous mangez. Des extraits de protéines et d'huiles de certains aliments et de certaines épices restent dans les sécrétions de l'organisme pendant des heures et peuvent dégager des odeurs désagréables. «Le poisson, le cumin, le curry et l'ail viennent en tête de liste», dit le Dr Banse.

Restez calme. «L'excitation sexuelle, ou l'angoisse et la nervosité peuvent vous faire transpirer davantage», dit le Dr Bhargava. Si vous vous attendez à vivre des moments difficiles ou émouvants, pensez à utiliser une double dose de déodorant, même si vous méditez ou faites des exercices de respiration.

Essayez le vieux truc pour les chiens. Vous avez tout essayé et vous n'avez pas obtenu de résultats satisfaisants! Peut-être n'avez-vous pas tout essayé? Le vieux remède maison pour traiter un chien qui a été en contact avec un putois consiste à le désodoriser au jus de tomate. «Croyez-le ou non, il est tout aussi efficace pour les humains», dit Alice Kilpatrick, infirmière à l'hôpital Veterans Administration, à Fort Lyon, au Colorado.

Alice Kilpatrick en a d'abord fait l'essai sur son chien, puis sur un patient qui dégageait des odeurs particulièrement fortes. Enfin, elle l'a essayé sur un autre patient. «Grâce à cette méthode, j'obtiens toujours d'excellents résultats, dit-elle. Vous n'avez pas besoin de remplir la baignoire de jus de tomate. Il suffit d'en mettre un demi-litre dans l'eau de votre bain et de vous faire tremper pendant 15 minutes.»

EXPERTS CONSULTÉS

Le Dr Lenise Banse est dermatologiste à Detroit, au Michigan, où elle est directrice de la Mole and Melanoma Clinic, à l'hôpital Henry Ford.

Le Dr Hridaya Bhargava est professeur de pharmacie industrielle au collège de pharmacie du Massachusetts, à Boston. Il agit comme consultant auprès de groupes comme l'Organisation Mondiale de la Santé et l'UNICEF.

Le Dr Nathan Howe est un médecin attaché au département de dermatologie de la faculté de médecine de l'université médicale de Caroline du Sud, à Charleston. Ancien zoologue, il a étudié comment les animaux communiquent à l'aide d'odeurs chimiques.

Le Dr Randall Hrabko est dermatologiste dans un cabinet privé à Los Angeles, en Californie.

Alice Kilpatrick est infirmière à l'hopital Veterans Administration, à Fort Lyon, au Colorado.

Le Dr Kenzo Stato est professeur de dermatologie à l'université d'Iowa, à Iowa City.

Œil au beurre noir

5 façons de faire disparaître une ecchymose

Si vous pensez que votre œil au beurre noir n'a rien de réjouissant, dites-vous que les choses étaient bien pires au début du siècle! «À cette époque, les gens appliquaient une sangsue sur l'œil, car ils croyaient qu'elle aspirait le sang», dit le Dr Jack Jeffers, ophtalmologiste au Wills Eye Hospital, à Philadelphie.

Les sangsues ont perdu la faveur populaire au bénéfice de la viande que l'on a cru dotée de vertus curatives. «Mon père prenait une tranche de surlonge», explique Jimmy, fils de boucher à Brooklyn, New York, chez Richard and Vinnie's Quality Meats. «Lorsque j'étais enfant, dit-il, j'avais souvent un œil au beurre noir, et mon père me le couvrait toujours avec un steak. Et ça marchait!»

Les médecins ne se servent plus de sangsues pour traiter le problème de l'œil au beurre noir (Dieu merci!), et il est absolument inutile de gaspiller un bon steak. Les meilleurs remèdes restent encore les plus simples. En voici quelques-uns.

Mettez vite de la glace. L'idée du père de Jimmy n'était pas si bête. Toutefois, c'est parce que la viande était froide que le «truc marchait». En fait, un végétarien aurait obtenu les mêmes résultats avec quelques feuilles de laitue bien froides!

Le froid joue un double rôle. Il contribue à réduire l'enflure et, en faisant se contracter les vaisseaux sanguins, il diminue l'hémorragie interne qui donne à la peau une couleur noirâtre. Le Dr Jeffers conseille d'appliquer de la glace pendant 24 à 48 heures. « Si vous avez l'œil enflé au point de ne plus pouvoir l'ouvrir, mettez de la glace pendant dix minutes toutes les deux heures, la première journée.» Pour ce faire, remplissez de glace concassée un sac de plastique et placez-le sur votre front, et non sur l'œil qui ne doit pas subir de pression.

ALERTE MEDICALE

Vision 20/20

Si votre œil au beurre noir vous empêche de voir quoi que ce soit ou quiconque, voyez au moins votre médecin.

«Si votre vue est altérée ou brouillée, si vous ressentez des douleurs à l'œil, si vous voyez double, si vos yeux supportent mal la lumière ou si des choses semblent flotter dans votre champ de vision, souligne le Dr Keith Sivertson, vous devez consulter votre médecin.»

«Après tout, dit-il, ce que l'on voit importe davantage que ce que les autres pensent.»

Essayez le traitement «Mike Tyson». Au cours de sa carrière, le champion de boxe Mike Tyson a distribué à la volée plus d'un œil au beurre noir à ses adversaires. L'un des médecins chargé de les examiner a révélé que les entraîneurs de boxe avaient un «truc» pour traiter la blessure.

«Les entraîneurs appliquent sur l'œil du boxeur un objet ressemblant à un petit fer à repasser», explique l'ophtalmologiste Dave Smith, du Medical Advisory Council of the State Athletic Control Board of the State of New Jersey, qui a examiné plus de 300 boxeurs pour des blessures aux yeux. Le petit fer est extrêmement froid, et les entraîneurs l'utilisent pour arrêter l'hémorragie et réduire l'enflure. Vous pouvez obtenir le même résultat à l'aide d'une cannette de boisson gazeuse très froide que vous placerez sur votre œil, c'est-à-dire de cinq à dix minutes tous les quarts d'heure, jusqu'à ce que vous puissiez appliquer de la glace, dit le Dr Smith. «Veillez à ce que la cannette soit bien propre, placez-la contre votre joue, et non directement sur votre œil. Prenez soin de ne pas exercer de pression sur le globe oculaire.»

Prenez votre mal en patience. Si vous avez un œil au beurre noir, vous ne pouvez rien faire sinon maîtriser l'enflure. Même du maquillage ne vous permettra pas de le masquer. L'ecchymose mettra une semaine environ à disparaître, une semaine qui vous en fera voir de toutes les couleurs.

«Le coup commence par rendre la peau noirâtre», dit le Dr Keith Sivertson, directeur du Service de médecine d'urgence au Johns Hopkins Hospital, de Baltimore, au Maryland. À mesure qu'il guérit, l'œil prend ensuite une couleur verdâtre, puis jaunâtre, avant de revenir à la normale.

Évitez l'aspirine®. On déconseille l'aspirine® aux victimes de l'œil au beurre noir. Les médecins leur recommandent plutôt du paracétamol. «L'aspirine® est un anticoagulant, par conséquent, elle liquéfie le sang. Ainsi, si vous prenez de l'aspirine®, vous aurez plus de mal à enrayer l'hémorragie, dit le Dr Jeffers. En fait, vous risquerez même d'aggraver l'ecchymose.» Donc, si vous ressentez le besoin de prendre un analgésique, choisissez le paracétamol.

Évitez de vous moucher. Si votre œil au beurre noir résulte d'un coup brutal, c'est-à-dire d'un coup plus violent que le choc d'une porte, sachez que vous moucher pourrait faire enfler votre visage comme un ballon. «Il arrive même qu'un coup violent puisse provoquer une fracture de l'os de l'orbite oculaire. Or, vous moucher peut faire passer de l'air en dehors du sinus adjacent à l'orbite, explique le Dr Jeffers. L'air qui est injecté sous la peau fait gonfler davantage la paupière et peut, par conséquent, augmenter les risques d'infection.»

EXPERTS CONSULTÉS

Le Dr Jack Jeffers est ophtalmologiste et directeur des services d'urgence au Sports Centre for Vision au Wills Eye hospital, à Philadelphie, en Pennsylvanie.

Le Dr Keith Sivertson est directeur au Service de médecine d'urgence au Johns Hopkins Hospital de Baltimore, au Maryland.

Le Dr Dave Smith est ophtalmologiste dans un cabinet privé à Ventor City, au New Jersey, et membre du Medical Advisory Council du State Athletic Control Board of the State of New Jersey. Il fait également partie de l'équipe médicale du Sports Centre for Vision au Wills Eye hospital, à Philadelphie, en Pennsylvanie.

Ongles incarnés

7 méthodes de traitement

Si vous avez un ongle incarné, vous savez à quel point cela peut être douloureux. Ce problème surgit lorsqu'un ongle, habituellement celui du gros orteil, pousse dans le tissu mou qui l'entoure. Les personnes dont les ongles ont une forme convexe ont une plus grande prédisposition aux ongles incarnés, mais presque tout le monde peut en souffrir.

La cause du problème vous importe peu et vous souhaitez uniquement le soulager. À long terme, vous voulez sans doute éviter que cela ne se reproduise, mais pour le moment, vous cherchez surtout à soulager la douleur. Voici comment y arriver.

Essayez un médicament en vente libre. «Il existe plusieurs préparations en vente libre qui ramollissent l'ongle et les tissus qui l'entourent et soulagent la douleur, dit le Dr Suzanne M. Levine, podologue adjointe à l'hôpital Mount Sinai de New York. Mais assurez-vous de suivre le mode d'emploi à la lettre. Évitez d'utiliser ces produits si vous êtes diabétique ou si vous souffrez de troubles circulatoires.»

Attention à ce que vous faites

«Le plus souvent, les ongles incarnés sont le résultat d'une mauvaise coupe, dit le Dr Frederick Hass, mais ils peuvent être causés par toutes sortes d'accidents, comme se heurter le pied à la maison ou faire tomber un objet lourd sur l'orteil, au travail. Je vous recommande de porter des chaussures solides lorsque vous travaillez dans la maison, dit-il Si votre travail exige que vous manipuliez constamment des objets lourds, je vous conseille fortement de porter des chaussures à empeigne, renforcée d'acier. Celles-ci protégeront vos pieds lors de la plupart des accidents.»

ALERTE MÉDICALE

Méfiez-vous des infections

Si l'orteil s'infecte, dit le Dr Suzanne M. Levine, consultez votre médecin sans tarder. Pour réduire l'inflammation jusqu'à votre rendez-vous, trempez votre pied dans une solution d'iode et appliquez une crème antibiotique.

«Si vous laissez un ongle incarné s'infecter, prévient-elle, vous pourriez avoir de sérieux problèmes. Plusieurs patients me consultent lorsque l'orteil est enflé et plein de pus. Si votre circulation sanguine est mauvaise, vous risquez la gangrène. Des tissus qui contiennent beaucoup de sang peuvent parfois s'accumuler sur le côté de l'ongle. Ce tissu inflammé peut devenir très douloureux lorsqu'il s'étend sous l'ongle.»

V ne signifie pas victoire. «Quoi que vous fassiez, dit le Dr Glenn Copeland de l'hôpital Women's College de Toronto, ne croyez pas l'histoire selon laquelle il faut couper un morceau en forme de V au milieu de l'ongle. Les gens pensent que les ongles incarnés sont simplement trop gros et qu'en enlevant un morceau au milieu, les côtés de l'ongle pousseront vers le centre. C'est complètement faux. Tous les ongles poussent droit.»

Laissez vos pieds respirer. Des chaussures trop serrées peuvent être la cause d'un ongle incarné, surtout si vous avez les ongles recourbés. «C'est la raison pour laquelle il ne faut pas porter de chaussures pointues qui appuient sur les ongles, dit le Dr Levine. Portez plutôt des sandales ou des chaussures à bout arrondi. Au besoin, modifiez vos chaussures en coupant la partie qui appuie sur l'orteil. Si cela vous paraît un peu radical comme solution, sachez qu'un ongle incarné risque de vous mettre de mauvaise humeur. De même, évitez les chaussettes ou les collants trop serrés.

Coupez-vous les ongles avec précision. «Ne vous coupez jamais les ongles trop courts», dit le Dr Hass. Ramollissez-les d'abord dans l'eau chaude pour éviter qu'ils ne se brisent, puis coupez-les bien droit, avec un coupe-ongles bien aiguisé. Ne vous coupez jamais les ongles de forme ovale, car cela permet au bord de l'ongle de se replier sous la peau. Laissez toujours l'extrémité extérieure de l'ongle parallèle à la peau et ne coupez jamais l'ongle plus court que le bout de l'orteil. Les ongles doivent être suffisamment longs pour protéger l'orteil de la pression et de la friction.

Réparez vos erreurs. «Si vous coupez ou brisez accidentellement un ongle trop court, limez-le soigneusement avec une lime à ongle, pour éviter que le bout ne pénètre dans la peau», dit le Dr Hass. N'utilisez pas de ciseaux, même les plus petits. Il n'y a tout simplement pas assez d'espace pour que vous puissiez vous en servir à bon escient et ils laissent souvent l'ongle pointu.

EXPERTS CONSULTÉS

Le Dr Glenn Copeland a un cabinet privé de podologie à l'hôpital Women's College de Toronto. Il est en outre podologue consultant au Canadian Back Institute, podologue de l'équipe de baseball des Blue Jays de Toronto et l'auteur de The Foot Doctor.

Le Dr Frederick Hass est un omnipraticien de San Rafael, en Californie, attaché à l'hôpital Marin General de Greenbrae. Il est l'auteur de The Foot Book et de What You Can Do about Your Headaches.

Le Dr Suzanne M. Levine a un cabinet privé de podologie et est podologue adjointe à l'hôpital Mount Sinai de New York. Elle est l'auteur de My Feet Are Killing Me et de Walk It Off.

Ostéoporose

24 moyens de renforcer les os

On estime que des millions de gens souffrent d'ostéoporose. Bon nombre de ces personnes ne le savent pas encore. Elles sont encore jeunes. Et il ne s'agit pas uniquement de femmes.

Nous pouvons tous être victime d'ostéoporose, bien que les femmes ont une plus grande prédisposition à la maladie, car leur masse osseuse diffère de celle de l'homme. De plus, pendant quelques années après la ménopause, leur organisme produit moins d'œstrogène, ce qui provoque une résorption plus rapide de leur masse osseuse.

Évaluez vos risques

«Vous pouvez prendre des mesures pour éliminer certains risques liés à l'ostéoporose et réduire ainsi vos chances de développer cette maladie, souligne le Dr Kenneth Cooper. Cependant, comme dans le cas de toute autre maladie, il y a certaines choses sur lesquelles vous n'avez pas le moindre contrôle.»

Les voici:

- Vous avez des antécédents familiaux d'ostéoporose ou d'autres maladies des os.
- Vous êtes de race blanche et vos ancêtres viennent d'Europe ou de l'Extrême-Orient.
- Vous avez le teint clair.
- Vous avez une petite ossature.
- Vous avez un faible pourcentage de graisse corporelle.
- Vous avez plus de 40 ans.
- Vous avez subi une ovariectomie bilatérale.
- Vous n'avez jamais eu d'enfant.
- Vous avez été ménopausée précocement.
- Vous êtes allergique aux produits laitiers.

Sachez que ces facteurs de risque ne signifient pas que vous développerez la maladie. Ils sont présentés uniquement à titre de mise en garde, afin que vous puissiez mettre toutes les chances de votre côté.

Vous pouvez combattre l'ostéoporose. Il existe bon nombre de mesures préventives contre la maladie, sans nécessairement avoir recours à un médecin. Si vous souffrez déjà d'ostéoporose affaiblissant les os, vous pouvez faire beaucoup pour en arrêter les progrès.

Malheureusement, les os peuvent s'affaiblir graduellement au fil des années, de manière pratiquement imperceptible. Dans son livre intitulé *Preventing Osteoporosis,* le Dr Kenneth Cooper dit de l'ostéoporose que c'est une maladie qui détruit silencieusement.

«La plupart des gens ont leur plus forte masse osseuse dans la colonne vertébrale entre l'age de 25 et 30 ans, et leur plus forte masse osseuse dans les os longs entre l'âge de 35 et 40 ans, dit-il. Une fois qu'une personne a passé ce sommet, et plus particulièrement vers l'âge de 45 ans, ses os commencent à perdre de leur densité.»

Comme le diagnostic officiel d'ostéoporose est souvent établi lorsqu'il est trop tard, à la suite d'une fracture par exemple, la meilleure stratégie consiste à commencer tôt à combattre la maladie et à ne jamais abandonner la lutte.

Et comme vous le constaterez, de nombreuses armes sont mises à votre disposition.

Faites de l'exercice pour augmenter votre masse osseuse. «L'exercice permet de conserver sa masse osseuse», dit le Dr Robert Heaney, professeur à l'université John A. Creighton.

Mais il y a d'autres raisons pour lesquelles vous devriez faire de l'exercice. «Un certain nombre d'études appuient la théorie selon laquelle l'exercice peut effectivement faire augmenter la masse osseuse», dit le Dr Paul Miller, professeur adjoint de médecine au Centre des sciences de la santé de la faculté de médecine de l'université du Colorado.

L'une de ces études, menée à l'université Stanford, portait sur des coureurs de longue distance, hommes et femmes, et sur un groupe de contrôle composé de personnes qui ne faisaient pas de course. Les chercheurs ont découvert que les hommes et les femmes qui s'adonnaient à la course à pieds présentaient des taux de minéraux osseux d'environ 40 % supérieurs à ceux ou à celles qui ne couraient pas.

Même la marche fait du bien aux os, prétendent les médecins. La marche est un moyen à la fois favorable et sûr de faire faire à vos os l'exercice dont ils ont besoin. Ils vous conseillent des promenades à pied d'au moins 20 minutes, trois ou quatre fois par semaine.

Bien entendu, les bienfaits de l'exercice ne sont pas visibles immédiatement. Toutefois, si vous devez voir pour croire, comparez l'avant-bras droit d'un droitier qui joue au tennis à son avant-bras gauche: le premier sera nettement plus développé. C'est là une preuve visible que si vous vous servez de vos muscles et soumettez vos os à un effort intense, votre masse osseuse deviendra plus dense.

«Une personne n'est jamais trop âgée pour commencer à faire de l'exercice», dit le Dr Cooper. Des recherches montrent en effet que les femmes ménopausées qui se mettent à faire de l'exercice peuvent augmenter leur masse osseuse.

Assurez-vous que votre alimentation est suffisamment riche en calcium. Certains chercheurs croient que les carences chroniques en calcium alimentaire sont un facteur qui contribue au développement de l'ostéoporose.

Vivre avec l'ostéoporose

Peut-être connaissez-vous quelqu'un qui s'est fracturé la hanche? Si cette personne s'est rétablie, elle a eu beaucoup de chance.

Chez les personnes de plus de 65 ans qui se fracturent une hanche, entre 12 et 20 % meurent dans l'année.

L'ostéoporose peut donc être une question de vie ou de mort.

Pour en faire une question de vie, le Dr Kenneth Cooper, en collaboration avec le Spine Education Center de Dallas, au Texas, propose diverses méthodes préventives contre les chutes et les fractures. En voici quelques-unes:

Lorsque vous êtes debout:

* Appuyez-vous sur un meuble, comme le bord d'une table, afin d'être plus stable.
* Portez des chaussures à semelles épaisses afin de mieux vous protéger.

Lorsque vous êtes assis:

* Gardez les genoux plus élevés que les hanches. Si cela est impossible, penchez-vous vers l'avant et soutenez votre dos en appuyant les bras sur un bureau ou une table. Ne faites pas de contorsions inutiles. Si vous laissez tomber un crayon, levez-vous pour le ramasser.

Voici, en outre, quelques trucs pour rendre votre maison plus sûre:

* Préférez la moquette aux tapis, qui peuvent vous faire trébucher.
* Gardez toujours une veilleuse allumée, afin d'éviter d'être dans le noir si vous devez vous lever pour aller aux toilettes.
* Ne placez pas vos meubles trop près les uns des autres; vous avez besoin d'espace pour bouger.
* Utilisez une canne ou un cadre de marche si vous ne vous sentez pas très solide sur vos jambes.

Une étude menée en Yougoslavie a permis d'établir l'importance du calcium. Dans une région de ce pays où les gens ne consommaient pas de produits laitiers, les femmes avaient un apport en calcium deux fois moins élevé que celles qui vivaient dans les régions où il se consommait des produits laitiers. Or, les chercheurs ont découvert que les femmes qui consommaient beaucoup de calcium avaient une masse osseuse considérablement plus forte et souffraient moins souvent de fractures après l'âge de 65 ans que les femmes dont l'alimentation était faible en calcium.

«Des études menées auprès de femmes américaines atteintes d'ostéoporose ont confirmé les résultats de l'étude yougoslave», note le Dr Morris Notelovitz, auteur de *Stand Tall! The Informed Woman's Guide to Preventing Osteoporosis*. De nos jours, l'apport quotidien de calcium recommandé est d'environ 1 000 mg. «Cela n'est pas suffisant», disent le Dr Cooper et de nombreux autres médecins. Le Dr Cooper recommande d'en prendre jusqu'à 1 500 mg par jour. «Le phosphate de calcium contenu dans le lait est une excellente source», dit-il.

Mais ce n'est pas la seule source. Les fromages et les yaourts à faible teneur en gras sont riches en calcium. «Le lait écrémé contient autant de calcium que le lait ordinaire, mais sans le gras», dit le Dr Lila A. Wallis, professeur de médecine à la faculté de médecine de l'université Cornell. Parmi les autres aliments riches en calcium, il y a notamment le saumon, les sardines, les noix et le tofu. De plus, les jus d'agrumes préparés commercialement sont souvent fortifiés en calcium.

Fortifiez vos repas. «Ajoutez du lait écrémé en poudre dans vos potages, vos pots-au-feu et vos boissons», suggère le Dr Notelovitz. Sachez que 5 ml de lait en poudre contient environ 50 mg de calcium, et pas de gras!

Confectionnez-vous des potages. Le Dr Notelovitz recommande d'utiliser un peu de vinaigre lorsque vous faites des bouillons à partir d'os, car le calcium que contiennent ces os se dissout dans le liquide. La teneur en calcium d'un demi-litre de votre bouillon équivaudra à un litre de lait.

Ménagez le beurre. Pour le goût et pour la teneur en calcium, le fromage Parmesan est un excellent substitut.

Si votre alimentation ne vous procure pas suffisamment de calcium, prenez des suppléments. Les suppléments de calcium peuvent faire des merveilles, surtout dans le cas d'une personne qui absorbe mal les aliments naturellement riches en calcium. Il existe d'innombrables suppléments de calcium sur le marché, mais ce qui convient à une personne ne convient pas nécessairement à une autre.

«Cependant, la plupart des gens absorbent bien le carbonate de calcium lorsque celui-ci est pris en doses divisées, avec les repas», explique le Dr Miller.

Il existe d'autres suppléments, mais la plupart des médecins recommandent d'essayer les suppléments de carbonate de calcium, car ce sont généralement ceux qui coûtent le moins cher et qui contiennent le plus de calcium par comprimé. Demandez à votre médecin si des suppléments de calcium sont indiqués dans votre cas.

Testez vos suppléments de calcium. «Bon nombre des suppléments génériques sont mal formulés et ne se décomposent pas adéquatement», dit le Dr Heaney.

Pour tester les suppléments, le Dr Miller suggère de laisser dissoudre deux comprimés dans 175 ml de vinaigre. Laissez reposer cette solution pendant 30 minutes, en remuant toutes les deux ou trois minutes.

«Si les comprimés se dégradent en petits fragments, ils se décomposent probablement assez bien dans l'estomac, dit-il. S'ils restent entiers, retournez-les au magasin et procurez-vous autre chose.»

Consommez suffisamment de vitamine D. «Cette vitamine est essentielle à l'absorption du calcium», dit le Dr Robert M. Levin, professeur adjoint de médecine à la faculté de médecine de l'université de Boston et directeur de la clinique d'endocrinologie à l'hôpital de la ville de Boston, au Massachusetts.

La vitamine D est utile à la vitamine C pour deux raisons. Premièrement, elle favorise une meilleure absorption du calcium dans l'intestin, souligne le Dr Notelovitz. Deuxièmement, elle accroît la réabsorption du calcium par les reins.

Si vous passez beaucoup de temps au soleil, vous croyez peut-être que vous obtenez plus que la ration nécessaire de vitamine D. «Du fait que nous portons des vêtements, explique le Dr Miller, nous n'obtenons pas du soleil plus de 10 % de la vitamine D dont nous avons besoin.»

Combien de cette vitamine nous faut-il? Au moins 400 UI par jour. «Les personnes âgées de plus de 65 ans peuvent avoir besoin de plus de 800 UI par jour, si elles sortent peu et ne consomment pas de produits laitiers», précise le Dr Miller.

Vous pouvez obtenir de la vitamine D en consommant des aliments qui sont des sources de vitamine C. Un grand verre de lait (environ 235 ml) en contient 125 UI. Le saumon, les sardines et le thon demeurent cependant les meilleures sources de vitamine D. Par exemple, une portion de 100 grammes de saumon en conserve en renferme 565 UI.

Prenez soin de bien lire les étiquettes des suppléments de calcium. Certains d'entre eux contiennent aussi de la vitamine D. Les médecins recommandent rarement des suppléments de cette vitamine, car elle peut être toxique à forte dose.

Limitez votre consommation d'alcool. «L'alcool nuit à la formation des os», dit le Dr Cooper, en précisant que des recherches ont démontré que la diminution de la masse osseuse est particulièrement fréquente chez les alcooliques. Buvez avec modération. Le Dr Wallis croit que les hommes ne devraient pas boire plus d'un verre ou deux par jour, tandis que les femmes ne devraient en boire qu'un seul.

Ne fumez pas. Comme si vous aviez besoin d'une autre raison d'arrêter de fumer! Mais c'en est une! «La cigarette abaisse les taux d'œstrogène, dit le Dr Cooper, et les personnes qui présentent des taux d'œstrogène plus faibles courent plus de risques de souffrir d'ostéoporose.»

Limitez votre consommation de caféine. «Nous avons fait beaucoup de recherche sur la caféine et cette substance semble avoir un léger effet sur la perte de calcium dans l'urine, dit le Dr Heaney. Vous pouvez toutefois en prendre deux ou trois tasses par jour, sans problème.»

Ne mangez pas trop de viande. Cela ne signifie pas que vous devez éliminer la viande de votre régime alimentaire. Prenez simplement soin de ne pas trop en manger. «Nous savons maintenant que les protéines augmentent l'excrétion de calcium dans une plus forte proportion qu'elles n'en accroissent l'absorption, ce qui entraîne, au bout du compte, une perte de calcium», écrit le Dr Notelovitz.

Surveillez votre consommation de fibres. «Une alimentation riche en fibres peut amener le calcium à se lier dans l'estomac, ce qui peut limiter la quantité qui est absorbée», dit le Dr Cooper.

«Certaines fibres peuvent absorber le calcium, mais nous ne savons pas quelles sont ces fibres ni dans quelle proportion elles peuvent le faire», ajoute le Dr Conrad Johnston Jr, professeur de médecine à la faculté de médecine de l'université de l'Indiana.

Par conséquent, à moins que votre régime alimentaire ne soit anormalement riche en fibres, ne passez pas d'un extrême à l'autre et ne réduisez pas radicalement votre consommation de fibres. Songez simplement à en manger un peu moins. «Après tout, dit le Dr Levin, les fibres procurent de nombreux bienfaits. Elles favorisent la digestion et contribuent à abaisser les taux de cholestérol.»

Limitez votre consommation de sel. «Plus votre alimentation est riche en sel, plus vous en excrétez; et plus vous excrétez de sodium, plus vous excrétez de calcium», écrit le Dr Notelovitz.

«Voici probablement ce qui se produit: lorsque le calcium est excrété dans l'urine, les taux sanguins de calcium chutent, ce qui entraîne la libération d'hormone parathyroïde, qui dégrade les os afin de rétablir les taux de calcium.»

Surveillez votre consommation de phosphate. «Bien que cela n'ait jamais été démontré, on croit généralement que le phosphate, par exemple dans les boissons gazeuses, amène le calcium à se lier dans l'estomac, ce qui en empêche l'absorption», dit le Dr Miller.

«Dans le cadre d'études menées sur des animaux, on a constaté que de fortes doses de phosphate semblaient contribuer à la diminution de la densité osseuse, ajoute le Dr Johnston. Le grand problème que pose les boissons gazeuses, poursuit-il, est que les gens qui passent leur journée à en boire ne consomment pas de lait et n'obtiennent pas suffisamment de calcium.»

«Idéalement, votre apport en calcium devrait être égal à votre apport en phosphate, dit le Dr Levin. Pour cela, votre alimentation doit être beaucoup plus riche en calcium qu'en phosphore, car le calcium s'absorbe moins bien.»

EXPERTS CONSULTÉS

Le Dr **Kenneth Cooper** est chercheur en médecine et président fondateur du Aerobics Center de Dallas, au Texas. Il est l'auteur de *Controlling Cholesterol, Preventing Osteoporosis* et d'autres ouvrages.

Le Dr **Robert Heaney** est professeur à l'université John A. Creighton à Omaha, au Nebraska.

Le Dr **Conrad Johnston** est professeur de médecine à la faculté de médecine de l'université de l'Indiana, à Indianapolis.

Le Dr **Robert M. Levin** est professeur adjoint de médecine à la faculté de médecine de l'université de Boston et directeur de la clinique d'endocrinologie à l'hôpital de la ville de Boston, au Massachusetts.

Le Dr **Paul Miller** est professeur adjoint de médecine au Centre des sciences de la santé de la faculté de médecine de l'université du Colorado, à Denver.

Le Dr Lila A. Wallis est professeur de médecine à la faculté de médecine de l'université Cornell, à New York Elle est aussi présidente de l'American Medical Women's Association et fondatrice et première présidente du National Council on Women in Medicine.

Otite des piscines

15 cures et mesures préventives

Si vous pouviez vous réduire à la taille d'une puce et entrer dans l'oreille d'une personne qui souffre d'otite des piscines, vous y verriez un canal auditif irrité et rouge. Vous remarqueriez qu'il y a très peu de cérumen, qu'il fait humide et qu'il y a une odeur de renfermé causée par les bactéries qui y prolifèrent.

Vous verriez dans cette oreille, un cas classique d'otite externe, une infection mieux connue sous le nom d'otite des piscines.

Pour attraper une otite des piscines, il suffit de deux oreilles et d'une humidité constante. «C'est un peu comme laisser ses mains dans l'eau de vaisselle. La peau devient ratatinée et parcheminée, dit le Dr Brian W. Hands, un oto-rhino-laryngologiste qui a un cabinet privé à Toronto. Les oreilles sont constamment exposées à l'eau, pendant la baignade, les douches et les shampoings. Puis les gens essaient de se sécher les oreilles avec un coton-tige. Ce faisant, ils enlèvent la couche supérieure de la peau et les bactéries protectrices, laissant le champ libre aux bactéries infectieuses.»

Le premier symptôme de l'otite des piscines est la démangeaison. Sans traitement, elle se transforme en une infection grave et très douloureuse. Une fois l'oreille infectée, vous devez consulter votre médecin qui vous prescrira un traitement antibiotique afin d'enrayer l'infection. Mais il y a beaucoup de choses à faire si l'on veut soulager, voire prévenir la douleur.

Séchez-vous les oreilles au sèche-cheveux. «Éliminez l'humidité des oreilles chaque fois que vous les mouillez», dit le Dr Hands, que vous soupçonniez ou non une infection. Tirez le pavillon de l'oreille vers le haut pour redresser le canal auditif et dirigez le jet de votre sèche-cheveux dans l'oreille à une distance de 45 à 60 cm. Réglez l'appareil à une température modérée ou faible et laissez-le en marche pendant 30 secondes. L'air chaud sèche l'oreille, détruisant les conditions humides qui favorisent la prolifération des bactéries et des champignons.

Essayez un remède en vente libre. La plupart des pharmacies vendent des gouttes auriculaires antibiotiques. «Si les démangeaisons sont votre seul symptôme, l'une de ces préparations pourrait suffire à empêcher la progression de l'infection», dit le Dr Dan Drew, nageur enthousiaste et médecin de famille de Jasper, en Indiana. Utilisez-les chaque fois que vous vous mouillez les oreilles.

Portez des boules Quies®. «Interdire à un nageur d'aller dans l'eau, c'est comme lui demander d'arrêter de respirer», dit le Dr John House, professeur adjoint d'O.R.L. à la faculté de médecine de l'université Southern California et otologiste du United States Swimming, une association qui sélectionne les compétiteurs olympiques. Nagez sans remords, dit-il, mais portez des boules Quies® pour empêcher l'eau d'entrer dans les oreilles. Les boules de cire ou de silicone, qui peuvent être ramollies et adaptées à la forme de votre oreille, sont vendues dans la plupart des pharmacies.

Nagez en surface. «Même si vous souffrez d'otite des piscines, vous pouvez continuer à nager», dit le Dr Drew. Il recommande de nager en surface, car moins d'eau entre dans les oreilles que lorsque vous remontez sans cesse à la surface.

Pour un soulagement temporaire, prenez un analgésique. «Si vous avez mal à l'oreille (un signe d'infection), un analgésique en vente libre comme de l'aspirine® ou du paracétamol soulagera la douleur jusqu'à ce que vous puissiez voir votre médecin», dit le Dr Donald Kamerer, chef du service d'otologie à l'Eye and Ear Institute de Pittsburgh, en Pennsylvanie.

Soulagez la douleur à l'aide de la chaleur. La chaleur d'une serviette qui sort du sèche-linge ou d'une bouillotte peut aussi soulager la douleur.

N'essayez pas d'enlever le cérumen. Le cérumen remplit plusieurs fonctions. «Il sert notamment à transporter des

Pour guérir une infection, évitez de porter votre appareil acoustique

Les personnes qui portent un appareil acoustique peuvent attraper une otite des piscines sans venir en contact avec de l'eau.

Un appareil acoustique agit comme une boule Quies®, dit le Dr Brian W. Hands, En plus de capter le son, il capte l'humidité du canal auditif. Cette humidité favorise la prolifération des bactéries infectieuses.

Quelle est la solution? Enlevez votre appareil acoustique aussi souvent que possible pour permettre au canal auditif de sécher.

bactéries bénéfiques», disent le Dr Kamerer et le Dr House. Coopérez avec vos défenses naturelles en laissant le cérumen dans l'oreille. Il tapisse le canal auditif et le protège de l'humidité.

Gardez les oreilles bien sèches. Comme l'irritation de l'otite des piscines diminue la sécrétion de cérumen dans le canal auditif, fabriquez votre propre substitut à l'aide de vaseline. «Enduisez de vaseline un tampon de coton, dit le Dr Hands, et placez-le délicatement dans l'oreille sans l'enfoncer. Le tampon absorbera l'humidité et gardera l'oreille au sec et au chaud.»

Utilisez des gouttes. Plusieurs fluides ont un effet anti-bactérien tout en desséchant l'oreille. Si vous avez une prédisposition à l'otite des piscines ou si vous passez beaucoup de temps dans l'eau, vous devriez utiliser un agent desséchant chaque fois que vous vous mouillez la tête. L'une ou l'autre de ces solutions maison fera l'affaire.

Un peu d'alcool à friction. Premièrement, penchez la tête en présentant l'oreille infectée vers le haut. Tirez le pavillon vers l'arrière et vers le haut (pour redresser le canal auditif) et instillez un compte-gouttes plein d'alcool dans le canal. Remuez l'oreille pour répandre l'alcool jusqu'au fond du canal auditif. Puis, penchez la tête de l'autre côté pour laisser sortir l'excédent d'alcool.

Une solution de cuisine. «Des gouttes auriculaires de vinaigre blanc ou de quantités égales d'alcool et de vinaigre blanc tuent les bactéries et les champignons», dit le Dr House. Utilisez-les de la même manière que l'alcool.

L'huile minérale, l'huile pour bébés ou la lanoline.
Ces solutions sont utilisées comme mesure préventive avant la baignade. Appliquez-les de la même manière que l'alcool.

Portez un bonnet de bain.
Le Dr Drew a inventé un bonnet de bain muni de lunettes de plongée (appelé un Goggl'Cap) pour empêcher que ces dernières ne s'enlèvent au moment du plongeon. Puis, dit-il, il a remarqué que son bonnet de bain avait un avantage additionnel: dans la version en latex, le bonnet de bain couvre les oreilles et empêche l'eau d'y pénétrer. L'idéal consiste à porter des boules Quies® qui sont maintenues en place par le bonnet de bain.

Choisissez soigneusement votre lieu de baignades.
«Vous risquez moins d'attraper une infection bactérienne dans une piscine dont l'eau est traitée que dans un étang», dit le Dr Drew. Ne nagez pas dans des endroits où la propreté de l'eau est douteuse.

EXPERTS CONSULTÉS

Le Dr Dan Drew est un médecin de famille de Jasper, en Indiana. Il est un nageur enthousiaste et l'inventeur du Goggl'Cap, un bonnet de bain muni de lunettes de plongée.

Le Dr Brian W. Hando est un oto-rhino-laryngologiste qui a un cabinet privé à Toronto

Le Dr John House est professeur adjoint d'O.R.L. à la faculté de médecine de l'université Southern California à Los Angeles. Il est le médecin de l'équipe nationale United States Swimming, l'association nationale de natation amateur qui sélectionne les compétiteurs olympiques.

Le Dr Donald Kamerer est chef du service d'otologie à l'Eye and Ear Institute de Pittsburgh, en Pennsylvanie. Il est en outre professeur d'O.R.L. à la faculté de médecine de l'université de Pittsburgh.

Oublis et trous de mémoire

24 méthodes simples pour améliorer la mémoire

Avez-vous de la difficulté à vous rappeler des noms, des numéros de téléphone ou des dates importantes? Devez-vous constamment perdre du temps à chercher votre voiture dans un parking? Lorsque vous quittez la maison, devez-vous rebrousser chemin au bout de 20 minutes pour vérifier si vous n'avez rien laissé allumé? Vous arrive-t-il parfois d'oublier l'orthographe de mots usuels? Si vous répondez affirmativement à la plupart des questions ci-dessus, voici une bonne nouvelle: vous pouvez vous guérir de vos oublis!

Bon! Où en étions-nous? Nous avons consulté certains spécialistes de la mémoire et diverses personnes dont la profession exige une excellente mémoire. Nous avons même consulté un champion d'orthographe âgé de 13 ans. Ces personnes nous ont confié leurs secrets pour avoir une meilleure mémoire.

«Grâce à certains petits trucs, presque tout le monde peut avoir une excellente mémoire», dit le Dr Michael Pressley, spécialiste de la mémoire et professeur de développement humain à l'université du Maryland.

Mais quels sont ces trucs? Vous faites bien de le demander!

Dites-vous que vous souvenir consiste à reconstruire. Vous participez à un jeu questionnaire télévisé et vous êtes sur le point de gagner un voyage autour du monde, toutes dépenses payées. Il ne vous reste plus qu'à vous souvenir du nom de la célèbre bataille que Napoléon a perdue. Vous savez la réponse. Vous l'avez sur le bout de la langue. Comment la retrouver?

«Essayer de vous souvenir du plus grand nombre de choses possible au sujet de l'événement», dit le D Robin West, professeur de psychologie à l'université de Floride. Par exemple, Napoléon peut vous faire penser à Joséphine, à la France, au code Napoléon, aux batailles

ALERTE MÉDICALE

Gardez ces symptômes à l'esprit

Tout comme les excroissances sur la peau ne sont pas toutes cancéreuses, les trous de mémoire ne sont pas nécessairement causés par la maladie d'Alzheimer. «Les gens ont tendance à être durs envers eux-mêmes, plus particulièrement lorsqu'ils vieillissent», dit le Dr Stanley Berent. À quel moment vos oublis deviennent-ils assez graves pour que vous deviez consulter un médecin? Le Dr Berent vous conseille de suivre les lignes directrices suivantes:

- Perdez-vous contact avec la réalité? C'est une chose d'oublier la date courante, mais c'en est une autre d'oublier l'année. Si vous oubliez où vous vous trouvez, si vous n'arrivez plus à déterminer si c'est le matin ou le soir ou si vous ne vous souvenez plus du nom de votre conjoint (plutôt que du nom d'une personne que vous venez de rencontrer), vous devez consulter un médecin.
- Vous sentez-vous mal dans votre peau? Si vos récents trous de mémoire vous donnent de l'angoisse, cessez de vous inquiéter et consultez un médecin.
- Remplissez-vous vos tâches quotidiennes de manière efficace? Si vos oublis nuisent à votre efficacité au travail, à votre rôle comme parent ou grand-parent ou à vos autres activités quotidiennes, vous avez besoin d'aide.

«Mais surtout, dit le Dr Berent, sachez que vous pouvez mener une vie parfaitement normale, même si vous n'avez pas une mémoire d'éléphant!»

et, enfin, à Waterloo. «Plus vous établissez de rapports, plus vous avez de chances de trouver le bon fil conducteur», dit le Dr West.

Prenez des photos mentales. Au cours de sa vie, une personne moyenne passe l'équivalent d'une année entière à chercher des objets égarés. Vous voulez éviter de perdre ainsi une année de votre vie? Vous le pouvez. Regardez bien les clés que vous venez de placer sur la table. «Portez les mains à vos yeux, comme si vous teniez un appareil-photo et appuyez sur le déclencheur», suggère le Dr Joan Minninger dans un ouvrage intitulé *Total Recall: How to Boost Your Memory Power*.

Parlez-vous. Allez-y, ne soyez pas gêné. Stimulez votre mémoire à l'aide d'un message verbal en plus d'une image visuelle.

Existe-t-il des médicaments pour améliorer la mémoire?

Les scientifiques cherchent depuis longtemps des rapports entre les substances nutritives et les capacités d'apprentissage et de mémoire du cerveau. Ils savent qu'une carence en certaines substances nutritives peut provoquer certains troubles de mémoire et d'apprentissage, mais ils n'ont pas encore découvert quelles substances nutritives pourraient améliorer la mémoire.

Au cours des quelques dernières années, les recherches ont porté plus particulièrement sur les substances nutritives suivantes, qui semblent toutes reliées à la mémoire: la vitamine B_1 (thiamine), la vitamine B_2, la vitamine B_{12}, la vitamine C, la choline, le folate, la niacine, le calcium, le cuivre, l'iode, le fer, le magnésium, le manganèse, le potassium, le zinc, et, surtout, la lécithine.

Certaines recherches menées à l'institut de physiologie de Sofia, en Bulgarie, soulèvent des questions et des espoirs au sujet d'une substance nutritive à la fois nouvelle et plutôt exotique. Les chercheurs de cet institut, qui ont fait des expériences sur des souris, ont déterminé qu'une substance présente dans la racine de ginseng, une plante chinoise, améliorait l'apprentissage et la mémoire, du moins chez les souris.

Il semble donc que le jour viendra où nous pourrons remédier à nos oublis et à nos trous de mémoire en prenant une pilule tous les matins. Bien sûr, certains d'entre nous oublierons sûrement de prendre cette pilule!

Si vous laissez votre voiture au bout du parking, près du maronnier, dites-vous: «Je laisse ma voiture au bout du parking, devant le gros maronnier.» Dites-le à haute voix. Selon le Dr Irene B. Colsky, spécialiste de la mémoire et professeur adjointe au département d'enseignement et d'apprentissage de l'université de Miami, c'est une autre façon de renforcer la mémoire.

Nouez un ruban jaune autour du vieux maronnier.

Vous savez que vous vous souviendrez d'avoir laissé votre voiture devant un vieux maronnier, mais vous avez peur de ne pas savoir quel vieux maronnier? Recourez à des aide-mémoire concrets. Selon le Dr Forrest R. Scogin, professeur adjoint de psychologie à l'université de l'Alabama, ils constituent des moyens très efficaces pour vous aider à vous souvenir. Le ruban jaune autour du maronnier peut aussi être un élastique autour du poignet pour vous rappeler d'acheter du papier hygiénique, une montre sur le mauvais poignet pour vous rappeler l'anniversaire de tante Sophie ou n'importe quel autre objet qui puisse vous empêcher d'oublier.

Faites-vous des listes. Lorsque vous le pouvez, notez sur un bout de papier toutes les choses dont vous devez vous souvenir. «Notre mémoire à court terme a des capacités limitées, car nous ne disposons que d'une quantité d'espace donnée», explique le Dr Scogin. En faisant des listes, non seulement vous assurez-vous que vous vous souviendrez de ce que vous avez écrit, mais vous vous libérerez l'esprit et pourrez passer à des choses plus importantes.

Divisez les choses en catégories. «Lorsque vous ne disposez pas d'un crayon et d'un bout de papier, faites-vous des listes mentales, mais ne les faites pas au hasard», dit le Dr Scogin. Si vous allez au supermarché et savez que vous avez environ 20 choses à acheter, vous en oublierez inévitablement quelques-unes, à moins de les avoir classées logiquement par catégorie. Dites-vous par exemple que vous avez besoin de 5 légumes, 4 produits en papier, 3 fruits, etc.

Faites des ensembles. Les ensembles sont comme les catégories, mais vous les faites à l'aide de chiffres. Par exemple, si vous devez vous souvenir d'une série de chiffres comme 2, 0, 2, 4, 5, 6, 1, 4, 1, 4, vous aurez sans doute du mal à le faire. Il est beaucoup plus facile de se rappeler un numéro comme (202) 456-1414, le numéro de téléphone de la Maison Blanche, la résidence du président des États-Unis. Les numéros de téléphone se présentent automatiquement en ensembles, tout comme les numéros de sécurité sociale. Vous pouvez, bien entendu, faire des ensembles de n'importe quels chiffres pour mieux vous en souvenir.

Inventez-vous des histoires. Si vous devez vous rappeler plusieurs choses et craignez de ne pas pouvoir y parvenir, cessez de vous inquiéter. «Inventez-vous une histoire qui tienne compte de toutes ces choses», conseille le Dr Pressley. Imaginez par exemple, que vous vous rendez au marché pour acheter des côtelettes de porc, des abricots, du lait et du pain. Inventez-vous une histoire dans laquelle un petit cochon boit du lait dans un champ de blé, à l'ombre d'un abricotier.

Pour vous souvenir des noms, pensez aux visages. «Nous rappeler le nom de personnes que nous venons de rencontrer est peut-être le plus difficile effort de mémoire que nous soyons appelés à faire», dit le Dr Scogin. Le truc consiste à associer dans votre esprit le nom d'une personne et son visage. Vous pouvez même choisir un trait proéminent dans son visage et vous concentrer sur ce trait. Par exemple, si Bertrand Lafuste, le nouvel employé au

Comment éviter le trac

En général, nous ne demandons pas à notre mémoire à court terme de faire plus que de garder environ une douzaine de numéros de téléphone, l'occasionnelle liste de provisions et l'horaire de nos émissions de télévision préférées.

Que faire, cependant, lorsque nous devons nous souvenir d'une promotion publicitaire, d'un discours ou du texte d'une pièce de théâtre? Et que faire pour nous rappeler instantanément l'orthographe d'un mot? L'acteur shakespearien Edward Gero et le jeune champion américain d'orthographe Rageshree Ramachandran, âgé de 13 ans, de Sacramento, en Californie, suggèrent les trucs suivants pour vous souvenir de mots et de leur orthographe:

Les trucs d'Edward Gero:

- Avant d'apprendre mes textes, il faut qu'ils aient du sens. Je lis les textes de Shakespeare, puis je les traduis dans mes propres mots.
- Je cherche le rythme des phrases. «Être, ou ne pas être»É tam, ta ta ta tam.
- Je cherche des clés alphabétiques. Par exemple, dans *Macbeth,* j'avais un texte assez difficile à dire. J'ai essayé de me souvenir que certains mots, comme justice et vérité, se présentaient par ordre alphabétique, tandis que d'autres comme tempérance et stabilité, étaient en ordre alphabétique inversé.
- J'essaie d'associer mon texte aux mouvements que je dois faire, par exemple m'emparer d'un verre de vin en disant que je vais boire, comme dans *Le Marchand de Venise.*

Les trucs de Rageshree Ramachandran:

- Bon nombre de jeunes qui participent à des concours d'orthographe essaient de mémoriser des listes de mots, mais cela ne marche pas. Il ne suffit pas de mémoriser des mots, il faut les apprendre. Je me fais un point d'honneur d'ajouter tous les jours un nouveau mot à mon vocabulaire.
- L'orthographe est surtout logique. Si je ne connais pas un mot, j'essaie de voir s'il n'y en a pas une partie que je peux reconnaître. Je sais épeler élégiaque, par exemple, parce que je sais qu'il vient d'élégie. (Élégiaque veut dire mélancolique.) Je sais épeler ohmmètre parce que je sais qu'ohm est une unité de mesure de résistance électrique et qu'un appareil de mesure se compose souvent d'un suffixe et de «mètre».
- La mémoire est très souvent visuelle. Je trouve plus facile de me souvenir d'un nouveau mot si je l'écris plusieurs fois.
- Il y a souvent de petits trucs pour se souvenir de l'orthographe d'un mot. Par exemple, bicyclette. Je me dis que le i vient avant le y dans l'alphabet!

bureau, a le nez long, visualisez un petit bonhomme qui descend cette longue pente en ski. Puis imaginez que ce petit bonhomme est Lafuste lui-même.

Faites des associations de noms.
Il est toujours plus facile de nous souvenir d'un nom lorsque nous y associons quelque chose. Si vous devez vous rappeler le nom d'une personne qui n'a pas le nez long ou un autre trait particulier, inventez une petite histoire. Si vous devez vous souvenir d'un Bernard Tailleur, imaginez-le assis devant vous avec une paire de ciseaux et un mètre de couturière. Amusez-vous à inventer une situation de ce genre, qu'il s'agisse d'un Dupont ou d'un Larivière. Vous trouverez inévitablement une image pour vous représenter leur nom.

Cherchez des points de repère.
«Vous pouvez toujours associer des choses qui vous sont arrivées il y a très longtemps à d'autres événements qui se sont produits à la même époque», dit le Dr Pressey. Disons, par exemple, que vous n'arrivez plus à vous souvenir en quelle année vous avez travaillé pour la société YXZ s.a. Essayez de trouver des points de repère qui pourraient vous aider à mieux situer cette période de votre vie. Vous vous souviendrez sans doute que vous sortiez avec telle ou telle personne ou que vous alliez souvent au cinéma en compagnie de X, et que c'est avec cette personne que vous avez vu *Les dents de la mer.* Vous pourrez sans doute vous souvenir que c'était en 1975. Sinon vous pouvez toujours vérifier en quelle année ce film est sorti dans les cinémas.

Soulignez vos pensées.
De nombreux étudiants d'université entretiennent des rapports très étroits avec un crayon feutre rose, vert ou jaune. Mais vous n'avez pas besoin d'un tel crayon pour souligner vos pensées. Vous pouvez le faire mentalement. «Déterminez ce qui est important et ce qui ne l'est pas, conseille le Dr Pressley. Vous serez ainsi moins susceptible d'oublier ce que vous lisez.»

Lisez, lisez et lisez.
«Si votre problème est que vous oubliez des mots, c'est probablement parce que vous ne les utilisez pas assez souvent», dit Frederic Siegenthaler. Interprète principal aux Nations Unies, il doit garder un énorme vocabulaire en mémoire et se tenir prêt à trouver instantanément le bon mot. En anglais seulement (et Siegenthaler parle aussi français, allemand, russe et espagnol), il y a plus de 200 000 mots, bien qu'en général nous n'en utilisions pas plus de 5 000 par jour. Par conséquent, si vous avez du mal à trouver le bon mot, c'est sans doute que votre vocabulaire est un peu rouillé.

La solution: «Lisez autant que vous le pouvez, dit Frederic Siegenthaler. Je recommande la lecture de bons romans, les grands classiques de la langue française, par exemple.»

Mettez-vous à l'épreuve. «En général, les gens ne sont pas très doués pour déterminer jusqu'à quel point leur mémoire est efficace, dit le Dr Pressley. Il arrive très souvent qu'une personne croie se souvenir d'une chose, mais qu'elle ne s'en souvienne pas. Vous avez sans doute vécu une telle situation au beau milieu d'un examen. Pour faire en sorte que cela ne vous arrive plus, faites-vous passer un test juste avant un examen, conseille le Dr Pressley. En mettant vous-même vos connaissances à l'épreuve, vous verrez ce que vous vous rappelez et ce que vous ne vous rappelez pas.»

Gardez votre calme. «Le stress et l'angoisse peuvent nuire à la mémoire, dit le Dr Pressley. Vous avez besoin de toute votre concentration pour encoder les choses, alors que l'angoisse lui nuit.

Si vous êtes une personne distraite, c'est peut-être parce que votre esprit a besoin de vacances. Patricia Sze, qui travaille chez Berlitz International à New York. soutient que les élèves parviennent avec succès à apprendre une langue surtout à cause du climat peu menaçant qui règne dans les salles de cours: des couleurs apaisantes et pas de notes ni d'examens.

Vérifiez votre pharmacie et votre bar. «Des douzaines de facteurs peuvent contribuer aux oublis et aux trous de mémoire, dit le Dr Stanley Berent, directeur du programme de neuropsychologie et professeur adjoint au département de psychologie, de psychiatrie et de neurologie de la faculté de médecine de l'université du Michigan. Vos trous de mémoire sont peut-être causés par l'alcool que vous consommez ou par certains des médicaments que vous prenez, par exemple des amphétamines, des antihypertenseurs ou des anti-histaminiques.

EXPERTS CONSULTÉS

Le Dr Stanley Berent est directeur du programme de neuropsychologie et professeur adjoint au département de psychologie, de psychiatrie et de neurologie de la faculté de médecine de l'université du Michigan, à Ann Arbor.

Irene B. Colsky est professeur adjointe au département d'enseignement et d'apprentissage de l'université de Miami, en Floride, où elle donne aussi un cours intitulé *Brainpower*. Ce cours qui porte sur des techniques permettant d'améliorer l'apprentissage et la mémoire est très populaire tant auprès d'étudiants qu'auprès de gens d'affaires et de personnes ordinaires.

Edward Gero est un acteur de carrière qui a tenu des rôles importants dans de nombreuses pièces de Shakespeare, dont *Henry V* et *Macbeth*. Il joue au théâtre shakespearien Folger, à Washington, D.C.

Le Dr Michael Presley est professeur de développement humain à l'université du Maryland, à College Park.

Rageshree Ramachandran, de Sacramento, en Californie, a été champion du concours national d'orthographe Scripps-Howard en 1988.

Le Dr Forrest R. Scogin est professeur adjoint de psychologie à l'université de l'Alabama, à Tuscaloosa, où il donne des cours sur la mémoire.

Frederic Siegenthaler est interprète principal aux Nations Unies. Il travaille comme interprète depuis 25 ans.

Patricia Sze est cadre à l'école de langues internationales Berlitz à New York.

Le Dr Robin West est professeur de psychologie à l'université de Floride, à Gainesville, et auteur de *Memory Fitness over Forty*.

Peau grasse

7 remèdes pour avoir meilleur teint

L'hérédité joue un rôle majeur dans le cas de la peau grasse, mais les hormones y contribuent aussi beaucoup. Les femmes enceintes, tout comme celles qui prennent la pilule, constatent parfois que leur peau est plus grasse. Le stress peut amener les glandes sébacées à sécréter plus d'huile. Et les mauvais cosmétiques risquent d'abîmer une peau qui n'était que légèrement grasse. Il existe bon nombre de facteurs contre lesquels vous ne pouvez rien, et d'autres que vous pouvez maîtriser.

Il n'y a pas de remède magique pour traiter la peau grasse. Nos experts recommandent de la garder propre et de bien la traiter tous les jours. Les conseils qui suivent vous faciliteront la tâche.

Une peau grasse ne présente pas que des inconvénients. Les experts dans le domaine affirment qu'elle a certains avantages, dont celui, non négligeable, de mieux camoufler le vieillissement. En effet, une peau grasse vieillit mieux et se ride moins qu'une peau normale ou sèche. La malédiction d'aujourd'hui deviendra la bénédiction de demain!

Faites-vous des masques de boue. «Les masques d'argile ou de boue font du bien», dit le Dr Howard Donsky, prfesseur adjoint de médecine à la faculté de médecine de l'univesité de Toronto et dermatologiste à l'hôpital Toronto General. Le Dr Donsky précise toutefois que les masques d'argile et de boue n'agissent que temporairement pour atténuer le problème et embellir la peau.

En général, plus l'argile est d'un brun foncé, plus elle peut absorber d'huile. Les argiles blanches et rosées sont moins efficaces, mais beaucoup plus douces et conviennent mieux aux peaux sensibles.

Les masques peuvent nettoyer la peau en enlevant l'huile à la surface, mais ne vous attendez pas à ce qu'ils nettoient les pores en profondeur ou qu'ils fassent plus que tonifier la peau de manière temporaire.

Aspergez-vous le visage avec de l'eau chaude. «L'eau chaude est un bon solvant», dit le Dr Hillard H. Pearlstein,

Il n'y a pas de filière alimentaire

Bien que certains magazines et ouvrages sur les soins de la peau recommandent des régimes particuliers pour atténuer les problèmes de peau grasse (qui excluent généralement les fritures et les aliments gras), nos experts les réfutent et croient qu'il s'agit de fantaisie pure et d'efforts inutiles.

«Il n'existe aucun rapport entre le régime alimentaire et la peau grasse, dit le Dr Hillard H. Pearlstein. Il s'agit d'un problème génétique. Vous ne pouvez pas recourir à un régime alimentaire pour empêcher vos glandes sébacées de fonctionner. En fait, vous ne pouvez faire rien de plus qu'extraire l'excès d'huile!»

Le Dr Kenneth Neldner est d'accord. «Je ne crois pas que le régime alimentaire fasse de différence. Et s'il en fait, il n'existe rien sur le sujet dans les milieux médicaux. Si vous avez la peau sèche, il n'y a pas d'aliments que vous puissiez manger pour avoir la peau plus grasse. Je ne vois pas pourquoi le contraire serait vrai.»

médecin dans un cabinet privé et professeur adjoint de dermatologie à la faculté de médecine Mount Sinai de l'université de New York. Il recommande aux personnes à la peau grasse de se rincer le visage à l'eau très chaude et savonneuse. «Pour dissoudre les huiles, l'eau chaude et le savon sont plus efficaces que l'eau froide et le savon, dit-il, car toute substance se dissout mieux dans l'eau chaude que dans l'eau froide, y compris les saletés que vous essayez d'enlever.»

Choisissez un savon qui assèche la peau. «Avec les produits qui existent à l'heure actuelle pour traiter la peau grasse, vos possibilités sont limitées. Vous ne pouvez pas faire beaucoup plus que retirer de l'huile, dit le Dr Pearlstein, et vous devez recommencer souvent, avec des astringents ou des savons qui assèchent la peau.»

Il n'est pas difficile de trouver un savon qui assèche la peau. (En fait, c'est le contraire qui est difficile.) Pour la peau grasse, bon nombre de dermatologistes semblent préférer les savons conçus exprès comme le Clearasil® et la formule Neutrogena® pour la peau grasse, pour n'en nommer que quelques-uns.

Après le savon, un astringent. Selon le Dr Neldner, les astringents à l'acétone sont ce qu'il y a de mieux. «L'acétone dissout les huiles et la graisse, et la plupart des astringents en contiennent un peu. Si vous utilisez un astringent régulièrement, vous aurez la peau nettement moins grasse.»

«La plupart des astringents contiennent de l'alcool, mais cherchez-en un aussi avec de l'acétone, comme le Seba-Nil®, dit le Dr Neldner. D'autre part, vous pouvez toujours prendre de l'alcool à friction ordinaire, un astringent efficace et peu coûteux. Si vous êtes à la recherche d'un produit plus doux qui donne de bons résultats, essayez un produit à l'hamamélis, qui contient un peu d'alcool.»

Les astringents sans alcool contiennent surtout de l'eau et ne sont pas aussi efficaces que ceux qui renferment de l'alcool et de l'acétone, mais ils peuvent être utiles aux personnes qui ont la peau sensible. Fait à retenir: les dermatologistes disent qu'au lieu de se laver le visage plusieurs fois par jour, ce qui risque d'assécher et d'irriter la peau, il est préférable de se servir de tampons imbibés d'un astringent.

Choisissez vos cosmétiques avec soin. «Il y a deux catégories de cosmétiques, dit le Dr Neldner, les produits à base d'huile et ceux à base d'eau. Si vous avez la peau grasse, appliquez uniquement ceux à base d'eau.»

Il existe de nombreux cosmétiques pour les peaux grasses. Ils sont conçus de manière à absorber les huiles et à les masquer, ce qui fait perdre à la peau son apparence huileuse. Cependant, ils ne contiennent pas de substance magique qui ralentisse ou arrête la production d'huile. Ne vous laissez pas prendre par les fausses publicités qui l'affirment.

Utilisez de la poudre. Nous parlons ici de poudre pour bébé. Pour éviter d'avoir le visage trop brillant, certaines femmes utilisent des produits tout simples comme du talc. Elles disent qu'en mettant un peu de poudre par-dessus leur maquillage, elles ont le visage beaucoup moins luisant.

EXPERTS CONSULTÉS

Le Dr Howard Donsky est professeur adjoint de médecine à la faculté de médecine de l'université de Toronto et dermatologiste à l'hôpital Toronto General. Il est l'auteur de *Beauty is Skin Deep.*

Le Dr Kenneth Neldner est professeur et directeur du département de dermatologie au Centre des sciences de la santé de la faculté de médecine de l'université Texas Tech, à Lubbock.

Le Dr Hillard H. Pearlstein est médecin dans un cabinet privé et professeur adjoint de dermatologie à la faculté de médecine Mount Sinai de l'université de New York, à New York.

Peau sèche et démangeaisons hivernales

10 méthodes pour lutter contre le froid

Les personnes qui vivent sous des climats froids et secs, où des systèmes de chauffage soufflent de l'air sec jour et nuit, doivent lutter contre les démangeaisons hivernales.

Que pouvez-vous y faire? C'est facile. Réduisez le chauffage et déménagez dans le Sud de la France. Impossible? Eh bien! réduisez au moins le chauffage; c'est la première chose à faire en hiver. Sachez toutefois que l'on peut intervenir de bien d'autres façons. Nous en avons d'ailleurs dressé une liste. Tous nos conseils se fondent sur le même principe: le dessèchement de la peau résulte d'un manque d'eau et non de gras dans la peau. Ne l'oubliez pas en lisant cette rubrique et tout au cours de l'hiver. Votre peau en sera d'autant plus belle.

Il ne sert à rien de boire. Plusieurs ouvrages sur les soins de beauté, de même que certains magazines prestigieux, recommandent à leurs lecteurs et lectrices de boire «au moins sept ou huit grands verres d'eau par jour afin de conserver une peau hydratée et en prévenir le dessèchement». N'en croyez rien.

«La peau se dessèche, si vous êtes complètement déshydraté», dit le Dr Kenneth Neldner, professeur et directeur du Service de dermatologie au Centre des sciences de la santé de la faculté de médecine de l'université Texas Tech. Cependant si vous êtes normalement hydraté, vous ne pourrez absolument pas traiter votre peau sèche en buvant de l'eau.

Mettez l'eau où elle est utile. «La meilleure façon de faire pénétrer l'eau dans la peau est de s'y tremper», dit le Dr Hillard H.

Pearlstein, professeur adjoint de dermatologie à la faculté de médecine Mount Sinai, à New York. Il recommande de prendre un bain d'eau tiède, et non chaude, et d'oublier qu'il faut prendre un bain tous les jours. La règle à suivre dans le cas d'une peau sèche: prenez moins fréquemment de bains, et dans de l'eau moins chaude.

Lubrifiez la peau. «Faites suivre chaque bain d'une application de lotion lubrifiante, dit le Dr Pearlstein. Toute l'humidité accumulée dans la peau a tendance à s'évaporer. Si vous prenez souvent votre bain, la lotion lubrifiante est d'autant plus importante. C'est elle qui retient l'humidité de la peau.»

Selon le Dr Pearlstein, beaucoup de gens pensent que les lotions hydratantes servent à huiler la peau, mais ce n'est pas tout à fait exact. «N'oubliez pas que le dessèchement de la peau résulte d'une perte d'eau et non d'une perte d'huile», dit-il.

«Nous savons tous comme il est facile de couper un ongle lorsqu'il a trempé dans l'eau, explique-t-il. C'est un bon exemple d'hydratation. C'est aussi ce qui se produit lorsque vous prenez un bain.» Appliquée après un bain, la lotion lubrifiante contribue à retenir cette eau dans la peau et à en prévenir le dessèchement.

Ne vous séchez pas complètement la peau. «La lotion lubrifiante est beaucoup plus efficace lorsqu'elle est appliquée sur la peau humide que sur la peau complètement sèche», dit le Dr Neldner.

Il ne s'agit pas de sortir dégoulinant du bain ou de la douche et d'appliquer immédiatement la lotion. «Il suffit de tapoter la peau légèrement à l'aide d'une serviette avant d'appliquer la lotion», dit-il. Emprisonner un peu d'eau dans la peau est le meilleur moyen d'en combattre le dessèchement.

Ne vous fiez pas à la publicité. «Aucune lotion hydratante ne vaut la vaseline ou l'huile minérale», dit le Dr Howard Donsky, professeur adjoint et dermatologiste à l'hôpital Toronto General. En fait, n'importe quelle huile végétale, comme l'huile de tournesol ou l'huile d'arachide, ou huile hydrogénée peut combattre le dessèchement de la peau et les démangeaisons hivernales. Ce sont des lubrifiants purs, sûrs et efficaces. De plus, ils sont peu coûteux.

Cependant, ils ont un désavantage. Ils sont tous gras. «Les gens préfèrent les produits qui sentent bon, qui laissent une sensation agréable sur la peau et qui ne donnent pas l'impression d'être huileux, dit le Dr Pearlstein. Tout dépend de ce que vous êtes prêt à débourser, de l'odeur et de la sensation que vous recherchez. Tous les lubrifiants ont le même effet et il n'y a aucun moyen scientifique de prouver qu'un est meilleur qu'un autre. Il s'agit d'une décision strictement personnelle.»

Utilisez de l'avoine pour guérir la peau sèche. Certains chercheurs pensent que l'homme a découvert les propriétés adoucissantes de l'avoine il y a 4000 ans. Bon nombre de gens les découvrent encore de nos jours. «Dans un bain, l'avoine agit comme agent adoucissant», dit le Dr Donsky. Versez simplement 500 ml de farine d'avoine colloïdale (comme de l'Aveeno®, que vous trouverez en pharmacie) dans un bain d'eau tiède. Le terme colloïdal signifie simplement que l'avoine a été réduite en une fine poudre qui reste en suspension dans l'eau.

«Vous pouvez aussi l'utiliser comme savon», dit-il. Mettez de la farine d'avoine colloïdale dans un mouchoir que vous attacherez ensuite avec une bande élastique. Plongez-le dans l'eau et servez-vous-en comme gant de toilette.

Choisissez des savons gras. «La plupart des savons contiennent de la lessive, dit le Dr Pearlstein. C'est un excellent agent nettoyant, mais très irritant pour la peau.» Il recommande aux personnes qui ont la peau sèche d'éviter les savons forts et de choisir des savons gras comme Neutrogena®. Ils contiennent une plus grande quantité de matière grasse, du beurre de cacao, de l'huile de noix de coco ou de la lanoline, qu'on ajoute pendant la fabrication.

Pour donner de bons soins à la peau, il faut être prêt à sacrifier un peu de propreté. Bien que les savons gras ne lavent pas aussi bien, «ils sont moins irritants pour la peau, dit-il, et font vraiment une différence».

Ne vous savonnez pas aussi souvent. «Le savon n'a rien de thérapeutique», dit le Dr Pearlstein. «En Amérique du Nord, les gens se lavent trop, se désodorisent trop, et les dermatologistes rencontrent plus de problèmes liés à l'abus du savon qu'au contraire.» Que conseille-t-il? Si vous n'êtes pas sale, ne vous lavez pas.

Un humidificateur peut aider. «Le dessèchement de la peau et les démangeaisons hivernales sont dus en grande partie à la chaleur sèche», dit le Dr Pearlstein. L'air chauffé par une chaudière réduit le taux d'humidité dans la maison à 10 %, alors que l'humidité relative devrait se situer entre 30 à 40 %, si l'on veut garder sa peau bien hydratée. C'est la raison pour laquelle nos experts recommandent un humidificateur pendant les mois secs de l'hiver. Cependant, une mise en garde s'impose.

«Les gens pensent qu'il suffit de mettre un humidificateur dans leur appartement et que le tour est joué. Les humidificateurs sont comme les climatiseurs, et seuls les gros modèles sont vraiment efficaces. Si vous mettez un plus petit humidificateur dans votre chambre pour la nuit, il aura une certaine efficacité.»

«Lorsque vous mettez un humidificateur dans votre chambre à coucher, n'oubliez pas de fermer la porte afin de garder l'humidité dans la pièce», ajoute le Dr Neldner.

Est-il utile de laisser la porte de la salle de bains ouverte lorsqu'on prend une douche? «Cela peut être d'une certaine utilité, car la moindre trace d'humidité aide à l'hydratation. Lorsque le chauffage fonctionne en hiver, il aspire littéralement l'humidité de l'air.»

Gardez la température fraîche. Une bonne façon de combattre les démangeaisons hivernales est de réduire la température du thermostat. «Garder la maison fraîche en hiver peut aider à combattre la peau sèche», dit le Dr Pearlstein. En fait, l'air frais a un effet anesthésiant. Il donne une sensation agréable à la peau. «Lorsque la maison est surchauffée, explique-t-il, l'air chaud dilate les vaisseaux sanguins et provoque des démangeaisons. Mais lorsque vous vous rafraîchissez la peau avec de l'air frais ou de l'eau fraîche, vous vous sentez mieux, dit le Dr Pearlstein. Vous aurez moins de démangeaisons si vous gardez votre peau fraîche.»

EXPERTS CONSULTÉS

Le Dr Howard Donsky est professeur adjoint de médecine et dermatologiste à l'hôpital Toronto General. Il est aussi l'auteur de *Beauty is Skin Deep*.

Le Dr Kenneth Neldner est professeur et directeur du Service de dermatologie au Centre des sciences de la santé de la faculté de médecine de l'université Texas Tech, à Lubbock.

Le Dr Hillard H. Perlstein a un cabinet privé et il est professeur adjoint de dermatologie à la faculté de médecine Mount Sinai de l'université de New York, à New York.

Pellicules

18 conseils pratiques pour les enrayer

Les pellicules peuvent être une source d'embarras. Elles font très mauvaise impression. Mais rassurez-vous, vous n'êtes pas la seule personne à en souffrir.

Certains coiffeurs disent que c'est le problème du cuir chevelu le plus courant chez leurs clients. Et les dermatologistes conviennent que presque tout le monde en souffre à divers degrés.

Voici ce que recommandent les experts pour contrer ce problème.

Ne faites pas l'autruche. «N'ignorez pas le problème, dit le Dr Maria Hordinsky, dermatologiste et professeur adjoint à la faculté de médecine de l'université du Minnesota, à Minneapolis. En faisant l'autruche, vous laissez s'accumuler les écailles sur votre cuir chevelu, ce qui finit par causer des démangeaisons. Celles-ci vous portent à gratter le cuir chevelu, ce qui l'expose aux blessures et à l'infection.»

Lavez-vous souvent les cheveux. Les experts sont unanimes: lavez-vous souvent les cheveux, même tous les jours au besoin. «En général, plus vous lavez vos cheveux, plus il est facile d'enrayer les pellicules», dit le Dr Patricia Farris, dermatologiste de la Nouvelle-Orléans et professeur adjoint à la faculté de médecine de l'université Tulane.

Choisissez un shampoing doux. «Un shampoing doux non médicamenteux peut suffire à solutionner le problème. Souvent, les pellicules apparaissent parce que le cuir chevelu est trop gras, dit Philip Kingsley, spécialiste des soins capillaires à New York. Se laver les cheveux tous les jours en mélangeant une marque de shampoing doux à une quantité égale d'eau distillée rend le cuir chevelu moins gras, sans toutefois l'irriter.»

ALERTE MÉDICALE

Des pellicules ou une dermite?

Les pellicules abondantes peuvent être le signe d'une maladie, la dermite séborrhéique, qu'il faut traiter avec des médicaments sur ordonnance. Consultez votre médecin:

- si votre cuir chevelu est irrité;
- si vous avez des lésions cutanées malgré l'utilisation d'un shampoing contre les pellicules;
- si vous avez des croûtes jaunâtres sur le cuir chevelu;
- s'il apparaît des rougeurs, surtout dans le cou.

Essayez un traitement plus énergique. Si les shampoings ordinaires restent sans effet, employez plutôt une formule anti-pelliculaire. On classe les shampoings contre les pellicules selon l'ingrédient actif qu'ils contiennent. Chacun agit différemment. Selon le Dr Diana Bihova, dermatologiste et professeur au Centre médical de l'université de New York, les shampoings contenant du sulfure de sélénium ou du pyrithione de zinc sont ceux qui agissent le plus rapidement. Ceux qui renferment de l'acide salicylique et du soufre détachent les écailles qui disparaissent au lavage. Les shampoings additionnés d'un agent antibactérien réduisent la concentration de bactéries sur le cuir chevelu et les risques d'infection, tandis que ceux qui contiennent du goudron retardent la croissance cellulaire.

Le goudron. «Pour les cas particulièrement récalcitrants, je recommande les formules à base de goudron, dit le Dr Farris. Faites mousser le shampoing au goudron et attendez de cinq à dix minutes afin que le goudron puisse agir. La plupart des gens n'attendent pas suffisamment longtemps avant de rincer le shampoing anti-pelliculaire», dit-elle.

Si l'odeur des shampoings à base de goudron vous incommode, sachez qu'il existe maintenant des formules beaucoup plus agréables.

Allez-y doucement. «Si les shampoings à base de goudron ou toute autre préparation contre les pellicules sont trop forts, faites-les alterner avec votre shampoing ordinaire», dit le Dr Farris.

Le blond et le noir ne font pas bon ménage. »Si vous avez les cheveux blonds ou blancs, réfléchissez bien avant d'employer un shampoing à base de goudron, car il peut donner une teinte brunâtre aux cheveux», dit le Dr Farris.

Faites deux shampoings plutôt qu'un. «Faites toujours deux shampoings anti-pelliculaires», dit le Dr R. Jeffrey Herten, professeur adjoint de dermatologie à la faculté de médecine de l'université de Californie, à Irvine. «Faites le premier shampoing en commençant votre douche pour lui donner le temps d'agir. Ne le rincez pas avant d'avoir fini votre douche. Rincez parfaitement les cheveux. Faites un deuxième shampoing et rincez. Cette deuxième application laisse sur le cuir chevelu un peu d'ingrédient actif jusqu'au prochain shampooing.»

Mettez un bonnet de douche. Le Dr Bihova recommande un autre moyen pour augmenter l'efficacité des shampoings anti-pelliculaires. Après avoir fait mousser le shampoing, mettez un bonnet de douche sur les cheveux mouillés. Environ une heure plus tard, rincez les cheveux comme à l'habitude.

Changez régulièrement de shampoing. «Si vous avez trouvé un shampoing efficace, adoptez-le», dit le Dr Howard Donsky, dermatologiste et professeur adjoint à l'université de Toronto. «Sachez cependant que la peau peut s'adapter aux ingrédients d'un shampoing. Pour une efficacité maximale, il est donc préférable de changer de shampoing tous les deux ou trois mois.»

Massez le cuir chevelu. «Lorsque vous faites un shampoing, dit le Dr Farris, massez délicatement le cuir chevelu pour détacher les écailles. Évitez cependant de gratter le cuir chevelu. Vous pourriez causer des blessures pires que les pellicules.»

Comment détacher les écailles récalcitrantes. Le Dr Joseph F. Fowler, dermatologiste et professeur adjoint à l'université de Louisville, recommande un produit en vente libre aux personnes dont les pellicules sont difficiles à détacher. Appliquez le produit sur le cuir chevelu avant d'aller au lit et couvrez vos cheveux d'un bonnet de bain. Rincez le matin. Bien que vous puissiez utiliser cette préparation tous les soirs, le Dr Fowler conseille de ne pas l'utiliser plus qu'une fois par semaine. «C'est trop salissant pour qu'on l'emploie tous les jours», dit-il.

Essayez le thym. «Le thym a la réputation de posséder des propriétés antiseptiques qui aident à enrayer les pellicules», dit Louis Gignac, un coiffeur de New York. Préparez une solution de rinçage en faisant bouillir quatre grosses cuillerées de thym séché dans un demi-litre d'eau pendant 10 minutes. Passez la solution au tamis et faites-la refroidir. Versez la moitié de la préparation sur des cheveux frais lavés encore humides; le liquide doit couvrir tout le cuir chevelu. Massez délicatement. Ne rincez pas. Gardez l'autre moitié pour un traitement ultérieur.

Évitez la bière. «Certaines personnes se rincent les cheveux à la bière. Sans le savoir, elles font peut-être leur propre malheur, dit Louis Gignac. La bière assèche le cuir chevelu et finit par donner des pellicules.»

Traitez vos cheveux avec un baume démêlant. «Bien que les shampoings anti-pelliculaires soient efficaces pour le cuir chevelu, ils peuvent abîmer les cheveux, dit le Dr Farris. Traitez vos cheveux avec un baume démêlant pour en annuler les effets.»

L'huile à la rescousse. «Bien qu'un cuir chevelu trop gras soit aussi une source de problèmes, un traitement à l'huile chaude contribue à détacher et à ramollir les écailles», dit le Dr Herten. Faites chauffer quelques millilitres d'huile d'olive jusqu'à ce qu'elle soit tiède. Mouillez-vous les cheveux (sinon l'huile d'olive y pénétrera au lieu de se déposer sur le cuir chevelu), puis appliquez l'huile d'olive directement sur le cuir chevelu avec une brosse ou un tampon de coton. Séparez vos cheveux pour ne traiter que le cuir chevelu. Mettez un bonnet de douche et attendez 30 minutes avant de faire un shampoing anti-pelliculaire.

Prenez du soleil. «Une exposition modérée au soleil peut aider à enrayer les pellicules, dit le Dr Fowler. Les rayons ultraviolets directs ont un effet anti-inflammatoire sur la desquamation. C'est peut-être la raison pour laquelle les pellicules sont généralement moins abondantes pendant l'été.»

«Mais surtout n'exagérez pas, dit le Dr Fowler. Ne vous faites pas bronzer; passez simplement un peu de temps au grand air.»

Limitez l'exposition au soleil à 30 minutes ou moins par jour, sans oublier de protéger la peau exposée au moyen d'un écran solaire. «Profitez des bienfaits du soleil sur le cuir chevelu sans exposer votre peau à ses effets nocifs», conseille-t-il.

Calmez-vous. «Ne négligez pas le rôle des émotions dans le déclenchement ou l'aggravation des affections de la peau comme les pellicules ou autres dermatites. Le stress aggrave souvent ces maladies, dit le Dr Fowler. Si vous êtes très stressé, prenez le temps de vous détendre. Faites de l'exercice, méditez, oubliez vos soucis. Et ne laissez pas vos pellicules vous obséder.»

EXPERTS CONSULTÉS

Le Dr Diana Bihova est dermatologiste et professeur au Centre médical de l'université de New York. Elle est coauteur de *Beauty from the Inside Out.*

Le Dr Howard Donsky est professeur adjoint à l'université de Toronto et dermatologiste attaché à l'hôpital Toronto General. Il est l'auteur de *Beauty is Skin Deep.*

Le Dr Patricia Farris a un cabinet privé de dermatologie à la Nouvelle-Orléans. Elle est en outre professeur adjoint à la faculté de médecine de l'université Tulane, à la Nouvelle-Orléans.

Le Dr Joseph F. Fowler a un cabinet privé de dermatologie à Louisville, au Kentucky; il est professeur adjoint de dermatologie à l'université de Louisville. De plus, il est membre du North American Contact Dermatitis Group, un prestigieux groupe de recherche sur les allergies cutanées.

Louis Gignac est coiffeur et propriétaire du Louis-Guy D Salon de New York. Il est l'auteur de *Evervthing You Need to Know to Have Great-Looking Hair.*

Le Dr R. Jeffrey Herten est professeur adjoint de dermatologie à la faculté de médecine de l'université de Californie à Irvine.

Le Dr Maria Hordinsky a un cabinet privé de dermatologie à Minneapolis. Elle est en outre professeur adjoint à la faculté de médecine de l'université du Minnesota, à Minneapolis.

Philip Kingsley est un spécialiste des soins capillaires qui possède des salons de coiffure à New York et à Londres. Il est l'auteur de *The Complete Hair Book.*

Périostite

13 façons de soulager les douleurs aux jambes

La plupart des gens savent qu'il y a quelque chose qui cloche, mais très peu d'entre eux, y compris les experts, savent exactement de quoi il s'agit. La plupart des médecins parlent de ténosynovite ou de périostite, bien qu'ils ne soient pas exactement certains lequel de ces deux termes convient le mieux.

«Divers facteurs peuvent causer la périostite», dit Marjorie Albohm, monitrice de sport accréditée et directrice adjointe du International Institute of Sports Science and Medicine à la faculté de médecine de l'université d'Indiana. «Bon nombre de gens disent que ces affections sont le début de fractures causées par le stress; d'autres soutiennent qu'elles sont le résultat d'une irritation musculaire. D'autres encore croient qu'il s'agit d'une irritation du tendon qui relie le muscle à l'os. Le problème que pose le traitement découle de l'ignorance quant à l'essence même du malaise.»

C'est peut-être la raison pour laquelle la périostite ou la ténosite frappe tellement de femmes et d'hommes actifs de tous les âges. Cette affection est l'un des troubles les plus courants et les plus débilitants des adeptes de l'aérobic (environ 22 % des élèves et 29 % des professeurs en sont atteints), et les coureurs de fond (environ 28 % d'entre eux) en ont probablement souffert depuis la découverte de l'asphalte.

Les médecins conviennent au moins que les surfaces dures peuvent provoquer une périostite instantanément. La périostite peut aussi être causée par une mauvaise posture, de mauvaises chaussures, des problèmes de voûte plantaire, un réchauffement insuffisant, de mauvaises techniques de course ou de marche, ou encore des efforts excessifs. Bref, un rien peut provoquer une périostite.

Les symptômes de la périostite sont souvent confondus avec ceux d'une fracture due au stress (voir l'encadré *Lorsque la douleur n'est pas causée par la périostite*, à la page 497). Cependant, la périostite comporte généralement des douleurs dans un mollet, ou les deux, bien que la sensibilité ne soit pas nécessairement localisée. Les douleurs se font sentir à l'avant de la jambe après une activité physique. Lorsque la maladie progresse, cependant, elles peuvent aussi survenir pendant l'activité.

Les remèdes proposés ci-dessous visent à empêcher la maladie de progresser au point de causer une fracture due au stress et à permettre une vie active sans blessures superflues. Les mesures, qui comprennent l'étirement des muscles des mollets ou de l'exercice, visent à empêcher une récidive. Comme toujours, laissez les douleurs vous guider. Si l'un des remèdes recommandés ici aggrave votre mal, cessez d'y recourir.

Commencez par examiner le sol. «Examinez le sol, conseille Marjorie Albohm. Si vous faites de la marche, de la course ou de la danse, ou si vous jouez au basketball sur une surface très dure, vous devez trouver une autre solution.»

En ce qui concerne les personnes qui font de l'aérobic, les blessures sont les plus fréquentes chez celles qui s'adonnent à cet exercice sur un plancher en ciment recouvert de moquette. Les blessures sont beaucoup plus rares sur un plancher en bois avec un espace vide au-dessous. Si vous devez faire de la danse sur un plancher très dur, ne faites que de l'aérobic à faible impact ou sur des matelas de mousse de bonne qualité. Faites de la course sur les surfaces gazonnées ou en terre plutôt que sur les voies asphaltées. Évitez surtout les surfaces en ciment.

Examinez ensuite vos chaussures. «Si vous ne pouvez changer la surface sur laquelle vous faites de l'exercice, examinez vos chaussures. Voyez le support de l'arche, dit Marjorie Albohm, puis regardez la qualité de la semelle et sa capacité d'absorber les chocs. Une bonne chaussure doit non seulement avoir une semelle épaisse qui absorbe les chocs et soutient la voûte plantaire, mais elle doit aussi être bien ajustée.»

Si vous vous adonnez à des activités dont l'impact se répercute au bout du pied, jugez une paire de chaussures selon sa capacité d'absorber les chocs à cet endroit. Le meilleur test consiste à essayer une paire de chaussures dans le magasin en sautant sur place, d'abord sur la pointe des pieds, puis les pieds à plat. L'impact devrait être ferme.

Dans le cas des coureurs, le choix est un peu plus difficile. Par exemple, des recherches ont démontré qu'environ 58 % de tous les coureurs qui souffrent de périostite sont victimes de pronation (le pied se tord, la plante vers l'extérieur). Si vous devez choisir des chaussures pour remédier au problème, vous choisissez une paire moins bien coussinée. Cependant, ce qui importe dans votre cas, c'est d'éviter les troubles liés à la pronation.

Changez souvent de chaussures. Bien entendu, pour conserver à vos chausssures leur propriété amortissante, vous devez les changer souvent. Le Dr Gary M. Gordon, directeur des programmes de course à pied et de jogging au Centre de médecine du sport de l'université de Pennsylvanie à Philadelphie, donne les conseils suivants à ceux et à celles qui veulent éviter la périostite: si vous courez 40 km ou plus par semaine, vous avez besoin de nouvelles chaussures au bout de 60 à 90 jours; si vous courez de moins longues distances, changez de chaussures tous les quatre à six mois. Les personnes qui font de l'aérobic, du tennis ou du basketball deux fois par semaine ont besoin de nouvelles chaussures deux ou trois fois par année, tandis que celles qui en font jusqu'à quatre fois par semaine, devraient changer leurs chaussures tous les deux mois.

Adhérez à la règle de quatre. Dès que vous ressentez les douleurs de la périostite, suivez la règle de quatre: repos, glaçons, compression et élévation pendant 20 à 30 minutes.

«Ne sous-estimez pas le pouvoir de la glace, dit Marjorie Albohm. Gardez cette règle toute simple, dit-elle. Élevez simplement votre jambe, enveloppez-la dans un bandage élastique, puis placez un sac de glace dessus et laissez-le en place 20 à 30 minutes.»

Allez-y pour les contrastes. Une variation de la règle de quatre consiste à vous faire tour à tour des compresses glacées et des compresses chaudes, un traitement particulièrement efficace en cas de douleurs à l'intérieur de la jambe. Faites-vous une compresse froide, puis une compresse chaude, d'une minute chacune. Avant toute activité susceptible d'amener les douleurs de la périostite, appliquez ce traitement pendant au moins 12 minutes.

Étirez bien les mollets. «Nous avons constaté qu'étirer le tendon d'Achille et les muscles du mollet constituait une excellente mesure préventive contre la périostite, dit Marjorie Albohm. Si vous portez des talons de 5 cm tous les jours, vous ne vous étirez ni le talon d'Achille ni les muscles du mollet.»

Ces étirements sont utiles parce que les muscles du mollet ont tendance à mettre plus de poids et de stress sur le tibia lorsqu'ils se trouvent raccourcis. Placez les mains sur un mur, étirez une jambe

Lorsque la douleur n'est pas causée par la périostite

Comme la périostite peut être le premier stade d'une fracture due au stress, il est parfois dlfficile de faire la distinction entre les deux. En fait, si vous ne tenez pas compte d'une périostite et ne vous reposez pas, elle peut mener à une fracture due au stress. Mais comment savoir si c'est le cas? Nous avons demandé à la monitrice de sport Marjorie Albohm.

«En cas de fracture due au stress, vous ressentirez la douleur dans une région précise qui n'excédera pas 2,5 cm de diamètre, dit-elle. Si quelqu'un vous demande où vous avez mal, vous pourrez lui indiquer l'endroit exact sur une masse osseuse ou tout près de l'os. D'autre part, la périostite provoque une sensation d'inconfort qui frappe toute la partie inférieure de la jambe.»

derrière l'autre, sur la pointe du pied, puis mettez le talon à plat au sol. Répétez ce mouvement 20 fois, puis changez de jambe.

Occupez-vous de vos tendons. Le Dr Gordon propose cette simple technique pour vous étirer les tendons d'Achille: placez les pieds bien à plat sur le sol, écartés d'environ 15 cm. Pliez les chevilles et les genoux vers l'avant, le dos bien droit. Pliez-les au maximum et gardez la position 30 secondes. «Vous devriez sentir la partie inférieure de vos mollets vraiment s'étirer», dit-il. Répétez l'exercice 10 fois de suite.

Apprenez l'art du massage. «Si vous souffrez de périostite à l'avant des jambes, la région que vous devez masser n'est pas le tibia, mais celle qui se trouve tout près», dit Rich Phaigh, codirecteur du American Institute of Sports Massage de New York et du Institute of Clinical Biomechanics de Eugene, en Oregon, et auteur de *Athletic Massage*. «Lorsque l'on masse directement l'os, l'inflammation semble s'aggraver.»

Pour un massage, asseyez-vous sur le sol, pliez un genou et placez le pied bien à plat. Commencez par frotter doucement les deux côtés de l'os avec les paumes, que vous ferez glisser du genou à la cheville et de la cheville au genou. Répétez ce mouvement plusieurs fois. Placez ensuite vos mains autour du mollet et, en vous servant du bout des doigts, exercez une pression de chaque côté de l'os, depuis la cheville jusqu'au genou. Couvrez la région, en exerçant autant de pression que possible.

«Vous tentez ainsi d'allonger les tendons et d'éliminer les raideurs aux deux extrémités», dit Rich Phaigh, qui souligne qu'un bon massage favorise aussi la circulation sanguine dans la région endolorie.

Remédiez à vos problèmes de pieds. «Des pieds plats ou des voûtes plantaires très prononcées peuvent parfois provoquer la périostite, dit le Dr Gordon. Si vous avez les pieds plats, le muscle à l'intérieur du mollet doit travailler plus fort et se fatigue plus rapidement, explique-t-il, ce qui est plus ardu pour l'os.»

Si vous avez les pieds plats, il se peut que vous ayez besoin de chaussures qui absorbent mieux les chocs ou qui soutiennent mieux votre voûte plantaire. Il se vend des semelles spéciales dans les magasins d'équipement de sport, mais il vaut sans doute mieux consulter un podologue au préalable.

«Les douleurs dans la partie extérieure du bas de la jambe proviennent parfois des voûtes plantaires très prononcées, dit le Dr Gordon. Dans ces cas, il est indispensable de faire beaucoup d'exercices d'étirement, de renforcer les muscles et peut-être même de suivre des traitements d'orthopédie.»

Renforcez vos muscles et réduisez vos douleurs. On peut réduire les douleurs de la périostite en renforçant les muscles près de la peau. Ces muscles aident à freiner le pied et à mieux absorber les chocs pendant la marche ou la course. Voici quelques exercices qui vous aideront à renforcer ces muscles.

- Faites de la bicyclette, de préférence sur un vélo aux pédales couvertes qui vous maintiennent les orteils bien en place. Efforcez-vous de remonter chaque pédale en vous servant des muscles à l'avant du tibia. (La bicyclette vous fera faire du conditionnement aérobic sans aggraver votre problème de périostite.)
- Si vous n'avez pas de bicyclette, marcher sur les talons aura le même effet, c'est-à-dire que cela vous forcera à vous servir des muscles autour du tibia chaque fois que vous faites un pas.
- Si vous recherchez une forme d'exercice un peu plus exigeant, essayez l'exercice suivant. Asseyez-vous sur le bord d'une table assez haute pour que vos pieds ne touchent pas le sol. Confectionnez-vous un poids en remplissant une chaussette ou une boîte de conserve de pièces de monnaie ou autres petits objets lourds et fixez-le à votre pied. Fléchissez pied à la cheville, puis détendez-le et fléchissez de nouveau. Faites ces mouvements autant de fois que vous le pouvez, en serrant les muscles du tibia lorsque vous fléchissez le pied.

EXPERTS CONSULTÉS

Marjorie Albohm est monitrice de sport accréditée et directrice adjointe du International Institute of Sports Science and Medicine à la faculté de médecine de l'université d'Indiana à Mooresville. Elle faisait partie du personnel médical lors des Jeux olympiques d'hiver de 1980 et des Jeux panaméricains de 1987.

Le Dr Gary M. Gordon est directeur des programmes de course à pied et de jogging au Centre de médecine du sport de l'université de Pennsylvanie à Philadelphie. Il se spécialise en podologie, en chirurgie du pied et en médecine du sport.

Rich Phaigh est codirecteur du American Institute of Sports Massage de New York et du Institute of Clinical Biomechanics de Eugene, en Oregon. Il est aussi moniteur de massage au East-West College of the Healing Arts de Portland. Il est l'auteur de *Athletic Massage* et a travaillé avec des athlètes comme les coureurs Alberto Salazar et Joan Samuelson.

Petites peaux

7 conseils pour les enlever

Ce n'est rien de grave. Jusqu'à ce que vous vous accrochiez l'ongle quelque part, et bien sûr, c'est ce qui arrive! Chaque fois que vous vous passez les mains dans les cheveux, tournez les pages du journal ou ramassez quelque chose, des pointes de douleurs vous rappellent l'existence de ces petites peaux.

D'où viennent-elles, ces petites peaux embêtantes qui se fendillent sur le pourtour et aux coins des ongles?

La peau autour des ongles est peu huileuse, de sorte qu'elle se fendille et sèche. Les petites peaux sont donc des peaux mortes.

Qui sont les victimes de ce problème? «Surtout les femmes qui se mettent constamment les mains dans l'eau ou qui se rongent les ongles, mais aussi tout travailleur manuel dont le métier dessèche les mains, dit le Dr Rodney Basler, professeur adjoint de médecine interne à la faculté de médecine de l'université du Nebraska. Les pires cas de petites peaux, comme de peau gercée ou d'eczéma, s'observent chez les trieurs de courrier. Les travailleurs qui manipulent du papier finissent par avoir les mains très sèches, car il absorbe l'huile naturelle des mains. Très souvent, ces personnes pensent qu'il s'agit d'une allergie à l'encre, mais ce n'est que la conséquence physique de l'absence d'huile dans les mains.»

Si les petites peaux vous troublent à n'en plus dormir, essayez les solutions suivantes.

Enlevez-les délicatement. «Si vous avez des petites peaux,

coupez-les dès leur apparition», conseille le Dr Joseph Bark, dermatologiste à Lexington, au Kentucky. Ainsi, vous les empêcherez de s'aggraver. Si le problème est aigu, n'entreprenez pas de chirurgie majeure; ne coupez vous-même que les petits bouts de peau, en vous servant de ciseaux à ongles stérilisés.»

Trisha Webster, mannequin à New York, qui doit avoir des mains parfaites, conseille de faire tremper ses doigts dans de l'eau claire ou de l'eau additionnée d'un peu d'huile afin de ramollir la peau. Les gens commettent souvent l'erreur d'enlever des petites peaux lorsqu'elles sont trop sèches, ce qui risque de déchirer la peau davantage.

Suivez les conseils de maman. «Je vous donne le même

conseil que votre mère. Ne rongez pas vos petites peaux, dit le Dr Basler, car vous risquez de vous faire des crevasses profondes autour des ongles. Et ces petites plaies peuvent s'infecter.»

Faites-vous des bains d'ongles. «Faites tremper vos

ongles dans de l'eau additionnée d'un peu d'huile, comme le ferait une manucure. Cela est très bon pour les ongles, dit le Dr Basler. Je conseille à mes parents d'ajouter environ 50 ml d'huile de bain, de l'Alpha-Keri, par exemple, dans un demi-litre d'eau chaude et d'y tremper les ongles 10 à 15 minutes.»

Enveloppez le problème. «Si vos petites peaux sont deve-

nues un véritable problème, appliquez avant de vous coucher une crème ou une pommade émolliente autour de vos ongles endommagés et enveloppez-les dans du plastique que vous maintiendrez en place avec du ruban adhésif. Le plastique emprisonnera l'humidité toute la nuit. Retirez-le au lever. Les ongles ne doivent pas rester enveloppés trop longtemps», signale le Dr Basler.

Ne jouez pas avec vos petites peaux. «Si vous avez la mau-

vaise habitude de jouer avec vos petites peaux lorsque vous êtes nerveux, portez des vêtements munis de poches», conseille le Dr Diana Bihova, dermatologiste et instauratrice en dermatologie au Centre médical de l'université de New York, à New York. «Mettez vos mains dans vos poches, ce qui voous passera l'envie d'arracher vos petites peaux.»

Appliquez des produits hydratants. «Hydratez bien le
pourtour de vos ongles tous les jours, afin de prévenir l'apparition de
petites peaux. Prenez l'habitude de le faire quotidiennement et non
seulement quand vous vous manucurez les mains, dit le Dr Bihova.
Faites bien pénétrer la crème hydratante dans la peau autour des
ongles afin qu'elle ne s'assèche pas. Ce traitement sera plus agréable
si vous réchauffez la crème hydratante au bain-marie. Chaque fois
que vous mettez de la crème hydratante, attardez-vous plus particulièrement sur le pourtour des ongles.»

Trisha Webster dit, pour sa part, qu'elle prévient l'apparition
de petites peaux en se frottant le pourtour des ongles avec un peu
d'huile d'olive ou de carthame.

Soignez bien le pourtour des ongles. Comme les pe-
tites peaux se forment sur le pourtour des ongles, beaucoup de gens
essaient de les prévenir avec des solutions spéciales. Selon le Dr
Bihova, c'est là une très mauvaise idée.

«Bon nombre de ces produits conçus dans le but d'éliminer les
petites peaux contiennent de l'hydroxyde de sodium, explique-t-elle.
Cette substance chimique caustique peut détruire les tissus cutanés, de sorte que les produits qui en contiennent peuvent irriter la
peau. N'utilisez que de très petites quantités de ces produits et suivez toujours les instructions à la lettre. Après tout, c'est la peau
autour des ongles qui protège ces derniers contre les bactéries et les
champignons.»

Les petites peaux semblent être un problème mineur, souligne-
t-elle, mais si elles s'infectent, elles peuvent provoquer une grave
inflammation de la peau et des tissus autour des ongles. Par conséquent, prenez bien soin de vos mains.

EXPERTS CONSULTÉS

Le Dr Joseph Bark est dermatologiste dans un cabinet privé à Lexington, au Kentucky.
Il est l'auteur de *Retin-A and Other Youth Miracles and Skin Secrets: A Complete Guide to Skin
Care for the Entire Family.*

Le Dr Rodney Basler est dermatologiste et professeur adjoint de médecine interne à la
faculté de médecine de l'université du Nebraska, à Lincoln.

Le Dr Diana Bihova est dermatologiste dans un cabinet privé et instructrice en dermatologie au Centre médical de l'université de New York, à New York. Elle est coauteur de *Beauty
from the Inside Out.*

Trisha Webster travaille à New York, à l'agence de mannequins Wilhelmina, où ses mains
servent de modèle. Elle compte vingt ans de métier dans ce domaine.

Phlébite

10 remèdes pour contrôler cette maladie

Les personnes atteintes de phlébite savent que cette affection, douloureuse et terrifiante, peut instantanément provoquer la mort si un caillot de sang se loge dans les artères pulmonaires.

La phlébite est plus correctement appelée thrombophlébite. Le suffixe thrombo, qui signifie caillot, représente sa marque de distinction et son principal danger. Il existe deux types de phlébite: la phlébothrombose, l'affection la plus grave, et la thrombophlébite, dont nous allons ici parler.

Le Dr Michael D. Dake, spécialiste des maladies vasculaires au Miami Vascular Institute, en Floride, explique la différence entre les deux affections. «Le terme phlébite signifie simplement inflammation des veines, dit-il, et il peut s'agir de veines superficielles à la surface de la peau ou de veines profondes dans les jambes.»

«Nous vérifions toujours soigneusement s'il s'agit de phlébothrombose, car il peut se former chez les personnes atteintes de la maladie des caillots migrants, qui pourraient atteindre les poumons, s'ils se dégageaient des parois et circulaient dans le sang. Une phlébothrombose exige habituellement l'hospitalisation et la prescription d'anticoagulants. En revanche, les caillots qui se forment dans les cas de phlébite ou de thrombophlébite adhèrent aux parois et ont peu tendance à se détacher.»

Les conseils que donnent ici nos experts sont uniquement destinés aux personnes atteintes de phlébite ou de thrombophlébite. Ces conseils ont pour but de les aider à soulager leurs douleurs sans qu'ils aient à prendre des médicaments sur ordonnance et à réduire les risques de récidive.

Cessez de prendre la pilule. «Si vous avez des antécédents de phlébite, ou si votre sang a tendance à se coaguler, vous ne devriez pas prendre de pilules contraceptives», dit le Dr Jess R. Young, directeur du Service de médecine vasculaire à la Cleveland

Clinic Foundation, en Ohio. On estime que l'incidence de phlébo-thrombose chez les femmes qui prennent des contraceptifs oraux est de trois à quatre fois plus élevée. En présentant une prédisposition aussi forte aux caillots dans les veines profondes, les personnes qui souffrent de phlébite ou de thrombophlébite courent également des risques élevés de récidive.

Du repos et de la chaleur. «Vous pouvez traiter une phlébite ou une thrombophlébite en élevant la jambe malade et en y appliquant des compresses chaudes et humides», dit le Dr Dake. Bien qu'il ne soit pas nécessaire de garder le lit, se reposer en surélevant la jambe de 15 à 30 cm au-dessus du cœur semble accélérer la guérison. L'inflammation disparaît généralement au bout de sept à dix jours, mais il faut parfois compter de trois à six semaines.

Prenez conscience des risques. Une fois que vous avez souffert d'une phlébite, vous courez plus de risques de récidive. Or, cela peut dépendre, dans une large mesure, de choses que vous pouvez ou ne pouvez pas maîtriser. «En général, dit le Dr Young, il faut que vous vous trouviez dans une situation où le risque augmente, par exemple dans le cas de chirurgie ou de repos prolongé au lit.»

Vous ne pouvez pas toujours éviter un long repos au lit, lorsque vous vous remettez d'une blessure ou d'une maladie grave. Toutefois, certains types de risques comme l'intervention chirurgi-cale facultative peuvent être contournés, surtout si vous êtes une personne âgée sujette à des troubles de coagulation. Consultez votre médecin pour connaître vos facteurs de risque. N'oubliez pas que se lever et marcher peut contribuer à réduire les risques de phlébite après une intervention chirurgicale.

Renseignez-vous sur l'aspirine®. Certaines études ont suggéré que les propriétés anticoagulantes de l'aspirine® pouvaient peut-être atténuer les risques de phlébite en empêchant la formation rapide de caillots chez les personnes prédisposées. On conseille de prendre de l'aspirine® avant des périodes prolongées de repos au lit, et avant un voyage ou une intervention chirurgicale, facteurs qui ont tendance à accroître les risques de caillots. Bien que cette recom-mandation semble attrayante, certains médecins doutent de son effi-cacité. «Je ne suis pas convaincu que l'aspirine® offre autant de pro-tection contre la formation de caillots», dit le Dr Dake. Si vous choi-sissez de prendre de l'aspirine®, consultez d'abord votre médecin, car il s'agit après tout d'un traitement médical.

504 **Les remèdes maison des médecins**

Si vous voyagez en voiture, arrêtez-vous pour marcher. Il faut vous dégourdir les jambes de temps en temps si vous comptez faire une long trajet en automobile et que vous avez des antécédents de phlébite. «L'important est de vous arrêter souvent et de faire de l'exercice, dit le Dr Dake. Il ne s'agit pas de s'arrêter une seule fois et de parcourir un kilomètre et demi à pied, mais quatre ou cinq fois sur de plus courtes distances.»

Ces arrêts ont pour but d'empêcher votre circulation sanguine de ralentir, ce qui se produirait inévitablement si vous passiez de nombreuses heures sans bouger. «Le sang qui circule au ralenti peut favoriser la formation de caillots», explique le Dr Dake.

Voyez-y une autre raison d'arrêter de fumer. «Si vous faites des phlébites récurrentes et que votre médecin n'arrive pas à en déterminer la cause», dit le Dr Young, cessez de fumer. Vous pourriez souffrir de la maladie de Buerger, au stade où elle n'atteint pas encore vos artères. Cette maladie se caractérise par de vives douleurs et la formation de caillots de sang, habituellement dans les jambes. Elle est directement reliée à la cigarette et le seul remède consiste à cesser de fumer. «À l'occasion, il arrive que la maladie de Buerger se manifeste sous forme de phlébite, explique le Dr Young. Il peut aussi arriver qu'un diagnostic de phlébite soit donné par erreur et qu'il s'agisse en réalité de la maladie de Buerger. Continuer à fumer serait extrêmement dangereux pour votre santé si votre médecin commettait cette erreur de diagnostic.»

«Il y a peu de chances que cela se produise, convient le Dr Young, mais vous devriez y réfléchir si votre médecin ne s'explique

---

ALERTE MÉDICALE

Un signe d'infection

En apprenant qu'ils souffrent de phlébite, les gens se mettent souvent à avoir terriblement peur de mourir à cause de ces caillots dans les veines. En réalité, cela est plutôt rare, bien que la phlébite puisse provoquer une infection potentiellement mortelle si elle n'est pas traitée.

Consultez votre médecin. Ils pourraient signaler une infection que votre médecin traitera à l'aide d'antibiotiques si les symptômes de la phlébite – douleurs, rougeurs, sensibilité, démangeaisons et inflammation – s'accompagnent de fièvre et ne se résorbent pas au bout d'environ une semaine.

pas les récidives. «Autrement, il ne semble pas y avoir de liens entre la phlébite et la cigarette», ajoute-t-il.

Faites de l'exercice. «L'exercice, surtout la marche, empêche les veines de s'engorger», dit le Dr Robert Ginsburg, directeur du Center for International Vascular Therapy à l'hôpital de l'université Stanford, en Californie.

«Des veines moins congestionnées préviennent les récidives de phlébite, explique-t-il. Les veines forment un système à basse pression. Si les valves qui empêchent le sang de redescendre dans les jambes ne fonctionnent pas bien, en cas de varices par exemple, la marche s'impose comme mesure préventive contre l'accumulation de sang.»

Surélevez les pieds lorsque vous êtes confiné au lit. «Si une phlébite vous garde au lit pendant une période prolongée, dit le Dr Young, surélevez la partie inférieure de votre lit de quelques centimètres afin d'accroître la circulation sanguine dans les veines de vos jambes.»

Le Dr Young conseille aussi de bouger les jambes autant que possible tandis que vous êtes au lit. «Vous pouvez prendre de l'aspirine®, dit-il, mais aucune étude valable n'a encore démontré que cette substance prévenait les récidives.»

Portez des bas anti-fatigue. Certains médecins recommandent le port de bas anti-fatigue afin de prévenir la récurrence de la maladie, tandis que d'autres le déconseillent. Bien qu'aucune étude documentée n'ait démontré que de tels bas contribuent à prévenir la phlébite, il semble qu'ils procurent un soulagement à certaines personnes. Le meilleur conseil à suivre: portez des bas anti-fatigue s'ils vous font du bien. Sinon, ne vous croyez pas obligé de les porter.

Méfiez-vous des voyages en avion. Les documents scientifiques font constamment état de rapports selon lesquels des personnes auraient été soudainement atteints de phlébothrombose après un long voyage en avion. Quelle qu'en soit la raison, notamment la cabine, l'immobilité prolongée, alcool, cela se produit tellement fréquemment qu'on parle en Amérique du Nord du «Syndrome de la classe économique». Cela frappe rarement les passagers en première classe, qui ont beaucoup plus d'espace pour se bouger les jambes.

«Les longs déplacements en voiture ou en avion, ainsi que les périodes d'inactivité prolongées, peuvent accroître les risques de thrombose, dit le Dr Young. Dans un avion, cependant, vous êtes beaucoup plus prisonnier de votre siège que dans une voiture. Par conséquent, si vous souffrez de phlébite, vous devriez mettre des bas anti-fatigue avant de monter à bord. Vous devriez aussi vous lever toutes les demi-heures et marcher un peu dans l'allée.»

Afin de ne pas incommoder vos voisins, dit-il, songez à demander un siège au bord de l'allée.

EXPERTS CONSULTÉS

Le Dr Michael D. Dake est spécialiste des maladies vasculaires au Miami Vascular Institute, en Floride.

Le Dr Robert Ginsburg est directeur du Center for International Vascular Therapy à l'hôpital de l'université Stanford, en Californie.

Le Dr Jess R. Young est directeur du Service de médecine vasculaire à la Cleveland Clinic Foundation, en Ohio.

Phobies et peurs

12 mesures pour y faire face

Les phobies remontent à loin. Lisez ce compte-rendu d'une phobie, rédigé par un médecin célèbre. «La jeune flûtiste l'effrayait; lors d'un banquet, dès qu'il entendait la première note de flûte, il sentait la terreur l'envahir.» La peur de la flûte s'appelle l'aulophobie, et le médecin qui décrit ce trouble est Hippocrate.

Les phobies sont bizarres. Le souffle d'une personne peut en amener une autre à trembler de frayeur. Et personne n'aime la rouille, sauf peut-être les propriétaires d'entreprises d'entretien de carrosserie. Les personnes qui ont la peur de la rouille, appelée iophobie, traînent probablement une boîte de produit anti-rouille partout où elles vont.

Blâmez vos oreilles

Au moment où vous commencez enfin à croire que votre phobie est imaginaire, voici que le Dr Harold Levinson vous informe que les phobies ne résident pas dans l'imagination, mais dans l'oreille interne.

Le Dr Levinson, qui est psychiatre et neurologue à Great Neck, dans l'État de New York, et coauteur de *Phobia Free*, se spécialise dans les troubles de l'oreille interne. En traitant des patients pour des troubles de ce genre, il a constaté certains changements. «Non seulement leurs problèmes d'oreilles se sont-ils atténués, mais leurs phobies aussi», dit-il.

Ce sont ses études en psychiatrie et en neurologie qui lui ont permis de tirer cette conclusion «Bon nombre de mes patients atteints de troubles de l'oreille interne souffraient aussi de phobies identiques à celles des patients que je traitais en psychiatrie.»

Après 20 ans de recherche au cours desquelles il a traité plus de 20 000 patients, le Dr Levinson croit que 90 % de tous les comportements phobiques résultent d'une dysfonction sous-jacente du système de l'oreille interne.

«Les mécanismes dans l'oreille interne ne fonctionnent pas comme ils le doivent, explique-t-il. L'équilibre est régi par l'oreille interne. Si ce mécanisme ne fonctionne pas bien et que vous manquez d'équilibre, vous pouvez avoir le vertige ou développer une peur démesurée de tomber ou de trébucher.»

Le Dr Levinson reconnaît que seule une minorité de personnes se rallient à son point de vue, mais des millions de cas traités avec succès représentent un exploit non négligeable. Le Dr Levinson est convaincu que, si vous souffrez de phobies, une visite chez un spécialiste des oreilles en vaut la peine.

Bien sûr, les gens qui souffrent d'agoraphobie ne sortent pas souvent. Ils vivent dans la crainte d'être coupés de personnes et d'endroits sûrs, et certains refusent même de sortir de chez eux. En revanche, les claustrophobes ont horreur des espaces clos, tandis que les panophobes ont peur de tout.

«Tout peut être sujet à phobie, dit Jerilyn Ross, psychologue spécialiste des phobies et présidente de la Phobia Society of America. Il y a autant de types de phobies qu'il y a de types de gens.»

Les phobies se classent dans trois catégories: les phobies simples, les phobies sociales et l'agoraphobie. Les personnes qui souffrent de phobies simples sont terrifiées par certains objets, certains endroits ou certaines situations. Celles qui souffrent de phobies sociales évitent les sorties en public, comme les soirées mondaines, car elles ont une peur demesurée du ridicule. Enfin, les agoraphobes sont victimes d'un phénomène complexe qui se fonde sur la peur des endroits inconnus.

«Une personne ne passe pas d'une peur modérée à une peur démesurée, laquelle aboutit par la suite à la phobie, dit Jerilyn Ross. Ce n'est pas un trouble qui progresse. En général, les gens développent des phobies liées à des choses qui ne leur faisaient pas peur auparavant.»

Mais qu'est-ce qu'une phobie? Au sens classique, «c'est une réaction irrationnelle, involontaire et injustifiée qui amène généralement la victime à éviter certains endroits, certains objets ou certaines situations qui font partie de la vie quotidienne», explique Jerilyn Ross.

«En réalité, une phobie est une peur de la peur elle-même. C'est la peur que nous avons de nos propres impulsions, dit Jerilyn Ross. C'est la peur de faire une crise de panique et de perdre le contrôle. C'est essentiellement la peur de soi-même, de perdre la maîtrise de soi.»

Les victimes de phobies savent qui ils sont. «Ils reconnaissent toujours que leur peur est disproportionnée par rapport à la situation, poursuit Jerilyn Ross. En avion, pendant un orage électrique,

---

ALERTE MÉDICALE

Quand faut-il consulter un spécialiste?

Personne ne sait exactement ce qui cause une phobie. Certains experts croient qu'il s'agit d'un phénomène purement psychologique; d'autres croient que c'est plutôt un problème de nature biologique Cependant, des preuves de plus en plus nombreuses indiquent une combinaison des deux.

Il est bien connu que les phobies sont héréditaires. Si l'un de vos parents souffrait d'une phobie, vous avez peut-être une prédisposition, mais ce ne sera pas nécessairement la même. Plus souvent qu'autrement, les phobies frappent les personnes perfectionnistes qui ont souffert d'angoisse causée par des séparations.

Certaines phobies plus graves perturbent la vie. Si tel est le cas, allez voir un spécialiste. La personne que vous choisirez est aussi importante que l'aide qu'elle pourra vous apporter. «Bon nombre de gens souffrant de phobies finissent par passer par toutes sortes de médecins et d'hôpitaux sans jamais régler leurs problèmes, dit Jerilyn Ross. Si vous souffrez de phobies, adressez-vous de préférence à une personne qui se spécialise dans les phobies et les troubles liés à l'anxiété.»

Pour surmonter une attaque de panique

«J'avais l'impression de me trouver au milieu d'une autoroute à six voies et de voir des voitures foncer sur moi dans les deux directions.» C'est ce que Tania, une jeune fille de 26 ans, a ressenti lorsqu'elle a essayé de sortir de chez elle. Tania souffre d'agoraphobie, la plus courante de toutes les phobies. Elle a peur d'être loin d'une personne ou d'un endroit sûrs.

Le simple fait de penser à s'aventurer à l'extérieur de sa demeure provoque chez elle une crise de panique. «Pendant un moment je me sens bien, et le moment d'après j'ai l'impression que je suis sur le point de mourir, dit-elle. Mon cœur se met à battre plus rapidement, j'ai la nausée et je me sens toute tremblante, comme si j'étais sur le point de m'évanouir.» Pour Tania, ce sont les signes d'une phobie qui éclate au grand jour. Tania a réussi à quitter éventuellement son foyer afin de suivre une thérapie, et c'est ce qui l'a guérie. Aujourd'hui, elle va aider les personnes encore confinées à la maison. Voici certaines tactiques qu'elle a apprises en thérapie et qui l'ont aidée à se libérer.

Apprenez à reconnaître une crise. «Si vous sentez l'imminence d'une crise de panique, acceptez-la, dit-elle. Vous avez déjà vécu de telles crises: vous savez que vous n'en mourrez pas. Vous êtes passé à travers d'autres crises et vous pouvez le refaire. Le secret consiste à les accepter.»

Soyez plus indulgent envers vous-même. «Les gens qui souffrent de phobies sont généralement des perfectionnistes, donc exigeants envers eux-mêmes, ce qui ne les aide pas, dit Tania. Lorsqu'une personne suit un traitement, qui l'oblige à faire face à sa peur étape par étape, elle doit être indulgente envers elle-même. Reconnaissez votre mérite, même si vous avez fait une crise de panique.»

Allez-y doucement. «Commencez doucement, mais effectuez tous les jours un traitement à votre phobie. Fixez-vous des buts à atteindre, par exemple en huit ou en seize semaines. Dès que vous vous mettez à confronter votre phobie de manière régulière, vous la conditionnez graduellement. Aussi impossible que cela puisse paraître, vous finirez par faire toutes les choses que d'autres gens peuvent faire.»

Vous pouvez la croire. La première fois que nous avons téléphoné à Tania pour lui demander une entrevue, on nous a dit qu'elle était sortie!

il est normal d'avoir peur. Cependant, votre réaction n'est pas normale si votre patron vous dit que vous devrez prendre l'avion et que vous vous mettez immédiatement à avoir peur de faire une crise de panique dans l'avion, poursuit-elle. Une phobie est toujours irrationnelle.»

Vous vous reconnaissez? Si c'est le cas, voici quelques conseils rationnels que vous donnent les experts afin de mieux vivre avec vos comportements irrationnels.

Neutralisez la pensée négative. «Dans une situation phobique, la victime se concentre sur des pensées négatives et imagine des images qui l'effraient, ce qui déclenche les symptômes physiques de la phobie», explique le Dr Manuel D. Zane, fondateur et directeur de la Phobia Clinic, au Centre médical de l'hôpital White Plains, et professeur adjoint de psychiatrie au collège de médecine de New York. Cette personne devrait ressentir sa peur, mais cesser de se concentrer sur des pensées négatives et cultiver des pensées à la fois réalistes et positives. Elle doit par exemple changer «Le chien va me mordre» pour «Le chien est bien attaché et il ne peut pas se libérer».

Confrontez votre peur. «Ignorer votre peur vous empêchera de la surmonter, dit le Dr Zane. D'autre part, vous pouvez exercer un contrôle sur votre peur en suivant un traitement spécial. Ce dernier consiste à vous exposer graduellement à l'objet de votre peur, afin de vous apprendre que la chose que vous craignez ne se matérialisera pas nécessairement. Des expositions graduelles peuvent vous aider à vous faire à cette idée. Par exemple, imaginons que vous ayez une phobie des araignées. Pendant le traitement, vous pouvez commencer à faire face à votre peur – généralement en présence d'une autre personne – en regardant des photos d'araignées. Dès que vous pourrez regarder des images de ces insectes, passez à une araignée morte, puis à une araignée vivante, jusqu'à ce que vous puissiez prendre une araignée vivante dans vos mains. Vous ressentirez encore de la peur, mais vous apprendrez que ce que vous craignez ne se produit pas en réalité.»

Inventez-vous des jeux. «Lorsque vous sentez la peur s'installer, faites des choses que vous pouvez maîtriser, comme compter à rebours, lire à haute voix ou prendre de grandes respirations, dit le Dr Zane. En vous occupant à autre chose, vous vous détachez des images et des idées qui alimentent vos peurs. Votre corps se calme et vous ne perdez pas la maîtrise de vous-même.»

Mesurez vos peurs. «Évaluez vos peurs sur une échelle de 0 à 10», suggère le Dr Zane. Vous constaterez qu'elles n'ont pas tou-

jours la même intensité. Notez sur un bout de papier les pensées ou les activités qui en augmentent ou en diminuent l'intensité. En sachant ce qui déclenche vos peurs, ou ce qui les intensifie ou les fait diminuer, vous parviendrez plus aisément à les maîtriser.

Servez-vous de votre imagination. «Pour éloigner de votre esprit les pensées qui alimentent vos peurs, recourez à des pensées, des fantasmes et des activités qui vous font du bien», suggère le Dr Zane. Par exemple, pensez surtout aux probabilités d'un vol sans incident ou au plaisir de vous retrouver sur une plage magnifique et oubliez tous les dangers improbables que vous courez en prenant l'avion.

Sachez vous féliciter. «Fonctionner efficacement malgré un certain degré de peur représente un exploit non négligeable, dit le Dr Zane. Réussir à composer ainsi avec vos peurs est beaucoup plus logique et réaliste qu'essayer de les faire disparaître complètement. Considérez les progrès que vous faites durant chaque traitement comme une victoire personnelle, ce qui vous donnera plus d'assurance et vous permettra de mieux maîtriser les situations.»

Évitez la caféine. «Les personnes qui font des crises de panique à répétition sont parfois très sensibles à la caféine», dit le Dr David H. Barlow, directeur de la Phobia and Anxiety Disorders Clinic et professeur de psychologie à l'université de l'État de New York, à Albany. «La caféine recrée certains symptômes que ressentent les victimes pendant une crise de panique. Les gens sujets aux attaques de panique ont donc intérêt à exclure la caféine de leur alimentation.»

Lorsque l'hôtesse de l'air arrête son chariot devant vous et vous propose quelque chose à boire, rappelez-vous que le café n'est pas la seule boisson qui contient de la caféine. N'oubliez pas qu'il y en a dans le thé, dans le chocolat et dans certaines boissons gazeuses comme le Coca-Cola®.

Brûlez l'adrénaline. «Lorsque vous faites des crises de panique, vous vous retrouvez avec un taux d'adrénaline plus élevé qu'à la normale dans l'organisme. En bougeant, vous brûlez de l'adrénaline», dit le Dr Christopher McCullough, directeur du San Francisco Phobia Recovery Center. Ne commettez pas l'erreur de vous asseoir et d'essayer de vous détendre. Pour brûler l'excès d'adrénaline, vous avez besoin de bouger et de vous dépenser. Pendant une crise de panique, vous devez bouger.

Exercez vos muscles. Si vous n'arrivez pas à bouger, la meilleure chose que vous puissiez faire consiste à tendre et à détendre les différents muscles de votre corps. «Tendez le gros muscle de la cuisse, puis détendez-le rapidement, suggère le Dr McCullough. Ce genre de tension et de relaxation rythmiques brûlera l'excès d'adrénaline que votre organisme a libéré.»

EXPERTS CONSULTÉS

Le Dr David H. Barlow est directeur de la Phobia and Anxiety Disorders Clinic et professeur de psychologie à l'université de l'État de New York, à Albany.

Le Dr Harold Levinson est psychiatre et neurologue à Great Neck, dans l'État de New York. Il se spécialise dans les troubles de l'oreille interne; il est coauteur de *Phobia Free*.

Le Dr Christopher McCullough est directeur du San Francisco Phobia Recovery Center, en Californie. Il est coauteur de *Managing Your Anxiety* et auteur de la cassette *How to Manage Your Fears and Phobias*. Il a aussi mis au point un programme individuel d'étude intitulé *Outgrowing Agoraphobia*.

Jerilyn Ross est présidente de la Phobia Society of America et directrice adjointe du Roundhouse Square Psychiatric Center, à Alexandrie, en Virginie.

Le Dr Manuel D. Zane est fondateur et directeur de la Phobia Clinic, au Centre médical de l'hôpital White Plains, à New York, et professeur adjoint de psychiatrie au collège de médecine de New York, à Valhalla.

Pied d'athlète

18 moyens de s'en débarrasser

Toute personne peut souffrir du pied d'athlète? Ce champignon donne une chance égale à tout le monde, peu importe que vous soyez un grand sportif, un concierge sédentaire ou même la femme du concierge! (Bien que les hommes soient plus susceptibles d'attraper cette vilaine infection, les femmes ne sont pas épargnées pour autant.)

Le pied d'athlète est causé par un organisme qui vit sur la peau et se reproduit particulièrement bien dans des conditions de chaleur et d'humidité. Bien qu'un climat doux en favorise probablement la croissance, ce sont les chaussures humides de sueur qui sont le plus souvent responsables de son apparition. Si vous attrapez cette infection, vous devrez attendre au moins quatre semaines après avoir entrepris un traitement avant de constater le moindre progrès. Pis encore, vous pouvez compter sur une recrudescence de l'infection à moins que vous n'éliminiez totalement les conditions qui vous ont fait attraper l'infection au départ. Voici donc quelques conseils pratiques qui vous permettront à la fois de lutter contre une infection et une récidive.

Dorlotez bien vos pieds. «Le pied d'athlète peut se déclarer soudainement et s'accompagner de gerçures, d'ampoules et de sensations de brûlures intermittentes, dit le Dr Frederick Hass, omnipraticien à San Rafael, en Californie. Lorsque l'infection en arrive à ce stade douloureux, dorlotez bien vos pieds. Gardez-les nus et au repos, même si vous devez vous absenter du travail ou négliger vos tâches domestiques. Bien que l'inflammation elle-même ne soit pas dangereuse, elle peut s'aggraver et se transformer en infection bactérienne.»

Apaisez les plaies. «Mettez des compresses afin de réduire l'inflammation, soulager la douleur, atténuer les démangeaisons et assécher les plaies», dit le Dr Hass. Faites dissoudre une enveloppe de poudre d'Hexomedine® dans 0,5 litre d'eau froide. Trempez-y un linge de coton propre, essorez-le et appliquez-le sur vos plaies

S'agit-il bien du pied d'athlète?

Selon le Dr Thomas Goodman Jr, les symptômes suivants ne correspondent sans doute pas au pied d'athlète:

- Une éruption cutanée se développe sur le pied d'un enfant. (Il est très rare qu'un enfant qui n'a pas encore atteint l'âge de la puberté souffre d'une infection mycosique au pied.)
- Une éruption cutanée se développe sur le dessus des orteils. (Les éruptions sur le dessus des orteils et du pied sont généralement des formes quelconques de dermatites de contact causées par les chaussures.)
- Le pied est rouge, enflé et couvert d'ampoules purulentes. (Il s'agit sans doute d'une forme de dermite aiguë et vous devriez consulter un médecin.)

pendant 15 à 20 minutes. Répétez ce traitement trois ou quatre fois par jour.»

Essayez une solution saline. «Faites tremper les pieds dans une solution qui se compose de 0,5 litre d'eau chaude additionnée de 10 ml de sel, dit le podologue torontois Glenn Copeland. Laissez-les tremper cinq à dix minutes à la fois et répétez le traitement jusqu'à ce que l'infection ait disparu. La solution saline crée un environnement hostile au champignon et fait diminuer la transpiration. En outre, la solution ramollit la peau, ce qui permet aux médicaments antifongiques d'agir en profondeur.»

Traitez l'infection à l'aide de médicaments. Traitez vos pieds à l'aide de médicaments antifongiques. Selon le dermatologiste Thomas Goodman Jr, professeur adjoint au Centre des sciences de la santé de l'université du Tennessee, à Memphis, les trois principaux types d'antifongiques contiennent soit du nitrate de miconazole (Pevaryl®), du tolnaftate (Sponline®) ou des acides gras (Mycodecyl®). Appliquez l'un de ces produits deux ou trois fois par jour sur la région touchée et frottez doucement afin de bien le faire pénétrer. Poursuivez le traitement pendant deux semaines (ou pendant deux semaines après avoir constaté la disparition du problème).

Prenez bien soin de vos orteils. «Si vous faites du pied d'athlète entre les orteils, dit le Dr Goodman, appliquez une solution de chlorure d'aluminium. En plus de tuer le champignon, cette solu-

---

Quoi d'autre?

Essayez la méthode au vin

«J'ai un ami grand amateur de vin qui ne jure que par ce traitement «pour guérir le pied d'athlète, dit le Dr Glenn Copeland. Il prépare un mélange fait de 28 g de sauge, de 28 g d'aigremoine et de 475 ml de vin blanc. Il laisse mijoter le tout dans une casserole couverte pendant 20 minutes. Il le laisse refroidir et y trempe le pied infecté à plusieurs reprises. Il est plutôt vague quant à la durée du traitement, mais il prétend, en riant, que lorsque votre pied vous semble un peu ivre, c'est qu'il a trempé suffisamment longtemps!»

ALERTE MÉDICALE

Faites preuve de sagesse à l'égard de l'infection

«Si vous supposez que le pied d'athlète disparaîtra avec le temps, vous risquez de vous retrouver avec de graves problèmes, dit le Dr Suzanne Levine. Une infection mycosique négligée peut entraîner des fendillements de la peau et favoriser de vilaines infections bactériennes.»

Pour sa part, le Dr Hass recommande de consulter un médecin dans les cas suivants:

- l'inflammation vous affaiblit;
- le pied ou la jambe enfle pendant une attaque et vous faites de la fièvre;
- du pus apparaît dans les ampoules ou les fendillements de la peau.

---

tion claire assèche la région infectée, ce qui empêche une recrudescence du champignon. Demandez à votre pharmacien de vous préparer une solution d'eau et de chlorure d'aluminium à 25 %. Appliquez-la entre vos orteils à l'aide d'un morceau de coton, deux ou trois fois par jour. Poursuivez le traitement pendant deux semaines suivant la disparition de l'infection.»

Le Dr Goodman signale de ne pas appliquer de chlorure d'aluminium sur de la peau fendillée ou à vif, car cela provoquera une sensation de brûlure. Laissez d'abord guérir la peau fendillée en la traitant à l'aide d'un antifongique.

Traitez-vous au bicarbonate de soude. «Dans le cas d'infection mycosique aux pieds, et plus particulièrement entre les orteils, appliquez sur les régions touchées une pâte faite de bicarbonate de soude», dit le Dr Suzanne M. Levine, podologue adjointe à l'hôpital Mont Sinai de New York. Prenez 15 ml de bicarbonate de soude et ajoutez-y un peu d'eau tiède. Appliquez cette pâte sur la région infectée, rincez-la et asséchez-la bien. Terminez le traitement en saupoudrant du talc ou de la fécule de maïs sur la région infectée.

Enlevez les squames. «Une fois que l'infection a passé le stade aigu, dit le Dr Hass, vous devez enlever les squames. Ces dernières abritent le champignon qui peut vous réinfecter. Lorsque vous vous lavez, frottez bien vos pieds au moyen d'une petite brosse, surtout la peau entre les orteils. Si vous vous frottez les pieds pendant que vous prenez un bain, prenez une douche par la suite pour enlever toutes les squames qui pourraient se déposer ailleurs sur votre peau et provoquer une infection à cet endroit.»

Accordez une attention particulière à vos ongles d'orteils. «Les ongles d'orteils sont propices aux infections mycosiques», dit le Dr Hass. Il recommande donc aux gens de bien se récurer les ongles d'orteils au moins tous les deux ou trois jours. «Servez-vous d'un cure-dents ou d'une allumette en bois plutôt que d'une lime à ongles en métal, car celle-ci pourrait vous égratigner les ongles et fournir aux champignons de petites niches où se développer.»

Continuez à utiliser des crèmes. «Une fois l'infection disparue, dit le Dr Goodman, continuez à utiliser (moins souvent) la crème ou la lotion antifongique qui avait guéri votre infection, surtout lorsqu'il fait chaud. Servez-vous de votre jugement pour déterminer la fréquence de vos traitements, d'une fois par jour à une fois par semaine.»

Choisissez bien vos chaussures. «De préférence, évitez les chaussures en plastique et celles qu'on a traitées afin de les imperméabiliser, dit le Dr Copeland. Elles emprisonnent la sueur et créent un milieu humide et chaud qui favorise l'apparition du champignon.»

Le Dr Diana Bihova, dermatologiste et instructrice en dermatologie au Centre médical de l'université de New York, à New York, recommande d'éviter les chaussures serrées et hermétiques, et de ne jamais porter de bottes toute une journée. «Les matériaux naturels comme le coton et le cuir sont ce qu'il y a de mieux pour les pieds. Le caoutchouc et même la laine favorisent la transpiration et emprisonnent l'humidité. Lorsque vous le pouvez, conseille-t-elle, l'été, portez des chaussures bien aérées, des sandales par exemple.»

Changez souvent de chaussures. «Ne portez pas les mêmes chaussures deux jours de suite, dit le Dr Dean S. Stern, podologue au Centre médical Rush-Presbyterian-St. Luke's, à Chicago, en Illinois. Il faut attendre au moins 24 heures pour qu'une paire de chaussures soit bien sèche. Si vous transpirez abondamment, changez de chaussures deux fois par jour.»

Gardez vos chaussures bien sèches et propres.

Saupoudrez souvent l'intérieur de vos chaussures avec une poudre ou un vaporisateur antifongique. Le podologue Neal Kramer, de Bethlehem, en Pennsylvanie, recommande pour sa part de vaporiser un désinfectant sur un linge qui servira à nettoyer l'intérieur de vos chaussures. Cela tuera toute spore de champignon pouvant s'y trouver. Il recommande de le faire dès que vous retirez vos chaussures.

Aérez bien vos chaussures.

Le Dr Hass recommande de laisser ses chaussures au soleil afin de bien les aérer. «Enlevez les lacets et tirez la languette vers l'extérieur, dit-il. Vous devriez même laisser vos sandales sécher à l'extérieur et bien essuyer l'intérieur des lanières, pour enlever toute squame infectée de champignons. Le but principal est d'éliminer la moindre possibilité de récidive.»

Méfiez-vous des chaussettes.

«Si vous transpirez abondamment des pieds, dit le Dr Hass, changez de chaussettes trois ou quatre fois par jour. Ne portez que des chaussettes en coton. Évitez les fibres synthétiques. Assurez-vous qu'elles soient toujours bien rincées pendant la lessive, car les résidus de savon peuvent aggraver vos problèmes de peau. «Lavez vos chaussettes deux fois de suite à l'eau très chaude afin de tuer toutes les spores de champignon», dit le Dr Kramer.

Poudrez les orteils.

«Laissez sécher vos pieds à l'air libre cinq à dix minutes après une douche ou un bain avant de remettre vos chaussettes et vos souliers afin de les garder au sec, dit le Dr Bihova. Pour accélérer le séchage, utilisez un sèche-cheveux et tenez-le à environ 15 cm de votre pied. Bougez les orteils pour bien assécher la peau entre ceux-ci. Mettez ensuite de la poudre. Afin d'éviter les amas de poudre, placez-la dans un sac en plastique ou en papier. Mettez chaque pied dans le sac et bougez-le bien.»

N'oubliez pas de poudrer aussi l'intérieur de vos chaussures.

Le Dr Levine recommande aussi de mettre de la poudre médicamentée, comme l'Amycor® poudre ou le Pevaryl® poudre, dans vos chaussures avant de les porter.

Couvrez-vous les pieds dans les endroits publics.

Selon le Dr Goodman, vous pouvez réduire vos expositions au champignon en portant des pantoufles ou des chaussures de bain dans les endroits où de nombreuses personnes circulent pieds nus, c'est-à-dire dans les vestiaires de gymnases, de bains thermiques, de clubs de sport, et même autour d'une piscine. Si vous êtes prédisposé aux infections mycosiques, vous pouvez les attraper dans n'importe quel endroit humide, de sorte que vous devez toujours être prudent.

EXPERTS CONSULTÉS

Le Dr Diane Bihova est dermatologiste et instructrice en dermatologie au Centre médical de l'université de New York, à New York. Elle est aussi coauteur d'un ouvrage intitulé *Beauty from the Inside Out.*

Le Dr Glenn Copeland est podologue et pratique dans un cabinet privé à l'hôpital du Women's College, à Toronto. Il agit aussi en tant que conseiller en podologie auprès du Canadian Back Institute et comme podologue de l'équipe de base-ball des Blue Jays de Toronto. Il est l'auteur d'un ouvrage intitulé *The Foot Doctor.*

Le Dr Thomas Goodman Jr est dermatologiste dans un cabinet privé et professeur de dermatologie au Centre des sciences de la santé de l'université du Tennessee, à Memphis. Il est l'auteur de *Smart Face* et de *The Skin Doctor's Skin Doctoring Book.*

Le Dr Frederick Hass est omnipraticien à San Rafael, en Californie. Il fait partie du personnel de l'hôpital Marin General, à Greenbrae. De plus, il a écrit *The Foot Book* et *What You Can Do about Your Headaches.*

Le Dr Neal Kramer est podologue dans un cabinet privé à Bethlehem, en Pennsylvanie.

Le Dr Suzanne M. Levine est podologue dans un cabinet privé et podologue adjointe à l'hôpital Mount Sinai de New York. Elle est l'auteur de *My Feet Are Killing Me* et *Walk It Off.*

Le Dr Dean S. Stern est podologue au Centre médical Rush-Presbyterian-St. Luke's à Chicago, en Illinois.

Pieds malodorants

19 façons de les désodoriser

Quelle est cette odeur désagréable? Pourrait-elle venir de vos pieds? Mais non. Ce serait beaucoup trop embarrassant. Elle doit sûrement venir d'ailleurs. Vous avez beau chercher et vous poser des tas de questions, il en reste que vos pieds sont le problème.

Dieu merci! Le problème n'est pas sérieux. Si vous prenez le temps de lire les conseils que préconisent nos experts pour remédier aux mauvaises odeurs que dégagent vos propres pieds, vous pourrez passer à autre chose! Alors, bonne lecture!

Lavez-vous... souvent. Cela peut vous sembler bien élémentaire, mais tous les experts s'entendent pour dire que vous devez toujours avoir les pieds scrupuleusement propres. Lavez-vous les pieds aussi souvent qu'il le faut à l'aide d'eau tiède et savonneuse, c'est-à-dire plusieurs fois par jour si vous transpirez beaucoup ou si vos pieds dégagent de mauvaises odeurs. Frottez-les doucement au moyen d'une brosse, même entre les orteils, et séchez-les parfaitement.

Poudrez-vous les pieds. «Après vous être lavé les pieds, mettez du talc ou un antifongique en atomiseur. Une autre bonne façon de garder vos pieds frais et secs, dit le Dr Suzanne Levine, podologue dans un cabinet privé et podologue adjointe à l'hôpital Mount Sinai de New York, consiste à mettre du talc ou de la fécule de maïs dans vos chaussures.»

Utilisez un antisudorifique. Le meilleur moyen d'éliminer les odeurs des pieds consiste à utiliser un antisudorifique ou un déodorant. Il existe des déodorants pour les pieds, mais vous pouvez utiliser simplement un déodorant pour les aisselles. Ils éliminent les

---

Vos pieds travaillent-ils plus fort que vous?

«Parfois, dit le Dr Neal Kramer, podologue à Bethlehem, en Pennsylvanie, nos pieds transpirent trop, simplement parce qu'ils travaillent trop. Un défaut congénital, comme les pieds plats, ou un travail qui nous oblige à marcher toute la journée peut être la cause de cette transpiration excessive. En effet, l'un ou l'autre de ces facteurs peut accroître l'activité des muscles des pieds. Et plus les pieds travaillent fort, plus ils transpirent.»

Les pieds qui transpirent beaucoup ne dégagent pas nécessairement de mauvaises odeurs, mais la transpiration attire inévitablement des bactéries qui, elles, peuvent produire des odeurs désagréables.

«Vous pouvez réduire la transpiration si vous corrigez le problème sous-jacent à l'aide d'un support ou de quelque autre dispositif conçus pour corriger la voûte plantaire, dit le Dr Kramer. Lorsque les muscles travaillent moins, ils dégagent moins de chaleur.»

odeurs, mais n'enrayent pas la transpiration. En revanche, les anti-sudorifiques agissent sur les odeurs et la transpiration. Le Dr Levine recommande les produits qui contiennent de l'hexahydrate de chlorure d'aluminium.

«N'utilisez pas un antisudorifique si vous avez des lésions causées par le pied d'athlète, dit le Dr Stephen Weinberg, directeur de podologie à la clinique médicale Running and Sports de l'hôpital Columbus, à Chicago, en Illinois, car cela provoquera une sensation de brûlure. Je recommande d'utiliser des produits à bille plutôt qu'en atomiseur, explique-t-il, car une bonne part des propriétés antisudorifiques d'un produit en atomiseur se perd dans l'air. Au début, utilisez un antisudorifique deux ou trois fois par jour, puis réduisez graduellement vos traitements à un par jour.»

Changez souvent de chaussettes. «La solution logique pour éliminer les odeurs particulièrement prononcées des pieds qui transpirent beaucoup, dit le Dr Glenn Copeland, podologue à l'hôpital Women's College de Toronto, consiste à changer de chaussettes aussi souvent que possible, même trois ou quatre fois par jour. Portez toujours des chaussettes en fibres naturelles, de coton par exemple. Celles-ci sont beaucoup plus absorbantes que les fibres synthétiques.

Portez deux paires de chaussettes. «Vous pouvez aussi réduire la transpiration en portant deux paires de chaussettes, dit le Dr Frederick Hass, médecin généraliste à San Rafael, en Californie. Cela peut peut-être sembler contradictoire, mais la couche d'air qui se forme entre les deux épaisseurs d'étoffe favorise le refroidissement. Portez des chaussettes de coton sur la peau et des chaussettes de laine par-dessus. Évitez les fibres synthétiques, car elles favorisent la transpiration.»

Choisissez bien vos chaussures. «Les chaussures fermées aggravent la transpiration et créent un climat propice à la croissance des bactéries, ce qui intensifie les odeurs et la transpiration», dit le Dr Levine. Lorsque le climat le permet, portez des sandales ou des chaussures à bouts ouverts. Évitez les chaussures en caoutchouc ou en plastique, car elles empêchent les pieds de respirer. Ne portez jamais les mêmes chaussures deux jours de suite. Une paire de chaussures n'est complètement sèche qu'au bout de 24 heures.

La nuit porte conseil. Le Dr Mark D. Sussman, podologue au Maryland, recommande le traitement de nuit suivant: lavez bien les pieds avec de l'alcool à friction afin de les assécher et de les rafraîchir. Appliquez ensuite un désodorisant très efficace, comme du Mitchum®, sur le dessous de vos pieds. Enveloppez-vous les pieds dans du plastique (pour déclencher la transpiration, ce qui permettra au désodorisant de mieux pénétrer dans les pieds). Mettez une chaussette par-dessus l'enveloppe de plastique et dormez les pieds ainsi enveloppés. Le matin, enlevez l'excès de poudre. Faites ce traitement quotidiennement pendant une semaine, puis une ou deux fois par semaine au besoin.

Faites tremper les pieds fréquemment. Diverses substances pour les bains de pieds peuvent contribuer à les garder secs, ce qui aide à réduire les odeurs.

Le thé. Le tannin, une substance présente dans les sachets de thé, est un agent asséchant. «Faites bouillir deux ou trois sachets de thé dans quatre litres d'eau pendant environ 10 minutes, puis ajoutez suffisamment d'eau froide pour ramener la solution à une température agréable pour un bain de pieds», explique le Dr Diana Bihova, dermatologiste et instructrice en dermatologie au Centre médical de l'université de New York, à New York.

Faites-vous tremper les pieds 20 à 30 minutes, puis asséchez-les et mettez du talc. Le Dr Bihova recommande ce traitement deux fois par jour jusqu'à ce que vous maîtrisiez le problème. Par la suite, en faisant ce traitement deux fois par semaine, vous éliminerez le problème d'odeurs.

Le sel kascher. Si vous transpirez abondamment des pieds, le Dr Levine recommande de faire tremper les pieds dans de l'eau additionnée de sel kascher, du sel moins fin que le sel de table. Ajoutez 60 ml de sel par litre d'eau.

L'acétate d'aluminium. «Essayez de vous faire tremper les pieds une ou deux fois par jour dans de l'eau fraîche additionnée d'acétate d'aluminium, une substance qui assèche la peau», dit le Dr Hass. Faites dissoudre le contenu d'une enveloppe de poudre Domeboro® ou 30 ml de solution Burrow's®, deux produits en vente libre, dans un demi-litre d'eau, et faites-vous tremper les pieds dans cette solution 10 à 20 minutes.

Le bicarbonate de soude. «Cette substance rend la surface des pieds plus acide, ce qui réduit les odeurs», dit le Dr Levine. Faites dissoudre 15 ml de bicarbonate de soude dans un litre d'eau. Faites tremper les pieds dans cette solution environ 15 minutes, deux fois par semaine.

Le vinaigre. Le Dr Levine recommande aussi le vinaigre pour rendre la surface des pieds plus acide. Ajoutez 60 ml de vinaigre par litre d'eau. Faites tremper les pieds environ 15 minutes, deux fois par semaine.

L'eau chaude et l'eau froide. «Faites tour à tour des bains de pieds à l'eau chaude et à l'eau froide», recommande le Dr Levine. Ce traitement réduit la circulation du sang vers les pieds, ce qui fait diminuer la transpiration. Pour terminer, préparez un bain de pieds avec des glaçons et du jus de citron. Frictionnez ensuite les pieds avec de l'alcool pour les rafraîchir et les assécher. Par temps chaud, lorsque vos pieds transpirent beaucoup, vous pouvez faire ce traitement tous les jours. Alerte médicale: les diabétiques et les personnes qui ont des problèmes de circulation ne devraient pas recourir à ce traitement.

Mettez de la sauge. «Les Européens mettent parfois de la sauge dans leurs chaussures pour enrayer les odeurs, dit le Dr Levine. Une pincée de ces feuilles séchées et broyées réglera peut-être votre problème.»

Essayez les fausses semelles traitées pour enrayer les odeurs. Il existe des fausses semelles qui contiennent du charbon activé, lequel absorbe l'humidité et contribue à enrayer les odeurs. Le Dr Levine précise que ces produits ont aidé certains de ses patients.

Gardez votre calme. «Tout comme les glandes sudoripares sous les aisselles et dans les paumes des mains, celles des pieds réagissent aux émotions», dit le Dr Richard L. Dobson, chef du Service de dermatologie à la faculté de médecine de l'université de Caroline du Sud. «Le stress, qu'il soit positif ou négatif, peut déclencher une transpiration excessive, ce qui peut accroître l'activité des bactéries dans les chaussures et, par conséquent, les odeurs désagréables. Essayez de garder votre calme.»

Surveillez votre alimentation. «Aussi bizarre que cela puisse paraître, dit le Dr Levine, lorsque vous mangez des plats épicés ou des aliments très odorants comme des oignons, des poivrons, de l'ail et des échalotes, l'essence de ces odeurs peut s'échapper par les glandes sudoripares de vos pieds. Eh oui! vos pieds peuvent révéler ce que vous avez mangé au déjeuner!»

EXPERTS CONSULTÉS

Le Dr Diana Bihova travaille comme dermatologiste dans un cabinet privé; elle est instructrice en dermatologie au Centre médical de l'université de New York, à New York. Elle est coauteur de *Beauty from the Inside Out.*

Le Dr Glenn Copeland est podologue dans un cabinet privé à l'hôpital Women's College, à Toronto. Il agit aussi comme conseiller en podologie auprès du Canadian Back Institute et il est le podologue attitré de l'équipe de base-ball des Blue Jays de Toronto. Il est l'auteur de *The Foot Doctor.*

Le Dr Richard L. Dobson est chef du Service de dermatologie à la faculté de médecine de l'université de Caroline du Sud, à Charleston.

Le Dr Frederick Hass est médecin généraliste à San Rafael, en Californie. Il est membre du personnel de l'hôpital Marin General à Greenbrae. Il est l'auteur de *The Foot Book* et de *What You Can Do about Your Headaches.*

Le Dr Neal Kramer est podologue et travaille dans un cabinet privé à Bethlehem, en Pennsylvanie.

Le Dr Suzanne Lovine est podologue dans un cabinet privé et podologue adjointe à l'hôpital Mount Sinai de New York. Elle est l'auteur de *My Feet Are Killing Me* et de *Walk It Off.*

Le Dr Mark D. Sussman est podologue à Wheaton, au Maryland. Il est coauteur de *How to Doctor Your Feet* et de *The Family Foot-Care Book.*

Le Dr Stephen Weinberg est directeur du Service de podologie à la clinique médicale Running and Sports de l'hôpital Columbus, à Chicago, en Illinois.

Piqûres

38 moyens de soulager la douleur

Quand Hamlet pleurait sur les outrages du destin et les milliers d'affronts que la chair doit subir, il ne se plaignait pas des bourdons, ni même des méduses. Il avait d'autres chats à fouetter et d'importantes décisions à prendre. Mais si vous venez de vous faire piquer par l'une de ces vilaines créatures, vous aussi avez une décision à prendre: être ou ne pas être accablé de douleur. Choisissez de vous libérer en suivant les conseils suivants.

ABEILLES, GUÊPES ET INSECTES APPARENTÉS

Lorsqu'ils piquent, ces insectes inoculent du venin dans les tissus cutanés, d'où la douleur, les rougeurs et l'enflure à l'endroit de la piqûre. Ces symptômes peuvent persister pendant quelques heures ou toute une journée, selon l'espèce d'insecte incriminée et le nombre de piqûres infligé.

Identifiez l'attaquant. En connaissant l'identité de l'insecte qui vous a piqué, vous saurez comment traiter la piqûre et éviter d'être piqué à nouveau. Par exemple, une abeille au corps duveteux d'un brun doré ne pique qu'une fois, car son dard reste coincé dans la peau.

Cependant, les bourdons, les guêpes, les frelons et les guêpes jaunes ont des dards lisses et peuvent piquer plusieurs fois. Préparez-vous à fuir.

Les guêpes jaunes posent un autre problème. Si vous en écrasez une, vous risquez de vous faire attaquer par les autres guêpes du même nid. En brisant sa glande à venin, vous libérez des composés chimiques qui les excitent.

Agissez rapidement. La rapidité est le secret d'un traitement efficace. Plus vous agissez rapidement, meilleures sont vos chances d'enrayer la douleur et l'enflure.

Retirez le dard. Si vous vous êtes fait piquer par une abeille, retirez le dard aussitôt que possible. Sinon, la glande à venin qui y est attachée continue à se vider pendant deux à trois minutes, enfonçant le dard et le venin plus profondément dans votre peau. Mais attention de ne pas écraser le dard ou la glande à venin, ce qui aurait pour effet d'inoculer encore plus de venin dans votre organisme.

La solution: gratter le dard pour le faire sortir. Avec un ongle, une lime à ongle ou même la tranche d'une carte de crédit, grattez délicatement sous le dard afin de l'extirper.

Nettoyez le site de la piqûre. «Les abeilles et leurs congénères sont des vidangeurs dont le venin contient souvent des bactéries indésirables», dit Jeff Rusteen, pompier et infirmier au service des incendies de Piedmont, en Californie. Lavez la piqûre avec de l'eau savonneuse ou un antiseptique.

Soulagez la douleur. Votre blessure continue à vous faire souffrir et vous voulez un soulagement rapide. L'efficacité des substances suivantes ne laisse aucun doute, mais vous devez agir rapidement après la piqûre.

Le froid. «L'application d'un sac de glace ou simplement d'un glaçon sur la piqûre réduit l'enflure et empêche le venin de se répandre», dit le Dr Herbert Luscombe, professeur émérite de dermatologie à la faculté de médecine Jefferson de l'université Thomas Jefferson.

La chaleur. «Ironiquement, dit le Dr Luscombe, la chaleur aussi peut vous soulager en neutralisant l'un des composés chimiques qui causent l'inflammation. Prenez un sèche-cheveux et dirigez le jet d'air chaud vers la piqûre.»

L'aspirine®. «L'un des remèdes les plus simples et les plus efficaces est l'aspirine®, dit le Dr Luscombe. Mouillez la piqûre et frottez une aspirine® à l'endroit de la piqûre. Voilà qui neutralise certains des agents inflammatoires du venin.»

L'ammoniaque. «Parfois, l'ammoniaque fait des miracles, dit le Dr Luscombe. Lorsqu'il est efficace, son effet se fait sentir très rapidement. Appliquez-en un peu sur la piqûre. En excursion, emportez un produit commercial à base d'ammoniaque, qu'on trouve sous forme de mouchoirs pratiques.»

Le bicarbonate de soude. Le Dr Claude Frazier, un allergologiste de la Caroline du Nord, recommande d'appliquer une pâte de bicarbonate de soude et d'eau.

Les épices pour attendrir la viande. «Un attendrisseur à base d'enzymes dégrade les protéines qui entrent dans la composition du venin, dit le Dr David Golden, professeur adjoint de médecine à l'université Johns Hopkins. Pour qu'il soit efficace, il faut l'appliquer sur-le-champ.»

Le charbon activé. «Une pâte de charbon activé attire le venin rapidement et prévient l'enflure et la douleur, dit le Dr Richard Hansen, directeur médical du Poland Spring Health Institute de Poland Spring, dans l'État du Maine. Ouvrez délicatement quelques gélules de charbon activé et retirez-en la poudre. Mélangez-la à un peu d'eau et appliquez-la sur la piqûre. Couvrez de gaze ou d'une pellicule de plastique. Le charbon est plus efficace lorsqu'il est humide.»

La boue. «Si vous n'avez rien d'autre, dit le Dr Hansen, mélangez un peu de sol argileux et un peu d'eau pour faire une pâte de boue. Appliquez comme le charbon activé, couvrez d'un bandage ou d'un mouchoir et laissez en place jusqu'à ce qu'elle sèche.»

Essayez un antihistaminique.
Les antihistaminiques oraux en vente libre peuvent soulager la douleur. Dans les cours qu'il dispense, Jeff Rusteen conseille souvent aux parents de donner à leurs enfants un sirop contre la toux contenant un antihistaminique. «L'antihistaminique aide à calmer l'enfant. De plus, il réduit l'enflure, les élancements et les rougeurs causés par le venin. Les adultes aussi peuvent appliquer ce traitement.»

Un peu de prévention.
Un peu de prévention vous évitera bien des ennuis. Voici comment minimiser les risques d'être piqué.

Portez du blanc. «Les insectes piqueurs sont attirés par les couleurs foncées», dit le Dr Raffensperger. Les apiculteurs portent du kaki, du blanc ou d'autres couleurs pâles.

Évitez de sentir trop bon. «Ne portez pas de parfum, de lotion après-rasage ou toute autre fragrance qui attirera les abeilles comme si vous étiez une fleur remplie de nectar», ajoute-t-il.

Augmentez votre consommation de zinc. «Les insectes sont attirés par les gens qui présentent une carence en zinc», dit le Dr George Shambaugh, allergologiste, professeur émérite d'O.R.L. et chef de la chirurgie de la tête et du cou à la faculté de médecine de l'université Northwestern, à Chicago. «Je conseille aux gens de prendre au moins 60 mg de zinc par jour pendant toute l'année. Ma sœur avait un problème énorme avec les abeilles jusqu'à ce qu'elle commence à prendre du zinc. Maintenant, elle ne se fait jamais piquer.» (Vous ne devriez pas augmenter votre consommation de zinc sans consulter votre médecin.)

Huilez-vous. «Certaines huiles de bain repoussent les insectes piqueurs, dit le Dr Luscombe et sont des plus efficaces pour beaucoup de gens. Enduisez d'huile la peau exposée, avant de sortir.»

Mettez-vous à l'abri. «Si vous êtes poursuivi par une ruche déchaînée, courez à l'intérieur, jetez-vous dans l'eau ou entrez dans le bois. Les insectes piqueurs ont de la difficulté à suivre leur proie dans les buissons», disent les chercheurs du Cornell University Cooperative Extension Service.

Devenez peintre en bâtiment. «En dernier recours, adoptez le métier de peintre. Les peintres en bâtiment se font rarement piquer, dit le Dr Luscombe, car la térébenthine chasse les insectes.»

MÉDUSES

Les méduses et leur cousine géante, la physalie, sont deux des animaux piqueurs marins les plus connus. Leurs longues tentacules contiennent des cellules irritantes. Lorsqu'elles entrent en contact avec vous, leurs cellules vous percent la peau et y introduisent leur poison. Même les tentacules amputées ou blessées peuvent causer de graves blessures. Voici ce que vous devez faire si jamais cela se produit.

Rincez-vous. «Rincez immédiatement la plaie avec de l'eau salée», dit le Dr Arthur Jacknowitz, professeur de pharmacie clinique et directeur du Service de pharmacie clinique de l'université West Virginia. «N'utilisez pas d'eau douce, car elle active les cellules irritantes qui n'ont pas encore été scindées. Pour la même raison, vous ne devez pas vous frotter la peau.»

Neutralisez les cellules irritantes. Essayez de soulager la douleur en rinçant la blessure le plus rapidement possible à l'aide

---

ALERTE MÉDICALE

Symptômes de réactions graves

D'après Herbert Luscombe, les piqûres d'abeilles causent plus de morts que les morsures de serpent. Une piqûre d'abeille normale est très douloureuse pendant un bref instant et provoque un gonflement qui disparaît généralement en quelques heures. Mais des symptômes plus graves peuvent indiquer une allergie qui risquerait de provoquer la mort. Soyez très attentif aux symptômes suivants: étouffement, urticaire, nausées, vomissements, respiration bruyante, enrouement, étourdissement, langue ou visage enflé, évanouissement. Plus les symptômes apparaissent rapidement, plus les chances de sauver la vie de la victime sont importantes.

«Si ces symptômes apparaissent, dit le Dr Claude Frazier, ayez recours à une trousse d'urgence spéciale pour piqûres d'insectes. Emmenez ensuite la victime à l'hôpital le plus proche ou chez un médecin. Si vous ne disposez pas d'une trousse d'urgence spéciale, appliquez de la glace et appelez les secouristes le plus rapidement possible.»

Des piqûres graves de méduse peuvent provoquer des maux de tête, des crampes, de la toux, des difficultés de respiration, des nausées et des vomissements, d'après le Dr Jacknowitz. Si les symptômes persistent ou s'aggravent, appelez immédiatement un médecin ou un service médical d'urgence.

---

de l'une des substances suivantes. Cependant, elles ne procurent qu'un soulagement temporaire d'une ou deux heures. Appliquez à nouveau le liquide au besoin.

L'alcool. «Versez de l'alcool sur la région touchée, dit le Dr Jacknowitz. Bien que l'alcool à friction soit préférable, vous pouvez aussi employer du vin, des spiritueux ou tout autre alcool.»

Le vinaigre. Le Dr Luscombe recommande de verser du vinaigre sur la piqûre aussitôt que possible. (Emportez toujours une grosse bouteille de vinaigre lorsque vous allez à la plage.)

L'ammoniaque. «L'ammoniaque aussi est efficace», dit-il.

Les épices pour attendrir la viande. «Les épices pour attendrir la viande contiennent une enzyme qui dénature les protéines du venin et peut aider à neutraliser les cellules irritantes, dit le Dr Jacknowitz.

Dissolvez les épices dans de l'eau salée et appliquez la solution ainsi obtenue directement sur la piqûre.»

Enlevez les tentacules qui s'accrochent à la peau.

Si des tentacules restent attachées à votre peau, c'est le moment de les retirer. Mais ne les touchez pas mains nues. Essayez plutôt l'une des techniques suivantes.

- «Enroulez une serviette ou un chiffon autour de votre main et enlevez toutes les tentacules», dit le Dr Stephen Rosenberg, professeur adjoint de santé publique à l'école de santé publique de l'université Columbia de New York.
- «Avec de la crème à raser, rasez délicatement les tentacules», dit le Dr Jacknowitz.
- Si c'est trop difficile, appliquez une pâte composée de sable et d'eau de mer. Puis grattez les tentacules à l'aide d'un couteau, d'une carte de crédit ou de tout autre instrument tranchant.
- «Vous pouvez aussi appliquer une pâte de bicarbonate de soude et d'eau de mer», dit-il. Puis grattez comme il est indiqué ci-dessus.

Traitez les symptômes. Enrayez l'inflammation et les démangeaisons en prenant les médicaments appropriés.

- Pour soulager les démangeaisons, on recommande des antihistaminiques.
- Pour réduire l'enflure, une crème à l'hydrocortisone.
- Pour soulager la douleur persistante, des analgésiques.

Faites-vous vacciner contre le tétanos. «Bien que l'eau de mer nettoie l'endroit de la piqûre, elle ne stérilise pas la blessure», dit le Dr Jacknowitz. Il faut bien sûr être vacciné contre le tétanos.

Portez des collants à la plage. «Pour être certain de ne pas être piqué par les méduses, portez des collants quand vous nagez, dit le Dr Luscombe. C'est vraiment efficace.»

EXPERTS CONSULTÉS

Le Dr Claude Frazier a un cabinet privé d'allergologie à Asheville, en Caroline du Nord. Il est en outre l'auteur de *Coping with Food Allergies* et *Insects and Allergy and What to Do about Them.*

Le Dr David Golden est professeur adjoint de médecine à l'université Johns Hopkins de Baltimore, au Maryland.

Le Dr Richard Hansen est directeur médical du Poland Spring Health Institute de Poland Spring, dans l'État du Maine. Il est l'auteur de *Get Well at Home*.

Le Dr Arthur Jacknowitz est professeur de pharmacie clinique et directeur du Service de pharmacie clinique de l'université West Virginia à Morgantown. Il a publié plus de 90 articles dans des revues professionnelles.

Le Dr Herbert Luscombe est professeur émérite de dermatologie à la faculté de médecine Jefferson de Thomas Jefferson de Philadelphie, en Pennsylvanie. Il est attaché à l'hôpital universitaire Thomas Jefferson de Philadelphie.

Le Dr Edgar Raffensperger est professeur d'entomologie au département d'entomologie de l'université Cornell à Ithaca, dans l'État de New York.

Le Dr Stephen Rosenberg est professeur adjoint de santé publique à l'école de santé publique de l'université Columbia de New York. Il est l'auteur de *The Johnson & Johnson First Aid Book*.

Jeff Rusteen est pompier et infirmier au Service des incendies de Piedmont, en Californie. Il enseigne les techniques médicales d'urgence au Chabot College de Hayward, en Callfornlie. Il est en outre l'auteur d'un vidéo accompagné d'une plaquette intitulée *Until Help Arrives*.

Le Dr George Shambaugh Jr a un cabinet privé d'otologie et d'allergologie à Hinsdale en Illinois; il est attaché à l'hôpital Hinsdale. Il est en outre professeur émérite d'O.R.L. et chef de la chirurgie de la tête et du cou à la faculté de médecine de l'université Northwestern à Chicago. Il rédige un bulletin d'information sur la santé et la nutrition qu'il distribue à ses patients.

Poils incarnés

10 trucs pour un rasage parfait

Les poils incarnés enfoncent leur tête dans la peau comme une autruche dans le sable et s'abritent confortablement sous une couverture d'infection. Ils s'y sentent à l'abri jusqu'à l'arrivée inopinée de la pince à épiler. Celle-ci les saisit de sa solide mâchoire d'acier et les extrait jusqu'à la racine. Malheureusement, ce n'est que pour un temps, et bientôt, les poils incarnés sont de retour.

Les dermatologistes conviennent qu'une pince à épiler est le seul instrument pour se débarrasser des poils incarnés, mais ils connaissent aussi d'autres moyens pour les empêcher de récidiver.

La pince à épiler à la rescousse. «Si vous voyez un poil incarné sous la peau, dit le Dr Rodney Basler, dermatologiste et professeur adjoint de médecine interne à la faculté de médecine de l'université du Nebraska, appliquez une compresse humide chaude pendant quelques minutes pour ramollir la peau. Puis stérilisez une pince à épiler ou une aiguille et retirez le poil. Mettez ensuite un peu de peroxyde d'hydrogène ou d'alcool à friction.»

Faites remonter le poil à la surface. «Si vous ne voyez pas le poil incarné, n'essayez pas de le débusquer, prévient le Dr Basler, car ce n'en est peut-être pas un. Appliquez plutôt une compresse chaude jusqu'à ce que vous puissiez le voir. Ensuite, arrachez-le avec une pince à épiler ou une aiguille, et appliquez un antiseptique.»

Faites-vous pousser la barbe. «Plus vos poils sont frisés, plus ils risquent de pénétrer dans la peau, dit le Dr Basler. Si cela vous cause de réels problèmes, songez à vous faire pousser la barbe. Si elle est mal vue dans votre milieu professionnel, demandez à votre médecin de confirmer que, dans votre cas, il s'agit d'une prescription médicale.»

Adoucissez vos poils. Si vous ne pouvez absolument pas porter la barbe, le meilleur moyen de combattre les poils incarnés consiste à les préparer avant le rasage. «Lavez votre visage à l'eau et au savon pendant deux minutes, recommande le Dr Jerome Z. Litt, un dermatologiste de l'Ohio. Cela ramollit les poils. Rincez, puis appliquez la crème ou le gel à barbe et attendez deux autres minutes: les poils ramolliront encore.»

Cachez-vous derrière votre ombre. «Acceptez l'idée d'avoir la barbe un peu longue à la fin de la journée, dit le Dr Basler. Ne vous rasez pas de trop près. La meilleure façon d'obtenir un rasage qui laisse une ombre est d'utiliser un rasoir électrique.»

N'utilisez pas un rasoir à deux lames. «Vous n'aimez peut-être pas le rasoir électrique, mais sachez qu'un rasoir à deux lames est doublement dangereux. La première lame coupe et aiguise les poils et la deuxième coupe sous la surface de la peau, dit le Dr Litt. Le poil aiguisé s'enroule et repousse dans la peau. Utilisez plutôt un rasoir à une seule lame et contentez-vous d'un rasage de moins près.»

Dressez les poils. Vos poils de barbe poussent-ils dans toutes les directions? Le Dr Litt vous recommande de les dresser à pousser droit. Pour ce faire, rasez-vous de haut en bas sur le visage et de bas en haut sur le cou. Vous éviterez ainsi de vous couper. Ne vous rasez pas n'importe comment et ne passez pas deux fois au même endroit. «Vous ne réussirez peut-être pas un rasage parfait du premier coup, mais un rasage de haut en bas sur le visage et de bas en haut sur le cou habituera vos poils de barbe à pousser droit en quelques mois.»

Faites-vous un traitement après-rasage. «Je conseille de passer une serviette humide sur le visage pendant quelques minutes après le rasage, dit le Dr Basler. Cela ramollit les poils et les empêche de pénétrer à nouveau dans la peau. Employez une lotion après-rasage en crème plutôt qu'une préparation à base d'alcool. La crème adoucit la peau et garde les poils lubrifiés.»

Combattez l'infection. «Si tous vos efforts n'arrivent pas empêcher vos poils de pénétrer sous la peau, vous pouvez au moins réduire le nombre de bactéries qui s'y enfouissent en même temps. Une solution de peroxyde de benzoyle à 10 % a des propriétés anti-biotiques, dit le Dr Basler, et on peut l'appliquer comme lotion après-rasage. La plupart de ces lotions contiennent une forte proportion d'alcool et peuvent avoir un effet antibiotique.»

Mesdames, rasez-vous les jambes de haut en bas. «La plupart des femmes se rasent les jambes de la cheville au genou, dit le Dr Litt. Malheureusement, c'est le mauvais sens et vous pouvez ainsi entraîner la formation de poils incarnés. Rasez-vous toujours depuis le genou jusqu'à la cheville.»

EXPERTS CONSULTÉS

Le Dr Rodney Basler est dermatologiste et professeur adjoint de médecine interne à la faculté de médecine de l'université du Nebraska à Lincoln.

Le Dr Jerome Z. Litt a un cabinet privé de dermatologie à Beachwood, en Ohio; il est l'auteur de *Your Skin From Acne to Zits*.

Point de côté

9 moyens d'éviter la douleur

Un point de côté, c'est-à-dire une douleur vive temporaire, est causé par un spasme du diaphragme. Il survient lorsque le diaphragme, un muscle entre la poitrine et l'abdomen, ne reçoit pas l'oxygène dont il a besoin.

«L'action de courir peut à l'occasion bloquer la circulation du sang vers le diaphragme, explique le Dr Gabe Mirkin, médecin dans un cabinet privé au Sportsmedicine Institute à Silver Spring, au Maryland. Chaque fois que vous levez le genou, vous contractez les muscles du ventre, ce qui accroît la pression à cet endroit. Lorsque vous respirez profondément, vos poumons se dilatent et se gonflent beaucoup plus qu'avec une respiration superficielle. Cette double pression exercée par les muscles du ventre et les poumons dilatés peut bloquer la circulation du sang vers le diaphragme.» Incapable d'obtenir l'oxygène dont il a besoin, le diaphragme se contracte en une crampe douloureuse.

Si vous ne respirez pas également, vous risquez un point de côté lorsque vous courez ou marchez, ou même lorsque vous riez.

Voici ce que vous pouvez faire dans un tel cas.

Arrêtez-vous. Lorsque la douleur vous frappe, arrêtez-vous. Vous devez calmer le muscle aux prises avec des spasmes.

Pressez le point. «En vous servant de trois doigts, appuyez sur la région où vous avez le plus mal jusqu'à ce que la douleur disparaisse. Vous pouvez aussi masser la région douloureuse. Très souvent, cela suffit pour enrayer la douleur», dit David Balboa, psychothérapeute dans le domaine du sport et codirecteur de *The Walking Center* de New York.

Expirez profondément. «Lorsque vous commencez à masser le diaphragme pour enrayer la crampe, prenez une grande respiration, pincez les lèvres et laissez sortir l'air avec autant de force que possible. Prenez une autre respiration et expirez de la même façon.

Cette inspiration suivie d'une forte expiration produit le même effet que le yoga», dit David Balboa. C'est comme un massage interne qui détend le muscle coincé.

Inspirez et expirez. Continuez à masser le point sur le côté tout en recommençant à respirer à un rythme normal. Reprendre un rythme normal de respiration contribuera à enrayer la douleur.

Ralentissez et marchez lentement. «Si vous sentez un point au côté lorsque vous courez, ralentir votre rythme suffira souvent à calmer le muscle qui le provoque», explique le Dr Suki Jay Rappaport, directrice du Transformations Institute de Corte Madera, en Californie, et éducatrice en mouvements. Lorsque la douleur disparaît, vous pouvez recommencer à courir.

Respirez par le ventre. Avant de sortir pour marcher ou courir, vous devez respirer correctement afin d'éviter de ressentir la douleur d'un point de côté.

David Balboa vous suggère de faire le test suivant: regardez votre poitrine. Examinez-la de près lorsque vous prenez une grande respiration. Qu'est-ce qui a bougé? Si seule votre poitrine a bougé, vous respirez par la poitrine et cela ne suffit pas. Pour combattre les points de côté, votre diaphragme doit participer à la respiration. Vous faites travailler ce muscle, si vous voyez bouger votre poitrine et votre ventre à chaque respiration. Regardez votre ventre. Inspirez. Expirez. Votre ventre devrait se gonfler, puis se dégonfler. «Pour faire de l'exercice sans contrainte, les gens doivent cesser de se tenir comme des militaires», dit David Balboa. Qui donc vérifiera si vous vous tenez le ventre bien rentré lorsque vous marchez ou courez?

Lorsque vous vous exercez à respirer par le ventre, prenez de grandes respirations. Expirez profondément. Prenez l'habitude d'être très conscient de votre respiration lorsque vous faites de l'exercice et vous constaterez, au bout de quelques semaines, que vous avez pris l'habitude de respirer en vous servant aussi de votre diaphragme.

Massez le diaphragme. Comme n'importe quel autre muscle, le diaphragme a besoin d'être réchauffé avant l'exercice. Par conséquent, massez votre diaphragme avant d'étirer les jambes. Asseyez-vous par terre, placez une main sur la poitrine et l'autre sur le ventre. Lorsque vous respirez, vos deux mains doivent bouger, ce qui vous indiquera que vous exploitez votre pleine capacité respiratoire et que votre diaphragme participe à la respiration. Vous serez moins susceptible de ressentir des points de côté si vous avez le diaphragme réchauffé.

Respirez tout le temps! «Les gens retiennent généralement leur respiration lorsqu'ils ont peur, lorsqu'ils ont froid ou lorsqu'ils veulent éviter une douleur, dit David Balboa. Laissez-vous aller, ressentez vos émotions et n'essayez pas de les éviter en retenant votre respiration. Vous serez mieux disposé à respirer normalement quand vous faites de l'exercice, explique-t-il.»

Surveillez votre digestion. Bien que les points de côté soient causés par le diaphragme, certaines personnes qui font de la course ou de la marche ressentent une douleur semblable à un point de côté causée par des flatulences, explique le Dr Rappaport.

«Toute activité aérobic ralentit ou interrompt le processus digestif parce que le sang s'affaire à aider les muscles, dit David Balboa. C'est pour cette raison que l'on conseille aux coureurs de ne rien manger au moins deux heures avant une course. C'est aussi pour cette raison que les coureurs ont parfois la diarrhée lorsqu'ils boivent beaucoup d'eau pendant une course.»

Le conseil des experts: faites attention à ce que vous mangez et à quel moment vous le faites avant l'exercice. Si vous êtes sujet aux points de côté, essayez d'aller à la selle avant de commencer.

EXPERTS CONSULTÉS

David Balboa est psychothérapeute dans le domaine du sport et codirecteur de *The Walking Center* de New York. Il se spécialise dans le conditionnement physique par la marche et s'intéresse plus particulièrement aux liens entre l'esprit et le corps.

Le Dr Gebe Mirkin est médecin dans un cabinet privé au Sportsmedicine Institute à Silver Spring, au Maryland. Il est aussi professeur adjoint de pédiatrie à la faculté de médecine de l'université Georgetown de Washington, D.C., et l'auteur de plusieurs ouvrages de médecine du sport, dont *Dr Gabe Mirkin's Fitness Clinic*. Il est également journaliste d'agence et une personnalité de la radio.

Le Dr Suki Joy Rappaport est directrice du Transformations Institute de Corte Madera, en Californie. Consultante en bonne forme physique, elle détient un doctorat dans le domaine des mouvements et des transformations du corps.

Posture parfaite

20 conseils pratiques pour une posture parfaite

La posture est le langage du corps. La façon de se tenir fait savoir au reste du monde ce que l'on ressent. Elle en dit long sur soi-même, sa vie et ses sentiments envers les autres.

«La posture est une expression de la personnalité», dit le Dr Suki Jay Rappaport, éducatrice et directrice du Transformations Institute, à Corte Madera, en Californie. «Ce n'est pas une coïncidence si l'on utilise, en anglais, le mot *posture* comme synonyme du mot attitude.»

Et que dit votre posture? Avez-vous l'air de crouler sous le poids de la planète? Marchez-vous le dos voûté et l'air résigné? Vous tenez-vous le dos droit et rigide, comme si vous étiez pris dans un carcan? Ou marchez-vous d'un pas assuré, le front haut et l'air aimable, comme si vous étiez prêt à relever tous les défis?

Votre posture n'est peut-être pas intentionnelle, mais simplement le résultat d'une mauvaise habitude. Elle fera tout de même mauvaise impression auprès des gens.

«Courbez les épaules, puis essayez de faire croire à quelqu'un que vous êtes très emballé, dit le Dr Rappaport. Vous n'y arriverez pas. Pour avoir l'air emballé, il faut se tenir droit. Une bonne posture favorise à la fois la respiration et l'inspiration.»

Il importe aussi pour d'autres raisons de se tenir bien droit. Premièrement, c'est la meilleure façon de prévenir les maux de dos. La colonne vertébrale, c'est-à-dire les 33 segments osseux appelés vertèbres, constitue la base même du corps humain. C'est la colonne vertébrale qui fait que l'on se tient droit. Elle entoure et protège la moëlle épinière et sert de point d'ancrage aux muscles et aux ligaments du dos. Certes, elle peut supporter du poids, mais elle laisse aussi libre cours aux mouvements, de sorte qu'on ne marche pas en automate.

Les muscles sont la clé d'une bonne posture. Lorsque les muscles du dos sont en bon état, ils soutiennent l'arrière de la colonne vertébrale. Les muscles abdominaux contribuent pour leur part à supporter la partie antérieure de la colonne vertébrale.

Vous êtes-vous déjà demandé pourquoi vous aviez mal au cou et aux épaules à la fin d'une journée de travail? Il est à parier que vous avez passé la majeure partie de la journée courbé sur votre bureau, alors que les muscles à la base du cou luttaient pour garder votre corps droit.

Une mauvaise posture endommage les disques, c'est-à-dire les amortisseurs de chocs qui se trouvent dans la colonne vertébrale. Une mauvaise posture fatigue et relâche les ligaments. Enfin, elle fait mal travailler les muscles.

Un dos courbé depuis toujours peut être la cause de la fatigue chronique, de maux de tête ou de déformations physiques dont souffre une personne. Par conséquent, ne vous y laissez pas prendre. Voici ce que conseillent nos experts pour avoir une posture parfaite.

Commencez bien la journée. «Dès que vous vous levez le matin, commencez par bien aligner votre squelette», dit le Dr Rappaport. Ce sont, dit-elle, les étirements de base qu'elle enseigne afin d'aider les gens à trouver leur équilibre. Apprenez à les faire.

- Plein étirement de la colonne vertébrale: tenez-vous debout, les genoux légèrement pliés. Joignez les mains devant vous. En inspirant, étendez les mains vers le haut, les paumes dirigées vers le plafond, et soulevez les épaules au-dessus de la cage thoracique. Expirez en abaissant les épaules et laissez votre cage thoracique se replacer. Relaxez les épaules en baissant lentement les bras.
- Flexion latérale: tenez-vous debout et essayez de vous toucher l'épaule droite avec le bout de l'oreille droite. Continuez cet exercice en vous penchant le plus possible vers la hanche. Faites la même chose du côté gauche.
- Refaites le plein étirement de la colonne vertébrale.
- Rotation de la colonne vertébrale: tournez lentement la tête pour regarder derrière votre épaule droite. Tournez-la le plus loin possible. Revenez à la position initiale. Ensuite, tournez lentement la tête pour regarder derrière votre épaule gauche, puis revenez à la position initiale.
- Refaites le plein étirement de la colonne vertébrale.
- Flexion de la colonne vertébrale vers l'avant: debout, courbez-vous vers l'avant, en laissant pendre votre tête et vos bras vers le plancher et en prenant soin de bien courber et d'étirer la colonne vertébrale.

- Refaites le plein étirement de la colonne vertébrale.
- Extension extrême de la colonne vertébrale: assis ou debout, placez les mains sur les hanches et penchez-vous très doucement vers l'arrière. Vous devriez avoir le bassin bien rentré.
- Finissez avec le plein étirement de la colonne vertébrale.

Regardez-vous dans le miroir. «Relaxez et exercez-vous à vous tenir droit. Vous ne devez pas chercher à vous tenir comme un militaire, dit Michael Spezzano, spécialiste de la forme physique et directeur national du programme de santé du dos au YMCA. C'est une posture trop rigide et vous auriez le creux des reins trop arqué.»

Tenez-vous devant un grand miroir et vérifiez votre posture. Distribuez votre poids également entre vos deux jambes, rejetez les épaules légèrement en arrière et gardez-les droites. Tenez-vous la poitrine haute. Vous rentrerez automatiquement le ventre en contractant légèrement le bassin. Remarquez que vous avez les fesses rentrées et le creux des reins légèrement arqué.

Vous vous tenez droit lorsqu'une ligne droite imaginaire part juste derrière l'oreille, descend le long de l'épaule et continue derrière la hanche et le genou pour enfin traverser la cheville.

Évacuez les tensions. Si vous vous tenez le dos voûté, vous penchez inévitablement la tête en avant et cette posture provoque des tensions dans les muscles des épaules et du cou. «Roulez les épaules et faites des rotations de la tête afin d'éliminer ces tensions», conseille le Dr Rappaport.

Tenez-vous les épaules droites et carrées. Roulez-les vers l'avant de 10 à 15 fois, comme si vous essayiez de ramer avec les épaules. Répétez ensuite les mouvements vers l'arrière. Tenez-vous ensuite la tête bien droite, puis faites une rotation dans le sens des aiguilles d'une montre. Faites-en sept ou huit dans ce sens, puis le même nombre dans le sens opposé.

Vérifiez votre courbe. «Un dos parfait est légèrement courbé. Vérifiez la courbe que dessine votre dos en vous appuyant contre un mur. «Vous devriez pouvoir passer la main entre votre taille et le mur», dit Michael Spezzano. Si vous n'arrivez pas à glisser la main à cet endroit ou si vous avez très peu d'espace pour le faire, vous avez ce qu'on appelle le dos plat. En revanche, si vous avez le dos très courbé, c'est-à-dire que vous pouvez mettre vos deux mains entre la taille et le mur, vous souffrez de lordose.»

Élevez le bassin. Vous pouvez rajuster et accentuer la courbure de votre dos en faisant des élévations du bassin. Il existe trois façons de faire cet exercice. Vous pouvez choisir celle qui vous convient le mieux ou les adopter toutes les trois.

* Étendez-vous sur le dos, pliez les genoux à un angle de 45 ° et mettez les pieds bien à plat sur le plancher. Placez une main sous le creux de vos reins. Aplatissez ensuite votre dos contre votre main en contractant les muscles abdominaux et en relevant les hanches. Faites cet exercice plusieurs fois par jour.
* Asseyez-vous les cuisses parallèles au sol. Placez une main dans la région inférieure du dos et l'autre sur le ventre, juste au-dessus des os pubiens. Inspirez. Puis, en expirant, rentrez les muscles abdominaux, roulez la partie inférieure du dos vers le bas de manière élever les os pelviens vers le plafond. Faites cet exercice de temps en temps pendant la journée, surtout si vous travaillez assis.
* Lorsque vous vérifiez la courbe que dessine votre dos, comme nous vous l'avons indiqué plus haut, placez un pied sur le siège d'une chaise posée devant vous. Votre bassin s'inclinera naturellement vers le haut, de sorte que vous aurez le dos plus droit et plus près du mur.

Ne courbez plus le dos. «Le dos voûté, vous respirez moins bien, ce qui peut vous rendre somnolent et amorphe», dit le Dr Rappaport. Voici ce que vous pouvez faire contre cette mauvaise habitude: tenez-vous debout, les bras pendant de chaque côté du corps. Joignez les mains derrière le dos, les paumes sur les fesses. Levez les épaules vers les oreilles, puis rabaissez-les en ramenant les coudes l'un vers l'autre. Cela rapprochera vos omoplates. Vous vous étirerez les muscles de la poitrine et amènerez ceux du dos à se contracter. Répétez cet exercice plusieurs fois de suite, à différents moments de la journée.

Gardez une jambe levée. «Si vous restez debout pendant des périodes prolongées, posez une boîte sur le plancher devant vous et mettez un pied dessus», conseille le Dr Rappaport. Cette position libérera les tensions lombaires.

Gardez les genoux à hauteur égale. «Ajustez votre chaise de bureau de manière à pouvoir plus aisément vous asseoir bien droit. Voici comment faire: réglez la hauteur de la chaise, de manière à avoir les cuisses parallèles au plancher et les genoux à la même hauteur ou légèrement plus hauts que les hanches. Autrement, votre corps s'inclinera vers l'avant et vous aurez le dos affaissé, car vos muscles travailleront trop fort pour le garder droit», dit Michael Spezzano.

Prenez un coussin. Exercez-vous à vous tenir plus droit en vous asseyant dans une chaise modelée de manière à ce que votre dos soit forcé de se courber correctement. Si vous ne disposez pas d'une telle chaise, mettez-vous un coussin dans le creux des reins, puis adossez-vous.

Installez-vous confortablement au volant. «Les conseils sur la façon de s'installer au volant sont aussi très utiles, dit Michael Spezzano. Avancez votre siège, vers les pédales, jusqu'à ce que vous ayez les genoux pliés, légèrement plus hauts que les hanches, et les cuisses parallèles au plancher. Mettez un petit coussin dans le creux de votre dos ou réglez votre siège de manière à obtenir le même résultat, si votre voiture est équipée de sièges réglables.»

Décroisez les jambes. Lorsque vous croisez les jambes, vous faites perdre à votre corps son alignement naturel. Les barbiers et les coiffeurs le savent depuis des années, ce qui explique pourquoi ils demandent à leurs clients de se décroiser les jambes avant de commencer à leur couper les cheveux. Gardez les pieds bien à plat sur le sol, conseille Michael Spezzano.

Imitez les meilleurs lecteurs de nouvelles! Vous voulez vous assurer d'avoir une posture parfaite lors de votre prochaine entrevue? «Asseyez-vous au bord du fauteuil», dit Jeff Puffer, qui fait de la formation professionnelle en télévision à Cedar Rapids, en Iowa. C'est là le conseil qu'il donne à tous les présentateurs de journaux télévisés qui veulent garder le dos bien droit devant les caméras. Vous asseoir au bord d'un fauteuil vous force à vous tenir en équilibre.

Asseyez-vous bien en place. Asseyez-vous et bougez jusqu'à ce que vous sentiez que vous avez les os bien appuyés sur le siège. Si vous pouvez sentir vos os, vous êtes assis bien droit. Sinon, votre posture laisse sûrement à désirer.

Gardez vos distances. Ne soyez pas tenté de vous appuyer les avant-bras ou les coudes sur votre bureau ou une table.

Lorsque vous n'écrivez pas, asseyez-vous à une distance de 15 à 20 cm de votre bureau, conseille Jeff Puffer, car vous résisterez ainsi à l'envie de vous affaler sur celui-ci. Vous devriez vous tenir assez éloigné pour ne pas pouvoir mettre plus que les poignets sur la surface devant vous.

Tenez-vous à cette distance pour développer une posture parfaite si vous passez la majeure partie de la journée devant un ordinateur ou une machine à écrire.

Mettez le pied droit en avant. Voici un autre moyen que les présentateurs de journaux télévisés utilisent pour garder le dos bien droit pendant qu'ils parlent et gesticulent devant les caméras. Essayez-le. En vous asseyant au bord de votre chaise, mettez un pied sous la chaise et étendez l'autre devant vous pour rester en équilibre. Votre dos restera droit.

Dormez bien. Une bonne posture pendant la nuit peut contribuer grandement à une bonne posture pendant le jour. «Dormir dans la mauvaise position peut causer des maux de dos qui risquent de fausser l'alignement naturel du corps», dit le Dr Robert Bowden dans un ouvrage intitulé *Self-Help Osteopathy.* Dormir sur le ventre est la pire chose que vous puissiez faire, car cette position accentue la courbe du dos.»

Il conseille plutôt de dormir sur le côté, les genoux pliés et la tête posée sur un oreiller assez épais pour la garder à la même hauteur que les épaules. Cette position garde le cou aligné avec le reste du corps.

Vous pouvez aussi dormir sur le dos, en vous mettant un mince oreiller sous la tête et un autre sous les genoux.

Choisissez un matelas assez ferme pour ne pas vous y enfoncer lorsque vous vous étendez. Lorsque vous êtes couché sur le côté, vos hanches et vos épaules ne devraient s'enfoncer que légèrement, de manière à ce que votre colonne vertébrale soit droite. Votre matelas devrait être assez ferme pour vous empêcher de vous retrouver au centre du lit, l'un par-dessus l'autre, lorsque vous dormez à deux.

Gardez-vous en forme. «Marchez, courez, nagez, faites du vélo ou de l'aérobic. Étirez vos muscles, tous les jours. Votre posture dépend de l'état de vos muscles. Adoptez une activité physique régulière, dit Michael Spezzano, pour avoir les muscles forts.»

Procurez-vous un soulagement mérité. «À la fin de la journée ou même pendant une pause, vous pouvez vous reposer le dos tout en améliorant votre posture», dit le Dr Rappaport.

Étendez-vous sur le plancher et placez les pieds sur un tabouret ou une chaise basse. Restez étendu ainsi 15 minutes.

Gardez les pieds à plat sur le plancher. «Debout, gardez les deux pieds bien à plat sur le plancher, dit Michael Spezzano. L'habitude de faire reposer beaucoup de poids sur une seule jambe peut provoquer une courbature indésirable du dos.»

Arquez le dos. Au début et à la fin d'une journée, arquez le dos pour contrer les effets d'un dos voûté. Voici une façon de le faire: mettez-vous à quatre pattes et courbez le dos vers le haut, comme si vous étiez un chat. Redressez-le.

EXPERTS CONSULTÉS

Jeff Puffer fait de la formation professionnelle en télévision pour Frank N. Magid Associates, à Cedar Rapids, en Iowa.

Le Dr Suki Joy Rappaport est éducatrice et directrice du Transformations Institute, à Corte Madera, en Californie.

Michael Spezznno est spécialiste de la forme physique et directeur national du programme de santé du dos au YMCA.

Poussée des dents

4 façons de soulager la douleur

Bien peu de gens le savent, mais les dents d'un bébé commencent à se développer plusieurs mois avant la naissance. En fait, les racines des dents du fœtus commencent à apparaître après cinq à six semaines de grossesse. À la naissance, les 20 dents de lait sont déjà en place.

Habituellement, les premières dents commencent à percer entre le quatrième et le huitième mois. Les gencives du bébé enflent et deviennent très sensibles. Votre petit rayon de soleil devient irritable et maussade. La poussée des dents a commencé.

À l'instar de bien des parents, vous vous demandez probablement comment vous réussirez à traverser cette période difficile.

«Vous vous en tirerez peut-être facilement ou avec quelques crises de larmes quand la douleur rend le bébé maussade», dit le Dr John A. Bogert, directeur de l'American Academy of Pediatric Dentistry de Chicago, en lllinois. «La plupart des enfants ont ce comportement lorsqu'ils percent leurs deux ou quatre premières dents.»

Voilà qui est encourageant! Mais, au cas où la poussée des dents de votre bébé serait un peu plus difficile, voici quelques conseils qui vous aideront à surmonter l'épreuve.

Refroidissez ses gencives. «Les anneaux que les bébés mâchent lorsqu'ils font leur dents, particulièrement s'ils sortent du réfrigérateur, procurent une sensation calmante et agréable sur les gencives», dit Linda Jonides, infirmière pédiatrique d'Ann Arbor, au Michigan. «Pour un bébé de six mois ou plus, même une serviette propre refroidie peut soulager la douleur», ajoute-t-elle.

Passez une gaze sur les gencives. «Vous devriez probablement commencer à nettoyer la bouche de bébé avant même qu'il perce ses premières dents», dit le Dr Bogert. «Vous pouvez enrouler un petit tampon de gaze ou un gant de toilette humide autour de votre index et en masser les gencives du bébé», dit-il.

Vous contribuez ainsi à enlever l'accumulation de bactéries et vous habituez l'enfant à vous laisser mettre le doigt dans sa bouche. De cette façon, quand la première dent percera, vous pourrez lui masser la gencive sans trop de problème, note le Dr Bogert. De plus, un massage quotidien assainit les tissus des gencives.»

ALERTE MÉDICALE

La fièvre est le symptôme d'une maladie

«On pense souvent à tort que les bébés font de la fièvre lorsqu'ils percent leurs dents, dit Linda Jonides, infirmière pédiatrique. Si l'enfant fait de la fièvre, elle ne vient pas de la poussée des dents. Il se passe autre chose dans l'organisme du bébé. Vous devriez consulter votre médecin.»

Quand devriez-vous commencer? «En fait, nous recommandons aux mamans de commencer dès leur sortie de l'hôpital, dit le Dr Bogert. Mais il n'est jamais trop tard pour bien faire. On recommande de masser les gencives de l'enfant deux fois par jour, surtout à l'heure du coucher.»

Donnez-lui à mâcher un aliment au goût agréable.

«Prenez un morceau de pomme froid et enveloppez-le dans un gant de toilette pour bébés», suggère Helen Neville, infirmière pédiatrique au Kaiser Permanente Hospital de Oakland, en Californie.

«La plupart des anneaux pour les bébés qui percent leurs dents n'ont aucun goût, note-t-elle, mais un morceau de pomme peut inciter l'enfant à mordre et aider la poussée des dents.»

Essayez un médicament en vente libre contre la douleur et l'enflure.

«Je recommande de faire l'essai de l'un ou l'autre des produits que la plupart des parents gardent dans la pharmacie pour soulager les douleurs pédiatriques, dit le Dr Bogert. Habituellement, il s'agit de Tylenol® pour enfants. Il existe plusieurs anesthésiques topiques qui soulagent les douleurs associées à la poussée des dents. Vous les trouverez en vente libre dans toutes les pharmacies. Frottez légèrement la gencive et l'effet se fera sentir sans tarder.»

EXPERTS CONSULTÉS

Le Dr John A. Bogert est directeur de l'American Academy of Pediatric Dentistry de Chicago, en Illinois.

Linda Jonides est une infirmière pédiatrique d'Ann Arbor, au Michigan.

Helen Neville est une infirmière pédiatrique à l'hôpital Kaiser Permanente d'Oakland, en Californie, où elle participe à une ligne téléphonique d'urgence pour parents. Elle est l'auteur de *No-Fault Parenting*.

Problèmes liés aux animaux de compagnie

33 traitements pour les chiens et les chats

Tobi, le magnifique berger anglais de Sophie, s'est amusé à faire la chasse aux lapins qui dévoraient les laitues dans le potager. Ces drôles de bêtes l'ont forcé à emprunter le sentier des renards, à passer les campements de tiques, pour enfin aboutir chez Alphonse le putois, qui lui a laissé un échantillon de son dernier parfum.

Pendant ce temps, Sophie, qui rentre d'une dure journée de travail, se laisse tomber sur le canapé. C'est le signal de la charge de la brigade des puces qui ont envahi le domicile, cachés dans les poils de Marmelade, le chat persan de Sophie. Au moment où elle se penche pour se gratter la cheville, Tobi, sale et puant, fait irruption dans la pièce et saute sur le divan. Marmelade s'enfuit en gémissant et Sophie s'évanouit.

LES ODEURS DE PUTOIS

Avec un chien comme Tobi, on ne sait pas très bien comment s'y prendre. Commençons donc par les solutions les plus évidentes.

Essayez la douche au vinaigre. «Les solutions commercialisées à base de vinaigre et d'eau sont toujours utiles aux moments où l'on s'y attend le moins. Le vinaigre est efficace pour masquer les odeurs de putois, dit Mary Ann Scalaro, technicienne en médecine vétérinaire à l'hôpital vétérinaire Hollis, à Hollis, dans l'État du New Hampshire. N'oubliez pas que ces douches sont conçues pour un usage externe seulement. Appliquez la solution sur le corps de l'animal et faites-la bien pénétrer. Prenez une éponge pour lui en mettre sur la tête. Portez des gants en caoutchouc afin de vous protéger contre les odeurs de putois. Ne laissez pas votre animal se

ALERTE MÉDICALE

Les problèmes qu'il faut régler dans les plus brefs délais

Le problème avec les chats et les chiens, c'est qu'ils n'ont d'autre langage que celui du corps. Votre chien ne peut pas vous dire qu'il a vomi, mais qu'il ira mieux demain, car de nombreux symptômes sont les mêmes, qu'il s'agisse d'une maladie grave ou d'une indisposition passagère.

Les renseignements qui suivent, et les conseils du Dr Amy Marder, professeur adjointe de médecine à la faculté de médecine vétérinaire de l'université Tuft, vous indiquent les symptômes qui exigent l'intervention d'un vétérinaire. Ces symptômes peuvent indiquer que la vie de votre animal ne tient qu'à un fil. Appelez votre vétérinaire sur-le-champ pour obtenir ses conseils.

• Du sang dans les selles, des saignements de la bouche et du rectum, des vomissements et des diarrhées sanguinolentes peuvent signaler de nombreux problèmes, y compris une hémorragie interne due à un empoisonnement.

• Des diarrhées abondantes qui reviennent toutes les 30 ou 60 minutes, sans que l'animal ne mange ou ne boive quoi que ce soit, peuvent provoquer un état de choc.

• Des difficultés respiratoires, surtout lorsqu'elles sont accompagnées du bleuissement des gencives, peuvent signaler une insuffisance cardiaque.

• «Un gonflement abdominal accompagné d'efforts pour vomir, plus particulièrement chez les chiens de race à la poitrine profonde, peut être un symptôme de ballonnements graves qui exigerait des soins d'urgence et, dans de nombreux cas, une intervention chirurgicale immédiate», dit le Dr Marder.

• De six à huit semaines après les chaleurs d'une chienne ou d'une chatte intacte (vierge) et non opérée, une consommation de liquide et des mictions fréquentes, s'accompagnant de dépression, de vomissements, de diarrhée et de sécrétions rougeâtres, peuvent être des symptômes de pyométrie, une maladie à la fois très courante et mortelle qui se développe très lentement au fil de mois ou d'années et se caractérise par des périodes de chaleur irrégulières.

• Les accouchements difficiles créent une situation d'urgence. Certains efforts sont normaux pour donner naissance, mais s'ils demeurent vains. La vie de l'animal peut être menacée.

• Les attaques doivent être immédiatement signalées à un vétérinaire. Elles peuvent être causées par un empoisonnement. N'essayez pas d'immobiliser un animal en proie à des convulsions.

protéger contre les odeurs de putois. Ne laissez pas votre animal se remouiller, car l'eau éliminera le vinaigre et l'odeur reviendra.»

«Vous aurez sans doute besoin de plusieurs bouteilles du produit, dit Mary Ann Scalaro, et vous devrez sans doute refaire le traitement au moins une fois.»

Traitez votre animal au jus.
Le jus de tomate donne d'aussi bons résultats que le vinaigre, car il est très acide, explique Mary Ann Scalaro. Utilisez-le comme vous feriez pour le vinaigre. Le grand désavantage du jus de tomate est sa couleur, il laisse des traces et il colle. De plus, il en faut de grandes quantités. Toutefois, l'odeur du jus de tomate est de loin préférable à celle du putois!

POUR SE LIBÉRER DES PUCES

Nous vous mettons au défi de trouver une bonne raison qui justifie l'existence des puces en ce monde. Saviez-vous qu'en neuf mois, deux puces peuvent produire 222 milliards de descendants? Les puces vivent deux ans, malgré des hivers très froids, et se passent de nourriture pendant des mois et des mois. Elles peuvent provoquer de l'anémie, et transmettre des maladies et des parasites. Pour vaincre la charge de la brigade des puces, Sophie doit créer un environnement absolument mortel pour ces petites pestes.

Allez-y pour le bain.
Dans certaines régions, les puces sont tellement énormes qu'on se demande si ce sont les chiens qui ont des puces ou vice versa. Selon le Dr Marvin Samuelson, directeur de l'hôpital d'enseignement de médecine vétérinaire à l'université A&M du Texas, les bains traditionnels à l'insecticide sont les armes les plus puissantes contre les puces. «Les solutions pénètrent mieux que les poudres et les produits en atomiseur, dit-il. De plus, elles sèchent en laissant un résidu de poudre qui combat les puces.»

«Ces solutions peuvent cependant être toxiques, souligne-t-il, et il arrive souvent que les gens ne respectent pas le mode d'emploi.» Suivez les instructions à la lettre. Et n'appliquez pas un insecticide pour chiens sur un chat. Ce qui va pour Tobi peut tuer Marmelade.

Faites preuve de prudence si vous avez recours à des poudres.
«Les poudres peuvent être utiles, mais elles sont souvent mal utilisées», explique le Dr Samuelson. Le problème est l'étiquette, qui donne comme instruction de saupoudrer l'animal d'insecticide. Malheureusement, du point de vue de la quantité, saupoudrer ne veut pas nécessairement dire la même chose pour tout le monde.

Une personne en mettra une pincée tandis qu'une autre videra la moitié de la boîte!

Terrorisez les puces à l'aide d'un vaporisateur. «Il est moins grave d'utiliser de trop grandes quantités d'insecticide en vaporisateur: ce sont les moins toxiques. Malheureusement, ils sont peu efficaces en cas d'infestations de proportions catastrophiques, dit le Dr Samuelson. Mais ils peuvent être utiles pour prévenir une nouvelle infestation.»

Faites attention aux colliers. «Non seulement les colliers n'enrayent pas une grave infestation, dit-il, mais ils peuvent être toxiques pour les animaux, car leurs effets s'accumulent avec le temps.» Cependant, ils peuvent prévenir les nouvelles infestations, voire empêcher qu'un chien n'attrape d'autres puces.

Tuez les puces avec du linalool. Il est normal que vous n'ayez pas envie d'employer des produits chimiques très puissants. Heureusement, il y a le Dr Fred Hink, professeur d'entomologie à l'université d'État de l'Ohio, qui a trouvé dans les pelures d'orange des poisons qui tuent les puces. Il a inventé les dernières formules éprouvées, le D-limonène et le linalool. Ce sont sans doute les seuls insecticides sur le marché qui puissent éliminer les puces adultes, les larves et les œufs, précise-t-il. Le linalool est plus mortel pour les puces adultes et les œufs que pour les larves. Il est toutefois plus mortel pour les larves que le D-limonène.

Cependant, le linalool a ses limites. En fait, ni le linalool ni le D-limonène ne sont aussi efficaces contre les puces adultes que les insecticides traditionnels, et ni l'une ni l'autre ne laisse un résidu. Elles agissent uniquement pendant que l'animal est mouillé. «Il est plus difficile de couvrir de grandes régions, souligne le Dr Hink. Mais vous jugerez peut-être que les aspects positifs, comme la faible toxicité pour l'animal et la forte toxicité pour les puces adultes et les larves, l'emportent sur les aspects négatifs.»

Le linalool se présente dans un vaporisateur à pompe et sous forme de solution pour le bain. Le D-limonène se vend sous forme de shampoing et de solution pour le bain.

Cueillez-les au lit. Vaporisateurs, solutions pour le bain, poudres, peu importe, il ne suffit pas d'en traiter l'animal. «Vous devez aussi traiter les endroits où votre animal s'installe pour dormir, dit le Dr Hink, et les coins où il aime aller pendant la journée,

Quoi d'autre?

Le contrôle naturel des puces

Si la guerre chimique ne vous convient pas, il existe des méthodes naturelles pour contrôler les puces. Cela peut exiger plus de temps et d'efforts, mais c'est vraiment la seule solution. Voici les remèdes naturels que recommande le Dr Richard Pitcairn.

Brossez votre animal tous les jours. «Brosser est une tactique bien importante si vous voulez contrôler la population de puces», explique le Dr Pitcairn. Utilisez un peigne fin si votre animal a le poil court.

Faites-lui prendre un bain aux herbes. Dès que vous détectez la présence d'une puce, donnez un bain à votre chien et faites-lui un traitement avec un shampoing naturel contenant des herbes qui éloignent les puces. Ajoutez un peu d'huile d'hédéoma ou d'eucalyptus à l'eau du bain pour en accroître les propriétés insecticides. Un chien gravement infesté de puces aura besoin d'un bain toutes les deux semaines; un chat dans la même situation aura besoin d'un bain par mois.

Mettez la propreté à l'honneur. «L'été, lavez toutes les semaines les couvertures sur lesquelles votre chien s'installe et faites-les sécher à l'air chaud, dans le sèche-linge, conseille le Dr Pitcairn. Passez l'aspirateur sur vos tapis tous les deux ou trois jours. Sachez que 90 % des puces se trouvent à l'endroit où votre chien s'installe pour dormir.»

Employez des poudres naturelles. Elles contiennent des herbes comme du romarin, de la rue, de l'armoise, de l'hédéoma, de la citronnelle et parfois du tabac pulvérisé. Vous pouvez aussi mettre de la poudre ou simplement de la terre de diatomées dans tous les petits coins et recoins que vous ne pouvez nettoyer à l'aspirateur. La terre de diatomées fait perdre aux puces leur revêtement cireux, ce qui les fait sécher et les tue. Alerte médicale: portez un masque afin de ne pas inhaler de la poussière de terre de diatomées. En grandes quantités, cette substance, qu'on emploie pour les filtres de piscine, de même que l'hédéoma et le tabac pulvérisé, sont toxiques pour vous et votre animal.

Attaquez de l'intérieur. Ajoutez de l'ail et de la levure de bière à la nourriture de votre chien. Il est bien connu que ces deux substances inspirent aux puces le plus vif dégoût. Bien qu'il n'existe pas de preuves scientifiques, certains propriétaires d'animaux en sont absolument convaincus.

ce qui peut inclure votre lit et vos meubles.» Vous aurez évidemment la tâche plus facile si ces endroits sont assez restreints.

«Il est très important d'appliquer ce traitement à votre maison et à votre voiture en même temps qu'à votre chien», affirme le Dr Samuelson.

Oubliez la guerre électronique.
Les colliers chers, très populaires et très sophistiqués, avec moniteur à ultrasons, donnant l'impression que votre animal souffre d'un goître, «ne sont pas efficaces», dit le Dr Hink. Ils n'ont aucun effet sur les puces adultes. D'après ce que nous savons, ni les puces ni les autres insectes n'ont de récepteurs pour ces fréquences.»

Protégez votre domicile contre une invasion.
La méthode la moins toxique et la plus écologique consiste à utiliser un régulateur de croissance d'insectes. Ce produit, contenant du métaphrène, est fabriqué sous le nom de marque Precor®. «Il inhibe le développement des larves de puces en bloquant la pulpe, explique le Dr Samuelson. Ce produit ne tue pas les puces, mais il les empêche de se reproduire. Il n'est pas toxique pour les animaux à sang chaud.» Le soleil neutralise l'effet du métaphrène; il est efficace uniquement dans votre maison, votre voiture, où votre animal a sûrement laissé des puces. Traitez votre domicile, et plus particulièrement l'endroit où dort votre chien, deux fois par an.

Attrapez-les pendant qu'elles sont jeunes.
«De nombreux produits à base de métaphrène contiennent aussi un insecticide qui tue les puces, dit le Dr Samuelson. Le nom de ces produits est suivi de l'indication II, par exemple Precor II®. Ils sont plus toxiques, mais agissent plus rapidement. Vous pouvez vous en servir pour éliminer les puces dans une niche ou un chenil à l'abri du soleil. N'oubliez pas que si vous laissez entrer votre animal, c'est à l'intérieur de la maison qu'il y aura le plus de puces, puisque c'est leur endroit de prédilection.»

Traitez les chats de manière différente.
Comme les chats font leur toilette eux-mêmes, ils avalent des puces et sont plus exposés à attraper le ver solitaire, dont les puces sont porteuses. Comme les chats détestent l'eau et n'apprécient guère les bruits sifflants, vous n'aurez aucun mal à comprendre qu'ils n'aiment ni les bains ni les atomiseurs. Par conséquent, le Dr Samuelson recommande une mousse sèche spéciale pour les chats. N'oubliez pas qu'une préparation pour chiens sera trop puissante.

Voici Avon®, Madame! On a démontré que l'huile de bain Skin-So-Soft® de Avon® était efficace pour éloigner les puces. En effet, des chercheurs à l'université de Floride ont frotté des chiens infestés de puces avec une solution composée de quatre litres d'eau additionnée de 45 ml de Skin-So-Soft®. Le lendemain, la population de puces sur les animaux avait chuté de 40 %. «Les puces ont l'odorat très développé», ont signalé des chercheurs qui se demandaient si la fragrance de pin de Skin-So-Soft leur déplaisait. Selon eux, cette solution est loin d'être aussi efficace qu'un insecticide traditionnel, mais vous pouvez ajouter de l'huile de bain à une solution d'insecticide pour en masquer l'odeur et donner à votre animal un pelage plus lustré.

POUR VENIR À BOUT DES DÉMANGEAISONS

Vous vous disiez peut-être qu'il s'agissait d'eczéma estival, mais voyant votre chien en train de se mutiler afin de venir à bout de ses démangeaisons, vous avez compris qu'il fallait faire quelque chose.

«L'eczéma estival n'existe tout simplement pas chez les chiens, explique le Dr Donna Angarano, professeur adjointe de dermatologie à la faculté de médecine vétérinaire de l'université Auburn. Dans la plupart des cas. ce que vous voyez est une réaction allergique aux puces. Ce ne sont pas tant les morsures de puces qui rendent votre chien fou, mais leur salive. Le diagnostic devrait être posé par un vétérinaire, car d'autres allergies, parasites ou maladies peuvent provoquer ce qui ressemble à de l'eczéma estival.

Tuez les puces. «Si vous savez qu'il s'agit d'une réaction allergique aux puces, vous savez ce que vous devez faire si vous avez lu le début de la présente rubrique. Vous devez éliminer les puces. «Les allergies s'aggravent souvent avec l'âge», dit le Dr Angarano. «Vous ne pouvez pas guérir l'allergie, ajoute le Dr Samuelson, mais vous pouvez en enrayer la cause.» Certaines études lient les allergies aux puces aux invasions à répétition. Les propriétaires d'animaux laissent les puces infester leur animal, puis ils les tuent, et laissent la même chose se produire de nouveau. Par conséquent, agissez avant que les puces n'infestent votre animal.»

Traitez la blessure. Rasez les poils à l'endroit où l'animal s'est gratté au sang, lavez la plaie à l'eau chaude et appliquez un astringent pour l'assécher. Le Dr Angarano recommande de la poudre Domeboro®, un produit en vente libre. Il y a aussi l'alcool qui est efficace, mais il provoque une sensation de brûlure, de sorte qu'il faut le diluer. Enfin, le Sulfadene® donne de bons résultats, mais ce produit contient de l'alcool.

Soulagez les sensations de brûlure. Un produit contenant de l'aloès peut contribuer à soulager les sensations de brûlure et à assécher la plaie. «Les poudres et les pommades empirent souvent la situation», dit le Dr Angarano.

Gardez les plaies bien propres. Comme l'eczéma estival, une plaie ouverte est le milieu naturel idéal pour une infection. Par conséquent, il faut toujours garder les plaies bien propres.

LE CAUCHEMAR DES POILS EMMÊLÉS

Laura Martin en sait quelque chose. Elle élève des bergers anglais, comme Tobi, dans ses chenils, les Jen-Kris Kennels, à North Barrington, en Illinois. Elle a d'ailleurs d'excellents conseils à donner à Sophie.

Coupez à la verticale. «La plupart des gens coupent les boules de poils emmêlés à l'horizontale, c'est-à-dire parallèlement à la peau, dit Laura Martin. Bien entendu, cela laisse un grand trou. Vous devriez plutôt couper les boules de poils emmêlés à la verticale, en commençant près de la peau et en descendant. De cette façon, vous coupez les poils emmêlés qui se trouvent à l'horizontale, mais vous laissez ceux qui sont à la verticale. De plus, cette méthode vous permettra de séparer les grosses boules de poils emmêlés en boules plus petites, et vous laisserez beaucoup moins de trous dans le pelage de votre animal une fois que vous aurez terminé.» Servez-vous de ciseaux bien aiguisés, mais au bout arrondi.

Laissez vos doigts démêler les poils. Lorsque vous arrivez enfin aux plus petites boules de poils emmêlés, défaites-les avec vos doigts, conseille Laura Martin. Puis brossez votre animal avec une brosse ou à l'aide d'un peigne à dents en métal.

Éliminez les boules de poils emmêlés en les vaporisant. En fait, ce n'est pas exactement ce qui se produit. Si vous utilisez un produit aux protéines et à la lanoline et que vous le laissez reposer 10 minutes, vous parviendrez à couper les boules de poils emmêlés deux fois plus rapidement.

Les boules de poils entre les griffes. «Coupez-les horizontalement et enlevez-les au complet», conseille Laura Martin.

POUR ÉLIMINER LES TIQUES

Les tiques, une autre espèce dont il est difficile de justifier l'existence: en plus d'être répugnantes, elles sucent le sang et causent la maladie de Lyme. Heureusement, il est plus facile de les éliminer que les puces.

Armez-vous d'un peigne. «Lorsque votre chien revient d'une promenade dans les champs ou les bois, passez-le au peigne fin», conseille le Dr Pitcairn, vétérinaire attaché au Animal Natural Health Center, à Eugene, en Oregon. Cela permettra d'attraper les tiques qui ne se sont pas encore accrochées à l'animal. Concentrez-vous sur la région du cou et de la tête, et près des oreilles.

Arrachez-les. «Servez-vous de vos doigts. Endormez d'abord la tique à l'aide d'un coton imbibé d'éther, emparez-vous d'elle en la saisissant le plus près possible de la peau de l'animal, tordez-la et tirez dessus graduellement. Lorsque vous l'avez, allez tout de suite vous laver les mains. Si vous tirez lentement, vous parviendrez à enlever aussi la tête. Si vous ne réussissez pas, il n'y a pas lieu de vous inquiéter. Ce détritus peut provoquer une légère inflammation, mais celle-ci se résorbera rapidement». dit le Dr Pitcairn.

Faites d'une pierre deux coups. «La plupart des solutions contre les puces tueront aussi les tiques», dit le Dr Pitcairn.

Prenez soin de traiter une invasion de tiques comme vous traiteriez une infestation de puces: écologiquement.

LES DÉBRIS QUI SE LOGENT DANS LE POIL

Tobi ramasse les débris comme s'ils étaient en velcro. La plupart du temps, ces petites choses emmêlées dans le poil sont pénibles à enlever et, plus on attend, plus la tâche se complique. Il arrive aussi que ces débris soient dangereux. «Par exemple, du vulpin peut se loger dans les oreilles et pénétrer dans l'organisme par la peau et les orifices naturels, ce qui risque de provoquer de graves infections», dit le Dr Pitcairn. Par conséquent, enlevez toujours les débris collés aux poils de votre animal.

Enlevez-les en vous servant d'un peigne. «Utilisez un peigne en acier inoxydable pour enlever les débris avant que les poils ne s'emmêlent», conseille le Dr Pitcairn. Tenez le peigne contre la peau pour simplifier la tâche.

Servez-vous de vos doigts. Si votre animal n'a ramassé que quelques petits débris de feuilles ou autres, ou s'ils sont logés dans les oreilles et entre les griffes, enlevez-les avec vos doigts. Si un débris est trop profondément enfoncé dans l'oreille pour que vous puissiez le voir, ne l'enlevez pas vous-même. «Vous pourriez l'enfoncer encore plus et provoquer une perforation du tympan», explique le Dr Pitcairn. Utilisez plutôt de l'huile minérale ou végétale pour ramollir le corps étranger et emmenez votre animal chez le vétérinaire dans les plus brefs délais.

POUR ÉLIMINER LES MITES D'OREILLES

Les mites d'oreilles sont de petites pestes qui peuvent rendre votre chien ou votre chat complètement fou. Il semble que les animaux qui attrapent des mites ont un problème à vie. Pour savoir si votre animal a les oreilles infestées de mites, voyez si elles ont l'air irrité et si vous décelez des détritus foncés à l'intérieur.

Bien qu'un médicament sur ordonnance soit la méthode normale de traitement, le Dr Pitcairn recommande le remède naturel suivant.

Un remède aux herbes pour venir à bout des mites d'oreilles. «Mélangez 15 ml d'huile d'amande et 400 UI de vitamine E dans un flacon à gouttes, dit le Dr Pitcairn. Mettez quelques gouttes de cette solution dans les oreilles de votre animal une fois par jour pendant trois jours. Laissez celui-ci se secouer les oreilles, puis nettoyez l'intérieur de celles-ci avec des tampons d'ouate. Le mélange huileux étouffe les mites et favorise la guérison. Entre les applications, gardez ce remède au réfrigérateur et réchauffez-le avant de l'appliquer.»

Laissez les oreilles de votre animal se reposer pendant trois jours, le temps de confectionner un nouveau remède. Ajoutez un demi-litre d'eau bouillante à environ 5 ml de rumex jaune. Couvrez la solution hermétiquement et laissez-la reposer pendant 30 minutes. Filtrez-la et laissez-la refroidir. Mettez-la dans un flacon transparent que vous rangerez au réfrigérateur.

Commencez un nouveau traitement de trois jours, puis attendez dix jours et faites-en un autre. Chauffez la solution à base de rumex avant d'en mettre dans les oreilles de votre animal; il acceptera mieux le traitement si la solution n'est pas glacée. Veillez cependant à ce qu'elle ne soit pas trop chaude.

«Si votre animal semble avoir les oreilles irritées, à cause des mites d'oreilles ou des herbes, utilisez uniquement de l'huile d'amande et de la vitamine E jusqu'à ce que l'irritation disparaisse, dit le Dr Pitcairn. S'il a les oreilles enflées ou sensibles, remplacez l'huile d'amande par de l'aloès en bouteille jusqu'à ce que l'inflammation se résorbe.»

EXPERTS CONSULTÉS

Le Dr Donna Angarano est professeur adjointe de dermatologie à la faculté de médecine vétérinaire de l'université Auburn, en Alabama.

Le Dr Fred Hink est professeur d'entomologie à l'université d'État de l'Ohio, à Columbus.

Le Dr Amy Marder est professeur adjointe de médecine à la faculté de médecine vétérinaire de l'université Tuft à Midford, au Massachusetts. Elle est aussi présidente de l'American Veterinary Society of Animal Behavior et chroniqueuse au mazagine *Prevention*.

Laura Martin élève des bergers anglais à North Barrington, en Illinois. Elle fait de l'élevage et organise des foires d'animaux depuis 20 ans.

Le Dr Deborah Patt codirige avec son père une petite clinique vétérinaire, la Patt Veterinary Hospital, à Gilbertsville, en Pennsylvanie.

Le Dr Richard Pitcairn est attaché au Animal Natural Health Center, à Eugene, en Oregon. Il est l'auteur de *Dr Pitcairn's Complete Guide to Natural Health for Dogs and Cats*.

Le Dr Marvin Samuelson est directeur de l'hôpital d'enseignement de médecine vétérinaire à l'université A&M du Texas, à College Station.

Mary Ann Scalaro est technicienne en médecine vétérinaire à l'hôpital vétérinaire Hollis, à Hollis, au New Hampshire.

Prothèses dentaires

14 idées pour un sourire
plus éblouissant

Saviez-vous que George Washington, le premier président des États-Unis, portait des prothèses dentaires?

On ne peut que plaindre les personnes qui portaient des prothèses dentaires à cette époque, car avant l'avènement des crèmes et des pâtes adhésives, les dents artificielles étaient tellement mal ajustées que beaucoup de gens les enlevaient pour manger.

Grâce à Dieu, les choses ont changé depuis. Mais ont-elles vraiment changé? Si vous avez des prothèses neuves, vous connaissèz peut-être les mêmes problèmes que vos ancêtres: une irritation de la bouche, de la difficulté à manger ou à parler distinctement, des prothèses qui glissent et le sentiment qu'elles ont l'air fausses.

De nos jours, bon nombre de choix s'offrent aux personnes qui ont besoin de prothèses dentaires, qu'elles soient partielles ou complètes, amovibles ou sous la forme d'implants attachés aux os comme de véritables dents.

«Ces prothèses, comme tout membre artificiel, requièrent une certaine adaptation», dit le Dr George A. Murrell, un dentiste de Manhattan Beach, en Californie, qui enseigne à la faculté de dentisterie de l'université de Southern California. Le Dr Murrell et d'autres spécialistes font les suggestions suivantes.

Regardez-vous dans le miroir. «Souriez. Froncez les sourcils. Soyez heureux, soyez triste, soyez sérieux. Exercez-vous et vous vous sentirez plus confiant devant les autres», dit le Dr Murrell.

Exercez-vous à parler. «Dites les voyelles, récitez les consonnes», dit le Dr Jerry F. Taintor, directeur d'endodontie à la faculté de dentisterie de l'université du Tennessee. «Cela vous aidera à parler plus distinctement avec vos nouvelles prothèses.»

Faites une vidéo. «Les vidéos sont avantageuses et cela, pour plusieurs raisons», dit le Dr Murrell. Elles vous permettent d'avoir un regard plus objectif sur votre apparence. Vous pouvez aussi faire visionner la vidéo par votre dentiste. Il pourra étudier le rapport entre les prothèses, les muscles de la mâchoire et les mouvements des lèvres.

Méfiez-vous des cure-dents. «Ces petits pics de bois sont particulièrement dangereux quand on porte des prothèses dentaires, dit le Dr Taintor. «Elles réduisent beaucoup la sensibilité tactile. Vous pouvez mordre dans un cure-dents sans vous en rendre compte et en briser un bout qui peut vous rester coincé dans la gorge.»

Faites de la lecture. Et à voix haute. «Les prothèses sont comme les membres artificiels, dit le Dr Taintor. Vous devez apprendre à bien les utiliser. Lisez à voix haute, dit-il. Écoutez attentivement votre prononciation et corrigez vos fautes.»

Utilisez un adhésif. «Si vos prothèses neuves ne vous semblent pas parfaitement ajustées, dit le Dr Taintor, il n'y a rien de mal

à employer un adhésif à prothèses dentaires pendant la période d'adaptation. Mais si vous devez en porter en tout temps, faites de préférence ajuster vos prothèses.» Ces adhésifs sont en vente libre dans toutes les pharmacies. Il s'agit d'une pâte molle qui forme un vide entre vos gencives et vos prothèses pour les retenir ensemble.

Commencez par manger des aliments en purée.

«Non, vous n'êtes pas condamné à manger des aliments en purée pour le reste de vos jours, mais commencez lentement, conseille le Dr Taintor. Passez progressivement à des aliments dont la texture est plus ferme, afin d'habituer vos gencives. Avec le temps et l'expérience, vous pourrez manger tout ce que vous désirez.»

Lavez-les à l'eau savonneuse. Lorsque vous avez fini de manger, retirez vos prothèses et lavez-les à l'eau tiède savonneuse.

Lavez aussi vos implants. «Il faut brosser les implants deux fois par jour, exactement comme les dents naturelles, soutient le Dr Murrell. Les dentistes peuvent faire du merveilleux travail, mais ça ne sert à rien si vous ne prenez pas soin de vos dents.» Votre dentiste vous recommandera peut-être une brosse à dents différente, mais le principe reste le même. Vous devez bien nettoyer vos dents.

Brossez aussi vos gencives. Saviez-vous que les bébés naissent avec du tartre dans la bouche? «Même si vous n'avez plus de dents, vous devez vous brosser les gencives pour enlever le tartre, explique le Dr Eric Shapira, un dentiste de El Granada, en Californie, qui enseigne à la faculté de dentisterie de l'université Pacific. Employez une brosse souple que vous passez délicatement sur les gencives, dit-il. Ne brossez pas trop vigoureusement. Un bon brossage des gencives prévient la mauvaise haleine et garde les gencives en bon état.»

Sucez une pastille. Les personnes qui commencent à porter des prothèses se plaignent d'une salivation excessive pendant les premières semaines. Ce problème est facilement résolu avec des pastilles qu'on suce les premiers jours. Elles vous aideront à avaler plus fréquemment.

Massez vos gencives. «Placez le pouce et l'index sur vos gencives, l'index vers l'extérieur, et massez-les, dit le Dr Richard Shepard de Durango, au Colorado. Cela favorise la circulation et raffermit les gencives.»

Rincez-vous la bouche à l'eau salée. «Pour vous nettoyer les gencives, rincez-les tous les jours avec de l'eau tiède additionnée de 5 ml de sel», dit le Dr Taintor.

Laissez reposer vos gencives. «Lorsque vous le pouvez, retirez vos prothèses et laissez reposer vos gencives», conseille le Dr Taintor.

EXPERTS CONSULTÉS

Le Dr George A. Murrell a un cabinet privé de prosthodontie à Manhattan Beach, en Californie, et enseigne à la faculté de dentisterie de l'université de Southern California, à Los Angeles

Le Dr Eric Shapira a un cabinet privé à El Granada, en Californie, et enseigne à la faculté de dentisterie de l'université Pacific de San Francisco. Il détient une maîtrise en science et en biochimie.

Le Dr Richard Shepard est un dentiste à la retraite de Durango, au Colorado. Il est l'éditeur du bulletin de la Holistic Dental Association.

Le Dr Jerry F. Taintor est directeur d'endodonbe à la faculté de dentisterle de l'université du Tennessee. Il est l'auteur de *The Oral Report: The Consumer's Common Sense Guide to Better Dental Care*.

Psoriasis

19 remèdes utiles

Georgia Mossman a cinq points en commun avec les millions d'autres personnes qui souffrent de psoriasis.

1. Son psoriasis est comme celui des autres victimes: chaque cas est différent et unique.

2. Ce qui est efficace pour certains ne l'est pas nécessairement dans son cas.

3. Ce qui est efficace pour elle ne l'est pas nécessairement pour quelqu'un d'autre.

4. Un traitement peut donner de bons résultats la première fois, mais de moins bons résultats la deuxième fois, et devenir inefficace par la suite.

5. Elle ne sait pas pourquoi elle souffre de cette maladie.

Ajoutez une cause inconnue et mélangez-y un remède inconnu, et vous obtenez une recette de la frustration. Il n'est pas difficile de comprendre pourquoi des médecins comme Laurence Miller, conseiller auprès de la National Psoriasis Foundation et des National Institutes of Health, disent: «Lorsqu'il s'agit de psoriasis, la médecine moderne est totalement impuissante.»

Le psoriasis est une maladie qui se caractérise par un grave trouble des cellules de la peau. Normalement, la peau se renouvelle d'elle-même en 30 jours environ, le temps pour une cellule de se déplacer des couches les plus profondes de la peau jusqu'à la surface de celle-ci. En cas de psoriasis, les cellules atteignent la surface au bout de trois jours, ce qui provoque des plaques rouges et souvent purigineuses. Une fois qu'elles ont atteint la surface de la peau,

---

Le camouflage du psoriasis

Hollywood à la rescousse! Maurice Stein, cosmétologue et maquilleur à Hollywood, aide non seulement des patients de médecins qui pratiquent aux quatre coins des États-Unis, mais aussi des vedettes de cinéma qui ne doivent laisser paraître la moindre imperfection à l'écran. Voici quelques-unes de ses recommandations.

- «Premièrement, n'essayez jamais de camoufler une lésion ouverte», dit Maurice Stein, reprenant le conseil des médecins.
- Pour les coudes et les genoux, Maurice Stein vous recommande d'ajouter de la terre indienne à votre émollient préféré et de l'appliquer avec une éponge à maquillage. On trouve de la terre indienne, une roche pulvérisée aussi fine que de la poudre à maquillage, dans les salons de soins de beauté, les grands magasins, les pharmacies. «Une dose pas plus importante qu'une petite pièce de monnaie suffit pour tout le corps, dit Maurice Stein. L'émollient gardera les plaques humides et la terre indienne déguisera leur apparence. Si vous devez mettre un vêtement pardessus une région touchée, tapotez-la légèrement pour l'assécher», conseille Maurice Stein.
- «Si vous ne trouvez pas de terre indienne, choisissez un fond de teint riche en pigments, dit-il. Le meilleur endroit pour faire l'essai d'un tel produit est chez un cosmétologue.»

elles meurent comme toutes les cellules, mais elles sont en si grand nombre que les plaques deviennent blanchâtres et se mettent à se desquamer.

Le psoriasis passe généralement par des cycles de plaques suivis de périodes de rémission, les plaques survenant le plus souvent l'hiver. Il arrive que le psoriasis disparaisse pendant des mois ou même des années. Il peut s'atténuer ou s'aggraver avec l'âge.

Pas de cause, pas de remède. En revanche, de nombreuses mesures préventives peuvent être adoptées. N'oubliez pas, toutefois, que ce qui est efficace pour quelqu'un d'autre ne l'est pas nécessairement pour vous. Vous devez faire des expériences et élaborer votre propre plan d'attaque. Voici quelques stratégies.

Changez d'attitude. Le Dr Philip Anderson, professeur et directeur du Service de dermatologie à la faculté de médecine de l'université Missouri-Columbia, dit que la chose la plus importante est d'accepter le fait qu'on souffre de psoriasis. Il conseille aussi à ses patients d'apprendre à gérer la maladie et à l'empêcher de s'aggraver. «Ne gaspillez pas d'énergie à vous occuper de la moindre petite plaque. Ce n'est pas la bonne solution», souligne-t-il.

Le Dr Miller est d'accord. «Je vois certains patients atteints de psoriasis peut-être deux fois par an, dit-il. Il n'existe pas de loi qui oblige chaque victime à se débarrasser de toutes les squames qu'elle a sur le corps. Je place mes mains à environ 30 cm l'une de l'autre et je dis à mes patients qu'ils doivent faire «ça» d'efforts pour se débarrasser de 80 % de leurs squames. Puis j'ouvre les bras aussi grand que je le peux et je leur dis qu'il faut «ça» d'efforts pour se débarrasser des 20 % qui restent. Je leur conseille ensuite d'apprendre à vivre avec leur maladie. Lorsqu'ils pensent qu'ils ont épuisé tous les traitements, ou qu'ils sont passés de A à Z, je leur dis de recommencer à A.» Si vous souffrez de psoriasis léger, vous pouvez bien le maîtriser à l'aide de certains des remèdes qui suivent.

Lubrifiez la peau. Les émollients viennent au premier rang des traitements en vente libre que recommandent les dermatologistes. Une peau atteinte de psoriasis est toujours sèche, ce qui peut aggraver la maladie et accroître les desquamations et les démangeaisons. Les émollients aident la peau à retenir l'eau. Vous pouvez employer l'huile pour le corps que vous préférez ou opter simplement pour de l'huile végétale ou de la vaseline. Les émollients sont plus efficaces après un bain, lorsque la peau est toute mouillée. Pour des raisons de sécurité, évitez de mettre de l'huile dans l'eau de votre bain. Pour soulager les démangeaisons, le Dr Miller recommande la lotion Sarnol®, qui contient du menthol et du camphre.

Recherchez le soleil. Des doses régulières de soleil intense semblent soulager 95 % des personnes qui souffrent de psoriasis. La région d'Israël située près de la mer Morte semble particulièrement célèbre pour sa climatothérapie, et de nombreuses personnes se rendent régulièrement dans des régions très ensoleillées.

«La maladie semble se manifester tellement plus en hiver, sous des climats variables ou humides, qu'une personne atteinte de psoriasis grave devrait songer à déménager dans une région au climat chaud et sec», dit le Dr Anderson. Ce sont les ondes ultraviolettes qui combattent le psoriasis et ce sont les rayons UVB qui agissent le plus rapidement. Mais il y a un problème. Les rayons UVB provoquent aussi les coups de soleil et font augmenter les risques de cancer de la peau. Ils peuvent même faire apparaître du psoriasis sur des régions du corps qui n'étaient pas atteintes auparavant.

Heureusement, il y a une solution: les écrans solaires. «Les bienfaits des bains de soleil peuvent l'emporter sur les risques de cancer de la peau et d'aggravation du psoriasis si vous mettez un écran solaire sur les régions de la peau qui ne sont pas atteintes de psoriasis et si vous exposez uniquement les régions atteintes à la pleine force du soleil», dit le Dr Miller.

Allumez la lampe. «Procurez-vous une lampe solaire aux rayons UVB pour traiter vos plaques de psoriasis», dit le Dr Miller. Comme les besoins varient d'une personne à une autre, consultez d'abord votre médecin. Peut-être préférerez-vous les rayons des salons de bronzage, mais ils sont plus faibles et mettent beaucoup plus de temps à agir.

Recourez au goudron. «Les préparations en vente libre à base de goudron sont plus faibles que les produits sur ordonnance, mais ils peuvent être efficaces contre le psoriasis léger, dit le Dr Miller. Vous pouvez appliquer du goudron directement sur vos plaques de psoriasis ou vous immerger dans un bain à l'huile de goudron et vous traiter le cuir chevelu à l'aide d'un shampoing au goudron. Étant donné que même les produits à base de goudron en vente libre peuvent tacher et laisser une odeur, rincez-les bien le temps venu. Cependant, il existe aussi des produits qu'on peut laisser sur la peau pour accroître l'effet du soleil ou des traitements aux UVB. «Le goudron peut rendre plus sensible au soleil, signale le Dr Miller. Par conséquent, soyez prudent.»

Le Dr Miller souligne qu'il existe maintenant de nouveaux produits à base de goudron, grandement améliorés, sous forme de gel. Ils ne dégagent plus une forte odeur et se rincent bien, de sorte qu'on peut s'en sevir tous les jours. Il fait cependant une mise en garde: «Si un produit à base de goudron vous brûle ou vous irrite la peau, cessez de l'utiliser. Et n'appliquez jamais un tel produit sur une plaie vive.»

Mouillez-vous et réchauffez-vous. «Les bains chauds et les baignades dans une piscine chauffée sont excellents pour le psoriasis, dit le Dr Miller, car ils aplatissent les plaques et réduisent les desquamations. Il arrive cependant que l'eau chaude intensifie les démangeaisons», ajoute-t-il.

Mouillez-vous et refroidissez-vous. «Un bain à l'eau froide, peut-être additionnée de 235 ml de vinaigre de cidre, soulage efficacement les démangeaisons. La glace est aussi un traitement très efficace, dit le Dr Miller. Mettez quelques glaçons dans un sac en plastique et placez-le sur la région touchée.»

Traitez vos petites plaques de psoriasis à la cortisone. «Les crèmes topiques à base de cortisone faiblement dosées vendues sur ordonnance valent la peine d'être essayées, sans compter qu'elles sont plus sûres pour le visage et la région des organes génitaux, explique le Dr Miller. Si vous en utilisez constamment pour traiter ces régions, cependant, elles deviendront moins efficaces et votre psoriasis risquera de s'aggraver lorsque vous cesserez ces traitements. Par conséquent, utilisez-les jusqu'à ce que vous constatiez une amélioration, puis cessez graduellement.»

Enveloppez vos plaques de psoriasis. Les chercheurs ont découvert que couvrir les lésions causées par le psoriasis avec du ruban adhésif ou du plastique pendant des jours ou même des semaines peut favoriser leur cicatrisation, plus particulièrement si on les enduit d'abord de crème à la cortisone. «J'ai dormi dans de la pellicule de plastique avec un bonnet de bain en plastique», dit Ève Auger avec tristesse, sans préciser l'effet que cela avait eu sur son mariage.

«Les cellules à la surface se détrempent et s'endommagent, explique le Dr Anderson, ce qui semble ralentir leur prolifération.» Ce traitement ne convient que pour les plaques peu étendues, qui n'ont pas plus de 2 cm de diamètre. Vous devez faire attention, car la peau peut s'infecter, ce qui ne fait qu'aggraver le psoriasis.

Prenez soin de ne pas vous blesser. «De nouvelles lésions apparaissent souvent sur de la peau endommagée», dit le Dr Anderson. Les chercheurs croient que les traumatismes de la peau peuvent dérégler l'organisme et aggraver le psoriasis. «Les personnes atteintes de psoriasis ne devraient pas aller cueillir de mûres, pas plus qu'un homme souffrant de maux de dos ne devrait déménager un piano», dit le Dr Anderson. Vous pouvez vous endommager la peau en portant des chaussures ou une montre trop serrées, en vous servant de lames de rasoir usées ou en utilisant des produits de nettoyage très forts.

Si vous faites de l'embonpoint, perdez du poids. «Même si les scientifiques ne peuvent prouver que l'obésité aggrave le psoriasis, dit le Dr Anderson, c'est l'un des fils conducteurs. Perdre du poids semble soulager les personnes qui souffrent de psoriasis. Si vous maigrissez et conservez un poids normal, vous constaterez fort probablement une amélioration», ajoute-t-il.

Soyez moins stressé. «J'ai vu une fillette de 13 ans se mettre à faire du psoriasis partout sur le corps après le décès de son père», signale le Dr Miller. «Il existe des données incontestables qui prouvent que le stress peut déclencher le psoriasis, déclare le Dr Eugene Farber, président du Psoriasis Research Institute. Si vous passez une semaine étendu sur une plage de Hawaï, vous vous sentirez mieux. Même aller à l'hôpital pour une intervention chirurgicale peut améliorer votre psoriasis. Bien que cela soit stressant, vous vous détendez parce qu'on s'occupe de vous. Le fait de ne pas être exposé au stress quotidien pendant quelque temps vous fera inévitablement du bien.»

Songez au poisson. Non pas pour atténuer votre stress, mais pour ajouter à votre régime alimentaire des gélules d'huile de poisson contenant un acide gras appelé acide éicosapentanoïque. Les découvertes du Dr Vincent Ziboh, professeur de dermatologie et de biochimie à la faculté de médecine Davis de l'université de Californie, l'encouragent beaucoup. «Environ 60 % des sujets étudiés ont bien répondu à ce traitement, dit-il. L'étendue et l'épaisseur des plaques ont diminué, tout comme les rougeurs et les démangeaisons.»

Mais de nombreuses mesures préventives s'imposent. «Certaines personnes ne constateront aucune amélioration, tandis que d'autres verront leur cas s'aggraver, explique le Dr Ziboh. Nous ne pouvons pas garantir le traitement. Son étude originale était limitée et de courte durée, de sorte que les résultats ne sont pas concluants.» Il signale qu'on n'a observé aucun effet indésirable, mais qu'il pourrait y en avoir à long terme. Par exemple, l'huile de poisson peut diminuer la coagulation du sang, de sorte qu'elle pourrait amplifier les effets anti-coagulants d'autres médicaments que vous prenez. «Si vous prenez de l'huile de poisson, demandez à votre médecin de suivre votre progression», dit-il, en guise de mise en garde.

Le Dr Ziboh signale par ailleurs que toutes les huiles de poisson n'ont pas les mêmes propriétés. «Nous avons analysé les huiles de poisson que nous utilisions et avons constaté que le pourcentage d'acide éicosapentanoïque dans les gélules variait entre 1 % et 10 %, souligne-t-il. Vous devriez vous attendre à un pourcentage de 17%.»

Bien que les sujets de son étude prenaient entre 11 et 14 g de cet acide tous les jours, il dit que vous vous sentiriez aussi bien sinon mieux avec la moitié de la dose. Consultez votre médecin avant d'entreprendre une telle thérapie. Il est bon de consommer des poissons gras, comme du saumon ou du maquereau, mais il faudrait que vous en mangiez entre 450 et 900 g par jour pour obtenir 5 g d'acide éicosapentanoïque.

Traitez les infections. Il existe un lien bien documenté, mais qu'on ne s'explique toujours pas, entre les infections et le déclenchement initial du psoriasis. On sait aussi que les cas de psoriasis déclaré s'aggravent en cas d'infection. Ève Auger a été victime de nombreuses piqûres d'insectes sur les mollets et les chevilles. Peu de temps après, elle a fait sa première crise de psoriasis... sur le cuir chevelu, les coudes et les genoux.

«Nous voyons des enfants couverts de psoriasis de la tête aux pieds deux semaines après avoir fait une infection aux streptocoques», dit le Dr Miller. Le secret est donc de bien traiter toutes les infections dans les plus brefs délais et d'accorder une attention particulière à votre problème de psoriasis dès qu'une infection se manifeste.

EXPERTS CONSULTÉS

Le Dr Philip Anderson est professeur et directeur du Service de dermatologie à la faculté de médecine de l'université Missouri-Columbia.

Le Dr Joel Bernstein est professeur adjoint de pharmacologie clinique à la faculté de médecine Pritzker de l'université de Chicago, en Illinois.

Le Dr Eugene Farber est président du Psoriasis Research Institute. Il était anciennement professeur et directeur du Service de dermatologie à la faculté de médecine de l'université Stanford, en Californie.

Le Dr Laurence Miller est membre du Medical Advisory Board de la National Psoriasis Foundation et conseiller spécial auprès du directeur du National Institute of Arthritis and Musculoskeletal and Skin Diseases aux National Institutes of Health.

Maurice Stein est cosmétologue et maquilleur à Hollywood. Il est propriétaire de Cinema Secrets, une maison de maquillage de théâtre à Burbank, en Californie.

Le Dr Vincent Ziboh est professeur de dermatologie et de biochimie à la faculté de médecine Davis de l'université de Californie.

Rhume

29 remèdes pour le combattre

Le rhume n'épargne personne. Épisodiquement, nous souffrons tous de cette maladie qui, pour être banale, n'en est pas moins incommodante et qui résiste aux baumes et remèdes vantés par la publicité. Les antibiotiques qui viennent à bout des pires infections bactériennes sont impuissants contre le virus du rhume. Le seul remède est de prendre son mal en patience en espérant que les symptômes disparaîtront au bout d'une semaine.

Selon les médecins spécialistes de l'auto-traitement, nous pouvons réduire les manifestations du rhume. Certains remèdes peuvent nous aider à le surmonter plus rapidement. En voici quelques-uns.

Prenez de la vitamine C. «La vitamine C agit dans l'organisme comme un vidangeur. Elle ramasse toutes sortes de déchets, y compris ceux du virus, dit le Dr Keith W. Sehnert, du Centre de santé Trinity de Minneapolis, au Minnesota. Elle peut réduire la durée d'un rhume de sept jours à deux ou trois jours.»

La vitamine C contribue à combattre la toux, les éternuements et les autres symptômes du rhume. Selon une étude de l'université du Wisconsin, les personnes enrhumées qui prennent 500 mg de vitamine C quatre fois par jour ont deux fois moins de symptômes que celles qui n'en prennent pas.

«À court terme, ces doses assez élevées ne devraient pas produire d'effets indésirables, dit le Dr Sehnert, mais il est préférable de consulter un médecin avant d'entreprendre le traitement. Mieux encore, buvez de grandes quantités de jus de pamplemousse, d'orange et de canneberges, très riches en vitamine C.»

ALERTE MÉDICALE

Soyez vigilant!

Si votre rhume s'accompagne de l'un ou l'autre des symptômes suivants, consultez votre médecin:

- Une fièvre de plus de 38,5 °C qui dure plus de trois jours ou toute fièvre de plus de 39,5 °C. Un enfant qui souffre de forte fièvre doit être conduit chez un médecin dans les 24 heures.
- Toute douleur aiguë comme des maux d'oreilles, des amygdales enflées, des douleurs aux sinus, aux poumons ou à la poitrine.
- Des quantités excessives d'expectorations ou des expectorations verdâtres ou sanguinolentes.
- De grandes difficultés à avaler. Une respiration bruyante.
- Le souffle court.

Traitez votre rhume avec du zinc. Des chercheurs britanniques et américains ont découvert que les pastilles de zinc peuvent accélérer la guérison d'un rhume de sept jours environ. «Le zinc peut aussi réduire le dessèchement et l'irritation de la gorge, ajoute le Dr Elson Haas, directeur de la Clinique de médecine préventive et d'éducation médicale Marin de San Rafael, en Californie. «Ce traitement n'a pas les mêmes effets pour tous, mais quand il fonctionne, il fait des miracles.»

Seule ombre au tableau, le zinc a un goût désagréable. Il existe toutefois des pastilles qui contiennent du miel ou de l'essence d'agrume qui les rendent plus faciles à avaler. Toutefois, évitez de dépasser la dose prescrite par votre médecin. À forte dose, le zinc peut être toxique.

Soyez positif. «Pour mobiliser toutes les ressources de votre système immunitaire, ayez foi en la capacité d'auto-guérison de l'organisme, dit le Dr Martin Rossman, généraliste à Mill Valley, en Californie. Le Dr Rossman met cette théorie en pratique et propose à ses patients enrhumés des techniques de visualisation. Mettez-vous dans un état de relaxation profonde, puis imaginez une tornade blanche qui décongestionne vos sinus ou une armée de soubrettes microscopiques qui nettoient les microbes avec du désinfectant.»

Le vrai coupable

Vous souffrez d'un rhume tenace et vous aimeriez savoir qui blâmer? Le Dr Elliot Dick, virologue et professeur à l'université du Wisconsin, à Madison, effectue des recherches sur la transmission du rhume depuis plus de 30 ans. Selon lui, les raisons sont multiples mais souvent erronées. Voici les plus courantes:

* Partager des aliments ou des boissons avec une personne qui a le rhume;
* Embrasser une personne enrhumée;
* Sortir trop légèrement vêtu;
* Rester dans un courant d'air;
* Sortir les cheveux mouillés.

«Le *véritable porteur*, vous l'aurez deviné, est un virus qui se transmet dans l'air, dit le Dr Dick. Vous pouvez l'attraper lorsqu'une personne enrhumée tousse, éternue ou se mouche et répand le virus sur son chemin.»

Reposez-vous et détendez-vous. «Le repos vous permet de mobiliser toutes vos énergies et vous évite des complications comme la bronchite et la pneumonie», dit le Dr Samuel Craughron, un médecin de famille spécialisé en médecine préventive à Charlottesville, en Virginie.

«Si vous êtes vraiment mal en point, prenez quelques jours de congé, conseille-t-il. Si c'est impossible, ralentissez vos activités quotidiennes et modifiez votre horaire. En essayant de suivre votre emploi du temps habituel, vous vous épuisez. Lorsque vous êtes malade, vous avez plus de difficulté à vous concentrer et la moindre chose vous prend deux fois plus de temps», dit-il.

Refusez les invitations. «Lorsque vous avez un rhume, les fêtes et les sorties peuvent vous fatiguer et affaiblir votre système immunitaire, ce qui prolonge votre maladie, dit le Dr Timothy Van Ert, un spécialiste en médecine préventive et en auto-traitement à San Francisco et Saratoga, en Californie. Restez chez vous jusqu'à ce que vous vous sentiez mieux.»

Restez au chaud. «Restez bien au chaud, conseille le Dr Sehnert, afin que votre système immunitaire concentre tous ses efforts à lutter contre le rhume et non contre le froid.»

Faites une promenade. «Un léger exercice améliore la circulation et, par conséquent, favorise la fabrication des anticorps par le système immunitaire, explique le Dr Sehnert. Sautez sur un petit trampoline pendant 15 minutes ou faites une promenade d'une demi-heure», suggère-t-il. Évitez les exercices trop vigoureux qui pourraient vous épuiser.

Mangez léger. «Votre rhume est peut-être le signe d'un régime alimentaire trop riche et exigeant pour votre métabolisme, dit le Dr Haas. Mangez moins d'aliments gras, de viandes et de produits laitiers et davantage de fruits et de légumes frais.»

Buvez du bouillon de poulet. C'est une vieille recette de grand-mère largement éprouvée. Un bol de bouillon de poulet peut décongestionner les voies nasales. Des chercheurs du Centre médical de Mount Sinai à Miami Beach ont découvert que le bouillon, en raison de son arôme ou de son goût, possède une substance qui accélère l'écoulement des sécrétions nasales. «Ces sécrétions, qui s'écoulent lorsque vous vous mouchez, constituent le premier moyen de défense de votre organisme contre les microbes», expliquent les chercheurs.

Prenez beaucoup de liquides. «Buvez de six à huit verres d'eau, de jus, ou de thé par jour, conseille le Dr Sehnert. Ces liquides remplacent les fluides perdus pendant le rhume et contribue à éliminer les impuretés qui attaquent votre organisme.»

Évitez le tabac. «La cigarette aggrave l'irritation de la gorge, dit le Dr Craughon. De plus, la fumée entrave l'activité des cils, ces doigts microscopiques qui luttent contre l'infection en refoulant les bactéries à l'extérieur des poumons et de la gorge. Par conséquent, essayez de moins fumer quand vous avez le rhume.»

Gargarisez-vous à l'eau salée. «Gargarisez-vous matin, midi et soir ou même plus souvent avec un verre d'eau tiède et 5 ml de sel afin de soulager l'irritation de la gorge», conseille le Dr Van Ert.

Concoctez-vous un bon grog. «Pour dégager vos voies nasales et vous préparer à une bonne nuit de sommeil, buvez un bon grog bien chaud ou un demi-verre de vin avant d'aller au lit, suggère le Dr Craughon. Toutefois, une plus grande quantité d'alcool peut stresser l'organisme et retarder la guérison. Le remède est déconseillé si vous prenez des médicaments contre le rhume.»

Prenez une douche ou faites-vous une fumigation.

«Une douche très chaude peut aider à soulager la congestion, dit le Dr Kenneth Peters, spécialiste des maladies organiques et de la douleur chronique à Mountain View, en Californie. Vous pouvez faire bouillir de l'eau dans une casserole, enrouler une serviette autour de votre tête et respirer les vapeurs qui s'en dégagent. Voilà qui soulage aussi la toux en hydratant la gorge», affirme-t-il.

Lubrifiez votre nez endolori. Votre nez peut devenir irrité si vous vous mouchez souvent. «À l'aide d'un tampon d'ouate, enduisez-le d'une couche protectrice de vaseline, sans oublier l'intérieur des narines», suggère le Dr Peters.

Prenez des médicaments la nuit. Il existe toutes sortes de médicaments en vente libre contre le rhume. Certains traitent un symptôme en particulier. D'autres, comme Tussifed® ou Rhinurel®, contiennent une combinaison de médicaments, dont de l'alcool dans certains cas, destinés à traiter plusieurs symptômes. «Ces combinaisons médicamenteuses peuvent malheureusement avoir des effets indésirables comme la nausée ou la somnolence, dit le Dr Van Ert. Prenez ces médicaments la nuit pour vous éviter d'en ressentir les effets secondaires.»

Si vous devez absolument prendre des médicaments le jour, choisissez ceux qui traitent uniquement les symptômes dont vous souffrez. Lisez bien les instructions et ne dépassez pas la dose prescrite, surtout chez les enfants.

- Pour soulager la fièvre et les courbatures, prenez de l'aspirine® ou du paracétamol (Tylenol®). Ne donnez pas de l'aspirine® aux moins de 21 ans. Dans leur cas, les symptômes de la grippe et de la varicelle se confondent avec ceux du rhume. Des recherches ont en effet démontré que l'aspirine® augmente les risques du syndrome de Reye, une maladie du foie et du cerveau relativement rare, mais mortelle chez les enfants atteints d'infections virales. Il faut aussi se méfier des médicaments à base d'aspirine® comme les comprimés AlkaSeltzer® ou les comprimés Bayer® pour enfants.

- Pour soulager les éternuements, l'écoulement nasal et le larmoiement, prenez un antihistaminique qui empêche la libération de l'histamine, un composé chimique qui provoque ces symptômes. «Choisissez des médicaments comme le Polaramine® et le Dimetane®, conseille Diane Casdorph, professeur clinique au Centre d'information sur les médicaments du service

Quoi d'autre?

Les herbes et les tisanes

Selon deux médecins qui les recommandent à leurs patients, certaines herbes et tisanes possèdent des propriétés particulières qui agissent naturellement contre le rhume.

L'ail. «Ce bulbe familier a des propriétés antibiotiques, dit le Dr Haas. Il tue les microbes et soulage les symptômes du rhume plus rapidement.» Le Dr Haas recommande deux ou trois capsules d'ail sans huile par jour.

Le thé de bois de réglisse. Selon le Dr Van Ert, ce thé a un effet anesthésiant qui soulage l'irritation de la gorge et la toux. Prenez-en tous les jours.

D'autres thés. Pour une bonne nuit de sommeil, faites une infusion de houblon ou de valériane, deux plantes reconnues pour leur effet tranquillisant naturel. Vous obtiendrez de meilleurs résultats en y ajoutant une cuillerée à café de miel, un hydrate de carbone simple produisant un effet sédatif.

Le monolaurian. «Des recherches ont démontré que cet acide gras, que l'on trouve sous forme de capsule, a une action antivirale qui aide à mobiliser le système immunitaire contre le virus du rhume», dit le Dr Van Ert. Il recommande deux capsules trois fois par jour, au moment des repas.

de pharmacie de l'université West Virginia. Mise en garde: comme les antihistaminiques causent souvent de la somnolence, prenez-les de préférence au coucher, si vous n'avez pas à conduire ou à faire un travail manuel.

- Pour dégager les voies nasales, prenez un décongestionnant. Choisissez des médicaments contenant les agents actifs suivants: la phénylproponalamine, la phényléphrine ou la pseudo-éphédrine, dit Diane Casdorph. Essayez Sudafed®, Actifed®, ou Tussifed®.

- «Les vaporisateurs et les gouttes nasales comme Rhinadvil®, Neosynephrine®, Deturgylone® et Aturgyl® sont des décongestionnants efficaces. Mais il ne faut pas les prendre pendant plus de trois jours, dit le Dr Peters. L'abus peut entraîner une réaction contraire et causer une nouvelle congestion des voies nasales.»

- Pour soulager la toux, prenez un sirop ou des pastilles contre la toux. «Choisissez une préparation avec un antitussif comme du dextrométhorphane, du diphenhydramine ou de la noscapine», dit Diane Casdorph, qui recommande l'Eucalyptol® ou le Broncholussilan®.

- «D'autres pastilles contiennent un anesthésique topique qui soulage l'irritation de la gorge et la toux», dit le Dr Van Ert. Parmi celles-ci, mentionnons les pastilles Valda®, Drill® et Euphon®.

- Les baumes au menthol ou au camphre ont un effet apaisant. Ils soulagent la congestion et facilitent la respiration, particulièrement au moment du coucher. Appliquez du Vicks® Vapo-Rub® ou un produit similaire sur la poitrine, couvrez-vous et passez une bonne nuit.

Ne partagez pas vos microbes. «Lorsque vous ressentez le besoin de tousser ou de vous moucher, couvrez-vous la bouche et le nez avec un mouchoir en papier, conseille le Dr Van Ert. Puis jetez immédiatement le mouchoir et lavez-vous les mains. Vos parents et amis apprécieront votre délicatesse.»

EXPERTS CONSULTÉS

Diane Casdorph est professeur de pharmacie au Centre d'information sur les médicaments du service de pharmacie de l'université West Virginia, à Morgantown.

Le Dr Samuel Craughon est médecin de famille spécialisé en médecine préventive à Charlottesville, en Virginie.

Le Dr Eliott Dick est virologue et professeur de médecine préventive à l'université du Wisconsin, à Madison. De plus, il se consacre à la recherche sur le rhume depuis plus de 30 ans.

Le Dr Elson Hass est directeur de la Clinique de médecine préventive et d'éducation médicale Marin de San Rafael, en Californie; il a écrit *Staying Healthy with the Seasons.*

Le Dr Kenneth Peters est spécialiste des maladies organiques et de la douleur chronique à Mountain View, en Californie

Le Dr Martin Rossman est médecin généraliste à Mill Valley, en Californie. Il est l'auteur de *Healing Yourself: A Step-by-Step Guide to Better Health through Imagery.*

Le Dr Keith W. Sehnert est attaché au Centre de santé Trinity de Minneapolis, au Minnesota. Il est l'auteur de nombreux ouvrages dont *Selfcare/Wellcare* et *How to Be Your Own Doctor Sometimes.*

Le Dr Timothy Van Ert exerce la médecine à San Francisco et à Saratoga, en Californie, et se spécialise en auto-traitement et en médecine préventive.

Rides

24 moyens de les retarder

La sagesse est le privilège de l'âge, dit-on, mais les cheveux gris et les rides sont la marque des premiers tourments. On peut masquer les cheveux gris à l'aide d'une teinture. Par contre, les rides ne disparaissent pas comme par enchantement. D'après nos experts, il est possible de les retarder, à défaut de les éliminer.

Ne vous prenez pas pour un raisin de Bordeaux. En d'autres termes, ne vous exposez pas au soleil. Le soleil agit sur la peau comme sur les fruits secs. Il la ratatine. «L'effet du soleil est pire de nos jours, avec la diminution de la couche d'ozone qui laisse filtrer une plus grande quantité de rayons nocifs pour la peau», dit le Dr Norman A. Brooks, dermatologiste à Encino, en Californie, et professeur adjoint de dermatologie à la faculté de médecine de l'université de Californie à Los Angeles. (Pour éviter les rides causées par le soleil, voir *Plaisir et rides sous le soleil* à la page 574.)

Fuyez les salons de bronzage. «Ils émettent le même type de rayons que le soleil», dit le Dr Jeffrey H. Binstock, dermatologiste et professeur adjoint de chirurgie dermatologique à la faculté de médecine de l'université de Californie, à San Francisco.

Ne soyez pas trop expressif. «Vous pouvez faire sans danger une petite grimace de temps en temps, mais si vous froncez sans cesse les sourcils, plissez les yeux ou pincez les lèvres, vous favorisez l'apparition de rides ou accentuez celles que vous avez déjà», explique le Dr Marianne O'Donoghue, professeur adjoint de dermatologie à l'hôpital Rush-Presbyterian-St. Luke's de Chicago, en Illinois.

Examinez votre visage. Comment savoir si on grimace trop? «Regardez-vous dans le miroir pendant que vous parlez au téléphone, suggère le Dr Binstock. Ou encore mettez un ruban adhésif sur votre front. «Chaque fois que vous froncerez les sourcils, vous sentirez le ruban tirer sur la peau», explique le Dr John F. Romano, dermatologiste et professeur de médecine au Centre médical de l'hôpital de New York et de l'université Cornell à New York.

Évitez de vous exposer au soleil sans lunettes de soleil. «Les lunettes vous protègent contre les rayons nocifs du soleil, et vous évitent de plisser les yeux, ce qui, à la longue, favorise l'apparition des pattes d'oie», dit le Dr O'Donoghue.

N'appuyez pas votre visage contre les oreillers. «Méfiez-vous des rides du sommeil», dit le Dr Binstock. Ces rides apparaissent lorsque le visage reste trop longtemps appuyé contre les oreillers pendant la nuit. Si vous avez cette mauvaise habitude, essayez de dormir sur le dos ou trouvez une autre position. Vous remarquerez que certaines petites rides peu profondes ont disparu.

Évitez les régimes amaigrissants à répétition. «Lorsque vous prenez du poids, la peau s'étire; lorsque vous perdez les kilos superflus, la peau a tendance à se rider, car elle ne peut revenir à sa taille initiale. Le problème est encore plus aigu si vous n'êtes plus très jeune et que votre peau a perdu son élasticité», dit le Dr Stephen Kurtin, dermatologiste et professeur adjoint de dermatologie à la faculté de médecine Mount Sinai de l'université de New York. «L'idéal est d'éviter de prendre du poids ou de perdre les kilos superflus avant l'âge de 40 ans», conseille le Dr Kurtin.

Faites de l'exercice régulièrement. Les personnes qui sont en forme ont une peau plus résistante et plus élastique que les autres. Une étude finlandaise a démontré que les athlètes dans la cinquantaine avaient une peau plus dense, plus épaisse et plus résistante qu'un groupe de sujets sédentaires du même âge. De plus, la peau de ces athlètes avait une meilleure élasticité; une peau élastique retrouve sa forme initiale après avoir été étirée.

Ayez une bonne alimentation. Les vitamines et les minéraux sont importants pour garder à la peau son apparence jeune, notamment les vitamines du groupe B que l'on trouve dans le bœuf, le poulet, les œufs, le blé entier, la farine enrichie, le lait et d'autres aliments et les vitamines A et C, présentes dans les fruits et les légumes frais. Selon le Dr O'Donoghue, le secret d'une belle peau

Plaisir et rides sous le soleil

Les médecins s'entendent pour dire que l'exposition prolongée aux rayons du soleil favorise l'apparition des rides. Comment profiter des plaisirs de l'été tout en évitant le pire? Voici quelques réponses de nos experts:

Ne vous exposez pas à certaines heures. Selon le Dr Stephen Kurtin, environ 95 % des rayons du soleil dangereux pour la peau frappent entre 10 heures et 14 heures (11 heures et 15 heures, l'été).

Enduisez-vous généreusement de lotion solaire. «Chaque fois que vous allez au soleil, appliquez une lotion dont le facteur de protection solaire (FPS) est le plus élevé possible», dit le Dr Kurtin. Pour une efficacité maximale, il faut appliquer la lotion une demi-heure avant l'exposition et après chaque baignade.

Méfiez-vous des surfaces réfléchissantes. Si l'intensité du soleil est immuable, les conditions sur la terre peuvent changer radicalement. «N'oubliez pas que l'action du soleil est accentuée par les surfaces de couleur pâle (c'est-à-dire réfléchissantes) comme la neige, le sable et le ciment», explique le Dr Jeffrey H. Binstock.

Tenez compte de la géographie. Sachez que les rayons nocifs du soleil sont plus forts à haute altitude, où l'air est raréfié, et à des latitudes tropicales, notamment plus près de l'équateur.

Prenez suffisamment de vitamine D. N'oubliez pas quand même que le soleil fournit une vitamine essentielle, la vitamine D. «Si vous ne vous exposez pas au soleil, compensez en prenant du lait enrichi de vitamine D ou une multivitamine», conseille le Dr Marianne O'Donoghue.

d'apparence jeune consiste à manger beaucoup de légumes verts, de carottes et de fruits.

Ne fumez pas. «Non seulement l'habitude du tabac est nocive, mais à force de pincer les lèvres autour des cigarettes il se forme des rides autour de la bouche. De plus, fumer réduit l'apport sanguin dans les petits vaisseaux sous-cutanés, ce qui favorise aussi l'apparition des rides, explique le Dr Gerald Imber, spécialiste de chirurgie esthétique attaché au Centre médical de l'hôpital de New York et de l'université Cornell à New York.

Le samedi soir, restez sobre. Si la bouteille permet de noyer ses chagrins, elle favorise aussi l'apparition des rides. Les fêtards savent que le lendemain d'une soirée bien arrosée, ils ont le visage bouffi, et donc la peau temporairement étirée. «Cet étirement et le rétrécissement de la peau qui s'ensuit ont les mêmes effets désastreux qu'une prise de poids suivie d'une perte de poids trop subite», dit le Dr Imber.

Appliquez une lotion hydratante. Aucune lotion hydratante ne peut arrêter le processus de vieillissement de la peau. «Cependant, si vous avez la peau sèche, une lotion hydratante peut masquer quelques rides en surface», dit le Dr Kurtin. Ce médecin insiste sur la nécessité de mouiller légèrement la peau avant d'appliquer la lotion hydratante.

Ne vous laissez pas berner par les crèmes «miracles». Depuis l'apparition très médiatisée de la Retin-A®, un médicament topique anti-rides vendu uniquement sur ordonnance, on a assisté à la prolifération de lotions en vente libre dont les fabricants prétendent, à tort, qu'elles ont le même effet. «La Food and Drug Administration (FDA) estime que les prétentions de certains fabricants de produits de beauté au sujet des crèmes qui rajeunissent sont trompeuses», dit Emil Corwin, agent d'information au Center for Food Safety and Applied Nutrition de la FDA.

N'abusez pas du savon. «En Amérique du Nord, les gens sont portés à trop se laver, dit le Dr Kurtin, ce qui dessèche la peau et provoque des rides temporaires. La solution: lavez-vous moins souvent, utilisez des savons très doux et rincez-vous extrêmement bien. Les gens devraient passer plus de temps à se rincer qu'à se laver, dit le Dr Kurtin. La pellicule de savon qui reste sur la peau favorise le dessèchement.»

Installez un humidificateur. L'air ambiant doit être humide afin de garder la peau saine et de prévenir les petites rides temporaires qui apparaissent lorsque la peau est sèche», dit le Dr O'Donoghue.

Faites appel à un maquilleur. «L'utilisation judicieuse de maquillage peut cacher efficacement les rides», dit le Dr Paul Lazar, professeur de dermatologie clinique à la faculté de médecine de l'université Northwestern. Il suggère même de consulter un maquilleur

---

Quoi d'autre?

Luttez contre les rides à la manière orientale

Peut on empêcher l'apparition des rides ou les estomper? «Nous le faisons constamment», dit Marshall Ho'o qui pratique la médecine orientale à la East-West Clinic à Reseda, en Californie. La médecine orientale traite les rides de l'intérieur. Parallèlement aux traitements d'acupression, ce médecin enseigne à ses patients une série d'exercices visant à «développer le tonus et la symétrie» du visage et du cou. Mais que pouvez-vous faire à la maison? «Massez-vous le visage, dit-il. En vous servant du bout des doigts, des pouces et des paumes des mains, massez toutes les parties du visage et du cou. N'importe quel genre de massage, explique-t-il, aide à maximiser la stimulation et la circulation et à rétablir la symétrie des muscles faciaux, que les expressions rigides ou fixes du visage ont tendance à faire disparaître.»

Marshall Ho'o insiste aussi sur l'importance d'une vie heureuse et sans stress. «Les Chinois qui ont de grandes familles et qui rient beaucoup semblent avoir moins de rides. Et même lorsque celles-ci apparaissent, elles n'enlaidissent pas le visage.»

---

professionnel. «Un bon maquilleur peut vieillir les acteurs de cinéma, de même il peut vous faire paraître plus jeune.»

Estompez vos rides à l'aide d'un peu de poudre.

Jack Myers, directeur de la National Cosmetology Association, est un cosmétologue de plus de 30 ans d'expérience. Selon lui, lorsque les gens tentent d'estomper leurs rides avec du maquillage, ils ne font que les mettre en évidence. En effet, les fonds de teint à base de crème ou d'huile se déposent entre les rides et les soulignent. Le secret consiste à n'employer que des produits à base de poudre (comme la fécule de maïs). «Mais, comme dans le cas des lotions hydratantes, ne vous attendez pas à des miracles», prévient Jack Myers.

Adoptez un mode de vie moins stressant. Selon le Dr

Lazar, le lien entre les rides et les émotions est probablement superficiel. «Pourtant, les personnes heureuses sont portées à sourire, dit-il, et un simple sourire détourne l'attention des rides.»

Le Dr Jeffrey H. Binetock a un cabinet privé de dermatologie à San Francisco et à Mill Valley, en Californie. Il est en outre professeur adjoint de chirurgie dermatologique à la faculté de médecine de l'université de Californie à San Francisco.

Le Dr Norman A. Brooks a un cabinet privé de dermatologie à Encino, en Californie. Il est également professeur adjoint de dermatologie à la faculté de médecine de l'université de Californie, à Los Angeles.

Emil Corwin est agent d'information au Center for Food Safety and Applied Nutrition de la Food and Drug Administration.

Marshall Ho'o pratique la médecine orientale à la East-West Clinic, à Reseda, en Californie. Il pratique également l'acupuncture et l'acupression.

Le Dr Gerald Imber est spécialiste de chirurgie esthétique attaché au Centre médical de l'hôpital de New York et de l'université Cornell, à New York.

Le Dr Stephen Kurtin est dermatologiste et professeur adjoint de dermatologie à la faculté de médecine Mount Sinai de l'université de New York.

Le Dr Paul Lazar est professeur de dermatologie clinique à la faculté de médecine de l'université Northwestern. Il a déjà fait partie du conseil d'administration de l'American Academy of Dermatology.

Jack Myers est directeur de la National Cosmetology Association et travaille comme cosmétologue professionnel depuis plus de 30 ans. Il est de plus le fondateur et directeur de la Owensboro School of Hair Design et de Jack Myers Hair Styles à Owensboro, au Kentucky.

Le Dr Marianne O'Donoghue est professeur adjointe de dermatologie à l'hôpital Rush-Presbyterian-St. Luke's de Chicago, en Illinois. Elle se spécialise en dermatologie cosmétique.

Le Dr John F. Romano est un dermatologiste attaché à l'hôpital et Centre médical St. Vincent's de New York. Il est également professeur de médecine au Centre médical de l'hôpital de New York et de l'université Cornell, à New York.

Ronflements

10 conseils pour dormir en silence

Les ronflements n'ont pas tous la même intensité. «Si votre femme change de chambre, vous ronflez modérément», dit le Dr Philip Westbrook, directeur du Centre des troubles du sommeil de la Clinique Mayo de Rochester, au Minnesota. «Si vos voisins déménagent, vous ronflez vraiment beaucoup.»

Les hommes ronflent plus que les femmes. Dans le cadre d'une étude réalisée à Toronto sur plus de 2 000 sujets, les chercheurs Earl V. Dunn et Peter Norton ont découvert que 71 % des hommes ronflaient, comparativement à 51 % de femmes. Dans une autre étude, menée en Italie, les hommes ronflaient deux fois plus que les femmes.

«Cliniquement, dit le Dr Westbrook, les ronfleurs modérés ronflent toutes les nuits, mais peut-être uniquement quand ils sont couchés sur le dos et seulement une partie de la nuit.»

Même si les ronflements ne sont pas doux à l'oreille, ils sont orchestrés par des instruments à vent dans le fond de la gorge. «Les tissus dans la partie supérieure des voies respiratoires à l'arrière de

---

ALERTE MÉDICALE

Plus les ronflements sont bruyants, plus le problème est grave

«Tu ronfles distinctement. Et ces ronflements ont une signification.» La science moderne est en train de prouver ce que Shakespeare savait il y a trois cents ans alors qu'il incluait ces vers dans sa pièce *La tempête*. «En général, dit le Dr Philip Smith, plus une personne ronfle bruyamment, plus elle est susceptible de développer un problème médical.»

L'un des plus graves problèmes liés au ronflement est une affection appelée apnée du sommeil. «En fait, la personne cesse de respirer, explique le Dr Earl V Dunn. Les personnes qui ronflent beaucoup et cessent soudainement de ronfler pendant la nuit, cessent aussi de respirer pendant un certain temps.»

«Les personnes les plus sujettes à l'apnée du sommeil sont les hommes obèses d'âge mûr, dit le Dr Smith. Si vous vous rangez dans cette catégorie et ronflez bruyamment, c'est-à-dire assez fort pour qu'on entende vos ronflements à l'extérieur de votre chambre, vos risques de souffrir d'apnée du sommeil sont très élevés et vous devriez consulter votre médecin.»

On peut prévenir l'apnée du sommeil en portant, la nuit, un dispositif qui infiltre de l'air dans le nez et l'arrière de la gorge, ce qui empêche les voies respiratoires de s'affaisser. Dans les cas très graves, une intervention chirurgicale s'impose.

Si vous ronflez beaucoup et croyez souffrir d'apnée du sommeil, vous trouverez peut-être une solution dans une clinique spécialisée dans les troubles du sommeil.

la gorge se détendent pendant le sommeil», explique le Dr Philip Smith, directeur du Centre des troubles du sommeil à l'université Johns Hopkins de Baltimore, au Maryland. «Lorsque vous inspirez, ces tissus vibrent, et l'effet est semblable à celui d'instruments à vent.»

Si vous ronflez au point d'empêcher votre partenaire de dormir, voici ce que vous pouvez faire:

Mettez-vous au régime. La plupart des gens qui ronflent sont des hommes d'âge mûr qui font de l'embonpoint. La plupart des femmes qui ronflent sont ménopausées. «Les ronflements sont souvent liés à l'obésité», dit le Dr Dunn, attaché au laboratoire de sommeil du Centre médical Sunnybrook à l'université de Toronto. «Nous avons observé qu'un ronfleur modéré qui perd du poids se met à ronfler moins bruyamment ou peut même cesser de ronfler complètement.»

«Vous pouvez vous mettre à ronfler même si vous pesez moins de 200 kg. Le seul fait d'avoir un peu d'embonpoint peut faire ronfler, dit le Dr Smith. Les hommes dont le poids est de 20 % supérieur à leur poids idéal peuvent avoir des problèmes de ronflement. En général, les femmes qui ronflent sont plus obèses et dépassent leur poids idéal de 30 à 40 %. En fait, plus une personne est obèse, plus ses voies respiratoires sont susceptibles de s'affaisser.»

Évitez de prendre un dernier verre avant de vous coucher. «Un verre d'alcool avant le coucher ne fait qu'empirer les ronflements», prévient le Dr Dunn.

Ne prenez pas de sédatifs. Les somnifères vous feront peut-être dormir, mais votre partenaire restera éveillé une bonne partie de la nuit. «Tout ce qui détend les tissus autour de la tête et du cou a tendance à aggraver les problèmes de ronflement. Même les antihistaminiques peuvent avoir cet effet», dit le Dr Dunn.

Arrêtez de fumer. Arrêtez de fumer, vous arrêterez de ronfler. «Les fumeurs ont tendance à ronfler, dit le Dr Dunn, de sorte qu'ils devraient renoncer à la cigarette.»

Ne dormez pas sur le dos. Dormez sur le côté. «Les gros ronfleurs ronflent pratiquement dans toutes les positions, mais les personnes qui ronflent modérément semblent ronfler uniquement sur le dos», dit le Dr Dunn.

À la recherche du remède idéal

«Il est impossible de savoir pourquoi un ronfleur ne s'entend pas ronfler», a écrit Mark Twain dans *Tom Sawyer Abroad*. Cependant, il y a plusieurs moyens de réduire les ronfleurs au silence. Depuis 1874, le bureau des brevets américains a breveté plus de 300 dispositifs censés empêcher les ronflements.

Prenons par exemple le brevet no 4644330. Il s'agit d'un dispositif électronique autonome qui se porte dans l'oreille externe. Il comprend un microphone miniature pour enregistrer les ronflements et un émetteur pour déclencher une alarme. Bref, dès que la personne ronfle, un signal se déclenche et la réveille. Ce dispositif repose sur la théorie qu'une personne réveillée ne ronfle pas.

Il y a aussi le brevet no 4669459. Ce dispositif, qui se fixe à une molaire de chaque côté de la bouche, est muni d'un bouton qui exerce une pression sur le palais pour prévenir les vibrations. Et il y a le brevet no 4748702, un «oreiller anti-ronflement» à deux paliers. L'inventeur a placé un objet relativement dur dans la partie qui soutient l'arrière de la tête et un objet plus mou de chaque côté. Ainsi, le dormeur a le choix: dormir sur le dos, sur une grosse pierre ou dormir sur le côté, sur un oreiller plus confortable.

Selon les spécialistes du sommeil, certaines de ces inventions sont sensées, mais beaucoup n'ont jamais été testées et approuvées. «Il y a très peu de données scientifiques pour les appuyer», dit le Dr Philip Westbrook.

Une balle dans le dos. Nous parlons ici d'une balle de tennis. «Cousez une balle de tennis dans le dos de votre pyjama, suggère le Dr Dunn. Ainsi, dès que vous vous tournerez sur le dos, vous sentirez cette balle et changerez automatiquement de position, sans même vous en apercevoir.»

Débarrassez-vous de votre oreiller. Les oreillers ne servent qu'à empirer vos ronflements. «Tout ce qui modifie la position naturelle de votre cou, comme un gros oreiller, ne sert qu'à vous faire ronfler davantage», signale le Dr Dunn.

Élevez la partie supérieure de votre lit. Surélever la partie supérieure du lit peut réduire les ronflements. «Surélevez le

Il y a pire que vous!

Pauvre madame Switzer! Il semble que son mari, Melvin, un Britannique de 120 kg, est le roi des ronfleurs.

Melvin a mérité une mention dans le livre Guinness des records mondiaux parce que ses ronflements atteignent 88 décibels, ce qui représente le bruit que fait une motocyclette lorsque le moteur s'emballe. Quant à madame Switzer, elle est forcée de dormir sur une oreille, car les ronflements bruyants de son mari l'ont rendue complètement sourde de l'autre!

torse et pas seulement la tête, conseille le Dr Westbrook. Placez quelques briques sous les pieds avant du lit.»

Vos allergies en sont peut-être la cause. Éternuements et ronflements vont de pair. «Vous pouvez vous mettre à ronfler parce que vous avez des allergies ou un rhume, dit le Dr Westbrook. Utilisez un décongestionnant nasal, surtout si vos ronflements sont intermittents et ne surviennent que pendant la saison du rhume des foins.»

Offrez des boules Quies® à votre partenaire. «Si tout le reste échoue, dit le Dr Westbrook, offrez des boules Quies® à votre partenaire. Elles ne coûtent pas cher et vous en trouverez dans toutes les pharmacies.»

EXPERTS CONSULTÉS

Le Dr Earl V. Dunn est professeur de médecine familiale et chercheur au laboratoire de sommeil du Centre médical Sunnybrook à l'université de Toronto.

Le Dr Philip Smith est directeur du Centre des troubles du sommeil à l'université Johns Hopkins de Baltimore, au Maryland.

Le Dr Philip Westbrook est directeur du Centre des troubles du sommeil de la Clinique Mayo de Rochester, au Minnesota, et professeur adjoint de médecine à la clinique Mayo. Il est aussi président de l'American Sleep Disorders Association.

Rots

10 étapes pour éliminer le problème

Les rots sont souvent provoqués par l'aérophagie, un terme médical qui signifie avaler de l'air. Nous avons tous une certaine quantité d'air et autres gaz dans le tube digestif (un peu moins de 235 ml). Cependant, l'organisme absorbe constamment de l'air et d'autres gaz tout au long de la journée. Au bout de 24 heures, cette quantité est passée à 2,4 litres, soit environ 2,2 litres de plus qu'il ne peut en contenir. L'organisme cherche sans cesse des façons d'éliminer ce surplus d'air et de gaz. Il y parvient grâce aux rots.

Les boissons gazeuses et la bière sont en partie responsables du problème, mais la salive contient elle aussi de minuscules bulles qui s'acheminent vers l'estomac chaque fois qu'on déglutit. Autre constatation: les personnes qui avalent de l'air en mangeant sont portées à éructer davantage. Vous le constatez. Le rot n'est pas un problème médical à proprement parler. Avec un peu d'entraînement, vous parviendrez vous aussi à le maîtriser. Voici comment:

Il est parfois préférable d'éructer

Bon nombre de médecins ne voient aucune raison physiologique d'étouffer un rot. Ils perçoivent un rot comme une simple fonction organique naturelle.

«Dans certaines sociétés, on considère que roter est bon pour la santé», souligne le Dr Richard McCallum, professeur de médecine et chef du Service de gastro-entérologie au Centre des sciences de la santé de l'université de Virginie. «Il y a même des gens en Inde et dans d'autres pays orientaux qui me disent qu'il est parfaitement normal d'éructer en public.»

Bien sûr, nous ne sommes pas à Calcutta, mais nous devrions considérer le rot comme un mal nécessaire. Après tout, il vaut mieux faire un rot et en subir la gêne, que le réprimer et en souffrir les maux.

Prenez conscience de l'air. «Vous pouvez avaler jusqu'à 150 ml d'air chaque fois que vous avalez, dit le Dr André Dubois, gastro-entérologue à Bethesda, au Maryland. C'est le propre des gens nerveux.»

Le Dr Dubois souligne que certaines personnes sont des avaleurs d'air compulsifs et créent eux-mêmes leurs problèmes en avalant trop de salive. «Apprenez à maîtriser vos réflexes de déglulition, conseille ce médecin. Dans un premier temps, essayez d'en prendre conscience. Demandez à vos amis et à vos parents de vous faire remarquer toutes les fois que vous avalez exagérément. Vous ne pouvez vous en rendre compte tout seul.»

«Dès que vous aurez conscience de votre réflexe, vous l'éliminerez automatiquement», affirme le Dr Dubois. Par ailleurs, adoptez certaines habitudes personnelles qui vous seront profitables.

- Évitez les boissons gazeuses.
- Mangez lentement et mastiquez bien les aliments avant de les avaler.
- Mangez toujours la bouche fermée.
- Évitez le chewing-gum.
- Ne buvez pas au goulot d'une bouteille ou d'une cannette. Évitez les pailles.
- Évitez la bière, les glaces, les soufflés, les omelettes et la crème Chantilly, qui contiennent beaucoup d'air.

Un truc pour cesser d'éructer. On a remarqué que les personnes qui avalent de l'air de façon chronique éructent sans arrêt, car un rot en appelle un autre. Toutefois, leur handicap n'est pas insurmontable.

La méthode du Dr Martin Schuster, chef du Service des maladies digestives au Centre médical Francis Scott Key, à Baltimore, au Maryland, a de quoi surprendre. Aux personnes qui avalent de l'air et sont ballonnées dès qu'elles se sentent tendues, ce médecin demande de serrer un crayon ou tout autre objet entre leurs dents. «En serrant les dents sur un crayon, un bouchon de liège ou un doigt, vous gardez la bouche ouverte, et par conséquent, déglutissez plus difficilement», explique-t-il.

Dites adieu aux bulles. «Il nous arrive à tous de manger un peu trop copieusement et rapidement, et de faire un rot, dit le Dr Samuel Klein, professeur adjoint en gastro-entérologie et en diététique à la faculté de médecine de l'université du Texas, à Gavelston.

Cela n'a rien à voir avec l'habitude de roter toutes les heures. Dans ce cas-là, on parle, de rots chroniques.»

Les personnes qui souffrent de ce handicap devraient diminuer leur consommation d'aliments qui produisent des gaz dans la partie supérieure du tube digestif, c'est-à-dire: les graisses et les huiles comme l'huile de salade, la margarine et la crème fraîche.

Éliminez les bulles avec du diméthicone. Les spécialistes de la digestion recommandent parfois des anti-acides en vente libre contenant du diméthicone comme le Polysilane® ou le Maalox® aux personnes qui souffrent de problèmes digestifs.

«Le diméthicone transforme les grosses bulles en petites bulles dans l'estomac, ce qui peut diminuer la fréquence des rots, dit le Dr Klein. Cependant ces médicaments ne réduisent pas la quantité de gaz stomacaux.»

EXPERTS CONSULTÉS

Le Dr André Dubois est gastro-entérologue à Bethesda, au Maryland.

Le Dr Samuel Klein est professeur adjoint en gastro-entérologie et en diététique à la faculté de médecine de l'université du Texas, à Gavelston. Il est aussi conseiller à la rédaction au magazine *Prevention*.

Le Dr Richard McCallum est professeur de médecine, de même que chef du Service de gastro-entérologie au Centre des sciences de la santé de l'université de Virginie, à Charlotesville. Il poursuit des recherches sur les problèmes gastro-intestinaux.

Le Dr Marvin Schuster est chef du Service des maladies digestives au Centre médical Francis Scott Key, à Baltimore, au Maryland. Il est aussi professeur de médecine et de psychiatrie à la faculté de médecine de l'université Johns Hopkins, à Baltimore.

Rougeurs aux yeux

5 façons de remédier au problème

Avez-vous toujours le blanc des yeux strié de lignes rouges? Si c'est le cas, voici ce que vous pouvez faire:

Hydratez vos yeux. «Cela semble évident, mais si vous avez les yeux rouges parce que vous ne dormez pas suffisamment, trouvez le moyen de récupérer votre sommeil perdu», dit le Dr Mitchell Friedlaender, ophtalmologiste en Californie et directeur de la section des maladies de la cornée et des yeux au sein du Service d'ophtalmologie de la Scripps Clinic and Research Foundation, à La Jolla, en Californie. «Garder les yeux fermés pendant sept ou huit heures devrait vous aider à les réhydrater. Si vous manquez de sommeil, vous aurez inévitablement les yeux secs, donc rouges.»

Nettoyez vos paupières. Si vous avez les yeux rouges au réveil, vous souffrez peut-être d'une infection des paupières. «Cette infection s'appelle blépharite, dit le Dr Friedlaender. Lavez les paupières à l'eau chaude le soir, avant de vous coucher. Prenez soin de bien nettoyer les cils et d'ôter tous résidus, huiles, bactéries, maquillage et pellicules.»

Utilisez les collyres avec modération. «Les collyres destinés à soulager le malaise contiennent une substance qui contracte les vaisseaux sanguins, explique le Dr Friedlaender. Les gouttes n'éliminent que momentanément le problème en resserrant les vaisseaux sanguins. Au bout d'une heure ou deux, les rougeurs reviennent en force. Par conséquent, n'en abusez pas.»

Versez des larmes de crocodile. Est-ce que vous arrivez au travail les yeux bien clairs, et repartez le soir les yeux tout rouges? «Les rougeurs sont causées par la sécheresse des yeux, explique le Dr Friedlaender. Humectez vos yeux à l'aide de larmes artificielles vendues sans ordonnance.» Contrairement aux autres

---

Cherchez les signes de vieillissement

Vous avez une tache de sang dans le blanc des yeux, mais vous ne vous souvenez pas comment elle est apparue. Il n'y a pas d'enflure ou de douleur et vous n'avez pas de trouble de la vision. Seulement une tache rouge.

Ne vous affolez pas. «C'est rès courant, surtout chez les personnes de plus de 40 ans», avance le Dr Michael Marmor, ophtalmologiste et directeur du Service d'ophtalmologie au Centre médical de l'université Stanford, en Californie. Vous ne pouvez rien y faire. La tache disparaîtra d'elle-même au bout d'une ou deux semaines.»

Prenez bien soin de vos pupilles

Une tache de sang dans le blanc de l'œil n'a rien d'inquiétant. Par contre, si du sang recouvre la pupille, consultez un médecin. «Du sang à l'intérieur de l'œil est le signe d'un problème grave et vous devez consulter un médecin dans les plus brefs délais», confirme le Dr Michael Marmor, ophtalmologiste et directeur du Service d'ophtalmologie au Centre médical de l'université Stanford, en Californie.

«Très souvent, vous ne verrez pas le saignement, mais vous aurez l'œil très sensible, la vision brouillée, et l'impression d'être dans un brouillard rosâtre. Si vous éprouvez l'un de ces symptômes, ne tardez pas à obtenir des soins médicaux.»

collyres, les larmes artificielles ne resserrent pas les vaisseaux sanguins.

Rafraîchissez-vous les yeux. «Appliquez un gant de toilette imbibé d'eau froide sur vos yeux fermés, conseille le Dr Friedlaender. Le froid contractera vos vaisseaux sanguins, et l'humidité du gant de toilette vous hydratera les yeux.»

EXPERTS CONSULTÉS

Le Dr Mitchell Friedlaender est ophtalmologiste en Californie et directeur de la section des maladies de la cornée et des yeux au sein du Service d'ophtalmologie de la Scripps Clinic and Research Foundation, à La Jolla, en Californie.

Le Dr Michael Marmor est ophtalmologiste et directeur du Service d'ophtalmologie au Centre médical de l'université Stanford, en Californie.

Saignement de nez

17 moyens d'arrêter l'écoulement

Seul un saignement de nez peut nous faire prendre conscience de la quantité de sang qui circule dans la tête, notamment dans les capillaires du nez où le flux sanguin abonde. Que fait-on alors si l'on reçoit un vilain coup sur le nez?

Voici ce que préconisent nos experts afin de soulager la plupart des saignements de nez, quelle qu'en soit la cause: dessèchement hivernal, effet secondaire de l'hypertension artérielle ou de l'athérosclérose, ou un simple coup sur le nez.

Évacuez le caillot. «Avant de tenter quoi que ce soit, mouchez-vous vigoureusement, mais une seule fois, dit le Dr Alvin Katz, oto-rhino-laryngologiste et directeur de la chirurgie au Manhattan Eye, Ear, Nose and Throat Hospital de New York. Cette tentative permet d'éliminer les caillots qui empêchent les vaisseaux sanguins de se resserrer. On peut comparer un caillot à une cale qui tient une porte ouverte», explique le Dr Katz. «Les vaisseaux sanguins sont constitués de fibres élastiques. En délogeant le caillot, les fibres élastiques se contractent autour du minuscule orifice.»

«Cette méthode est vraiment très efficace et évite à la victime bon nombre d'ennuis inutiles», ajoute le Dr John A. Henderson, oto-rhino-laryngologiste, allergologiste et professeur adjoint de chirurgie à la faculté de médecine de l'université de Californie, à San Diego.

Parfois, se moucher et comprimer la narine suffisent à faire cesser le saignement.

Mettez du coton mouillé dans la narine qui saigne. Avec quoi doit-on mouiller le coton? Bon nombre de nos experts conseillent d'utiliser le décongestionnant Iliadine®.

Pour sa part, le Dr Jerold Principato, oto-rhino-laryngologiste de Bethesda, au Maryland, et professeur adjoint d'O.R.L. à la faculté de médecine et de sciences de la santé de l'université George Washington, préfère le vinaigre. «L'acide que contient le vinaigre cautérise la blessure en douceur», dit-il. Les décongestionnants ne

---

ALERTE MÉDICALE

Quand un saignement de nez requiert les soins d'un médecin

Vous vous êtes mis du coton dans le nez, vous avez comprimé la narine et attendu le temps voulu, mais votre nez saigne toujours! Que faut-il faire? Rendez-vous à la salle d'urgence d'un hôpital ou chez votre médecin. Les saignements de nez peuvent être fatals lorsqu'ils durent trop longtemps. Dans de rares cas, l'hémorragie continue peut indiquer la présence d'une tumeur.

Les personnes âgées qui souffrent de durcissement des artères ne doivent pas attendre plus de 10 minutes avant de consulter leur médecin.

Rendez-vous aussi à l'urgence d'un hôpital si vous saignez par l'arrière du nez, notamment si le sang coule à l'arrière de la gorge lorsque vous mettez du coton dans la narine qui saigne. Il faut traiter ce genre de saignements par la bouche et seul un médecin peut le faire adéquatement.

---

procurent qu'un soulagement temporaire et, si vous en abusez, ils peuvent irriter la muqueuse nasale.

De la gaze peut aussi faire l'affaire. «Si vous n'avez pas de coton sous la main, prenez de la gaze stérile, dit le Dr Christine Haycock, professeur de chirurgie clinique à la faculté de médecine de l'université de médecine et de dentisterie du New Jersey. Mouillez la gaze avant de l'introduire dans le nez. Au moment de la retirer, mettez-vous de l'eau dans les mains et mouillez la gaze à nouveau. Elle s'enlèvera beaucoup plus facilement.

Pincez la partie charnue du nez. Dès que vous vous êtes mouché et que vous avez mis du coton ou de la gaze dans la narine, pincez la partie charnue du nez entre le pouce et l'index. Exercez une pression constante pendant cinq à sept minutes. Si le saignement ne cesse pas, introduisez du coton propre dans la narine et pincez le nez à nouveau. Le saignement devrait cesser avant que vous n'ayez terminé.

«Laissez le coton en place encore 20 minutes avant de le retirer», conseille le Dr Mark Baldree, oto-rhino-laryngologiste attaché à la division d'O.R.L. du Service de chirurgie de l'hôpital St. Joseph's de Phoenix, en Arizona.

Asseyez-vous le dos bien droit. «Vous risquez d'avaler du sang, dit le Dr Katz, si vous vous étendez ou envoyez la tête vers l'arrière.»

Appliquez de la glace. «À l'occasion, la glace peut être d'une certaine utilité, dit le Dr Haycock. Le froid favorise la contraction des vaisseaux sanguins et réduit le saignement.»

N'essayez pas d'enlever la croûte. La rupture du vaisseau sanguin qui a provoqué le saignement met entre sept et dix jours à guérir complètement. Le saignement cesse lorsqu'un caillot se forme. Ce caillot se transforme en croûte à mesure que la cicatrisation progresse. «Vous risquez de provoquer un autre saignement si vous tentez d'enlever la croûte avant la guérison totale», dit le Dr Principato.

Appliquez une pommade antibiotique ou stéroïdienne. «L'application d'une pommade dans le nez en faible quantité deux ou trois fois par jour détruit les staphylocoques», souligne le Dr Gilbert Levitt, un oto-rhino-laryngologiste de Puget Sound, dans l'État de Washington, et conférencier clinique d'O.R.L. à la faculté de médecine de l'université de Washington. La pommade soulage en outre les démangeaisons et empêche la formation de couches croûteuses de mucus que vous pourriez être tenté d'enlever.

Prenez du fer. «Si vous êtes sujet aux saignements de nez, un supplément de fer peut aider l'organisme à remplacer le sang perdu», dit le Dr Levitt. Le fer est un élément essentiel de l'hémoglobine, une substance qui entre dans la composition des globules rouges.

Surveillez votre consommation d'aspirine®. L'aspirine® peut intervenir dans la coagulation du sang. Si vous saignez souvent du nez, les experts conseillent de ne pas prendre d'aspirine® inutilement.

Surveillez aussi votre consommation de salicylate. Le Dr Henderson conseille à ses patients d'éviter les aliments riches en salicylate, une substance qui s'apparente à l'aspirine® et qu'on trouve dans le café, le thé, la plupart des fruits et quelques

Le remède des boxeurs

Les boxeurs et les entraîneurs ont exactement une minute entre chaque ronde d'un combat de boxe professionnelle pour arrêter les saignements de nez.

Angelo Dundee, un entraîneur de Miami, en Floride, qui a dirigé la carrière de onze champions de boxe internationaux, dont Mohammed Ali et Sugar Ray Leonard, maîtrise parfaitement sa technique.

Que fait-il?

«Premièrement, je n'utilise jamais de cure-oreille dans la narine, dit Angelo Dundee. Je me sers plutôt d'un morceau de coton et fabrique une mèche que je trempe dans de l'adrénaline diluée à 1/1000 avant de l'introduire dans les voies nasales. J'exerce ensuite une pression sur le côté du nez.»

«Si le boxeur saigne des deux côtés, j'insère du coton dans les deux narines et lui demande de respirer par la bouche afin que s'amorce la coagulation du sang. J'applique ensuite un pansement de gaze sur la partie charnue du nez et j'appuie fermement, à l'endroit où les deux narines se rencontrent. Vous pouvez appuyer aussi fort que vous le désirez, car ce n'est pas douloureux. Cette méthode est pratiquement infaillible.»

L'adrénaline diluée à 1/1000 n'est vendue que sur ordonnance. Ce produit contient principalement de l'épinéphrine que l'on trouve aussi dans la composition de plusieurs produits en vente libre.

légumes. Parmi les aliments à teneur élevée en salicylate, mentionnons les amandes, les pommes, les abricots, tous les petits fruits, la menthe, le clou de girofle, les cerises, le cassis, les raisins et les raisins secs, l'essence de wintergreen, les poivrons, les pêches, les prunes, les tomates, les concombres et les cornichons.

Surveillez votre tension artérielle. Les personnes qui souffrent d'hypertension artérielle sont sujettes aux saignements de nez. Le Dr Levitt leur recommande donc d'adopter un régime alimentaire faible en matières grasses et en cholestérol. «Si vous souffrez d'hypertension artérielle et qu'un vaisseau se rompt, il est préférable que la rupture survienne à l'extérieur de la boîte crânienne, sinon elle pourrait provoquer un accident vasculaire cérébral.

Humidifiez l'air. Au moment de la respiration, le nez a pour rôle de faire pénétrer l'air dans les poumons et de bien l'hydrater. Si le milieu dans lequel vous vivez est sec, votre nez travaille plus fort.

Un bon humidificateur, de préférence un modèle qui jauge plusieurs litres d'eau, lui viendra en aide.

Le Dr Katz suggère de remplir l'humidificateur d'eau distillée, afin de vous protéger des contaminateurs de l'eau du robinet, et de suivre rigoureusement les directives du fabricant relativement au nettoyage de l'appareil au moins une fois par semaine. Remplissez l'humidificateur de quantités égales d'eau et de vinaigre, et laissez-le fonctionner pendant 20 minutes.

Prenez suffisamment de vitamine C. «La vitamine C joue un rôle dans la formation du collagène, une substance essentielle à la bonne santé des tissus de l'organisme, dit le Dr Henderson. Le collagène des tissus de la partie supérieure du système respiratoire favorise l'adhésion du mucus là où il se doit, créant ainsi une couche protectrice humide dans les sinus et le nez.

Soyez prudente lorsque vous choisissez un contraceptif oral. L'œstrogène influence la production du mucus. Tout facteur modificateur du taux d'œstrogène, y compris les règles, peut vous rendre plus vulnérable aux saignements de nez. Certains contraceptifs oraux altèrent aussi cet équilibre. Si vous souffrez fréquemment de saignements de nez, discutez-en avec votre médecin avant de choisir un contraceptif oral.

Ne fumez pas. «Les voies nasales doivent être bien hydratées et la fumée les dessèche énormément», dit le Dr Baldree.

EXPERTS CONSULTÉS

Le Dr Mark Baldree a un cabinet privé d'O.R.L. à Phoenix, en Arizona. Il est attaché à la division d'O.R.L. du Service de chirurgie de l'hôpital St. Joseph's de Phoenix.

Angelo Dundee est un entraîneur de Miami, en Floride, qui a dirigé la carrière de onze champions de boxe internationaux, dont Mohammed Ali et Sugar Ray Leonard.

Le Dr Christine Haycock a un cabinet privé à Newark, au New Jersey. Elle est aussi professeur de chirurgie clinique à la faculté de médecine de l'université de médecine et de dentisterie du New Jersey, à Newark.

Le Dr John A. Henderson a un cabinet privé d'O.R.L. et d'allergologie à San Diego, en Californie. Il est en outre professeur adjoint de chirurgie à la faculté de médecine de l'université de Californie, à San Diego.

Le Dr Alvin Katz a un cabinet privé d'O.R.L. à New York. Il est aussi directeur de la chirurgie au Manhattan Eye, Ear, Nose and Throat Hospital de la même ville. Il a déjà été président de l'American Rhinologic Society.

Le Dr Gilbert Levitt est un oto-rhino laryngologiste qui pratique à la Group Health Cooperative de Puget Sound dans l'État de Washington. Il est en outre conférencier clinique

d'O.R.L. à la faculté de médecine de l'université de Washington.
Le Dr Jerold Principato a un cabinet privé d'O.R.L. à Bethesda, au Maryland. Il est en outre professeur adjoint d'O.R.L. à la faculté de médecine et de sciences de la santé de l'université George Washington, et il enseigne à l'American Academy of Otolaryngology.

Sinusite

16 façons de combattre l'infection

La sinusite est d'un inconfort majeur.

Pendant la journée, vos sinus sont complètement congestionnés et plus tard lorsque vous essayez de dormir, vous êtes affigé d'un écoulement nasal constant, de sorte que vous vous trouvez aux prises avec des spasmes de toux intolérables.

Vous êtes victime de sinusite, un trouble cauchemardesque caractérisé par une inflammation des muqueuses du nez qui entraîne des tensions, des maux de tête et une quantité valable de mucosités jaunâtres ou verdâtres qui s'accumulent dans les sinus.

Comment explique-t-on la sinusite. Il faut d'abord comprendre le bon fonctionnement des sinus si l'on veut saisir le problème. Pour leur part, les scientifiques comparent les sinus du nez à de minuscules centres de surveillance de la qualité de l'air. Ils ont pour fonction de réchauffer, d'humidifier, de purifier et de conditionner l'air aspiré avant qu'il n'atteigne les poumons. Les bactéries qui y pénètrent sont emprisonnées, puis filtrées par les mucosités et les cils, de microscopiques poils qui se trouvent dans le nez.

Malheureusement, l'appareil nasal peut se boucher si un élément quelconque entrave le bon fonctionnement des cils, si un rhume bouche les ouvertures des sinus ou si un allergène fait enfler les parois des sinus. L'air se trouve alors emprisonné, la pression s'accumule, les mucosités deviennent stagnantes et les bactéries se multiplient. Une infection finit par se développer et la sinusite se déclenche. Les membranes des sinus peuvent s'épaissir de manière permanente si ces dernières se bouchent trop souvent. Vous pourriez alors souffrir de congestion nasale chronique.

Voici les mesures préventives que recommandent les médecins agin de déboucher vos sinus, de réduire la pression qui se développe à l'intérieur de ceux-ci, de soulager les douleurs et de permettre à l'air de circuler plus librement.

Faites-vous des traitements à la vapeur. «L'humidité est indispensable au bon fonctionnement des cils, à la circulation des mucosités et au drainage des sinus», dit le Dr Stanley N. Farb, directeur du Service d'oto-rhino-laryngologie aux hôpitaux Montgomery et Sacred Heart de Norristown, en Pennsylvanie. Deux fois par jour, prenez une douche assez chaude pour que le miroir de la salle de bain soit couvert de buée. Vous pouvez aussi vous couvrir la tête et les épaules d'une serviette et vous pencher au-dessus d'une bassine remplie d'eau bouillante. Inhalez les vapeurs humides.

Respirez la vapeur fumante d'une boisson chaude. «Si la congestion frappe pendant la journée, au travail ou ailleurs qu'à la maison, prenez une tasse de café ou de thé très chaud, couvrez-vous le nez avec les mains et respirez les vapeurs fumantes qui se dégagent», suggère le Dr Howard M. Druce, professeur adjoint de médecine interne et directeur du Nasal and Paranasal Sinus Physiology Lab à la faculté de médecine de l'université St. Louis. Ce traitement n'est pas aussi efficace qu'un bain de vapeur, mais il vous procurera un certain soulagement.

Changez vos habitudes

Vous rêvez peut-être de déménager dans quelque endroit ou climat très sec si les symptômes d'une sinusite se manifestent dès l'arrivée du printemps. Sachez cependant que votre décision ne guérirait pas le malaise.

«Si vous êtes vulnérable aux allergies, dit le Dr Stanley N. Farb, votre susceptibilité à la sinusite vous suivra où que vous alliez. Bref, vous pourriez développer une allergie à la poussière du désert, ou encore une sensibilité aux moisissures si vous alliez vivre sous un climat humide, au bord de la mer par exemple.

La solution: contrôlez vos expositions aux allergènes là où vous vivez. Pour découvrir comment vous y prendre, reportez-vous à la rubrique *Allergies* à la page 13.

ALERTE MÉDICALE

Lorsqu'un auto-traitement ne suffit pas

«Si vous essayez un auto-traitement depuis trois ou quatre jours et que vous ressentez toujours des douleurs, de la pression et de la congestion dans les sinus, vous devez consulter un médecin qui vous aidera à surmonter l'infection et à drainer vos sinus, dit le Dr Terence M. Davidson. Autrement, l'infection pourrait vous causer des abcès dans les yeux, et même dans le cerveau.»

L'on devra peut-être vous prescrire des antibiotiques. Si les symptômes persistent, vous devrez peut-être subir une intervention chirurgicale afin de déboucher vos sinus. Des radiographies s'avéreront peut-être nécessaires afin de déterminer la cause de votre congestion nasale, qu'il s'agisse d'un virus, d'une obstruction causée par des polypes ou d'une sensibilité à des médicaments comme les contraceptifs oraux ou l'aspirine®.

Humidifiez votre maison. «Un humidificateur dans votre chambre à coucher empêchera vos voies nasales et vos sinus de s'assécher, dit le Dr Bruce Jafek, professeur et directeur du Service d'oto-rhino-laryngologie et de chirurgie de la tête et du cou au Centre des sciences de la santé de la faculté de médecine de l'université du Colorado. Nettoyez votre humidificateur une fois par semaine afin d'éviter la croissance de champignons.

Faites-vous des bains de narines tous les jours. Afin d'évacuer les mucosités emprisonnées dans les sinus, le Dr Jarek suggère l'utilisation d'un produit salin commercial, ou d'ajouter 5 ml de sel et une pincée de bicarbonate de soude dans environ 475 ml d'eau tiède. Versez un peu de cette solution dans un verre à cognac. Renversez la tête en arrière, bloquez-vous une narine avec le pouce et remplissez-vous l'autre narine. Mouchez-vous ensuite doucement. Répétez le même traitement dans l'autre naine.

Buvez beaucoup. «Consommer beaucoup de liquides, notamment des boissons chaudes ou froides, tout au long de la journée éclaircit les mucosités et favorise leur évacuation», explique le Dr Farb. Siroter des tisanes chaudes à base de fenugrec, de fenouil, d'anis ou de sauge peut favoriser encore davantage l'élimination des mucosités.

Mouchez-vous, une narine à la fois. «Cette méthode empêchera la pression de s'accumuler dans les oreilles, ce qui pourrait repousser les bactéries plus loin dans les voies nasales», dit le Dr Farb.

Oubliez vos bonnes manières. Le Dr Farb explique que renifler constitue un bon moyen de drainer les sinus et de faire descendre les mucosités dans la gorge.

Soulagez-vous en prenant des décongestionnants. «Le meilleur médicament en vente libre pour assécher les sinus est un comprimé à action unique ne contenant que des décongestionnants, comme du Sudafed®, explique le Dr Farb, car ils

---

Quoi d'autre?

Mangez des plats épicés

«Vous parviendrez peut-être à soulager vos sinus en passant par votre estomac, c'est-à-dire en mangeant des aliments épicés», dit le Dr Howard M. Druce. Voici ce qu'il recommande:

L'ail. «Cette plante au goût relevé contient la même substance qu'un médicament sur ordonnance afin de rendre les mucosités moins adhérentes», dit le Dr Druce.

Le raifort. «Cette racine au goût prononcé est un autre condiment efficace pour la circulation des mucosités, car elle contient une substance chimique semblable à celle des décongestionnants», dit-il. Le raifort en bouteille donnera de bons résultats.

Les piments. Des plats très épicés, assaisonnés aux piments rouges et au poivre de Cayenne sont des plus efficaces. Ces épices contiennent de la capsaïcine, une substance qui peut stimuler les fibres nerveuses et agir comme décongestionnant naturel.

Les aliments ne font pas tous pleurer ni ne décongestionnent les sinus. «Toutes les épices ne contiennent pas des substances chimiques qui agissent directement sur les sinus, explique le Dr Druce. Par conséquent, en manger peut vous faire couler le nez sans avoir le moindre effet sur le drainage de vos sinus. Cela peut même aggraver votre problème.»

amènent les vaisseaux sanguins à se contracter, laissent de l'air circuler dans le nez et allègent la pression. Si vous avez les sinus bloqués à cause d'une infection, dit le Dr Farb, vous devriez éviter les produits à base d'antihistaminiques. Ces médicaments agissent en asséchant les mucosités nasales et risquent d'aggraver votre congestion nasale», dit-il.

Modérez votre utilisation de médicaments en atomiseur. «Les gouttes pour le nez soulagent si l'on en fait un usage modéré, mais risquent de prolonger la maladie ou même de l'aggraver si l'on exagère», dit le Dr Terence M. Davidson, professeur adjoint de chirurgie de la tête et du cou et directeur de la Nasal Dysfunction Clinic au Centre médical de l'université de Californie, à San Diego. C'est ce que les spécialistes appellent l'effet de rebond.

«Au début, les médicaments en atomiseur décongestionnent les parois nasales, explique le Dr Davidson. Cependant, l'usage répétitif fait enfler les muqueuses davantage, ce qui crée un cercle vicieux. Il faut parfois compter des semaines, après la fin d'un traitement, avant que l'enflure se résorbe.»

Marchez pour vous décongestionner. Selon le Dr Farb, l'exercice peut apporter un soulagement, car il favorise la libération d'adrénaline qui amène les vaisseaux sanguins à se contracter, ce qui aide à réduire l'enflure des sinus.

Appuyez sur un point précis afin de soulager la douleur. «Se frotter les sinus permet l'acheminement de sang neuf dans la région nasale et procure un soulagement», affirme le Dr Jarek. Appuyez les pouces fermement de chaque côté du nez pendant 15 à 30 secondes. Attendez un moment, puis répétez le traitement.

Faites disparaître la douleur à l'aide de chaleur humide. «Appliquer de la chaleur humide sur les sinus constitue un bon moyen de soulager les douleurs de la sinusite», dit le Dr Druce. Couvrez-vous les yeux et les joues au moyen d'un gant de toilette humide et tiède, et laissez-le en place jusqu'à ce que vous sentiez la douleur se résorber. Cela ne prendra sans doute que quelques minutes.

EXPERTS CONSULTÉS

Le Dr Terence M. Davidson est professeur adjoint de chirurgie de la tête et du cou, et directeur de la Nasal Dysfunction Clinic au Centre médical de l'université de Californie, à San Diego.

Le Dr Howard M. Druce est professeur adjoint de médecine interne et directeur du Nasal and Paranasal Sinus Physiology Lab à la faculté de médecine de l'université St. Louis, au Missouri.

Le Dr Stanley N. Farb est directeur du Service d'oto-rhino-laryngologie aux hôpitaux Montgomery et Sacred Heart de Norristown, en Pennsylvanie. Il est aussi l'auteur de *The Ear, Nose, and Throat Book: A Doctor's Guide to Better Health.*

Le Dr Bruce Jafek est professeur et directeur du Service d'oto-rhino-laryngologie et de chirurgie de la tête et du cou au Centre des sciences de la santé de la faculté de médecine de l'université du Colorado, à Denver. Il est aussi président du Paranasal Sinus Disease Committee de l'American Academy of Otolaryngology/Head and Neck Surgery.

Stress

22 méthodes pour réduire la tension

Vous êtes à bout, physiquement et émotivement. Les tensions s'accumulent de jour en jour et vous enferment dans un épouvantable cercle vicieux: les exigences du travail vous ramènent épuisés à la maison et les contraintes de la maison vous renvoient deux fois plus épuisés au travail.

Le stress est-il une impasse? Sommes-nous tous condamnés à constamment lutter dans un monde trépidant? Non. En fait, non seulement pouvons-nous vaincre le stress, mais nous pouvons l'utiliser à notre avantage. Il ne sert à rien d'assister à un séminaire de gestion du stress, encore moins de le fuir. Les conseils suivants, éprouvés par des médecins, vous aideront à le combattre et à le vaincre. Pour obtenir un soulagement immédiat lorsque vous vous sentez acculé, lisez ce qui suit.

Changez d'attitude. «Il est très important de comprendre que, dans la plupart des cas, le stress ne résulte pas de situations objectives, mais de la façon dont vous réagissez», dit le Dr Paul J. Rosch, président de l'American Institute of Stress et professeur de médecine et de psychiatrie au New York College of Medicine. Votre réaction dépend de votre perception de la réalité et non de la réalité elle-même.

«Observez les gens dans les montagnes russes, dit le Dr Rosch. Certains se ferment les yeux, serrent les dents et attendent impatiemment le retour sur la terre ferme. D'autres, amateurs de sensations fortes, adorent plonger dans l'abîme et n'ont d'autre envie que de recommencer. Entre les deux se trouvent les personnes indifférentes ou ennuyées.»

«Ils font tous la même expérience, mais ils réagissent très différemment:

Le Dr Emmett Miller, directeur médical du Cancer Support and Education Center de Menlo Park, en Californie, est un spécialiste du stress bien connu aux États-Unis. Il puise dans la sagesse chinoise pour illustrer son propos. «En chinois, crise se dit *weiji*, un mot de deux caractères qui signifient respectivement danger et occasion. Chaque problème que nous devons affronter dans la vie peut être envisagé sous cet angle, c'est-à-dire comme une occasion de faire face au danger.»

Le message est clair: les difficultés sont l'occasion de montrer ce que l'on sait faire et de transformer une vie de tension et de stress en une vie exaltante et remplie de défis.

Pensez à autre chose. «Il faut absolument se changer les idées quand on est stressé, conseille le Dr Miller. C'est le meilleur moyen de faire diversion et de voir la vie sous un autre angle.»

Essayez la pensée positive. «Lorsque vous doutez de vos capacités, pensez à vos succès passés, dit le Dr Miller. Ainsi, vous vous rendez compte que vous avez déjà réussi et qu'il n'y a aucune raison qu'il en soit autrement aujourd'hui.»

Prenez un congé mental. Afin de soulager ou de mieux gérer le stress de tous les jours, le Dr Ronald Nathan, directeur du développement pédagogique, coordonnateur des sciences du comportement et professeur adjoint aux départements de pratique familiale et de psychiatrie au Albany Medical College, vous recommande d'imaginer que vous êtes en vacances.

«Imaginez-vous sur une magnifique plage de sable chaud dans les Bahamas. Une douce brise caresse votre visage et vous entendez au loin le bruit assourdi des vagues. Cette technique de relaxation est incroyablement efficace, vous verrez.»

Récitez une litanie anti-stress. Le stress peut survenir non seulement au travail, mais n'importe où, dans la salle de bains, au restaurant ou dans la voiture pendant le retour à la maison. Pour vous aider à vous détendre lorsque vos pensées vous nouent les muscles du cou et que la tension monte, répétez plusieurs fois les phrases suivantes, comme vous le suggère le Dr Miller:

- «Je n'ai pas à me *déplacer* en ce moment.»
- «Je n'ai aucun *problème* à régler en ce moment.»
- «Je n'ai rien de particulier à *faire* en ce moment.»
- «Tout ce que j'ai à faire en ce moment est de me *détendre.*»

Il est essentiel de formuler ces pensées consciemment, afin de changer immédiatement l'état d'esprit qui engendre le stress», dit le Dr Miller. Pendant que vous répétez ces phrases comme une litanie, vous ne pensez plus à vos tracas.

Soyez affirmatif. «Vous devriez toujours avoir en tête un certain nombre de phrases toutes prêtes lorsque vous vous sentez stressé, dit le Dr Miller. Elles n'ont pas besoin d'être compliquées. Il suffit de vous répéter que vous êtes en mesure de composer avec la situation ou que vous êtes une personne compétente capable de faire ce qu'on lui demande. Vous luttez ainsi contre le réflexe animal du

ALERTE MÉDICALE

Quand le stress devient menaçant

Lorsqu'il est trop intense, le stress peut être nocif. Selon le Dr Paul J. Rosch, les symptômes de stress qui suivent doivent être pris au sérieux:

- vertiges ou évanouissements;
- saignement digestif, qui peut être le signe d'un ulcère;
- pouls trop rapide qui persiste;
- mains moites;
- douleurs chroniques au cou et au dos;
- maux de tête chroniques ou très douloureux;
- tremblements;
- urticaire;
- anxiété incontrôlable;
- insomnie.

«Consultez un médecin sans tarder si ces symptômes sont apparus récemment sans cause apparente et s'ils nuisent à votre qualité de vie», conseille le Dr Rosch.

stress caractérisé par une respiration rapide et des mains moites, et vous faites confiance à votre raison et à votre intellect afin de composer avec la réalité. Vous verrez, l'effet calmant est immédiat.»

Comptez jusqu'à 10. «Refuser de réagir immédiatement au

stress suffit à le désamorcer, dit le Dr Nathan. Prendre l'habitude de s'arrêter et de se détendre quelques secondes, avant de réagir aux diverses sollicitations quotidiennes peut faire la différence. Par exemple, quand le téléphone sonne, respirez profondément. Puis, en expirant, imaginez que vous êtes aussi détendu qu'une poupée de chiffon.

«Ce genre de pause vous donne l'impression de dominer la situation, et par conséquent vous rassure au lieu de vous stresser, affirme le Dr Nathan. Prenez l'habitude de faire ce court exercice de relaxation avant de répondre au téléphone. Une pause délibérée dans les activités quotidiennes joue le rôle d'un tranquillisant.»

Aussi étonnant que cela puisse paraître, compter jusqu'à 10 est aussi très efficace.

Regardez au loin. «Si vous regardez par la fenêtre quelques

instants en vous concentrant sur le paysage au loin vous vous reposez la vue et partant, vous vous détendez, dit le Dr Nathan. «Retirez une casserole du feu et l'eau cesse de bouillir.»

Partez. «Quitter les lieux a le même effet que regarder au loin»,

dit le Dr Nathan.

Respirez profondément à plusieurs reprises. C'est

ce qu'on appelle respirer avec le diaphragme. C'est un vieux remède qui permet de combattre l'anxiété et la nervosité.

«Il s'agit simplement d'agir avec calme, et de rester calme, dit le Dr Bradley W. Frederick, directeur de l'International Institute of Sports Medicine de Los Angeles, en Californie. Lorsque vous êtes stressé, votre pouls s'accélère et vous commencez à respirer très rapidement. En vous efforçant de respirer lentement, vous dites à votre corps que vous n'êtes plus en situation de stress, que ce soit vrai ou non.»

Pour bien respirer, gonflez votre abdomen en inspirant et relâchez en expirant.

Criez ou pleurez. Bien sûr, ce n'est pas facile de donner

libre cours à ses émotions devant ses collègues de travail, mais qui vous empêche de vous exprimer dans votre bureau ou votre voiture? «En criant ou en pleurant, vous libérez les émotions sources de stress», explique le Dr Miller.

Quoi d'autre?

La voie vers la paix intérieure

La méditation transcendantale, le yoga et le zen sont des techniques qui favorisent un état de relaxation, un phénomène physiologique décrit pour la première fois par le Dr Herbert Benson, professeur adjoint de médecine à la célèbre Mind/Body Clinic de la faculté de médecine de Harvard.

«Ce phénomène inhibe les aspects stressants et anxiogènes de ce qu'on appelle couramment le réflexe de lutte ou de fuite», écrit le Dr Benson dans son ouvrage *Your Maximum Mind*.

«Ce réflexe était d'une grande utilité dans la préhistoire, quand les dangers venaient des animaux sauvages. De nos jours, il a plutôt pour effet de nous rendre plus nerveux, mal dans notre peau et même malade.»

Une personne qui fait l'expérience du phénomène physiologique de relaxation réussit à se débarrasser des hormones et des comportements qui la rendent nerveuse. En général, n'importe quelle technique de méditation peut produire cet effet, mais la méditation transcendantale, le yoga et le zen exigent une formation et beaucoup de discipline personnelle.

Pour atteindre cet état de détente, le Dr Benson recommande de suivre le programme suivant:

Choisissez un mot bien ancré dans votre système de valeurs (paix, par exemple). Asseyez-vous, fermez les yeux et détendez-vous. Répétez le mot choisi à chaque expiration. Continuez pendant 10 à 20 minutes.

Quelques conseils: exercez-vous une fois par jour, sans vous préoccuper de savoir si vous faites l'exercice correctement. Si vous vous êtes laissé distraire par vos pensées, concentrez-vous à nouveau sur le mot que vous avez choisi et continuez votre méditation.

Étirez-vous. «Pratiquement toutes nos émotions se traduisent par des manifestations physiques, dit le Dr Frederick. Nombreux sont ceux qui réagissent au stress par de la tension musculaire. Des exercices de relaxation musculaire les aident à se détendre physiquement et moralement, à défaut d'éliminer la source du stress.» La plupart des gens n'en demandent pas plus pour se sentir mieux.

Massez les muscles douloureux. «Le plus souvent, les muscles se nouent sous l'effet du stress, explique le Dr Miller. C'est un cercle vicieux: le stress libère de l'adrénaline qui provoque la tension musculaire, laquelle produit encore plus d'adrénaline et ainsi

de suite. Pour briser le cercle, vous devez trouver les muscles douloureux, c'est-à-dire les muscles qui se tendent sous la pression
comme les muscles du cou et du dos, et les masser pendant quelques minutes, chaque fois que vous sentez tendu.»

Appuyez les mains sur les tempes. L'acupression, une
technique orientale qui utilise les points de pression pour soulager
la douleur et divers troubles, agit indirectement. «Le massage des
nerfs des tempes détend les muscles dans d'autres parties du corps,
particulièrement dans le cou», dit le Dr Miller.

Relâchez la mâchoire et faites-la rouler de gauche à droite. «Les personnes stressées sont portées à serrer les dents,
dit le Dr Miller. En laissant tomber la mâchoire et en la faisant rou-
ler, vous aidez à détendre ses muscles, ce qui réduit la sensation de
tension.»

Étirez votre poitrine pour mieux respirer. «La tension
musculaire qui accompagne le stress peut rendre la respiration difficile, dit le Dr Frederick. Il est bien connu qu'une respiration incomplète exacerbe l'anxiété. Pour détendre la respiration, roulez vos
épaules et relâchez. La première fois, inspirez profondément en roulant les épaules vers l'arrière et expirez lorsque vous les détendez.
Répétez quatre ou cinq fois, puis inspirez profondément à nouveau.
Refaites l'exercice au complet quatre fois.

Détendez-vous complètement. La relaxation progres-
sive, une technique très simple, peut considérablement diminuer
votre stress en relâchant la tension physique.

En commençant par la tête ou par les pieds, contractez chaque
groupe musculaire de votre corps un à un, tenez pendant quelques
secondes, puis relâchez. Exercez toutes les parties du corps, pieds,
jambes, poitrine, bras, cou et tête. Cet exercice procure une formi-
dable sensation de détente.

Laissez-vous tremper dans un bain chaud. «La cha-
leur contrecarre la réaction au stress, dit le Dr Frederick. Lorsque
nous sommes tendus et anxieux, le flux sanguin diminue aux extrémités. La chaleur rétablit la circulation et signale à l'organisme qu'il
est en sécurité et qu'il peut se détendre. L'eau froide est complètement déconseillée pour la raison contraire. Elle a un effet semblable
au stress et, par conséquent, l'apport sanguin dans les extrémités.
Résultat: la tension augmente.

Lorsque vous êtes au bureau, vous pouvez laisser couler de l'eau chaude sur vos mains jusqu'à ce que la tension commence à diminuer.

Bougez. L'exercice développe l'endurance, ce qui permet de mieux résister au stress. Une activité aussi banale qu'une promenade autour du lieu de travail ou de la maison peut diminuer la tension causée par une pénible réunion d'affaires ou une scène de ménage orageuse.

«Lorsqu'il est stressé, l'organisme est naturellement porté à l'action. Rappelez-vous le réflexe de fuite ou de lutte, dit le Dr Miller. L'action est salutaire en situation de stress. Premièrement, l'exercice détruit certains composés chimiques libérés par la tension. Deuxièmement, un muscle fatigué par l'exercice est un muscle détendu.»

Écoutez une cassette de relaxation. «La relaxation s'oppose à la tension, dit le Dr Miller, le meilleur antidote contre le stress.» De grandes sociétés comme Atari et Levi Strauss & Company se servent entre autres des cassettes de relaxation mises au point par ce médecin.

«Une bonne cassette de relaxation peut être très utile, confirme le Dr Nathan. Elle favorise la détente et ne coûte pas cher.»

Il existe toutes sortes de cassettes de relaxation avec voix seulement, voix et musique ou bruits naturels, comme le vent dans les arbres ou les vagues. Il vous suffit d'avoir un magnétophone et un casque à écouteurs pour ne pas vous laisser distraire et ne pas déranger votre entourage.

Écoutez de la musique. Ne dit-on pas que la musique adoucit les mœurs? «La musique est extrêmement efficace pour lutter contre le stress, dit le Dr Miller. elle a l'avantage de détendre et d'inspirer en même temps. La musique *New Age* est particulièrement relaxante.»

EXPERTS CONSULTÉS

Le Dr Herbert Benson est professeur adjoint de médecine à la faculté de médecine de Harvard, à Cambridge, au Massachusetts, et chef du Service de médecine comportementale à l'hôpital Deaconess de la même ville.

Le Dr Bradley W. Frederick est chiropraticien et directeur de l'International Institute of Sports Medicine de Los Angeles, en Californie.

Le Dr Emmett Miller est directeur médical du Cancer Support and Education Center et président de Source Cassette Learning Systems de Menlo Park, en Californie. C'est un spécialiste du stress bien connu aux États-Unis.

Le Dr Ronald Nathan est directeur du développement pédagogique, coordonnateur des sciences du comportement et professeur adjoint aux Services de pratique familiale et de psychiatrie au Albany Medical College de New York.

Le Dr Paul J. Rosch est président de l'American Institute of Stress et professeur de médecine et de psychiatrie au New York College of Medicine à Valhalla. Il est en outre professeur adjoint de médecine psychiatrique à la faculté de médecine de l'université du Maryland, à Baltimore.

Syndrome de l'articulation temporo-mandibulaire

15 idées pour soulager l'inconfort

Votre dentiste est formel: vous souffrez du syndrome de l'articulation temporo-mandibulaire, une affection de l'articulation de la mâchoire. La cause reste obscure: est-ce une affection des muscles, des ligaments ou des os? Le stress ou l'alignement fautif des dents sont-ils aussi à incriminer? Mystère, tout ce que vous pouvez faire, en l'état actuel des connaissances, c'est de soulager les symptômes de l'une des affections modernes les plus complexes et les plus controversées.

Activez la circulation. Faites le maximum pour activer la circulation sanguine dans la région touchée. Vous pouvez appliquer de la chaleur humide ou de la glace, mais ne les interchangez pas. «Appliquez de la chaleur humide ou de la glace sur le côté de la mâchoire, dit le Dr Sheldon Gross, maître de conférence à l'université Tufts et à l'université de médecine et de dentisterie du New Jersey et président de l'American Academy of Craniomandibular Disorders. Pour certains, la chaleur est efficace tandis que pour d'autres, c'est la glace, dit-il. Faites des essais afin de connaître ce qui vous convient le mieux.»

Vous pouvez aussi essayer les étirements et les massages. «Si vous réussissez à activer la circulation sanguine dans la région affectée, vous devriez pouvoir éliminer certains symptômes», ajoute ce médecin.

Soutenez votre mâchoire. «Procurez-vous un protecteur buccal. Laissez-le ramollir dans l'eau chaude, puis mordillez-le pour mieux l'introduire dans votre bouche. On trouve ces protecteurs dans certains magasins d'articles de sport. Ils maintiennent la mâchoire en place et peuvent soulager temporairement les symptômes», dit le Dr Gross.

Ne mangez plus d'aliments durs. «Si vous ressentez une grande douleur dans la bouche, ne mangez que des aliments mous ou liquides», conseille le Dr Harold T. Perry, professeur d'orthodontie à la faculté de dentisterie de l'université Northwestern et rédacteur en chef d'une revue de médecine dentaire spécialisée dans les problèmes associés au syndrome de l'articulation temporo-mandibulaire.

Prenez de l'aspirine® et faites-vous un massage. «L'aspirine® est un médicament merveilleux pour tout problème musculaire ou articulaire», souligne le Dr Perry. Ce médecin suggère de

---

ALERTE MÉDICALE

Certains symptômes doivent être pris au sérieux

Les symptômes les plus courants du syndrome de l'articulation temporo-mandibulaire, notamment les maux de tête, les maux de dents, les douleurs au cou, aux épaules ou au dos ainsi qu'un bruit sec lorsque vous ouvrez ou fermez la mâchoire, ne sont habituellement que des inconvénients mineurs qui disparaissent une fois l'affection traitée.

«Cependant, certains symptômes sont considérés comme beaucoup plus graves et devraient faire l'objet d'une attention médicale», prévient le Dr Harold T. Perry.

«Si vous n'arrivez plus à ouvrir la bouche ou à vous brosser les dents, et si vous souffrez de violents maux de tête, vous devriez consulter votre médecin, dit le Dr Perry. Ce sont les signes que le syndrome de l'articulation temporo-mandibulaire s'aggrave.»

prendre un comprimé, que vous ferez suivre quelques minutes plus tard d'un massage vigoureux de la mâchoire à l'aide d'un gant de toilette chaud.

Vérifiez votre posture. «Si vous travaillez assis toute la journée, vérifier fréquemment votre posture. Ne vous penchez pas et n'avancez pas trop le menton, dit le Dr Owen J. Rogal, directeur administratif de l'American Academy of Head, Facial and Neck Pain and TMJ Orthopedics, et spécialiste du traitement du syndrome de l'articulation temporo-mandibulaire à Philadelphie, en Pennsylvanie. En général, lorsque vous êtes assis ou debout, les os des pommettes doivent se trouver au niveau de la clavicule, et les oreilles, légèrement en avant des épaules», dit-il.

Bon nombre de personnes atteintes du syndrome de l'articulation temporo-mandibulaire ont aussi des maux de dos. «Ces deux problèmes sont liés», dit le Dr Rogal.

Jetez votre oreiller. La nuit, dormez sur le dos après avoir enroulé une serviette mince sous votre cou. Placez aussi une autre serviette sous votre dos et un oreiller sous vos genoux. Dormir dans cette position peut être très relaxant pour la mâchoire et jouer un rôle déterminant dans la guérison du syndrome. Que faire si vous

---

7 mauvaises habitudes dont vous devez vous débarrasser

«Dans le cas du syndrome de l'articulation temporo-mandibulaire, il convient de se débarrasser de mauvaises habitudes plutôt que d'en adopter de nouvelles», dit le Dr Andrew S. Kaplan. Ainsi:

- ne vous étendez pas sur le ventre, la tête tournée d'un côté;
- ne vous étendez pas sur le dos, la tête appuyée sur une pile d'oreillers pour lire ou regarder la télévision;
- ne laissez pas le combiné du téléphone reposer entre l'épaule et le menton;
- ne laissez pas votre menton trop longtemps appuyé sur les mains;
- ne portez pas un sac lourd en bandoulière trop longtemps sur la même épaule;
- ne restez pas des heures à regarder au-dessus de vous comme lorsque vous peignez un plafond;
- ne portez pas de chaussures à talons hauts.

avez l'habitude de dormir sur le côté? Le Dr Rogal vous recommande de placer une balle lestée de chaque côté de la tête pour vous empêcher de vous retourner dans cette position.

Limitez les mouvements de la mâchoire. «Si vous avez envie de bâiller, réprimez votre bâillement en plaçant votre poing sous le menton», suggère le Dr Andrew S. Kaplan, professeur adjoint de dentisterie à la faculté de médecine Mount Sinai de l'université de New York et auteur de *The TMJ Book*.

Arrêtez de grincer des dents. La manie de grincer des dents, que les médecins appellent bruxisme, peut déclencher ou exacerber le syndrome de l'articulation temporo-mandibulaire. (Pour en savoir davantage, reportez-vous à la rubrique *Bruxisme* à la page 68).

EXPERTS CONSULTÉS

Le Dr Sheldon Gross exerce la médecine à Bloomfield, au Connecticut. Il est maître de conférence à l'université Tufts et à la faculté de médecine de l'université de médecine et de dentisterie du New Jersey. Il est en outre président de l'American Academy of Craniomandibular Disorder et membre de l'American Pain Association et de l'American Headache Association.

Le Dr Andrew S. Kaplan est professeur adjoint de dentisterie à la faculté de médecine Mount Sinai de l'université de New York et auteur de *The TMJ Book*. Il est en outre directeur de la Clinique du syndrome de l'articulation temporo-mandibulaire de l'hôpital Mount Sinai de New York.

Le Dr Harold T. Perry est dentiste à Elgin, en Illinois. Il est professeur d'orthodontie à la faculté de dentisterie de l'université Northwestern, à Chicago, en Illinois. Il est aussi rédacteur en chef du *Journal of Craniomandibular Disorders—Oralfacial Pain* et a déjà été président de l'American Academy of Craniomandibular Disorders.

Le Dr Owen J. Rogal a un cabinet privé spécialisé dans le traitement du syndrome de l'articulation temporo-mandibulaire, à Philadelphie, en Pennsylvanie, et il est directeur administratif de l'American Academy of Head, Facial and Neck Pain and TMJ Orthopedics. Il est en outre attaché à l'hôpital Metropolitan de Philadelphie et l'auteur de *Mandibular Whiplash*.

Syndrome du canal carpien

15 techniques pour soulager les symptômes

Vous écrivez une lettre. Au bout de trois paragraphes, des fourmillements douloureux dans la main vous forcent à déposer la plume. Vous avez passé des semaines à choisir la couleur de la peinture de la cuisine, mais, après quelques coups de pinceau, vous ressentez dans le poignet et dans la main une douleur lancinante qui vous oblige à rendre les armes. Au milieu de la nuit, des engourdissements dans la main et le poignet vous réveillent. Si ces symptômes vous sont familiers, vous souffrez peut-être du syndrome du canal carpien.

La maladie ne survient pas du jour au lendemain. Il s'agit d'une affection traumatique cumulative caractérisée par des tensions dans les mains et dans le poignet, qui apparaît avec le temps et la répétition de certains mouvements. Ainsi, lorsque vous écrivez, dactylographiez ou enfoncez un clou, vos mains sont soumises à des tensons qui enflent les tendons, qui à leur tour compriment le nerf médian. Vous ressentez alors une grande douleur.

Chez les femmes, le risque de souffrir du syndrome du canal carpien est deux fois plus élevé que chez les hommes. Les symptômes apparaissent généralement entre 40 et 60 ans. Le Dr Colin Hall, professeur de neurologie et de médecine à la faculté de médecine Chapel Hill de l'université de North Carolina précise à ce sujet: «Normalement, les symptômes apparaissent d'abord dans une main, mais ils peuvent aussi affecter les deux. On sent des fourmillements ou un engourdissement dans la main atteinte. En général, la sensation se manifeste dans la région du pouce et de l'index, mais il arrive qu'elle se propage dans toute la main.»

Lorsque cette sensation apparaît, c'est le temps d'intervenir. Voici comment:

Les avantages de la vitamine B$_6$

Des études scientifiques récentes démontrent qu'un traitement à la vitamine B$_6$, administrée sous surveillance médicale, peut contribuer à soulager le syndrome du canal carpien. Une étude d'une durée de 12 ans, effectuée à Louisville, au Kentucky, par le Dr Morton Kasdan, a démontré que 68 % des 494 sujets atteints du syndrome du canal carpien ont vu leur état s'améliorer, grâce à une dose quotidienne de vitamine B$_6$.

Le Dr John Ellis, chirurgien et spécialiste de médecine familiale de Mount Pleasant, au Texas, traite le syndrome du canal carpien avec cette vitamine depuis de nombreuses années, à l'Institute for Biomedical Research, en collaboration avec l'université du Texas, à Austin. Selon le Dr Ellis, le «syndrome du canal carpien résulte simplement d'une carence vitaminique. Dans un pourcentage élevé de cas, les patients souffrent de carence en vitamine B$_6$.»

Le Dr Ellis affirme avoir réussi à guérir au cours des 26 dernières années des centaines de patients en leur administrant des doses quotidiennes de vitamine B$_6$, et cela, sans effets indésirables.

Toutefois, il nous prévient que le traitement ne procure pas de soulagement immédiat. «Vous devez être patient. Il faut compter environ six semaines pour que les changements enzymatiques fassent diminuer les symptômes. «Après six à douze semaines, vous commencerez à sentir un soulagement dans vos mains et vos doigts, dit-il. L'engourdissement, les fourmillements, la raideur et la douleur disparaîtront peu à peu.»

Le Dr Ellis précise que le syndrome du canal carpien réapparaît chez certaines personnes lorsqu'elles cessent de prendre la vitamine B$_6$.

Précisons que le traitement du syndrome du canal carpien avec de la vitamine doit faire l'objet d'une haute surveillance médicale. À très forte dose, la vitamine B$_6$ peut être toxique.

Faites des cercles avec vos mains. «Lorsque les fourmillements apparaissent, dit Susan Isernhagen, physiothérapeute à Duluth, au Minnesota, c'est le moment de commencer à faire de la gymnastique douce avec les mains.

L'un des exercices consiste à faire des rotations du poignet pendant environ deux minutes. «Ces rotations font travailler tous les muscles du poignet, rétablissent la circulation sanguine et changent la position du poignet qui, lorsqu'il est constamment replié, finit par être douloureux.»

Levez la main. «Éloignez vos mains du clavier et élevez-les. Levez le bras au-dessus de la tête et faites une rotation du bras tout en tournant le poignet, conseille Susan Isernhagen. Ce mouvement replace l'épaule, le cou et le haut du dos, et soulage le stress et la tension musculaire.»

Faites une pause. «Accordez-vous une pause pendant votre travail. Laissez reposer les mains sur un bureau ou une table, et faites pivoter la tête environ deux minutes. Pliez le cou vers l'avant et vers l'arrière, recommande Susan Isernhagen, puis balancez la tête de droite à gauche. Tournez aussi la tête en regardant par-dessus l'épaule droite, puis l'épaule gauche.»

Prenez l'habitude de faire de l'exercice tous les jours. «Il est très important d'exercer et de détendre tous les jours vos muscles sensibles, même si vous ne ressentez pas de douleur, précise Susan Isernhagen. Vous devriez faire les mouvements de rotations décrits ci-haut, au moins quatre fois par jour.»

Comment éviter la douleur

Le National Institute for Occupational Safety and Health estime que le syndrome du canal carpien affecte 23 000 travailleurs américains chaque année. Certains travailleurs sont plus touchés que d'autres, notamment les bouchers, les caissiers, les informaticiens, les travailleurs à la chaîne, les camionneurs et les opérateurs de marteaux piqueurs, tous des travailleurs manuels.

Les personnes qui travaillent à la maison y sont aussi exposées. Le syndrome du canal carpien frappe les femmes au foyer qui passent une grande partie de leur temps à tordre du linge mouillé, à balayer, à couper les légumes ou même à écosser les petits pois. Même les bricoleurs du dimanche peuvent se blesser. L'utilisation excessive d'une agrafeuse pendant le week-end suffit parfois à déclencher la maladie.

Si vous devez effectuer une tâche manuelle, vous pouvez éviter ce handicap tout en continuant de bien faire votre travail.

«Le syndrome du canal carpien survient quand on applique une pression constante sur le nerf médian en fléchissant le poignet vers le haut ou le bas, explique le Dr John Sebright, chef du Service de chirurgie de la main et directeur du laboratoire de microchirurgie de l'hôpital St. Mary's de Grand Rapids, au Michigan. Si le poignet est constamment fléchi puis tendu, la pression augmente, indique-t-il. C'est pourquoi il faut garder les mains et les poignets le plus droit possible.» Au début, vous serez tentés de plier les poignets à l'ordinateur ou en voiture, par exemple. Mais, avec le temps, le geste sera de plus en plus naturel.

ALERTE MÉDICALE

Peut-être souffrez-vous d'arthrite?

«Les douleurs aux mains et aux poignets ne sont pas toujours causées par le syndrome du canal carpien. Elles sont parfois le signe d'une maladie plus grave, prévient Susan Isernhagen. Par exemple, si vous ressentez un craquement dans le poignet lorsque vous faites de l'exercice, il s'agit peut-être d'un symptôme d'ostéoarthrite.» Ne tardez pas à consulter votre médecin.

Prenez de l'aspirine®. «Pour soulager la douleur et l'inflammation, prenez un anti-inflammatoire non stéroïdien comme l'aspirine® ou l'ibuprofène», conseille le Dr Stephen Cash, chirurgien orthopédiste et professeur adjoint à la faculté de médecine de l'université Thomas Jefferson. Ne prenez pas de paracétamol. On le prescrit pour les maux de tête et non pour le syndrome du canal carpien. Selon le Dr Cash, le paracétamol soulage la douleur, mais n'a aucun effet sur l'inflammation.

Mettez votre douleur sur la glace. «Le froid réduit l'enflure», dit Susan Isernhagen. Ne mettez pas votre poignet dans un coussin chauffant, car la chaleur risque de faire augmenter l'enflure dans la région affectée.

Visez toujours plus haut. «Lorsque vous faites une pause au travail, n'abaissez pas vos mains», précise Susan Isernhagen. Asseyez-vous en appuyant les coudes sur votre bureau ou sur les accoudoirs de votre fauteuil. Gardez les mains pointées vers le haut. C'est une position de détente idéale.»

Exercez une pression à l'endroit de la douleur. «On peut soulager les fourmillements avec de légères pressions sur les doigts.» Ramenez les doigts sur la paume de la main, appuyez, puis ouvrez-les en les étirant aux maximum. Gardez cette position quelques secondes. Répétez.

Attention à votre position pendant le sommeil. Pendant votre sommeil, gardez les bras près du corps et les poignets bien droits. «Si vous laissez la main glisser hors du lit, vous augmentez la pression», dit Susan Isernhagen.

Si des douleurs dans les mains vous réveillent, Susan Isernhagen recommande de faire les mêmes exercices que pendant le jour. La douleur ou les fourmillements peuvent aussi indiquer que vous avez besoin d'une attelle pendant la nuit.

Une attelle peut soulager le mal. Afin de soulager les symptômes du syndrome du canal carpien, portez une attelle au poignet qui permettra de le garder bien droit. «Les attelles aident à réduire la pression sur le nerf», indique le Dr Cash. Mais n'achetez pas n'importe quoi. Le Dr Cash recommande une attelle munie d'une bande métallique et d'attaches velcro qui soutient le poignet sans trop de rigidité. «Les attelles en plastique sont dures et font transpirer, note Susan Isernhagen. Quel que soit le type d'attelle que vous choisissez, elle doit soutenir la paume de la main et laisser libres le pouce et les doigts.»

Susan Isernhagen vous conseille de consulter un physiothérapeute ou un ergothérapeute si vous préférez vous procurer une attelle sur mesure. Le médecin vérifiera si l'attelle est bien adaptée à votre main.

Ne serrez pas trop fort. «N'entourez pas votre poignet d'un bandage élastique, car vous pourriez trop serrer et empêcher la circulation du sang», précise Susan Isernhagen.

Utilisez la bonne poignée. «Si vous devez transporter un objet avec une poignée, assurez-vous qu'elle est d'une taille convenable. Si la poignée est trop petite, augmentez-en le volume au moyen de ruban adhésif ou de tubes de plastique. Si elle est trop grosse, changez-la», conseille Susan Isernhagen.

Attention, fragile! «Lorsque vous maniez des outils, ne vous servez pas uniquement de la base du poignet. Servez-vous autant que possible du coude et de l'épaule», dit Susan Isernhagen.

EXPERTS CONSULTÉS

Le Dr Stephen Cash est professeur adjoint d'orthopédie chirurgicale au Service de chirurgie de la main de la faculté de médecine de l'université Thomas Jefferson de Philadelphie, en Pennsylvanie, et travaille au Hand Rehabilitation Center de la même ville.

Le Dr John Ellie est chirurgien et pratique la médecine familiale à Mount Pleasant, au Texas, où il est affilié à l'hôpital Titus County Memorial.

Le Dr Colin Hall est professeur de neurologie et de médecine et directeur de l'unité neuromusculaire de la faculté de médecine Chapel Hill de l'université de Caroline du Nord.

Susan Isernhagen est physiothérapeute et présidente de Isernhagen and Associates à Duluth, au Minnesota. Elle travaille comme consultante auprès des industries pour les accidents du travail et la réhabilitation des accidentés du travail.

Le Dr John Sebright est chef du Service de chirurgie de la main et directeur du laboratoire de microchirurgie de l'hôpital St. Mary's de Grand Rapids, au Michigan. De plus, il est professeur adjoint de chirurgie au département de médecine humaine de l'université Michigan State, à East Landing.

Syndrome du côlon irritable

22 suggestions pour en soulager les symptômes

Qu'entend-on par syndrome du côlon irritable? C'est un côlon qui réagit à certains aliments et boissons, ou au stress, en provoquant de la diarrhée, de la constipation ou des douleurs abdominales, parfois les trois maladies en même temps.

Certains médecins estiment que le syndrome du côlon irritable vient au deuxième rang des maladies les plus courantes chez les Occidentaux, immédiatement après le rhume. Or, votre médecin vient de diagnostiquer que vous en souffrez. Ne vous inquiétez pas inutilement. Il y a moyen de soulager les symptômes:

N'en faites pas une maladie. «Le stress est intimement lié au syndrome du côlon irritable», précise le Dr Douglas A. Drossman, gastro-entérologue et psychiatre à la faculté de médecine Chapel Hill de l'université de Caroline du Nord. Vous devez donc éviter de vous stresser pour un rien pour ne pas tomber dans l'engrenage, dit-il. Il est particulièrement important de prendre de grandes respirations au moment où la douleur abdominale est la plus aiguë. Réfléchissez à ce qui vous arrive. Ce n'est pas la première fois que cela vous arrive. Vous vous en remettrez comme toujours.»

Soyez plus détendu. «Tout ce qui contribue à vous détendre devrait aussi soulager vos symptômes, affirme le Dr Drossman. Pratiquez des techniques de relaxation comme la méditation, l'autohypnose et la rétroaction (*biofeedback*). Si vous traversez une période particulièrement difficile, vous devriez peut-être consulter un psychologue. À vous de trouver le remède qui vous convient le mieux.

Notez les facteurs de stress dans un journal de bord. Un côlon irritable est particulièrement sensible à la nourriture, au stress et aux changements hormonaux. «Considérez votre côlon comme un baromètre interne qui détermine les facteurs de stress dans votre vie», indique le Dr Drossman. Par exemple, si vous avez mal à l'estomac chaque fois que vous parlez à votre patron, essayez d'améliorer vos rapports avec lui. Pourquoi ne pas le mettre au courant ou vous confier à un ami, un parent ou un thérapeute?

Quoi d'autre?

Imaginez que vous n'avez plus mal

Vous souvenez-vous de la dernière fois où vous avez ressenti les douleurs du syndrome du côlon irritable? Vous avez été pris de panique et êtes devenu extrêmement tendu. Ironiquement, en créant une nouvelle tension dans l'intestin, votre stress a intensifié la douleur.

Comment briser le cercle vicieux?

«Grâce à la visualisation, affirme le Dr Donna Copeland, psychologue et présidente du Service d'hypnose psychologique de l'American Psychological Association. Cette technique est efficace contre la douleur et l'anxiété.» De préférence, apprenez les techniques de visualisation auprès d'un professionnel, mais il n'y a rien de mal à essayer de vous-même.

Le Dr Copeland suggère les exercices suivants: si vous ressentez de la douleur, cessez toute activité et trouvez un endroit confortable où vous asseoir et vous étendre. Fermez les yeux et, pour oublier la douleur, imaginez les situations suivantes:

• Vous plongez allègrement dans les vagues d'une mer chaude, au large d'une île tropicale bordée d'une magnifique plage de sable blanc.
• Vous flottez dans un grand bain bien chaud en compagnie d'un groupe d'amis.
• Vous traversez un jardin luxuriant dans un pays exotique.

Notez aussi tout ce que vous mangez et buvez.

Tout comme le stress, certains aliments et certaines boissons peuvent irriter un côlon déjà irritable. «Notez donc ceux qui vous causent le plus d'ennuis», dit le Dr Drossman. Bien que certains aliments soient irritants pour la plupart des gens, sachez que chaque cas est différent.

Ajoutez des fibres à votre alimentation.

Certaines personnes qui souffrent du syndrome du côlon irritable ajoutent plus de fibres à leur alimentation et s'en trouvent beaucoup mieux, dit le Dr James B. Rhodes, professeur de médecine au département de gastro-entérologie du Centre médical de l'université du Kansas, à Kansas City. Les fibres sont particulièrement efficaces contre la constipation, mais aussi contre la diarrhée. Le meilleur type de fibre à ajouter à votre alimentation est les fibres non solubles que l'on trouve dans le son, les grains entiers, les fruits et les légumes.

Les graines de psyllium à la rescousse.

«Vous pouvez prendre des graines de psyllium broyées», dit le Dr Drossman. Il s'agit d'un laxatif naturel vendu dans les pharmacies, les supermarchés et les magasins d'aliments naturels. Contrairement aux laxatifs chimiques qui se retrouvent souvent dans les mêmes rayons, les laxatifs à base de psyllium comme le Transilane® ou le Parapsyllium® ne créent pas d'accoutumance et sont généralement sûrs, même lorsqu'on les prend pendant de longues périodes.

Buvez beaucoup de liquides.

Afin d'assurer le bon fonctionnement de votre intestin, vous avez besoin non seulement de fibres mais aussi de beaucoup de liquides. «Il faut boire davantage par une chaude journée d'août sur le court de tennis que par une journée de décembre passée au cinéma, mais en général, vous devriez boire entre six et huit grands verres de liquide par jour», dit le Dr Rhodes.

Méfiez-vous des produits laitiers.

Le lait est un liquide dont il serait probablement préférable de vous passer. «Bon nombre de personnes qui pensent avoir un côlon irritable souffrent en réalité d'intolérance au lactose», dit le Dr William J. Snape Jr, professeur de médecine, chef de la section de gastro-entérologie et directeur du Centre des affections intestinales inflammatoires du Centre médical Harbor-UCLA de Torrance, en Californie. Cela signifie que votre organisme a de la difficulté à absorber le lactose, une enzyme contenue dans les produits laitiers. Votre médecin peut vous faire subir un test d'intolérance au lactose ou vous pouvez éliminer les produits laitiers de votre alimentation pendant quelques jours et voir comment vous réagissez. Ce simple changement dans votre alimentation pourrait résoudre tous vos problèmes. (Pour de plus amples renseignements sur l'intolérance au lactose. voir à la page 359.)

Réduisez la consommation de matières grasses. Il

existe plusieurs raisons valables d'adopter un régime faible en matières grasses et en voici une de plus. «Les matières grasses sont un puissant stimulant des contractions du côlon», dit le Dr Snape. Elles peuvent donc aggraver le syndrome du côlon irritable. «Commencez par éliminer les sauces grasses, la friture et les huiles à salade», dit le Dr Snape.

Ne mangez pas d'aliments qui causent des flatulences. Certaines personnes atteintes de ce syndrome supportent

mal les aliments qui causent des flatulences, dit le Dr Rhodes. Si c'est votre cas, évitez les haricots, le chou, les choux de Bruxelles, le brocoli, le chou-fleur et les oignons.

Le son. Si vous ajoutez des fibres à votre alimentation, du son

par exemple, laissez votre organisme s'y habituer. «L'augmentation trop rapide de la consommation de fibres peut entraîner des flatulences», dit le Dr Rhodes.

Méfiez-vous des aliments épicés. «Certaines personnes

qui souffrent du syndrome du côlon irritable tolèrent mal les aliments contenant du piment et d'autres épices, dit le Dr Rhodes. Essayez de manger des aliments épicés pendant une semaine et beaucoup d'aliments doux la semaine suivante, et notez les changements dans votre état», suggère-t-il.

Évitez les aliments acides. «Les aliments acides causent

des ennuis à certains personnes atteintes du syndrome du côlon irritable», dit le Dr Rhodes. Il recommande d'éviter les oranges, les pamplemousses, les tomates et les vinaigrettes pendant un certain temps pour voir s'il y a amélioration.

Le café. «Le café peut être une source de problèmes, dit le Dr

Snape. La caféine est en partie responsable des effets nocifs du café, mais les résines contenues dans les grains pourraient aussi être en cause.»

Certaines boissons alcoolisées sont pires que d'autres. «Les boissons alcoolisées peuvent exacerber le problème, mais ce n'est pas toujours en raison de l'alcool qu'elles contiennent, dit le Dr Rhodes. En fait, ce sont plutôt les hydrates de carbone complexes dans la bière et les tannins dans le vin rouge qui sont le plus dommageables. Les personnes atteintes du syndrome du côlon irritable peuvent boire n'importe quoi, à l'exception de ces deux boissons», dit-il.

Éteignez cette cigarette. «Beaucoup de gens éprouvent des symptômes s'apparentant à ceux du syndrome du côlon irritable lorsqu'ils fument», dit le Dr Snape. La nicotine est probablement la substance la plus irritante; par conséquent, si vous essayez de cesser de fumer en utilisant des patchs de nicotine, votre intestin continuera probablement à faire des siennes.

La gomme de nicotine. La gomme de nicotine n'est pas le seul type de chewing-gum qui peut vous causer des ennuis. Les chewing-gums et les bonbons sucrés artificiellement au sorbitol sont difficiles à digérer et peuvent aggraver le syndrome, précise le Dr Drossman. La quantité de sorbitol contenue dans un morceau de chewing-gum ou un bonbon ne vous affectera pas, mais si vous en prenez une dizaine par jour, vous risquez d'avoir des ennuis.

Mangez à des heures régulières. «Le côlon irritable réagit non seulement à ce que vous mangez, mais à la façon dont vous mangez, dit le Dr Snape. La digestion d'une grande quantité d'aliments stimule excessivement le système digestif. Voilà pourquoi vous devriez de préférence prendre plusieurs petits repas à des heures régulières plutôt qu'un seul gros repas.»

Faites du jogging. «Un bon tonus corporel signifie un bon tonus intestinal», dit le Dr Rhodes. L'exercice renforce le corps (y compris l'intestin), contribue à atténuer le stress et libère des endorphines qui luttent contre la douleur. En général, l'exercice devrait contribuer à calmer le côlon irritable. Ne faites cependant pas d'excès. Trop d'exercice peut causer la diarrhée.

Prenez un analgésique. «Les changements hormonaux peuvent parfois exciter un côlon irritable. Voilà pourquoi les symptômes sont plus intenses pendant les menstruations, précise le Dr Drossman. Je recommande donc aux femmes de prendre des médicaments à base d'ibuprofène comme Advil® qui peuvent inhiber la

libération des hormones à la source du problème. Pour les autres, ces comprimés aident à combattre la douleur.»

Une bouillotte à la rescousse. Dans le cas d'accès de douleurs abdominales, le meilleur traitement consiste à vous asseoir ou à vous étendre, à respirer profondément et à vous détendre. Pour certaines personnes, une bouillotte ou un coussin chauffant soulagent efficacement la douleur, dit le Dr Snape.

EXPERTS CONSULTÉS

Le Dr Donna Copeland est psychologue et présidente du Service d'hypnose psychologique de l'American Psychological Association. Elle est en outre professeur de pédiatrie et directrice du Service de santé mentale du M. D. Anderson Cancer Center de l'université du Texas, à Houston.

Le Dr Douglas A. Drossman est gastro-entérologue et psychiatre. Il est professeur de médecine et de psychiatrie au Service des maladies digestives et de la nutrition à la faculté de médecine Chapel Hill de l'université de Caroline du Nord.

Le Dr James B. Rhodes est professeur de médecine au département de gastro-entérologie du Centre médical de l'université du Kansas, à Kansas City.

Le Dr William J. Snape Jr est professeur de médecine, chef de la section de gastro-entérologie et directeur du Centre des affections intestinales inflammatoires du Centre médical Harbor-UCLA de Torrance, en Californie.

Syndrome des jambes sans repos

20 techniques pour l'atténuer

Vous êtes couché et vous voulez dormir, mais vos jambes ont envie de danser. Que vous arrive-t-il? Comme 5 % de la population, vous souffrez du syndrome de Ekbom, plus un trouble chronique que le symptôme d'une affection neurologique, caractérisé par une irrésis-

---

ALERTE MÉDICALE

Soyez consciencieux: consultez un médecin

Si vous souffrez du syndrome des jambes sans repos, vous n'avez sans doute aucune raison de vous inquiéter, surtout si ce n'est que du sommeil qu'il vous fait perdre.

Cependant, si vous éprouvez ces symptômes pour la première fois, c'est-à-dire des sensations intenses dans les jambes, habituellement le soir, consultez votre médecin. Les symptômes du syndrome des jambes sans repos peuvent être des signes avant-coureurs de problèmes graves comme une maladie pulmonaire ou rénale, le diabète, la maladie de Parkinson ou divers autres troubles neurologiques.

Ainsi, pour votre sécurité, et pour votre paix d'esprit, laissez votre médecin poser un diagnostic.

---

tible envie de bouger les jambes et par des sensations étranges dans cette partie du corps.

«En général, cette maladie frappe uniquement la partie inférieure des deux jambes, bien qu'elle puisse parfois s'étendre aux cuisses et aux bras», dit le Dr Lawrence Z. Stern, professeur de neurologie et directeur de la clinique Mucio F. Delgado pour les troubles neuromusculaires au Centre des sciences de la santé de l'université d'Arizona. «Les deux côtés du corps ne sont pas toujours symétriques dans ce cas.»

L'origine des sensations est inconnue. Certains chercheurs soupçonnent qu'un déséquilibre dans la chimie du cerveau pourrait être au cœur du problème.

Quoi qu'il en soit, cette maladie est loin d'être aussi amusante que la danse. Voici donc quelques mesures préventives qui vous permettront d'atténuer le syndrome des jambes sans repos.

Levez-vous et marchez. Le syndrome des jambes sans repos semble frapper le soir, quand elles sont au repos justement. «La façon la plus rapide de satisfaire l'envie de bouger les jambes consiste à céder, à se lever et marcher un peu», dit le Dr Ronald F. Pfeiffer, professeur adjoint de neurologie et de pharmacologie, et directeur du département de neurologie au Centre médical de l'université du Nebraska, à Omaha.

Bien entendu, il y a des personnes qui ont de la difficulté à dormir même si elles ne sont pas atteintes du syndrome des jambes sans repos. Par conséquent, même si marcher est une bonne façon de neutraliser une attaque soudaine et aiguë vous trouverez peut-être utile de recourir aux mesures suivantes.

Marchez avant d'aller au lit. «Dans certains cas, cette mesure atténue les crises à l'heure du coucher, dit le Dr Stern. L'exercice modifie l'équilibre des substances chimiques dans le cerveau, car des endorphines sont libérées, ce qui peut favoriser un sommeil plus reposant», ajoute-t-il.

Remuez les jambes. Ou faudrait-il plutôt parler de gigoter. Quoi qu'il en soit, l'idée est de bouger les jambes dès que les symptômes se manifestent.

Changez de position. «Certaines personnes semblent ressentir des symptômes beaucoup plus aigus lorsqu'elles dorment

---

Quoi d'autre?

Des habitudes de sommeil différentes

Le syndrome des jambes sans repos peut être chronique: il peut empoisonner la vie de certaines personnes de temps à autre, pendant bon nombre d'années. «Par conséquent, beaucoup de gens adoptent des rituels différents, dit le Dr Richard K. Olney. Et certains des rituels, aussi bizarres qu'ils puissent paraître, sont efficaces, du moins à des moments précis.»

Pourquoi? Les médecins ne veulent même pas émettre d'hypothèses. Mais comme ces méthodes inusitées sont sûres et qu'elles peuvent être efficaces, vous voudrez peut-être en faire l'essai.

Mettez des chaussettes en coton pour dormir. Vous pouvez peut-être essayer cette méthode pendant l'hiver. Au moins, vous n'aurez pas froid aux pieds.

Portez un pyjama en soie. La soie est très agréable sur la peau et si, malgré tout, vous devez vous lever pendant la nuit pour faire quelques pas, vous serez d'une grande élégance!

Frictionnez vos jambes à l'aide d'un vibrateur électrique. Certaines personnes soutiennent que cela réduit leurs symptômes, bien que la méthode puisse aggraver les symptômes chez d'autres sujets.

dans une position plutôt qu'une autre», dit le Dr Stern. Par conséquent, essayez différentes positions pour dormir. Cela est inoffensif et pourrait se révéler très utile.

Faites tremper vos pieds dans de l'eau froide. «Cette mesure soulage certaines personnes», dit le Dr Pfeiffer. Une petite mise en garde s'impose cependant: n'allez pas croire que plus le froid est intense, plus il fait du bien. En vous immergeant les pieds dans un seau de glaçons, vous risquez de vous endommager les nerfs.

Réchauffez-vous. «Bien que le froid fasse du bien à certaines personnes, d'autres préfèrent un coussin chauffant», dit le Dr Pfeiffer.

Prenez une multivitamine tous les jours. «Les carences en fer pourraient être une cause du syndrome des jambes sans repos», dit le Dr Pfeiffer. Il souligne que certaines études ont permis d'établir un lien entre les carences en fer et le syndrome. On soupçonne aussi les carences en folate d'y jouer un rôle. Si vous croyez souffrir de carences vitaminiques, parlez-en à votre médecin.

Le Dr Stern dit qu'une multivitamine par jour peut vous protéger contre des carences en fer et en folate.

Prenez deux cachets d'aspirine® avant le coucher. Les médecins ne peuvent expliquer pourquoi l'aspirine® est efficace, mais il semble que ce médicament atténue les symptômes chez certaines personnes.

Évitez un gros repas tard le soir. Manger beaucoup le soir avant le coucher accentue parfois les symptômes du syndrome. «L'activité chimique nécessaire qui permet de digérer un gros repas déclenche peut-être quelque chose qui provoque les symptômes du syndrome», suggère le Dr Stern en guise d'explication.

Réduisez le stress. Évidemment, c'est plus facile à dire qu'à faire, mais ça vaut la peine d'essayer. «Le stress ne fait qu'aggraver le problème», dit le Dr Stern. Bien organiser votre vie, vous accorder des moments de tranquillité, prendre de grandes respirations et vous adonner à diverses techniques de relaxation sont de bonnes façons de réduire le stress.

Accordez-vous beaucoup de repos. Vos symptômes peuvent s'aggraver si vous ne vous reposez pas suffisamment et vous fatiguez.

Massez vos jambes. «Juste avant le coucher, masser les jambes peut faire du bien», dit le Dr Richard K. Olney, professeur adjoint de neurologie à l'université de Californie, à San Francisco. De légers étirements peuvent aussi être bénéfiques.

Évitez les médicaments qui font dormir. «Ils peuvent procurer des bienfaits à court terme, mais la plupart des gens développent une tolérance à ce genre de médicaments et se retrouvent avec deux problèmes au lieu d'un», dit le Dr Stern.

Pas l'alcool comme sédatif. Ici encore, vous vous retrouverez avec un double problème, dit le Dr Stern.

Réduisez radicalement votre consommation de caféine ou renoncez-y complètement. «Certaines études ont établi un lien entre le soulagement du syndrome des jambes sans repos et la non-consommation de caféine», dit le Dr Pfeiffer.

Cessez de fumer. Selon un médecin canadien, une femme âgée de 70 ans qui fumait et souffrait du syndrome des jambes sans repos a constaté que son problème s'était atténué un mois après qu'elle a eu cessé de fumer. Selon un rapport du même médecin, quatre mois plus tard, cette femme n'éprouvait plus aucun symptôme.

Ne restez pas longtemps au froid. Diverses études ont permis d'émettre l'hypothèse que des expositions prolongées au froid pourraient causer le syndrome des jambes sans repos.

EXPERTS CONSULTÉS

Le Dr Richard K. Olney est professeur adjoint de neurologie à l'université de Californie, à San Francisco.

Le Dr Ronald F. Pfeiffer est professeur adjoint de neurologie et de pharmacologie et directeur du département de neurologie au Centre médical de l'université du Nebraska, à Omaha.

Le Dr Lawrence Z. Stern est professeur de neurologie et directeur de la clinique Mucio F. Delgado pour les troubles neuromusculaires au Centre des sciences de la santé de l'université d'Arizona, à Tucson.

Syndrome prémenstruel

28 façons de traiter les symptômes

Imaginez une guerre biologique dont le champ de bataille est le corps féminin. Une fois par mois, environ deux semaines avant les menstruations, les armées ennemies d'œstrogènes et de progestérone commencent à se rassembler. Ces hormones femelles, qui régularisent le cycle menstruel et influencent le système nerveux central, fonctionnent généralement de pair. Mais, quand l'une essaie de surpasser l'autre, les problèmes commencent!

Certaines femmes échappent totalement à ces conflits, car leurs hormones s'équilibrent harmonieusement. D'autres ont moins de chance. Chez certaines femmes, les niveaux d'œstrogènes peuvent grimper en flèche et les rendre anxieuses et irritables. Chez d'autres, c'est la progestérone qui domine, de sorte qu'elles sont déprimées et fatiguées.

Les hostilités peuvent durer plusieurs jours. Certaines femmes se sentent gonflées et prennent du poids, souffrent de maux de tête et de dos, d'allergies ou de douleurs aux seins. Vous-même souffrez peut-être de ces symptômes qui s'accompagnent souvent d'envies soudaines de glaces ou de gâteaux. Sujette aux sautes d'humeur, vous passez, sans raison apparente, de l'euphorie à la dépression. Puis, tout d'un coup, les troupes se retirent et vous retrouvez votre sérénité: vos menstruations viennent de se déclencher.

«On croit que le syndrome prémenstruel frappe à divers degrés une grande partie des femmes américaines entre 20 et 50 ans», dit le Dr Susan Lark, directrice du PMS Self-Help Center à Los Altos, en Californie. «Certains facteurs, comme avoir eu plusieurs enfants ou être mariée, semblent accroître les risques du syndrome prémenstruel», dit le Dr Guy Abraham, ancien professeur d'obstétrique et d'endocrinologie gynécologique à la faculté de médecine de l'université de Californie, à Los Angeles. Aujourd'hui chercheur, il a fait des études approfondies sur le malaise. «Le problème pourrait être génétique», dit pour sa part le Dr Edward Portman, conseiller, chercheur et directeur de la clinique Portman de Madison, au Wisconsin.

«Les femmes qui souffrent du syndrome prémenstruel n'éprouvent pas toutes les mêmes symptômes ou au même degré», dit le Dr Abraham. Et elles ne répondent pas toutes aux mêmes traitements. Pour trouver ceux qui conviennent le mieux, vous devrez sans doute faire divers essais. Nous avons discuté avec des médecins qui ont fait d'innombrables recherches sur le syndrome prémenstruel. Ils nous ont recommandé les mesures suivantes.

Ne vous inquiétez pas et profitez de la vie. «Une attitude positive peut vous aider à composer avec le syndrome prémenstruel et même vous éviter d'en souffrir à l'avenir», dit le Dr Lark. Si vous sentez que le syndrome prémenstruel prend le dessus, asseyez-vous confortablement et répétez deux ou trois fois: «Mon corps est résistant et sain. Mes taux d'œstrogènes et de progestérone sont parfaitement équilibrés. Je peux composer avec le stress efficacement et sans difficulté.»

Mangez peu à la fois, mais souvent. «Une mauvaise alimentation ne cause pas le syndrome, dit le Dr Portman, mais certains facteurs diététiques peuvent aggraver le problème.» Le Dr Abraham en convient. «De mauvaises habitudes alimentaires peuvent empirer le syndrome prémenstruel.» Un certain nombre d'autres médecins recommandent un régime hypoglycémique, c'est-à-dire de petits repas faibles en sucre, plusieurs fois par jour, afin de garder l'esprit et le corps mieux équilibrés.

Évitez les calories vides. «Évitez les aliments sans valeur nutritive comme les boissons gazeuses et les sucreries qui contiennent du sucre raffiné», dit le Dr Abraham. Donner libre cours à vos fringales de sucreries ne fera qu'empirer votre état et accentuer votre angoisse et vos sautes d'humeur. «Essayez de remplacer les sucreries par des fruits», suggère le Dr Lark.

Réduisez votre consommation de produits laitiers. «Ne consommez pas plus d'une ou deux portions par jour de lait écrémé ou faible en gras, de fromage blanc ou de yaourt», dit le Dr Ahraham. La raison: le lactose que contient les produits laitiers peut nuire à la capacité de votre organisme d'absorber le magnésium, un minéral qui contribue à régulariser les taux d'œstrogènes et à en augmenter l'excrétion.

Quoi d'autre?

La solution des suppléments

Bon nombre de vitamines, de minéraux et d'acides aminés peuvent contribuer à soulager les symptômes du syndrome prémenstruel, disent divers médecins. Voici un aperçu des solutions à base de suppléments alimentaires.

La vitamine B$_6$. «Une forte consommation de vitamine B$_6$ peut soulager les symptômes suivants: sautes d'humeur, rétention de liquide, douleurs aux seins, ballonnements, envies de sucre et fatigue», dit le Dr Lark. Toutefois, la vitamine B$_6$ est toxique à fortes doses. En fait, aucune thérapie vitaminique ne devrait être entreprise sans surveillance médicale.

Les vitamines A et D. Ces deux vitamines agissent concurremment pour améliorer la santé de la peau. «Elles pourraient.donc jouer un rôle dans la suppression de l'acné prémenstruel et de la peau grasse», dit le Dr Lark.

La vitamine C. «On croit que la vitamine C, un anti-oxydant, pourrait réduire le stress et même l'atténuer pendant une crise, dit le Dr Lark. On sait aussi que la vitamine C, un antihistaminique naturel, pourrait être utile aux femmes dont les allergies s'aggravent juste avant les menstruations.»

La vitamine E. «La vitamine E, qui est aussi un anti-oxydant, pourrait avoir un puissant effet sur le système hormonal et contribuer à soulager les douleurs aux seins, l'anxiété et la dépression», dit le Dr Guy Abraham.

Le calcium et le magnésium. «Ces deux minéraux agissent concurremment pour combattre le syndrome prémenstruel», dit le Dr Lark. Le calcium aide à prévenir les crampes prémenstruelles et les douleurs, tandis que le magnésium aide l'organisme à absorber le calcium. Le Dr Lark croit aussi que le magnésium aide à contrôler les fringales prémenstruelles et à stabiliser l'humeur.

La L-tyrosine. Cet acide aminé est nécessaire à la production d'une substance dans le cerveau, la dopamine, qui est un anti-dépresseur naturel. Le Dr Edward Portman a constaté que la L-tyrosine aidait certaines patientes à combattre l'angoisse et la dépression liées au syndrome prémenstruel.

La pilule contre le syndrome prémenstruel. «Le meilleur moyen de traiter le syndrome prémenstruel à l'aide de suppléments consiste à prendre tous les jours un supplément équilibré de vitamines et de minéraux, dit le Dr Lark. Vous pouvez même trouver en pharmacie des produits spécialement formulés contre les symptômes du syndrome prémenstruel.

Évitez les matières grasses. «Remplacez les graisses animales comme le beurre et le saindoux par des huiles polyinsaturées, par exemple de l'huile de maïs ou de carthame», dit le Dr Abraham. Le gras animal contribue à hausser les taux d'œstrogène, ce qui peut favoriser le syndrome prémenstruel, dit-il.

Limitez votre consommation de sel. «Pour combattre la rétention d'eau, adoptez un régime alimentaire faible en sel pendant les sept à dix jours qui précèdent le début de vos règles»,

---

Ces fringales incontrôlables

Avez-vous terminé votre dîner par une quantité parfaitement déraisonnable de chocolat ou de glace? Ne vous culpabilisez pas, surtout si vous êtes sur le point d'avoir vos règles. Il y a de fortes chances pour que votre corps vous ait forcée à le faire.

«Pendant cette période du mois, une femme ne mange pas à outrance par faiblesse de caractère. Des recherches démontrent qu'elle est presque poussée à le faire à cause de la façon dont son cerveau réagit à la progestérone», dit le Dr Peter Vash, endocrinologue et spécialiste des maladies organiques à la faculté clinique du Centre médical de l'UCLA, en Californie, et spécialiste des troubles alimentaires. Les chercheurs ont pour théorie que les taux élevés de progestérone qui sont libérés par les ovaires au milieu du cycle menstruel semblent influer sur les régions du cerveau qui déclenchent les envies d'hydrates de carbone.

«Aussi inquiétante qu'elle puisse être, cette tendance pourrait être en fait un mécanisme de protection primitif intégré dans la structure biologique des femmes, dit le Dr Vash. Lorsqu'une femme est sur le point d'être menstruée, elle sait qu'elle va perdre beaucoup de liquide. Consommer des aliments riches en hydrates de carbone comme des gâteaux et des glaces lui fait faire de la rétention d'eau et lui donne plus d'énergie.»

«Les folles envies de chocolat, qui sont très courantes en périodes prémenstruelles, peuvent être attribuables au fait que le cerveau a besoin des acides aminés que contient cette substance», dit-il.

«Essayez de résister à vos envies, dit le Dr Vash, car y succomber ne fera qu'aggraver votre état.» Voici ce qu'il suggère pour y parvenir.

Soyez bien préparée. «Sachez que vous ressentirez ces envies sept à dix jours par mois et encerclez-les sur votre calendrier, dit le Dr Vash. Sachez aussi que ces envies passeront. Dites-vous que vous pouvez les surmonter.»

Luttez. «Dormez suffisamment, buvez beaucoup de liquide et mangez des fruits et des légumes lorsque votre organisme demande des aliments riches en sucre et en amidon.»

suggère le Dr Penny Wise Budoff, directrice du Centre médical pour femmes de Bethpage, dans l'État de New York. «Cela signifie que vous devez éviter les restaurants, les aliments traités, les mets chinois, les soupes prêtes à consommer et les vinaigrettes.»

Consommez beaucoup de fibres. Les fibres aident l'organisme à évacuer les surplus d'œstrogène, dit le Dr Abraham. Mangez beaucoup de légumes, de haricots secs et de grains entiers. «Le millet, le sarrasin et l'orge sont riches non seulement en fibres, mais aussi en magnésium», dit le Dr Lark.

Débarrassez-vous de votre accoutumance à la caféine. «Ne consommez que des quantités très limitées de café, de thé, de chocolat et autres substances qui contiennent de la caféine», dit le Dr Abraham. La caféine contribue à rendre les seins sensibles et à accentuer l'angoisse et l'irritabilité.

Évitez l'alcool. «L'alcool accentue la dépression qui accompagne souvent le syndrome prémenstruel», dit le Dr Portman. «Il peut aussi aggraver les maux de tête et la fatigue associés au syndrome prémenstruel et provoquer des fringales de sucre», ajoute le Dr Lark.

Dites non aux diurétiques. «Bon nombre de femmes atteintes du syndrome prémenstruel prennent couramment des diurétiques pour atténuer les ballonnements, dit le Dr Lark. Certains diurétiques en vente libre éliminent de précieux minéraux du système, dit-elle. Il est donc préférable d'éviter simplement les substances comme le sel et l'alcool qui provoquent de la rétention d'eau.»

Devenez plus active. «L'exercice modéré stimule la circulation sanguine, relaxe les muscles et combat la rétention d'eau», dit le Dr Lark. «De plus, ajoute le Dr Portman, l'exercice stimule la production d'endorphines dans le cerveau, des opiacés naturels qui favorisent un sentiment de bien-être.»

Marchez d'un pas rapide à l'air frais, faites de la natation ou du jogging, ou suivez des cours de ballet ou de karaté. «Bref, adonnez-vous quotidiennement à une activité que vous aimez», dit le Dr Portman. «Pour obtenir les meilleurs résultats, augmentez votre niveau d'activité pendant la semaine ou même les deux semaines précédant l'apparition des symptômes du syndrome prémenstruel», recommande le Dr Lark.

Éliminez toutes sources de stress. «Les femmes qui souffrent du syndrome prémenstruel semblent particulièrement sensibles au stress environnemental, dit le Dr Lark. Entourez-vous de couleurs apaisantes et écoutez de la musique douce. Recherchez le calme pendant les moments difficiles de chaque mois.»

Respirez profondément. «Respirer de manière superficielle, comme beaucoup d'entre nous le faisons inconsciemment, fait diminuer les niveaux d'énergie et favorise les tensions, ce qui peut empirer les symptômes du syndrome prémenstruel, dit le Dr Lark. Exercez-vous à inspirer et à expirer lentement et profondément.»

Prenez un bain. «Offrez-vous le luxe d'un bain pour détendre les muscles de la tête aux pieds», suggère le Dr Lark. Ajoutez 235 ml de sel de mer et 235 ml de bicarbonate de soude à l'eau de votre bain, et laissez-vous tremper 20 bonnes minutes.

Montrez-vous romantique. «Vous pouvez remédier aux douleurs musculaires et à la mauvaise circulation sanguine qui accompagnent souvent le syndrome prémenstruel par une relation sexuelle satisfaisante», dit le Dr Lark. La stimulation et l'orgasme contribueront à évacuer le sang et les autres liquides hors des organes congestionnés.

Prévoyez des mesures contre l'insomnie. «Si l'insomnie fait partie des symptômes du syndrome prémenstruel, préparez-vous en vous couchant plus tôt pendant quelques jours avant que vos symptômes ne se déclenchent», conseille le Dr Lark. Cela peut contribuer à atténuer la fatigue et l'irritabilité qui accompagnent inévitablement l'insomnie.

Faites-vous un horaire et respectez-le. «Fixez-vous des buts raisonnables et prévoyez votre emploi du temps pour la journée, ce qui vous évitera de vous sentir dépassée par les événements, même si vous devez pour cela déroger à certaines de vos habitudes», dit le Dr Lark.

Gardez vos engagements mondains pour un autre moment. «Reportez vos grands projets, comme organiser un dîner mondain, tant que vous ne vous sentez pas en mesure d'être à la hauteur de la situation. Vous ne feriez qu'empirer une situation déjà pénible», dit le Dr Lark.

Ne cachez pas la vérité. «Parlez des problèmes que vous cause le syndrome prémenstruel avec votre conjoint, vos amis ou vos collègues de travail, dit le Dr Lark. Cela peut vous faire le plus grand bien. Informez-vous auprès de votre médecin s'il existe dans votre région des groupes de soutien aux personnes qui souffrent de ce syndrome.

EXPERTS CONSULTÉS

Le Dr Guy Abraham était anciennement professeur d'obstétrique et d'endocrinologie gynécologique à la faculté de médecine de l'université de Californie, à Los Angeles. Il a fait des recherches approfondies sur le syndrome prémenstruel.

Le Dr Penny Wise Budoff est directrice du Centre médical pour femmes de Bethpage, dans l'État de New York. Elle est l'auteur de *No More Menstrual Cramps and Other Good News*, de *No More Hot Flashes and Other Good News* et d'autres ouvrages sur des sujets analogues.

Le Dr Susan Lark est directrice du PMS Self-Help Center de Los Altos, en Californie, et auteur de *Dr Susan Lark's Premenstrual Syndrome Self-Help Book*.

Le Dr Edward Portman est conseiller, chercheur et directeur de la clinique Portman à Madison, au Wisconsin. Il s'intéresse de près au syndrome prémenstruel.

Le Dr Peter Vash est endocrinologue et spécialiste des maladies organiques à la faculté clinique du Centre médical de l'UCLA, en Californie. Il est aussi spécialiste des troubles alimentaires dans un cabinet privé et est titulaire d'une maîtrise en santé publique.

Syndrome de Raynaud

18 moyens de soulager le malaise

Les symtômes du syndrome de Raynaud vous sont familiers. Dès que vous ouvrez la porte du réfrigérateur, vous sentez vos mains devenir glacées. Lorsque vous tapez sur le clavier de votre ordinateur, les vaisseaux sanguins de vos doigts se contractent. La même chose peut se produire dans vos orteils. Au début, vous avez un spasme. Le sang circule lentement jusqu'à la région touchée, et ce manque de sang oxygéné fait pâlir la peau et peut même lui donner une teinte bleuâtre. Vous ressentez parfois une sensation d'engourdissement à cause de ce manque de sang. Vos doigts rede-viennent rouges lorsque le sang revient. À un stade avancé, la mau-vaise irrigation causée par le syndrome de Raynaud peut affaiblir les doigts et atténuer la sensation du toucher.

Le froid n'est pas le seul coupable. Cette affection étrange mais courante peut résulter de blessures aux vaisseaux sanguins causées par les vibrations d'équipements puissants, comme une tronçon-neuse ou un marteau-piqueur, par une hypersensibilité à des médi-caments qui affectent les vaisseaux sanguins ou encore par des troubles des tissus conjonctifs. Les troubles nerveux figurent aussi parmi les causes du syndrome de Raynaud.

Que faire pour se protéger contre ce syndrome? Voici ce que nos experts recommandent.

Habituez-vous à surmonter le froid. Habituez vos mains à se réchauffer lorsqu'il fait froid en adaptant une tech-nique mise au point par des chercheurs de l'armée américaine en Alaska.

Installez-vous dans une pièce où la température est agréable et placez vos mains dans un récipient d'eau tiède pendant trois à cinq minutes. Passez ensuite dans une pièce glacée et mettez de nouveau vos mains dans l'eau tiède pendant 10 minutes. L'air froid dans la pièce amènerait normalement vos vaisseaux sanguins périphériques à se contracter, mais la sensation produite par l'eau tiède les amène à se dilater. En permettant ainsi aux vaisseaux sanguins de se dila-ter malgré le froid, vous parviendrez éventuellement à contrer le ré-flexe de contraction, même sans eau chaude.

Au cours d'expériences faites par l'armée, on a demandé à des sujets de répéter l'exercice tous les deux jours, de trois à six fois par jour. Au bout de 54 traitements, les résultats étaient impressionnants. Les sujets avaient les mains plus chaudes de 4 °C.

«Les gens s'entraînent sur les toits de New York, dans les conte-neurs réfrigérés, dans les magasins d'alimentation, dans les hôpi-taux et dans les hôtels», dit Murray Hamlet, directeur du programme de l'armée sur le froid.

Exercez vos bras pour générer de la chaleur. En fait, vous pouvez forcer vos mains à se réchauffer en faisant un exercice tout simple mis au point par le Dr Donald McIntyre, dermatologiste à Rutland, au Vermont. Faites semblant d'être un lanceur de disque. Balancez le bras vers le bas, derrière vous, puis vers le haut, devant vous, à un rythme d'environ 20 tournoiements à la minute. (L'exercice n'est pas aussi rapide qu'il le semble.)

L'effet de moulin à vent, que le Dr McIntyre a développé, en s'inspirant d'un exercice de réchauffement d'un skieur, force le sang vers les doigts à la fois par la force centrifuge et la force de gravitation. Cet exercice est efficace pour réchauffer les mains froides, quelle qu'en soit la cause.

Mangez des aliments riches en fer. Une carence en fer peut modifier le métabolisme de la glande thyroïde, qui régularise la chaleur du corps. C'est ce que soupçonnent les chercheurs au USDA Human Nutrition Research Center à Grand Forks, au North Dakota. Ils ont mesuré l'effet du fer alimentaire sur six femmes en bonne santé quand elles entraient dans une chambre froide. En ne prenant que le tiers de la dose quotidienne recommandée de fer pendant 80 jours, elles perdaient 29 % de plus de chaleur corporelle que pendant les 114 jours à dose quotidienne complète.

Les aliments riches en fer comprennent la volaille, le poisson, la viande rouge maigre, les lentilles et les légumes verts à feuilles. Il est bon de boire du jus d'orange, car il accroît la capacité de l'organisme à absorber le fer.

Habillez-vous afin de maintenir la température de votre corps. Pour vous garder au chaud, vous devez vous habiller chaudement. C'est une question de bon sens, bien sûr, mais bon nombre de gens ne mettent qu'une paire de gants et des bottes, sans prendre la précaution de porter des vêtements assez chauds pour maintenir la température normale de leur corps, ce qui est vraiment très important.

Choisissez des étoffes qui laissent la transpiration s'échapper. En ce qui concerne le refroidissement des mains et des pieds, la transpiration est un facteur encore plus important que la température. La sueur est le climatiseur du corps. Or, sachez que ce climatiseur peut fonctionner par temps froid si vous omettez de prendre certaines précautions. Les mains et les pieds sont particulièrement susceptibles de se refroidir parce que les paumes et les talons (avec les aisselles) sont les régions du corps qui contiennent le plus grand nombre de glandes sudoripares. C'est pourquoi les gros chaussons de laine et les bottes doublées en mouton pour garder les pieds au chaud risquent de vous faire transpirer, de sorte que vous aurez froid aux pieds.

Portez des chaussettes en coton et en fibres synthétiques plutôt que des chaussettes uniquement de coton. Vous voulez porter des chaussettes qui laissent échapper la transpiration tout en vous isolant bien les pieds. Les chaussettes en coton peuvent absorber la transpiration et vous refroidir les pieds. Les chaussettes faites d'un mélange de coton et d'orlon constituent un meilleur choix.

Portez des vêtements lâches. Aucun vêtement ne devrait vous serrer. Les vêtements très ajustés, qu'il s'agisse de vêtements en nylon, de gaines ou de blue jeans, tout comme les chaussures serrées, entravent la circulation sanguine et éliminent les poches d'air isolantes.

Portez plusieurs épaisseurs. Si vous sortez au froid, la meilleure précaution que vous puissiez prendre consiste à porter plusieurs couches de vêtements. Ainsi, la chaleur sera mieux emprisonnée et vous pourrez enlever des vêtements si la température se réchauffe. La couche que vous avez directement sur la peau devrait être de préférence un vêtement fait de fibres synthétiques, comme du polypropylène, qui laissent échapper la transpiration. En outre, les mélanges de soie et de laine constituent aussi des choix acceptables. La deuxième épaisseur devrait emprisonner la chaleur de votre corps. Une chemise en laine est à peu près ce qu'il y a de mieux.

Imperméabilisez votre corps. Choisissez une veste ou un coupe-vent imperméable d'un tissu qui respire bien. Les chaussures et les bottes Gore-Tex sont ce qu'il y a de mieux pour garder les pieds secs et au chaud.

Couvrez-vous la tête. Un autre vêtement utile pour réchauffer les mains et les pieds est un chapeau, car c'est par la tête que le corps perd le plus de chaleur. Les vaisseaux sanguins dans la tête sont contrôlés par l'effort cardiaque et ne se contractent pas comme ceux des mains et des pieds.

«Pour garder les mains et les pieds au chaud», dit le Dr John Abruzzo, directeur de la division de rhumatologie et professeur de médecine à l'université Thomas Jefferson, un chapeau est aussi important que de bons gants et de bonnes chaussettes.

Portez des moufles. Les moufles vous garderont mieux au chaud que les gants, car elles emprisonnent la chaleur de toute la main.

Essayez de la poudre pour les pieds. Les vêtements

ne sont pas la seule chose qui peuvent vous garder bien au sec. «Les poudres absorbantes pour les pieds sont excellentes pour garder les pieds au sec», dit le Dr Marc A. Brenner, médecin dans un cabinet privé à New York et ancien président de l'American Society of Podiatric Dermatology. Cependant, il fait une petite mise en garde à l'intention des gens qui ont des problèmes de pieds froids causés par le diabète ou une maladie vasculaire périphérique: il leur conseille de la poudre en boîte plutôt qu'en atomiseur, car la brume de l'atomiseur peut leur geler les pieds.

Ne fumez pas. Les fumeurs se condamnent eux-mêmes à avoir froid aux mains et aux pieds dès qu'ils allument une cigarette. La fumée refroidit de deux manières. Elle favorise la formation de dépôt dans les artères et la nicotine provoque des spasmes vasculaires qui font rétrécir les petits vaisseaux sanguins.

Ces effets peuvent être particulièrement mauvais pour les gens atteints du syndrome de Raynaud. «Les personnes atteintes de la maladie sont sensibles même à la fumée des cigarettes des autres», dit le Dr Frederick A. Reichle, directeur de la chirurgie vasculaire au Centre médical Presbyterian-University of Pennsylvania.

Restez calme pour vous garder au chaud. Le calme aide certaines personnes à ne pas avoir froid. Pourquoi? Le corps réagit au stress de la même façon qu'il réagit au froid. Il s'agit d'un phénomène de lutte ou de fuite. Du sang se retire de vos mains et de vos pieds et circule vers votre cerveau et vos organes internes afin de vous aider à penser et à réagir plus rapidement.

Il existe d'innombrables techniques qui vous aideront à rester calme. Vous pouvez appliquer certaines d'entre elles n'importe quand et n'importe où. Par exemple, essayez la relaxation progressive qui consiste à vous tendre et à vous détendre systématiquement les muscles, à partir du front jusqu'aux mains et aux pieds.

Mangez un bon repas chaud. Le seul fait de manger élève la température de votre corps. C'est ce qu'on appelle la thermogénèse. Par conséquent, mangez quelque chose pour alimenter votre fournaise corporelle avant de vous aventurer à l'extérieur. Et mangez quelque chose de chaud, par exemple un bol de céréales cuites avant votre promenade du matin. Un potage ou un repas chaud vous empêcheront d'avoir froid aux mains ou aux pieds.

Buvez beaucoup. La déshydratation peut aggraver les refroidissements et glacer les mains et les pieds en réduisant le volume sanguin. Préservez-vous du froid en buvant beaucoup de liquides comme du cidre chaud, des tisanes et des bouillons.

634   **Les remèdes maison des médecins**

Évitez le café. Le café et les autres aliments à base de caféine amènent les vaisseaux sanguins à se contracter. Si vous souffrez du syndrome de Raynaud, la dernière chose que vous souhaitez est d'entraver votre circulation sanguine.

Évitez l'alcool. Ne vous laissez pas tenter non plus par un grog bien chaud. L'alcool vous réchauffera temporairement les mains et les pieds, mais ses effets néfastes l'emporteront sur sa capacité à vous réchauffer les mains et les pieds.

L'alcool accroît la circulation du sang vers la peau, ce qui procure une sensation immédiate de chaleur. Malheureusement, cette chaleur se perd rapidement dans l'air, ce qui abaisse la température de votre corps. Bref, l'alcool vous refroidit. Le grand danger vient du fait d'en boire une quantité plutôt importante et d'être exposé ensuite à un froid imprévu durant une longue période, ce qui peut mener à de graves problèmes, comme des engelures.

EXPERTS CONSULTÉS

Le **Dr John Abruzzo** est directeur de la division de rhumatologie et professeur de médecine à l'université Thomas Jefferson de Philadelphie, en Pennsylvanie.

Le **Dr Marc A. Brenner** est médecin dans un cabinet privé à Glendale, dans l'État de New York, et ancien président de l'American Society of Podiatric Dermatology. Il est l'auteur de *The Management of the Diabetic Foot*.

Murray Hamlet est directeur du programme de l'armée sur le froid au U.S. Institute of Environmental Medicine à Matick, au Massachusetts.

Le **Dr Donald McIntyre** est dermatologiste à Rutland, au Vermont.

Le **Dr Frederick A. Reichle** est directeur de la chirurgie vasculaire au Centre médical Presbyterian-University of Pennsylvania, à Philadelphie.

Taches sur les dents

7 idées brillantes

Prenez une tasse de fine porcelaine. Remplissez-la tous les jours de café et de boissons gazeuses, soumettez-la à la chaleur et au froid, à la fumée et à l'alcool. Remplissez-la d'aliments aux couleurs vives. Puis lavez-la avec un puissant détergent. À la longue, de petites fissures viendront craqueler et ternir la céramique.

Vos dents sont comme cette belle tasse de porcelaine. Blanches et brillantes au départ, elles subissent éventuellement l'irréparable outrage du temps: les boissons gazeuses, le thé, la fumée, les jus acides et les aliments fortement pigmentés y laissent leur empreinte.

«Les dents ne sont pas censées être parfaitement blanches. Leur couleur naturelle est jaune pâle parfois teinté de rouge, explique le Dr Roger P. Levin, président de la Baltimore Academy of General Dentistry. En vieillissant, elles jaunissent encore davantage.»

L'émail qui en recouvre la surface se fissure et s'érode, exposant la dentine, un composé moins dense à l'intérieur de la dent, qui absorbe les pigments des aliments. Les taches se déposent aussi sur le tartre et la plaque dentaire en s'accrochant dans tous les interstices.

«Il y a plusieurs sortes de taches, dit le Dr Ronald I. Maitland, un spécialiste en dentisterie cosmétique de New York. Elles peuvent être causées par des antibiotiques, des défauts du métabolisme et, à l'occasion, de fortes fièvres. Ces taches doivent être traitées par un professionnel.

Mais on peut nettoyer les taches ordinaires de café ou de fumée entre les visites chez le dentiste. Voici comment.

Brossez-vous les dents après chaque repas. «Si vous vous brossez les dents régulièrement et consciencieusement, vous avez moins de chances d'avoir les dents tachées», dit le Dr Levin.

Polissez-vous les dents au bicarbonate de soude. «Mélangez du bicarbonate de soude à une quantité suffisante de peroxyde d'hydrogène pour obtenir une pâte molle», dit le Dr Levin. Et faites disparaître vos taches.

Vérifiez votre taux de plaque. Il existe des solutions de rinçage qui font apparaître la plaque dentaire qui reste sur les dents après le brossage. «Ce sont les endroits où vos dents se tacheront si vous n'apprenez pas à mieux les brosser», dit le Dr John D. B. Featherstone, directeur du département de biologie orale du Centre dentaire Eastman, à Rochester, dans l'État de New York.

Rincez, rincez, rincez. «Après chaque repas, rincez-vous les dents afin d'enlever tous les particules d'aliments, dit le Dr Maitland. Si vous ne pouvez pas vous lever de table, prenez une gorgée d'eau, rincez-vous la bouche et avalez l'eau.»

Électrifiez votre sourire. Une brosse à dents électrique enlève une plus grande quantité de plaque qu'une brosse ordinaire. Des études ont démontré qu'une brosse électrique enlève jusqu'à 98,2 % de la plaque dentaire.

Essayez un dissolvant de plaque dentaire. «Les gargarismes qui ont un effet antibactérien réduisent la plaque et réduisent les taches», dit le Dr Featherstone.

Ne vous frottez pas trop les dents. «Si vous êtes tenté de faire l'essai des pâtes de blanchiment pour les dents, n'en faites rien, dit le Dr Maitland. C'est une solution temporaire qui fait disparaître les taches, mais use l'émail des dents. C'est comme un abrasif sur l'émail de la baignoire. À mesure qu'il s'use, la dentine devient plus apparente. Comme elle est plus foncée que l'émail, vos dents paraissent tachées.»

Ne vous brossez pas les dents trop vigoureusement non plus. Ce n'est pas nécessairement mieux. Une brosse à soies dures et une forte pression musculaire peuvent user l'émail dentaire de la même manière qu'un dentifrice abrasif.

EXPERTS CONSULTÉS

Le Dr John D.B. Featherstone est directeur du département de biologie orale du Centre dentaire Eastman, à Rochester, dans l'État de New York, et directeur adjoint du Rochester Cariology Center.

Le Dr Roger P. Levin est président de la Baltimore Academy of General Dentistry et professeur invité à l'université du Maryland, à Baltimore.

Le Dr Ronald I. Maitland est un dentiste new-yorkais qui se spécialise en dentisterie cosmétique. Il est président du Greater New York Dental Meeting et expert des taches sur les dents.

Tachycardie

12 façons de calmer un cœur qui s'emballe

Votre cœur bat normalement. Soudain, sans raison apparente, le rythme s'accélère. En quelques secondes, il passe de 72 à 120, 180 ou 200 pulsations à la minute. Votre respiration devient haletante, vous avez des nausées et vous cédez à la panique. Très vite, vous êtes trempé de sueur.

Le diagnostic: vous êtes atteint de tachycardie, plus précisément de tachycardie auriculaire paroxystique. La première fois que cela s'est produit, vous avez subi tous les tests. Votre médecin a éliminé la possibilité d'une tachycardie ventriculaire, une accélération du rythme cardiaque qui peut causer la mort, ou de toute forme de trouble cardiaque organique, d'anomalie thyroïdienne, d'insuffisance respiratoire. De quoi vous rassurer!

Pourtant, de temps en temps, vos oreillettes, c'est-à-dire les cavités du cœur qui reçoivent le sang veineux et le pompent dans les ventricules, s'emballent. Le rythme des oreillettes est régulier, mais jusqu'à trois fois plus rapide que la normale. (À titre d'information, tachycardie signifie accélération du rythme cardiaque au-dessus de 100 pulsations à la minute.)

Il existe des moyens de mettre un frein à votre maladie. Vous trouverez ci-dessous quelques techniques d'intervention en cas d'attaque et plusieurs conseils pour un mode de vie plus sain.

Ralentissez. Toute accélération du rythme cardiaque est un feu rouge, un signal de «vous arrêter, de vous reposer et de vous calmer. De fait, le repos est le meilleur antidote contre une crise», dit le Dr Dennis S. Miura, directeur d'arythmie clinique et d'électrophysiologie à la faculté de médecine Albert Einstein de l'université Yeshiva.

Stimulez les nerfs vagues. Les nerfs sympathiques et parasympathiques (ou nerfs vagues) régulent les battements et les contractions du cœur. Lorsque ce dernier bat à tout rompre, c'est le système sympathique qui domine. Par système sympathique, on entend l'appareil qui dit à l'organisme d'accélérer. Il s'agit donc de passer les commandes au système parasympathique. En stimulant les nerfs vagues, on déclenche un processus chimique qui a le même effet sur le cœur que des freins sur une voiture.

«Pour stimuler les nerfs vagues, procédez de la façon suivante. Prenez une grande respiration et accroupissez-vous comme si vous alliez à la selle», dit le Dr John O. Lawder, un médecin de famille de Torrance, en Californie, qui se spécialise en nutrition et en médecine préventive.

Massez la carotide droite. Un léger massage de la carotide droite peut aussi stimuler le nerf vague droit. Demandez à votre médecin de bien vous montrer l'endroit exact et le degré de pression que vous devez appliquer. «Il s'agit de masser le point où la carotide entre dans le cou, aussi loin que possible sous la mâchoire», dit le Dr James Frackelton, médecin et chercheur de Cleveland spécialisé en immunologie et en maladies vasculaires.

Fiez-vous au réflexe de plongée. Lorsque les mammifères marins plongent dans les eaux glacées, leur rythme cardiaque ralentit automatiquement. C'est la façon qu'a la Nature de protéger leur cerveau et leur cœur. Vous pouvez faire de même. Remplissez une bassine d'eau froide dans laquelle vous plongez le visage pendant quelques secondes.

«Parfois, cette technique suffit pour interrompre la tachycardie», dit le Dr Miura.

Évitez le café. De même que les boissons contenant de la caféine comme le thé, le chocolat, les coupe-faim ou toute autre forme de stimulant. «L'usage abusif des stimulants aggrave le pronostic de tachycardie auriculaire paroxystique», dit le Dr Miura.

Soignez votre hypothalamus. «Ce qui se passe dans votre cerveau, plus précisément au centre du cerveau, règle votre cœur», dit le Dr Frackelton. Vous devez toujours fournir à l'hypothalamus tout ce dont il a besoin pour stabiliser et contrôler le système nerveux autonome, soit un régime alimentaire équilibré, de l'exercice et une attitude positive.

Le système nerveux autonome se divise en deux sous-systèmes: le système sympathique qui accélère toutes les fonctions à l'exception de la digestion et le système parasympathique.

Le stress, une mauvaise alimentation et les polluants peuvent réduire l'emprise de l'hypothalamus sur le système nerveux autonome: il peut alors s'emballer et passer en quatrième vitesse. C'est ce que le Dr Frackelton appelle une «surcharge sympathique».

Voici comment vous pouvez aider votre hypothalamus à rester maître de la situation.

Prenez des repas sains et réguliers et mangez moins de sucre. Vous sautez un repas et vous gavez ensuite de chocolat et de boissons gazeuses. «La sécrétion des enzymes pancréatiques est accélérée pour digérer l'apport accru en sucre, dit le Dr Frackelton. Puis votre taux d'insuline monte en flèche, et il en découle une hypoglycémie de rebond.» Vos glandes surrénales sécrètent de l'adrénaline pour mobiliser les réserves de glycogène du foie. Or, l'adrénaline stimule le rythme cardiaque et provoque un sentiment de panique.

Adaptez vos repas à votre métabolisme. «Les personnes dont le métabolisme est rapide devraient manger plus de protéines», souligne le Dr Lawder. Comme la digestion des protéines est plus longue, elle

ALERTE MÉDICALE

Le côté sérieux de l'arythmie

Nous ne cherchons pas à vous alarmer outre mesure, mais si votre cœur a perdu le sens du rythme, consultez votre médecin sans tarder. «Seul un médecin peut distinguer la tachycardie auriculaire paroxystique d'une forme plus sérieuse d'arythmie cardiaque», dit le Dr Arthur Selzer, professeur de médecine à la faculté de médecine de l'université de Californie.

Par exemple, la tachycardie ventriculaire est beaucoup plus grave. C'est ce qui se produit lorsque qu'un ventricule se met à battre rapidement à un rythme irrégulier. (Le ventricule est la cavité du cœur qui pompe le sang dans les artères.) La quantité de sang qui passe du cœur aux artères peut diminuer considérablement. Vous vous sentez faible, transpirez et pouvez même vous évanouir.

La fibrillation ventriculaire, qui vient parfois compliquer la tachycardie ventriculaire, est souvent fatale. Nous ne saurions trop insister sur l'importance de faire traiter sans tarder toute anomalie du rythme cardiaque.

empêche la chute excessive du taux de glucose sanguin. La diminution de la glycémie déclenche à son tour le processus décrit ci-dessus.

Détendez-vous. Le Dr Lawder dit avoir remarqué un lien entre la tachycardie auriculaire paroxystique et les personnalités perfectionnistes, ambitieuses et orientées vers le succès. «En général, ce sont les mêmes personnes qui souffrent de migraines», dit-il. Chez ces personnes, les mécanismes de conduction du cœur deviennent exagérés et produisent une surstimulation chronique de la sécrétion d'adrénaline. En cas de stress intense, il se produit un dérèglement du rythme cardiaque.

Comment pouvez-vous compenser? En adoptant un programme de relaxation progressive, en pratiquant la rétroaction (*biofeedback*) ou en recherchant «la sérénité, la tranquillité, le calme et la paix intérieure», dit le Dr Lawder.

Prenez-vous suffisamment de magnésium? Le magnésium est un agent qui protège les cellules. dit le Dr Frackelton. Dans les cellules des muscles cardiaques, il contribue à stabiliser les effets du calcium. Lorsque le calcium pénètre dans les cellules, il stimule les contractions de la cellule elle-même. Le magnésium est un élément essentiel des enzymes cellulaires qui retirent le calcium des cellules. De plus, le magnésium crée une contraction et une relaxation rythmiques. «Ainsi, le cœur est beaucoup moins irritable», dit le Dr Frackelton. Parmi les aliments riches en magnésium, mentionnons les fèves de soja, les noix, les haricots et le son.

Gardez votre potassium à un taux normal. «Le potassium est un autre minéral qui contribue à ralentir le rythme cardiaque et à réduire l'irritation des fibres musculaires», dit le Dr Lawder. Les fruits et les légumes contiennent des quantités suffisantes de potassium pour vos besoins. Mais, si votre alimentation est riche en sodium, si vous prenez des diurétiques ou abusez des laxatifs, votre taux de potassium pourrait être insuffisant.

L'exercice. «La bonne forme physique peut faire des miracles, dit le Dr Frackelton. Lorsque vous faites des exercices qui accélèrent les battements du cœur, celui-ci est porté à se stabiliser à un rythme plus lent. Les personnes qui ne font pas d'exercice ont un rythme cardiaque qui tourne autour de 80. Lorsqu'elles commencent à faire un peu de jogging, leur rythme cardiaque monte à 160, 170. Avec un peu d'entraînement, elles peuvent réduire leur rythme cardiaque au repos à 60 ou 65.»

«L'exercice aide l'organisme à résister à la sécrétion excessive d'adrénaline, dit-il. Il permet de se défouler sainement et d'utiliser l'adrénaline à bon escient.»

EXPERTS CONSULTÉS

Le Dr James Frackelton a un cabinet privé à Cleveland, en Ohio. Ses recherches portent sur les maladies vasculaires et l'immunologie. Il est l'ancien président de l'American Institute of Advancement in Medicine et président de l'American Institute of Medical Preventics.

Le Dr John O. Lawder est un médecin de famille de Torrance, en Californie, qui se spécialise en nutrition et en médecine préventive.

Le Dr Dennis S. Miura est directeur d'arythmie clinique et d'électrophysiologie à la faculté de médecine Albert Einstein de l'université Yeshiva de New York.

Le Dr Arthur Selzer est professeur de médecine à la faculté de médecine de l'université de Californie, à San Francisco, et professeur émérite à l'université Stanford. Il est en outre membre du personnel médical du Centre médical Pacific-Presbyterian où il est directeur du Service de cardiologie depuis 25 ans.

Tartre et plaque dentaires

23 conseils pour les soins dentaires

Passez délicatement le bout d'un ongle sur la face intérieure d'une de vos molaires. Regardez: la substance blanche sous l'ongle, c'est de la plaque dentaire.

La plaque dentaire, un ensemble de bactéries vivantes et mortes, colle inexorablement aux dents. Si vous négligez de l'enlever, elle peut durcir de 50 % en 48 heures; après 12 jours, elle peut être dure comme de la pierre. Cette plaque durcie s'appelle calcul, mais on la connaît mieux sous le nom de tartre.

Le tartre et la plaque dentaires enlaidissent les dents, leur donnent une texture et une odeur désagréable. De plus, ils peuvent

causer des problèmes plus graves comme la gingivite et la périodon-
tite. Autant de raisons d'éviter leur accumulation.

Vous ne pouvez pas enlever le tartre. «Cette substance
est comme une bernacle sur la coque d'un navire et doit être enlevée
par un professionnel», dit le Dr Robert Schallhorn, dentiste à Aurora,
au Colorado, et président de l'American Academy of Periodontology.
Mais vous pouvez enlever la plaque dentaire, ce qui prévient l'accumulation du tartre. La plaque s'enlève facilement.

Brossez, brossez et brossez. Imaginez que votre brosse
à dents est une épée et la plaque dentaire l'ennemi. Il faut décimer
vos ennemis, jusqu'au dernier.

Si vous brossez correctement, la friction de la brosse enraye la
croissance de la plaque bactérienne à la surface des dents. «Malheureusement, la plupart des gens ne savent pas comment se brosser les
dents», dit le Dr William Campoli, dentiste propriétaire d'un cabinet
privé à Charlotte, en Caroline du Nord.

De haut en bas et d'avant en arrière est incorrect. Ce qu'il faut
faire, c'est tourner les soies de la brosse à un angle de 45 degrés à la
jonction des dents et des gencives. Maintenant, faites de petits mouvements circulaires avec la brosse en ne couvrant qu'une ou deux
dents.

Attaquez l'ennemi de l'arrière. L'arrière des dents de la
mâchoire inférieure est l'endroit où la plaque est le plus susceptible
de s'accumuler. «On insiste trop sur le brossage des dents du sourire, celles de la mâchoire supérieure, plus faciles à atteindre, dit le
Dr Campoli. Mais on néglige souvent les endroits où elles sont en
contact avec la langue et l'intérieur des joues. Ce sont justement là
où vous devez concentrer vos efforts.»

Prenez deux minutes pour vous brosser les dents.
La plupart des gens brossent soigneusement les dents du sourire et
passent rapidement sur les autres, dit le Dr Campoli. Des études ont
démontré que la plupart des gens prennent moins de 30 secondes
pour se brosser les dents, tandis que les dentistes, les experts qui
devraient pouvoir le faire en un temps record, y mettent généralement entre deux et quatre minutes. Ralentissez un peu!

Brossez-vous toujours les dents le soir. Ne laissez pas
les particules d'aliments séjourner dans votre bouche pendant la
nuit. Si vous ne pouvez vous brosser les dents qu'une fois par jour,

Quoi d'autre?

La thérapie de la petite branche

Le prophète Mahommet a décrété qu'avant la prière, les gens devraient se nettoyer les dents à l'aide de petites branche de miswak. Depuis des siècles, au Moyen Orient et en Asie, les gens se nettoient les dents à l'aide de petites branches ou racines du miswak.

Des études récentes menées en Égypte montrent que non seulement ces brindilles enlèvent la plaque, mais qu'elles laissent un résidu qui continue à détruire les bactéries pendant environ deux jours. Un gargarisme contenant de l'essence de cet arbre réduit une sorte de bactérie de la bouche de 75 % après un seul rinçage.

Certains dentifrices contiennent aussi de petits morceaux de miswak. Les dentifrices traditionnels nettoient les dents au moyen d'abrasifs et de détergents synthétiques; les préparations avec cette plante font appel à des ingrédients antiseptiques et antibactériens naturels. De plus, les petites branches contiennent des tannins dont on a démontré qu'ils réduisent le saignement et l'inflammation des gencives.

Les personnes qui emploient le miswak considèrent qu'il a un puissant effet anti-tache, rend les dents plus blanches et plus éclatantes.

Si vous voulez faire l'essai de la formule originale, c'est-à-dire la branche, rien de plus facile, dit le Dr Eric Shapira. Commencez par la mâcher délicatement, 10 à 15 minutes, pour la ramollir. Puis passez-la sur les dents, trois à cinq minutes, pour enlever la plaque dentaire. C'est l'huile contenue dans la branche qui réduit l'accumulation de plaque.

faites-le le soir. Sinon vous laissez la plaque se déposer sans interruption sur vos dents pendant huit heures.

Achetez une brosse à dents qui vous convienne.

«Pensez petit lorsque vous achetez une brosse à dents. Elle doit pouvoir atteindre toutes les surfaces, y compris dans le fond de la bouche», dit le Dr Jerry F. Taintor, directeur du département d'endodontie de la faculté de dentisterie de l'université du Tennessee. Une grosse brosse n'accélère pas le brossage et n'atteint pas tous les recoins où les bactéries se cachent.

Choisissez des soies douces et arrondies. «Les soies

de nylon sont plus douces pour l'émail, mais tout aussi efficaces contre la plaque dentaire, dit le Dr Eric Shapira, dentiste de El Granada, en Californie, professeur et conférencier à la faculté de dentisterie de l'université Pacific. «Les soies doivent être arrondies et non sculptées», ajoute le Dr Campoli. Les soies sculptées, souvent pointues, peuvent blesser les gencives.

Tenez votre brosse à dents comme un crayon. Des chercheurs finlandais ont démontré qu'en tenant la brosse à dents comme un crayon plutôt que comme une raquette de tennis, on irrite moins les gencives tout en enlevant la plaque aussi efficacement.

Passez la soie dentaire comme il faut. «Pour contrôler la plaque, il est plus important de passer la soie dentaire que de se brosser les dents», dit le Dr Richard Shepard, dentiste à la retraite de Durango, au Colorado. Mais il faut le faire correctement. Voici comment: coupez un morceau de soie dentaire de 45 cm de longueur. Enroulez les extrémités autour des majeurs de chaque main, en laissant environ 3 cm entre eux pour passer la soie. Avec un léger mouvement de va-et-vient, insérez délicatement la soie dentaire entre deux dents. Lorsqu'elle touche la gencive, repliez la soie dentaire en forme de C contre une dent et glissez-la entre la gencive et la dent jusqu'à ce que vous sentiez une résistance. Maintenant, repliez la soie sur l'autre dent et répétez l'opération. Passez la soie dentaire de haut en bas sur les dents de la mâchoire supérieure et de bas en haut sur les dents de la mâchoire inférieure.

Allez-y délicatement. Ne passez pas la soie dentaire brusquement de haut en bas en la faisant pénétrer dans la gencive comme si vous meniez une lutte à mort contre la plaque. Vous risquez de blesser les tissus des gencives. Ralentissez et prenez votre temps.

Toutes les soies dentaires se valent. Employez la marque de soie dentaire qui vous convient. Qu'elle soit aromatisée, non aromatisée, cirée, non cirée, en fil ou en ruban. «La marque n'importe pas vraiment», dit le Dr Taintor. Le ruban peut être plus utile pour les personnes qui ont les dents espacées. Les soies dentaires aromatisées rafraîchissent la bouche.

Cherchez le sceau d'approbation. «Achetez un dentifrice au fluorure recommandé par l'American Dental Association», dit le Dr John B. Featherstone, directeur du département de biologie orale du Centre dentaire Eastman de Rochester, dans l'État de New

York. Les dentifrices génériques peuvent ne pas contenir suffisamment de fluorure ou être trop abrasifs.

Brossez-vous les dents au bicarbonate de soude.
«Le bon vieux bicarbonate de soude fait vraiment l'affaire», dit le Dr Shepard. Plongez votre brosse directement dans la boîte ou mélangez une cuillerée de bicarbonate de soude et une pincée de sel dans un verre. Mouillez votre brosse à dents et allez-y.

Rien que de l'eau.
Brossez-vous les dents, même si vous manquez de dentifrice. Mouillez votre brosse à dents et détruisez la plaque.

Soyez débrouillard.
Vos bagages sont en route pour Paris et vous êtes coincé à Athènes. Qu'à cela ne tienne! «Vous pouvez toujours prendre le fil de votre trousse de couture de voyage», dit le Dr Schallhorn. (Votre ligne aérienne ou votre hôtel vous en fourniront certainement si vous n'en avez pas.) Utilisez-le comme de la soie dentaire.

Rincez-vous la bouche.
Après chaque repas, surtout si vous n'avez pas de brosse à dents sur vous, allez à la salle de bains et rincez-vous la bouche avec une gorgée d'eau. Un bon rinçage enlève les particules d'aliments et vous évitera l'embarras d'un morceau d'épinard coincé dans une dent.

Préparez votre propre gargarisme.
«Pour préparer un gargarisme maison, mélangez des quantités égales d'eau et de peroxyde d'hydrogène à 3 %», dit le Dr Roger P. Levin, président de la Baltimore Academy of General Dentistry de Baltimore, au Maryland.

Rincez à l'eau sous pression.
Rincez-vous délicatement les dents et les gencives à l'aide d'un vaporisateur dentaire comme le Broxo-Jet®. Il enlève les restes d'aliments dont se nourrit la plaque. «Mais soyez prudent, prévient le Dr Campoli. C'est comme un lave-auto sans brosse: une pression d'eau trop forte risque de faire des dégâts.» N'oubliez surtout pas que l'utilisation de ce genre d'appareil ne vous dispense pas du brossage et de la soie dentaire.

Vérifiez votre taux de plaque dentaire.
Il existe des comprimés qui font apparaître la plaque dentaire. On les trouve dans la plupart des pharmacies. Les comprimés contiennent un colorant qui se fixe sur la plaque. Après le brossage, mâchez le

comprimé, puis inspectez vos dents dans le miroir. La coloration sera plus foncée près des gencives où la plaque est plus épaisse. Brossez-vous les dents à nouveau, concentrez-vous sur les surfaces qui retiennent le plus la plaque.

Fabriquez votre propre révélateur de plaque. C'est
facile. Premièrement, enduisez les lèvres de vaseline pour éviter de les tacher. Prenez une cuillerée de colorant alimentaire, laissez-le baigner les dents et crachez-le dans l'évier, conseille le Dr John Beresford, dentiste britannique, auteur de *Good Mouthkeeping*. Rincez à l'eau claire. Puis cherchez la plaque, visible grâce au colorant qu'elle retient. Brossez-vous les dents à nouveau en mettant l'accent sur les endroits plus colorés.

Mangez du fromage. Selon des études du Dow Institute for
Dental Research de l'université d'Iowa, vous devriez éviter les chips et manger plutôt des amuse-gueules au fromage. En effet, les chercheurs ont découvert qu'en mangeant 5 g de fromage avant les repas, vous éliminez la production d'acide par la plaque. «Mais il faut un fromage vieilli», dit le Dr James S. Wefel, un chercheur de l'institut Dow.

«Le mode d'action du fromage est mal connu, dit le Dr Wefel. Il pourrait agir comme tampon. Mais on ne sait pas pourquoi les fromages jeunes sont inefficaces. Quelque chose doit se produire pendant le processus de vieillissement, mais nous n'avons pas encore réussi à savoir ce que c'est.» Du fromage vieilli, qui sent le plus fort possible est l'idéal.

Mâchez du chewing-gum sans sucre après les repas. «Lorsque vous êtes dans l'impossibilité de vous brosser les
dents après un repas, mâchez du chewing-gum sans sucre pour vous nettoyer les dents, dit le Dr Wefel. Mâchez-en pendant environ 20 minutes après les repas ou les collations. En mâchant, la salive, un tampon naturel de la bouche, nettoie les dents et neutralise l'acide de la plaque avant que celle-ci n'attaque vos dents. En déplaçant le chewing-gum dans la bouche, vous pouvez déloger des particules d'aliments qui sont coincées entre les dents», dit le Dr Wefel.

Essayez une brosse à dents électrique. Oubliez les
brosses à dents électriques qui enlèvent la plaque par vibration. Achetez plutôt les nouvelles dont les soies tournent alors que le manche reste immobile. Il en existe plusieurs marques, notamment Interpik®, Rota-Dent® et Superbrush®. Elles fonctionnent sur le

même principe que les brosses des hygiénistes dentaires. De plus, elles conviennent parfaitement pour les personnes atteintes d'arthrite ou celles qui ont un handicap. «Quant aux personnes peu enclines à se brosser les dents, c'est une nouveauté qui les incitera peut-être à être plus consciencieuses», dit le Dr Campoli.

Selon les recherches, ces nouvelles brosses enlèvent jusqu'à 98,2 % de la plaque des surfaces dentaires, comparativement à 48,6 % pour le brossage à la main.

EXPERTS CONSULTÉS

Le Dr William Campoli a un cabinet privé à Charlotte, en Caroline du Nord.

Le Dr John D.B. Featherstone est directeur du département de biologie orale du Centre dentaire Eastman à Rochester, dans l'État de New York, et directeur adjoint du Rochester Cariology Center.

Le Dr Roger P. Levin est président de la Baltimore Academy of General Dentistry et professeur invité à l'université du Maryland, à Baltimore.

Le Dr Robert Schallhorn est dentiste à Aurora, au Colorado, et président de l'American Academy of Periodontology.

Le Dr Eric Shapira est dentiste à El Granada, en Californie, et professeur et conférencier à la faculté de dentisterie de l'université Pacific de San Francisco. Il détient une maîtrise en science et en biochimie.

Le Dr Richard Shepard est un dentiste à la retraite de Durango, au Colorado. Il est rédacteur en chef du bulletin d'information de la Holistic Dental Association.

Le Dr Jerry F. Taintor est directeur du département d'endodontie de la faculté de dentisterie de l'université du Tennessee à Memphis. Il est l'auteur de *The Oral Report: The Consumer's Common Sense Guide to Better Dental Care*.

Le Dr James S. Wefel est chercheur au Dow Institute de l'université d'Iowa, à Iowa City.

Tendinite

14 remèdes réconfortants

La tendinite, ou inflammation d'un tendon, se présente comme un simple endolorissement des muscles à la suite d'un exercice trop vigoureux. Mais, au bout de quelques jours, la douleur persiste toujours. Le diagnostic est-il décourageant ou y a-t-il de l'espoir pour ce qui, a priori, semblait un problème mineur?

«Oui, il y a de l'espoir, affirme Bob Mangine, président de l'American Physical Therapy Association's Sports Physical Therapy Section. Mais si vous continuez le même mouvement répétitif qui l'a déclenché, il vous sera très difficile de surmonter le problème.» Cette remarque s'adresse autant aux marathoniens de niveau international qu'aux laveurs de vitres et aux dactylos.

«Il est quand même possible de diminuer les effets de la tendinite et de prévenir les crises aiguës, déclare Bob Mangine, aussi directeur administratif de la réhabilitation à la Cincinnati Sports Medicine Clinic. Le tout est de rectifier le tir et de corriger ses mauvaises habitudes.

Prenez du repos. «Certaines personnes ont beaucoup de difficultés à se reposer», dit Bob Mangine. Mais un coureur qui souffre d'une tendinite du tendon d'Achille ne peut pas s'attendre à guérir s'il n'abandonne pas ses activités pendant quelques jours.

Évidemment, une personne qui gagne sa vie en lavant des vitres ne peut pas se reposer facilement. Si la tendinite est un effet secondaire de votre travail, il serait peut-être bon de réserver quelques jours de vos vacances pour les moments où la tendinite est douloureusement persistante.

ALERTE MÉDICALE

Le prix à payer quand on ignore les avertissements de son corps

Si vous ressentez la douleur de la tendinite uniquement pendant ou après l'exercice, et si elle n'est pas très intense, vous vous imaginez peut-être que vous pourriez faire de la course ou nager plusieurs longueurs avec cette même douleur, s'il le fallait. Peut-être même l'avez-vous déjà fait.

Dans les deux cas, il serait sage de vous remettre en question. «Vous ne devriez pas reprendre vos activités à moins que votre physiothérapeute ne vous le permette», dit Bob Mangine de l'American Physical Therapy Association.

«Si vous continuez à faire travailler abusivement votre tendon, dit Bob Reese, un entraîneur athlétique, même quand la douleur est intense, celui-ci pourrait se rompre.» Et cela se traduirait par un long repos, une chirurgie et même une incapacité permanente.

Mais ne prenez pas un trop long repos. «Vos muscles
commenceront à s'atrophier», dit Bob Mangine. «D'ailleurs, nous ne
recommandons jamais le repos complet aux athlètes», ajoute le Dr
Ted Percy, professeur adjoint de chirurgie orthopédique et directeur
du service de médecine du sport du Centre de santé de la faculté de
médecine de l'université d'Arizona.

Au lieu de vous entêter, changez d'exercice. Si votre
tendinite est causée par l'exercice, il serait plus sage de changer de
type d'exercice. Par exemple, les personnes qui font de la course et
qui souffrent de tendinite pourraient faire de la bicyclette, un exercice qui fait quand même bien travailler la cuisse.

Laissez-vous emporter dans un tourbillon. Prendre
un bain bouillonnant ou se laisser simplement tremper dans un bain
chaud aide à élever la température du corps et à activer la circulation. «On recommande de réchauffer le tendon avant un exercice
vigoureux afin de réduire la douleur associée à la tendinite», dit Bob
Mangine.

Suivez l'exemple des ballerines. L'équipe de football
des Jets de New York applique cette méthode (inspirée par une bal-
lerine atteinte de tendinite) avec beaucoup de succès. Pour une
tendinite du genou, par exemple, le traitement consiste à y placer
une serviette chaude et humide, puis un sac en plastique, puis un
coussin chauffant et finalement une bande élastique lâche pour
maintenir le tout en place. Laissez agir pendant deux à six heures.
Pour éviter de vous brûler, réglez le coussin chauffant à l'intensité
la plus faible, conseille Bob Reese, entraîneur en chef des Jets et
président de la Professional Football Athletic Trainers Society.
Surélevez la partie blessée au-dessus du cœur si vous voulez une
efficacité maximum.

Réchauffez le membre à l'aide d'étirements. Les trai-
tements précédents ne sont que la première étape d'un échauffement.
«Vous devriez toujours faire des étirements avant de faire un exercice
vigoureux», dit le Dr Terry Malone, directeur administratif de médecine du sport à l'université Duke. Ils préviennent le raccourcissement
des muscles et des tendons qui travaillent pendant l'exercice.

«De plus, dit Bob Mangine, des études suggèrent que le manque
de souplesse de certaines personnes les prédisposent à la tendinite.
Les étirements devraient toujours faire partie de votre programme
d'exercice.»

Portez un support. «Même le léger soutien et la chaleur d'un support ou d'un bandage peuvent jouer un rôle pendant et après l'exercice, dit Bob Mangine. Il n'y a rien de vrai dans la croyance qui veut qu'un support affaiblisse les tendons et les muscles, si vous continuez à faire de l'exercice», ajoute-t-il.

Surgelez la douleur. «Après l'exercice, la glace est très efficace pour réduire l'enflure et soulager la douleur», dit Bob Mangine. Cependant, les personnes qui souffrent de maladies cardiaques, de diabète ou de troubles vasculaires doivent être très prudentes, car le froid contracte les vaisseaux sanguins et pourrait entraîner dans leur cas de graves problèmes.

Portez un bandage. «Un autre moyen de réduire l'enflure consiste à porter un bandage autour du membre qui vous fait souffrir», dit le Dr Percy. Veillez simplement à ne pas l'enrouler trop serré ni à le laisser en place trop longtemps. Cela pourrait devenir inconfortable et entraver la circulation.

Surélevez le membre. Surélever le membre touché est une autre façon de réduire l'enflure.

Marchez les jambes arquées. Bon, d'accord, vous n'avez peut-être pas besoin d'aller jusque-là. Selon le Dr Percy, pour soulager une tendinite achilléenne, il peut être utile de porter des bottes de cowboy ou des chaussures à talons hauts. «Ces chaussures surélèvent le talon de telle manière que les muscles et les tendons travaillent moins fort», dit-il.

Prenez un médicament en vente libre. «L'aspirine® et les autres médicaments anti-inflammatoires non stéroïdiens procurent un soulagement temporaire de la douleur associée à la tendinite», dit le Dr Percy. De plus, ils réduisent l'inflammation et l'enflure.

Développez vos muscles. «Quand nous conseillons aux gens de développer leurs muscles, nous ne leur demandons pas de ressembler à un champion de musculature, dit Bob Mangine, mais simplement d'améliorer leur condition musculaire en faisant des exercices à la maison à l'aide de poids légers. Mettez des pièces de monnaie dans une chaussette pour exercer les muscles des bras.» C'est beaucoup moins coûteux que d'acheter des poids.

Faites des pauses. C'est une façon toute simple de soulager temporairement le stress physique du travail, dit le Dr Scott Donkin, un chiropraticien de Lincoln, au Nebraska, et l'auteur de *Sitting on the Job.* «Si vous travaillez dans une position inconfortable, dit-il, vous pouvez facilement développer une tendinite, particulièrement dans les bras ou les mains si vous tapez à la machine toute la journée.»

EXPERTS CONSULTÉS

Le Dr Scott Donkin est un associé du Rohrs Chiropractic Center de Lincoln, au Nebraska. Il est en outre consultant industriel: il enseigne aux travailleurs des exercices pour réduire le stress lié au travail et l'auteur de *Sitting on the Job.*

Le Dr Terry Malone est directeur administratif de médecine du sport à l'université Duke à Durham, en Caroline du Nord.

Bob Mangine est président de l'American Physical Therapy Association's Sports Physical Therapy Section. Il est en outre directeur administratif de la réhabilitation à la Cincinnati Sports Medicine Clinic.

Le Dr Ted Percy est professeur adjoint de chirurgie orthopédique et directeur du service de médecine du sport du Centre de santé de la faculté de médecine de l'université d'Arizona, à Tucson.

Bob Reese est entraîneur en chef des Jets et président de la Professional Football Athletic Trainers Society.

Tension artérielle

17 façons de la maintenir
à un bon niveau

Selon les dernières statistiques du National Health Center, environ 30 millions d'Américains souffrent d'hypertension artérielle. Ce trouble de la santé vient au troisième rang des maladies chroniques dans ce pays, derrière la sinusite et l'arthrite.

Cette maladie réserve des jours sombres aux personnes âgées. De tous les facteurs de risques de crises cardiaques, l'hypertension artérielle est un indicateur extrêmement fiable permettant de déterminer qui souffrira d'une maladie cardio-vasculaire après l'âge de 65 ans.

Cependant, il n'y a pas que de mauvaises nouvelles. Environ 70 % des patients ne souffrent que d'hypertension légère, c'est-à-dire d'une tension diastolique qui se situe entre 90 et 105 mm Hg. De plus, le traitement de cette maladie a été modifié au profit de thérapies non médicamenteuses dont les résultats se sont avérés excellents.

«Dans le cas des personnes souffrant d'hypertension légère, presque tout le monde convient qu'une thérapie non médicamenteuse devrait être la première ligne de défense ou qu'on devrait au moins l'essayer», dit le Dr Norman Kaplan, une autorité en matière de tension artérielle au Centre des sciences de la santé à la faculté de médecine Southwestern de l'université du Texas, à Dallas.

Les remèdes présentés ci-dessous visent à aider les personnes qui souffrent d'hypertension légère à garder leur maladie sous contrôle. Si vous prenez déjà des médicaments contre l'hypertension artérielle, consultez votre médecin avant d'utiliser les remèdes qui suivent.

Surveillez votre poids. «Bien que bon nombre de personnes souffrant d'hypertension artérielle ne soient pas obèses, cette maladie semble trois fois plus courante chez les obèses que chez les personnes qui ont un poids normal», dit le Dr Kaplan.

Est considéré comme obèse celui qui pèse 20 % de plus que le poids idéal pour sa taille et son ossature. Cependant, vous n'avez pas besoin de perdre tout ce poids pour réduire votre hypertension artérielle. Une étude menée en Israël a démontré que les personnes fortes qui souffraient d'hypertension pouvaient ramener leur tension artérielle à un niveau normal en perdant la moitié de leur poids excédentaire, même si elles restaient passablement obèses après avoir perdu ce poids.

«Même une perte de poids relativement faible peut mener à une diminution mesurable de l'hypertension, dit le Dr Kaplan. Nous encourageons les personnes obèses à perdre autant de poids qu'il leur est possible. Même si elles ne parviennent pas à en perdre énormément, cela favorise la réduction de leur hypertension artérielle.»

Évitez le sel. Le rapport entre le sodium et l'hypertension artérielle n'a jamais été prouvé hors de tout doute. Cependant, il est connu qu'un sous-groupe d'hypertendus à cause du sel existe probablement, et vous en faites peut-être partie.

«Vous ne pouvez pas déterminer si vous tolérez mal le sel, à moins de suivre un régime alimentaire faible en sel et de voir comment votre hypertension y réagit, explique le Dr Kaplan. C'est pourquoi nous demandons à tous nos patients qui souffrent d'hypertension de réduire leur consommation de sel à environ 5 g par jour.» Cette quantité représente à peu près la moitié de ce qu'une personne moyenne consomme. Le Dr Kaplan souligne que la plupart des gens qui réduisent leur consommation de sel découvrent qu'ils n'en ont pas besoin autant qu'ils le croyaient. Par conséquent, réduisez votre consommation de sel, mais ne comptez pas uniquement sur cela pour régler tous vos problèmes.

Réduisez votre consommation d'alcool. Le lien entre la consommation d'alcool et l'hypertension artérielle est bien connu; les personnes qui souffrent de cette maladie devraient limiter leur consommation d'alcool.

Mais pourquoi ne pas conseiller aux hypertendus de cesser complètement de boire de l'alcool? Les médecins le feraient sans doute si des études n'avaient pas démontré que les personnes qui consomment une petite quantité d'alcool tous les jours font moins d'hypertension que les personnes qui en boivent plus ou qui n'en boivent pas du tout.

«Un ou deux verres d'alcool par jour n'aura probablement pas d'effet néfaste sur la tension artérielle, dit le Dr Kaplan. Cependant, si vous en consommez plus, vous courez plus de risques.»

Augmentez votre consommation de potassium. Des niveaux plus élevés de ce minéral peuvent être utiles pour contrôler l'hypertension artérielle. «Le nombre d'hypertendus qui répondent bien au potassium semble augmenter selon la durée des études», dit le Dr George Webb, professeur au département de physique et de biophysique à la faculté de médecine de l'université du Vermont. «Au cours d'une étude d'une durée de deux semaines, on a découvert que le potassium réduisait l'hypertension chez 30 % des patients. Toutefois, si on poursuivait l'étude pendant huit semaines, on découvrirait peut-être que le taux de potassium a diminué chez 70 % des patients», dit-il.

Le Dr Webb croit que la quantité totale de potassium n'est pas aussi importante que le maintien d'un rapport entre la consommation de sel et celle de potassium. «Nous croyons qu'il est bénéfique de consommer trois fois plus de potassium que de sel, explique-t-il.

Si vous suivez un régime faible en sel et consommez deux grammes de sodium par jour, deux grammes de sodium étant équivalents à cinq grammes de sel de table, vous devriez consommer six grammes de potassium par jour.»

Comment pouvez-vous savoir si vous consommez suffisamment de potassium? En fait, il est pratiquement impossible de suivre un régime faible en sel qui ne soit pas riche en potassium. «Il est difficile d'éviter le potassium. surtout si on consomme beaucoup d'aliments naturels», dit le Dr Webb. Les pommes de terre, les fruits frais et le poisson en contiennent beaucoup. Cependant, pour calculer le rapport entre le sel et le potassium que vous consommez, vous devriez peut-être consulter les tableaux d'un livre de référence sur la nutrition.

Consommez du calcium. «Le calcium semble avoir un effet positif sur la plupart des gens», dit le Dr Roseann Lyle, professeur adjoint en promotion de la santé et en éducation à l'université Purdue. Cependant, des études se poursuivent pour déterminer exactement quelles personnes répondraient favorablement au calcium.

«Il semble que les hypertendus à cause du sel, qui peuvent représenter environ la moitié des hypertendus, sont ceux qui répondent bien au calcium», dit le Dr Lawrence M. Resnick, professeur

---

ALERTE MÉDICALE

L'hypertension maligne: une tension mortelle

Lorsqu'elle n'est pas traitée, la tension artérielle a tendance à s'élever lentement au fil des années.

Il arrive cependant qu'elle se déclare soudainement et que la tension diastolique s'élève à 130 mm Hg pendant des heures ou des jours à la fois. La tension systolique peut, pour sa part, atteindre 250 mm Hg ou plus.

Une augmentation aussi prononcée peut signaler le début de l'hypertension maligne. Bien qu'elle soit rare, cette forme d'hypertension est très grave et doit être traitée par un médecin dans les plus brefs délais. L'hypertension maligne peut endommager les vaisseaux sanguins dans les reins, les yeux et le cerveau. Si elle n'est pas traitée, elle peut être fatale au bout de six mois.

Heureusement, il est possible de la ramener très rapidement à la normale à l'aide d'injections intraveineuses et de médicaments, mais il est essentiel que la maladie soit diagnostiquée tôt et le traitement administré dans les plus brefs délais.

adjoint au Centre médical de l'université Cornell et de l'hôpital de New York, à New York. «Par conséquent, si le sel est mauvais dans votre cas, le calcium est bon pour vous.»

Évitez les exercices isométriques. «Dans le cadre d'un programme pour réduire l'hypertension, l'exercice semble avoir des effets bénéfiques», dit le Dr David Spodick, directeur de cardiologie clinique à l'hôpital St. Vincent's de la faculté de médecine de l'université du Massachusetts. On déconseille cependant les exercices isométriques comme l'haltérophilie, car ils peuvent temporairement élever dangereusement la tension artérielle.

Faites plutôt de la marche. Bien que de nombreuses études aient démontré les effets bénéfiques de l'aérobic sur l'hypertension artérielle, la prudence est la première règle que doivent adopter les hypertendus.

«Nous commençons généralement par demander aux gens de couvrir une distance de 400 m d'un pas rapide», dit le Dr Robert Cade, professeur de médecine à la faculté de médecine de l'université de Floride. «Puis nous allongeons la distance graduellement jusqu'à ce qu'ils puissent parcourir 1,5 km d'un pas rapide. Après cela, nous les faisons courir, mais uniquement après leur avoir fait subir un examen physique et, dans certains cas, un électrocardiogramme.»

«L'exercice est bénéfique parce qu'il force les vaisseaux sanguins à s'ouvrir, d'où l'effet vasodilatateur, et à abaisser la tension artérielle, explique le Dr Cade. Même si cette dernière remonte pendant l'exercice, elle s'abaisse de nouveau après. Puis, lorsqu'elle remonte de nouveau, elle ne remonte pas autant.»

La natation, la marche et la bicyclette constituent tous de bons exercices pour l'hypertension. «La course n'est pas l'exercice de prédilection, souligne le Dr Cade. Vous faites à peu près les mêmes efforts lorsque vous marchez, sauf que cela vous demande plus de temps. Le secret est de marcher d'un pas rapide, de manière à couvrir, au début, 400 m en quatre minutes, puis 1,5 km en 15 minutes ou moins.»

Songez à devenir végétarien. Des études ont démontré que les végétariens ont une tension artérielle moins élevée que le reste de la population, c'est-à-dire une tension systolique et une tension diastolique de 10 à 15 mm Hg inférieures. Le plus étrange est que personne ne peut expliquer pourquoi.

«Les végétariens présentent effectivement une tension artérielle moins élevée, dit le Dr Kaplan. C'est peut-être parce que les

L'hypotension artérielle

Certaines personnes ne souffrent pas d'hypertension, mais d'hypotension artérielle. Elles sont atteintes d'étourdissements et peuvent même s'évanouir lorsqu'elles se lèvent trop rapidement.

Généralement définie comme une chute de plus de 20 mm Hg de la tension systolique mesurée au bout d'une minute debout, l'hypotension passait autrefois pour une maladie qui frappait autant les personnes âgées que l'hypertension. Des études récentes ont cependant démontré que, chez les personnes âgées qui sont saines et ne prennent pas de médicaments, le taux d'hypotension n'est que de 6 % et qu'il n'augmente pas avec l'âge, après 55 ans.

Dans de nombreux cas, il semble que l'hypotension soit causée par les médicaments pris contre l'hypertension, par exemple les diurétiques. L'alcool, certains médicaments pour le cœur, les tranquillisants et les antidépresseurs jouent aussi un rôle dans l'hypotension.

Si vous croyez que le médicament que vous prenez est responsable des étourdissements, des faiblesses, de la fatigue, des maux de tête et des évanouissements associés à l'hypotension, vous pouvez demander à votre médecin de modifier votre ordonnance. Si cela est impossible, cependant, il existe certaines mesures que vous pouvez prendre.

Essayez de serrer un objet. Des études ont démontré que des activités relativement simples qui élèvent momentanément la tension artérielle peuvent neutraliser l'hypotension. Par exemple, serrer une barre isométrique avant de vous lever peut élever suffisamment votre tension artérielle pour contrecarrer la chute momentanée qui se produit lorsque vous vous levez.

Faites du calcul mental. Aussi étonnant que cela puisse paraître, on a découvert qu'un calcul mental compliqué, par exemple compter le plus rapidement possible à rebours en multiples de 7 à partir de 100, élevait la tension artérielle et neutralisait l'hypotension encore plus efficacement qu'une activité physique.

Mangez moins, plus souvent. Si vous souffrez généralement d'hypotension après un repas, essayez de manger de plus petites quantités à la fois, mais plus souvent. De plus, demandez à votre médecin quelles sont les quantités de liquide et de sel recommandées. Ne pas en consommer suffisamment peut favoriser l'hypotension.

Dormez sur un matelas légèrement incliné. Votre façon de dormir peut aussi être importante pour contrôler l'hypotension. Inclinez votre lit de manière à ce que la tête soit de 20 à 30 cm plus élevée que le pied. (Servez-vous de blocs en ciment.) Vous pouvez aussi prendre l'habitude de vous asseoir lentement dans votre lit et de vous laisser pendre les jambes hors du lit pendant quelques instants avant de vous lever.

végétariens sont habituellement des personnes qui ne fument pas, ne boivent pas et ne font pas d'excès de table.»

Prenez vous-même votre tension artérielle. «Il faut encourager les gens à prendre eux-mêmes leur tension artérielle, dit le Dr Kaplan. Pour les personnes qui souffrent d'hypertension, c'est de loin la meilleure façon de surveiller leur maladie.»

En prenant vous-même votre tension artérielle, vous surveillerez sans doute plus que votre état de santé: vous parviendrez à mieux comprendre la façon dont l'alimentation, l'exercice et les médicaments influent sur votre tension artérielle. De plus, cela pourra vous aider à surmonter la réaction que vous avez chez le médecin: vous vous tendez et votre tension artérielle s'élève considérablement.

Il existe trois catégories d'appareils pour mesurer la tension artérielle: mécaniques, électroniques à gonflement manuel du brassard et électroniques à gonflement automatique du brassard. Les appareils manuels requièrent un stéthoscope, tandis que les électroniques éliminent le stéthoscope et sont passablement plus faciles à utiliser.

«Je crois que les plus pratiques sont les appareils électroniques à gonflement manuel du brassard, dit le Dr Kaplan. On n'a pas besoin de formation particulière et l'on obtient une lecture précise.»

Soyez heureux. Une étude menée au Centre médical de l'université Cornell et de l'hôpital de New York a démontré que différentes émotions exerçaient une influence bien précise sur la tension artérielle.

En faisant subir des tests continus à l'aide de moniteurs hautement perfectionnés à des hypertendus qui ne prenaient pas de médicaments, les chercheurs ont découvert que le bonheur abaissait la tension systolique, tandis que l'angoisse élevait la tension diastolique. Ils ont aussi constaté que les fluctuations de la tension artérielle étaient directement reliées à l'intensité émotionnelle: que plus une personne était heureuse, plus sa tension systolique s'abaissait. Inversement, plus une personne se sentait anxieuse, plus sa tension diastolique s'élevait.

Les chercheurs ont également observé que l'anxiété ressentie à l'extérieur du foyer entraînait une élévation de la tension artérielle considérablement plus forte que celle ressentie au foyer. La morale: ne vous inquiétez pas et soyez heureux. Et si vous devez vous inquiéter, faites-le chez vous!

Essayez de moins parler. Se disputer avec son conjoint ou son patron entraîne, forcément, une élévation de la tension artérielle, mais des études ont démontré que pratiquement toute communication fait monter la tension artérielle.

Des chercheurs à l'université du Maryland ont découvert que parler pouvait élever la tension artérielle de 10 à 50 % et que c'était chez les hypertendus que l'élévation était la plus forte. Ils ont même observé que l'effet ne se limitait pas au mot parlé, car même l'utilisation du langage par signes chez les personnes sourdes entraînait une forte hausse de la tension artérielle.

Ce qui a amené certains scientifiques à poser l'hypothèse qu'un «état de communication» général pouvait exister chez les humains, qu'il pouvait être lié au cœur et en accroître l'activité. Si cela est vrai, il en résulterait une élévation non intentionnelle de la tension artérielle au cours d'activités aussi inoffensives qu'une conversation avec un médecin.

Vérifiez aussi la tension artérielle de votre conjoint. Vous avez sans doute entendu dire qu'un mari et sa femme commencent à se ressembler au bout de quelques années. Or, les chercheurs ont découvert un phénomène encore plus étrange. Plus un mariage dure longtemps, plus le mari et la femme se mettent à présenter une tension artérielle semblable.

Les chercheurs qui ont mené l'étude suggèrent que cet effet de mimétisme pourrait être lié à du stress ou d'autres facteurs émotionnels communs. «La communication, plus particulièrement lorsqu'elle sert à traiter des conflits ou à exprimer des émotions, peut affecter la tension artérielle des deux époux», affirme l'un des chercheurs. Par conséquent, la prochaine fois que votre médecin vous dira que votre tension artérielle est élevée, vérifiez celle de votre conjoint. Si vous êtes dans la soixantaine, cette étude prédit que l'écart entre votre tension artérielle et celle de votre conjoint sera d'à peu près un point.

Jouez avec votre chien et appelez-moi demain matin. Pline, l'écrivain et philosophe romain, a rédigé cette ordonnance il y a des siècles, et la science moderne a démontré qu'il s'agit d'un traitement valable contre l'hypertension.

Le Dr Cindy Wilson, professeur adjointe et directrice de la recherche à la Uniformed Services University of the Health Sciences, a noté la tension artérielle de 92 étudiants d'université: elle leur a demandé de lire à voix haute, puis en silence, et de jouer avec un chien. Elle a constaté que la lecture à voix haute entraînait une hausse de la tension artérielle, tandis que la lecture en silence et le jeu avec un chien la faisaient baisser.

Son travail ne fait que confirmer l'effet thérapeutique des animaux de compagnie, que certains professionnels de la santé ont confirmé il y a longtemps. Les patients atteints de maladies coronariennes qui ont un animal de compagnie ont plus de chance de survie que les patients qui n'en ont pas. Par ailleurs, des études effectuées sur des enfants ont démontré que la présence d'un animal de compagnie abaissait leur tension artérielle pendant qu'ils lisaient ou se reposaient.

Qu'importe que Pline ait rédigé cette ordonnance à l'intention de femmes atteintes de douleurs abdominales? Grâce à la médecine moderne, nous savons que les animaux de compagnie peuvent aussi être utiles dans le traitement de l'hypertension.

EXPERTS CONSULTÉS

Le Dr Robert Cade est professeur de médecine à la faculté de médecine de l'université de Floride, à Gainesville.

Le Dr Norman Kaplan est une autorité en matière de tension artérielle au Centre des sciences de la santé de la faculté de médecine Southwestern de l'université du Texas, à Dallas. Il est aussi coauteur d'un ouvrage intitulé *Travel Well, The Gourmet Guide to Healthy Travel.*

Le Dr Roseann Lyle est professeur adjoint en promotion de la santé et en éducation à l'université Purdue, à West Lafayette, en Indiana, et a rédigé de nombreux articles scientifiques sur le calcium et l'hypertension.

Le Dr Lawrence M. Resnick est professeur adjoint au Centre médical de l'université Cornell et de l'hôpital de New York, à New York, et chercheur réputé dans la recherche sur l'hypertension.

Le Dr David Spodick est directeur de cardiologie clinique à l'hôpital St. Vincent's de la faculté de médecine de l'université du Massachusetts, à Worcester.

Le Dr George Webb est professeur au département de physique et de biophysique de la faculté de médecine de l'université du Vermont, à Burlington. Il est coauteur de *The K-Factor,* un livre sur l'abaissement de la tension artérielle par l'alimentation et l'exercice.

Triglycérides

9 façons d'abaisser le taux
de lipides dans le sang

Les triglycérides, de même que le cholestérol, sont les principales sources de lipides dans le sang. Ils sont tous deux nécessaires: le cholestérol favorise la croissance cellulaire et les triglycérides fournissent de l'énergie. Mais, lorsque leurs taux restent trop longtemps élevés, les ennuis commencent.

On sait que le cholestérol cause l'obstruction des artères. Dans le cas des triglycérides, le mode d'action est encore mal connu. «Les triglycérides ne sont pas à eux seuls un facteur important de maladies cardiaques, affirme le Dr John LaRosa, directeur de la Lipid Research Clinic de la faculté de médecine de l'université George Washington et directeur de l'American Heart Association's Nutrition Committee. Cependant, un taux élevé de triglycérides est souvent associé à un faible taux de HDL (le bon cholestérol) et signale la présence dans le sang de particules lipidiques qui causent les maladies vasculaires. Les triglycérides doivent donc être considérés comme un signal d'alarme.»

Les taux normaux de triglycérides se situent entre 0,45 mmol/l et 2,8 mmol/l, une fourchette assez étendue. En général, des taux de 2,5 à 5,6 mmol/l sont considérés comme taux «supérieurs limite», tandis que des taux de plus de 2,8 mmol/l sont considérés comme «élevés». Pour plus de sécurité, on recommande de maintenir le taux de triglycérides au-dessous de 1,7 mmol/l.

Rappelez-vous qu'on peut contrôler les triglycérides de la même manière que le cholestérol. En améliorant le taux de l'un, vous améliorez celui de l'autre. Si votre médecin vous a prévenu que vous deviez abaisser votre taux de triglycérides, voici des conseils qui vous aideront. S'il vous a dit de surveiller votre taux de LDL (le mauvais cholestérol), ils ne peuvent pas vous faire de tort. C'est une situation où vous êtes toujours gagnant.

Quoi d'autre?

Quand le riz est la seule solution

Même son inventeur l'a qualifié de remède désagréable. «En fait, dit le Dr Walter Kempner, il n'y a qu'une seule raison de suivre cette méthode: son efficacité.»

Cela se passait en 1894, et le remède du Dr Kempner était le régime à base de riz qu'il venait de découvrir. Les patients dont l'état semblait le plus critique avaient apparemment été guéris grâce à un régime composé essentiellement de riz et de fruits.

Des variantes de ce régime existent encore aujourd'hui et certains le considèrent comme un précurseur de nombreux régimes, notammment celui de Pritikin pour le cœur. Dans certains milieux, on recommande toujours l'original à cause de sa capacité de réduire les taux de lipides sanguins et le poids.

«Nous recommandons le régime à base de riz et de fruits comme purge pour les personnes dont le taux de triglycérides est très élevé», dit le Dr Sonja Connor. Pratiquement exempt de graisses, il favorise aussi la perte de poids.

«C'est un régime que les gens tolèrent plutôt mal, ajoute-t-elle. Certains arrivent à le suivre suffisamment longtemps pour qu'il produise l'effet voulu. L'une de nos patientes a vu son taux de triglycérides chuter considérablement en quelques mois.» Mais, note le Dr Connor, «ce n'était pas une patiente typique».

Cependant, vous ne devez pas entreprendre un régime aussi sévère sans l'accord de votre médecin. Et la plupart hésitent à le recommander.

Pendant combien de temps devez-vous suivre un régime de riz et de fruits pour obtenir des résultats? «Très peu de temps, dit le Dr Connor. Ses effets commencent à se faire sentir immédiatement, en deux ou trois jours. Si nous arrivions à convaincre les gens d'éliminer à court terme toute matière grasse de leur alimentation, explique-t-elle, nous pourrions enrayer le problème et elles pourraient recommencer à introduire un peu de matière grasse dans leur alimentation.»

Réduisez votre consommation de graisses alimentaires. «Un régime amaigrissant est la meilleure façon de réduire votre taux de triglycérides», dit le Dr Robert DiBianco, professeur adjoint de médecine à l'université Georgetown et directeur de la recherche en cardiologie à l'hôpital Washington Adventist de Tacoma Park, au Maryland.

Pour réduire le taux de triglycérides, le Dr DiBianco suggère de réduire la consommation de graisses alimentaires. «On ne saurait trop réduire leur consommation, dit-il. Diminuer l'apport calorique tiré des matières grasses à 30 % des calories alimentaires totales est un bon début, mais l'idéal serait de l'abaisser à 20 %, dit le Dr DiBianco, et l'apport en gras saturé à 10 %.»

Procédez par étapes. Pour réduire votre consommation de graisses à 20 %, procédez par étapes. Par exemple, vous réduisez votre consommation de graisses à 30 % pendant un mois. Puis retournez voir votre médecin qui pourra vous dire si votre taux de triglycérides a diminué. Si c'est le cas, il vous félicitera et vous recommandera de continuer à suivre ce régime. Dans le cas contraire, il vous conseillera de réduire votre consommation de graisses à 25 % pendant un mois et de vérifier à nouveau les résultats.

Si vous n'obtenez pas les résultats voulus avec un régime semblable, réduisez votre consommation de graisses à 20 % pendant deux mois. Ce pourcentage vous assure pratiquement qu'une bonne portion de vos calories proviennent d'hydrates de carbone complexes, ce qui devrait automatiquement entraîner la réduction du taux de triglycérides.

Consommez beaucoup d'hydrates de carbone complexes. Les populations qui consomment beaucoup d'hydrates de carbone complexes n'ont jamais de problème de triglycérides. «Chaque fois que c'est possible, substituez des hydrates de carbone complexes à la matière grasse, conseille le Dr Sonja Connor, professeur adjoint de recherche en nutrition clinique à l'université Oregon Health Sciences. Mais méfiez-vous des méthodes de cuisson traditionnelles qui peuvent réintroduire de la matière grasse dans votre alimentation. «Les recettes pour la préparation des hydrates de carbone complexes comme les pâtes, le riz, les haricots et d'autres grains demandent souvent de grandes quantités de graisses.»

Vous devez donc chercher des recettes faibles en matières grasses pour apprêter des salades de pâtes ou de lasagnes, des gratins de pommes de terre ou d'autres repas riches en hydrates de carbone. «C'est la chose la plus difficile à faire, dit le Dr Connor. Il existe peu de recettes riches en hydrates de carbone et faibles en graisses qui vous permettent de manger autre chose que des pâtes blanches pratiquement sans sauce.» Vaut-il vraiment la peine de chercher et de préparer ce genre de plats? «Sans aucun doute», dit-elle.

Évitez les friandises. «Les hydrates de carbone simples, bonbons, sucre et autres friandises, sont largement responsables des taux élevés de triglycérides», dit le Dr DiBianco, qui recommande de ne pas manger de friandises.

Le Dr LaRosa est du même avis. «Les hydrates de carbone simples, faibles en fibres, sont probablement les grands coupables», dit-il. Il n'y a aucun doute que les hydrates de carbone simples constituent un problème.

Amincissez votre silhouette. «La perte de poids est très importante, dit le Dr DiBianco. La quantité de poids que vous devez perdre dépend de votre poids idéal, mais il n'est pas nécessaire de perdre tout votre poids excédentaire pour constater une diminution du taux de triglycérides.»

Même des personnes dont le poids dépasse le poids idéal de 20 % à 30 % voient une amélioration en perdant seulement 5 kg. Bien qu'il ne soit pas nécessaire d'atteindre votre objectif pour faire diminuer le taux de triglycérides, «vous devriez quand même essayer de maintenir un poids qui n'excède pas le poids idéal de 5 à 10 %», dit le Dr DiBianco.

Brûlez vos calories. «L'exercice fait diminuer le taux de triglycérides, dit le Dr LaRosa. On ne sait pas si cette diminution résulte de la perte de poids ou de l'amélioration du métabolisme; ce pourrait être des deux.»

Cette incertitude au sujet des effets de l'exercice sur le taux de triglycérides découle d'études qui montrent que la pratique d'exercices vigoureux, une heure trois fois par semaine, peut réduire le taux de triglycérides, même lorsque le poids ne change pas.

Mais, peu importe la façon dont ces résultats sont obtenus, l'exercice réduit le taux de triglycérides et tous nos experts en recommandent fortement la pratique. Cependant, on conseille de consulter un médecin avant d'entreprendre tout programme d'exercices.

Évitez l'alcool. «J'estime que la consommation d'alcool est la principale cause de l'augmentation du taux de triglycérides, dit le Dr DiBianco. Il est important d'éviter de prendre même de faibles doses d'alcool.»

Mangez plus de poisson. «On sait maintenant que l'huile de poisson a des effets particulièrement marqués sur le taux de triglycérides», dit le Dr Carl Hock, professeur adjoint de médecine à l'école

de médecine ostéopathique de l'université de médecine et de dentisterie du New Jersey.

Plusieurs études ont démontré les propriétés réductrices des
triglycérides des acides gras oméga-3 de l'huile de poisson. Bien que
la plupart des études utilisent des gélules d'huile de poisson pour
assurer l'exactitude des résultats, vous pouvez obtenir la même
quantité d'acides gras oméga-3 en consommant régulièrement du
poisson. Ou en combinant une alimentation riche en poisson et
quelques gélules d'huile de poisson.

La plupart des études recommandent la consommation de 15 g
d'huile de poisson par jour, soit l'équivalent d'une portion de 225 g
de saumon, de hareng ou de maquereau. Des études plus récentes
ont produit les mêmes résultats avec 10 g par jour.

«Vous pouvez consommer suffisamment de poisson pour réduire votre taux de triglycérides, dit le Dr DiBianco. En fait, les
huiles de poissons sont particulièrement bénéfiques chez les personnes qui en manquent dans leur alimentation. Une personne qui
mange régulièrement du poisson ne devrait pas avoir de problème.»

EXPERTS CONSULTÉS

Le **Dr Sonja Connor** est professeur adjoint de recherche en nutrition clinique à la faculté de médecine de l'université Oregon Health Sciences à Portland et co-auteur de *The New
American Diet.*

Le **Dr Robert DiBianco** est professeur adjoint de médecine à l'université Georgetown, à
Washington, D.C., et directeur du programme de réduction du facteur de risque cardiaque et
de la recherche en cardiologie à l'hôpital Washington Adventist de Tacoma Park, au Maryland.

Le **Dr Carl Hock** est professeur adjoint de médecine à l'école de médecine ostéopathique de l'université de médecine et de dentisterie du New Jersey à Camden.

Le **Dr John LaRosa** est directeur de la Lipid Research Clinic de la faculté de médecine
de l'université George Washington de Washington, D.C., et directeur de l'American Heart
Association's Nutrition Committee.

Ulcère

14 traitements calmants

Il y a quelques années, les médecins auraient conseillé aux patients qui souffraient d'ulcères de renoncer à tous les aliments à goût prononcé.

Les mets épicés devaient alors être remplacés par du pain grillé, des biscottes et toutes sortes d'aliments insipides: un traitement qui n'avait rien d'alléchant pour ceux et celles qui, affligés de troubles d'estomac récurrents, devaient se soumettre à un tel régime.

«De nos jours, de tels régimes ne sont plus de mise, dit le Dr Steve Goldschmid, professeur adjoint de médecine au Service des maladies digestives de l'hôpital universitaire Emory à Atlanta, en Georgie. Nous n'avons aucune preuve des bienfaits thérapeutiques concernant les modifications à son régime alimentaire», dit-il.

Aujourd'hui, les recommandations des médecins se fondent sur des échanges honnêtes entre le patient et son médecin. «Docteur,

---

ALERTE MÉDICALE

Prenez garde aux symptômes suivants

En général, un ulcère ne cause qu'une simple douleur à l'estomac. Cependant, l'ulcère hémorragique peut s'aggraver et mettre en danger la vie du patient.

«L'ulcère hémorragique peut faire perdre suffisamment de sang pour que la tension artérielle chute sous la normale et entrave le fonctionnement des organes vitaux», dit le Dr Steve Goldschmid.

«Consultez immédiatement votre médecin si vous souffrez d'un ulcère, avez des nausées, et vomissez soudainement du sang ou une substance qui ressemble à des grains de café», dit-il. D'autres symptômes inquiétants comprennent des selles noires ou sanguinolentes. Une personne atteinte d'un ulcère hémorragique peut aussi avoir des étourdissements et perdre connaissance.

Le stress en cause

Le stress peut-il causer des ulcères?

Bon nombre de médecins sont sceptiques. «La plupart d'entre nous ne sommes pas convaincus de cette théorie, faute de preuves sérieuses à l'appui, dit le Dr John Kurata. Cependant, le stress peut aggraver la maladie si vous avez déjà un ulcère.»

Selon le Dr Goldschmid, l'incidence des ulcères du duodénum est proportionnellement plus élevée dans une grande ville comme New York que dans les villes avoisinantes. Et personne ne contestera le fait que la vie dans une grande ville est plus stressante qu'en banlieue.

Examinons le cas de Richard Marshal, critique d'art et d'architecture du quotidien le *Charlotte Observer*. Il a découvert qu'il avait un ulcère duodénal pendant une période «extrêmement stressante au travail, dit-il. J'étais en désaccord avec la personne qui supervisait mon service.» Cette situation lui a causé un grand stress.

«Ce n'est pas vraiment l'événement stressant en soi qui importe, mais la façon dont nous l'interprétons et dont nous réagissons», dit Georgianna S. Hoffmann, coordonnatrice de la clinique de stress familial au département de pratique familiale de la faculté de médecine de l'université Iowa College.

En gardant cette remarque à l'esprit, retenez quelques suggestions qui vous aideront à soulager le stress et l'ulcère qu'il pourrait aggraver.

Pensez à des choses agréables et parlez-vous. Marshal a un nouveau patron, ce qui l'aide énormément. En outre, les médicaments que lui a prescrits son médecin apporte un grand soulagement. Mais il se sent parfois tendu et lui seul peut y remédier. «Maintenant, dit-il, je prends le temps de me raisonner.»

Respirez lentement et profondément. Pour vous calmer presque instantanément en tout temps et n'importe où, prenez trois ou quatre grandes respirations.

Faites de l'exercice. «L'exercice modéré est un excellent antidote contre le stress», dit Georgianna Hoffmann.

Pratiquez des techniques de relaxation. «Lorsque vous vous détendez le corps, vous vous détendez aussi l'esprit, dit Georgianna Hoffmann. Et vice-versa.» Parmi les techniques de relaxation dont elle recommande la pratique régulière, mentionnons la méditation, le yoga, l'imagerie et les cassettes de relaxation.

chaque fois que je mange une glace nappée d'un sauce au kiwi, j'ai l'impression d'avoir un chalumeau dans l'estomac.»

«Eh, bien! mon cher Monsieur, répond le médecin, ne mangez plus de glace à la sauce de kiwi.»

Bref, il faut faire preuve de bon sens, qu'il s'agisse d'un ulcère gastrique qui se trouve sur la paroi de l'estomac ou d'un ulcère duodénal situé sur le duodénum, la partie de l'intestin grêle qui suit immédiatement l'estomac.

Les scientifiques n'ont pas encore découvert la cause exacte des ulcères. Cependant, on croit que l'acide gastrique est le principal coupable, les bactéries et le stress venant en deuxième.

Les ulcères sont des malaises généralement fréquents. «On estime que des millions de gens en souffrent», dit le Dr John Kurata, épidémiologiste, professeur adjoint à l'université de Californie, à Los Angeles, et directeur de la recherche au Centre médical San Bernardino County, en Californie.

Malheureusement, les ulcères sont opiniâtres. «C'est une affection chronique, dit le Dr Goldschmid. Les ulcères vont et viennent.» Voici quelques conseils qui vous aideront à vivre avec ce malaise.

Évitez les aliments irritants. Qu'il s'agisse d'une coupe glacée à la Chantilly ou d'un sandwich au saucisson, si un aliment vous irrite l'estomac, n'en mangez plus. «Les aliments qui irritent l'estomac semblent varier d'un individu à un autre, dit le Dr David Earnest, professeur de médecine au Centre des sciences de la santé de la faculté de médecine de l'université d'Arizona et président du Committee on Patient Care for the Gastroenterological Association. Bien sûr, les aliments épicés peuvent troubler certaines personnes.»

Méfiez-vous des produits laitiers. On a longtemps cru que le lait avait un effet calmant sur les ulcères, mais des études ont maintenant prouvé le contraire. «Bien qu'il agisse comme tampon de l'acide pendant un certain temps et procure un soulagement temporaire, dit-il, il stimule aussi la production d'acide gastrique, ce qui exacerbe la douleur plus tard.»

Prenez un anti-acide en vente libre. «Ces médicaments ne guérissent pas les ulcères, mais ils en traitent efficacement les symptômes», dit le Dr Earnest.

Ne prenez pas trop d'analgésiques. «L'aspirine® a mauvaise réputation, mais les anti-inflammatoires non stéroïdiens, très populaires pourraient être aussi irritants pour la paroi de l'estomac que l'aspirine®», dit le Dr Thomas Brasitus, professeur de médecine et directeur du département de gastro-entérologie de la faculté de médecine Pritzker de l'université de Chicago.

Ne fumez pas. Eh oui! Le tabac peut avoir un effet sur les ulcères. «Bien qu'on n'ait pas vraiment prouvé que l'usage du tabac cause les ulcères, ces derniers semblent guérir plus rapidement chez les non-fumeurs», dit le Dr Brasitus.

Exprimez-vous. «Certaines études suggèrent que les personnes frustrées et renfermées ont une plus grande prédisposition aux ulcères», dit le Dr Michael Kimmey, professeur adjoint de médecine à la faculté de médecine de l'université de Washington.

Doublez le nombre de vos repas. «Bien que plusieurs médecins ne voient aucun inconvénient à ce que leurs patients prennent trois repas normaux par jour, certains d'entre eux souffrent moins lorsqu'ils en prennent six petits», dit le Dr Brasitus. Les aliments neutralisent l'acide gastrique.

Ne prenez pas de suppléments de fer. «Le fer est un irritant gastrique, dit le Dr Goldschmid. Les personnes qui souffrent d'ulcère gastrique et prennent des suppléments de fer ont souvent plus de problèmes d'estomac.»

Faites de la modération votre devise. Un aliment ou une boisson pris en trop grande quantité peut irriter un ulcère. Sachez que l'alcool n'est pas nécessairement un irritant. «La consommation modérée d'alcool n'augmente probablement pas les risques de développer de nouveaux ulcères», dit le Dr Kurata. Attention: l'alcool peut toutefois provoquer des gastrites.

EXPERTS CONSULTÉS

Le Dr Thomas Brasitus est professeur de médecine et directeur du département de gastro-entérologie de la faculté de médecine Pritzker de l'université de Chicago.

Le Dr David Earnest est professeur de médecine au Centre des sciences de la santé de la faculté de médecine de l'université d'Arizona, à Tucson. Il est en outre président du Committee on Patient Care for the Gastroenterological Association.

Le Dr Steve Goldschmid est professeur adjoint de médecine au Service des maladies digestives de l'hôpital universitaire Emory à Atlanta, en Georgie.

Georgianna S. Hoffmann est coordonnatrice de la clinique de stress familial au département de pratique familiale de la faculté de médecine de l'université Iowa College, à Iowa City.

Le Dr Michael Kimmey est professeur adjoint de médecine à la faculté de médecine de l'université du Washington, à Seattle.

Le Dr John Kurata est épidémiologiste et professeur adjoint à l'université de Californie à Los Angeles. Il est en outre directeur de la recherche au Centre médical San Bernardino County, en Californie.

Urticaire

10 moyens d'arrêter les démangeaisons

L'urticaire est une réaction de la peau à une allergie, à un agent irritant, au stress ou aux émotions. Des cellules spécialisées se mettent à sécréter de l'histamine, ce qui libère des fluides des vaisseaux sanguins dans les couches profondes de la peau. Les zébrures accompagnées de démangeaisons peuvent disparaître en quelques minutes, quelques heures au plus tard. Mais, pendant une crise, vous préférerez sans doute ne pas avoir à vous gratter en public. Voici quelques moyens de soulager les démangeaisons et l'enflure causées par l'urticaire. Comme chaque personne réagit différemment, il faut choisir le traitement qui convient le mieux.

Ayez recours aux antihistaminiques. «Les antihistaminiques en vente libre sont le meilleur remède que vous puissiez obtenir sans prescription», dit le Dr Leonard Grayson, allergologiste adjoint et dermatologiste à la faculté de médecine de l'université Southern Illinois. L'Allerga® et le Polaramine® sont les antihistaminiques les plus prisés; ils entrent souvent dans la composition de médicaments contre la grippe ou le rhume des foins. Mise en garde: la plupart des antihistaminiques causent de la somnolence.

Rafraîchissez-vous. Selon le Dr Grayson, les compresses et les bains froids sont le meilleur et le seul traitement topique efficace contre l'urticaire. Vous pouvez aussi frotter l'urticaire à l'aide

Quoi d'autre?

Quelques remèdes naturels

Dans le cas de personnes disposées à essayer un traitement différent, voici quelques remèdes naturels.

Buvez des tisanes. «Si vous soupçonnez que vos émotions sont la cause de votre urticaire et ne voulez pas prendre de préparations chimiques comme des antihistaminiques, essayez une tisane calmante», conseille le sergent Thomas Squire, herboriste et instructeur en technique de survie des forces spéciales de l'armée américaine à Fort Bragg, en Caroline du Nord. Il recommande la menthe poivrée ou la fleur de la passion. La camomille, la valériane et l'herbe aux chats sont d'autres tisanes sédatives bien connues.

Faites un cataplasme ou une pâte. Les herboristes recommandent souvent comme remède contre les démangeaisons un cataplasme de feuilles broyées de mouron blanc. Certaines personnes font une pâte de crème de tartre et d'eau qu'elles appliquent sur l'urticaire et qu'elles remplacent lorsque l'irritation sèche.

Exercez une pression. Michael Blate, fondateur et directeur général du G-Jo Institute de Hollywood, en Floride, affirme guérir l'urticaire par l'acupression. Massez profondément le point du trapèze, le muscle entre le cou et l'épaule, qui se trouve au milieu du muscle à quelques centimètres vers l'arrière. «Si vous ne ressentez pas une légère douleur, c'est que vous n'avez pas localisé le point», dit-il.

d'un glaçon. Le froid contracte les vaisseaux sanguins, ce qui les empêche de s'ouvrir, de gonfler et de libérer une trop grande quantité d'histamine. «Toutefois, il s'agit d'un soulagement temporaire», ajoute-t-il. Mais si votre urticaire est causé par l'air froid ou l'eau froide, l'eau chaude ne fera qu'exacerber les démangeaisons.

La lotion de calamine soulage les démangeaisons.

Cet astringent pourrait aussi soulager les démangeaisons de l'urticaire. Comme les astringents réduisent les sécrétions, ils pourraient prévenir la libération de fluides et d'histamine par les vaisseaux sanguins. On peut employer d'autres astringents contre l'urticaire, notamment l'hamamélis (surtout glacé) et l'oxyde de zinc.

Appliquez un produit alcalin. «Tout produit alcalin soulage les démangeaisons, dit le Dr Grayson. Vous pouvez donc appliquer un peu de lait de magnésie sur votre urticaire. Le lait de magnésie est moins épais que la lotion de calamine et, à mon avis, plus efficace», dit-il.

L'hydrocortisone. «Si vous n'avez que quelques petites plaques d'urticaire, une crème à l'hydrocortisone, appliquée directement sur l'urticaire, peut soulager les démangeaisons pendant un certain temps», dit le dermatologiste Jerome Z. Litt.

Les plantes peuvent vous aider. «Sous forme d'infusion, les feuilles et l'écorce de l'aulne de l'Oregon soulagent l'urticaire, dit le Dr Varro E. Tyler, professeur de pharmacognosie à l'université Purdue et auteur de *The Honest Herbal*. Appliquez l'infusion sur les régions affectées. Vous pouvez aussi en boire quelques gorgées. Répétez le traitement jusqu'à la guérison. L'aulne de l'Oregon contient du tannin, un astringent. Les feuilles de morelle noire peuvent aussi être utiles», dit-il. Lavez-les et faites-les bouillir dans l'eau. Puis mettez-les sur un linge et appliquez-les comme cataplasme.

Un peu de prévention évite bien des problèmes. «Les causes de l'urticaire sont innombrables», dit le Dr Litt. Parmi les plus courantes, mentionnons les médicaments, les aliments, le froid,

---

ALERTE MÉDICALE

La zone dangereuse

L'urticaire peut causer la mort en obstruant les voies respiratoires. Si vous avez de l'urticaire dans la bouche ou dans la gorge, téléphonez immédiatement aux services d'urgence locaux. Si vous êtes sujet à ce genre de réaction, vous devriez être sous surveillance médicale et toujours avoir de l'adrénaline sous la main. Les personnes qui souffrent d'urticaire chronique, crises qui durent pendant plus de six semaines, ou d'urticaire aigu grave devraient aussi consulter un médecin.

les piqûres d'insecte, les plantes et les émotions. Une fois la cause connue, il ne vous reste qu'à l'éviter. Si vous savez que vous risquez de faire de l'urticaire, prenez un antihistaminique avant le déclenchement de la crise et vous réussirez peut-être à la prévenir.»

EXPERTS CONSULTÉS

Michael Blate est le fondateur et directeur général du G-Jo Institute de Hollywood, en Floride, une organisation nationale de la santé vouée à la promotion de l'acupression et de la médecine orientale traditionnelle.

Le Dr Leonard Grayson est spécialiste des allergies cutanées, allergologiste adjoint et dermatologiste la faculté de médecine de l'université Southern Illinois, à Springfield.

Le Dr Jerome Z. Litt a un cabinet privé de dermatologie à Beachwood, en Ohio. Il est l'auteur de *Your Skin: From Acne to Zits.*

Le sergent Thomas Squier des forces spéciales de l'armée américaine est instructeur au JFK Special Warfare Center and School, Survival-Evasion-Resistance Escape/Terrorist Counteraction Department, à Fort Bragg, en Caroline du Nord. C'est un herboriste cherokee et le petit-fils d'un guérisseur. Il publie en outre une chronique intitulée *Living off the Land.*

Le Dr Varro E. Tyler est professeur de pharmacognosie à l'université Purdue, à West Lafayette, en Indiana. Il est en outre l'auteur de *The Honest Herbal* et agit comme conseiller auprès de la revue *Prevention.*

Varices

15 remèdes pour vous soulager et vous guérir

La plupart des gens ne considèrent pas les varices comme une maladie, mais comme un inconvénient esthétique. Ils ont tort.

«Les personnes qui ont des varices souffrent réellement d'une maladie, une maladie qui n'est pas belle à voir», dit le Dr Brian McDonagh, phlébologue de Chicago, en Illinois, et directeur-fondateur des Veins Clinics of America.

Les veines bleuâtres, dilatées et d'apparence grumeleuse, ainsi que leurs cousines, les télangiectasies rouges en araignée, sont les

ALERTE MÉDICALE

Les caillots: une source d'inquiétude

Il y a très longtemps, les médecins arrachaient les varices à l'aide de crochets. Rassurez-vous, de nos jours, le traitement des varices est beaucoup plus doux et efficace. En effet, on a recours à la thérapie par injections, une technique dont le taux de succès est retentissant. Elle vient à bout des varices les plus récalcitrantes.

Selon le Dr Brian McDonagh, deux complications graves peuvent survenir si vous avez des varices: le caillot de sang et la rupture d'une veine.

Comment reconnaître un caillot? «Votre varice devient très rapidement douloureuse et sensible. Elle vous fait vraiment mal», dit le Dr McDonagh. Les caillots de sang dans les veines ressemblent à des grumeaux rouges; leur taille ne diminue pas même si l'on surélève les jambes.

Dans la plupart des cas, les varices situées autour des chevilles se rompent et saignent. Comme l'affection à cet endroit entraîne très rapidement une hémorragie, elle est jugée comme plus grave. Si cela se produit, exercez une pression sur la varice sans faire de garrot afin de diminuer l'hémorragie, surélevez le membre très haut et prenez rendez-vous immédiatement avec votre médecin.

signes les plus évidents des varices. Les jambes des personnes atteintes de varices depuis de longues années sont souvent douloureuses et se fatiguent très vite.

Cette affection n'est habituellement pas dangereuse. N'ayez donc aucune crainte et ne vous précipitez surtout pas chez votre médecin. Suivez plutôt les instructions des médecins qui se sont penchés sur la question. Les voici:

Ne vous sentez pas coupable. «Cette maladie est en grande partie héréditaire», déclare le Dr McDonagh. Malheureusement toutes sortes de mythes entourent cette affection. Par exemple, beaucoup de gens pensent que se croiser les jambes ferait apparaître des varices. C'est un non-sens, dit le Dr McDonagh. Quand on songe qu'il est scientifiquement démontré que 17 % de la population possèdent les gènes responsables de la maladie qui affecte surtout les femmes.»

Mettez la gravité à profit: surélevez vos pieds. Les varices sont des veines qui sont trops faibles pour ramener le sang vers le cœur. Celles des jambes sont le plus souvent atteintes, car ce sont les plus éloignées du cœur. Elles doivent donc lutter contre l'effet de la gravité. Vous pouvez leur faciliter la tâche en mettant la gravité à profit. Voilà comment. Levez vos jambes au-dessus du niveau de la hanche dès qu'elles vous font mal et posez-les sur un canapé, des oreillers ou un fauteuil. «La douleur disparaîtra peu à peu», déclare le Dr Dudley Phillips, médecin de famille à Darlington, au Maryland.

Portez des bas anti-fatigue. Ils aident à soulager les varices. «Ces bas, que vous vous procurez dans une pharmacie et les grands magasins, empêchent le sang de s'accumuler dans les petits vaisseaux sanguins à la surface de la peau», explique le Dr Phillips. (Le sang est poussé dans les veines plus profondes où il est plus facilement pompé vers le cœur.)

Combinez l'effet de la gravité et des bas anti-fatigue. Le Dr Phillips recommande aux personnes qui ont des varices de combiner les effets de la gravité et des bas anti-fatigue, en faisant l'exercice suivant. Mettez vos bas anti-fatigue. Étendez-vous ensuite sur le dos et levez les jambes très droites en les laissant

---

Quoi d'autre?

Changez de posture

«Le yoga, une discipline très ancienne, peut procurer beaucoup de bienfaits aux personnes atteintes de varices», déclare le Dr John Clarke, cardiologue attaché à l'Himalayan International Institute.

Vous pouvez pratiquer la technique de respiration du yoga sans avoir besoin d'un professeur et sans danger. «De plus, dans de nombreux cas, cette respiration soulage le malaise causé par les varices», estime le Dr Clarke. Essayez tout de suite l'exercice suivant. Étendez-vous sur le dos et surélevez vos pieds sur une chaise. Respirez lentement et régulièrement à partir du diaphragme et par le nez. C'est tout!

Votre sang reflue de vos jambes surélevées sous l'effet de la gravité. «En inspirant régulièrement, vous provoquez une pression négative dans votre poitrine», dit le Dr Clarke. Cette pression négative attire l'air dans votre cage thoracique, ainsi que le sang de tout votre corps, y compris celui de vos jambes qui en sont gorgées, dit-il.

reposer contre un mur. Gardez cette position pendant deux minutes. Cela permet au sang de sortir des veines dilatées de la jambe vers le cœur. Recommencez cet exercice plusieurs fois par jour, aussi souvent que vous en ressentez le besoin.

Surélevez le pied de votre lit. «Vous pouvez mettre la gravité à profit pendant toute la nuit en surélevant le pied de votre lit de plusieurs centimètres», dit le Dr Paul Lazar, professeur de dermatologie clinique à la faculté de médecine de l'université Northwestern. Cependant, si vous avez déjà souffert de troubles cardiaques ou si vous respirez difficilement pendant la nuit, il est préférable de consulter votre médecin avant de prendre cette disposition.

Un peu de jugeotte. Les varices causent suffisamment de tort à vos jambes; n'aggravez pas la situation en portant des chaussures à talons hauts ou des bottes de cow-boy.

Achetez-vous une paire de bas élastiques. Ces bas spéciaux, plus efficaces que les bas anti-fatigue, sont vendus dans les pharmacies, mais surtout dans les magasins de fournitures médicales. «Les bas élastiques montant jusqu'au genou peuvent apporter un certain soulagement aux personnes atteintes de varices, un soulagement proportionnel bien sûr à la gravité de leurs varices», déclare le Dr McDonagh. Achetez surtout des bas de bonne qualité et faits sur mesure.

Surveillez votre poids. Un excédent de poids exerce davantage de pression sur les jambes. C'est d'ailleurs l'une des raisons pour lesquelles les femmes enceintes ont souvent des varices. «Surveillez votre poids et vous aurez ainsi moins de veines dilatées», dit le Dr Lenise Banse, dermatologiste et directrice de la Mole and Melanoma Clinic de l'hôpital Henry Ford de Detroit, au Michigan.

Ne portez pas de vêtements serrés. «Les vêtements serrés, particulièrement une gaine trop juste ou des collants qui compriment l'aine, peuvent agir comme un garrot dont l'effet est d'accumuler du sang dans vos jambes», dit le Dr Banse.

Vous prenez la pilule? Méfiez-vous. Les déséquilibres hormonaux, survenant souvent chez les femmes qui prennent des contraceptifs oraux, peuvent être la cause des télangiectasies rouges en forme d'araignée. «Si cette affection apparaît dès que vous

commencez à prendre la pilule, il pourrait y avoir un lien de cause à effet», dit le Dr McDonagh.

Ne fumez pas. Un rapport de la Framingham Heart Study signale une corrélation entre l'usage du tabac et l'incidence des varices. Les chercheurs concluent que les personnes qui fument sont plus susceptibles d'avoir des varices.

Faites une promenade. Rester en position assise ou debout pendant de longs moments peut entraîner des affections aux jambes, car le sang s'y accumule. «Un peu d'exercice au cours de la journée, particulièrement la marche, peut y remédier», dit le Dr Eugene Strandness Jr, professeur de chirurgie à la faculté de médecine de l'université de Washington. En fait, l'étude Framingham a montré que les personnes sédentaires ont une plus grande prédisposition aux varices que les personnes actives.

Ne camouflez pas votre problème. Vous pouvez masquer la douleur en prenant des analgésiques. «Ne le faites pas, dit le Dr McDonagh. Les varices ne se traitent pas en camouflant la douleur», dit le Dr McDonagh. Si vous avez tout essayé sans succès, consultez votre médecin.

EXPERTS CONSULTÉS

Le **Dr Lenise Banse** exerce le métier de dermatologiste à Detroit, au Michigan où elle dirige la Mole and Melanoma Clinic de l'hôpital Henry Ford.

Le **Dr John Clarke** est cardiologue. Il est rattaché à l'Himalayan international Institute de Honesdale, en Pennsylvanie.

Le **Dr Paul Lazar** est professeur de dermatologie clinique à la faculté de médecine de l'université Northwestern de Chicago, en Illinois. Il a été membre du conseil d'administration de l'American Academy of Dermatology.

Le **Dr Brian McDonagh** est phlébologue à Chicago, en Illinois. Il est en outre le directeur-fondateur des Veins Clinics of America, groupe médical le plus important aux États-Unis spécialisé exclusivement dans le traitement des troubles veineux.

Le **Dr Dudley Phillips,** médecin de famille avec plus de 40 ans d'expérience, vit à Darlington, au Maryland.

Le **Dr Eugene Strendness Jr** est professeur de chirurgie à la faculté de médecine de l'université de Washington à Seattle.

Verrues

25 stratégies pour gagner la guerre

Les verrues sont des tumeurs cutanées bénignes qui émergent une à une ou plusieurs à la fois sur presque toutes les parties du corps. Chaque type de verrue porte un nom qui lui est propre, mais elles sont toutes causées par les différentes souches du même virus, le virus *papilloma*. Ce virus réussit à tromper l'organisme et à se loger dans ce qu'on appelle une verrue.

Selon le Dr Robert Garry, professeur adjoint de microbiologie et d'immunologie à la faculté de médecine de l'université Tulane, environ 10 % de la population a une verrue. On estime qu'environ 75 % des gens en auront au moins une au cours de leur vie. Pas étonnant

---

ALERTE MÉDICALE

Êtes-vous certain qu'il s'agit bien d'une verrue?

Rappelez-vous les paroles de Davy Crockett: «Soyez sûr que vous avez raison, puis foncez.» Ce conseil s'applique aussi bien au traitement des verrues qu'à toute autre chose dans la vie. La première règle est la suivante: soyez sûr qu'il s'agit bien d'une verrue et non d'un cor, d'un durillon, d'un grain de beauté ou d'une lésion cancéreuse. «Vous pensez peut-être qu'identifier une verrue est un jeu d'enfant, mais vous ne pouvez imaginer le nombre de personnes qui pensent avoir des verrues alors qu'elles sont atteintes d'un cancer de la peau ou d'une autre tumeur cancéreuse», dit le Dr Alvin Zelickson. Si vous avez le moindre doute sur la nature d'une excroissance, consultez un médecin.

Les verrues se présentent la plupart du temps comme des excroissances de chair de couleur pâle. Leurs bords et leur surface sont rugueuses, et noircis par des capillaires. Les lignes de la peau ne traversent pas la surface des verrues. Et, contrairement à la croyance populaire, ce sont des excroissances superficielles dont les racines ne vont pas jusqu'à l'os.

qu'on dépense des millions de dollars chaque année pour le traitement des verrues. Après l'acné, c'est l'affection cutanée la plus courante.

Malheureusement, le traitement médical le plus courant consiste à les éliminer en les brûlant, en les grattant, en les coupant, en
les gelant, en y injectant un produit ou en les traitant au rayon laser.
Ces techniques ne sont pas toujours efficaces, certaines sont douloureuses et laissent parfois des cicatrices. Qui plus est, les verrues
réapparaissent souvent, quel que soit le traitement utilisé.

Maintenant que vous savez de quelle manière on élimine les
verrues, vous voulez peut-être essayer quelques remèdes maison
avant de consulter votre médecin. Suivez surtout le conseil du Dr
Thomas Goodman Jr, dermatologiste et professeur de dermatologie
au Centre des sciences de la santé de l'université du Tennessee, à
Memphis. «Ne vous blessez pas en essayant de soigner vos verrues.
Commencez par des mesures simples pendant quelques semaines
avant de passer à des traitements plus sévères.»

Sauf indication contraire, les traitements suivants conviennent
autant aux verrues vulgaires qu'aux verrues plantaires.

N'intervenez pas. On estime qu'entre 40 et 50 % des verrues disparaissent d'elles-mêmes, généralement en moins de deux
ans. Celles des enfants, en particulier, disparaissent souvent spontanément.

Le Dr Marc A. Brenner, ancien président de l'American Society
of Podiatric Dermatology et médecin dans un cabinet privé à
Glendale, dans l'État de New York, déclare «les verrues laissent constamment s'échapper des virus infectieux, elles peuvent grossir ou
s'étendre à d'autres parties du corps si elles ne sont pas soignées».
Donc agissez sans tarder.

La vitamine A à la rescousse. Le Dr Garry soigne les verrues avec succès en y appliquant directement de la vitamine A.
«Prenez une gélule qui contient 25 000 UI de vitamine A naturelle
provenant d'huile de poisson ou d'huile de foie de poisson. Ouvrez-
la et faites entrer une petite quantité du liquide qu'elle contient dans
la verrue. Frictionnez pour faire pénétrer. Soignez ainsi votre verrue
une fois par jour.» Le Dr Garry souligne cependant que la vitamine
doit être mise seulement sur la peau: prise par voie orale à fortes
doses, elle peut être toxique.

«Les verrues répondent différemment à ce traitement. Les verrues survenant chez des sujets jeunes peuvent être éliminées en un
mois, mais le traitement dure habituellement deux à quatre mois.

Comment éviter les verrues

Les verrues sont causées par un virus. Il se trouve dans l'air et vous pouvez l'attraper comme n'importe quelle autre infection virale. Il suffit que vous ayez une prédisposition à ce virus. Dans ce cas, une simple coupure ou une petite lésion cutanée lui permettra de s'introduire. Vous pouvez cependant prendre un certain nombre de dispositions pour éviter d'attraper une verrue.

Ne marchez pas pieds nus. «Le virus qui cause les verrues prolifère dans un environnement très humide», dit le Dr Suzanne M. Levine. Pour cette raison, portez des sandales en plastique à la piscine, dans un club de sports ou dans un vestiaire, afin d'éviter que vos pieds n'entrent en contact avec le virus. Vous éviterez en même temps les coupures ou les petites crevasses par lesquelles le virus pourrait facilement pénétrer.

Changez souvent de chaussures. «Comme le virus des verrues se reproduit dans les endroits humides, changez souvent de chaussures et laissez-les sécher complètement avant de les porter à nouveau», dit le Dr Levine.

Désinfectez. «Au club de sports ou au gymnase, vous pouvez laver la douche avec un produit semblable au Lysol, dit le Dr Levine. L'eau de Javel tout simplement tue les virus et les bactéries.»

Regardez, mais ne touchez pas. «Les verrues se répandent facilement, dit le Dr Marc A. Brenner. Si vous avez une verrue plantaire, par exemple, essayez de ne pas la toucher avec votre main, car si vous avez la moindre petite coupure à un doigt, vous risqueriez d'en attraper une à cet endroit.»

Soignez bien vos cuticules. Si le virus qui cause les verrues pénètre par une coupure ou une ouverture autour de vos cuticules, il peut entraîner la formation d'un type de verrue très désagréable appelée verrue périunguéale. «Les verrues périunguénales sont particulièrement difficiles à soigner, déclare le Dr Levine. Si vous avez une coupure dans un cuticule, appliquez une crème antibiotique topique, du Bacitracine® par exemple, et mettez un pansement sur la plaie jusqu'à ce qu'elle soit guérie.»

Restez calme et détendu. «J'ai l'impression que les gens qui sont stressés et qui s'alimentent mal ont une plus grande prédisposition aux verrues, dit le Dr Levine. D'ailleurs, les verrues se répandent plus facilement chez ces personnes.» Alors, essayez de prendre la vie du bon côté!

Les verrues plantaires peuvent mettre deux à cinq mois à disparaître», dit-il.

Le Dr Garry cite le cas d'une de ses patientes qui avait plus de 200 verrues sur une main. En appliquant fidèlement de la vitamine A pendant sept à huit mois, elle a réussi à s'en débarrasser, à l'exception d'une, particulièrement récalcitrante, sous un ongle.

Voyez ce qu'une autre vitamine peut faire. Une pâte fabriquée à partir de comprimés de vitamine C écrasés et d'un peu d'eau est efficace, dans certains cas. Appliquez-la sur la verrue que vous couvrez ensuite d'un pansement. Selon le Dr Jeffrey Bland, qui a fait des recherches sur la vitamine C pendant de nombreuses années au Linus Pauling Institute de Menlo Park, en Californie, «même si aucune recherche formelle n'a été effectuée dans ce domaine, on pense que le taux élevé d'acidité de l'acide ascorbique (vitamine C) peut tuer le virus qui cause les verrues». N'oubliez pas cependant que la vitamine C, du moins sous la forme de l'acide ascorbique, peut irriter la peau. Il faut donc prendre soin d'appliquer la pâte uniquement sur la verrue.

Gardez vos verrues bien enveloppées. «J'ai soigné des verrues avec succès en les recouvrant d'un bandage», dit le Dr Goodman. «Utilisez n'importe quelle sorte de pansement médical ou de sparadrap. Appliquez-le bien sur la verrue et laissez-le en place 24 heures par jour, sept jours par semaine. Ne changez le pansement que lorsqu'il est sale. Soyez patient et continuez le traitement pendant au moins trois semaines. Il est vraiment efficace pour certaines personnes, mais il doit être bien fait.»

Essayez une dose d'huile de ricin. «Voici une variation de la technique du pansement, dit le Dr Goodman. Appliquez une goutte d'huile de ricin sur la verrue deux fois par jour avant de mettre le pansement en place. Suivez les instructions données ci-dessus.»

Jane Bothwell, éducatrice et herboriste consultante à Arcata, en Californie, croit elle aussi en l'efficacité de l'huile de ricin, qu'elle mélange avec du bicarbonate de soude pour en faire une pâte épaisse. Elle recommande de l'appliquer sur la verrue deux fois par jour. Pour éviter que l'huile s'évapore, elle suggère de la recouvrir d'un bandage ou de porter un gant ou une chaussette.

Restez bien au sec. Comme nous l'avons déjà dit, les verrues prolifèrent dans un milieu humide. C'est la raison pour laquelle le Dr Brenner recommande d'avoir toujours les pieds bien au

Quoi d'autre?

Quelques traitements populaires faciles à appliquer

On ne sait jamais vraiment quel traitement convient le mieux à une verrue. Chaque cas est particulier. Le traitement qui vous a débarrassé d'une petite verrue peut demeurer sans effet sur une autre. Pour en venir à bout, le moyen le plus efficace consiste peut-être à garder l'esprit ouvert. Voilà pourquoi vous ne devriez pas négliger le pouvoir de guérison de certains traitements populaires. Ces traitements n'ont jamais fait l'objet de recherches scientifiques, mais ont soulagé beaucoup de personnes. En voici quelques-uns:

- Appliquez directement sur la verrue de l'huile de vitamine E, de l'huile de clou de girofle, du jus d'aloès, du jus de laiteron, du latex de chardon ou de figues vertes.
- Prenez des gélules ou des comprimés d'ail.
- Faites tremper des tranches de citron dans du cidre de pomme avec un peu de sel. Laissez reposer pendant deux semaines. Puis frottez les tranches de citron sur les verrues.
- Frottez la verrue à l'aide d'un morceau de craie ou de pomme de terre crue.
- Maintenez la surface interne d'une peau de banane sur une verrue plantaire.

sec pour éliminer les verrues plantaires. «Si vous voulez soigner une verrue plantaire sans produit chimique, changez de chaussettes au moins trois fois par jour. Appliquez en outre une poudre pour les pieds, 10 fois par jour s'il le faut. Il existe d'autres agents desséchants qui peuvent être utiles. Croyez-le ou non, il m'est arrivé d'utiliser avec un certain succès de tels agents sur des verrues qui ne répondaient à aucun autre traitement, et quelquefois ça a marché.»

Optez pour un médicament en vente libre. Les médicaments en vente libre les plus populaires sont certainement les préparations à base d'acide salicylique, car on pense que l'acide salicylique agit en ramollissant et en faisant fondre les verrues. Ces produits se vendent sous forme de liquide, de gel, de pansement ou de pommade. Ils sont déconseillés aux diabétiques et aux personnes qui souffrent de troubles de la circulation.

«Il y a trois règles à suivre avec les médicaments en vente libre à base d'acide salicylique, déclare le Dr Glenn Gastwirth, podologue à Bethesda, au Maryland, et directeur scientifique de l'American Podiatric Medical Association. Premièrement, soyez certain que c'est bien une verrue que vous soignez (voir *Êtes-vous certain qu'il s'agit bien d'une verrue?* à la page 677). Deuxièmement, suivez scrupuleusement les directives qui l'accompagnent. Et, troisièmement, si la verrue ne disparaît pas au bout d'une à deux semaines, consultez un médecin.»

«Un produit liquide comme du Verrupan® (un baume verrucide) peut être efficace pour soigner une petite verrue, déclare le Dr Christopher McEwen, directeur du Service de dermatologie à la clinique Ochsner de Baton Rouge, en Louisiane. Et le Dr Suzanne L. Levine, podologue adjointe à l'hôpital Mount Sinai, ajoute: «Le Verrupan® a ceci de particulier: il contient une petite quantité d'huile qui le rend moins irritant pour la peau que les autres produits à base d'acide salicylique.»

Toutefois, selon le Dr Brenner, les produits sous forme liquide et sous forme de gel qui ne contiennent qu'environ 17 % d'acide salicylique pourraient ne pas être suffisamment puissants pour guérir les verrues plantaires recouvertes d'une épaisse couche cornée.

Recouvrez d'un pansement. «Si je devais choisir un produit en vente libre, dit le Dr McEwen, j'opterais pour un pansement contenant 40 % d'acide salicylique. Il est relativement efficace pour les verrues plantaires et les verrues aux mains, mais il reste moins facilement en place sur les mains.» Renseignez-vous auprès de votre pharmacien.

«Le principal inconvénient des pansements, dit le Dr Levine, c'est que les personnes en mettent souvent un trop grand et exposent ainsi la peau autour de la verrue à une grave irritation. De plus, ils le changent tous les jours si bien qu'un ulcère cutané apparaît autour de la verrue, ce qui est beaucoup plus grave. On suggère d'utiliser un petit pansement que l'on doit changer tous les quatre ou cinq jours.»

Pour que le pansement soit de la bonne dimension, découpez dans un carton un patron ayant la taille et la forme exactes de la verrue. Puis servez-vous de ce patron pour couper aux bonnes dimensions le pansement adhésif. Enduisez le périmètre de la verrue d'un peu de vaseline pour empêcher que le médicament n'entre en contact avec la peau.

La suggestion mentale: Qui est le maître ici?

Mettez-vous en transe. «Vous vous sentez de plus en plus fatigué. Vous allez bientôt sombrer dans un profond sommeil et vos verrues vont bientôt disparaître.» Balivernes? Non, hypnose. Un outil redoutable pour lutter contre les verrues.

Selon le Dr Owen Surman, psychiatre attaché à l'hôpital général du Massachusetts, à Boston, l'hypnose semble être un outil scientifiquement valable pour le traitement des verrues, mais on ne sait pas exactement pourquoi. On s'intéresse beaucoup à l'heure actuelle à la psychoneuro-immunologie. Cette discipline selon laquelle les phénomènes mentaux affectent la fonction immunitaire est très séduisante.

Dans le cours d'un travail de recherche, le Dr Surman a consacré cinq séances à hypnotiser un groupe de 17 personnes atteintes de verrues sur les deux côtés du corps. Il leur assura que les verrues disséminées sur tout leur corps disparaîtraient, mais d'un seul côté. Les 7 personnes d'un groupe différent n'ont pas été hypnotisées; on leur a simplement demandé d'arrêter tout traitement contre les verrues. Trois mois plus tard, plus de la moitié des personnes du premier groupe s'étaient débarrassées d'au moins 75 % de leurs verrues tandis que les personnes de l'autre groupe ne notaient aucune amélioration de leur état.

De plus, les verrues des personnes hypnotisées ayant disparu des deux côtés de leur corps, et non d'un seul comme nous l'avions prévu, «nous en avons conclu que l'expérience avait été un succès», dit le Dr Surman.

Imaginez que vos verrues disparaissent. Le pouvoir de l'autosuggestion, sans hypnose, peut être tout aussi efficace pour faire disparaître les verrues. Le Dr Nicholas Spanos et ses collègues de l'université Carleton, à Ottawa, sont des pionniers dans ce domaine. «Nous demandons à nos patients d'imaginer que la taille de leurs verrues diminue, qu'ils ressentent un picotement à mesure qu'elles se désagrègent et que leur peau redevient lisse. Au début, nous leur faisons faire ce genre d'exercice d'imagination pendant deux minutes et nous leur demandons ensuite de le pratiquer à la maison cinq minutes chaque jour.

Il faut y croire. D'autres médecins utilisent avec succès le pouvoir de l'autosuggestion. «J'ai eu à traiter des enfants qui refusaient de faire geler leurs verrues, dit le Dr Christopher McEwen. Je leur ai donc prescrit une substance inoffensive en les assurant que ce médicament était très fort et qu'il viendrait à bout de leurs verrues. Et cela a marché.» Je pense qu'on peut expliquer la popularité des vieux remèdes, comme frotter la verrue avec une pièce de monnaie puis l'enfouir dans le jardin, par la confiance inébranlable qu'ont les gens dans l'efficacité d'un traitement.

Faites l'essai d'une pommade. Il existe aussi sur le marché des pommades qui contiennent 60 % d'acide salicylique. «Pour obtenir de meilleurs résultats en facilitant la pénétration de la pommade, trempez la région atteinte dans de l'eau tiède pendant 10 minutes.»

Séchez bien, puis appliquez une goutte de pommade sur la verrue. Couvrez-la ensuite d'un pansement. Dans le cas d'une verrue plantaire, appliquez le traitement avant d'aller au lit, ce qui vous évitera de marcher sur la verrue et d'enlever la pommade. Le matin, trempez la verrue à nouveau et enlevez la peau ramollie à l'aide d'une pierre ponce.

Utilisez un produit à libération lente. Si vous voulez consulter votre médecin mais refusez qu'il vous gèle votre verrue ou qu'il vous la brûle au laser, demandez-lui de vous prescrire un nouveau produit afin de la traiter à domicile. «Le patch transdermique Trans-Ver-Sal® soigne efficacement les verrues», dit le Dr McEwen qui l'a utilisé avec succès. Comme les autres patchs transdermiques, il est appliqué directement sur la peau, dans ce cas-ci sur la verrue, et libère une dose de médicament pendant plusieurs heures. Il n'est vendu que sur ordonnance, de même que les autres patchs transdermiques.

L'ingrédient actif contenu dans ce patch transdermique est de l'acide salicylique. On retrouve également cette substance dans tous les produits en vente libre destinées au traitement des verrues. Selon le Dr Alvin Zelickson, professeur de dermatologie à la faculté de médecine de l'université du Minnesota, la différence principale existant entre les deux médications est que l'acide salicylique est libéré dans la verrue. Dans le cas des pansements, par exemple, seule une très petite quantité de médicament passe dans la verrue. Ces patchs sont d'utilisation facile et n'exigent pas que la peau soit trempée dans l'eau avant leur utilisation. Vous en appliquez un avant de vous coucher et vous l'enlevez le matin. Ils sont disponibles en deux formats et en deux concentrations. Ils sont donc indiqués pour le traitement des deux sortes de verrues, les verrues plantaires et les verrues vulgaires.

Le Dr Zelickson a testé les patchs sur une quarantaine de ses patients. Leurs verrues ont toutes disparu en 4 à 12 semaines dans 80% des cas.

EXPERTS CONSULTÉS

Le Dr Jeffrey Bland a travaillé comme chercheur principal au Linus Pauling Institute de Menlo Park, en Californie. Il est président de HealthComm, un service de consultation sur la santé et sur l'éducation à Gig Harbor dans l'État de Washington.

Jane Bothwell est éducatrice et herboriste consultante à Arcata, en Californie. Elle a déjà enseigné à la California School of Herbal Studies

Le Dr Marc A. Brenner a un cabinet privé à Glendale, dans l'État de New York. Il était auparavant président de l'American Society of Podiatric Dermatology; il est l'auteur de *The Management of the Diabetic Foot.*

Le Dr Robert Garry est professeur adjoint de microbiologie et d'immunologie à la faculté de médecine de l'université Tulane à la Nouvelle-Orléans, en Louisiane.

Le Dr Glenn Gastwirth est podologue à Bethesda, au Maryland, et directeur scientifique de l'American Podiatric Medical Association.

Le Dr Thomas Goodman Jr a un cabinet privé de dermatologie; il est professeur de dermatologie au Centre des sciences de la santé de l'université du Tennessee, à Memphis. Il est en outre l'auteur de *Smart Face* et de *The Skin Doctor's Skin Doctoring Book.*

Le Dr Suzanne M. Levine a un cabinet privé de podologie. Elle est podologue adjointe à l'hôpital Mount Sinai de New York et l'auteur du livre *My Feet Are Killing Me* et de *Walk It Off.*

Le Dr Christophe McEwen est directeur du Service de dermatologie à la clinique Ochsner de Baton Rouge, en Louisiane.

Le Dr Nicholas G. Popovich est professeur adjoint de pratique pharmaceutique à l'université Purdue, à West Lafayette, en Indiana.

Le Dr Nicholas Spanos est professeur de psychologie à l'université Carleton d'Ottawa.

Le Dr Owen Surman est psychiatre à l'hôpital général du Massachusetts, à Boston, et professeur adjoint de psychiatrie à la faculté de médecine de l'université Harvard dans la même ville.

Le Dr Alvin Zelickson est professeur de dermatologie à la faculté de médecine de l'université du Minnesota, à Minneapolis.

Vomissement

13 remèdes pour vous soulager

Vomir est l'aboutissement logique de la nausée. Votre estomac cherche à se débarrasser des substances qui l'incommodent.

Aidez-le donc à se calmer et prévenez la déshydratation. Nous avons demandé des conseils à quelques spécialistes. Les voici.

Oubliez les anti-acides. «C'est trop tard. Ces potions bien connues, Dimalan®, Maalox® ou Polysilane®, ne sont pas conçues pour arrêter les vomissements, affirme le Dr Samuel Klein, professeur adjoint de gastro-entérologie et de nutrition

ALERTE MÉDICALE

N'attendez pas trop longtemps

Le vomissement peut être le signe d'un problème grave. «Si vous vomissez abondamment et fréquemment, ou si vous vomissez du sang, consultez un médecin», dit le Dr Bezruchka, médecin d'urgence au Centre médical Providence de Seattle, dans l'État de Washington. Consultez aussi un médecin si vous ne gardez aucun aliment pendant 24 heures et si aucun remède ne semble vous soulager», dit le Dr Kenneth Koch.

«Si vous avez très soif et si vous remarquez que vous n'urinez pas beaucoup, et, surtout, si vous êtes pris de vertiges lorsque vous vous levez, des signes de déshydratation, consultez un médecin au plus tôt, dit-il. Si vous savez que ce n'est qu'une mauvaise grippe ou si vous venez de manger quelque chose d'un goût bizarre, donnez-vous un peu plus de temps.»

humaine à la faculté de médecine de l'université du Texas, à Galveston. Prenez-en seulement dans le cas où les vomissements sont causés par un excès d'acide gastrique. Par exemple, si vous avez un ulcère à l'estomac ou si vous avez mangé quelque chose qui vous cause de l'irritation». Dans ce cas bien précis, ces médicaments peuvent neutraliser l'excès d'acide ou soulager l'irritation. Sinon, oubliez-les.

Remplacez les liquides. «Une personne qui vomit beaucoup doit avant tout prévenir la déshydratation et ne pas maigrir», dit le Dr Kenneth Koch, gastro-entérologue attaché au Centre médical Hershey de l'université Pennsylvania State. Les vomissements entraînent la perte d'une grande quantité de liquides que vous devez remplacer en buvant beaucoup.

«Buvez des liquides très limpides, comme de l'eau, du thé faible et des jus, dit le Dr Klein. Même des liquides comme le lait ou une soupe épaisse peuvent être difficiles à garder.»

Remplacez les nutriments importants. Les vomissements évacuent aussi des minéraux. Le Dr Klein recommande de prendre des boissons riches en électrolytes pour remplacer ces nutriments, notamment l'Adiaril®, des bouillons, du jus de pommes ou de canneberge. On peut aussi boire de l'eau, mais il est préférable d'y ajouter quelques pincées de sel et de sucre. «Je conseille souvent à mes patients de boire de l'Adiaril® à petites gorgées toutes les demi-heures», déclare le Dr Koch.

Buvez à petites gorgées, ne buvez pas d'un trait. En prenant de petites gorgées de liquide, vous donnez le temps à votre estomac irrité de s'adapter, dit le Dr Koch. Ne buvez pas d'un trait. Ne buvez pas plus de 30 à 60 ml de liquide à la fois, conseille le Dr Koch. Sinon, ce pourrait être le déluge.

Déterminez vos propres besoins. Moins vous buvez à la fois, plus vous devez boire souvent. La fréquence suivant laquelle vous devez prendre des liquides dépend de la façon de réagir de votre estomac. Une fois que vous sentez que vous pouvez garder la dernière gorgée, prenez-en une autre.

Servez-vous d'un code de couleur. Si votre urine est d'un jaune trop foncé, cela signifie que vous ne buvez pas assez de liquides. Plus elle devient pâle, plus cela indique que vous luttez efficacement contre la déshydratation.

Privilégiez la chaleur. Nos spécialistes déconseillent de boire des boissons froides qui dérangent les estomacs sensibles. «Prenez plutôt des boissons à la température ambiante ou des boissons chaudes», déclare le Dr Koch.

Laissez le gaz s'échapper. Les petites bulles ne sont pas recommandées lorsque vous venez de vomir. Laissez votre boisson gazeuse préférée perdre ses bulles avant de la boire.

Prenez un sirop. «Pour calmer l'estomac, dit le Dr Robert Warren, directeur des Services de pharmacie à l'hôpital Valley Children de Fresno, en Californie, rien de mieux qu'un sirop de cola. Nous ignorons pourquoi il est efficace, dit-il, mais il l'est. Il constitue en outre une excellente source d'hydrates de carbones concentrés, et, en plus, son goût est agréable. Pour les enfants, la posologie est de 5 ml à 10 ml; pour les adultes, de 15 ml à 30 ml; à prendre entre les vomissements aussi souvent qu'on en ressent le besoin.

Ou prenez un sirop vendu en pharmacie. Si vous préférez prendre un sirop médicamenteux, essayez Vogalene®.

Commencez par des hydrates de carbone. Tôt ou tard, les vomissements cesseront. Les spécialistes recommandent de recommencer à manger en prenant un dessert à base de gélatine.

«Dans les hôpitaux, c'est généralement le dessert à base de gélatine que l'on propose aux patients de prendre en premier lieu après une période de vomissement», déclare le Dr Warren. Essentiellement liquide, il est facile à supporter pour l'estomac; de plus, la gélatine contient un taux élevé d'hydrates de carbone, et son goût est agréable. Vous pouvez aussi manger du pain grillé sans beurre ou des biscottes.

Ajoutez des protéines légères. «Lorsque vous vous sentirez un peu mieux, vous pourrez prendre des protéines légères comme du blanc de poulet ou du poisson, dit le Dr Koch. De la soupe de poulet et de nouilles, ou de poulet et de riz, est l'aliment parfait dans ces circonstances», dit-il. Veillez cependant à bien dégraisser la soupe.

Gardez les matières grasses pour la fin. «Les matières grasses séjournent trop longtemps dans l'estomac et peuvent vous donner une sensation de ballonnement», dit le Dr Koch. Évitez les viandes grasses et les soupes à base de crème.

EXPERTS CONSULTÉS

Le Dr **Stephen Bezruchka** est médecin d'urgence au Centre médical Providence de Seattle, dans l'État de Washington, et il est l'auteur du livre *The Pocket Doctor.*

Le Dr **Samuel Klein** est professeur de gastro-entérologie à la faculté de médecine de l'université du Texas, à Galveston. Il est en outre conseiller à la rédaction du magazine *Prevention.*

Le Dr **Kenneth Koch** est gastro-entérologue au Centre médical Hershey de l'université de Pennsylvanie et chercheur affilié à la NASA. Il effectue des travaux de recherche sur les causes de la nausée.

Le Dr **Robert Warren** est directeur des services de pharmacie à l'hôpital Valley Children de Fresno, en Californie.

Zona

13 moyens de combattre la douleur

C'est comme si l'une de vos voies nerveuses était brûlée au chalumeau et crépitait de douleur. Quelques jours plus tard, de vilaines ampoules rouges apparaissent là où la douleur est la plus vive. Très vite, leur couleur devient laiteuse, un signe qu'il ne s'agit pas d'une irritation ordinaire. Vous souffrez de zona, une infection virale d'un nerf sensitif.

Vous avez certainement eu la varicelle lorsque vous étiez enfant. Le virus de l'herpès zoster, l'envahisseur qui vous a causé tant de misères, n'a jamais disparu de votre système. Jusqu'à présent, votre système immunitaire avait réussi à garder ce virus complètement inactif. Même maintenant, votre système immunitaire empêche le virus de faire des ravages dans votre organisme. Mais c'est une maigre consolation. Selon la gravité de votre zona, les douleurs peuvent persister, même après la disparition des ampoules.

Le virus de l'herpès zoster fait évidemment partie de la famille notoire des virus de l'herpès. Le mot zoster signifie ceinture en grec et, tant que vous n'avez pas souffert de cette affection, vous ne vous doutez pas à quel point ce mot est approprié.

Que pouvez-vous faire pendant que vous vous rétablissez?

AU DÉBUT

Voici ce que les experts recommandent pendant les premiers stades de la maladie.

Prenez des analgésiques. Le Dr Jules Altman, médecin dans un cabinet privé à Warren, au Michigan, et professeur clinique de dermatologie à l'université Wayne State, recommande le Tylenol® extra puissant, un substitut de l'aspirine®.

Renforcez votre système tout entier. «Des doses additionnelles de vitamine C et de vitamines du groupe B feront beaucoup de bien à votre système immunitaire et à vos nerfs», dit le dermatologiste John G. McConahy, de New Castle, en Pennsylvanie. Il

ALERTE MÉDICALE

Pour prévenir des dommages irréversibles aux nerfs

Si les douleurs sont vraiment intolérables, consultez votre médecin. Dites-vous que ce n'est pas le moment d'être stoïque. Si vous ignorez vos douleurs, vous pourriez infliger des dommages irréversibles aux nerfs et souffrir pendant des années, dit le Dr Leon Robb.

N'oubliez pas que le zona n'est pas une maladie de la peau, mais une infection virale qui touche un nerf.

Pendant les premiers stades de la maladie, les médecins prescrivent généralement des traitements à l'acyclovir® ou à un médicament stéroïdien. L'acyclovir® ralentit la reproduction du virus de l'herpès zoster et raccourcit la durée de l'infection, mais il pourrait prévenir la névralgie postherpétique, c'est-à-dire la douleur nerveuse qui persiste après la guérison de la peau. Certains médecins croient que les médicaments stéroïdiens comme la prednisone peuvent prévenir cette douleur, d'autres n'en sont pas convaincus.

La technique que le Dr Robb préfère consiste à injecter une substance neuroplégique. «En bloquant les nerfs sympathiques qui provoquent les douleurs, il est possible d'apporter un soulagement réel et radical à 75 ou 80 % des patients», dit-il.

Heureusement, on peut venir en aide aux personnes qui souffrent de névralgie post-herpétique chronique. L'un des traitements consiste à implanter dans la colonne vertébrale un petit dispositif électrique: stimulé par un transmetteur externe, il provoque un choc capable de masquer la douleur.

conseille à ses patients atteints de zona 200 mg de vitamine C, cinq à six fois par jour pour renforcer leur résistance immunitaire, et des suppléments de vitamines du groupe B pour régénérer leurs cellules nerveuses. (Bien entendu, vous ne devez entreprendre une thérapie vitaminique qu'avec l'approbation de votre médecin et sous sa surveillance.)

Le Dr McConahy conseille aussi à ses patients de prendre une multivitamine qui contient du zinc.

Essayez la lysine. Un certain nombre d'études démontrent que la lysine, un acide aminé, peut contribuer à empêcher la prolifération du virus de l'herpès. Cependant, toutes les études sur la lysine ne mènent pas à cette conclusion.

«Prendre de la lysine au début d'une crise de zona ne peut pas faire de tort et peut même être utile», dit le Dr Leon Robb, directeur du Robb Pain Management Group, à Los Angeles, en Californie.

COMMENT TRAITER LES AMPOULES PROVOQUÉES PAR LE ZONA

Une fois que les ampoules sont apparues, il existe diverses mesures que vous pouvez prendre.

Ne faites rien. Laissez les ampoules guérir d'elles-mêmes à moins que l'irritation ne soit très grave, dit le Dr Robb. «On peut retarder la guérison si l'on irrite la peau en y appliquant trop de crèmes et de pommades.»

Appliquez un liniment à la calamine. La recette vient du Dr James J. Nordlund, professeur et directeur de département de dermatologie à la faculté de médecine de l'université de Cincinnati. Vous pouvez demander à votre pharmacien de vous préparer ce traitement.

Voici la recette: ajouter à de la lotion de calamine 20 % d'alcool isopropylique et 1 % de phénol et de menthol. Si le phénol est trop fort ou si le menthol est trop prononcé, diluer le liniment dans une quantité égale d'eau.

«Appliquez ce liniment aussi souvent qu'il vous plaira pendant la journée, jusqu'à ce que les ampoules s'assèchent et que des croûtes se forment, dit le Dr Nordlund. Cessez ensuite le traitement.» À ce stade, servez-vous d'une lotion qui contienne du phénol et du menthol, du Nutriderm® par exemple.

Faites l'essai d'une pâte à base de chloroforme et d'aspirine®. Le Dr Robb préconise ce traitement, qui vient du Dr Robert King, médecin à Syracuse, dans l'État de New York.

Pulvérisez deux comprimés d'aspirine®. N'utilisez pas de substituts. Ajoutez 30 ml de chloroforme à cette poudre et mélangez. Appliquez la pâte sur la région touchée à l'aide d'un tampon d'ouate. Appliquer un peu de cette pâte plusieurs fois par jour. Vous pouvez aussi demander à votre pharmacien de vous préparer ce remède.

Comment agit-il? On dit que le chloroforme dissout les résidus de savon, les huiles et les cellules de peau mortes, ce qui permet à l'aspirine® de pénétrer dans les plis de la peau et de désensibiliser les terminaisons nerveuses touchées. Vous devriez commencer à ressentir un soulagement au bout de cinq minutes. Le soulagement peut durer des heures, et même des jours.

692   Les remèdes maison des médecins

Appliquez une compresse humide sur les éruptions graves. «Prenez un gant de toilette ou un linge humide, trempez-le dans de l'eau froide, essorez-le et appliquez-le sur la région touchée, dit le Dr Nordlund. Plus la compresse est froide, plus elle fait de bien. Un peu comme de la glace sur une brûlure», dit-il.

N'alimentez pas le feu. Évitez tout ce qui pourrait réchauffer la peau couverte d'ampoules. La chaleur ne servirait qu'à aggraver les choses, dit le Dr Robb.

Trempez-vous dans un bain d'amidon. Si vous faites du zona sur le front, oubliez ce qui suit. Cependant, si seul votre corps est touché, cela peut vous être utile. «Ajoutez une poignée de fécule de maïs ou d'avoine colloïdale comme de l'Aveeno ® dans l'eau de votre bain et laissez-vous tremper pendant un bon moment, conseille le Dr Nordlund. Faites très attention de ne pas glisser en entrant ou en sortant de la baignoire», ajoute-t-il.

«Les gens trouvent ce traitement utile, bien que le soulagement qu'il procure soit de courte durée, précise-t-il. Je recommande souvent à mes patients de faire ce traitement 20 minutes avant de se coucher, puis de prendre un analgésique pour qu'ils s'endorment plus facilement.»

Traitez l'infection à l'eau oxygénée. «Si les ampoules s'infectent, essayez de les tapoter avec de l'eau oxygénée. Vous n'avez pas besoin de la diluer. Vous pouvez puiser à même la bouteille», dit le Dr Robb.

Appliquez une pommade antibiotique. Si vous achetez une telle pommade, choisissez-le avec soin. La néomycine et le Neosporin® sont bien connus pour rendre la peau très sensible. Le Polysporin® et l'érythromycine sont de meilleurs choix.

LES TRAITEMENTS À UTILISER UNE FOIS QUE LES AMPOULES ONT DISPARU

Vous pouvez rester sensible même lorsque les ampoules ont disparu. Voici ce que vous devez faire dans ce cas.

Mettez de la glace. «Si vous ressentez encore de la douleur une fois que les ampoules ont disparu, mettez des glaçons dans un sac en plastique et frottez-vous la peau vigoureusement, dit le Dr Robb. Ce traitement a pour but de confondre les nerfs, et il a été démontré qu'il était efficace.»

Interrogez-vous. «Il arrive parfois que les douleurs prolongées du zona soient attribuables à un besoin émotif sous-jacent qui n'est pas satisfait, dit le Dr Altman. Vos douleurs vous font-elles oublier quelque autre problème? Ou sont-elles provoquées par votre besoin d'attention? Ce sont là des hypothèses à envisager, dit le Dr Altman, et vous avez peut-être intérêt à en discuter avec votre médecin.»

EXPERTS CONSULTÉS

Le Dr Jules Altman est médecin dans un cabinet privé à Warren, au Michigan, et professeur de dermatologie à l'université Wayne State, à Detroit.

Le Dr John G. McConehy est dermatologiste dans un cabinet privé à New Castle, en Pennsylvanie.

Le Dr James J. Nordlund est professeur et directeur du département de dermatologie à la faculté de médecine de l'université de Cincinnati, en Ohio.

Le Dr Leon Robb est directeur du Robb Pain Management Group, à Los Angeles, en Californie, où il traite des patients atteints de zona et fait des recherches sur cette maladie. Il a été anesthésiste pendant 25 ans et directeur de l'anesthésie au Centre médical Hollywood Presbyterian.

Index

tensifiaient. Se rapprochaient. On lançait
un rythme saccadé. Des réponses fusaient,
ments et de chocs sourds.
ent ! ai-je crié, ou murmuré. Je vais bien,
ntion.

e sont poursuivis, et soudain des rais de
t parvenu de partout à la fois, créant un
e poussière étincelante en suspens dans

oche s'est soulevée et la clarté du soleil
ur moi dans sa glorieuse crudité. J'ai cli-
veuglée.
e Blanton planait au-dessus de moi, la
uleur de jambon bouilli.
nez-vous. On va vous sortir de là en un

ssi à sourire.

plus tard, nous repartions pour Delaram,
aee et de Rasekh dans des housses mor-
re du véhicule.
de mortier s'était abattu sur le cimetière,
s se trouvaient derrière le Humvee. Avec
vaient pas été blessés, juste égratignés
ui avaient volé en tous sens.
e du destin, Blanton avait eu la vie sauve
dance à la nicotine, qui l'avait poussé à
zone d'impact. Quant aux deux jeunes
abitués à la guerre, ils avaient pris leurs
u dès qu'ils avaient entendu le projectile

termes, n'ayant aucune expérience de
vais été la seule à être assez bête pour
auvais endroit, au mauvais moment. Et
étais à genoux, je n'avais pas réagi avec
aire.
vait projetée dans la tombe. Les débris
nbés sur moi n'avaient pas formé une

Des roches qui m'emprisonnaient maintenant comme
à l'intérieur d'un cercueil.

Combien de mètres ? Combien de tonnes ?

Ma panique allait croissant. Nouvelle décharge d'adrénaline.

Respire !

J'ai raidi le cou et les épaules, penché la tête en avant,
le plus loin possible, et l'ai renvoyée en arrière.

Mon crâne a heurté la roche. Une douleur m'a traversé le cerveau.

Mais le résultat était là : le sable s'est mis à ruisseler
avec un doux sifflement et la pression sur ma poitrine a
diminué.

J'ai inspiré lentement. L'air poussiéreux déposait une
croûte sur ma langue et dans le fond de ma gorge. Mes
poumons ont explosé en une quinte de toux rauque.

Nouvelle inspiration ; nouvelle quinte.

Le vertige a passé. Mes pensées ont commencé à s'organiser en schémas cohérents.

Appeler ? Mais dans quelle direction ? Je ne savais
même pas dans quelle position je me trouvais par rapport au sol.

Y avait-il quelqu'un près de moi ? Quelqu'un de vivant,
qui pourrait me libérer ? Mes compagnons avaient-ils été
ensevelis, eux aussi ?

J'ai battu des paupières pour chasser le sable que
j'avais dans les yeux. Tout autour, ce n'était que ténèbres
et silence absolu. Pas un son, pas une voix. Pas un bruit
de pelle. Aucun mouvement.

La panique, encore.

*Réfléchis. Oublie l'éboulement. La poussière. Le
silence assourdissant.*

J'ai essayé de rouler sur le flanc gauche. Ma jambe
droite était bloquée et une pique me rentrait dans le mollet.

J'ai tenté de fléchir le genou. Eu aussitôt l'impression
qu'une pointe de feu remontait le long de ma cheville.

Et si je me penchais sur la droite ? Impossible.
J'avais l'épaule plaquée contre la roche. La roche qui

surplombait le cimetière, une minute auparavant. Cette falaise au pied de laquelle j'étais à présent ensevelie, comme le mort exhumé tout à l'heure.

Réfléchis.

Je me suis forcée au calme. Obligée à respirer régulièrement. J'ai contraint mon blindage pare-balles à se soulever et à s'abaisser.

Inspirer. Expirer. Inspirer. Expirer.

J'aurais voulu crier, mais j'avais la bouche trop sèche. J'ai fait de mon mieux pour produire un peu de salive.

Ma voix m'a fait l'impression d'être étouffée, assourdie. Où était le haut ? Où était le bas ? Est-ce que je criais vers le ciel ou vers la terre ?

Mes pensées s'embrumaient à nouveau. Manque d'oxygène ? Intoxication au dioxyde de carbone ? Avant, j'aurais su répondre. Plus maintenant.

Les questions se bousculaient dans ma tête.

Un obus de mortier ? Un missile sol-sol ? Lancé par qui ?

Après tout, quelle importance ?

Blanton et Welsted avaient-ils été ensevelis, eux aussi ? Et les deux jeunes Afghans réquisitionnés pour creuser ?

J'ai refermé les yeux. Je n'entendais que le doux glissement du sable qui s'insinuait dans les failles.

Pourquoi n'entendais-je personne sonder ? Creuser ? Crier ? Les villageois nous avaient-ils abandonnés ? Laissant aux nôtres le soin de nous retrouver — ou pas ?

Allais-je mourir ? D'hypothermie ? Asphyxiée ? Combien de temps cela prendrait-il ?

À la pensée de la mort, une horrible tristesse s'est emparée de moi. Périr ici, si loin de chez moi, si loin des gens que j'aimais. Katy. Harry. Pete. Ryan. Oui, même Ryan.

Une larme s'est frayé un chemin le long de ma joue puis est tombée sur ma main.

Mon cerveau désorienté a quand même su en déduire une information capitale.

Concernant la gravité.

J'étais allongée sur le cô était sous moi. Le monde ciel se trouvaient quelque gauche.

J'ai pris une inspiration pouvait aller ma main gau

Ne faisant qu'effleurer délicatement, comme s'i jeu de mikado. Sachant q sion les maintenaient en

Et que toute modificat provoquer une nouvelle

Il était probable qu'e pas tassée de façon asse arrivée d'air. Mais de qu

Et à quelle profonde bien de temps les se tout, que trouveraient-cadavre ?

Là, j'ai perdu consci

Et puis je me suis naient. Liquides. Indis

Des voix ?

Je me suis figée.

Oui, des voix huma

Prise d'euphorie, g poir, j'ai réussi à bou recoins les plus éloi visage. Mes doigts se comme mon poing. réussi à lui faire décr je disposais et à frap

Comment exprima

Bon sang, qu'est-

Je me suis mise à mue par l'espoir i extérieur.

Les cris des ordres suivies de

— Dou mais faites

Les bru lumière me kaléidosco l'air.

Enfin, u s'est déver gné des yeu

Le visag peau rougi

— Cram rien de tem

J'ai juste

Trois heu les corps d' tuaires, à l'

Quand l'o les deux mar Welsted. Ils par des éclats

Par un cap grâce à sa dé s'éloigner de qui creusaien jambes à leur fondre sur eu

En d'autre la situation, j me trouver au comme de plu la vitesse néce

L'impact m qui étaient ret

couche si épaisse. Les parois de la fosse m'avaient tenu lieu d'abri. Je n'étais pas restée enfouie plus d'une dizaine de minutes, même si cela m'avait paru durer une éternité.

— C'était probablement un M252A1, a spéculé Welsted alors que nous reprenions la route. À la longue, on finit par faire la différence. Chaque type d'obus a sa complainte, qu'il chante tout en déchirant l'air.

— Intéressant, mais hors sujet. La question est plutôt : quel est le crétin qui a lancé ça ?

— Impossible à dire pour le moment. Sauf que ça ne vient sûrement pas de chez nous. Nos frères d'armes ne se seraient pas contentés d'en tirer seulement un.

C'était à Blanton que Welsted répondait, tout en s'adressant ostensiblement à moi.

— Les M252 sont des obus de fabrication anglaise, que nous utilisons aussi. L'armée et les marines. Quand nos troupes sont obligées de se replier rapidement, il arrive qu'on abandonne des armes sur place.

— Et les insurgés les récupèrent ?

Welsted a hoché la tête.

— Ils les ramassent et font ce que ferait n'importe quel ennemi un peu futé.

— Vous pensez que nous étions visés ? ai-je demandé.

Welsted a eu un haussement d'épaules évasif.

— Il se peut qu'un éclaireur ait repéré notre véhicule et se soit dit qu'il tenait l'occasion de le détruire. À moins qu'il s'agisse d'une erreur de tir, d'une triangulation incorrecte sur un objectif différent. Ou encore…

— Ou encore un ratage de première classe. Je suis venu ici pour effectuer un certain boulot, pas pour qu'on me pète les couilles.

Welsted a foudroyé Blanton du regard.

— En zone de guerre, toute mission comporte des risques.

— Il y aura une enquête sur l'origine de ce tir ? ai-je insisté.

— Une équipe de reconnaissance est déjà en route, mais je n'en attends pas grand-chose. Les lanceurs ne pèsent qu'une trentaine de kilos. Deux hommes suffisent pour le servir. Après, ils disparaissent. Ces lanceurs ayant une portée de cinq ou six kilomètres, ça fait beaucoup de sable à fouiller. Je suis étonnée que les artilleurs n'aient tiré qu'un seul obus. Peut-être qu'ils n'en avaient pas d'autre.

À cet instant, le Humvee est passé dans une ornière. La secousse brutale m'a déclenché une douleur fulgurante de la cheville au genou.

— Faut vous faire soigner ça, a déclaré Welsted en remarquant ma grimace.

— Je m'en sortirai bien toute seule.

— Comme vous voudrez.

En effet. J'étais déjà assez mortifiée d'avoir dû procéder à la seconde exhumation assise à côté de la tombe, à cause de cette cheville foulée, et me contenter de diriger les opérations. Pour le reste, grâce à mon casque et à mon gilet pare-balles, je n'avais subi que des blessures légères, égratignures et abrasions.

Ébranlés par l'explosion, les jeunes Afghans chargés de creuser avaient refusé de poursuivre le travail. Leurs remplaçants, tout aussi jeunes et tout aussi costauds, étaient beaucoup moins enthousiastes. Il avait fallu les surveiller de près.

Après vingt minutes de trajet, nous sommes arrivés à Delaram où le Black Hawk nous attendait. En clopinant vers l'appareil, j'ai remarqué qu'on chargeait les housses mortuaires dans la soute. Je me suis hâtée de rattraper Welsted.

— Je pense que les corps devraient faire le voyage avec nous, ai-je dit.

— Pourquoi ?

— Les entreposer dans la soute pourrait être interprété comme un manque de respect. Comme si on transportait un cadavre dans le coffre d'une voiture.

Welsted a ordonné le transfert des corps. Blanton l'a regardée faire sans réagir.

Je bouclais mon harnais de sécurité quand une jeep rouillée s'est arrêtée auprès de nous. Le trio du village

234

en est descendu. Le grand escogriffe et le type au grain de beauté se sont dirigés vers l'hélicoptère. Ils allaient nous accompagner pour assister à l'autopsie, comme convenu. Je me suis demandé si l'oncle Sam leur offrait l'aller-retour en avion ou si leur chauffeur allait se taper la route jusqu'à Bagram pour les récupérer.

Je les ai observés discrètement pendant le vol. Ils étaient tous les deux assis, le visage fermé, les yeux rivés sur leurs mains. À quoi pouvaient-ils bien penser ? Je n'arrivais même pas à l'imaginer.

Nous n'avions pas perdu un instant, pourtant le soleil était couché quand nous sommes arrivés. Vue du ciel, la base ressemblait à une résille de lumière voguant sur une mer de ténèbres infinies.

J'étais épuisée et ma cheville me faisait mal. Palpitation lancinante mais supportable. J'avais la peau comme du papier de verre, complètement desséchée par le soleil et le vent.

Je n'avais qu'une envie, en quatre points : me débarrasser de mon gilet pare-balles et de mon treillis crasseux, prendre une douche, avaler cinq litres d'eau et m'écrouler dans mon lit.

Mais j'avais encore du pain sur la planche.

— J'accompagne les restes à l'hôpital, a déclaré Welsted. Vous n'êtes pas obligée de venir.

— Oh si, j'y tiens.

— Allons-y, alors. Il est tard, a réagi Blanton.

Surprises, nous nous sommes retournées.

— À partir de maintenant, je peux m'en occuper seule, a dit Welsted.

— C'est hors de question !

Blanton s'est dirigé vers une jeep nouveau modèle, à châssis surbaissé. Je l'ai suivi en traînant la patte. Une fois les housses mortuaires dûment transférées dans une camionnette, Welsted nous a rejoints et a ordonné au chauffeur d'y aller. Les Afghans nous suivraient.

— Des Growlers, deux cent mille dollars la bête, a fait Welsted en assenant par sa vitre ouverte une claque du plat de la main sur le flanc du véhicule. Au cas où vous vous demanderiez où passent vos impôts…

Si elle espérait une réaction de ma part, elle a été déçue. J'avais lu quelque part que l'armée allongeait six cents dollars pour un siège de toilette.

En cours de route, nous avons enlevé nos blindages corporels. Welsted a expliqué que la clinique de cinquante lits vers laquelle nous nous dirigions rivalisait avec les hôpitaux les plus modernes des États-Unis.

— La différence, c'est qu'ils voient moins de blessures par balles que chez nous, au Texas.

Dieu du ciel… Où cette femme trouvait-elle l'énergie de blaguer ? Enfin, si c'était de l'humour…

Le Heathe N. Craig Joint Theater Hospital était situé dans un périmètre bien éclairé, dans la partie ouest de la base. Le bâtiment principal, de couleur sable, était un cube de faible hauteur, surmonté d'une demi-douzaine de cheminées qui crachaient de la fumée. Le drapeau afghan flottait au vent à côté de la Bannière étoilée, indifférents l'un comme l'autre à leur environnement.

La camionnette s'est arrêtée dans un hall couvert, suivie de près par notre Growler. Tout le monde est descendu. Pendant qu'on transférait les housses mortuaires sur des civières, j'ai regardé autour de moi.

Un gigantesque drapeau américain était tendu au plafond, au-dessus de nos têtes. Devant nous, sur un pilier, on avait peint au pochoir les mots *WARRIOR'S WAY* — chemin du combattant. Sur les portes, des panneaux ronds à fond rouge barrés d'un trait oblique indiquaient que les armes n'étaient pas autorisées au-delà.

Les observateurs afghans sont arrivés dans un deuxième Growler. Ils ont mis pied à terre juste au moment où l'on poussait les civières vers les urgences.

À l'intérieur de l'établissement, il faisait si froid que j'en ai eu la chair de poule. À notre passage, le personnel soignant en tenue d'hôpital ou en treillis ouvrait de grands yeux, tout comme les médecins, avec leurs bonnets chirurgicaux et leurs masques abaissés sous le menton.

Les corps d'Aqsaee et de Rasekh ont été poussés le long d'un interminable corridor carrelé jusqu'à une chambre froide assez semblable à celle que nous avons au MCME. C'est là qu'ils attendraient avant l'examen.

Après un coup d'œil aux délégués du village, je me suis tournée vers Welsted:

— Si on pouvait prendre des radios des deux corps dès ce soir, ce serait autant de gagné pour demain. Je dois savoir ce que contiennent les linceuls avant de les ouvrir.

— En ce qui vous concerne, vous feriez mieux de vous reposer. Vous en avez vraiment besoin.

— On en a tous besoin, ai-je répliqué.

Welsted m'a scrutée longuement.

— Est-ce que vous feriez confiance à un technicien de radiologie pour prendre vos clichés, sachant qu'il le ferait en ma présence?

À Charlotte, je l'aurais fait. D'où ma réponse positive.

Welsted s'est alors approchée des villageois pour s'entretenir brièvement avec eux.

— Ils sont d'accord. Tant que nous laissons les corps tournés vers la Mecque.

— Je peux rester, vous savez.

Welsted a regardé sa montre.

— Non. Pour vous, la journée est terminée. (Et d'ajouter à la cantonade:) Ce sera tout pour aujourd'hui. On se retrouve ici demain matin, à sept heures.

De retour à mon baraquement, j'ai enlevé mon treillis et ma chaussette. Ma cheville était un cocktail ensoleillé de chair tuméfiée et de peau éraflée.

J'aurais dû mettre de la glace sur l'enflure, bien sûr. Mais pas le temps. J'ai enfilé un jeans et un sweatshirt propres en me répétant que ç'aurait pu être bien pire. Ma botte lacée le plus serré possible, je suis ressortie en espérant ne pas arriver trop tard.

À vingt-deux heures, la base était aussi animée qu'en plein jour. Les routes grouillaient de Humvee, de pick-up, de jeeps et de deux-roues. Les piétons se hâtaient d'aller manger ou de regagner leurs quartiers, les centres de loisirs ou les douches. Les relais radio et les lampadaires clignotaient sur le fond de ciel nocturne.

Le vent qui descendait des montagnes rafraîchissait l'atmosphère. Les insectes pullulaient autour des lampes sous lesquelles je passais.

J'ai demandé mon chemin et me suis dirigée vers un bâtiment jaune à un étage signalé par l'enseigne LIGHTHOUSE. Quelques clients traînaient devant le bistrot, on voyait le bout rouge de leur cigarette briller dans le noir.

— Maman ! Maman ! Par ici !

Katy me faisait de grands signes depuis la terrasse du premier étage.

— Monte !

Et comment !

Oubliant ma cheville, j'ai filé droit vers la porte et gravi l'escalier.

L'endroit était bourré de monde. Il n'y avait qu'une table libre. Je me faufilais vers la terrasse quand Katy a fondu sur moi, radieuse, les bras écartés.

Elle m'a serrée contre elle avec une force que je ne lui connaissais pas. Ses biceps étaient durs comme du bois.

— *Fuck*, maman ! J'arrive pas à croire que tu sois là !

— C'est pourtant vrai.

— Je suis passée te voir à ton baraquement, mais tu étais sortie.

— Effectivement.

J'étais incapable d'en dire davantage.

Un caporal suppléant du corps des marines a voulu s'installer à la table vide, derrière nous. Le regard de Katy l'en a dissuadé. Et c'est nous qui y avons pris place.

— Tu t'es fait mal au pied ?

— Je me suis froissé un muscle.

— Aïe.

— Comme tu dis. C'est Scott Blanton qui t'a contactée ?

— Qui ça ?

— Laisse tomber.

Katy s'était coupé les cheveux très court. Rien ne l'y obligeait. Mais les demi-mesures, ce n'était pas vraiment le genre de ma fille.

— J'ai reçu tes courriels.

— Et tu n'as pas répondu.

— On était en opération. Je viens juste de rentrer.

— Vous faisiez quoi ? ai-je demandé, l'air de rien.

— Interdit d'en parler, tu sais bien. Et puis ça te met chaque fois dans un tel état…

— Dans quel état… ?

Katy a levé les yeux au ciel, ouvert la bouche et s'est tapé sur les joues de ses deux mains.

— Tu paniques.

— Je ne panique pas.

— D'accord. Mais tu t'en fais trop.

— Ou c'est toi qui ne t'en fais pas assez !

La fatigue, ma cheville. Quoi qu'il en soit, j'ai regretté mes paroles à la seconde où je les ai prononcées.

Katy s'est crispée, je l'ai vu à sa mâchoire.

— Désolée. La journée a été dure.

— Je fais mon boulot, maman. Comme toi, tu fais le tien. En venant ici, on savait très bien, toi et moi, qu'on n'allait pas au Club Med.

— Tu as raison, je panique. Désolée.

Katy s'est radoucie.

— T'excuse pas. Si tu arrêtais de t'en faire, j'en serais désespérée. Qui d'autre s'en ferait pour moi ?

On a commandé un goûter et du café assez fort pour donner des palpitations à un pachyderme. La conversation s'est bornée à des sujets anodins. Ce qui se passait à Charlotte. Le mariage de Pete et Summer.

Puis Katy a mis sa main sur la mienne.

— Je me lève tôt demain matin. Et toi, tu as l'air au bout du rouleau.

— C'est vrai. D'ailleurs je me lève à l'aube, moi aussi.

J'ai réglé l'addition. Katy s'est détournée, prête à partir. Pour faire aussitôt volte-face, une lueur malicieuse dans le regard.

— Et merci.

— De quoi ?

Je n'avais pas idée de ce qu'elle voulait dire.

— De ne pas avoir parlé de mes cheveux.

Elle est partie, emportant un gros morceau de mon cœur avec elle. Mais me laissant la certitude de la revoir bientôt.

Débat avec moi-même pendant que je rentrais dans le noir : prendre une douche ? Aller au mess manger encore un morceau et demander de la glace pour ma cheville ?

Au diable.

Retour direct à ma B-hut. Là, j'ai réglé l'alarme de mon iPhone, ôté mes jeans et me suis glissée au lit.

Je me suis endormie, bercée par le vacarme des réacteurs au-dessus de ma tête.

Chapitre 23

J'ai été réveillée par le vacarme des réacteurs au-dessus de ma tête.

J'avais moins mal à la cheville, mais une douleur intermittente à la tête à cause du décalage horaire, de l'air raréfié du désert, et de la faim qui me tenaillait.

Je me suis habillée à la hâte et j'ai consulté mes courriels. Rien de Larabee. Une semaine depuis qu'on avait découvert la petite. À chaque jour qui passait, les pistes qui menaient à mon chauffard en fuite refroidissaient…

Au mess, j'ai fait main basse sur des œufs et des galettes de pommes de terre, et me suis servi un litre de café. J'ai trouvé une table libre. Je venais de m'installer quand un Blanton pas rasé et avec de grands cernes noirs sous les yeux s'est laissé tomber sur la chaise en face de moi.

— Une journée de plus au paradis…

J'ai songé un bref instant à lui dire qu'il avait des miettes de bacon entre le nez et la lèvre supérieure. Et je me suis ravisée.

— Bien dormi?

— Comme un bébé, a-t-il répondu.

Il a tiré sur sa paupière inférieure, exposant un blanc de l'œil injecté de sang.

— Ça ne va pas être un problème pour vous, monsieur Blanton? Vu le travail minutieux qui nous attend aujourd'hui.

241

— Qui vous attend, vous. Pas moi.

— Vous savez bien que tout doit être documenté.

— Ma chère, c'est pas mon premier rodéo.

Sur un sourire, il s'est tiré.

Je me suis demandé en finissant mon café si Slidell me paraissait moins nul, comparé à ce crétin. Réponse : non.

Mais la distance qui les séparait rétrécissait à vue d'œil, ai-je conclu en reposant ma tasse sur le plateau.

Lorsque je suis arrivée à l'hôpital, Welsted et les délégués du village s'y trouvaient déjà.

— Les radios ont été faites, m'a annoncé Welsted tout en me conduisant vers la salle qui nous avait été attribuée. Je vous fais apporter les corps ?

— S'il vous plaît. Et les clichés sont où ?

— Sur l'une des civières.

Pendant qu'elle donnait des instructions à un infirmier, j'ai inspecté les lieux.

Un carrelage blanc, deux civières libres, un scialytique sur pied, des négatoscopes portatifs, deux profonds éviers en acier avec leur comptoir, une petite collection de scalpels et de pinces ainsi qu'une loupe. Rien à voir avec l'équipement dont je disposais à Charlotte ou à Montréal, mais ça ferait l'affaire.

Blanton nous a rejoints alors qu'un infirmier amenait les civières supportant les restes. Sans un mot, il a commencé à disposer son matériel photo et vidéo. Les deux villageois posaient sur toute chose des regards inquiets. Ils avaient l'air tellement nerveux que, pour un peu, je leur aurais administré un calmant.

Je me suis approchée de Welsted pour lui dire deux mots, tout bas :

— Il vaudrait peut-être mieux qu'ils nous regardent depuis la pièce voisine.

D'un mouvement de tête, je lui ai indiqué la vitre d'observation pratiquée dans le mur, au-dessus des éviers.

— Je vais les accompagner, m'a proposé Welsted.

Quelques instants plus tard, la lumière s'est allumée de l'autre côté de la vitre, et je les ai vus entrer.

Je leur ai adressé un hochement de tête encourageant et j'ai entrepris de fixer les radios de Rasekh sur les négatoscopes. Puis, sans grand optimisme, j'ai actionné les interrupteurs.

En effet, Rasekh avait déjà été sorti de la tombe et placé dans une housse mortuaire lorsque l'obus de mortier s'était abattu sur nous. À la suite de quoi il nous avait fallu près d'une heure pour le dégager de l'éboulis de terre et de roche. Je craignais le pire pour le squelette.

Les radios du corps encore dans sa housse montraient des restes d'un blanc lumineux. Les os longs semblaient plus ou moins intacts, mais le torse était en miettes et le crâne écrasé. Plus rien ne s'articulait. Rasekh était dans un état bien pire que je ne le redoutais.

J'ai adressé aux visages derrière la vitre un sourire empreint d'une confiance que j'étais loin d'éprouver.

J'ai soufflé dans un gant en latex et me suis tournée vers Blanton.

— Prêt ?

— Tous les voyants sont au vert.

Il a allumé la caméra vidéo. J'ai pris mon iPhone et commencé à dicter : heure, date, lieu et nom des personnes présentes. Et puis j'ai mis mon masque.

Une forte odeur de terre s'est échappée de la housse dès que je l'ai ouverte. Prudemment, tout doucement, j'ai défait le linceul entourant Rasekh.

En une année, mère Nature avait opéré sa magie inéluctable. Quelques restes de ligaments demeuraient, par exemple les tendons qui reliaient naguère les phalanges, ou l'enveloppe d'une capsule articulaire. En dehors de cela, la chair avait totalement disparu.

Mais ce que le temps et le désert avaient épargné, le glissement de terrain l'avait anéanti en quelques secondes.

Aucun des fragments du crâne et de la mâchoire inférieure d'Abdul Khalik Rasekh ne mesurait plus de cinq centimètres carrés, six au maximum. J'ai reconnu un rebord orbitaire, un fragment d'arcade zygomatique, un processus mastoïde, un condyle mandibulaire, des dents éparses.

Le squelette postcrânien s'en était un peu mieux sorti. Si les fémurs et les tibias étaient intacts, les autres os des jambes étaient brisés. Tout comme le bassin.

Mais c'étaient la poitrine et les membres supérieurs qui avaient le plus souffert. Les os des bras, les clavicules, les omoplates, le sternum, les vertèbres et les côtes étaient virtuellement en miettes.

Ce qui ne faisait pas notre affaire.

Au stand de tir, on apprend aux marines à viser le centre du corps. Imaginez un torse humain. Tracez une ligne allant d'un mamelon à l'autre, puis une ligne partant de chacun des mamelons et remontant vers la gorge. N'importe quel projectile qui atteindra cette zone mettra le sujet hors d'état de nuire, sinon en le tuant, du moins en causant un état de choc ou une paralysie.

C'est le Triangle de la Mort.

Que cela soit dû à des impacts de balles ou à l'avalanche de débris, chez Rasekh ce triangle n'était plus qu'une nébuleuse de miettes.

Profonde inspiration. Signe de tête aux observateurs.

J'ai rassemblé les fragments reconnaissables et entrepris de les organiser en une sorte de puzzle macabre. Le tout en tentant de repérer des traces d'impacts.

Pour rester concentrée, je me suis repassé mentalement certains faits de base.

Les blessures par balle sont classées selon la distance qui sépare le tireur et la victime. Une plaie à bout touchant, c'est-à-dire l'arme étant appliquée sur la chair, peut laisser des traces de suie, l'empreinte du canon, voire une lacération provoquée par les gaz de propulsion du projectile. Une balle tirée à bout portant, autrement dit à une distance inférieure à vingt centimètres, provoquera une cavité et laissera des résidus de tir.

Pourtant, ce n'était pas cette classification qui me serait utile ici. D'abord, parce qu'il n'y avait plus de tissus. Ensuite, parce que les témoins s'accordaient à dire que Gross se trouvait à environ quinze mètres d'Aqsaee et de Rasekh.

De mon côté, pas l'ombre d'une trace d'impact.

— Avec quelle arme Gross a-t-il tiré ? ai-je demandé.

Plus pour m'entendre confirmer des faits essentiels que pour raviver mes souvenirs du dossier.

— Un M16. L'arme standard des marines.

— Combien de coups ?

Cette question-là, pour dissimuler mon anxiété.

— Le M16 est muni d'un chargeur de trente balles. Gross a vidé le sien.

C'était excessif, même pour deux cibles.

— Quel type de munitions ?

— Des 5,56 mm. Le standard de l'OTAN.

— Vitesse ?

— Plus de neuf cents mètres seconde. Presque mille. De la bouillie !

Avec son élégance coutumière, Blanton faisait allusion à la séquence d'événements qui se produit parfois avec certains types de projectiles. Si la balle se retourne ou bascule sur son axe, elle peut se fragmenter et projeter des éclats de métal dans les chairs. Ce genre de blessure peut faire beaucoup plus de dégâts qu'une balle qui traverse nettement la cible.

— Les témoins, dans leurs déclarations, donnent-ils des précisions sur la séquence de tirs ? ai-je demandé.

Blanton a parcouru ses notes.

— Ils rapportent avoir entendu une salve, une pause, puis une autre salve. Mais tout le monde dit la même chose : c'était le chaos total.

Petit coup d'œil aux délégués du village. Ils étaient toujours derrière la vitre, sévères, résolus. Je me suis dit que je devais faire à peu près la même tête.

Quand j'ai eu fini de trier le contenu de la housse corporelle de Rasekh, j'ai commencé à commenter ce que je voyais. Selon mon habitude, je suis partie de la tête.

— Un homme d'âge mûr, d'après les caractéristiques crâniennes identifiables.

J'en ai fait la liste.

— Dentition fragmentaire, incomplète, mais cohérente avec l'âge et le sexe du sujet, Abdul Khalik Rasekh.

— C'est vraiment nécessaire ? a demandé Blanton sur un ton impatient.

— Les choses deviennent confuses, les souvenirs s'estompent. C'est pourquoi toute exhumation se doit de commencer par l'identification des restes.

J'ai poursuivi ma description des dégâts en soulignant les caractéristiques correspondant au profil biologique de Rasekh. Un fragment de symphyse pubienne a confirmé ma première estimation de l'âge, la forme des os pubiens celle du sexe : masculin.

Mais les éclats, fragments et autres débris du torse étaient trop pulvérisés et abrasés pour apporter quelque information que ce soit sur les causes de la mort.

Malgré mes bonnes résolutions, ma voix a commencé à trahir mon agitation.

Ce que Blanton n'a pas manqué de remarquer.

— Ça va, doc ?

— Super.

J'ai repoussé les cheveux sur mon front, et revérifié tous les fragments du milieu du corps de Rasekh, à la loupe cette fois. Autant examiner des biscuits écrasés par un rouleau compresseur.

Mon mal de tête est revenu en force tandis que je m'affairais, accroissant d'autant ma sensation d'oppression. J'avais dit que la trajectoire de la balle serait facile à déterminer. On m'avait fait venir de chez moi, à plus de onze mille kilomètres, pour procéder à cette analyse. Et j'étais en train de me planter.

J'examinais un segment d'humérus de six centimètres quand j'ai remarqué, à la surface, une attrition presque invisible à l'œil nu.

— Regardez ici, ai-je dit à Blanton en lui présentant l'os de manière qu'il puisse filmer les marques. Des résidus de tir, peut-être, mais répartis de façon irrégulière.

— Et donc, pas moyen d'en déduire une direction, a conclu Blanton.

— Non, ai-je confirmé.

Et j'ai recommencé à scruter l'os sous tous les angles en plissant les paupières.

Déçue, j'ai enregistré une description du défaut. Blanton a pris plusieurs gros plans au Nikon en plaçant dans le cadre une réglette indiquant l'échelle, puis il a fait des doubles au Polaroïd.

— Ces petits chéris ont fait beaucoup de progrès depuis les photos merdiques qu'on prenait dans le temps, a-t-il dit en déposant sur le comptoir les instantanés qu'il avait récupérés. Une image de sept sur douze, quatorze mégapixels, une impression sans encre et des détails visibles en un clin d'œil. J'ai vu beaucoup trop de catastrophes avec du matériel dernier cri, supposément infaillible. Je prends toujours des Polaroïd par mesure de sécurité.

Chapeau, M. Blanton.

J'ai poursuivi mes investigations, un fragment après l'autre.

Sans rien trouver.

Découragée, je me suis redressée et me suis dérouillé les épaules. La pendule indiquait midi dix.

— Une pause ? a suggéré Blanton.

J'ai secoué la tête.

— Maintenant que tous ses os sont en position anatomique, M. Rasekh retourne en radiologie.

Blanton a appelé Harold, le technicien qui avait fait les radios des restes encore enveloppés dans leur housse. Il est arrivé très vite. Je lui ai donné mes instructions, il est reparti avec la civière.

— À moins que les radios ne repèrent quelque chose qui m'aurait échappé, ce qui est peu probable, l'examen de Rasekh n'a rien donné. Au suivant.

J'ai enregistré le nom du second homme. Ahmad Ali Aqsaee. Après avoir ajouté les autres informations qui le concernaient, j'ai regardé les radios des ossements encore dans la housse.

Et je me suis un peu détendue.

Aqsaee était en meilleur état que Rasekh. Normal, puisqu'il était encore sous terre au moment où l'obus avait explosé. Certes, les habituelles dégradations *post mortem* paraissaient importantes, mais il n'y avait pas de désordre parmi les ossements, ce qui était déjà une bonne chose.

Je me suis approchée de la civière, j'ai ouvert la fermeture à glissière de la housse et écarté les pans.

À côté de moi, Blanton retenait son souffle.

Comme Rasekh, Aqsaee était réduit à son squelette. Mais un squelette très différent sur un point bien précis : la couleur des os.

Les profanes pensent que les ossements sont blancs, et se fondent, pour étayer leur conviction, aussi bien sur des images d'Halloween que sur les squelettes destinés à l'enseignement ou les cages thoraciques de bisons que l'on voit dans les westerns. Rien de plus faux que cela. En réalité, les os prennent souvent la pigmentation du substrat dans lequel ils sont enfouis.

C'était le cas en l'occurrence. Le squelette d'Aqsaee avait la couleur d'une vieille selle en cuir. Blanton a aussitôt réagi :

— Voilà une chose qu'on ne voit pas tous les jours !

— Ce n'est pas si rare, ai-je objecté. Les minéraux contenus dans la roche ou le sol ont vraisemblablement déteint sur lui.

— Et pourquoi pas sur l'autre ?

— Il est possible que la structure du sol soit différente, au fond du cimetière. Les eaux de ruissellement venant de la colline ont pu s'infiltrer dans la tombe de Rasekh et délayer les composants du sol.

— Cette coloration ne va pas vous compliquer la tâche ?

— Non.

Et c'est dans le même état d'esprit que précédemment — peut-être un peu moins tendue quand même — que je me suis approchée du jeune homme pour procéder à son examen.

J'ai confirmé le sexe et l'âge du squelette grâce aux dents et aux os. Un homme. Dix-sept ans. Concordance avec le profil biographique d'Aqsaee.

— Doc…

J'ai regardé Blanton.

— Le reste de l'équipe a besoin de manger.

Avec réticence, je me suis soumise à la volonté générale. Retour une demi-heure plus tard pour attaquer l'analyse traumatique.

Crâne intact. Pas de fracture. Aucun impact de balle. Blanton l'a photographié sous toutes les coutures.

Mandibule cassée au milieu. Événement de prime abord *post mortem*, résultant probablement du poids et de la pression de la terre entassée sur le corps.

Nouvelle série de gros plans.

Sur les bras et les jambes, aucun signe de traumatisme.

Au thorax, maintenant.

Il était presque aussi endommagé que celui de Rasekh. À la vue des côtes et des clavicules brisées, des vertèbres écrasées et abrasées, tout comme les omoplates et le sternum, j'ai senti mon cœur se serrer à nouveau.

Malgré moi, j'ai jeté un coup d'œil en direction de la fenêtre d'observation. De l'autre côté, Welsted et les délégués étaient plongés dans une discussion animée. Le grand Afghan gesticulait énergiquement. Il s'est retourné et a tendu un doigt furieux vers la vitre juste au moment où je le regardais.

Blanton a dû remarquer lui aussi la dispute, car il a déclaré :

— Je vais voir ce qui se passe.

Et verser de l'huile sur le feu ?

Peut-être. Néanmoins, je n'ai rien fait pour le retenir, j'étais trop concentrée sur l'inspection des fragments constituant la cage thoracique d'Aqsaee.

Je m'y affairais depuis une dizaine de minutes lorsque j'ai repéré une marque de deux centimètres sur un segment de côte. Marque de forme ronde, incomplète mais caractéristique. J'ai placé ce bout de côte à part.

Sept minutes plus tard, j'ai découvert une autre trace, partielle elle aussi. Puis une troisième.

Avec une excitation croissante, j'ai identifié et agencé ensemble quatre éclats plus ou moins triangulaires qui, du vivant du jeune homme, formaient son sternum.

Mes battements de cœur se sont accélérés.

Procédant avec d'infinies précautions, j'ai retourné les éclats et les ai reconnectés afin d'observer l'arrière de l'os.

Et là, j'ai dû me retenir pour ne pas sauter au plafond.

Bang ! Bang !

Mes yeux se sont levés vers la vitre. Le grand bonhomme venait de donner un coup de poing dessus. Blanton essayait de le calmer. Quant à Welsted, elle n'était plus dans mon champ de vision.

J'étais trop excitée pour me soucier de leur querelle.

J'allais envoyer ces os à la radio, mais peu importait le résultat.

Je savais déjà ce qui s'était passé.

Chapitre 24

L'examen des deux Afghans était achevé depuis une heure et les délégués du village étaient repartis chez eux avec la promesse d'un rapport détaillé et l'autorisation de ramener Aqsaee et Rasekh à Sheyn Bagh pour les ensevelir à nouveau.

Je me trouvais maintenant au QG opérationnel, assise à la table de chêne clair dans la salle de conférences, à la même place que le mardi précédent.

Mes compagnons avaient également repris les sièges qu'ils occupaient la dernière fois. Étrange cette manie à laquelle tout le monde souscrit.

Et comme la dernière fois, nous attendions le colonel Fisher.

Blanton avait sous les bras de vilaines traces noires qui faisaient écho aux cernes qu'il avait sous les yeux. Il avait filé Dieu sait où tout de suite après notre départ de l'hôpital. Qu'est-ce qu'il avait bien pu fabriquer, pour transpirer comme ça ?

— Vous vous sentez bien ? lui ai-je demandé, plus par désœuvrement que par intérêt pour sa santé.

Blanton a eu un haussement d'épaule.

— Je dois couver quelque chose.

Après ce bref échange, le silence est retombé et les minutes se sont égrenées. Nous étions trois à connaître le résultat de l'examen : Blanton, Welsted et moi. Noonan ne savait rien et il était tendu.

À l'entrée de Fisher, Noonan et Welsted ont esquissé le geste de se lever. Blanton et moi sommes restés assis.

Fisher a refermé la porte et pris place au bout de la table.

— Alors, a-t-elle fait en me lançant un rapide sourire. Vous avez terminé.

— En effet.

— Je me suis laissé dire que ça avait été mouvementé, là-bas.

— On ne s'est pas ennuyés.

— Je vous écoute, a fait Fisher en se calant contre son dossier, les mains croisées sur ses genoux.

— Comme toujours, nous avons de bonnes et de mauvaises nouvelles, ai-je commencé.

— Allez-y, lâchez les mauvaises.

— Les restes de M. Rasekh étaient beaucoup trop endommagés pour nous permettre de tirer des conclusions sur la trajectoire des balles. Ou sur les causes et les circonstances de sa mort, d'une façon générale.

Fisher s'est fendue d'un petit hochement de menton très sec.

— Les bonnes nouvelles ?

— M. Aqsaee était en bien meilleur état. La dégradation *post mortem* était importante, mais les traces d'impacts de balles étaient clairement visibles dans la région thoracique. J'ai pu observer, décrire et enregistrer des blessures partielles indiquant le point d'entrée et de sortie des projectiles. Cela, sur deux fragments de côtes, une vertèbre et les surfaces antérieure et postérieure du sternum.

Fisher a haussé légèrement un de ses sourcils.

— L'os plat situé sur le devant de la poitrine.

— Continuez.

— Vous voulez une description biomécanique complète du schéma de fracture ?

— Gardez ça pour votre rapport. Pour ce qui nous concerne, le dernier paragraphe suffira.

— Le sous-lieutenant Gross n'a pas tué Ahmad Ali Aqsaee en lui tirant dans le dos.

Tout à coup, on aurait entendu une mouche voler dans la pièce.

Une longue seconde, et Fisher a lâché :

— Vous pouvez nous en dire juste un peu plus ?

— J'ai pu identifier trois blessures d'entrée de balles et deux de sortie. Prises ensemble, ces traces d'impacts décrivent au moins deux trajectoires de projectiles. Toutes les deux allant d'avant en arrière.

Même haussement de sourcil.

— Les balles sont entrées dans la poitrine de M. Aqsaee et ressorties dans son dos.

— Et cette constatation corrobore le compte rendu que le sous-lieutenant Gross a donné de l'incident ?

— Oui.

— Vous êtes certaine de vos conclusions ?

— Oui.

— Des conclusions déduites à partir de quelques petites entailles dans les os ?

— En plus des traces d'entrée et de sortie, on voit très bien sur les radios la présence de fragments métalliques. Leur orientation vient étayer mes conclusions : les balles ont bien effectué un trajet allant de l'avant vers l'arrière du corps. Je m'en étais aperçue en étudiant les clichés des ossements d'Aqsaee, une fois sortis de la housse et replacés conformément à leur position anatomique.

Noonan s'est penché en avant.

— Vous voulez dire que, pour la plus jeune des victimes, vous en êtes sûre à cent pour cent ?

— Rien n'est jamais sûr à cent pour cent.

— Mais avec un degré d'incertitude raisonnable, sur le plan médical.

— Oui, ai-je répété.

Noonan s'est passé la main sur la joue. A soupiré bruyamment, bouche close.

Fisher avait encore des questions à poser.

— Et les ricochets ? Une balle ne pourrait pas entrer dans le dos, rebondir autour des côtes, du sternum ou de je ne sais quoi et revenir en arrière ?

J'ai secoué la tête.

— Les balles ne se déplacent pas à la façon d'un boomerang. Si une munition entre dans une victime…

— On ne pourrait pas cesser de les appeler «victimes»? s'est écrié Blanton avec une véhémence qui a surpris tout le monde.

— Quel mot préférez-vous, monsieur Blanton? a rétorqué Fisher.

— Insurgés? Ou même tireurs, pourquoi pas?

— Ces hommes n'étaient pas armés, pour autant que nous le sachions.

Blanton s'est laissé aller contre son dossier en secouant la tête.

Un dernier point intéressait Fisher:

— Le sous-lieutenant n'a-t-il pas pu toucher sa cible à la fois dans la poitrine et dans le dos?

— Ce serait théoriquement possible si des tirs continus avaient fait tournoyer la cible sur elle-même, mais j'aurais alors trouvé des marques d'entrée de projectile dans le dos et de sortie par devant, ce qui n'est pas le cas.

— Donc, il se pourrait que Gross soit innocent, a fait Noonan d'une voix plate n'exprimant ni surprise, ni doute, ni soulagement.

— Comprenez bien le sens de mes paroles, ai-je insisté, tenant à mettre en garde l'auditoire. Ce que je dis, c'est qu'au moment précis où il a été tué, soit M. Aqsaee se tenait face au lieutenant Gross, soit il s'avançait vers lui.

Que Gross soit innocent ou coupable, c'était une autre question. Pour y répondre, il fallait prendre en compte des variables qui n'étaient pas enregistrées dans ses ossements. Les Afghans avaient-ils une attitude menaçante? Gross avait-il des raisons valables de se croire en danger? Mais ça, ça regardait les avocats, pas moi.

— Nous apprécions votre efficacité, a dit Fisher, car, depuis l'incident, les relations avec Sheyn Bagh étaient pour le moins tendues. Une exhumation mal effectuée aurait torpillé le peu d'estime que nous avions réussi à rétablir.

— Je doute que mes conclusions soient d'un grand réconfort pour les villageois.

Fisher a réfléchi un instant.

— Non, ces conclusions ne vont pas leur plaire. Enfin, c'est triste à dire, mais les Afghans connaissent le prix de la guerre. Ils se feront une raison et ils admettront qu'un soldat puisse être contraint de prendre une décision fatale. Que, sous la menace, il agisse de façon à sauver sa vie et celle de ses hommes.

Espérons-le. N'empêche que je me demandais fugitivement à quel artifice elle serait contrainte de recourir à son tour pour parvenir à ce beau résultat.

— Vous avez fait un travail remarquable, docteur Brennan. Et nous vous en sommes tout à fait reconnaissants. Mais on m'a priée de vous demander encore un service. Comme vous le savez peut-être, l'audience préliminaire du sous-lieutenant a été suspendue dans l'attente des résultats de l'exhumation. Votre présence à Lejeune est requise.

Je m'y attendais.

— Quand ça ?

— Immédiatement.

Merde.

— J'y serai.

— Les dispositions concernant votre transfert ont déjà été prises. Le Corps des marines vous remercie. Tout comme moi-même.

Tout le monde s'est levé. Échange de poignées de main et chacun a repris son petit bonhomme de chemin.

Katy ne pouvait pas dîner avec moi ce soir, mais la veille nous avions mis au point un plan magasinage.

Une brève distance séparait mon baraquement du magasin de l'armée. Je l'ai parcourue alors qu'un exubérant soleil couchant éclaboussait de rouge intense les pics couronnés de neige. Ainsi éclairés, les bâtiments en préfabriqué avaient un côté plus chaleureux que pendant la journée. Ombre et lumière dessinaient des zébrures sur le sol.

Dans le magasin, c'était la cohue. Impossible de repérer ma fille dans cette marée de tenues de camouflage.

Et bientôt, un tapotement sur mon sac à dos.

— *Oh boy !* Comme sentinelle, tu fais pitié.

Je me suis retournée. Katy, à cinquante centimètres de moi.

— Tu devrais mieux surveiller tes flancs, maman.

— Techniquement, tu n'es pas sur mon flanc.

Katy m'a souri. Elle était en treillis et bottes, un M16 en bandoulière.

Ça me faisait vraiment bizarre de voir ma petite fille harnachée de toute cette artillerie.

— Partante pour une ration de caféine ? a-t-elle demandé.

— Bien sûr.

Au Green Bean, on se serait cru dans n'importe quel café des États-Unis. Le menu affiché au mur proposait un million de variations sur le thème du café et du thé. À l'arrière-plan, une machine à expresso sifflait par intermittence. À moins que ce soit une machine à cappuccino…

— C'est quoi, ton poison préféré ? ai-je demandé. Je prendrai pareil.

— Régulier. Juste une goutte de lait.

Encore une surprise. À en juger par ses goûts tout neufs en matière de café et de coiffure, voilà que ma fille appréciait désormais le simple et l'efficace.

Nous nous sommes posées près d'un mur recouvert d'écussons militaires. Tous sur le thème du combat : épées, crânes et croix de fer. L'un d'eux correspondait au 335e Escadron de chasseurs qui avait pris pour surnom « les Chefs ».

Remarquant mon air intrigué, Katy m'a expliqué :

— Les unités ont souvent un écusson qui leur est propre. Comme des armoiries.

Je l'ai laissée continuer. Que m'importait de quoi elle parlait ; le bonheur, c'était d'être avec elle.

À un moment donné, elle m'a interrogée sur mon enquête. J'ai répondu que ça s'était bien passé.

— Tu as fini, alors ?

— Je repars demain.

Elle n'a rien dit. Je me suis posé des questions. Était-elle triste de me voir partir si vite ? Soulagée ? Avais-je fait intrusion dans un monde qu'elle souhaitait garder secret ?

— À Manas, j'ai rencontré deux femmes, a-t-elle dit au bout d'un silence qui m'a paru avoir duré une éternité. Chez Pete.

— C'est qui ?

— Un bar, sur la base. À Manas, ceux qui sont dans les forces armées ont droit à deux verres toutes les vingt heures, ou quelque chose comme ça. Mais pas les marines.

— Pourquoi ?

— J'imagine qu'il y en a qui ont un peu forcé la dose et ont foutu le bordel. Je ne connais pas les détails. Toujours est-il que là-bas, c'est beaucoup plus civilisé qu'ici.

— Tu dis ça parce qu'en Afghanistan, c'est le régime sec ?

Elle a levé les yeux au ciel.

— Bref, ces deux femmes étaient mère et fille. Elles s'étaient engagées ensemble, avaient suivi l'entraînement ensemble et partaient en mission ensemble.

— Sérieux ?

— Elles étaient dans l'armée de l'air. Elles effectuaient des missions d'escorte.

— Tu veux dire qu'on devrait faire équipe toutes les deux ?

Un rire, très fort. Suivi d'un autre silence. Et puis :

— Mon unité repart dans deux jours.

— Pour où ?

— Dans le nord. C'est tout ce que je peux dire. Sans blague, je n'en sais pas plus.

— Je comprends.

C'était vrai. Et ça ne me plaisait pas du tout.

Katy a lapé les dernières gouttes de son café si simple et si normal, et elle a demandé :

— Parée pour une patrouille au centre commercial ?

On a rigolé, toutes les deux. Le « centre commercial » de Bagram consistait en un labyrinthe de boutiques et d'échoppes où l'on trouvait surtout des produits locaux. Objets en laiton, en bois, en tissu. Bijoux. Tapis. C'était à peu près tout.

— Conduis-nous, reine du magasinage !

Katy a pris la tête de la colonne.

— Les commerçants sont tous afghans ?

— Je crois. Ils arrivent le matin, passent le contrôle de sécurité, installent leurs étals, et le soir ils repassent la sécurité et rentrent chez eux. Ils font des journées de seize, dix-sept heures.

En nous voyant approcher, les vendeurs nous invitaient gentiment à voir de plus près leurs marchandises. Nous nous arrêtions parfois. J'étais en train d'admirer une écharpe joliment tissée quand j'ai senti quelque chose effleurer ma main. Je me suis retournée.

Une jeune Afghane de quinze ou seize ans se tenait près de moi, ses grands yeux bruns rivés sur mon visage.

— Salut, ai-je dit en souriant.

Elle m'a chuchoté quelque chose en pachtou ou en dari. Je n'ai compris qu'un mot : *Allah*.

— Je suis désolée. Je ne comprends pas.

La fille a répété, en jetant des regards de tous côtés. Peut-être a-t-elle dit autre chose. Encore une fois, je n'ai compris que ce mot : *Allah*.

Cette gamine attendait-elle quelque chose de moi ? Ou essayait-elle seulement de répandre la bonne parole ?

Katy examinait une écharpe sur un autre étal. Je lui ai fait signe d'approcher.

— Tu comprends ce qu'elle raconte ?

— Ne fais pas attention, a répondu Katy en baissant la voix. Elle est un peu dérangée.

— Qu'est-ce que tu veux dire ?

— Je l'ai déjà vue faire ça.

— Quoi, ça ?

— Accoster les femmes en civil.

Katy m'a entraînée loin de la fille et poussée vers la rue.

— Une camarade de chambre dit qu'elle est folle.

Je n'ai pas résisté. Lorsque nous nous sommes arrêtées, plus loin, j'ai jeté un coup d'œil par-dessus mon épaule.

La fille me regardait toujours. Et puis un homme est sorti de la boutique et l'a fait rentrer à l'intérieur.

— Maman, viens voir.

Un peu troublée, j'ai essayé de m'intéresser à la carpette qui avait tapé dans l'œil de Katy. Je m'apprêtais à faire un commentaire quand un puissant hululement a fendu l'air.

— C'est une alerte, a annoncé Katy en lâchant le tapis. On s'en va.

Nous avons filé dans la rue, pris un virage à droite et pénétré dans une structure de béton, basse de plafond, recouverte de sacs de sable. Des gens occupaient déjà des bancs. D'autres sont entrés derrière nous.

En quelques secondes, il y a eu foule. Je n'ai pas senti de panique chez les autres, plutôt une calme acceptation de l'événement, due à la routine.

Pendant que nous attendions dans le noir, au milieu d'une cacophonie de sirènes, un nouveau frôlement sur ma main m'a fait tourner la tête. Recroquevillée à côté de moi, j'ai reconnu la fille aux «Allah». À côté d'elle, l'homme qui l'avait fait rentrer dans la boutique.

De longues minutes ont passé.

La fille était si près que je sentais ses tremblements. À un moment, elle a poussé un gémissement. L'homme l'a rabrouée sèchement. J'ai entendu le mot *Khandan*. Son nom ?

Le signal de fin d'alerte a fini par retentir. Nous avons récupéré nos affaires et nous sommes ressorties.

— Je te trouve bien détendue par rapport à ça, ai-je dit en passant le bras dans la courroie de mon sac à dos.

Katy a eu un haussement d'épaule.

— C'est plus ennuyant qu'autre chose. On s'y fait, la vie continue.

Pas toujours. Il y avait eu beaucoup de morts dans des bases américaines à la suite d'attaques de missiles et de mortier.

Pendant que nous parlions, l'homme et la fille sont passés devant nous. Il n'a pas fait attention à nous, mais la fille, elle, m'a de nouveau regardée fixement.

D'un air attristé ? Perplexe ? Suppliant ?

Oui, c'était ça. La fille semblait avoir besoin de quelque chose. Mais de quoi ?

Le temps que nous sortions, elle avait déjà disparu. J'ai interrogé Katy.

— À ton avis, qu'est-ce qu'elle voulait me dire ?

— Je te l'ai dit, elle est cinglée. N'y pense plus.

J'ai essayé.

Mais cette nuit-là, seule dans mon baraquement, je n'ai pas cessé de revoir le visage de cette fille.

Ses yeux noirs, implorants.

Chapitre 25

Vingt-quatre heures plus tard, je pensais toujours à cette fille.

Ou plutôt à deux filles.

Celle de Bagram, Khandan. Et mon inconnue de Charlotte.

Welsted avait organisé mes vols de retour. Je m'étais levée avec le soleil. Ce trajet de plus de onze mille kilomètres, du genre à ébranler la détermination de la plus aguerrie des globe-trotters — a commencé tristement, et s'est vite métamorphosé en cauchemar.

D'abord, il y a eu les adieux déchirants avec Katy. Elle était venue me dire au revoir juste avant le décollage.

Nous nous sommes embrassées très fort. Quelle puissance dans ses bras !

— Ça va aller ?

— C'est moi qui m'en vais. Promets-moi de faire attention à toi.

— Détends-toi, maman. Tout ira bien.

Sa calme certitude n'a fait que m'emplir d'une étrange appréhension.

Nous nous sommes à nouveau cramponnées l'une à l'autre. Et puis je me suis dirigée vers le hangar de regroupement.

C'est là qu'ont commencé les problèmes. Notre C-130J avait un moteur hors service. Les mécaniciens avaient été appelés à la rescousse. Nous savions tous ce que ça voulait dire.

Ayant passé toutes les formalités précédant le départ, je n'étais pas autorisée à retourner à la base. J'ai passé des heures à somnoler, à regarder des matchs de foot, à boire du café, à aller aux toilettes, à manger des sandwiches et des muffins en plastique, tout cela en compagnie d'une centaine d'hommes de troupe, d'aviateurs et de marines en sueur.

Nous avons fini par monter à bord et nous harnacher. L'avion a pris lourdement son essor dans l'air du désert, crevé la couche de nuages, et s'est remis à l'horizontale. Appuyée contre la cloison glacée qui vibrait sans interruption, j'ai fermé les yeux.

Et les filles me sont apparues. L'Afghane et l'inconnue qui se trouvait dans un tiroir de la morgue, au MCME.

Khandan. Elle avait quelque chose qui m'intriguait. À en croire Katy, elle avait des problèmes psychologiques, mais je m'interrogeais. Il y avait en elle une intensité qui ne cadrait pas avec ça.

De ce qu'elle voulait me dire, je n'avais saisi qu'un mot, *Allah*. Qu'attendait-elle de moi ? Que je vienne à son secours ? Que je lui fasse l'aumône ? Que je lui achète quelque chose ? Que je me convertisse ? Et pourquoi cette rencontre me troublait-elle autant ?

Ma jeune fille inconnue. Étrange, ce silence de Larabee. Signifiait-il que les pistes n'avaient rien donné ? Qu'elles avaient toutes fini en cul-de-sac ? Et Slidell, est-ce qu'il était vraiment sur le coup ? Sitôt rentrée chez moi, j'allais compléter ma déclaration et me consacrer de nouveau à l'affaire. Il fallait que je tienne la promesse que je lui avais faite.

Le temps que nous atterrissions à Manas International, j'avais une migraine à tout casser. Une veine de feu me courait le long de la colonne vertébrale, et ma cheville me faisait un mal de chien. Cette fois, j'étais attendue par un soldat pâle comme une endive, avec une moustache qui donnait l'impression d'être en barbe de maïs. Le badge épinglé à son treillis indiquait : ELKINS.

— Le sergent Mensforth a eu un empêchement, a commencé Elkins d'une voix nasillarde. C'est moi qui vais vous aider à passer le contrôle.

Louvoyant entre des militaires américains et des gardes kirghizes au visage de pierre, armés de fusils énormes, je l'ai suivi à travers le labyrinthe qu'était le centre de transit jusqu'à un amoncellement de bagages.

Le même que la dernière fois. À croire que personne n'y avait récupéré son barda depuis le jour où j'avais fouillé dedans pour retrouver le mien.

Mes sacs localisés, je les ai traînés jusqu'à la douane. Où la moindre de mes possessions a fait l'objet d'une inspection minutieuse, comme si mon dossier informatique avait révélé de multiples condamnations pour trafic d'armes et de drogue.

Ensuite, le contrôle des passeports. Là, je me suis vu froidement refuser le passage.

Le kirghize n'étant pas ma langue maternelle, ni celle d'Elkins, impossible de comprendre la nature du problème. Un traducteur ayant été appelé à la rescousse, une discussion animée s'est engagée. Et pendant ce temps-là, mon vol a été appelé.

L'interprète a fini par expliquer qu'à mon arrivée au Kirghizstan, il m'avait été établi un visa d'entrée valable une seule fois, et que, techniquement, mon escale actuelle constituait une seconde entrée.

Soixante minutes et un milliard de coups de fil plus tard, le problème était réglé. Grâce à de l'argent ? Aucune idée. J'ai couru à fond de train jusqu'à la porte d'embarquement, et j'ai réussi à monter à bord juste au moment où la trappe se refermait.

Cinq heures de vol, et nouvelle escale à Istanbul. Je consultais mes courriels dans le salon de la Turkish Airlines quand une voix suave, d'un calme exaspérant, a annoncé que plusieurs vols étaient retardés. Dont le mien. Ce qui ne m'a pas vraiment désespérée, ce salon étant l'endroit le plus confortable que j'aie vu depuis huit jours.

L'aube rosissait l'horizon lorsque j'ai fini par m'installer dans ma petite bulle de la classe affaires. Je lisais le menu quand la voix du commandant de bord s'est fait entendre dans la cabine.

— Mesdames et messieurs, nous avons une vilaine petite lumière qui clignote sur le tableau de bord. Ce n'est probablement rien, mais on nous demande de ne pas quitter la porte d'embarquement.

Le personnel de bord a aussitôt commencé à distribuer des boissons alcoolisées aux passagers de la classe affaires. Piètre réconfort pour ceux qui, comme moi, ne buvaient pas d'alcool.

Finalement, décollage au crépuscule. Pendant le vol, repas, film et dodo. Sommeil par intermittence, mais c'était toujours ça de pris.

Au réveil, j'avais gagné sept heures sans même m'en rendre compte. Mais ça ne me disait pas à quelle heure j'arriverais à Washington.

Sur le sol américain, troisième escale. Pour la troisième fois, j'ai dû récupérer mes bagages, passer la douane et l'immigration avant de pouvoir mettre le cap sur ma porte d'embarquement.

Quelles étaient mes chances ? Mon vol a été retardé.

Il y a des moments où l'on est obligé d'admettre le caractère aléatoire et rigoureusement futile de l'existence dans cet univers.

Pour tuer le temps, j'ai interrogé ma boîte vocale. Un appel de Ruff Noonan m'apprenant qu'à Camp Lejeune, on était au courant de mes tribulations, et que quelqu'un serait là, à Jacksonville, en Caroline du Nord, pour me récupérer, à peine l'avion aurait-il touché le sol.

Un autre de Larabee me demandant de l'appeler dès mon retour à Charlotte.

Un troisième de Pete pour que je le contacte, sitôt revenue sur le continent.

De Ryan, rien.

J'ai envoyé un courriel à Katy pour lui dire que j'avais regagné le monde normal.

Il était un peu plus de minuit quand j'ai enfin atterri à l'aéroport Albert J. Ellis de Jacksonville. Un sergent en treillis s'est approché de moi alors que je récupérais mes affaires sur le tapis de livraison des bagages. Un type plus tout jeune mais costaud, du genre capable de soulever une Toyota. Il s'est contenté de passer la courroie de mon sac de voyage sur son épaule.

— Sergent Earl Rigg, madame. Je vais vous emmener à Lejeune. Suivez-moi.

Nous avons pris la route 258 en direction du nord. Les phares des voitures venant en face produisaient un effet stroboscopique sur le pare-brise. Le moins que l'on puisse dire est que Rigg n'était pas bavard. Peut-être avait-il compris que j'étais épuisée.

Je regardais sans le voir le paysage qui défilait derrière la vitre. Une boutique de prêteur sur gages annonçant sur son auvent : ON ACHÈTE DES UNIFORMES DE LA NAVY. Un échantillonnage de fast-foods. Wilson Bay et ses eaux noires qui se perdaient dans le lointain tel un miroir sans fin.

Arrêt, au bout d'un certain temps, devant un imposant mur de brique où des pancartes proclamaient : CAMP LEJEUNE, BASE D'ENTRAÎNEMENT DES FORCES EXPÉDITIONNAIRES.

Passé le poste de contrôle, Rigg a retrouvé la parole.

— Ça va vous faire du bien d'aller fermer vos yeux.

Moi, avec un sourire — enfin, je crois :

— Ça se voit tant que ça ?

— Oui, madame.

J'ai entrouvert ma vitre et humé l'air chaud de la nuit. L'odeur de l'herbe fraîchement coupée, des pins et des cèdres rouges m'a fait prendre conscience à quel point j'étais heureuse d'être de retour en Caroline du Nord.

Le Lejeune Inn, endroit réservé aux visiteurs, était une construction de brique strictement utilitaire, des architectes Boîte Carrée et Sans Attrait.

— Allez vous présenter à la réception pendant que je vous sors vos affaires, a proposé Rigg.

J'ai hérité d'une chambre au rez-de-chaussée. Rigg est réapparu avec mes bagages alors que j'ouvrais ma porte.

— Bonne nuit, madame.

Un hochement de tête, et il était déjà reparti.

J'ai inspecté les lieux.

Une cuisinette. Une table. Deux chaises. Des tiroirs et des étagères encastrées, une télé sur l'une d'elles. Deux lits jumeaux.

Entre les deux, une table de nuit avec un réveil électrique grésillant doucement. L'écran affichait 00:47.

Un brin de toilette, et je me suis glissée sous les draps. Je me suis endormie à la seconde même où ma tête a touché l'oreiller.

Le lendemain matin, sonnerie stridente du téléphone.

— Mmm… ?

— C'est le sergent Rigg, madame. Le commandant Hawthorn aimerait vous rencontrer à dix heures.

Neuf heures vingt-quatre à l'écran du réveil.

— Je serai dans le hall d'ici vingt minutes.

Une douche rapide, un shampoing, les dents. Un soupçon de fard à joues, un café instantané, atroce, et j'ai franchi la porte.

Rigg était déjà là. À peine un signe de tête, et il a tourné les talons. Je me suis dit qu'il devait y avoir anguille sous roche, sinon il m'aurait saluée.

Il faisait chaud, mais le ciel était couvert. Les oiseaux, des dizaines d'oiseaux, montaient la garde sur les fils électriques et dans les arbres.

Depuis la route de la plage, on pouvait voir une unité de marines à l'entraînement, des équipes de six hommes à bord de Zodiac malmenés par les vagues, et le sergent instructeur qui aboyait ses ordres pour couvrir le bruit du ressac.

Le bureau du JAG — le juge-avocat général — et des services juridiques se trouvait au début de Holcomb Boulevard. Rigg m'a déposée devant la porte d'entrée.

— Demandez le commandant Joe Hawthorn.

L'employée de la réception avait de longues jambes, une peau de pêche et des cheveux caramel remontés en chignon sur le haut du crâne. Elle avait un accent du Sud plus traînant qu'un filet de chalutier.

— Temperance Brennan, pour Joe Hawthorn, ai-je annoncé.

— Je suis vraiment navrée, a-t-elle commencé comme si le problème la touchait personnellement. Le commandant Hawthorn est un brin en retard. Pourriez-vous l'attendre dans son bureau ?

Un brin ?

— Avec plaisir.

— Si vous voulez bien me suivre…

Elle s'est levée en souriant. Ses talons aiguilles cliquetant sur le carrelage gris, luisant, elle a tourné tout de suite dans un petit couloir et m'a ouvert la porte d'une pièce signalée par une plaque indiquant le nom et le rang de son occupant : Hawthorn.

— Je peux vous apporter quelque chose ? Du thé, du café ? Un soda, peut-être ?

— Du café, s'il vous plaît.

La pièce a suscité en moi une vision fugitive de l'antre de Mme Flowers, notre minutieuse réceptionniste du MCME. Un sous-main rigoureusement parallèle au bord de la table et quelques rares objets disposés avec une admirable précision : un bloc-notes jaune, un coupe-papier, trois stylos à égale distance les uns des autres, leurs pointes parfaitement alignées.

Dans un cadre, la photo d'un homme élégant affichant un air imperturbable, en compagnie d'une jolie femme affichant un air imperturbable et de deux garçonnets bien habillés. Je leur imaginais des prénoms quand Miss Sudiste est revenue avec un verre de café fumant et une serviette en papier. Hawthorn est arrivé à la seconde même où elle ressortait.

— Excusez mon retard.

La tenue de Hawthorn était à l'image de son bureau. Des chaussures qui brillaient comme un miroir, un uniforme au pli tranchant comme un rasoir, un rectangle à angles droits en guise de moustache, une raie dans les cheveux tracée au laser.

Je me suis levée. Nous nous sommes serré la main. Hawthorn avait la paume sèche, les ongles manucurés.

— Merci d'être venue. Je sais que vous devez être très fatiguée.

— J'aurai tout le temps de faire un somme plus tard.

— Asseyez-vous, je vous en prie.

En indiquant d'un geste le siège que je venais de quitter.

Il a pris place derrière son bureau.

— Comme vous le savez, l'audience préliminaire doit reprendre demain.

Il a formé un clocher avec ses doigts et posé le menton dessus.

— Vous savez ce que c'est, une audience préliminaire selon les termes de l'article 32 ?

— Dans les grandes lignes.

— Depuis le début des années 1950, la justice militaire est régie par le Code uniforme de justice militaire. L'UCMJ définit le cadre statutaire sur lequel sont fondés le droit pénal matériel et la procédure pénale de l'armée des États-Unis.

« Nombre des dispositions fondamentales sont similaires à celles que l'on trouve dans les juridictions fédérales et celles des États. En revanche, les dispositions concernant la procédure peuvent être assez différentes.

« Conformément aux termes de l'article 32 de l'UCMJ, aucune accusation ne peut être jugée en cour martiale tant qu'une enquête impartiale sur le fond n'a pas été diligentée. En cela, cette procédure est similaire à ce qui se passe dans les tribunaux civils pour les audiences devant le grand jury. »

Pete m'avait toujours affirmé que, dans les faits, l'article 32 garantissait plus de droits à l'accusé, parce qu'il permettait à la défense d'assister à l'audition, de procéder au contre-interrogatoire des témoins présentés par l'accusation et de soumettre des preuves, autant de choses qui ne sont pas permises devant un grand jury.

Je me suis rappelé son agacement quand on citait devant lui la vieille boutade de Groucho Marx selon laquelle la justice militaire était à la justice ce que la musique militaire était à la musique.

La voix de Hawthorn m'a arrachée à mes cogitations.

— L'accusation a présenté toutes les pièces de son dossier. J'ai l'intention de ne convoquer qu'un seul témoin, vous. J'ai pris connaissance de votre rapport et j'ai l'intention de vous demander de l'expliquer en détail, exactement comme le ferait n'importe quel avocat civil.

Hawthorn s'est calé contre son dossier.

— J'imagine que vous aimeriez en savoir un peu plus sur la personne jugée.

— Tout ce que vous estimerez pertinent que je sache, en effet.

— Le père du sous-lieutenant Gross était dans l'armée de l'air, de sorte qu'il a passé son enfance dans des bases militaires, allant de l'une à l'autre au gré des affectations de son père. On pourrait dire qu'il a l'armée dans le sang.

— Parfois, c'est l'inverse qui se produit.

— Certainement, mais ça n'a pas été le cas pour John. À peine son diplôme universitaire en poche — j'ajouterai que c'est lui qui a été choisi pour prononcer le discours lors de la cérémonie de fin d'études —, il est allé au bureau de recrutement des marines.

— Il n'a pas choisi l'armée de l'air ?

Hawthorn a laissé tomber ses mains à plat sur son bureau.

— Je suppose qu'il voulait prouver quelque chose à son père.

Je n'ai pas cherché à savoir ce que le commandant entendait par là.

— John s'est enrôlé au terme d'un contrat qui lui permettait d'intégrer immédiatement une unité combattante.

Après son entraînement, il s'est porté volontaire et a participé à l'opération Tempête du désert. Après quoi il a été envoyé plusieurs fois en mission au Moyen-Orient. Entre 1991 et 1994.

— Ça fait un sacré bout de temps.

— Oui.

Hawthorn m'a donné l'impression de vouloir ajouter quelque chose, mais il s'est ravisé.

— Au terme de son dernier engagement, John ne s'est pas réengagé. Il avait prouvé ce qu'il voulait prouver, aussi bien à lui-même qu'à son père. Il avait d'autres projets dans la vie. Grâce au GI Bill, mais aussi en travaillant à temps plein, il a pu financer la reprise de ses études et c'est ainsi qu'il est entré à l'université d'État de Caroline du Nord. Après avoir obtenu un diplôme en science politique, il a enseigné pendant plusieurs années au secondaire, à Charlotte. À moins que ce ne soit Charleston.

— Mais il a bien fallu qu'il se réengage ?

— En effet, le 9 novembre 2005. Cette date vous dit quelque chose, docteur Brennan ?

J'ai secoué la tête.

— Pour John, elle avait un sens. C'est le jour où des attentats-suicides ont été commis dans trois hôtels américains à Amman, en Jordanie. Le Radisson SAS, le Grand Hyatt et un Days Inn. L'attentat du Radisson a été le pire. Les kamikazes, un mari et sa femme, sont entrés dans une salle où se déroulait une réception de mariage. Sur les neuf cents invités, trente-huit ont été tués, dont les deux pères des mariés.

Cela me revenait. Soixante morts et cent vingt blessés en tout.

— Après des événements de ce genre, les engagements dans l'armée ont tendance à augmenter. Après le 11 septembre, dans la plupart des centres de recrutement, la queue s'étirait jusque sur le trottoir.

Le téléphone de Hawthorn a sonné. Il a jeté un coup d'œil à l'identité de l'appelant mais n'a pas décroché.

— John se sentait personnellement responsable. C'est ainsi que je vois les choses, même s'il ne les a jamais formulées dans ces mots. En tout cas, c'est ce que j'ai retiré de nos nombreuses conversations.

— Je comprends.

— John avait passé trois ans en Irak à essayer de faire de ce monde un endroit plus sûr. Ce massacre de civils était pour lui la preuve par neuf que le résultat attendu n'était pas au rendez-vous.

— Il s'agissait pourtant d'un conflit qui n'avait rien à voir, de coupables différents.

— Absolument. Mais pour certains soldats, il s'agit d'un mal généralisé, protéiforme. Saddam Hussein, Kadhafi, Khomeiny, les talibans. C'est une sorte d'hydre, un serpent aux innombrables têtes.

— C'est ce que pensait John ?

— Après ces attaques, le terrorisme est devenu pour lui une menace très réelle et qui le concernait personnellement. Menace pour l'Amérique, pour notre mode de vie.

— Il a abandonné son métier et s'est réengagé ?

— Il a présenté sa candidature à l'École des candidats officiers. Ce qui a posé un problème, compte tenu de son âge.

J'ai procédé à un rapide calcul.

— Il avait, quoi ? Début trentaine ?

— En Amérique, l'armée, comme le monde des affaires, préfère que ses responsables aient débuté jeunes. À son âge, John aurait déjà dû être officier d'un grade intermédiaire. Enfin, il a été accepté quand même.

Hawthorn a redressé le coupe-papier sur son bureau.

— Le fait que John soit un ancien jouait aussi en sa défaveur.

— Un ancien ?

— Un simple soldat qui se présente à l'École des officiers. C'est un sacré saut que de passer du contingent à une classe d'aspirants-officiers.

— Il y est néanmoins parvenu.

Hawthorn a hoché la tête.

— Il a fini la période d'instruction premier de sa classe, a choisi l'infanterie et s'est porté volontaire pour l'Afghanistan. Il en était à sa quatrième mission là-bas quand s'est produit l'incident de Sheyn Bagh.

— Quelle opinion ses compagnons avaient-ils de lui ?

J'ai posé mon verre vide et ma serviette sur le bord du bureau.

— Un type juste, qui travaillait dur, qui gardait son calme sous la pression. Mais aussi, comme a dit quelqu'un : un zélé pervers.

Je n'avais pas besoin d'en savoir plus.

— Oui, John était du genre intense, a repris Hawthorn avant d'ajouter avec un demi-sourire : Certains vous diront qu'un marine n'est jamais trop intense.

— Et les hommes placés sous ses ordres ?

Les yeux de Hawthorn ont dévié vers le verre et la serviette en papier qui déparaient la rigoureuse symétrie de son bureau. Machinalement, ses doigts ont rétabli la position de son sous-main, qui n'avait pas bougé d'un millimètre.

— Les avis divergent, évidemment. Toutefois, ils sont pour la plupart positifs.

— Celui de Grant Eggers est carrément négatif.

— Le caporal Eggers est le principal témoin de l'accusation.

Ça voulait tout dire.

— Comment le lieutenant Gross prend-il tout ça ?

— John adore son pays et vénère le Corps des marines. Mais il se sent trahi. Il est furieux d'être confiné à Jacksonville et ne souhaite qu'une chose, retourner en Afghanistan. Il est convaincu qu'il sera disculpé. Et j'en suis également persuadé.

Hawthorn a tendu le doigt vers mes détritus offensants et a dit, avec un sourire.

— Je peux ?

— Je vous en prie. Merci.

Verre et serviette ont disparu dans un gouffre invisible, près de ses pieds.

— Bon, a-t-il dit en se redressant. Entrons dans les détails de votre témoignage.

Nous avons consacré l'heure suivante à passer en revue les éléments du dossier. Hawthorn écoutait, posait des questions, prenait des notes. Quand j'ai eu fini, il s'est levé et m'a de nouveau remerciée.

— Si vous avez besoin de quoi que ce soit, vous pourrez me trouver au Lejeune Inn, ai-je dit tout en espérant du fond du cœur qu'il ne m'appellerait pas.

Rigg m'attendait devant la porte, avec la camionnette.

Pendant qu'il me ramenait à l'autre bout de la base, j'ai réfléchi aux paroles de Hawthorn.

Intense, tel était le mot qu'il avait employé.

Intense, jusqu'où ? C'était toute la question.

Rigg m'a déposée sous le portique en m'annonçant qu'il reviendrait me chercher à huit heures et demie le lendemain matin. Je suis allée dans ma chambre et j'ai appelé Ryan. Répondeur. Bien qu'il ait ignoré tous mes messages précédents, je lui en ai quand même laissé un.

Frustrée, affamée, je suis allée me chercher un double cheeseburger et des frites chez Wendy's. Mon Dieu que c'était bon d'être de retour à la maison.

J'ai regagné ma chambre en regrettant déjà la demi-livre de graisse que j'avais ingurgitée. Une heure et quart, disait le réveil grésillant. Je me suis étendue sur le lit. Dehors, les sentinelles à plumes s'égosillaient à qui mieux mieux.

J'ai fermé les yeux.

J'ai été à nouveau réveillée par la sonnerie du téléphone. Il faisait tout noir dans ma chambre.

— Allô ?

Silence au bout du fil.

— Allô ?

Un silence creux, comme si quelqu'un écoutait, la main sur le micro.

Clic.

C'est ça, tas de merde, excuse-toi !

Je suis sortie dans le couloir acheter un Coke Diète dans une distributrice. De retour dans ma chambre, j'ai allumé mon portable et sélectionné les photos du dossier PowerPoint que je comptais présenter à l'audience du lendemain. Une pensée me taraudait à propos de John Gross : ces os déterrés dans le désert afghan seraient-ils la clé de son destin ?

Chapitre 26

La salle de tribunal était spartiate : au centre, une estrade surélevée pour le juge, face à deux tables, l'une pour la défense, l'autre pour l'accusation ; sur un côté de l'estrade, la barre des témoins tournée vers la salle, un bureau pour le sténographe judiciaire devant la barre des témoins, une loge actuellement vide pour le jury et trois rangées de bancs, au fond, pour le public.

L'officier chargé de l'enquête, le lieutenant-colonel Frank Keever, un homme mince aux cheveux gris, n'avait pas l'air disposé à s'en laisser conter. Le ministère public était représenté par le commandant Christopher Nelson, un blond aux cheveux en brosse qui paraissait beaucoup plus grand assis que debout. Sans doute avait-il un buste interminable.

Le public se réduisait à un homme et une femme, les seuls civils de l'assistance. Certainement des journalistes, car ils prenaient des notes frénétiquement.

Quand je suis arrivée, le lieutenant John Gross était déjà assis, le dos raide et les doigts croisés sur la table devant lui. Il était bâti comme un bouledogue, compact, puissant, impression accentuée par son visage qui semblait sculpté dans le granit. Des rides bien nettes. Pas un cheveu qui dépasse du crâne.

À neuf heures trente, Keever a déclaré l'audience ouverte et demandé à Hawthorn s'il souhaitait passer à l'audition des témoins de la défense.

J'ai été appelée à la barre.

Pendant toute ma traversée de la salle, Gross m'a suivie des yeux sans que rien ne bouge sur son visage, un muscle, un cheveu ou un cil.

Hawthorn a commencé par m'interroger sur mes références, m'adressant en partie les mêmes questions que l'on m'avait posées à Charlotte deux semaines auparavant, lors de la sélection du jury.

Il a signalé que je possédais un doctorat en anthropologie et un certificat de l'Association américaine d'anthropologie judiciaire, laquelle comptait moins d'une centaine de membres. De mon côté, j'ai précisé que je n'étais pas docteur en médecine, mais spécialisée dans l'examen des matériaux squelettiques et que je travaillais en liaison étroite avec des médecins légistes pour tout ce qui touchait à l'évaluation de restes humains.

Hawthorn a ensuite fait état de ma connaissance du monde militaire en rappelant les consultations que j'avais effectuées pour le compte du JPAC, le comité chargé de l'identification des soldats tombés au front auprès du Laboratoire de l'armée à Hawaï. Enfin, il a souligné que je travaillais plus fréquemment pour l'accusation que pour la défense.

J'ai attesté que je venais de rentrer d'Afghanistan où j'avais supervisé l'exhumation des cadavres d'Abdul Khalik Rasekh et d'Ahmad Ali Aqsaee, et que j'avais procédé moi-même à l'autopsie de leurs squelettes à l'hôpital de la base de l'armée de l'air de Bagram.

Gross m'observait avec l'intensité d'un gros chat surveillant un moineau. De temps en temps, sa paupière inférieure gauche était prise d'un léger tremblement.

Et puis Hawthorn est entré dans le vif du sujet.

Hawthorn : Dans l'hypothèse où cela vous a été possible, quelles conclusions avez-vous tirées des points d'entrée et de sortie des projectiles ?

— Concernant M. Rasekh, aucune. Quant à M. Aqsaee, j'ai conclu que les balles l'avaient atteint au niveau de la poitrine et étaient ressorties dans le dos.

Chez Gross, aucune réaction. Juste ce tic.

Hawthorn : Pourquoi, concernant M. Rasekh, n'avez-vous pas réussi à déterminer la trajectoire des balles ?

— La destruction osseuse était trop étendue pour permettre l'identification des points d'entrée et de sortie.

Hawthorn : Mais, pour M. Rasekh, vous avez pu les identifier ?

— Oui.

Hawthorn : Veuillez décrire les observations qui vous ont amenée à cette conclusion.

— J'ai relevé plusieurs détails concordants. Sur deux fragments de côtes et des éclats du sternum, ainsi que sur une vertèbre. Tous les os présentaient des défauts — des manques — et des schémas de fracture caractéristiques de balles se déplaçant selon une trajectoire antéropostérieure, c'est-à-dire allant de l'avant vers l'arrière. Les éclats de métal et d'os détectés aux rayons X ont étayé cette constatation. Les balles qui ont frappé M. Aqsaee l'ont atteint dans la poitrine.

Le visage de Gross est resté d'une immobilité absolue. Un masque de pierre.

Hawthorn : Pouvez-vous expliquer brièvement ce qui se produit quand une balle pénètre dans les tissus ?

Évitant tout jargon scientifique, j'ai fourni un survol de la biomécanique des blessures par balle, en mentionnant les effets du basculement du projectile, de la cavitation et de la fragmentation.

Hawthorn : Parlez-nous des dégâts provoqués sur l'os.

— En raison de la très grande vitesse de déplacement des projectiles, l'os se retrouve subitement soumis à un stress dynamique. Croire que les os sont rigides est une erreur : en réalité ils ont une certaine élasticité. Quand une balle pénètre dans un os, il se crée une cavité temporaire, comme dans les tissus mous.

Hawthorn : Quelle doit être la vélocité d'une balle pour pénétrer dans un os ?

— Les études font état d'un minimum de soixante mètres à la seconde. Une vitesse très inférieure à celle d'un projectile tiré par un M16.

Hawthorn : Parlez-nous des blessures d'entrée et de sortie.

— Typiquement, quand une balle pénètre l'os, il se crée au point d'entrée un défaut circulaire ou ovale. Cet orifice d'entrée présente des bords nets, et son diamètre est approximativement identique au calibre du projectile. L'orifice de sortie est souvent plus large et de forme plus irrégulière.

Hawthorn : Pourquoi cela ?

— Un certain nombre de facteurs entrent en ligne de compte. Notamment une déformation possible de la balle, ou sa fragmentation, ainsi que la perte par la balle d'une partie importante de son énergie cinétique.

Hawthorn : Une plus grande taille et une forme irrégulière. Ce sont les seules différences ?

— Non. En ressortant de l'os, la balle arrache aux bords de l'orifice des fragments de tissu osseux, qui sont, comme elle, projetés vers l'extérieur et l'accompagnent ensuite dans sa course. Il en résulte que l'orifice de sortie est une cavité lésionnelle de forme conique. J'ai joint à mon rapport des schémas, ainsi que des photos et des copies des clichés radiologiques.

— Les avez-vous numérisés, et pouvez-vous les afficher à l'écran ?

— Oui.

J'ai allumé mon ordinateur portable, ouvert ma présentation PowerPoint et chargé une image.

— Cette photo montre l'aspect antérieur d'un fragment de la cinquième côte droite de M. Aqsaee.

Hawthorn : Vous voulez dire, la face avant ?

— Oui.

À l'aide de mon curseur, j'ai longé le bord supérieur de cette marque de forme ronde, partiellement préservée.

— Notez les bords. Lisses, nets. Il s'agit de l'orifice d'entrée d'un projectile.

Je suis passée à l'image suivante.

— Ceci est l'aspect postérieur de la même côte, la partie tournée vers la colonne vertébrale. Vous remarquez les bords de l'orifice ? Ils sont biseautés, ce qui est caractéristique du point de sortie d'un projectile.

Hawthorn : Que nous apprend ce schéma de fracture ?

— Que la balle suivait une trajectoire allant de l'avant vers l'arrière.

Gross était demeuré impassible. Pourtant, il m'a paru qu'il jetait de petits coups d'œil au lieutenant-colonel pour voir sa réaction.

J'ai affiché l'image suivante.

— Nous observons à présent la partie antérieure de la septième côte droite de M. Aqsaee, près de l'articulation avec le sternum.

Hawthorn : L'os qui se trouve sur le devant de la cage thoracique…

— C'est cela. Vous noterez qu'il présente des caractéristiques quasiment identiques à celles de la photo précédente.

L'image suivante montrait la face postérieure de la même côte. Comme sur la photo représentant la cinquième côte, l'effritage autour des bords était parfaitement apparent.

— Ce cliché montre les dégâts occasionnés par une balle sur un segment de cette même septième côte, près de l'articulation avec la colonne vertébrale.

Hawthorn : À l'endroit où elle s'incurve pour former l'arrière de la cage thoracique ?

— Absolument. C'est une vue antérieure. Remarquez les bords nets du défaut osseux.

Image suivante.

— C'est une vue postérieure du même segment de côte. Notez le biseautage.

Hawthorn : Donc, une balle pénètre par l'avant de la cage thoracique au niveau de la septième côte et ressort par cette même côte dans le dos, près de la colonne vertébrale, c'est bien cela ?

— Oui.

Image suivante.

— C'est une vue de la surface antérieure du sternum de M. Aqsaee, une fois les fragments brisés réassemblés.

— Le sternum reconstitué.

— En effet.

Hawthorn : Cette reconstitution a-t-elle été effectuée par vous-même ?

— Oui. Vous noterez le défaut osseux, au milieu et à droite. Circulaire et avec des bords nets. C'est un point d'entrée de projectile.

Image suivante.

— On voit ici l'aspect postérieur du défaut sur le sternum. Il est d'une taille légèrement supérieure, et d'une forme irrégulière. En outre, la fragmentation a mis à nu le tissu spongieux sous-jacent. Cela correspond à un orifice de sortie de projectile. Le schéma de fracture présenté sur ces deux images montre bien qu'une balle a traversé le sternum de M. Aqsaee en suivant une trajectoire d'avant en arrière.

Hawthorn : Donc, si je vous suis, trois balles sont entrées dans la poitrine de M. Aqsaee et sont ressorties dans son dos.

— Trois balles, au minimum. Il se peut qu'il y en ait eu davantage. Je ne peux observer que les traumatismes apparents sur le squelette.

Hawthorn : Les trajectoires de ces balles permettent-elles de déduire quelque chose quant à la position de M. Aqsaee par rapport au lieutenant Gross, au moment des tirs ?

J'ai affiché une photo sur laquelle j'avais tracé des graphiques pour mieux illustrer ce point. Le sternum reconstitué, les fragments de côtes et de vertèbres étaient disposés conformément à leurs positions anatomiques respectives sur un schéma de squelette. Une ligne rouge reliait chaque blessure d'entrée à la blessure de sortie correspondante et se prolongeait en avant de la cage thoracique et en arrière de la colonne vertébrale. On pouvait voir que ces lignes étaient toutes plus ou moins parallèles aux pieds du squelette.

— La trajectoire des projectiles suggère que M. Aqsaee se tenait debout, face au lieutenant Gross quand les balles l'ont percuté.

Gross a serré les lèvres. Son menton s'est haussé d'un millimètre.

— Je peux aussi vous montrer les radios.

J'ai affiché un cliché représentant un morceau de côte et deux fragments de vertèbres, criblés de points blancs brillants.

— Quand on tire un coup de feu, il arrive que des particules de métal accompagnent la balle dans sa traversée du corps. Étant d'une densité supérieure à celle du tissu osseux, elles apparaissent sous forme de taches blanches.

J'ai affiché une image où le cliché radiologique se superposait à un schéma de cage thoracique, et j'ai fait glisser le curseur le long d'une ligne rejoignant la côte et la vertèbre.

— Vous remarquerez que les traces métalliques sont plus denses dans la côte que dans la vertèbre. Les particules se sont perdues à mesure que la balle progressait à l'intérieur du corps.

Hawthorn : Progressait selon une trajectoire allant de la poitrine vers la colonne vertébrale, vous voulez dire ?

— C'est cela. En plus des traces métalliques, il se peut que des fragments d'os soient projetés vers l'avant, au cours du déplacement de la balle dans les tissus.

J'ai placé le curseur juste à côté d'une minuscule écharde incrustée dans la vertèbre. D'un blanc moins intense que les fragments métalliques, elle se détachait néanmoins très nettement sur le blanc du tissu osseux.

Puis je suis passée à une autre écharde. Et à une troisième.

— Ces fragments d'os proviennent de la zone du sternum qui a été soufflée — de l'arrière, là où s'est produite la perte osseuse précédemment observée. Leur orientation suggère que ces fragments ont été projetés d'avant en arrière avec la balle.

— Donc, pour résumer, ces indices viennent corroborer votre conclusion antérieure, selon laquelle M. Aqsaee se tenait debout et face au lieutenant Gross lorsqu'il a reçu les balles dans la poitrine.

— Oui.

— Avez-vous établi un rapport de la procédure que vous avez suivie au cours de l'analyse, de vos observations et de vos conclusions ?

— En effet.

Hawthorn : Je vais vous présenter la pièce à conviction numéro un. Est-ce bien votre rapport ?

— Oui, en effet.

— La défense voudra bien approcher pour accepter la pièce à conviction numéro un comme élément du dossier. Une copie en a été précédemment remise au commandant Nelson.

Ledit Nelson n'a pas soulevé d'objection. Il ne m'a pas non plus interrogée. Keever nous a informés qu'il remettrait ses conclusions et recommandations d'ici une semaine, puis il a mis fin à l'audition.

Bien que tous les témoignages aient été indubitablement en sa faveur, Gross ne s'était pas détendu. Il n'avait pas eu un sourire. Tout au long de la procédure, il était resté contracté, droit comme un *i*, s'efforçant de contenir la crispation de sa paupière.

Quand je suis passée devant la table de la défense, il a interrompu sa conversation avec Hawthorn et s'est avancé vers moi. Son visage n'exprimait rien, mais son pas, sa posture traduisaient la confiance en soi.

— Merci, madame.

Sa main s'est tendue vers moi. Sans réfléchir, je l'ai serrée.

Pendant notre poignée de main, sa manche s'est relevée, révélant la partie inférieure d'un tatouage. J'ai reconnu celui du Corps des marines, le bas du globe et de l'ancre, ainsi que les lettres RIP, inscrites dessous, en arc de cercle.

D'après ce que j'avais entendu dire, c'était la version préférée de la plupart de ces « zélés pervers ». Cherchez querelle à un marine, et c'est la tombe qui vous attend.

Remarquant que j'avais vu son tatouage, Gross s'est mis au garde-à-vous, m'a saluée et a repris la devise des marines :

— *Semper fi*, madame.

Semper fidelis, toujours fidèle.

Sur ces mots, il a reculé d'un pas, tourné les talons et s'est éloigné.

TROISIÈME PARTIE

Chapitre 27

Mardi matin. J'ai ouvert les yeux avant la sonnerie du réveil. La lueur terne qui précède l'aube filtrait par les persiennes, faisant de ma chambre une étude en gris. Dehors, les oiseaux moqueurs s'exerçaient à lancer leurs premiers trilles.

J'ai promené un regard ensommeillé sur la chaise, la commode, l'antique étagère en bois avec sa collection de souvenirs. Un coquillage de Maui. Une couronne de mariage lettone en argent. Des photos encadrées dont je ne distinguais pas les images. Peu importait. Je les connaissais toutes aussi bien que les traits de mon visage. Katy à sa remise de diplôme. Ryan et moi à Guatemala City. Pete et Boyd dans l'île des Palmiers. Birdie étalé de tout son long au soleil.

Mon Dieu que c'était bon d'être de retour à la maison.

Je me suis retournée.

Le réveil indiquait six heures douze.

J'ai essayé de me rendormir. Pas moyen. Un Birdie ronronnant contre moi m'y aurait aidée.

À sept heures moins le quart, j'ai laissé tomber. Une douche bien chaude et un bon shampoing m'ont débarrassée des derniers résidus de crasse rapportés de Bagram. Ma cheville me faisait encore légèrement souffrir, mais elle dégonflait un peu plus chaque jour, et les bleus s'estompaient.

Dans la cuisine, je me suis fait du café et des toasts. Bizarrement, il y avait du lait dans le réfrigérateur. Et du fromage cottage, du jus d'orange, un récipient en plastique contenant des lasagnes, des légumes frais, de la viande, du fromage, et un certain nombre d'autres choses que je n'avais pas achetées. Notamment une bouteille de Heineken.

Plus d'une douzaine d'*Observer* avaient été dûment déposés dans la maison en mon absence. J'ai pris note de remercier mon voisin. Leur rapide lecture, en partant du plus ancien, m'a donné une bonne idée générale de ce qui s'était passé ici en mon absence. La routine.

Dans une école du Montana, un élève avait vidé un chargeur complet sous prétexte qu'il subissait de l'intimidation. Score : quatre morts. À Trenton, dans le New Jersey, tout un arsenal d'armes et d'explosifs avait été découvert dans un appartement. Ses occupants, un couple, étaient sous les verrous. La NRA, la National Rifle Association, défendait le droit de tout Américain à se balader avec un semi-automatique chargé. L'industrie des jeux vidéo se défendait d'encourager la violence.

Au niveau local, une usine de Gastonia s'apprêtait à fermer, mettant des centaines d'employés au chômage. On avait trouvé des armes dans deux polyvalentes. On soupçonnait des fraudes dans un collège. Un enfant porté disparu à Mount Holly en 2004 avait été retrouvé bien vivant chez ses grands-parents, dans le nord du Michigan. Il avait maintenant quatorze ans.

J'en étais à mon sixième journal quand un entrefilet dans la section Nouvelles locales a attiré mon regard. Un petit article sur une unique colonne, paru le samedi précédent :

LA POLICE RECHERCHE L'AUTEUR
D'UN DÉLIT DE FUITE MORTEL

En premier lieu, on réclamait l'aide du public pour identifier une adolescente renversée par un chauffard qui avait pris la fuite. Suivaient une brève description de la victime et des informations sur l'accident : la date, l'heure approximative et le lieu, près du croisement d'Old Pineville Road et de Rountree Road. On priait toute personne ayant des renseignements sur la victime ou sur l'accident de se manifester auprès de la police. Mon nom était mentionné à côté de celui de Slidell.

Le texte était accompagné de la photo que j'avais prise à la morgue. Et du numéro de téléphone de la division homicide au QG de la police.

Le papier était signé Allison Stallings.

Ne pas oublier de la remercier, elle aussi. Cela dit, j'aurais préféré qu'elle s'abstienne de me citer nommément. Décidément, je n'apprécierai jamais de voir mon nom s'étaler dans le journal. Sauf si c'est pour proclamer que j'ai couvert les 10 km du Marathon de Charlotte en moins d'une heure.

Dans l'édition du lendemain, une mise à jour dans l'affaire de disparition sur laquelle Slidell travaillait avant mon départ pour l'Afghanistan. Photos de la disparue, Cheryl Connelly, et de ses enfants ; résumé de ses déplacements juste avant sa disparition ; allusion à d'éventuels désordres mentaux.

Autrement dit, avant-hier encore on ignorait ce qu'elle était devenue. À moins qu'elle soit réapparue d'elle-même lundi, ou qu'on ait retrouvé son corps, Slidell serait toujours mobilisé sur l'affaire.

Je suis allée jeter les journaux dans le bac à recyclage. Au fond, deux bouteilles vides de Heineken.

Hmm.

Je suis passée dans mon bureau. Il y avait un PC sur la table, branché au mur. Un Dell. Dix ans d'âge minimum.

Nous avons, Pete et moi, des vues diamétralement opposées sur les voitures et les ordinateurs. À mes yeux, les premières sont un moyen de transport, et les seconds un moyen pratique d'accéder à la connaissance du monde entier. Ma Mazda est si vieille qu'elle n'a plus aucune valeur de revente. Mon Mac, neuf et puissant, laissera place au nouveau modèle dès son arrivée sur le marché.

Pour mon ex, la cylindrée et la vitesse l'emportent à tous les coups sur la cybervitesse. Je savais donc maintenant qui était venu chez moi. Et je me doutais de la raison.

J'ai appelé Mme Flowers.

— Bureau du médecin examinateur du comté de Mecklenburg… ?

— Ici le docteur Brennan.

— Mon Dieu, soyez bénie ! Je n'en ai pas cru mes oreilles quand j'ai appris que vous étiez partie pour cet endroit effroyable. Comment allez-vous ?

— Ça va, merci.

— Vous avez vu ces horribles talibans ?

— Je n'ai pour ainsi dire pas quitté la base militaire.

— J'ai prié pour vous tous les jours. Vous revenez bientôt au bureau ?

— Plus tard, dans la journée, peut-être. Je suis rentrée cette nuit.

— Défaites immédiatement vos bagages. Si vous attendez trop, qui sait ce qui va en sortir et envahir votre maison. C'est arrivé à une de mes amies. Je préfère ne pas vous dire quelles créatures avaient élu domicile chez elle…, a-t-elle ajouté dans un murmure.

— Je vais suivre votre conseil.

— Vous avez plusieurs messages.

— Je vois ça dès que j'arrive.

— Et aussi une nouvelle affaire.

Mme Flowers m'a renseignée en quelques mots. Des hooligans, un chalet d'aisance et une caboche pleine de choses embarrassantes. J'avoue que j'adore sa façon de s'exprimer. Je l'ai remerciée de ces infos.

— Vous pouvez me passer le Dr Larabee ?

— Certainement.

Une version désincarnée de *Sailing* m'a fait voguer sur un nuage jusqu'à ce que Larabee décroche. Pourquoi cette manie des bureaux de nous inonder de musique d'ascenseur…

— Ah, Tempe ! Content que tu sois de retour. Comment c'était ?

— Mon respect pour nos troupes a triplé.

— C'était si moche que ça ?

— Juste crevant.

Passant sous silence les bestioles, les gilets pare-balles et les bombes qui vous enterrent vivante.

— Tu as pu voir Katy ?

— Oui. C'est vraiment un phénomène.

— C'est bien vrai. Et depuis toujours. Je n'ai pas répondu à tes messages pour ne pas te distraire.

— Pas grave.

— Concernant notre inconnue, l'analyse d'ADN n'a rien donné. Elle n'est enregistrée dans aucun fichier.

— Ce n'est pas une surprise.

— Non. Enfin, on ne sait jamais avant d'avoir essayé.

Je lui ai demandé s'il avait lu l'article d'Allison Stallings. Réponse : oui, mais personne ne s'était présenté.

— On en est donc toujours au même point.

— Non. Les analyses de liquide séminal indiquent plusieurs donneurs. Comme nous le pensions.

Je me suis redressée sur ma chaise.

— Et tu vas me dire que ces ADN étaient dans le fichier.

— Exactement. Deux correspondances ici même, dans la base de données de Caroline du Nord. Les rapports sont sur ton bureau. Slidell en a eu copie.

— Génial.

— On verra. Mais j'ai trouvé autre chose qui pourrait être génial. Ou pas.

J'ai attendu la suite.

— En regardant à nouveau les radios, j'ai repéré une petite opacité près de la jonction pariéto-occipitale. Je ne l'avais pas remarquée parce que l'os cortical est très épais à cet endroit et que l'hématome sous-dural était assez important. J'ai revérifié, et en effet : quelque chose était resté dans le cuir chevelu quand je l'ai rétracté. Proba...

— Qu'est-ce que tu as vu ?

— On dirait une écharde osseuse. Qui a percé le cuir chevelu mais sans pénétrer dans la surface ectocrânienne.

J'ai mis ça sur ton bureau, avec les deux rapports d'analyse ADN.

Il y a eu un bip sur la ligne.

— Ah, une seconde…

Qu'indiquait la présence de ce fragment ? me suis-je demandé pendant que Larabee répondait à l'appel. Une chute ? Un coup ? S'agissait-il d'un accessoire de coiffure cassé ? Je n'étais pas arrivée très loin dans mes suppositions quand Larabee est revenu en ligne.

— Il faut que j'y aille. Un double suicide. À Myers Place, tu te rends compte ? Et dire qu'on croit la bourgeoisie trop distinguée pour s'envoyer *ad patres* en avalant de la mort-aux-rats…

— Je passe te voir très vite.

— Très bien. Tu as reçu un crâne découvert dans des chiottes.

J'ai raccroché, regonflée à bloc. Pas à cause de la trouvaille dans les latrines, à cause de l'ADN.

Avant mon départ pour l'Afghanistan, l'affaire du délit de fuite refroidissait à toute vitesse. Et voilà qu'aujourd'hui nous avions des pistes. Les noms des hommes qui avaient eu des relations sexuelles avec la victime. Relations forcées ? Tarifées ? Amoureuses ? Sans lendemain ? Peu importait. Ces hommes la connaissaient.

J'ai appelé Slidell. Boîte vocale. Message : rappelez-moi très vite.

J'ai appelé les douanes en espérant que ces nouvelles informations inciteraient Luther Dew à se remuer. Boîte vocale. À croire qu'ils s'étaient tous donné le mot…

C'est irrationnel, je sais. Mais certaines tâches me répugnent tellement que j'invente toutes les excuses pour les remettre au lendemain. Remplir le frigo. Utiliser la soie dentaire. Entretenir la voiture.

En haut de la liste des corvées en question : défaire les bagages. Avec son conseil, Mme Flowers avait visé dans le mille. Mais pour des raisons différentes, rationnelles. Et je savais déjà que je m'en voudrais à mort de remettre cette tâche à plus tard.

Malgré ma hâte de voir ce que Larabee avait laissé sur mon bureau, je suis retournée dans ma chambre. Mon sac de voyage posé sur le lit, j'ai commencé à faire le tri parmi mes affaires. Les vêtements à laver. Le nécessaire de toilette : destination la salle de bains. Les livres, les papiers et le matériel d'anthropologie à descendre dans le bureau.

Je suis allée secouer le sac dans la cour et l'ai rangé dans le placard du rez-de-chaussée. Fière de mon exploit, je me suis accordé une pause avant de passer au sac à dos.

Coup d'œil à mes courriels.

Un message de Katy. Ravie de m'avoir vue. Je serais à jamais la seule mère de son unité à avoir fait le déplacement. Et elle me jurait ses grands dieux qu'elle serait prudente.

De Ryan, pas un mot.

Pourquoi me donnais-je seulement la peine de regarder ?

Retour au petit trot dans ma chambre pour achever l'opération bagages. Je venais de m'y remettre quand mon téléphone a sonné.

Croyant à un appel de Slidell ou de Dew, j'ai décroché sans regarder le nom affiché sur l'écran.

Clic.

Tonalité.

Deux fois en deux jours. D'abord à Camp Lejeune, et maintenant ici.

Super.

Je me suis remise à mon sac à dos. D'abord, le compartiment principal. Casquette, blouson, lunettes de soleil, livres, l'oreiller anatomique acheté à Istanbul pendant l'arrêt forcé. Le petit sac classe affaires offert par la compagnie aérienne. Ensuite, les poches extérieures. Les sacs à dos militaires en comptent une tripotée. Crème pour les mains, piles, tiens : deux barres de protéines fondues, une douzaine de bouchons d'oreilles usagés et des poignées de sable.

Dix minutes plus tard, j'ai tiré sur la dernière lanière en velcro fermant une poche latérale, certaine de n'y

trouver que de vieux mouchoirs en papier. Ma main s'est
refermée sur un objet qui semblait en plastique.

Intriguée, je l'ai sorti et regardé.

Stupéfaction.

Je l'ai tourné et retourné dans tous les sens.

De plus en plus intriguée.

Chapitre 28

J'avais dans les mains une vieille photo aux bords déchirés, rangée dans une pochette en plastique transparent, elle-même très fatiguée.

Était-ce Katy qui l'avait mise dans mon sac à dos ? L'y avait cachée pendant que j'avais le dos tourné ?

Oui, ce devait être ça, ai-je d'abord pensé, me concentrant uniquement sur la présence de cette photo dans mon sac, pas sur la chose elle-même, ni sur ce qu'elle représentait.

Et puis certains détails ont commencé à m'apparaître. La photo, de 8 cm sur 13, était imprimée sur un papier dont l'aspect et l'épaisseur donnaient à penser qu'il ne provenait pas d'une imprimante personnelle ou d'un labo de pharmacie.

Un souvenir récent m'est soudain revenu, une histoire de sauvegarde.

Évidemment. La photo avait été prise avec un appareil instantané de type Polaroïd.

J'ai approché la pochette de la fenêtre pour mieux la voir.

L'image avait du grain et elle était légèrement floue. Le cliché avait dû être pris trop vite ou en bougeant. On y voyait un groupe d'Afghanes en costume traditionnel, avec des foulards sur la tête.

En tout, six filles. Cinq qui se tenaient par le bras, les yeux à la fois rieurs et timides. La sixième, derrière le groupe, faisait des cornes à celle qui se trouvait devant elle.

Geste étrange dans ce contexte. N'était-ce pas une référence chrétienne, censée représenter les cornes du diable ? Où ces petites avaient-elles appris ça ? En voyant les soldats étrangers le faire ?

Les cinq filles du premier rang fixaient carrément l'objectif. De tailles différentes, elles devaient avoir douze ou treize ans. Des ados. La sixième, celle en partie dissimulée derrière les autres, semblait être un peu plus grande que ses compagnes. Toutes les six avaient des yeux noirs, des cheveux noirs et brillants, coiffés en bandeau sur le front.

Des adolescentes saisies pendant un moment d'amusement. Compte tenu du sujet, il y avait peu de chance pour que Katy soit à l'origine de cette photo. À moins qu'elle l'ait prise un jour où elle était sortie avec son unité. Drôle de souvenir, quoi qu'il en soit.

Mais Katy aurait utilisé son téléphone portable ou un appareil photo numérique, pas un Polaroïd. Et pourquoi glisser la photo dans mon sac à dos, subrepticement ? Si c'était pour me la donner, autant le faire tout simplement, non ?

De la façon dont la photo m'était arrivée, je suis passée à la question de sa provenance. L'Afghanistan ? Probablement.

Les filles se tenaient à quelques mètres d'une modeste maison de pierre assez semblable à celles du village de Sheyn Bagh, derrière laquelle s'étendait un désert aride. Plus loin sur la gauche, dressée dans un ciel bleu sans nuages, une aiguille rocheuse sombre, sans aucune caractéristique permettant de l'identifier.

L'image aurait pu être prise n'importe où en Asie centrale. Dans une bonne centaine de villages, pour ne pas dire un millier.

Mon esprit s'est ensuite attardé au photographe.

Peu de chance qu'un fermier local ait possédé un appareil de prise de vue instantanée. Quoique ce soit toujours possible. Cadeau d'un étranger. Peut-être d'un soldat allié qui s'était rendu là-bas.

Oui, un photographe appartenant aux forces alliées, pour qui prendre des photos aurait été un moyen de fraterniser avec les gens de la place. Histoire de gagner les cœurs et les âmes, comme disent les militaires.

J'ai ensuite examiné plus précisément les visages. Les filles avaient l'air à la fois excité et intimidé, comme les enfants avec les étrangers. Ça collait avec la théorie du soldat photographe.

J'ai retourné la pochette et lu l'inscription qui figurait au dos du cliché. Une liste en lettres moulées. Écrite au stylo à encre. Que des majuscules.

LAILA. KHANDAN. MAHTAB. ARA. TAAHIRA. HADIYA.

Six filles. Six noms.

Rien à voir avec l'écriture de Katy. Ses gribouillis ressemblaient à des pattes de mouche.

Bizarre que ces noms soient écrits en anglais. Le pachtou et le dari utilisent chacun un alphabet arabo-persan.

Peut-être le soldat ou le marine qui avait pris la photo avait-il écrit les noms à mesure que les filles les lui donnaient. Ce qui collait aussi avec la théorie des cœurs et des esprits.

Je me suis représenté la scène. Et posé des questions. La photo avait-elle été prise sous le regard réprobateur d'un adulte ? Les parents de ces filles avaient-ils apprécié de les voir sourire à l'objectif ? La photo avait-elle été prise en douce, à leur insu ?

Je l'ai regardée dans tous les sens. Les visages. Les noms. L'ordre des noms correspondait-il à celui des filles dans la rangée ? Et cet ordre avait-il un sens ?

Autre possibilité : le soldat avait peut-être conservé la photo, pour l'envoyer par courriel à sa famille restée au pays. Pour leur donner une idée de l'endroit. Pour rassurer une mère ou une épouse : les gens du coin étaient des citoyens ordinaires.

Ou alors, toujours dans l'idée de manipuler les cœurs et les esprits, il avait pris cette photo pour garder une trace de ce moment. Pour appeler les enfants par leur nom, la prochaine fois qu'il participerait au bouclage du village. Tous les parents adorent ça.

Mais ce n'était là que spéculations. Et aucune de ces théories n'expliquait comment la photo s'était retrouvée dans mon sac à dos. En tout cas, il y avait au moins une suspecte que je pouvais éliminer ou confirmer.

Redescendue dans mon bureau, j'ai sorti la photo de sa pochette, l'ai photographiée avec mon iPhone et envoyée par courriel à Katy, accompagnée du message suivant :

> Trouvé ça dans mon sac à dos. Ton œuvre ? Si oui, merci. Et raconte-moi ta rencontre avec ces filles, si tu les connais. Au fait, on dirait un Polaroïd. Il y a beaucoup d'appareils de ce genre dans ton coin ? (Autrement dit, je suis curieuse de savoir pourquoi tu ne m'as pas envoyé la photo par courriel.)

Je remettais le cliché dans sa pochette en plastique quand j'ai subitement pris conscience d'une chose. L'inconnu, quel qu'il soit, qui avait pris cette photo, précisément dans ce village et pour une raison qu'il était seul à connaître, s'était donné le mal de la protéger. Cela prouvait assurément qu'il y tenait.

Alors, pourquoi me la donner ?

Intriguée, j'ai reposé la photo sur mon bureau, rangé le sac à dos vidé, me suis habillée et suis sortie.

Je suis arrivée au MCME juste après midi. Personne à l'accueil et pas une âme en vue.

Mᵐᵉ Flowers devait être en train d'avaler son sempiternel sandwich au thon ou au poulet, ou de s'occuper de sa section de potager dans la cour. Ses spécialités : laitue et basilic.

Je suis allée droit à mon bureau. Le voyant du téléphone clignotait, indiquant des messages, et la table disparaissait sous les papiers et les dossiers.

Mon sac rangé à sa place, j'ai attaqué le monticule. Le document du dessus était une demande d'expertise anthropologique. Le « chalet d'aisance » de Mme Flowers était en réalité une cabine sanitaire mobile, la caboche un morceau de crâne et les choses embarrassantes, inutile de préciser.

Aussi peu ragoûtant cela soit-il, j'espérais que Joe m'avait laissé le soin de nettoyer le crâne. On ne sait jamais ce qui peut rester piégé dans des matières collantes. Indice rime parfois avec immondices.

La demande d'expertise placée dans un dossier tout neuf, j'ai exhumé les rapports d'analyse concernant le liquide séminal. Chacun d'eux portait le numéro de dossier sous lequel l'échantillon avait été répertorié, ainsi que le nom, l'âge, la dernière adresse connue et le casier judiciaire de l'individu identifié grâce à son profil génétique.

Le premier échantillon d'ADN renvoyait à un certain Cecil Converse « CC » Creach. À son palmarès, plusieurs arrestations pour distribution de méthamphétamine et d'herbe, deux pour vandalisme et une pour vol avec effraction, pour ne parler que des délits qu'il avait commis à l'âge adulte. CC Creach, qui avait quarante-deux ans, en avait passé dix-sept derrière les barreaux. Les dossiers de délinquants juvéniles étant confidentiels, il faudrait un mandat pour avoir connaissance du sien.

Sa dernière adresse connue se trouvait dans un quartier de la ville surnommé Five Corners, près du campus de l'université Johnson C. Smith. Il bénéficiait actuellement d'une libération conditionnelle, après avoir purgé cinq des sept années auxquelles il avait été condamné pour mise en circulation de fausse monnaie.

Le second échantillon d'ADN appartenait à Ray Earl Majerick. Je m'apprêtais à prendre connaissance de ses antécédents quand j'ai reçu un courriel.

Une réponse de Katy. Déjà ?

Pas mon œuvre, mais jolies fillettes. Les Polaroïd ne sont pas rares ici, mais ça pourrait aussi être un Fotorama, l'équivalent fabriqué par Fuji. Certaines missions sont chargées de prendre des photos de la population pour égayer un peu les gens. On utilise des appareils instantanés parce qu'ils crachent tout de suite une photo qu'on peut distribuer sur le coup. Pour leur usage personnel, les soldats utilisent des appareils numériques, ou leur téléphone intelligent.

Retour à Majerick. Un c.v. quelque peu différent de celui de Creach : vol à main armée, agression, séquestration, viol. Un très mauvais garçon, quoi. Domicile inconnu, mais le dernier en date, à Concord, lui avait été fourni par la commission de libération conditionnelle de l'État.

J'ai rappelé Slidell. Boîte vocale. Les gens ne répondent-ils plus jamais au téléphone ?

Du calme, Brennan. Il est peut-être déjà en train de discuter avec Creach et Majerick.

Je me suis concentrée sur l'écharde d'os trouvé par Larabee dans le cuir chevelu de mon inconnue. Comme promis, il était sur mon sous-main, dans un petit flacon de plastique.

J'ai enfilé mes gants, débouché le flacon et fait tomber son contenu dans le creux de ma main. Un fragment triangulaire blanchâtre, de deux centimètres environ sur cinq millimètres à l'endroit le plus large.

La couleur paraissait bonne. Le poids aussi.

J'ai appuyé le petit triangle contre mon poignet. Sensation de fraîcheur sur la peau. Parfait.

Pourtant, quelque chose ne collait pas.

J'ai pris dans mon tiroir une loupe, des allumettes et une épingle de sûreté.

Le grossissement aurait dû faire apparaître des pores minuscules à la surface, parfois bruns ou noirs à cause de la terre et des autres contaminants. L'écharde, étrangement homogène, ressemblait plutôt à de la porcelaine ou à de la faïence.

Du plastique ? De la résine ?

J'ai posé l'écharde sur mon sous-main, ouvert l'épingle, craqué une allumette et chauffé la pointe au rouge, puis je l'ai appuyée sur l'écharde.

Une odeur un peu organique m'est parvenue, mais la surface n'a pas brûlé. Conclusion : ce n'était ni de la résine ni du plastique. Restaient l'os ou l'ivoire.

Sauf que le matériau avait un aspect beaucoup trop lisse pour être de l'os.

L'esprit en ébullition, je me suis précipitée dans la pièce qui pue. Là, j'ai placé l'écharde sous le microscope binoculaire, la partie fracturée tournée vers le haut, puis j'ai ajusté la lumière et le grossissement.

Elles étaient là, dans la section transversale. Des lignes de Schreger : de minuscules stries inclinées, pareilles à des chevrons serrés les uns contre les autres. Leur présence était caractéristique de l'ivoire d'éléphant ou de mammouth. L'inclinaison de ces petits V précisait de quel animal il s'agissait, mais j'avoue que la mémoire me manquait.

Intriguée, j'ai regardé ce bout d'ivoire. Comment avait-il pu finir dans le cuir chevelu d'une pauvre victime d'un chauffard ?

Tout à coup, j'ai été prise de frénésie. Il fallait que je parle à Slidell. J'ai regagné mon bureau, où j'ai remis l'écharde dans son flacon avant de composer le numéro.

Encore la boîte vocale, la troisième fois de la journée.

— Enfant de chienne !

Je ne tenais pas en place, mais je n'avais pas envie de curer la merde d'un morceau de crâne pour le moment. J'ai donc appuyé plutôt fort sur le bouton message de mon téléphone et composé le code de ma boîte vocale.

Dix jours de radotage à écouter.

Le médecin examinateur en chef de Raleigh. Une collègue du Wisconsin. Ces messages-là, je ne les ai pas effacés. Deux personnes qui avaient raccroché sans laisser de message. Un appel interne d'un collègue se plaignant qu'il y en avait vraiment qui abusaient avec le réfrigérateur de la salle du personnel. Trois demandes de renseignements émanant de différents médias. Aussitôt supprimées.

Le dernier message a figé mes doigts qui pianotaient sur mon sous-main.

Chapitre 29

Le message avait été laissé par une femme. Elle parlait tout bas, avec un fort accent. Le bruit de fond couvrait une bonne partie de ses paroles.

— … voulais parler, mais… fille qui… pas un accident…

Le volume montait et redescendait, comme si elle tournait souvent la tête, éloignant ses lèvres du récepteur par intermittence. Ou alors, c'était la force du signal qui était erratique.

Bizarrement, sa voix me disait quelque chose. La voix, l'intonation, le ton pressant.

Mais oui, bien sûr !

Le coup de téléphone depuis la cabine publique de Seneca Square. Était-ce la même femme qui me rappelait ?

J'ai bloqué ma respiration dans l'espoir de réussir à capter tout ce qu'elle disait, la moindre nuance.

— … fruit de la passion… endroit… aller… pas juste…

J'entendais des cris en arrière fond. Quelqu'un appelait mon interlocutrice ? La menaçait ?

Quoi qu'il en soit, l'appel a pris fin. Un déclic brutal. On avait raccroché.

J'ai réécouté le message à plusieurs reprises, mon stylo bien en main. Je n'ai presque rien noté d'autre.

Dans l'exercice de mon métier, je reçois des centaines d'appels, des dizaines de messages, utiles ou farfelus, parfois même délirants quand ils émanent de certains de mes semblables anéantis par un deuil. Au fil des ans, j'ai acquis un instinct sûr pour distinguer dans le lot ceux qu'il faut prendre au sérieux. L'appel en question appartenait à cette catégorie.

Le système d'information de ma boîte vocale m'a permis de savoir que cet appel m'avait été transféré par le standard, le vendredi précédent. Le lendemain du jour où l'article de Stallings était passé dans l'*Observer*.

J'ai regardé, encore et encore, les quelques mots que j'avais griffonnés. J'avais le sentiment viscéral que «fruit de la passion» ne désignait pas un quelconque produit dans une épicerie.

J'ai interrogé Google. Et là, bingo! Le Fruit de la Passion était une boîte située sur Griffith, dans un quartier qui procurait aux hommes adultes tout ce que leur petit cœur, et le reste, pouvait désirer.

J'ai décroché le téléphone et appuyé sur la touche « Mme Flowers ».

— Oui, docteur Brennan.

— Ma boîte vocale a pris un appel, vendredi dernier à treize heures trente. Vous pourriez voir si le numéro a été enregistré ?

Quelques secondes plus tard, Mme Flowers me lisait une série de chiffres commençant par 704, l'indicatif régional. J'ai consulté l'annuaire inversé pour savoir à quoi correspondait le numéro. En vain. Ni nom ni adresse.

Je rappelais Slidell quand il est apparu sur le seuil de ma porte.

— Salut, doc !

Il s'est laissé tomber lourdement dans le fauteuil devant mon bureau, les jambes allongées devant lui, les chevilles croisées.

— Détective ?

— Alors, ça roule ?

— Vous avez eu mes messages ?

Il a tendu la main vers mon sous-main et ramassé l'épingle de sûreté. Et il a entrepris de se curer un ongle.

Le crissement produit m'a rappelé le bourdonnement d'un moustique dans la nuit.

— Z'avez pas eu affaire à des araignées-loups du désert, j'espère ?

— Pardon ?

— Aussi grosses que des balles de golf, les sales bêtes !

Il a cessé son récurage pour écarter les doigts.

— Aussi grosses que des bols à soupe, en comptant les pattes. Et ces saloperies peuvent sauter ! Il paraît…

— On pourrait parler de mon cas de délit de fuite ?

— Il est en tête de liste sur mon carnet de bal.

— Vraiment ?

— On a retrouvé la fille disparue.

Il a repris son curetage peu discret.

— Cheryl Connelly.

— Ouais-ouais. Sa bagnole a quitté la route de West Arrowood et plongé dans un étang, dans le parc de Moody Lake. L'eau recouvrait à peine le toit.

— Je suis désolée d'apprendre ça.

C'était vrai. D'un autre côté, je me réjouissais de savoir Slidell désormais en mesure de se concentrer sur l'inconnue.

— Vous avez eu mes messages ?

— Tous les soixante-douze, si j'ai bien compté.

— Vous avez pris connaissance des rapports d'analyse ADN ?

— Les nombreux soupirants de Juanita X.

— Ça, c'est à la fois prématuré et injurieux.

Slidell a levé la main dans un geste apaisant.

— C'était juste pour dire…

Je me suis penchée pour frotter ma cheville qui s'était remise à palpiter, allez savoir pourquoi.

— Vous vous êtes amoché le pied, là-bas ?

— Ça va. Que savez-vous de Creach et Majerick ?

Slidell a sorti deux pages imprimées de la poche intérieure de son blouson et les a jetées sur mon bureau. Puis il s'est rappuyé à son dossier et s'est remis à se curer le pouce.

J'ai déplié les pages et les ai posées côte à côte.

Deux visages m'ont fixée. Des photos d'identité judiciaire, en noir et blanc.

CC Creach avait des yeux trop rapprochés, au-dessus d'un nez qui avait manifestement essuyé plus d'un coup, et des lèvres épaisses, un peu entrouvertes. Une trace dépigmentée courait de sa tempe droite à sa joue, comme une empreinte de pied se détachant en plus clair sur sa peau sombre, grêlée de marques d'acné. D'après sa fiche, il était d'origine afro-américaine, mesurait un mètre quatre-vingt-huit, et pesait quatre-vingt-six kilos.

Ray Earl Majerick regardait l'objectif avec aplomb, l'air sûr de lui. Ses cheveux ondulés, sa mâchoire carrée et son nez droit en faisaient un type plutôt séduisant dans le genre banal. Mais ses yeux pâles recelaient une cruauté que son sourire arrogant ne tempérait pas. Sa fiche signalétique décrivait un Blanc d'un mètre soixante-dix-huit pour soixante-dix-neuf kilos.

— Vous les connaissez ?

— Je connais le genre.

— C'est-à-dire ?

Il s'est penché en avant et a poignardé Creach de son pouce. Qui saignotait.

— Comme le dératiseur connaît ses rats. Celui-ci, CJ…

— CC.

— CC, CJ, PJ, BJ, qu'est-ce que ça change ? Ce Creach, c'est le revendeur minable standard. Si ce fumier avait deux neurones opérationnels, ce dont je doute, il en ferait peut-être jaillir une idée en les frottant l'un contre l'autre. Mais y se croit malin. Ce qui va nous faciliter les choses pour le coller au trou.

— Vous avez contacté son agent de probation ?

— C'est pas une lumière, elle non plus. L'adresse qu'elle avait pour Creach, c'était un hôtel de passe sur Freedom Drive. Ça fait des mois qu'elle l'a pas vu.

— Creach est en liberté conditionnelle. Il n'est pas censé se présenter à elle régulièrement ?

— Si.

— Elle n'a pas assuré le suivi ?

Slidell a haussé les épaules.

— Elle n'est pas allée voir à l'adresse indiquée ?

— Pas eu le temps. Débordée.

Dieu du ciel.

— L'autre bonhomme ?

— Ray « Magic » Majerick. Lui, je le connais. Un parano, plus mauvais qu'un serpent à sonnettes. Combinaison dangereuse.

— C'est quoi, son histoire ?

— Y se prend pour un homme à femmes.

Le curage des ongles s'est interrompu un instant pour reprendre de plus belle.

— Sûr que c'est un charmeur. Dans le genre Charlie Manson ou Al Bundy.

— Ted Bundy.

— Hein ?

— Laissez tomber. Continuez.

— Votre Majerick, là, il a un casier aussi gros qu'un annuaire. Il a l'air calme, comme ça, mais y devient mauvais pour un oui, pour un non. Coups et blessures, agression à main armée, vol avec effraction.

Slidell s'est interrompu pour sucer le sang de son pouce.

— Vous pourriez arrêter, s'il vous plaît ?

Il a levé les yeux au ciel, mais reposé l'épingle de sûreté sur mon bureau.

— Y a quelques années, Majerick a fait intrusion dans une maison de Beverly Woods, en crevant la moustiquaire d'une porte coulissante en verre. La femme a eu de la chance. Elle était toute seule dans la maison, mais elle a réussi à déclencher l'alarme. Quand on s'est pointés, Majerick l'avait ligotée dans la cave. Dans un sac de gym, on a trouvé une corde, des pinces et assez de couteaux pour faire un numéro de cirque.

— On dirait du matériel de torture.

— Ouais. Ce bon vieux Magic s'était programmé une vilaine petite fête.

— Il ne devrait pas être derrière les barreaux ?

— Son avocat a réussi à faire réduire les charges à seulement intrusion.

— Vous voulez rire ?

— Ce salaud a prétendu que la rumeur disait qu'y avait dans la maison un coffre-fort bourré de fric, et que les trucs qu'il avait dans son sac, c'était que des outils de cambrioleur. Et y se trouve qu'y avait effectivement un coffre dans un placard de la chambre. Le jury a gobé l'histoire. Majerick a fait cinq ans et est sorti.

— Je suppose que vous recherchez nos deux vedettes ? ai-je demandé en indiquant les photos.

— J'ai lancé un avis à la minute où j'ai reçu les rapports. J'ai vérifié auprès des services juridiques, interrogé les voisins. Creach avait deux sœurs, mais elles sont au courant de rien. Ou n'ont rien voulu dire. J'ai trouvé personne qui admette le connaître. Probable que ces ordures changent d'adresse plus souvent que moi de caleçon.

J'ai refusé de laisser cette image s'imprimer dans mon esprit.

— Alors comme ça, Creach et Majerick se sont tous les deux évaporés dans la nature ?

— Ouais.

Slidell a remis son pouce dans sa bouche. A vu la tête que je faisais et a laissé retomber sa main sur ses cuisses.

— Mais y vont pas y rester longtemps.

— Il est possible qu'on ait une autre piste.

J'ai appuyé sur la touche haut-parleur et fait repasser le message de la femme. Puis j'ai pris l'épingle de sûreté-lime à ongles avec un mouchoir en papier et l'ai jetée dans la corbeille.

Quand le message a pris fin, Slidell a haussé un sourcil interrogateur.

— Je pense que c'est la femme qui m'a déjà appelée.

— Vous pensez qu'elle est digne de foi ?

— Je crois, oui.

Slidell a agité sous mon nez son doigt à demi replié pour me signifier de lui faire réécouter le message. J'ai obtempéré.

Après quoi il a dit :

— Elle a l'air de crever de trouille.

— Oui. Vous pouvez retracer le numéro ?

Je lui ai communiqué celui que m'avait fourni Mme Flowers.

Il a jeté un coup d'œil à mon papier, décroché son cellulaire et appuyé sur plusieurs touches. Une voix a répondu. Slidell a demandé un certain poste et attendu. Une autre voix a répondu.

— Ici Slidell. J'ai besoin de retrouver un appel.

La voix a dit quelque chose.

— Non. Je pensais plutôt pour l'Action de grâces.

La voix a répliqué sèchement.

— Ouais ? J'veillerai à vous faire obtenir une médaille.

— Crétine, a articulé Slidell tout bas, dans ma direction.

J'ai éprouvé une vague de sympathie pour la personne à l'autre bout du fil.

Une longue minute plus tard, la voix s'est fait entendre à nouveau.

Slidell m'a fait signe de lui fournir de quoi écrire ; je lui ai tendu un stylo. Il a coincé son téléphone entre son oreille et son épaule, et a pris note.

— Miss Quoi ?

La voix a répondu.

— Épelez-moi ça.

La voix s'est exécutée.

— Je vous revaudrai ça.

L'autre avait déjà raccroché.

— L'appel a été passé d'un resto mexicain sur Old Pineville Road. La Taquería Mixed Coat All.

— *Shit !*

— *Ay, caramba.*

Old Pineville. Là où l'inconnue avait trouvé la mort. J'étais tellement excitée que je ne me suis pas embêtée à corriger l'accent espagnol de Slidell.

J'ai récupéré mon sac dans mon tiroir et me suis levée d'un bond.

— Envie d'un taco, détective ?
— *Sí, señorita.*

Chapitre 30

La Taquería Mixcoatl se trouvait dans une allée sordide donnant quelque part dans Griffith Road, une route à deux voies qui partait d'Old Pineville et finissait en cul-de-sac au Charlotte Marriot Executive Park après une série de virages. La gargote était coincée entre un salon de tatouage et un vendeur de pièces automobiles. La devanture, protégée par des barreaux, comme ses voisines, était tellement crasseuse qu'on ne voyait rien à travers.

Slidell s'est arrêté à deux portes de la *taquería*, dans une sorte de stationnement occupé seulement par trois véhicules : une Mini Cooper rouge, une Lexus grise et un pick-up Chevy surélevé aux vitres aussi noires que celles des commerces.

Il a regardé l'enseigne du restaurant et secoué la tête.

— Mixed Coat All... Qu'est-ce que diable ça signifie, ça ?

— Mixcoatl est le dieu aztèque de la chasse.

Nous avons été assaillis, en entrant, par une odeur de viande grillée. À droite, dans l'entrée, un panneau d'affichage était couvert d'annonces, de feuillets publicitaires et autres affichettes, tous en espagnol. À gauche, un comptoir avec une caisse enregistreuse. Des tables en bois, des chaises à haut dossier, sculptées et peintes dans des couleurs criardes.

La salle était petite, déserte. Pas étonnant, en ce milieu d'après-midi. Nous sommes restés un instant plantés là avant d'aller nous installer près de la fenêtre.

Au bout de quelques secondes, une femme a écarté le rideau de perles qui masquait la cuisine. Elle portait un accoutrement vaguement mexicain : blouse en coton blanc à manches bouffantes et jupe bariolée.

Moi :

— *Buenos días.*

— Pardon pour l'attente.

Moi, avec un grand sourire :

— Nous ne sommes pas pressés.

La femme nous a tendu des menus plastifiés illustrés de photos de plats mexicains traditionnels.

— Je sais déjà ce que je veux, ai-je dit en élargissant encore mon sourire. Des *enchiladas verdes* au poulet, et un soda Jarritos à la lime.

Slidell a commandé un burrito au bœuf et un Dr Pepper. Il a haussé un sourcil en forme de virgule tandis que la femme retraversait le rideau de perles cliquetantes.

— *Buenos días* ?

— Je voulais la faire parler.

— Vous pensez que c'est notre fille ?

— Qui sait ? ai-je répondu avec une mimique évasive. D'après ma boîte vocale, l'appel a été passé vers treize heures trente. Même à cette heure-là, l'endroit n'a pas l'air de crouler sous la clientèle.

J'ai parcouru la salle du regard, n'ai vu ni téléphone fixe ni portable près de la caisse.

— Le téléphone doit se trouver au fond.

— Ce qui veut dire que seuls les employés y ont accès, a conclu Slidell, comprenant où je voulais en venir.

Cela limitait la liste de ceux qui avaient pu passer l'appel.

Nos plats sont arrivés très vite. J'ai eu beau me répandre en amabilités, la femme a éludé toutes mes tentatives d'engager la conversation. Dans quelque langue que ce soit.

Comme elle se retirait à nouveau, au travers des perles, j'ai aperçu devant le gril un vieil homme en tablier blanc, bronzé comme s'il avait passé un millier d'heures en plein soleil.

Pendant le repas, mon regard a dévié vers le stationnement plus ou moins visible à travers la fenêtre. La Mini avait disparu et la Lexus avait laissé place à un gros 4×4. Le pick-up n'avait pas bougé. Il me semblait distinguer une silhouette au volant.

— ... à côté de la voie ferrée, y a le Bronco Club. Vous voudriez me faire croire que ces filles ne vendent pas leurs charmes ?

Slidell ne voulait pas en démordre. Pour lui, ma victime écrasée se prostituait.

— Rien ne prouve que la petite faisait le trottoir.

— Ah ouais ? Et le double bingo avec l'ADN ?

Slidell s'est octroyé une gorgée de soda et a reposé bruyamment la bouteille sur la table.

— Bon, on va pas y passer la journée. Allez, au boulot !

Je n'ai pas eu le temps de réagir qu'il avait frappé sur la table pour appeler la serveuse. Elle a émergé de sa cuisine et s'est approchée de nous.

— L'addition.

La femme a sorti un petit bloc de la poche de sa jupe et s'est penchée sur ses calculs. Slidell en a profité pour porter le coup fatal.

— Alors, *señorita*. Vous avez passé des coups de fil intéressants, ces temps-ci ?

La femme a écarquillé les yeux. Elle a regardé Slidell, m'a regardée, a déposé l'addition sur la table et est retournée en vitesse dans la cuisine. J'ai réagi aussitôt :

— Ce n'était pas très brillant.

— Ah ouais ? Vous pensez qu'elle a filé parce que c'est pas elle qui a passé ce foutu coup de fil ?

— Non, elle a filé parce que vous lui avez fait peur. À moins, ai-je ajouté dans un chuchotement, qu'elle n'ait pas compris votre question.

— Elle a très bien compris.

— Si c'est vrai, espérons que vous ne lui avez pas fait peur au point qu'elle refuse de parler. On se retrouve à la voiture, ai-je dit en m'emparant de l'addition.

Direction, la caisse. Pourvu que ce soit la femme qui revienne et non le vieil homme… Dès que Slidell a quitté les lieux, elle est réapparue.

— Je vous prie d'excuser mon compagnon, ai-je dit en espagnol.

Elle m'a regardée, les sourcils froncés au point de se rejoindre au-dessus de son nez. Le comptoir formait une barrière entre nous.

Au lieu de lui tendre l'addition, j'ai sorti une carte de visite de mon portefeuille et l'ai placée devant elle.

— Je suis le docteur Brennan. C'est moi que vous avez appelée, vendredi dernier.

Aucune réaction de sa part.

— Vous avez vu la photo d'une fille dans le journal. Peut-être sur une affichette. La fille qui a été renversée par une voiture. Le chauffard s'est enfui en la laissant mourir sur le bas-côté de la route.

La femme s'est complètement figée. Une veine s'est mise à palpiter dans le creux à la base de son cou, faisant monter et descendre une petite tache de naissance en forme de cœur.

— Nous ne savons pas qui c'est. Je me suis dit que vous la connaissiez peut-être.

— Non.

— Mais vous savez quelque chose sur elle, et ça vous tracasse.

La femme a coulé un regard en direction de la cuisine. À travers le rideau de perles, on distinguait le vieil homme, les yeux fixés, m'a-t-il semblé, sur un objet posé au-dessus d'une caisse de produits laitiers. À en juger par les lumières mouvantes qui éclairaient son visage, il contemplait un téléviseur mural.

La femme a tendu la main.

— S'il vous plaît. Vous payer.

— L'homme qui m'accompagne est un détective. Il a remonté l'appel jusqu'à ce restaurant. Il peut vous obliger à témoigner.

C'était peu probable, mais allez savoir avec un bonhomme aussi impulsif que Slidell.

— Si vous avez des informations et refusez de les révéler, il peut vous accuser d'obstruction au cours de la justice. Vous comprenez de quoi il s'agit ?

La femme a secoué la tête. Je lui ai expliqué le terme en espagnol, et elle a ouvert de grands yeux.

— Comment vous appelez-vous ?

D'une voix à peine audible :

— Rosalie.

— Rosalie comment… ?

— D'Ostillo. Rosalie D'Ostillo. Je vous en prie. J'ai mes papiers. J'ai…

— Ce n'est pas ça qui m'intéresse, Rosalie.

Elle a jeté encore un coup d'œil vers la cuisine.

— Je me fiche de savoir qui est immigrant légal ou non. Une jeune fille est morte. Mon travail consiste à découvrir qui c'est et ce qui lui est arrivé. Le plus petit détail peut avoir de l'importance.

Je lui ai effleuré le poignet.

— Rosalie…

Elle a vivement retiré sa main. L'espace d'un instant, j'ai cru qu'elle allait détaler.

— Je… J'ai appelé. Deux fois.

— Vous avez bien fait.

Elle a incliné imperceptiblement le menton. Je n'ai pas insisté. Je l'ai juste laissé parler comme elle le sentait.

— J'ai vu la photo. Sur un lampadaire. Je me suis dit, Rosalie, tu connais cette fille.

J'ai encore attendu.

— Elle est venue ici. Je m'en souviens à cause de…

Elle a porté sa main à ses cheveux et mimé un mouvement de pince.

— Du truc rose.

— Une barrette ?

J'ai senti comme un pétillement au creux de la poitrine.

— En forme de chat ?

— *Sí.* Quand j'ai vu le chat sur la photo, je me suis rappelé. La figure était différente, mais c'est la fille qui était ici. Elle a mangé un enchilada au fromage. Comme tous les autres.

— Est-ce qu'elle avait aussi un sac en forme de chat ? ai-je demandé en m'efforçant de garder mon calme.

— Un sac, oui. Rose comme la chose dans les cheveux.

— Quand était-ce ?

Rosalie a plissé les yeux d'un air pensif.

— *Dos semanas.*

Deux semaines. À peu près le moment où mon inconnue était morte.

— Elle venait souvent ici ?

— Non. Juste une fois.

— Elle était avec quelqu'un ?

C'est le moment que Slidell a choisi pour passer la tête par la porte.

— Hé, doc, je commence à trouver le temps long.

— Une minute, ai-je répondu en le foudroyant du regard.

Il a poussé un soupir mais n'a pas protesté. La porte s'est refermée et j'ai incité Rosalie à continuer.

— Trois filles, un homme. Ils mangent, ils s'en vont. Il paye.

— Quelle était l'ambiance ?

Rosalie m'a regardée sans comprendre.

— Les filles avaient l'air contentes ?

Rosalie a secoué la tête.

— *Nerviosas.*

— Comment ça ?

— Elles regardaient la table, pas mes yeux. Pas sourire. Pas parler.

— Vous leur avez parlé ?

— Je dis *hola*, elles disent rien. Je dis *buenos días*, elles disent rien.

— Et l'homme, elles parlaient avec lui ? Et lui, il vous a parlé ?

— L'homme a commandé les enchiladas au fromage. Pas amical. *Muy frío.*

— À quoi ressemblait-il ?

Elle a secoué la tête. Placé ses mains en visière au-dessus de ses sourcils.

— Chapeau. Je le vois pas bien.

— Il était grand, petit, gros, maigre ?

Elle a agité la main.

— Pas si grand, pas si maigre, pas gros.

J'ai sorti de mon sac les photos de Breach et de Majerick. Rosalie les a regardées, a secoué lentement la tête.

— Le chapeau. Et… Et il me regarde pas dans les yeux…

Remontant les épaules et faisant semblant de relever son col, elle a ajouté :

— Pas de visage.

Génial. Un type de taille moyenne, avec un chapeau. Slidell allait adorer cette description.

— L'homme et les filles sont venus en voiture ?

— À pied.

— Vous avez vu où ils sont allés en sortant ?

Rosalie a hoché la tête.

— Quand ils sont partis, j'ai regardé. Par la fenêtre.

Un autre regard furtif en direction de la cuisine et elle a fait le tour du comptoir, poussé la porte et m'a indiqué une vitrine dans le pâté de maisons voisin, de l'autre côté de la rue.

— Là-bas. Ils ont marché là-bas.

— Qu'est-ce que c'est ?

Elle a hésité, et puis :

— *Sala de masaje.*

Là, il m'a fallu un petit temps de réflexion. Voyant que je ne pigeais pas, Rosalie s'est livrée à une pantomime, se frottant le cou et les épaules.

— Un salon de massage ?

— Oui. Que des hommes, a-t-elle fait en plissant les lèvres. Des hommes qui entrent, qui sortent. Pas de femmes. Que des filles.

— Celle avec la barrette rose ?

— *Sí.*

Elle a laissé la porte se refermer, repris son poste derrière le comptoir et tendu la main. Je lui ai donné un billet de vingt dollars.

— Je peux vous poser encore une question ?

Elle m'a regardée.

— C'est vous qui avez donné un papier sur l'église Saint-Vincent-de-Paul à la fille à la barrette ?

— *Sí.* J'ai pensé, peut-être ces filles ne disent rien parce qu'elles parlent pas anglais. J'ai pensé, peut-être qu'elles parleront à Jésus, a-t-elle ajouté avec un haussement d'épaule.

— C'était vraiment gentil.

— Elles ont pas dit *gracias.* Elles ont rien dit du tout.

Elle m'a rendu la monnaie et a claqué le tiroir de la caisse enregistreuse en poussant un profond soupir. J'ai senti qu'elle avait encore quelque chose à dire.

— Je pense ces filles ont peur. Et puis une est morte. Il fallait que…

Elle a porté la main à la tache brune en forme de cœur au creux de son cou.

— Je vous appelle. Un truc pas bon. Très mauvais.

— Vous avez bien fait, Rosalie. Le détective Slidell et moi, nous allons trouver qui est cette pauvre fille. Grâce à vous, elle rentrera chez elle, auprès de sa famille. Et nous découvrirons qui lui a fait du mal. Si d'autres filles sont maltraitées, nous les aiderons aussi.

La porte s'est ouverte d'un coup et deux jeunes sont entrés en traînant les pieds. Ils étaient en maillot de sport et jeans assez grands pour en mettre quatre comme eux.

— *Está abierto ?*

— *Sí.* (Et à moi :) Il faut que j'y aille, maintenant.

— Vous avez mon numéro. S'il vous plaît, appelez-moi si quelque chose vous revient ou si vous revoyez l'homme au chapeau. Ou si vous voyez l'un de ces deux hommes, ai-je ajouté en récupérant mes photos.

Dehors, Slidell était appuyé à la Taurus.

— Vaudrait mieux que ce soit intéressant.

Il a ouvert la portière et s'est mis au volant.

— Vous pouvez passer derrière ce bâtiment ? ai-je dit en indiquant le salon de massage, et je lui ai raconté ce que Rosalie m'avait révélé à ce sujet.

— Qu'est-ce que je disais ? C'était rien qu'une racoleuse !

Mais était-ce aussi simple que ça ? Des travailleuses du sexe et leur souteneur partageant un repas ? Ça me faisait mal de l'admettre, mais je devais bien reconnaître que la théorie de Slidell commençait à tenir debout.

Le salon de massage était coincé entre une boutique de tatoueur et un magasin de vins et spiritueux. C'était un bâtiment de brique blanc sale, comme ses voisins, avec une porte de verre et une grande vitrine. Masquée par un rideau, ce qui n'était pas le cas des autres. Sur la façade était fixée une petite enseigne : Fruit de la Passion.

Nous sommes restés un moment à observer, sans voir personne entrer ou sortir d'aucune des boutiques.

Au bout de dix minutes, j'ai dit :

— On devrait aller jeter un œil.

— Parce qu'une serveuse a pas aimé le look des clients ?

— Elle a vu notre inconnue entrer là-dedans, ai-je répliqué avec une hargne que Slidell a traitée par l'indifférence.

Il avait raison. N'empêche que ça me mettait en rogne.

Slidell a prolongé la surveillance pendant encore cinq minutes, puis, sans me demander mon avis, il a remis le contact et tourné dans Griffith.

Tout en roulant, je l'ai mis au courant de ce que m'avait appris Rosalie.

Brusquement, une phrase qu'elle avait prononcée a déclenché en moi un enchaînement de pensées.

Pas de visage.

Un chapeau rabattu sur la figure et un col levé très haut.

Qui pourrait vouloir dissimuler ses traits ?

Un individu défiguré ?

Un vétéran défiguré ?

Un vétéran impliqué dans différents trafics ?

Dom Rockett ?

Mais que serait donc venu faire Rockett dans une *taquería* avec une brochette de jeunes filles ?

Dont l'une d'elles gisait à présent dans notre chambre froide.

Chapitre 31

L'après-midi était déjà bien avancé quand Slidell m'a ramenée au MCME. À cinq heures, ma cheville recommençant à m'élancer, j'ai regagné mes pénates, emportant avec moi les dossiers Creach et Majerick et le courrier auquel je n'avais pas eu le temps de répondre.

Agréable surprise : Birdie est venu m'accueillir à la porte, Pete me l'avait ramené. Il a décrit des huit autour de mes pieds et s'est posté devant moi dans une attitude sans équivoque.

Je l'ai donc nourri, même s'il était encore tôt. Fallait bien fêter nos retrouvailles après une séparation d'une quinzaine de jours.

Je l'ai regardé manger ses croquettes, puis nous sommes allés ensemble dans mon bureau pour une séance de câlins sur le canapé. Je lui ai gratouillé le derrière des oreilles. Il a ronronné comme une machine à coudre. Je lui ai gratouillé le bas du dos. Il a dressé la queue et fait le dos rond, au comble du ravissement.

J'ai commencé à bâiller. Mes yeux se fermaient tout seuls. J'ai relevé mes pieds sur le canapé, posé ma tête sur l'accoudoir. Le chat s'est roulé en boule sur ma poitrine.

C'est alors que le téléphone sur le bureau s'est mis à sonner. Tout doucement. Trop doucement.

Je me suis levée pour décrocher. L'appareil étant mal posé sur le chargeur, la batterie était à plat.

J'ai lâché un juron. L'emportant avec moi sur son socle, je me suis traînée jusque dans ma chambre, je l'ai branché correctement et j'ai rapporté en bas celui qui s'y trouvait. Le nom de l'appelant s'est inscrit sur le petit écran : Pete. Certaine qu'il allait rappeler, je me suis rallongée. Birdie est revenu s'enrouler sur ma poitrine.

Quelques instants plus tard, le téléphone carillonnait à nouveau. À plein volume, cette fois.

— Mm.

— Bienvenue à la maison, petite culotte en sucre.

— Qu'est-ce que tu veux ?

D'une voix complètement endormie. Luttant contre une compression pulmonaire due à sept kilos de chat.

— C'est comme ça que tu me remercies ?

— Merci.

— Pas de quoi, vraiment.

— Non, sincèrement, Pete. Merci.

— Tout le plaisir était pour moi. Ce petit coco est plutôt chouette comme compagnon.

— Mm…

— Tu faisais la sieste, princesse ?

— Décalage horaire.

— Toi qui prétends ne jamais en souffrir.

— C'est vrai. Je ne souffre jamais du décalage horaire.

— J'ai une nouvelle qui va te réveiller. Je viens de recevoir un coup de fil de Hunter Gross. L'enquêteur, à l'audience préliminaire, a préconisé l'abandon des charges.

— C'est génial.

Énorme bâillement.

— Tu as entendu ce que je viens de dire ? John Gross va être blanchi.

— C'est ce que je me suis dit à l'issue de l'audience.

— Ça n'a pas l'air de te faire plaisir.

— Je suis contente pour lui.

— Sauf qu'il peut sûrement faire une croix sur sa carrière, maintenant.

— Tu crois vraiment ?

— Bah, qu'est-ce que j'en sais, après tout ?

— Il a un très bon dossier militaire…

— Tu imagines la tension à laquelle il a été soumis ?

Pete avait raison. Sur deux plans. C'est vrai que la nouvelle ne me comblait pas de bonheur. Quelque part, Gross m'avait prise à rebrousse-poil. Trop arrogant. Trop coincé. Mais il est vrai aussi qu'il avait dû subir un stress énorme. Surtout compte tenu de son profil psychologique.

— Je suis contente d'avoir pu jouer mon rôle.

— Tu sais que tu es célèbre ?

— Hein ?

Je me suis redressée d'un bloc. Au grand déplaisir de Birdie.

— Regarde ton nom et *Stars and Stripes* sur Google.

— Le journal militaire ?

— Non. Notre bon vieux drapeau, a-t-il répondu sur un ton moqueur

J'ai mis Pete sur haut-parleur et posé l'écouteur sur le coussin. Puis j'ai sorti mon ordinateur portable et l'ai allumé. J'ai suivi sa suggestion et cliqué sur le premier lien proposé par Google.

UNE EXPERTE JUDICIAIRE TÉMOIGNE
EN FAVEUR D'UN MARINE ACCUSÉ

Ça racontait toute l'histoire. En citant mon nom, comme annoncé par Pete.

> Le Dr Temperance Brennan, qui s'était rendue en Afghanistan à la demande du NCIS pour procéder à l'exhumation des deux corps, a fourni un témoignage crucial lors de l'audience préliminaire à Camp Lejeune, en Caroline du Nord…

Je ne suis pas allée plus loin. Deux citations dans la presse en une semaine. Pour quelqu'un qui tenait à demeurer dans l'ombre, c'était réussi.

J'ai refermé mon portable et repris le téléphone.

— C'est à l'avocat de Gross que je dois ça ?

— Il n'y avait pas de journalistes à l'audience?

— Possible. Il y avait deux spectateurs.

J'étais enragée.

— Allez, tu as sauvé la peau du gars. Réjouis-toi et savoure ta gloire. C'est tout à ton honneur!

J'ai levé les yeux au ciel. En pure perte, puisque Pete ne pouvait pas me voir.

J'ai laissé passer deux secondes avant de demander:

— As-tu laissé un PC sur mon bureau?

— Oui. Il tournait au ralenti, alors j'ai lancé un scan antivirus.

— C'est une antiquité, ce portable. Tu ne t'es pas dit que ça pouvait être ça, la cause?

— Je ne l'utilise que pour mes courriels personnels. Mes dossiers, je les garde sur le système du bureau.

— Fais une folie, Pete. Offre-toi un portable neuf.

— Peut-être.

— Mais pourquoi faire le scan ici? Tu ne pouvais pas utiliser ton programme antivirus chez toi?

— Toutes les prises de la maison sont occupées.

— Quoi? Summer fabrique de la meth?

L'image m'a arraché un sourire.

— Elle a mis à charger les batteries des petites lumières pour le mariage, et il doit y en avoir un milliard.

— Tu es resté chez moi pendant mon absence?

— Il se peut que j'aie regardé un petit match de foot.

— Merci pour les provisions.

— Tout le plaisir est pour moi, Bouton d'or.

— Les lasagnes datent de quand?

— D'hier. Tu devrais te reposer. J'ai l'impression que tu en as besoin.

Après cette conversation, j'ai regardé ma boîte de courriels. Rien de Katy. Rien de Ryan.

— Bien sûr que non.

Ça m'est sorti plus fort que je ne m'y attendais. Bird a levé la tête mais n'a pas répondu.

L'icône du dossier pourriels de ma messagerie affichait soixante-quatorze messages. J'ai commencé à les supprimer un par un, évacuant, à chaque appui sur la touche «effacer», un peu de la frustration accumulée en moi.

Jusqu'à ce que l'objet d'un de ces messages interrompe net mon grand nettoyage.

Tu vas crever aussi, espèce de salope.

Qu'est-ce qui, dans cette phrase, venait de m'inciter à suspendre mon geste alors que, cinq minutes plus tôt, j'avais expédié dans le néant électronique plusieurs messages tout aussi orduriers ? Crever ? Crever aussi ?

Ignorant la petite voix qui me mettait en garde, j'ai ouvert le courriel.

Vide.

Date de l'envoi : hier. Même jour que l'article du *Stars and Stripes*.

Expéditeur : citizenjustice@hotmail.com.

Un groupuscule politique ? Un cinglé ? Un enfant qui passait trop de temps sur Internet hors de toute supervision parentale ?

Pour quel motif ? Une menace qui m'était spécifiquement destinée ?

J'avais plusieurs comptes de messagerie ; mes courriels aboutissaient tous dans la même boîte centralisée. Celui-ci n'avait pas atterri dans mon compte Gmail, il m'était parvenu par l'intermédiaire du bureau du médecin examinateur. Adresse facile à obtenir, puisque c'était celle qui figurait sur mes cartes de visite… Et aussi sur les affichettes que j'avais accrochées aux réverbères d'Old Pineville Road et de South Boulevard. Et merde !

Qui était ce citizenjustice ? Un ancien détenu qui avait une dent contre moi ? Qui s'était retrouvé derrière les barreaux à cause de mon témoignage ? Ou l'inverse : un ami ou un parent de la victime furieux que mes conclusions aient contribué à innocenter quelqu'un ? À empêcher quelqu'un de toucher des dommages et intérêts ?

Qui d'autre encore ? Je me suis creusé la tête.

Un étudiant mécontent de sa note ? Un voisin qui n'aimait pas mon chat ? Un psychotique inconnu, simplement croisé dans la rue ?

Je suis restée à fixer l'objet du message. En parler à Slidell? Je n'avais pas besoin de son scepticisme. Ou pire, de son paternalisme surprotecteur.

Ce n'était sûrement qu'une broutille.

J'ai fermé mon ordi portable, mangé les lasagnes, pris une aspirine pour ma cheville et me suis écrasée dans le lit.

Le sommeil m'est tombé dessus comme le rideau sur la scène à la fin d'une pièce.

Chhhh-chunk!

J'ai ouvert les paupières d'un coup.

J'ai tendu l'oreille, pas vraiment certaine d'avoir entendu du bruit. J'avais peut-être rêvé…

Chhhh-chunk!

Non. Le bruit était bel et bien réel. Et venait d'ici même, dans la maison.

Mon rythme cardiaque a battu tous les records.

J'ai cligné des paupières pour obliger mes yeux à s'adapter. Retenu mon souffle. Fouillé la pièce du regard, à l'affût du moindre mouvement.

En vain. Il n'y avait rien à voir, que des ombres. Et je n'entendais que le silence.

2:38 au radio-réveil sur ma table de nuit.

Chhhh-chunk!

Mon cœur battait au rythme d'un marteau-piqueur.

Ça provenait du rez-de-chaussée. On aurait dit le bruit du retour-chariot d'une vieille machine à écrire.

J'ai tâtonné à la recherche du téléphone. Merde! Je l'avais laissé dans le bureau, et mon iPhone était dans mon sac.

Sur la pointe des pieds, je suis allée jusqu'à la porte, en évitant soigneusement les lames du parquet qui grinçaient.

J'ai retenu ma respiration. Tendu l'oreille.

Ni pas furtifs. Ni frôlement de tissu contre un mur. En fait, pas un seul mouvement.

Un effleurement, le long de mon mollet. J'ai failli hurler. Le souffle coupé, j'ai baissé la tête.

Deux yeux ronds brillaient dans le noir. Du plat de la main, j'ai fait signe à mon chat de ne pas bouger. Il s'est faufilé par la porte juste au moment où le bruit recommençait.

Chhhh-chunk !

Une phrase m'est passée par la tête, des mots en caractères d'imprimerie.

Tu vas crever aussi, espèce de salope.

L'adrénaline m'a inondé le corps.

Coup d'œil par-dessus mon épaule à la recherche d'un objet pouvant me servir d'arme.

Le troll rapporté de Norvège ? La tasse du LSJML ? Le vase McKenzie-Childs ? J'ai opté pour les deux singes qui se tenaient par la main. En bronze. Lourd. Objet contondant.

La main crispée sur la statuette, je me suis glissée dans le couloir. Dans la pénombre, le miroir mural m'a renvoyé une vision fantomatique de l'escalier.

Aucune silhouette tapie en bas armée d'un couteau ou d'un pistolet, prête à me sauter dessus.

Birdie, comme changé en pierre, attendait sur le palier intermédiaire. M'entendant approcher, il a commencé à descendre.

Chhhh-chunk !

Le chat s'est figé. Sa queue a fouetté l'air, puis en quelques bonds, il est remonté à l'étage et a disparu dans les toilettes.

Respirant sans bruit, j'ai descendu les marches lentement. Ma cheville me signalait sa faiblesse par de petits élancements.

En bas, je me suis arrêtée pour écouter à nouveau.

Chhhh-chunk !

Plus fort.

Jesus. Qu'est-ce que diable ça pouvait bien être ?

J'ai jeté un regard dans le salon. Dans la salle à manger. Rien d'alarmant.

Direction le bureau. D'où le bruit semblait provenir.

J'ai poussé la porte…

CHHHH-CHUNK !

Où étaient les téléphones ?

L'un près du canapé, l'autre sur le bureau, où le voyant rouge du chargeur faisait comme une coulée sanglante sur le sous-main.

Et, dans cette lueur, quelque chose a brillé. Une fois. Deux fois.

Mon regard a été attiré vers l'ordi de Pete.

C'est alors que le plateau du CD a jailli hors de son compartiment, pour se rétracter aussitôt.

CHHHH-CHUNK !

Dieu du ciel… !

J'ai posé mes primates en bronze et me suis approchée du bureau. J'ai relevé le couvercle du Dell pour faire apparaître l'écran dans son entier. Y défilait un texte jaune vif sur fond violet intense.

PIÉGÉ ! PIÉGÉ ! PIÉGÉ ! PIÉGÉ ! PIÉGÉ !

Pour une fois, ce technophobe de Pete avait vu juste : son ordinateur avait attrapé un virus.

Je l'ai éteint, rallumé et j'ai attendu une éternité que Windows déroule sa procédure de démarrage. L'inscription avait disparu. Le plateau du CD restait tranquille.

— Toi, mon grand, tu me le payeras, ai-je soufflé entre mes dents.

Je retournais vers la salle à manger quand un mouvement a de nouveau attiré mon attention. Une discrète altération des ombres sur la moquette. Là-bas, devant la fenêtre, de l'autre côté de la table.

Je me suis arrêtée. Mon cerveau me jouait-il des tours ? Réaction à la décharge d'adrénaline ou contre cette saloperie d'ordinateur contaminé ?

Non. Cette ombre ondulante était bien réelle, comme tout à l'heure les ouvertures et fermetures spasmodiques du plateau CD.

Le dos plaqué au mur, je me suis glissée vers les rideaux pour jeter un coup d'œil au dehors.

La nuit était sans lune, et les pelouses de Sharon Hall aussi noires qu'une tombe.

Pourtant, là, sous le magnolia, il y avait comme des éclairs de blancheur. Une silhouette ?

Je suis restée tapie une bonne minute, aux aguets. Mais il n'y a rien eu d'autre. En tout cas, je n'ai rien vu. Si jamais j'avais vraiment vu quelque chose au départ.

Subitement, une crainte.

Toutes les portes étaient-elles bien fermées ? L'alarme branchée ? En arrivant, j'avais été surprise de voir Birdie. Distraite, épuisée, j'avais pu oublier. Ce n'aurait pas été la première fois. En général, je fais bien attention quand je sors de chez moi, mais quand je suis de retour, je ne pense pas toujours à me barricader contre les intrusions.

Mon regard est tombé sur les dossiers Creach et Majerick abandonnés sur la table. Cambrioleurs, tous les deux. Et pour l'un, agresseur violent.

J'ai vérifié toutes les portes, toutes les fenêtres et j'ai branché l'alarme. Je prenais un téléphone dans le bureau quand un bruit de moteur m'est parvenu, faible mais reconnaissable entre tous : une voiture qui démarrait.

Je suis retournée me coucher, un peu inquiète.

Chapitre 32

J'ai été réveillée par une sonnerie. Le téléphone, pour changer. Encore un peu et j'allais battre le record.

— On a épinglé Cecil Creach.

Slidell. D'une voix bizarre, presque guillerette.

— Où ça ?

— Au Moosehead, du côté de Montford Drive.

Un pub que je connaissais. Le gérant était un farouche partisan de la tolérance zéro.

— Impossible que Creach ait vendu de la dope à cet endroit, ai-je dit.

— Il faisait que boire, ce con. En parlant tout seul. Les clients ont pris peur, alors le videur l'a fichu dehors. Comme Creach restait assis dans le stationnement à pleurnicher que la vie était trop injuste, le videur a appelé les flics. Creach était complètement saoul, mais pas une trace de drogue.

— C'était à quelle heure ?

Un froissement de papier.

— Il a été coffré juste après une heure du matin.

Autrement dit, mon visiteur, pour peu qu'il ait bien existé, ne pouvait pas être Creach. Parler de l'incident de cette nuit à Slidell ? Pour lui dire quoi ? Que je m'étais fait avoir par un PC farceur ?

— Il a résisté ?

Un reniflement de Slidell.

— Bon, et maintenant ?

— Je vais le laisser un peu mariner dans son jus et je le passerai au gril.

— Je veux être là.

— Le spectacle démarre dans une heure.

— Attendez-moi pour commencer.

Slidell a émis un bruit qui pouvait être un acquiescement.

J'ai donné à manger à Birdie, pris ma douche et me suis habillée. Un café, une bouchée de lasagnes froides et j'étais prête à partir. J'avais dormi par intermittence, mais j'étais gonflée à bloc. Nous avancions.

J'ai fourré les dossiers auxquels je n'avais pas touché dans la mallette de mon portable, attrapé mon sac à main, mes clés, et j'ai ouvert la porte de la cuisine.

Et je me suis arrêtée net.

Une boîte était posée sur le paillasson. Le genre de boîte dans laquelle on met un pull ou une chemise pour l'offrir. Il n'y avait pas d'étiquette dessus, pas de nom ni d'adresse.

Le paquet n'avait rien de particulièrement menaçant. N'en sortait ni fil ni bruit suspect. Pourtant, instinctivement, j'ai été en état d'alerte.

Le jeu d'ombre dans la nuit. Le mouvement sous l'arbre.

Et autre chose.

Une tache brun-rouge, telle une fleur, partait du fond de la boîte et remontait sur le côté gauche.

J'ai scruté les environs.

Ma Mazda était toujours à sa place. Aucune voiture ne rôdait dans Sharon Hall. Les allées de la résidence étaient désertes, tout comme les jardins. Personne devant l'église baptiste de Myers Park, de l'autre côté de l'enceinte. Et, au coin de Selwyn, juste quelques véhicules arrêtés au feu.

J'ai baissé les yeux sur la boîte, pris une bonne inspiration, posé mon portable par terre et tiré des gants dans ma poche. Les ayant enfilés, je me suis accroupie et j'ai prudemment soulevé le couvercle.

La boîte ne contenait qu'une chose. Brun-gris, ratatinée. On aurait dit un bout de viande momifiée. En dessous, le carton était noir et brillant.

Je n'ai pas tout de suite compris ce que c'était.

Pour cela, il m'a fallu retourner la chose du bout du doigt. Faire attention aux détails.

Malgré la chaleur, un frisson glacé est remonté le long de ma colonne vertébrale.

— Oh mon Dieu…

Je me suis relevée d'un bond, l'estomac retourné, la main plaquée sur la bouche.

— Mon Dieu…

J'ai tenté d'avaler la grosse boule que j'avais dans la gorge. Essayé une deuxième fois. Levé la tête et laissé l'air matinal me rafraîchir le visage.

Je me suis forcée au calme et j'ai à nouveau parcouru les environs du regard.

Puis j'ai emporté la boîte dans la cuisine et vivement fermé la porte.

Les mains tremblantes, j'ai sorti mon iPhone de mon sac et appelé un numéro abrégé.

Slidell a décroché à la deuxième sonnerie.

— Où diable êtes-vous ?

— Venez chez moi tout de suite. Tout de suite !

Au ton de ma voix, il a compris qu'il y avait urgence.

— Tout va bien, doc ?

— Oui. Non. Juste, venez, s'il vous plaît. Et il faudrait peut-être que vous préveniez l'unité des scènes de crime.

Slidell a eu le mérite de ne pas poser de questions.

J'ai enfermé Birdie dans ma chambre et je suis retournée dans la cuisine. Slidell a débarqué moins de vingt minutes plus tard. Il avait l'air grave, préoccupé.

Je lui ai montré la boîte posée sur le plan de travail.

— J'ai trouvé ça devant ma porte, ce matin, ai-je dit avec un calme que j'étais loin d'éprouver. Il se peut que j'aie entrevu un intrus vers deux heures et demie ce matin.

— Vous l'avez ouverte ?

J'ai hoché la tête. Levé mes mains gantées.

— Y a quoi, là-dedans ?

Sans répondre, j'ai soulevé le couvercle et me suis écartée.

Slidell s'est approché, a jeté un coup d'œil…

— *Fuck !* Qu'est-ce que… ?

Il a détourné les yeux puis de nouveau regardé le contenu. Et froncé les sourcils.

— C'est bien ce que je crois ?

— Oui, une langue.

— Humaine ?

Sur un ton signifiant qu'il n'avait pas besoin que je le lui confirme.

— Vous voyez les papilles ?

— Ces petites bosses qui ressemblent à de minuscules mamelons ?

— Oui.

Slidell s'est passé la main sur la mâchoire.

— La coupure a l'air plutôt nette.

— Oui. Sauf qu'il y a quand même des abrasions et des lacérations. Probablement dues au frottement contre les dents.

— Et vous en déduisez quoi, de ces marques ?

— Je vois des incurvations. Des arcs multiples, et donc des tentatives répétées pour trancher la chair. Je dirais qu'on a utilisé un petit sécateur à lames courbes.

Slidell s'est redressé et a pris une profonde inspiration.

— La victime, elle était vivante quand on lui a fait ça ?

— Les taches sur le carton suggèrent une hémorragie importante. Or, quand le cœur arrête de pomper le sang dans les vaisseaux, le saignement cesse, ai-je ajouté en voyant Slidell hausser les sourcils.

Simplification grossière, mais ça suffisait pour lui.

— Vous avez fait chier quelqu'un, récemment ? Je veux dire, plus que d'habitude ?

Mon Slidell, redevenant égal à lui-même…

J'ai haussé les épaules. Comment savoir?

— Vous pensez que ça pourrait être une menace? Un avertissement?

Slidell a sorti son cellulaire et composé un numéro.

— Faites-venir l'unité des scènes de crime…

Il a donné mon adresse et fait la grimace en entendant la réponse.

— Ben, le plus vite possible, alors.

Sur ce, il a raccroché son téléphone à sa ceinture et m'a jeté un regard sinistre.

— Qu'est-ce qui vous fait penser que ça pourrait être une menace, et pas seulement une vilaine blague?

— Venez voir.

Il m'a suivie dans mon bureau en regardant les lieux avec curiosité au passage.

J'ai allumé mon ordinateur et ouvert le courriel de citizenjustice@hotmail.com.

— Quand est-ce que vous avez reçu ça?

— C'est arrivé il y a plusieurs jours.

— Et vous n'en avez pas parlé parce que…?

Et voilà. Ce petit ton paternaliste, insupportable.

— Je ne l'ai lu qu'hier.

Je lui ai raconté ce qui m'était arrivé au cœur de la nuit. Enfin, peut-être arrivé.

— Ce n'était peut-être rien, aussi.

— Ou bien c'était le trou de cul qui vous a livré ce petit cadeau. Je mets votre place sous surveillance.

— C'est vraiment nécessaire?

— Ouais, a fait Slidell d'un ton sans réplique. Vraiment nécessaire. En attendant, touchez à rien. Ni la boîte. Ni la porte. Ni le paillasson. Ni le seuil de la porte.

— Je sais comment l'unité des scènes de crime fonctionne.

Pas aimable, mais Slidell commençait à me taper sur le système.

— Celui qui a fait ça est soit cinglé, soit en colère. Vous préférez quoi, doc?

— Et si on allait discuter avec Creach?

Slidell m'a lancé un de ses regards à la Dirty Harry.

— Écoutez, il faut que je fasse un rapport, ai-je repris avec un geste en direction de la boîte. Autant que je le fasse au QG.

Il a fait la moue, et poussé un soupir.

— Bon. Pour Creach, c'est moi qui parle, a-t-il dit en tapotant son téléphone. Vous, vous écoutez.

Chapitre 33

Quand j'ai commencé à travailler pour le MCME, le service de police de Charlotte n'avait pas encore fusionné avec son homologue du comté de Mecklenburg. Le quartier général de la police de Charlotte était un bâtiment beige, quelconque, situé au coin de la Quatrième et de McDowell.

Aujourd'hui, le QG du CMPD, la police de Charlotte et Mecklenburg, se trouve à l'intersection d'East Trade et de Davidson. C'est un immeuble de trois étages néoclassique, typique des États du Sud.

Dix minutes après être sortie de chez moi, j'entrais dans le bâtiment, flanquée de Slidell.

Après avoir montré patte blanche, nous sommes montés au premier étage par l'ascenseur. J'ai suivi le détective le long d'une rangée de salles d'interrogatoire jusqu'à une porte marquée A.

— Creach est dans la C, a fait Slidell en ouvrant la porte. Vous, vous regardez d'ici.

La pièce contenait la table, les chaises, le dispositif audiovisuel et le téléphone mural habituels. Je me suis assise, et le petit écran a affiché une image granuleuse, en noir et blanc, tandis que les haut-parleurs déversaient un crachotis de sons métalliques.

CC Creach était assis sur une chaise en plastique et métal gris identique à la mienne, les coudes sur la table, le menton posé sur les poings. Ses cheveux noirs, longs, étaient nattés et retenus par des élastiques espacés de quelques centimètres.

J'ai entendu une porte s'ouvrir. Creach a levé la tête, brusquement, et s'est tourné vers l'endroit d'où venait le bruit.

Des pas, puis Slidell est apparu dans l'image. Creach l'a accompagné d'un regard fébrile, les yeux écarquillés, les avant-bras dressés, pareils à de longs piquets osseux.

Slidell a balancé un dossier qui a atterri sur la table avec un bruit sec.

Creach a baissé les mains, et j'ai mieux distingué ses traits dans la lumière crue qui lui plaquait des taches sur les joues.

— Salut, *man*, a fait Creach avec un sourire crispé. Y a un problème ?

Slidell l'a toisé un moment en silence, sans sourire.

— J'crois que je me suis un peu énervé, a continué Creach avec un étrange gloussement.

Slidell a tiré une chaise vers lui.

— Il avait pas l'sens de l'humour, c'gars-là. J'vais m'excuser. Y a pas de quoi fouetter un chat, hein ?

Slidell s'est assis. A ouvert le dossier. En a lentement trié et rangé le contenu.

Creach s'est renversé contre le dossier de sa chaise. Puis s'est rappuyé sur la table.

Slidell a minutieusement vérifié que le matériel audio-visuel était correctement branché.

— Cet interrogatoire sera enregistré. Pour ta protection et la mienne. T'as une objection ?

Creach a secoué la tête.

Slidell a appuyé sur un bouton.

— Sont présents à cet interrogatoire le détective Elskine Slidell, de la brigade homicide, bureau des enquêtes criminelles, service de police de Charlotte-Mecklenburg, et Cecil Converse Creach.

Il a ensuite indiqué la date et l'heure.

Sous le regard nerveux de Creach, Slidell a sorti un papier de son dossier et fait semblant de s'absorber dans sa lecture. Comportement évidemment calculé, le but étant de déstabiliser Creach, de susciter en lui une angoisse qui le rende vulnérable et l'amène à commettre des erreurs.

Slidell a reposé sa feuille.

— Le cours a commencé.

— Ça veut dire quoi ?

— T'es pas allé à l'école, CC ? T'as jamais pris l'autobus scolaire ?

— J'suis allé à la dure école, a répondu Creach avec un ricanement digne de Jack Nicholson dans *Easy Rider*.

— Tu trouves ça drôle ?

— J'pensais que tu blaguais. L'école et toute cette merde.

Slidell s'est contenté de le dévisager fixement.

Le pied droit de Creach s'est mis à battre la mesure sur le sol, faisant rebondir son genou osseux comme un piston.

— J'ai pas rien fait.

— C'est ce qu'on appelle une double négation, CC. Si t'as pas rien fait, alors t'as fait quelque chose. Et c'est pour ça que t'es là, à empuantir ma salle d'interrogatoire.

Certains interrogateurs aiment mettre le sujet à l'aise, gagner sa confiance et en profiter. Slidell, lui, avait pour principe la mise à mort, d'entrée de jeu.

— T'es en liberté conditionnelle, pas vrai ?

Creach a hoché la tête.

— Ivresse et atteinte à la paix publique, c'est une violation de parole. J'ai pas raison encore une fois ?

Aucune réaction, côté Creach.

— Tu coopères pas, CC, et tu t'retrouves en tôle, assis sur ton cul osseux de Black. Paraît que t'es plutôt populaire, là-bas.

Les yeux de Creach ont commencé à virevolter d'un endroit à l'autre de la salle.

— Regarde-moi, tas de merde. Tu perds ta concentration, moi je perds patience. Et t'as pas envie de ça.

— Tu te trompes, *man*.

— Vraiment? Alors on va essayer ça. Le Fruit de la Passion, le club.

Creach a eu l'air sincèrement déconcerté.

— Tu t'es jamais fait pomper le nœud au Fruit de la Passion?

— Hein?

— Faut que je t'épèle le nom lentement?

Creach a ouvert les lèvres mais n'a rien dit.

— Je t'ai posé une question, trou de cul. Tu t'es jamais fait astiquer le manche dans ce... « salon de massage »?

Accompagné de deux guillemets avec les doigts en crochet dans le vide.

Creach ne tenait plus en place. Ses mains s'agitaient nerveusement sur le bord de la table. Son pied martelait le sol en béton.

Ses mains ont volé en l'air.

— Ça va, ça va. Ouais. J'y suis allé.

— Quand ça?

— Deux, trois fois.

— Quand ça?

— Quoi, tu veux des dates?

— Ouais, tas de merde. Des dates.

— J'ai pas trop la mémoire des dates.

— Creuse-toi un peu la tête, CC.

Le regard de Creach est devenu fixe. Manifestement, il s'interrogeait sur son récent emploi du temps.

— Y a quelques semaines, peut-être bien.

Slidell a incliné la tête.

— Un lundi. Ouais. Je m'rappelle. Le lundi d'y a deux semaines. J'étais avec ce gars, Zeno. Il a dit qu'y avait de la chair fraîche au Bronco Club.

J'ai consulté le calendrier de mon iPhone. Deux lundis plus tôt... Pile le jour où l'inconnue était morte.

— Ça veut dire quoi, ça, « de la chair fraîche »?

— Ben, l'propriétaire fait v'nir de nouvelles danseuses le premier lundi de chaque mois. Quand on a de l'argent, Zeno et moi, on va voir les filles.

— Quel âge, les filles?

— J'sais pas, moi…

Slidell l'a foudroyé du regard.

— Celles qui viennent le lundi, elles sont vraiment jeunes.

— Des enfants ?

— Écoute, *man*, j'leur demande pas leur carte d'identité.

— Et des fois, avec ces jeunes créatures, tu t'envoies en l'air ?

— Jamais !

Creach a agité la tête, trop vite et pendant trop longtemps.

— Si y en a une qui est allée se plaindre de quèqu'chose, c'est pas moi. Ou si elles ont pas l'âge pour ça ou j'sais pas quoi.

— Hm-hm. Laisse-moi deviner : t'as pas de quoi t'offrir les putes du Bronco, alors tu vas faire ton marché au Fruit de la Passion. Quoi, les poulettes sont un peu plus vieilles, là-bas ? Elles ont peut-être toutes leurs dents ?

— Nan. Sont jeunes aussi, a répondu Creach qui n'était pas assez futé pour saisir le sarcasme. J'aime pas les vieilles chattes.

— Ça, CC, c'est carrément de la discrimination.

Slidell avait l'air aussi écœuré que moi. Il a laissé mariner l'autre quelques instants avant de plaquer sur la table une photo de notre inconnue.

— Tu la connais ?

Creach a regardé la photo tout en se curant une oreille.

— Ouais.

Slidell a tourné les yeux vers la caméra.

J'ai retenu mon souffle.

— S'appelle comment ?

— Candy.

— Parle-moi d'elle.

— C'est une blague, hein ?

— Je suis très sérieux.

— Le Fruit de la Passion, on y va pas pour parler d'la pluie et du beau temps.

Slidell a croisé les bras.

Creach a haussé les épaules.

— Parlait pas anglais, de toute façon. Y en avait pas une qui parlait anglais. Elles parlent espagnol ou quèqu'chose du genre.

Slidell a poussé vers Creach la photo de Ray Majerick. L'autre a étudié son visage mais n'a rien dit.

— Je vais te dire un truc, CC, que je devrais peut-être pas.

Slidell a pris une profonde inspiration et relâché l'air bruyamment par le nez.

— Je crois que tu fais de ton mieux. Mais jusque-là, ça suffit pas. Tu me donnes de quoi travailler, et, de mon côté, je fais ce que je peux pour passer l'éponge sur ton délit d'ivresse et atteinte à la paix publique.

— Ouais ?

— Ouais.

Creach a tapoté la photo.

— Ce gars-là était tout le temps là.

— Au Fruit de la Passion ?

— Ouais.

— Il travaille là-bas ?

— J'sais pas. *Fuck*, je l'jure. Les filles l'appelaient Magic. Semblaient avoir peur de lui.

— Pourquoi ?

— Aucune idée.

Je n'avais pas remarqué que son pied ne battait plus la mesure jusqu'à ce qu'il s'y remette.

— Tout ça, c'est confidentiel, pas vrai ? On apprend que j'vous ai parlé, *shit*, j'vais y goûter.

Slidell a passé un stylo et un calepin de l'autre côté de la table.

— Écris-moi tout ça.

— J'ai tout dit. *Come on.* Y s'agit de ma peau, là !

Slidell, qui se dirigeait déjà vers la porte, s'est retourné.

— Tu veux un bon conseil ? Calme-toi, *fuck*.

— Hé, attends ! Qu'est-ce qui va m'arriver ?

J'ai retrouvé Slidell dans le couloir.

— Alors, doc, vous en pensez quoi ?

— Son histoire a l'air de tenir debout.

— En tout cas, on a le nom de notre inconnue. Dans la rue, on l'appelait Candy. Majerick était peut-être son souteneur.

— Vous pensez qu'il travaille tout seul, ou qu'il est au service de quelqu'un ?

— Magic est trop minable et trop fou pour diriger un réseau. Si c'est ce qu'on cherche.

Je réfléchissais à ce qu'avait dit Creach à propos des filles qui arrivaient tous les mois.

Mais d'où ? De petites villes ? De quartiers déshérités ? Des ghettos des grandes villes ? Et par quel moyen ? En bus, en train ? En stop ?

Un carrousel de femmes qui débarquaient là, fraîches et naïves, et qui dévalaient la pente jusqu'à des trous comme le Fruit de la Passion, droguées, brisées, l'optimisme de la jeunesse à jamais disparu. Vision désespérante.

Tout à coup, l'une des phrases de Creach m'est revenue. Elle faisait écho à quelque chose que m'avait dit Rosalie D'Ostillo.

— Montrez-lui la photo de Dom Rockett.

— Pourquoi ?

— Montrez-la-lui, c'est tout.

— Pff, pourquoi pas…

Sur l'écran, j'ai regardé la troisième photo glisser sur la table, pas très sûre de savoir moi-même quelle réaction j'espérais.

— Ouais. Il y était.

— Où ça ? Au Fruit de la Passion ?

— Ouais. Y terrorisait les petites.

— Elles avaient peur de lui ?

— Une frousse pas possible.

— C'est qui ?

— J'en sais rien, moi.

Slidell a placé la photo de Rockett à côté de celle de Majerick.

— Ces deux là, y se connaissent ?

— Même réponse.

Slidell a claqué impatiemment des doigts.

— J'en sais rien, a répété Creach.

— Tu les as jamais vus parler ensemble ?

Creach a secoué la tête.

Brusquement, le monde s'est effacé autour de moi, le moniteur, les murs de la salle. Les éléments de l'affaire se mettaient en place comme les pièces d'un puzzle, à toute vitesse.

Dominick Rockett fréquentait le Fruit de la Passion. Notre inconnue y travaillait sous le nom de Candy. Rosalie D'Ostillo avait vu Candy et les autres filles à la Taquería Mixcoatl. La *taquería* se trouvait tout près du carrefour où Candy était morte. D'Ostillo et Creach pensaient que Candy et les autres filles parlaient espagnol. Dom Rockett était un importateur qui faisait probablement du trafic, et il se rendait fréquemment en Amérique du Sud.

J'ai entendu la porte s'ouvrir et se refermer, puis les pas de Slidell marteler le sol de la salle d'interrogatoire C.

Creach a commencé à pleurnicher à propos de ses droits, de l'accord passé avec Slidell et de sa sécurité personnelle.

La transmission vidéo s'est interrompue, image et son.

Debout dans la petite pièce qui sentait le renfermé, je me suis tout à coup sentie emplie d'un vide glacé.

Mon Dieu !

Était-ce possible ?

Chapitre 34

— Et si ces filles faisaient l'objet d'un trafic ?

Le mot « incrédule » n'aurait pas suffi à décrire l'expression de Slidell.

— Trafic d'êtres humains. Réfléchissez-y.

Nous nous trouvions devant la salle de réunion de l'escouade des homicides. On apercevait par la porte un labyrinthe de cloisons, d'armoires de rangement et de bureaux dont quelques-uns étaient occupés.

— D'après Creach, le Bronco Club présente de nouvelles danseuses tous les mois. De très jeunes filles. Vous croyez qu'elles arrivent toutes en stop de l'Iowa et du Nebraska ?

— C'est quand même des strip-teaseuses. Elles se font quelques dollars et elles repartent.

— Et vont s'inscrire au doctorat à Yale ? ai-je lancé d'un ton sec.

— C'est pas ce que je dis.

— Réfléchissez : qui est le mieux placé pour répondre à la demande d'approvisionnement en jeunes femmes ?

Slidell m'a regardée d'un air dubitatif.

— Dom Rockett, ai-je lancé.

— Pas parce que ce bonhomme-là fait du trafic de chiens morts que ça veut dire qu'il fait du trafic d'êtres humains.

J'ai énuméré les pièces du puzzle qui venaient de se mettre en place dans mon cerveau. Candy. Le Fruit de la

Passion. L'espagnol. Les fréquents voyages de Rockett en Amérique du Sud pour son commerce d'importation.

— Et le fric que Rockett a investi dans S & S Enter-prises, il l'a trouvé où ?

— Vous voulez dire qu'y se remplirait les poches en faisant du trafic d'enfants ? Pour en faire des esclaves sexuelles ?

Du calme, Brennan...

— Ce que je dis, c'est qu'on ne peut pas exclure la possibilité que quelqu'un fasse entrer dans le pays des filles en situation irrégulière et les oblige à devenir tra-vailleuses du sexe.

— Et ce quelqu'un serait Rockett.

— Un certain nombre d'indices le montrent.

— Le trafic de chiens morts, c'est une chose. De là à faire du trafic d'enfants... Vous poussez un peu.

— Je m'en rends bien compte.

Slidell a baissé les yeux sur le dossier qu'il tenait à la main. S'est un peu dandiné sur place.

— Majerick, je dis pas. Quoique, une opération pa-reille, ça dépasse un peu ses compétences intellectuelles. Alors, Rockett, hein ?

Il a fait une drôle de grimace et secoué la tête.

Force m'était d'en convenir, Dom Rockett m'inspi-rait des sentiments mitigés. Un héros de guerre couturé de cicatrices. Mais aussi un type qui se foutait complè-tement d'aider à identifier la victime d'un chauffard. J'éprouvais pour lui autant de pitié que d'aversion.

— Lui, il a les compétences intellectuelles, comme vous dites. Et aussi l'infrastructure nécessaire. Camions, source d'approvisionnement. Maintenant, je suis inca-pable de dire s'il a l'absence de scrupules, le cœur assez glacé, pour monter un réseau de trafic d'enfants.

Ou la cruauté de tuer des jeunes filles sans défense si elles avaient le malheur de se rebeller. Mais cette pensée était trop atroce pour que je la formule à haute voix.

Subitement s'est produite en moi la connexion de deux autres neurones.

Une fiole de labo en plastique. Une antique défense de pachyderme.

— Bon sang, Slidell ! Je viens juste de me rappeler : Larabee a trouvé un petit bout d'ivoire dans le cuir chevelu de Candy.

— De l'ivoire, dans les cheveux d'une prostituée ?

— Allez-vous me laisser finir ? !

Slidell a regardé sa montre.

— Dans le salon, chez Rockett, il y avait une défense sculptée. Et elle avait l'air assez ancienne.

— Et alors ?

— Comment ça, et alors ? ai-je répliqué plutôt sèchement. Ça fait plus de vingt ans qu'a été instauré un embargo mondial sur l'ivoire. Et chez qui en trouve-t-on ?

— Moi j'ai bien une bille en ivoire que mon grand-père m'a donnée.

— Est-ce que vous m'écoutez ?

— Calmez-vous, doc.

— Je suis calme. Vous savez qu'après la drogue et les armes, le trafic humain figure tout en haut de la liste ?

Slidell s'est frotté le menton.

Un téléphone a sonné dans la salle de l'escouade derrière nous.

— Je vais demander un mandat. Pas sûr du tout que je l'obtienne. Mais puisque Creach a confirmé que le Fruit de la Passion était un salon de massage un peu particulier, je vais partir de là. Une fois à l'intérieur, on verra bien.

Laissant Slidell essayer de convaincre un juge de lui délivrer un mandat de perquisition, je suis retournée au MCME procéder à un certain nombre de recherches. Voici ce que j'ai appris :

Une étude des Nations unies estime à 31,6 milliards de dollars le montant annuel généré par le trafic d'êtres humains. Et ce chiffre date d'il y a plusieurs années. D'aucuns parlent aujourd'hui de quarante milliards, en raison de la forte croissance de ce secteur d'activité. Si l'on peut dire.

On évalue à 2,5 millions le nombre de victimes de travail forcé au niveau mondial. Cent soixante et un pays sont concernés, cent vingt-sept en tant qu'exportateurs, cent trente-sept en tant qu'importateurs. Les pays d'Asie et du Pacifique sont les sources d'approvisionnement les plus communes, suivis par les nations d'Afrique, du Moyen-Orient et de l'ancien bloc communiste.

La majorité des victimes ont entre dix-huit et vingt-quatre ans, mais on estime que tous les ans, 1,2 million d'enfants tombent entre les griffes des trafiquants.

Les victimes sont exploitées d'une manière ou d'une autre : travail forcé, obligation économique ou commerce sexuel. Contraintes de rembourser un prêt ou un service, elles travaillent contre leur gré, pendant des années, généralement comme domestiques chez des particuliers, ouvriers agricoles dans des fermes ou petites mains dans des ateliers de misère, souvent clandestins.

Le commerce sexuel concerne à lui seul quarante-trois pour cent des victimes du trafic d'êtres humains. Parmi elles, quatre-vingt-dix-huit pour cent sont des femmes ou des jeunes filles.

Au bout d'une heure, j'ai cessé ma lecture, complètement révulsée.

Ces filles qui fuguaient dans l'espoir d'une vie meilleure comme nounou, mannequin ou serveuse. Ces adolescentes qui faisaient une rencontre excitante, un étranger exotique, un homme plus âgé. Ces petites filles enlevées sur le chemin de l'école ou au parc et jetées à l'arrière d'une camionnette… Toutes finissaient dans l'enfer des boîtes de strip-tease, des bordels et des films pornographiques d'où il leur était impossible de s'échapper.

J'ai fermé les paupières. Très fort. Les images refusaient de s'effacer, elles me brisaient le cœur.

Des enfants entassés dans un enclos, agrippés aux barbelés, m'implorant du regard ; une fille ligotée, le visage à jamais dénué d'espoir ; de jeunes garçons gisant sur des matelas dans un sous-sol sordide.

J'écumais d'une rage impuissante.

Le « ding » d'un courriel arrivant dans ma boîte m'a ramenée à la réalité.

J'ai lu l'objet.

Et senti comme des aiguilles de glace me picoter la peau.

C'est toi la prochaine, salope.

Signé : citizenjustice@hotmail.com

— Essaie un peu, ordure !

J'ai ouvert la pièce jointe. Un .jpg.

Une photo a rempli l'écran.

Une femme gisant sur le trottoir, étendue sur le dos, une mare noire à hauteur de la tête, les yeux ouverts fixant le vide. Son visage tuméfié et couvert d'ecchymoses ruisselait de sang.

J'en ai eu le souffle coupé.

La femme avait la bouche ouverte. Trop ouverte.

— Oh mon Dieu, non, non !

On pouvait voir, malgré le sang, qu'elle avait la bouche vide.

J'ai regardé la photo, incapable d'en détourner les yeux, en état de choc, malade d'horreur. Comprenant très bien que cette langue coupée était celle qui avait été déposée sur mon seuil dans la boîte.

Cette femme, est-ce que je la connaissais ?

Ses traits étaient trop déformés pour que j'arrive à la replacer. Si jamais je l'avais rencontrée.

J'ai détaillé le corps inerte. Les vêtements n'avaient rien de particulier : blouson, pantalon noir, chaussures confortables.

Mes yeux sont remontés le long du blouson taché… De sang, probablement.

Se sont arrêtés sur le cou de la femme.

Un battement de cœur. Deux. Une douzaine.

Le picotement des aiguilles de glace s'est mué en une atroce brûlure.

J'ai saisi ma loupe.

Au creux de la gorge de la femme, une marque en forme de cœur.

J'ai flanqué un coup de poing sur mon bureau.

Merde ! Merde ! Merde !

Des larmes m'ont brûlé les paupières.

Je me suis levée et mise à tourner en rond, en proie à un tumulte d'émotions. La colère. Le désespoir.

La culpabilité ?

Le téléphone a sonné et j'ai failli l'ignorer.

— Quoi ? !

Plutôt un cri qu'une question.

— Ça va, doc ?

C'était Slidell.

— Je… Vous avez un ordinateur sous la main ?

— Je pourrais.

— Je vous envoie une photo par courriel.

— Ça va prendre un petit moment.

— Rappelez-moi dès que vous l'aurez reçue.

J'étais anéantie. Pourvu que ma voix n'ait pas trahi ma détresse.

— Je croyais que vous vouliez…

— Faites ce que je vous dis !

Je me suis remise à faire les cent pas dans mon bureau.

Douze minutes plus tard, le téléphone sonnait.

— Citizenjustice, c'est qui, ce fumier ?

J'entendais Slidell respirer fort. À coup sûr, il regardait l'image.

— Sur la photo, c'est Rosalie D'Ostillo.

— La serveuse du Mixcoatl ?

— Oui.

— Z'êtes sûre ?

— La tache de naissance sur sa gorge.

Slidell a poussé un grognement.

— C'est Rosalie. Elle nous a parlé, et elle a été tuée.

— Vous allez pas penser que c'est votre faute, quand même ?

— La faute à qui, alors ? Qui a eu l'idée d'aller dans ce restaurant ?

— C'est elle qui vous avait appelée.

— Et en guise de remerciements pour ses bons services, elle se fait tuer et trancher la langue !

J'étais au bord des larmes, ce qui ajoutait à mon énervement. Ce n'était pas l'image que je souhaitais donner à Slidell.

Il a gardé le silence pendant si longtemps que j'ai cru qu'il m'avait raccroché au nez. Je n'aurais eu que ce que je méritais d'ailleurs, aimable comme je l'étais.

— Ça devient de pire en pire, a-t-il dit enfin.

— Pour faire une chose pareille, il faut qu'il y ait un enjeu bien plus gros qu'une petite prostituée.

— Vous pensez qu'il y a un lien entre Candy et D'Ostillo ?

— Pas vous ? Candy a été tuée près de la *taquería*. D'Ostillo nous a raconté que Candy y était venue. Elle nous a dit aussi que Candy travaillait au Fruit de la Passion. Et maintenant, elle est morte, comme Candy.

— Rockett est toujours votre chouchou ?

— Pour le moment, il est en tête de liste.

— J'envoie le courriel aux spécialistes de la cybercriminalité, histoire de voir s'ils peuvent dénicher le fournisseur d'accès Internet. Ils vont analyser l'image ; la filtrer, l'agrandir ou je ne sais pas quoi. On remontera peut-être à la source.

— À votre avis, quelles sont les chances que le corps soit toujours sur place ?

Slidell a émis un de ces bruits dont il a le secret, puis :

— Le Fruit de la Passion appartient à une entité appelée SayDo, LLP.

— Quoi ?

Il a commencé à répéter. Je l'ai coupé.

— C'est qui, les propriétaires ?

— Pas vraiment du genre à déballer leur vie.

— Vous avez quelqu'un sur le coup ?

— À la minute où on parle. Pendant ce temps-là, je vais m'occuper du mandat.

— Quand comptez-vous vous pointer là-bas ?

— Ce soir. Le temps de constituer l'équipe.

— J'en suis.

— Ouais, j'avais compris ça.

Chapitre 35

L'air frisquet de la nuit embaumait. Au-dessus des vapeurs de diesel flottait une odeur de moufette contrariée. Dans le ciel, à l'est, était accroché un quartier de lune traversé d'écharpes noires.

— La nuit idéale pour un raid.

Slidell, au volant d'une voiture de police, s'adressait au flic en uniforme assis à côté de lui, un certain Rodriguez. Moi, j'étais à l'arrière.

Nous roulions dans l'un des quatre véhicules qui traversaient à faible allure une zone industrielle donnant sur Griffith, juste au nord du Fruit de la Passion et à une cinquantaine de mètres à l'ouest. Trois Chevrolet Suburban avec trois gars du SWAT dans chacune. Slidell était arrivé «blindé comme pour la chasse à l'ours». Ses propres termes.

Mon cœur cognait contre mes côtes sous mon gilet en Kevlar. Une idée de Slidell. Un machin dans lequel j'étais encore plus engoncée que dans l'armure que j'avais dû porter en Afghanistan. Dans ma botte, ma cheville m'élançait.

La radio clipée au blouson de Slidell s'est mise à crachoter. Il a regardé Rodriguez. Qui a hoché la tête.

Nous sommes descendus de voiture. Les autres ont fait de même, silhouettes casquées armées de Bushmasters AR-15 et de Remington 700P .308, des fusils d'assaut équipés de vision nocturne. Pour la chasse à l'ours?

— Le bâtiment a deux issues.

Le visage de Slidell était à peine visible dans le noir, mais sa voix tendue m'a informée qu'il était gonflé à bloc.

— On va entrer par les deux côtés à la fois, histoire de les prendre en tenaille. Alpha et Charlie par le devant, Bravo et Delta par l'arrière.

— Ils sont armés, à l'intérieur?

— On va faire comme si l'endroit était un arsenal.

— On sait combien ils sont?

— Négatif. Vous avez été informés sur les individus intéressants. Si Ray Majerick ou Dominick Rockett sont présents, vous les embarquez. Dans les règles. Sans violence. Pas question qu'un trou de cul en toge invoque la brutalité policière.

Nous avons regagné nos véhicules. Slidell a remis le contact, sans allumer les phares. L'armada s'est avancée au ralenti, sans un bruit, excepté le grondement assourdi des quatre moteurs et le crissement des graviers sous nos seize pneus.

Comme prévu, deux unités se sont arrêtées devant le salon de massage. Les deux autres ont fait le tour des bâtiments. Un seul véhicule s'est positionné devant le Fruit de la Passion.

Slidell a incliné la tête et appuyé sur le bouton émetteur de sa radio.

— Équipe Bravo, en position?

— Affirmatif.

— Charlie?

— Affirmatif.

— Delta?

— Affirmatif.

— Ici Alpha. Je vous donne le feu vert. C'est le temps du boogie-woogie.

Un million de phares et de feux de position ont illuminé la nuit. Notre voiture a bondi en avant pour s'arrêter si brutalement que l'arrière a chassé vers la gauche. Slidell et Rodriguez ont jailli de leur siège.

J'ai ouvert ma portière. Slidell s'est retourné pour me fourrer son doigt sous le nez.

— Vous, les fesses collées sur le siège !

— D'accord…

C'était l'entente : rester dans la voiture ou rester à la maison.

Slidell et Rodriguez se sont précipités, pliés en deux, la main crispée sur leur Glock levé à hauteur du casque. L'équipe Charlie les a rejoints devant le Fruit de la Passion, encadrant la porte.

Slidell a lancé un ordre dans sa radio, plus fort :

— On y va !

Un gars de l'équipe Charlie a ouvert la porte d'un coup de botte. Le choc du métal contre le mur intérieur est parvenu jusqu'à moi. Un bruit de verre brisé.

Slidell et Rodriguez ont foncé à l'intérieur, suivis par l'équipe Charlie.

Violent bruit sourd. Une porte sur l'arrière ?

Puis, étouffé, le braillement de Slidell :

— Police ! Personne ne bouge !

Il y a eu un cri, fort, strident.

Des hommes se sont mis à gueuler.

Puis plus rien.

Pas de coups de feu. Pas de clients indignés. Pas de femmes terrifiées.

Plusieurs secondes ont passé. Une minute. Une vie entière.

Un silence assourdissant.

— Au diable !

Je me suis ruée hors de la voiture vers le bâtiment.

Par la porte ouverte, j'ai vu une salle d'attente avec des murs taupe, des chaises en plastique orange, des fougères en plastique, des tables basses et des bouts de canapé brûlés par des cigarettes.

L'un des gars de l'équipe Charlie était là.

— C'est fini ? ai-je haleté, en proie à une poussée d'adrénaline.

— Ouais.

Il a braqué son Remington vers une porte sur la droite.

— Tout le monde est par-là.

J'ai suivi un couloir qui s'enfonçait vers l'arrière du bâtiment. Des murs de couleur taupe, comme dans la salle d'attente. Tout du long, des portes peintes en jaune. Trois à gauche, trois à droite. Toutes ouvertes.

Coup d'œil dans chaque pièce au passage.

C'étaient plutôt des cabines de la taille d'un placard, séparées par des cloisons en contreplaqué qui ne montaient pas jusqu'au plafond. À l'intérieur, un lit, les draps bien tirés, et une chaise à dos droit. C'est tout. Dans deux de ces cagibis, le décor classique : table de massage et radio-cassette. Personne dans aucune des cinq premières pièces.

Provenant de la sixième, la dernière sur la droite, des voix étouffées, dont celle de Slidell. D'un Slidell qui contenait sa colère à grand peine, à en croire la teneur de ses propos et le ton sur lequel il les proférait.

Je suis entrée.

La pièce, pas plus grande que les précédentes, contenait un bureau, un fauteuil capitonné bouffé par les mites et une vieille télé avec l'antenne posée dessus. Dans un coin, une porte ouverte donnait sur un escalier qui descendait dans le noir.

Un deuxième gars du SWAT — de l'équipe Delta, je suppose — était posté en haut des marches. Sous son casque, il avait les yeux braqués sur moi.

J'ai indiqué l'escalier.

Il a hoché la tête.

Un sous-sol humide et sordide, et des signes évidents d'occupation. Répugnant. Quatre matelas, des couvertures en lambeaux. Un mini réfrigérateur. Une plaque chauffante. Un comptoir surmonté d'armoires. Une table avec des cendriers vides, une pile de revues et une tasse contenant des crayons et des stylos. À côté du comptoir, un vestiaire sur roues, mais rien sur les cintres. Tout au bout, une porte donnant sur un cabinet de toilette.

Au milieu de la cave, Slidell, les yeux baissés sur une femme d'un mètre cinquante à peine, mais qui ne semblait pas disposée à se laisser intimider. Un papier à la main, le mandat probablement, elle soutenait son regard sans ciller.

Étaient également présents Rodriguez et deux gars du SWAT. Les autres devaient encercler les lieux ou visiter les bâtiments adjacents.

— Et vous dirigez ce taudis toute seule ?

— Quelqu'un vient faire le ménage.

— Où sont-elles, madame Tarzec ?

Slidell toisait la femme de toute sa hauteur. Un expert en la matière, cet homme.

— Je vous l'ai dit. Je ne sais pas de quoi vous parlez.

Elle avait un léger accent, une voix qui suggérait des dizaines d'années de cigarettes, et un aspect en accord avec cette voix. Des cheveux fins, grillés par les permanentes, la peau d'un jaune malsain et prématurément ridée par la diminution d'apport sanguin due au tabac.

— Moi je crois que vous le savez.

Mme Tarzec a haussé les épaules.

Le regard de Slidell s'est porté sur Rodriguez.

Celui-ci a eu un imperceptible mouvement de tête.

Slidell a crispé les mâchoires si fortement que j'ai vu bouger la mentonnière de son casque.

— Vous travaillez pour qui ?

— Je ne comprends rien à ce que vous racontez. On fait des massages thérapeutiques. Des massages et c'est tout.

— Ah ouais ? a fait Slidell en promenant les yeux autour de lui d'un air théâtral. Et les masseuses, elles sont où ?

— On est mercredi. Il n'y a pas beaucoup de clients, je ne vais même pas rentrer de quoi payer l'électricité. Alors, j'ai donné une soirée de congé aux filles. Les masseuses, je veux dire, c'est le terme approprié.

— Et pour cette baraque, le terme approprié c'est : « bordel ».

— J'aime assez votre numéro de macho, officier. Combien vous pesez, deux cents kilos ?

— Avec mon pistolet, a répondu Slidell, le visage dur, les joues rouge betterave.

— Vous avez l'air tendu, officier. Vous devriez utiliser un de nos forfaits d'aromathérapie. Ça vous ferait sûrement du bien.

— Vous, c'est un petit séjour au trou qui vous ferait du bien.

La femme a fait deux pas en arrière en secouant lentement la tête et elle a souri. Ses dents jaunes avaient l'air étrangement petites pour sa bouche.

— Vous m'arrêtez ?

Pas de réponse, côté Slidell.

— Je me doutais bien que non. Je ne sais pas ce que vous cherchez ici, mais ça n'y est pas. Et ça n'y a jamais été. Vous n'avez rien contre moi. Vous le savez aussi bien que moi. Alors, remballez vos foutues armes et vos foutus paniers à salade, et foutez le camp de chez moi !

— Les masseuses… Elles viennent d'où ?

— D'un institut qui forme à ce métier.

— C'est qui, SayDo ?

— Pardon ?

— Ceux qui subventionnent ce taudis. Les proprios de votre luxueuse pension.

À cet instant, un gars du SWAT a dévalé bruyamment les marches, le Bushmaster pointé vers le sol. Je me suis écartée pour le laisser passer. Il a eu un vague hochement de tête à mon adresse.

Slidell a détourné les yeux de Mme Tarzec pour le regarder. En m'apercevant, il a froncé les sourcils.

Le type du SWAT a levé une main tout en secouant la tête. Il n'avait rien trouvé.

— Reprenez la fouille, a aboyé Slidell.

Pour la première fois, la rigide façade de Mme Tarzec a laissé paraître une fissure.

— C'est du harcèlement. Vous n'avez pas le droit.

— Ce bout de papier dit que oui, a répondu Slidell en indiquant le mandat.

La femme a étréci les paupières, et puis :

— Je peux aller chercher mes cigarettes ?

— Non. Vous pouvez pas. Placez-vous là, a fait Slidell en indiquant l'un des sommiers.

La femme s'est assise et a croisé les bras et les jambes.

Les gars du SWAT sont remontés au rez-de-chaussée. D'après le bruit de leurs bottes au-dessus de nos têtes, il était clair qu'ils ne cherchaient pas à recueillir des indices, mais plutôt à débusquer les filles.

Slidell le comprenait aussi, et ça n'arrangeait pas son humeur. Il s'est mis à fouiller le bureau et à retourner tous les papiers. Sa respiration rapide, ses gestes maladroits et saccadés trahissaient son agitation.

Rodriguez s'est mis à vider les armoires : nouilles chinoises, boîtes de conserve, macaronis et spaghettis à la sauce tomate. Quand chaque tablette était dégagée, il cognait contre les planches du fond en contreplaqué bon marché à la recherche de vides dessous ou derrière.

Slidell s'est emparé de la corbeille à papier. Vide. A arraché les couvertures des matelas, les taies d'oreillers. Rien.

Il a disparu dans la salle de bains. J'ai entendu le choc du siège de toilette qui retombait, le raclement du couvercle du réservoir, le rideau de douche qui coulissait sur la tringle.

Rodriguez est passé au réfrigérateur. Sodas, condiments, quelques paquets de fromage. Slidell est ressorti de la salle de bains.

— Vous ne trouverez rien d'illégal, a lâché Mme Tarzec, sur un ton haut perché et tendu.

Énervement ? Manque de nicotine ?

— Bien vu. Pas de listes de clients. Pas de factures. Pas de registres pour vous mettre en règle avec le fisc. Et ça, c'est vraiment intéressant, a ajouté Slidell en rivant sur elle un regard noir. Ce qui est absent peut être aussi incriminant que ce qui est présent.

— Ça, j'en doute.

Slidell est retourné auprès d'elle.

— C'est qui, SayDo ?

Mme Tarzec a haussé les épaules.

— Pour qui vous travaillez ?

— Darth Vador.

— Vous dites que les affaires vont pas fort, en ce moment ? Eh ben, on verra comment ça va s'améliorer quand vous aurez un flic aux fesses vingt-quatre heures sur vingt-quatre, sept jours sur sept. Vous croyez que Darth va vous refiler une prime ?

— Ça, c'est le travail des avocats.

Slidell a tiré de sa poche la photo de Candy que j'avais prise à la morgue.

— Vous la connaissez ?

Mme Tarzec a jeté un regard à la photo et n'a pas répondu.

— La petite n'a pas l'air en forme, couchée comme ça sur une civière à la morgue et tout ce qui s'ensuit. Essayez encore, a insisté Slidell.

Mme Tarzec a décroisé et recroisé les jambes, en évitant soigneusement de regarder la photo.

— Ouais, moi non plus j'aime pas regarder les enfants morts, a fait Slidell d'une voix plus tranchante qu'un rasoir. Dernière chance : vous les avez emmenées où ?

— Vous êtes cinglé.

— Vous direz ça à Darth. À partir de maintenant, je suis votre pire cauchemar. Où que vous alliez, de nuit comme de jour, je serai là. Vous êtes cuite.

Pas de réaction.

— Et je peux déjà vous dire que ça va pas vous plaire.

— Voyez-vous ça !

— À demain, a fait Slidell en accompagnant ses paroles d'un claquement de langue doublé d'un clin d'œil.

Demeurant bouche cousue, Mme Tarzec s'est mise à faucher l'air de sa jambe croisée sur l'autre.

— On s'en va, a déclaré Slidell à Rodriguez.

Pour ma part, j'ai eu droit à un regard noir quand il est passé devant moi.

Rodriguez lui a emboîté le pas, j'ai suivi la troupe, et nous sommes ressortis du bâtiment par la porte de devant. Les gars du SWAT prenaient déjà place dans leurs véhicules.

Slidell était au volant quand nous avons rejoint notre voiture de patrouille. Sa rage faisait trembler l'habitacle.

— *Fuck!* C'est qui le salaud qui les a renseignés ?

Il a flanqué une claque au volant du plat de la main.

Dans ces moments-là, mieux vaut ne pas répondre. Je le savais, et Rodriguez aussi.

— Et vous, *fuck*, qui vous a autorisée à quitter la voiture ?

— J'attendais depuis…

— On va pas en rester là, a-t-il poursuivi en mettant le contact. Je vais me procurer tous les papiers qui concernent cette place. Je saurai tout sur le moindre sou gagné ou dépensé. La dernière fois où ils ont écrasé une mouche ou tiré la chaîne dans les chiottes.

Nous avons préféré, Rodriguez et moi, le laisser évacuer sa colère.

— Et fini de prendre des gants avec Rockett, fini ! Y va avoir de mes nouvelles, ce fumier !

Sur ce, Slidell a enclenché une vitesse et quitté le stationnement à fond la caisse.

Je me suis calée contre le dossier, bien consciente que je n'avais pas fini d'en entendre parler, moi aussi. Mais je pouvais comprendre. Slidell n'était pas seulement furieux de s'être fait avoir, il se sentait aussi coupable. Et le fait de se retrouver en proie à un sentiment contre lequel il m'avait mise en garde décuplait encore sa rage. La mort de Rosalie, assassinée juste après que nous l'avions interrogée, devait peser sur sa conscience.

La colère de Slidell avait toutefois du bon. Vous ne voulez pas croiser sur votre chemin un Skinny enragé.

Chapitre 36

Le lendemain matin, j'ai fait ma première grasse matinée depuis mon retour. Pourtant, je me suis réveillée angoissée et agitée.

Mon café et mes Raisin Bran avalés, ma tasse et mon bol lavés, je me sentais toujours aussi mal dans ma peau. Ce n'étaient pas les raisons qui manquaient : le fiasco du raid contre le Fruit de la Passion. La crainte de voir les autres filles de la boîte subir le même sort que Candy. La frustration d'ignorer toujours sa véritable identité. La perspective des représailles de Slidell à mon endroit. La culpabilité que m'inspirait la mort de Rosalie D'Ostillo.

La culpabilité aussi envers Larabee, dont je n'avais pas encore examiné le crâne découvert dans le « chalet d'aisance ».

La crainte pour ma propre sécurité, depuis qu'un cinglé avait déposé la langue sur mon seuil.

Côté bonnes nouvelles, ma cheville semblait aller beaucoup mieux. Il était temps de la mettre à l'épreuve.

J'ai appelé le MCME. C'est Mme Flowers qui a décroché. Je lui ai annoncé que je sortais courir et que j'arriverais bientôt. Elle a voulu savoir si je comptais effectuer le Booty Loop. Surprise qu'elle connaisse ce parcours, j'ai répondu oui sans l'avoir encore décidé.

J'ai chaussé mes Nike et enfilé ma tenue de jogging habituelle — un cuissard de cycliste et un t-shirt trop grand pour moi. La matinée était fraîche mais ensoleillée. En témoignage d'estime pour Mme Flowers, je me suis lancée dans le Booty Loop, un circuit de huit kilomètres autour du campus de Queens University. Qui tient son nom de toutes les paires de fesses qui l'empruntent chaque jour…

N'ayant pas couru depuis des semaines, je me suis traînée sur le premier kilomètre, mais ma cheville tenait le coup.

J'ai fini par arriver, en nage et à bout de souffle, à la Tour de l'horloge. J'étais pliée en deux et je soufflais comme un phoque quand quelqu'un m'a appelée par mon nom.

Je me suis redressée. J'ai vu un homme quitter le banc sur lequel il était assis et s'avancer vers moi. Il était grand, mince et portait une casquette des Tar Heels — le club de sport de l'université de Caroline du Nord —, un jeans et un blouson de nylon noir. Il tenait un sac en plastique à la main.

Que diable faisait-il là, lui ?

— Je vous ai appelée au bureau. La femme qui a répondu m'a dit que je vous trouverais ici. Elle était vraiment très coopérative.

Le sourire de Scott Blanton m'a révélé des incisives qui se chevauchaient.

— Je ne tombe pas au mauvais moment, j'espère ?

Au mauvais moment ? J'étais épuisée, en sueur et perplexe. La dernière fois que j'avais vu l'agent du NCIS, c'était à Bagram. Que faisait-il en embuscade sur mon parcours de jogging ?

Il m'a tendu sa main libre.

J'ai levé la mienne très haut avec un sourire d'excuse.

— Je suis trempée.

Il m'a détaillée de bas en haut.

— Vous avez l'air en pleine forme.

— Merci.

Prenant brusquement conscience que mon maillot de cycliste en spandex me moulait les fesses.

— Et votre cheville, ça va mieux ?

— Complètement guérie.

— Moi, j'ai été malade comme un chien après l'exhumation. J'ai dû faire deux jours de quarantaine avant qu'on me laisse rentrer chez moi.

Un détail m'est revenu d'une de nos conversations au mess : Blanton était de Gastonia.

— Votre famille a dû être bien contente de vous revoir.

Minable. Mais je n'avais aucune idée de ce que ce bonhomme pouvait bien me vouloir.

— Et je parie que votre chat aussi a été bien heureux de vous revoir.

Tout d'abord décontenancée, je me suis rappelé lui avoir fait cette confidence au réfectoire.

— Absolument.

J'ai écarté une mèche trempée de mon front.

Blanton a sorti une boîte en carton de son sac. Plate, rectangulaire.

Comme celle qui avait contenu la langue de Rosalie.

J'ai parcouru les environs du regard avec une légère appréhension. Des étudiants sillonnaient le campus, derrière nous. Des voitures passaient sur Radcliff, pas un flot ininterrompu, mais en nombre suffisant pour que je me sente rassurée.

— C'est pour vous, docteur, a fait Blanton en me tendant la boîte. Pour avoir été un bon soldat.

— Je faisais seulement mon boulot.

— Eh bien, considérez ça comme un grand merci pour m'avoir supporté. J'ai été détestable.

J'ai pris la boîte et soulevé le couvercle. À l'intérieur, il y avait un pashmina comme ceux que j'avais admirés avec Katy au bazar de Bagram.

Blanton serait venu à Charlotte et m'aurait suivie jusqu'ici dans le seul but de m'offrir un foulard à deux dollars ?

— À voir votre tête, vous trouvez que je vous harcèle. Ou alors, c'est la couleur qui ne vous plaît pas.

— Au contraire, c'est magnifique. C'est juste que je ne m'y attendais pas.

— J'étais dans le coin, et je me suis dit que vous aimeriez peut-être avoir un souvenir.

Gastonia était à au moins quarante minutes de voiture. Quand ça roulait bien.

— Vous savez, je n'étais pas au mieux de ma forme, là-bas. J'étais crispé. Les insectes. Welsted qui me rendait complètement fou. On laisse ça derrière nous ? a-t-il conclu avec un sourire canaille.

— Oui, on oublie.

Maintenant que j'avais cessé de courir, le vent sur ma peau et mes vêtements humides me donnaient la chair de poule. Je me suis mise à frissonner. Blanton n'a pas semblé le remarquer.

— Peu importe l'issue, nous avons accompli une tâche importante. Sheyn Bagh, c'était une histoire pourrie dans laquelle personne ne pouvait gagner. Nous aurons au moins contribué à ce que justice soit rendue.

— Vous avez parlé au lieutenant Gross ?

— Non. Mais d'après les rumeurs, il est impatient de retourner au combat. Et de votre côté, comment ça va ? a poursuivi Blanton, me scrutant comme s'il essayait de lire dans mes pensées. Toujours aussi débordée ?

— Mm.

— De vilains individus qui font de vilaines choses. À d'autres vilains, espérons-le. Mais ce n'est pas toujours le cas, n'est-ce pas ?

Blanton s'est rapproché de moi, dans une attitude de conspirateur. Il dégageait une odeur de vieux café et d'Old Spice.

— On le voit bien, le mal. Jour après jour. Au bout d'un moment, ça vous prend la tête. Comment le malheur peut-il fondre sur de braves gens ? Des gens comme John Gross.

L'exemple était discutable, mais j'ai tenu ma langue.

— Je ne sais pas ce qu'il en est pour vous, mais moi j'en suis venu à croire que le mal existe bel et bien sur terre. Sous une forme réelle, tangible. On ne sait jamais si on ne va pas se réveiller un jour et le trouver sur le seuil de sa porte.

Il a eu un sourire d'autodérision.

— Mais voilà que je philosophe, pendant que vous êtes là à vous geler !

Il a sorti l'écharpe de la boîte que je tenais, l'a dépliée et drapée autour de mes épaules. Comme il se penchait en avant, j'ai remarqué un tatouage sur son cou, un symbole chinois ou je ne sais quoi.

Étais-je la dernière personne sur cette planète à ne pas avoir la peau tatouée ?

— Prenez soin de vous, docteur Brennan.

Je n'ai pas eu le temps de répondre, Blanton avait déjà tourné les talons et s'en repartait comme il était venu. Je l'ai regardé disparaître au coin de Selwyn.

Avec soulagement.

Dieu du ciel… Qu'avait donc ce type, pour me donner ainsi la chair de poule ?

Tout à coup, ma cheville n'allait plus si bien que ça.

Je suis rentrée chez moi au petit trot, sans forcer. J'ai pris une douche, mangé un morceau, et je suis partie pour le MCME.

À seize heures trente, j'en avais terminé avec le crâne. La partie désagréable avait consisté à récurer le caca. La partie facile consistait à me démerder, sans jeu de mots, pour déterminer son origine.

Le crâne était celui d'un homme, un jeune adulte, très vraisemblablement d'origine indienne. Son âge m'avait été indiqué par ses sutures et sa dentition. Pour le sexe, je m'étais fondée sur ses arcades sourcilières proéminentes, sa crête occipitale et ses larges processus mastoïdes.

Les petites vis maintenant la mandibule en place révélaient que le crâne avait été vendu par une maison spécialisée dans les spécimens anatomiques destinés à l'enseignement. L'exportation de véritables ossements humains avait cessé depuis plusieurs dizaines d'années, mais, à l'époque où ce commerce était légal, la plupart des squelettes humains venaient d'Inde. Ce fait, de même que l'architecture faciale, suggérait l'origine sud-asiatique.

J'ai rédigé un rapport en ce sens. À Larabee et, s'il suivait mes conclusions, à la police de Charlotte d'établir comment ce crâne avait abouti dans des chiottes.

Motivée par ma belle performance de la journée — bagages défaits, Booty Loop et analyse du crâne —, je me suis arrêtée dans une épicerie, avant de rentrer chez moi. Qui a dit que je procrastinais ?

Le soir tombait déjà lorsque je suis arrivée à l'annexe. Birdie a jailli du placard de l'entrée et s'est enroulé autour de mes jambes.

Je l'ai soulevé et l'ai gratouillé sous le menton. Il a témoigné d'un vif intérêt pour mes récentes emplettes tandis que je les déballais. Je l'ai laissé lutter avec un sac d'épicerie en plastique.

J'étais à l'étage et je rangeais papier hygiénique et savon dans l'armoire de la salle de bains quand je me suis rappelé l'alarme. Retour au rez-de-chaussée en quatrième vitesse. En arrivant, j'avais vu une voiture de police patrouiller dans l'allée. La surveillance promise par Slidell. Mais bon…

Je ne l'aurais jamais avoué, mais j'étais contente que les flics soient là, dehors. Même s'ils se contentaient de faire des rondes. Le meurtre de Rosalie D'Ostillo m'avait assez secouée. Sans parler de sa langue, livrée sur mon paillasson.

Et puis il y avait cette curieuse et subite apparition de Blanton. Il aurait pu se contenter de me poster l'écharpe. Alors pourquoi… ? Et surtout, pourquoi ce cadeau ? C'était vraiment un bonhomme bizarre.

Qu'avait-il dit exactement ? Trouver le mal devant sa porte en se réveillant… Était-ce là une menace voilée ?

Le téléphone s'est mis à sonner.

— Bon sang, doc, une heure que j'essaie de vous joindre !

— Que se passe-t-il, détective ?

— J'ai fait amener Tarzec pour l'interroger. J'en attendais pas grand-chose, et c'est ce que j'ai obtenu. Zéro. Comme j'avais rien contre elle, il a bien fallu que je la relâche.

— Qu'en est-il des impôts, des contrats de travail, du bail ou de l'hypothèque pour le local ?

— Je suis là-dessus. Mais avec le gars des douanes, j'ai visé dans le mille.

— Luther Dew ?

— C'est ça. Quel crétin, entre nous !

— Peut-être que si vous lui dites ce que Rosalie D'Ostillo nous a révélé…

— Vous inquiétez pas, j'ai fait bien mieux. Je suis passé lui montrer des photos.

— Du cadavre de D'Ostillo ?

— J'ai cru qu'il allait vomir son lunch. En tout cas, maintenant il a pigé. Y se pourrait que ce soit plus qu'une simple histoire de chiens crevés. Y m'a fait part de certaines informations qui venaient juste d'arriver.

J'ai attendu la suite.

— Rockett fait des séjours fréquents au Texas.

— D'où tient-il ça ?

— L'Agence des douanes a creusé profond. Remontées d'appels téléphoniques, reçus de cartes de crédit et tout le bazar.

— Est-ce que Rockett conduit ?

— Eh ben, c'est là que ça devient intéressant : des fois, il y va en avion, mais il prend un aller simple.

— Et où va-t-il ensuite ?

— Houston ou Phoenix. Et de là à El Paso.

— On sait dans quel hôtel il descend ?

— Ça, pas encore.

— Il ne lui arrive jamais d'entrer au Mexique ?

— La patrouille frontalière a des traces de voyages en avion au Guatemala, en Équateur et au Pérou. Dew pense qu'il s'agit de vrais voyages, pour acheter de la marchandise. Mais aucune trace d'un passage en voiture du Texas au Mexique.

J'allais poser une question. Slidell m'a prise de vitesse.

— Ni depuis l'Arizona, le Nouveau-Mexique ou la Californie.

— Est-ce que ses visites coïncident avec des ventes à des clients d'ici ?

— Justement. Ça correspond pas. L'Agence a croisé les dates et les factures.

— Peut-être que les allers-retours en voiture sont réservés aux importations qu'il effectue en toute légalité tandis que les allers simples sont d'une autre nature.

Inutile d'en dire davantage. Quel Américain n'a jamais entendu parler de la porosité de notre frontière sud ? Trois mille six cents kilomètres, dont une grande partie n'est pas gardée. La plupart des gens savent que des ouvriers sans papiers traversent le désert à pied ou tentent de franchir le Rio Grande à la nage. Tout le monde connaît l'existence des coyotes, ces passeurs grassement payés pour faire entrer illégalement des étrangers sur le territoire, et qui les abandonnent parfois à la mort quand ils risquent de se faire arrêter.

— Je crois que c'est plus compliqué que ça, a dit Slidell. Rappelez-vous que Rockett s'est fait coincer à Charlotte-Douglas alors qu'il tentait de faire entrer ses cochonneries au pays.

— La marchandise, c'est facile. Il suffit de l'emballer et de l'expédier. Les gens, c'est une autre paire de manches. Ça doit manger, boire, respirer.

Un court instant, nous avons réfléchi tous les deux à cet épineux problème.

— Que pensez-vous de ça ? Rockett récupère des filles au Mexique. Elles viennent d'Amérique du Sud, d'Europe de l'Est, de n'importe où. Z'ont pas de passeports ? Il leur en procure des faux. Peut-être bien qu'y s'en donne même pas la peine. Avec ou sans papiers, il leur fait passer la frontière à pied ou en camion et les emmène vers l'est.

— Ça se tient.

— Une chose est sûre : Rockett se rend pas au Texas pour jouer au cow-boy ou faire des rodéos.

— Non.

Un ange a passé sur fond sonore de conversations téléphoniques. Slidell devait être à son bureau, dans la salle de l'escouade.

— Du neuf avec Ray Majerick ?

— Toujours dans la nature. Mais y perd rien pour attendre.

— Et Citizenjustice ? Vous avez des pistes ?

— J'ai refilé ça aux gars de la cybercriminalité, mais y sont débordés.

La sonnette de la porte d'entrée a retenti. Mes doigts se sont crispés sur le combiné. Je n'attendais personne.

Deuxième coup de sonnette.

Et un troisième.

— C'est quoi, ça ?

— J'ai de la visite, ai-je répondu à Slidell. Vous avez une voiture de patrouille dans le coin, non ?

— Elle fait une ronde toutes les heures. C'est ce que j'ai pu faire de mieux. On manque de bras.

— Ne quittez pas, d'accord ?

— Ouais.

Nouveau coup de sonnette.

Trop vite, encore une fois.

Le cellulaire serré à mort dans la main, j'ai grimpé l'escalier pour tenter de voir mon visiteur par la fenêtre surplombant le perron. Hélas, le porche n'était pas allumé. Sous le rebord du toit, j'ai distingué une épaule d'homme, une jambe et des chaussures usées.

— Vous voulez que je vous envoie une voiture ? demandait Slidell.

J'ai porté le téléphone à mon oreille.

— Attendez.

Je me suis ruée au rez-de-chaussée, glissée jusqu'à la porte et j'ai collé mon œil au judas.

— Oh mon Dieu…

— *Yo*, doc ? Ça va ?
Sous le choc, j'ai tourné le verrou et ouvert la porte.

Chapitre 37

Son visage était un masque d'Halloween : deux puits de ténèbres à la place des yeux et des joues creuses, ombrées par une barbe de plusieurs jours.

— Hé, doc, dites quèqu'chose !

Slidell aboyait à l'autre bout du fil.

Le regard rivé à celui de l'homme debout devant ma porte, j'ai porté l'appareil à mon oreille.

— Tout va bien.

— C'est qui ?…

— Un ami, ai-je expliqué en m'efforçant de dissimuler les émotions qui se bousculaient en moi. Ça va, merci.

La communication coupée, quelle attitude adopter ? Joie ? Colère ? Indifférence ? Hébétée, je restais plantée sur place. J'ai fini par allumer les lampes du porche.

La douce lumière jaune m'a enfin permis de voir les veinules rouges au fond des yeux de mon visiteur. J'ai opté pour l'humour.

— Tu as une tête terrible.

— Merci, a répondu Ryan d'une voix rauque.

— Il faut que j'essaie de te redémarrer ?

— Ça ne fonctionne pas.

— Entre.

Il n'a pas bougé.

— Tu ne peux pas rester dehors, tu vas faire peur aux villageois.

— Je tombe mal ? a-t-il demandé avec retenue.

Je suis restée dans le registre de la légèreté :

— Je m'apprêtais à enlever les charpies dans la sécheuse.

— Y a un risque d'incendie si on s'en occupe pas.

J'ai souri.

Ryan aussi. Plus ou moins.

Je me suis effacée. Il a attrapé la poignée d'un cube emmailloté dans un tissu à ses pieds.

Quand il est passé devant moi, j'ai entendu tinter une clochette. Des bruits de griffes, aussi. Ses vêtements sentaient la sueur et la cigarette.

J'ai fermé la porte et me suis retournée.

Planté au milieu de l'entrée, Ryan avait l'air hagard. Il était très amaigri.

— Charlie a exprimé le désir d'aller dans le Sud.

Il a soulevé le tissu qui couvrait la cage.

Notre perruche commune avait l'air surprise. Mais les oiseaux ont toujours l'air surpris.

D'un geste, j'ai désigné la salle à manger. Ryan a posé l'oiseau sur la table. La couverture remise en place, il m'a rejointe au salon. Je me suis laissée tomber dans un fauteuil et j'ai glissé mes pieds sous mes fesses.

Ryan s'est assis sur le canapé, juste au bord.

— C'est beau chez toi.

— Ça faisait longtemps.

— Ouais.

— Je suis contente de vous voir tous les deux.

L'horloge a fait tic-tac pendant une longue minute. Le silence était tendu, inconfortable.

— Comment va le chat ?

— Toujours maître des lieux.

Ryan s'est contenté de hocher la tête. Il n'a pas appelé Birdie et n'est pas parti à sa recherche, comme il l'aurait fait normalement.

— Du café ? ai-je demandé.

— Bien sûr.

Je suis allée dans la cuisine. Il ne m'y a pas suivie. En mettant la cafetière en marche, j'ai pensé à toutes les fois où nous l'avions fait ensemble. Moudre le café, verser la bonne mesure d'eau, se disputer sur le fait que le mélange était trop fort ou trop faible. Que diable lui était-il donc arrivé ?

Quand j'ai regagné le salon, Ryan était penché en avant. Il avait les coudes sur les cuisses, ses mains croisées pendaient entre les genoux.

Il a saisi la tasse fumante, puis a tourné la tête vers la fenêtre. Pour ne pas me regarder ?

J'ai repris ma place dans le fauteuil, les jambes repliées. Me préparant à entendre des paroles définitives. La séparation finale.

Et puis les yeux de Ryan sont revenus vers moi. Il a reposé son café sans y avoir touché. S'est raclé la gorge. A avalé sa salive.

— Elle est morte.
— Qui ça ?

J'étais complètement perdue.

— Qui est morte ?
— Lily.

Dit dans un murmure étranglé.

Le seul fait de prononcer le nom de sa fille a libéré chez Ryan le torrent d'émotions qu'il avait réussi à contenir jusque-là. Ses narines se sont pincées, sa respiration est devenue saccadée.

Une bulle de chaleur s'est formée à l'intérieur de ma poitrine. Les larmes m'ont piqué les yeux.

Non !

Je me suis précipitée vers Ryan et l'ai serré très fort contre moi. Des sanglots secouaient ses épaules. Une tache chaude et humide a imprégné ma chemise. J'ai murmuré, encore et encore :

— Je suis désolée…

Je me sentais impuissante devant un chagrin aussi dévastateur.

— Je suis tellement, tellement désolée…

Au bout d'un moment, Ryan s'est raidi. S'écartant de moi, il s'est redressé et a passé les mains sur ses joues.

— Captain America reprend du service.

Avec un sourire, pour masquer sa gêne.

Je lui ai pris la main.

— Ça fait du bien de pleurer, Ryan.

— Des larmes viriles ?

— Exactement.

Il a pris une longue inspiration et lentement relâché l'air de ses poumons.

— Je me suis dit qu'il fallait que tu saches.

— Bien sûr.

Ryan a tiré un mouchoir d'une poche de son jeans et s'est mouché.

— C'était quand ? ai-je demandé doucement.

— Il y a dix jours.

Pas étonnant qu'il n'ait pas répondu à mes messages. J'étais bourrée de remords. Remords et souffrance. Pourquoi n'avait-il pas recherché mon soutien ?

— Qu'est-ce qui s'est passé ? ai-je demandé.

Je connaissais déjà la réponse. Ryan m'avait raconté le calvaire de sa fille. La drogue. L'escalade vers des substances de plus en plus dangereuses et, finalement, la dépendance à l'héroïne. Le petit ami revendeur. L'arrestation pour vol à l'étalage. J'étais l'une des rares personnes à qui il s'était confié.

L'année dernière, Lily semblait avoir tourné la page. Elle était en cure de désintox. Elle avait l'air heureuse.

Mais qu'est-ce qu'on sait vraiment des autres ?

— Overdose.

Ryan a tapoté une de ses poches. S'est souvenu où il était. A laissé retomber sa main sur ses cuisses.

— Tu peux fumer.

Non, il ne pouvait pas. Je déteste cette odeur qui s'incruste dans les tapis et les rideaux. Je déteste ce que la cigarette fait aux gens. Mais Ryan était à bout de nerfs, il avait besoin d'une béquille pour se calmer.

Je suis retournée dans la cuisine chercher un cendrier, sachant pertinemment qu'il n'y en avait pas. Suis revenue avec une soucoupe.

Ryan a secoué son paquet et en a fait sortir une Camel. L'a allumée. Sa main tremblait.

— À chacun son poison, a-t-il dit.

Je l'ai regardé avaler la fumée, la garder un long moment dans les poumons, puis la laisser sortir lentement par le nez.

— On l'a retrouvée dans un duplex abandonné qui sert de piquerie.

Je m'étais rendue dans un repaire d'héroïnomanes, une fois, avec une équipe, pour récupérer un cadavre. Une horreur que je n'avais jamais pu oublier. Les matelas crasseux. Les aiguilles usagées. La vermine. La puanteur d'urine et d'excréments.

— Elle portait un t-shirt qu'on avait acheté ensemble à Honolulu. Elle l'adorait. M'a même fait mémoriser le proverbe écrit dessus, a-t-il ajouté d'une voix redevenue rauque.

— *Hele me kahau 'oli.*

J'ai tendu la main, lui ai caressé le visage.

— Allez dans la joie, a-t-il traduit.

— Tu as fait tout ce qui était en ton pouvoir, Ryan.

Une larme vagabonde a roulé sur sa joue. Il l'a essuyée brusquement. A tiré une nouvelle bouffée de sa Camel.

— Faut croire que ce n'était pas suffisant.

Quel ton amer… Et que répondre à cela ?

Lily était déjà adolescente quand Ryan avait appris son existence. Il ne l'avait jamais bercée quand elle était bébé, n'avait jamais partagé ses joies d'enfant, ne l'avait pas rassurée quand elle avait peur. Je savais combien il regrettait de ne pas avoir été présent dans sa vie. Combien il se sentait responsable de ses dépendances. De sa mort.

Sur le plan légal, Lily était adulte, Ryan n'avait pas à lui dicter son comportement. Pourtant je pouvais comprendre. Quel serait mon chagrin s'il arrivait quelque chose à Katy ? Comme je m'en voudrais !

Le fait d'être parent vous transporte au-delà de toute rationalité. On se dit toujours qu'on aurait pu en faire davantage. Et quand ça tourne mal, on se sent responsable.

— J'aurais dû me consacrer davantage à Lily et moins au boulot, à des gens que je ne connais pas et qui ne savent même pas qui je suis. J'aurais dû beaucoup plus m'occuper d'elle. Ma fille unique.

La douleur de Ryan était une plaie ouverte. La seule chose que je pouvais faire, c'était l'écouter.

— C'est drôle, les trucs qui me reviennent. Des moments qui ne veulent rien dire. Une nuit, elle est entrée dans ma chambre pour me faire écouter une chanson qu'elle avait téléchargée sur iTunes. Je me souviens exactement de ce que c'était. *Over the Rainbow/Wonderful World*, dans la version d'Israel Kamakawiwo'ole.

Les yeux hagards de Ryan ont scruté mon visage.

— C'est tout ce qu'on aura eu, Tempe ? Tout ce que je lui aurai jamais donné ? Des vacances minables à Hawaï ?

J'ai posé ma main sur la sienne.

— Bien sûr que non.

— Alors pourquoi tous mes souvenirs sont-ils liés à ce voyage ?

— C'est trop tôt, trop récent.

Il a reniflé doucement. Secoué la tête.

— Tu devrais rester ici, ai-je dit. Aussi longtemps que tu voudras.

— Il faut que j'y aille.

Il a tiré une longue bouffée de sa cigarette, l'a écrasée.

— Maintenant ?

Je ne pouvais pas le croire.

— Désolé.

Il a passé la main dans ses cheveux qui auraient eu bien besoin d'un shampoing. Un geste tellement familier qu'il m'a déchiré le cœur.

— Où vas-tu ? ai-je demandé.

— Ailleurs.

Je l'ai regardé d'un air interrogateur.

— Il faut que je bouge. Que je bouge et que je reste en mouvement.

— Ryan…

— Désolé.

Il s'est levé et s'est dirigé vers la porte.

— Je t'en prie, ai-je imploré, reste.

— Je n'ai pas envie de voir du monde.

— Où vas-tu ?

Une hésitation.

— Dans le sud.

— Tu pourrais rester dans le bureau. Je suis occupée, sur une affaire. Tu ne me verrais même pas.

— Je ne peux pas. Je regrette.

Il a lu dans mon expression quelque chose qui n'y était pas.

— Tu as raison. Je n'aurais pas dû. Je voulais juste…

— Tu n'aurais pas dû ? ai-je répété, sans montrer ma colère ou ma douleur.

— Je ne savais pas où aller.

— Reste, Andy.

— Il n'y a rien que tu puisses faire pour moi. Personne ne peut rien pour moi.

Sur ces mots, il est parti.

J'ai couru vers la porte et je l'ai vu disparaître dans le noir, à travers les larmes qui me brûlaient les yeux.

Arrivé au milieu de l'allée, il s'est arrêté, retourné, et il est revenu lentement vers le porche.

— Je regrette tellement.

— Si seulement tu voulais bien que je t'aide…

— Tu m'as aidé.

Il a écarté les bras. Je me suis précipitée. Il les a refermés autour de moi. J'ai moulé mon corps au sien.

Il m'a serrée très fort contre lui. Il se dégageait de lui une odeur de fumée aigre, de cuir et, vaguement, d'eau de Cologne.

Nous étions ainsi enlacés quand des phares ont épousé la courbe de l'allée, sont tombés sur nous. Aveuglée, je n'aurais pas su dire si c'était ou non la voiture des policiers chargés de surveiller les abords.

Elle a accéléré, est passé en trombe à côté de nous et a tourné à droite dans Queens.

Images fugitives d'une boîte. D'une langue coupée, d'un visage tuméfié, ensanglanté.

Sentant que je m'étais raidie, Ryan a cru que je le repoussais et s'est écarté.

— Tu vas me manquer.

J'ai déposé un baiser sur le bout de ses doigts et les ai pressés contre ma joue.

— Ne t'en vas pas.

Ai-je prononcé ces mots ? N'ai-je fait que les penser ?

Ryan est reparti dans l'allée, a disparu au tournant. Une portière de voiture a claqué. Un moteur a démarré.

J'ai refermé la porte et l'ai verrouillée. Appuyée contre le battant, j'ai essayé de réfléchir. Ryan ne m'avait pas posé une seule question sur Katy. Sur mes voyages. J'étais allée à la guerre et ça lui était complètement égal.

En cette période de douleur, Ryan m'avait exclue de son monde. Je ressentais ce rejet comme un coup de poignard dans le cœur.

Sérieusement ? Ce type vient de perdre sa fille et tu te vexes parce qu'il ne t'a pas appelée, ne s'est pas enquis de tes petits soucis ? Es-tu devenue à ce point égocentrique ?

Je me suis éloignée de la porte, honteuse de ma mesquinerie. J'avais déjà un pied dans l'escalier quand le téléphone a sonné.

Excitée, j'ai couru décrocher.

Ce n'était pas Ryan.

— *Yo*, doc !

— Qu'y a-t-il, détective ?

— Vous avez l'air aussi enthousiaste qu'une truite crevée.

— C'est pour me dire ça que vous m'appelez ?

— J'ai un truc qui va vous jeter à terre.

Il disait vrai.

Chapitre 38

— Archer Story, vous vous rappelez ?

— Le frère cadet de John-Henry Story qui est mort dans l'incendie du marché aux puces. (Peut-être.) Pourquoi ?

— Ils étaient associés dans S & S Enterprises, Archer et John-Henry.

— Bien sûr.

Soupir et point d'interrogation. Je ne voyais vraiment pas où il voulait en venir.

— S & S, c'est Story et Story. C'est à eux qu'appartenaient la John-Henry's Tavern, la chaîne d'épiceries, les entrepôts et un paquet d'autres trucs. Une jolie petite machine à sous. Sauf qu'y perdaient plein d'argent ailleurs.

— Les concessionnaires Saturn et les pizzerias.

— Exact. Mais les frérots ne sont pas tout à fait au bord du gouffre. Y se sont diversifiés. Et ont dissimulé leurs placements derrière un millefeuille de sociétés-écrans. Des sociétés en commandite, en nom collectif, à responsabilité limitée et tout le bataclan juridique.

— Quel rapport avec Candy et Rosalie ?

La visite de Ryan m'avait vidée. Je n'avais qu'une envie : me rouler en boule sous la couette jusqu'à ce que la douleur s'atténue.

Non. Ce que je voulais, c'était boire un coup. Du cabernet ou du pinot noir jusqu'à l'euphorie et l'oubli. Mais je savais comment cela finissait quand je me

378

soûlais : par un dégoût de moi que je connaissais trop bien. Chemin mille fois parcouru que je n'avais pas envie d'emprunter à nouveau.

— Je peux finir ? m'a balancé Slidell.

Mon soupir a traduit une impatience équivalente à la sienne.

— Y se trouve qu'une de ces sociétés-écrans, c'est SayDo.

Là, il a capté mon attention.

— La boîte qui possède le Fruit de la Passion ?

— C'est ça, et aussi quatre autres salons de massage. Avec des noms magiques, vraiment, mais je vous en fais grâce.

— *Shit.*

Les pièces du puzzle se mettaient en place. John-Henry Story. Sa carte d'accès au club US Airways retrouvée dans le sac de Candy. Le Fruit de la Passion.

— Ouais. *Shit.*

— Comment est-ce que ça a pu nous échapper ?

— Il a fallu un peu de temps pour démêler tout ça. Le gars que j'avais mis sur le coup a été pris par une autre affaire, et moi, j'étais mobilisé par cette damnée de bonne femme disparue.

— Bon, et maintenant ?

— Maintenant, faut que je trouve un moyen de coincer Archer Story.

— Vous n'avez qu'à le convoquer.

— Je fais ça et y nous fout son avocat dans le cul hyper profond !

J'ai préféré ne pas me représenter la chose.

— Même pour un simple entretien ?

— Et sur quelles bases ? Qu'y possède des salons de passe, et que nous, on pense que sa chef du personnel aurait pu assommer une des putes ?

— Pourquoi pas cette sale habitude appelée trafic d'êtres humains ? ai-je rétorqué en me retenant pour ne pas hurler.

— La descente a rien donné.

— Bien sûr que oui ! Tarzek avait été prévenue. Elle a déménagé les filles et nettoyé la place.

Silence, côté Slidell.

— Vous voulez bien aller jeter un œil aux autres salons de massage, au moins ?

— J'ai rien pour obtenir un mandat. Et ma crédibilité en a pris un bon coup après le fiasco d'hier.

— Bon sang, Slidell, ces gens-là ont tué Candy ! Et D'Ostillo. S'ils se sentent menacés, ils tueront encore. Ces filles-là, ils n'en n'ont rien à cirer.

Slidell est resté un instant sans répondre.

— Y a un SayDo à North Davidson.

— … Je vais y passer ce soir. Mais juste pour voir. Rien d'officiel.

— Tenez-moi au courant.

— Si ça peut vous faire plaisir, je suis retourné chez Rockett, histoire de le regarder un peu en face.

Pour une fois, Slidell a laissé filer l'occasion de faire de l'humour sur le sujet. C'était bon signe.

— Et alors… ?

— Y m'a envoyé me faire foutre.

Après ce coup de fil, je suis montée au premier dans l'intention de prendre un long bain chaud. C'est alors que je me suis rendu compte que je n'avais pas vu Birdie depuis un moment. Il y avait eu l'appel de Slidell, la visite de Ryan, le second coup de fil de Slidell, et tout cela m'avait distraite.

Ce petit gredin s'était-il faufilé par la porte pendant que j'étais dehors avec Ryan ? Quelle bêtise de ne pas l'avoir refermée ! Il adore se glisser au dehors, essentiellement pour attirer mon attention. Je le retrouve toujours dans les massifs de plantes près de la maison.

Lâchant un chapelet de jurons, je suis redescendue. J'ai ouvert la porte de devant et appelé. Pas de chat.

De plus en plus inquiète, j'ai fait le tour de la maison, et fini par étendre mes recherches sur le terrain environnant.

Au bout d'un quart d'heure, j'ai laissé tomber. Il m'avait déjà fait le coup. Il rentrerait quand il aurait faim.

Bain raté malgré l'épaisse couche de bulles sous laquelle je disparaissais jusqu'au menton. Impossible de me détendre. Trop de tristesse et trop d'angoisse.

Lily, qui n'aurait jamais vingt ans.

Ryan qui m'écartait de sa vie en ce moment tragique. Pour toujours ?

Katy, partie faire la guerre en Afghanistan.

Pete, qui épousait une bimbo avec des bonnets de soutien-gorge deux fois plus grands que son QI.

Rosalie assassinée et mutilée pour avoir voulu accomplir une bonne action.

Candy, seule et terrifiée, morte écrasée sur le bas-côté d'une route.

Mais comment s'était-elle retrouvée là-bas en pleine nuit ? Était-elle victime d'un trafic ? Avait-elle été embobinée par quelqu'un qui avait trahi sa confiance ? Enlevée et mise en cage comme du bétail ?

Quel destin aurait été le sien si elle avait vécu ? Une vie de brutalités et de mauvais traitements, de femme réduite à l'état de marchandise tant que son corps conserverait une quelconque valeur ? Mais après ?

Et les autres, là-bas, connaissaient-elles le même enfer ?

Mon esprit tournait en quatrième vitesse. Pour apaiser les horribles images qui ricochaient sous mon crâne, une seule solution : me trouver une occupation.

Séchée et rhabillée, les cheveux ramassés en queue de cheval, je suis redescendue à la recherche de Birdie.

J'ai recommencé à l'appeler par la porte de devant puis par celle de la cuisine, en secouant un sachet de ses croquettes préférées. Résultat nul. Et maintenant, une pointe d'angoisse commençait à me titiller. Pour quelle raison ?

Blanton.

Il avait parlé de mon chat. Il devait me guetter, là, tout près, à un pâté de maisons de l'annexe.

Arrête, Brennan ! Tu deviens parano !

Armée d'un café, je suis passée dans mon bureau. Décidée à y voir plus clair dans toute cette histoire, j'ai sorti le grand tableau effaçable sur lequel je prépare mes exposés. Munie de ruban adhésif et d'un stylo feutre, je l'ai transporté au salon.

L'ayant bien calé sur le manteau de la cheminée, j'ai posé à côté toutes les photos que j'avais rassemblées au cours des vingt derniers jours. Instantanés, photos de scènes de crime, Polaroïd, tirages d'imprimante et photos d'identité judiciaire.

J'ai commencé par coller une photo de Candy, la victime trouvée écrasée le long de la route dont nous ignorions encore le nom. À côté, j'ai placé l'une des photos que j'avais chipées à la John-Henry's Tavern. On y voyait John-Henry Story, l'homme dont la carte d'accès au club US Airways s'était retrouvée dans la doublure du sac de Candy.

Je les ai réunies par un trait au stylo-feutre.

Maintenant, deuxième photo « empruntée », Dominick Rockett et John-Henry Story ensemble à la taverne. Rockett, le trafiquant qui se rendait en Amérique du Sud et qui faisait de mystérieux voyages au Texas. Rockett, client, voire plus, du Fruit de la Passion, boîte qui appartenait aux frères Story par le biais de SayDo et qui employait Candy.

J'ai tracé une ligne entre Candy et Rockett, et entre Rockett et John-Henry Story.

Les mots Fruit de la Passion inscrits sur la droite du tableau, je les ai reliés à Candy, Rockett et John-Henry.

Photo suivante : CC Creach photographié par l'administration pénitentiaire. Son ADN avait été retrouvé sur Candy. Creach était un habitué du Fruit de la Passion. À l'en croire, Candy et les autres filles avaient peur de Rockett. Et aussi de Roy Majerick, qui venait souvent à la boîte.

J'ai ajouté Majerick à la collection. Son ADN avait également été trouvé sur Candy. Et il avait un passé de prédateur sexuel.

D'autres traits entre Candy et Creach, Candy et Majerick, Majerick et Creach, Majerick et Rockett, Majerick et John-Henry Story. Puis ajout de l'inscription « Fruit de la Passion » entre Creach et Majerick.

Là, arrêt sur image pour réfléchir.

Majerick avait été vu au Fruit de la Passion, et il avait eu au moins une relation sexuelle avec Candy. Pouvait-on en déduire qu'il connaissait John-Henry Story ? J'ai transformé la ligne continue en pointillés.

Dernière photo : Rosalie D'Ostillo. Encore une fois, la vue de son visage, sa mutilation hideuse, m'a soulevé l'estomac.

Elle avait vu Candy au Mixcoatl. La *taquería* se trouvait à côté du Fruit de la Passion. Comme Creach, Rosalie D'Ostillo pensait que Candy et les autres filles parlaient espagnol. D'Ostillo avait été assassinée quelques heures après m'avoir parlé, et sa langue déposée devant ma porte.

Donc, un trait entre D'Ostillo et Candy ; un pointillé entre Candy et le Fruit de la Passion.

Puis j'ai reculé pour avoir une vue d'ensemble de mon œuvre.

Une toile d'araignée d'interconnexions. Lesquelles étaient pertinentes ? Lesquelles ne l'étaient pas ? L'assassin de Candy était-il affiché sur ce tableau ? Avais-je son visage sous les yeux en ce moment ?

Selon quel principe ces lignes se reliaient-elles ?

J'ai examiné les photos, l'une après l'autre.

Candy, sur la civière, à la morgue. Comment la carte US Airways de John-Henry s'était-elle retrouvée dans son sac ? Comment le sperme de Creach et de Majerick était-il arrivé sur sa peau ? Faisait-elle le trottoir ? Concernant ces deux hommes, s'agissait-il de rapports consentis ? De viol ?

Dom Rockett et John-Henry Story buvant une bière ensemble. Associés au sein de S & S. Où Rockett avait-il dégotté l'argent à investir dans l'affaire ? Avait-il été approché par Story qui, sachant qu'il faisait du trafic d'antiquités, lui avait proposé d'étendre ses activités aux êtres humains ? Rockett était à la tête d'un réseau, il connaissait les itinéraires à emprunter, les flics, les douaniers à qui on pouvait graisser la patte, les points de passage les plus faciles pour franchir la frontière.

Et si c'était le contraire ? Si c'était Rockett qui, sachant que Story disposait de l'infrastructure nécessaire, lui avait demandé de le faire profiter de sa filière ?

Une idée, subitement : Citizenjustice. J'ai inscrit l'identifiant sur le côté gauche du tableau.

Cet individu m'avait envoyé des courriels menaçants. Était-ce lui qui avait assassiné D'Ostillo et m'avait livré sa langue en guise d'avertissement ?

Les yeux fixés sur le visage ravagé de Rosalie, je me suis interrogée. Qui était l'homme au chapeau et au col relevé qu'elle avait servi à la *taquería* ? Rockett ? C'était l'hypothèse la plus probable.

Roy Majerick ? Quelqu'un dont nous ignorions encore l'existence ? Un équivalent mâle de Mme Tarzec ?

J'ai noté son nom à elle aussi. Des traits l'ont bientôt reliée à Candy, John-Henry et au Fruit de la Passion.

J'ai fermé les yeux très fort. Me suis pincé la base du nez.

Quelque chose m'échappait. Un petit truc de rien du tout, mais qui me titillait.

Les lignes s'entrecroisaient comme sur un écran magique déglingué. De tous ces tracés, de tous ces points d'intersection, lesquels étaient vraiment pertinents ?

Le Fruit de la Passion, à voir tant de lignes y converger : Candy, Creach, Majerick, Story, Rockett, D'Ostillo, Tarzec.

Même chose pour Candy. Toutes les lignes menaient à elle.

Mais ce n'était pas le petit truc sur lequel je n'arrivais pas à mettre le doigt.

C'était un autre souvenir subliminal, une donnée cachée tout au fond de mon subconscient, et qui attendait un petit gratouillis de ma part pour sortir de son endormissement.

Je regardais ce fol enchevêtrement de photos, de noms et de lignes, espérant de toutes les fibres de mon être en faire surgir la réponse, frustrée à l'idée de ne pas réussir à tenir la promesse faite à Candy.

Qu'est-ce qui persistait à m'échapper ?

Rockett. Pourquoi allait-il au Texas ? Surtout, pourquoi en revenait-il les mains vides ? Mais cela, était-ce bien vrai ?

John-Henry Story. Que faisait sa carte dans le sac de Candy ? Et d'ailleurs, était-il vraiment mort ?

Découragée, je suis allée prendre une loupe dans le bureau pour recommencer à examiner les photos, l'une après l'autre.

Candy, le visage explosé, tuméfié. Ses cheveux blonds retenus par sa barrette de petite fille.

Non. Pas de larmes.

J'ai bu un peu de mon café à présent tiédasse et suis allée voir si tout allait bien côté Charlie.

Retour aux photos.

Story et Rockett à la taverne. Visages fermés. Story, maigre comme un clou. Rockett, défiguré, les traits à demi-dissimulés sous un chapeau enfoncé jusqu'aux sourcils.

J'ai promené la loupe sur la photo, examiné chaque détail.

Une rampe de cuivre courait le long du bar à droite, et une bande de lumière en faisait ressortir la courbure.

— L'éclair d'un flash, ai-je dit tout haut.

De l'autre côté de la table, un jukebox et, sur le mur au-dessus, trois ou quatre autocollants. Pas plus grands que la paume de la main.

Non, pas des autocollants, des écussons militaires. Je n'y avais pas prêté attention lors de ma visite là-bas avec Slidell. Des écussons identiques à ceux que j'avais vus au Green Bean, à Bagram.

Était-ce l'indice que me suggérait mon subconscient ?

Je les ai scrutés à la loupe, essayant de distinguer des totems ou des noms. La qualité de l'image était trop médiocre. Demain, j'emporterais la photo au MCME pour l'examiner au microscope binoculaire à fort grossissement.

Pour l'heure, j'ai continué avec ma simple loupe.

Et tout à coup, j'ai failli l'échapper.

En haut de l'image, dans le coin gauche, on apercevait un bout du vieux miroir de la salle à manger, un miroir qui n'était pas plaqué contre le mur, mais incliné. Le fil de suspension devait être placé un peu trop bas.

Le miroir reflétait un espace d'une trentaine de centimètres devant la table où Rockett et Story étaient assis. Et dans cette sorte de bulle on distinguait un homme aux bras levés, les coudes fléchis. Son visage était dans l'ombre à cause du petit appareil photo qu'il tenait dans les mains et de l'éclair du flash, mais le bas de son corps était bien visible.

Il portait des jeans et un t-shirt noir. Et il avait un tatouage que j'avais déjà vu.

Une giclée d'adrénaline a inondé mes veines.

La présence de cet homme fichait toutes mes théories en l'air.

Chapitre 39

Impossible !

C'était pourtant vrai.

Coïncidence ?

Je ne crois pas aux coïncidences.

Mais comment était-il arrivé là ?

Aucune importance.

Je suis allée chercher dans le bureau un classeur cartonné, l'ai vidé sur la table de la salle à manger et j'ai entrepris de relire toutes les pages.

Ça n'a pas pris très longtemps.

Comment une chose pareille avait-elle pu m'échapper ?

Comment avais-je pu négliger cette possibilité ?

Manque de rigueur ?

Et brusquement, une crainte. Celle d'avoir laissé passer une autre possibilité.

Retour au salon pour prendre la photo de Candy collée au tableau blanc et l'étudier de nouveau à la loupe.

Une peau mate. Des cheveux blonds avec des racines noires.

Les filles qui ne répondaient pas à Rosalie D'Ostillo alors qu'elle s'adressait à elles en espagnol. Par peur de leur souteneur ? Ou pour une autre raison ?

L'esprit en feu, j'assemblais des données oubliées à l'instant même où je les avais emmagasinées.

Je suis remontée quatre à quatre dans ma chambre et j'ai saisi une photo posée sur la commode. Assise sur le lit, la photo sur mes genoux, armée de ma loupe, les mains tremblantes, j'ai entrepris de la comparer au portrait de Candy à la morgue.

Shit !

J'ai retourné la photo. Lu la liste écrite au dos.

Shit ! Shit ! Shit !

J'ai saisi le téléphone et appelé Slidell.

Boîte vocale.

— *Jesus Christ !*

Onze heures moins vingt. Slidell était probablement au salon de massage de North Davidson.

J'ai laissé un message. Rappelez-moi le plus vite possible. C'est urgent.

J'ai raccroché. Balancé le téléphone sur le lit. Me suis levée, et ai commencé à faire les cent pas dans la pièce.

Tout le monde a un cellulaire. Pourquoi Slidell n'était-il pas foutu de laisser le sien allumé ?

Onze heures moins le quart.

Allez, allez !

J'ai recommencé à tourner en rond.

Onze heures moins dix.

Trouve quelque chose pour t'occuper.

Je suis redescendue au rez-de-chaussée et me suis refait du café, tout en sachant pertinemment que la caféine était la dernière chose dont j'avais besoin. Pour m'occuper l'esprit, je suis retournée dans la salle à manger fouiller parmi les papiers étalés sur la table.

Il fallait que je vérifie quelque chose.

Que je réfléchisse à ce que tout cela impliquait.

Mais bien sûr… Bien sûr !

Onze heures cinq.

Où diable était passé Slidell ?

J'ai couru dans mon bureau. Appelé un numéro abrégé.

— Ouais ?

Pete, complètement endormi.

— C'est Tempe.

— Ouais, a bâillé Pete. Je sais.

En fond sonore, une voix de femme, tout aussi engluée par le sommeil, a émis une protestation.

— J'ai un service à te demander.

— C'est à cette heure-là que tu te couches ? Tu as fait la fête ?

— Parce que j'ai l'air de m'amuser, là, à ton avis ? ai-je lancé hargneusement.

— Waouh. Mauvaise journée ?

— J'ai une question à te poser.

— Vas-y.

Je la lui ai posée.

— Maria… Non, Marianna. Mariette ? Non, Marianna, assurément.

— Tu te rappelles son nom de jeune fille ?

— C'est important ? Tu en as besoin tout de suite ?

— Oui.

— Ne raccroche pas.

Bruit de draps froissés. Protestation geignarde de Summer. Puis changement d'ambiance sonore, comme si Pete était passé dans une autre pièce.

Quelques instants plus tard, j'avais ma réponse.

— Merci, Pete. Il faut que…

— Hé, ça va ? Tu as l'air bizarre.

— Ça va. Il faut que j'y aille. Merci.

Onze heures dix.

J'ai raccroché et rappelé Slidell. Laissé le même message. Tout se tenait. C'était terrible, mais ça se tenait.

Retour au salon pour regarder le tableau posé sur le dessus de cheminée. La photo de la John-Henry's Tavern. L'homme au visage indistinct à cause du flash.

— Espèce d'enfant de chienne répugnant, ai-je murmuré tout bas.

Bon. Mais quoi, maintenant ? Il était près de minuit.

Attendre que Slidell daigne me rappeler ? Attendre que le jour se lève ?

Sauf que, et je le savais viscéralement, il y avait d'autres filles en danger. Si elles n'étaient pas déjà mortes. Comme Candy.

Ou emmenées ailleurs. Dans une autre ville, un autre État ? Pour qu'elles se dissolvent à jamais dans les bas-fonds.

Non, impossible. Elles étaient encore ici, j'en étais sûre.

À Charlotte, il y avait un million d'endroits où on pouvait garder des filles prisonnières.

Et deux millions d'autres où on pouvait les enterrer.

Slidell avait parlé à Rockett, à Tarzec. Ils savaient maintenant que le nœud coulant se resserrait. Et ces monstres n'avaient aucun respect pour la vie humaine.

Si ces filles étaient encore en vie, vivraient-elles assez longtemps pour voir le jour se lever ?

Où diable était Slidell ?

Et où diable était Birdie ?

Je me suis précipitée au-dehors. Nouveau tour des lieux en appelant le chat.

Pas de Birdie.

J'ai revu des courriels en pensée. Citizenjustice… La langue dans la boîte.

Une main glacée m'a étreint le cœur.

Ces salauds avaient-ils enlevé mon chat ?

Retour dans la maison en claquant la porte. Je me suis mise à tourner en rond dans le salon, paniquée, et rongeant mon frein.

Respire.

Respire.

Pour ne pas devenir folle, j'ai ouvert le dossier jaune vif posé sur mon bureau.

Trié les documents, sorti les photos. Que j'ai passées en revue, en partant des clichés pris sur les lieux de l'accident. La route déserte. La botte en vinyle. Le pathétique petit tas sous la couverture en laine rouge.

Celles de l'autopsie, ensuite. La minuscule culotte en coton blanc à pois bleu clair. Puis les radios : le menton fracturé et la main écrasée. L'épaule en miettes et les fragments d'os éparpillés selon un éventail de virgules.

Enfin des photos que je n'avais jamais vues, une demi-douzaine de gros plans, pris sous différents angles, par

Larabee ou Hawkins : un crâne dépouillé de ses cheveux, de sa face ; un objet ensanglanté, en forme de triangle allongé, étroit.

J'ai fixé l'éclat que Larabee avait retiré du cuir chevelu de Candy.

Pas en os, en ivoire.

Comment ce petit bout d'ivoire avait-il pu se retrouver dans le crâne de Candy ?

J'avais vu une défense d'éléphant sculptée chez Dominick Rockett. Est-ce que d'autres objets en ivoire passaient entre les mains de ce trafiquant ?

J'ai pris mon portable et tapé « usages ivoire » dans Google.

Statuaire, sculptures, ornements, boules de billard, poignées de salle de bains, touches de piano, sceaux, composants pour le guidage radar et l'avionique…

Rien d'exploitable.

Autant essayer autre chose.

Où Candy avait-elle été vue ? À la Taquería Mixcoatl. Au Fruit de la Passion. Au marché Yum-Tum. Somme toute, un rayon assez restreint à proximité du carrefour Rountree-Old Pineville où on avait retrouvé son cadavre.

Les filles disparues étaient-elles retenues prisonnières dans le coin ?

J'ai cliqué sur Google Maps. Zoomé sur le Fruit de la Passion. Tout autour, une mosaïque de terrains vagues semés de toits.

Des toits de toutes les formes et de toutes les tailles, qui ne révélaient rien de ce qui se passait en dessous. Des propriétés pour la plupart entourées de barrières et de murets parfois surmontés de fil de fer barbelé.

Des étiquettes naissaient sous mon curseur, dès que je l'immobilisais sur certains bâtiments. Ici, un entrepôt. Là, un hangar. Le Bronco Club.

Le genre de zone qu'on trouve un peu partout en périphérie des villes. Un endroit où on fabrique des choses, où on les entrepose, où on les laisse rouiller.

Les filles avaient-elles été emmenées quelque part dans ce labyrinthe ?

Retour au dossier dans un état de frustration avancée.

L'horloge tictaquait doucement pendant que je tournais les pages.

Dix minutes plus tard, j'ai entendu un petit bruit doux, une sorte de grattement. Transportée d'espoir, j'ai couru à la porte d'entrée. Pas le moindre félin sur le paillasson.

Même chose à la porte de la cuisine.

Sortie sur la terrasse, j'appelais Birdie quand des phares ont remonté l'allée. Quelques secondes plus tard, une voiture de patrouille est passée. J'ai fait un signe de la main. Le flic m'a rendu mon signal. Inconsolable, morte de peur pour mon chat, je suis rentrée.

Le voyant jaune de mon téléphone fixe clignotait.

Enfant de chienne !

Le message était de Slidell. Très bref : le salon de massage de North Davidson était fermé, la porte cadenassée. Point final. Rien d'autre.

J'ai appuyé sur le bouton « rappeler ». Suis tombée sur sa fichue boîte vocale.

Abattue, épuisée, je me suis obligée à terminer ma lecture du dossier jaune.

Un rapport du FBI. La liste des composants de la trace de peinture trouvée sur le sac de Candy. Solvants, liants, additifs. J'essayais de me repérer dans tout ce jargon, quand un bout de phrase de Slidell m'est revenu à l'esprit :

Méthyle ceci et hydrofluoro je ne sais quoi.

Hydrofluorocarbure ?

Et puis, un autre dérivé chimique : le difluoroéthane.

C'est alors que j'ai eu un déclic.

Le fameux commutateur que j'ai dans la tête s'est actionné.

En a résulté un flash. Pete dans sa BM m'expliquant que Summer peignait à la bombe de vieilles bouteilles pour ses tables de mariage.

Du difluoroéthane ?

Dans de la peinture pour voiture ?

Je suis allée voir ce qu'en disait mon ami Google, et j'en ai extrait ce qui me paraissait pertinent.

> … gaz propulseur… au départ, les chloro-fluorocarbures, interdits en 1978… propane et butane abandonnés dans les années 1980…. Depuis 2011, les hydrofluorocarbures comme le difluoroéthane et le tétrafluoroéthane…

Mon cœur s'est mis à accélérer.

J'ai fermé les yeux. Vu un bâtiment. Une pancarte sous la pluie. PROPRIÉTÉ PRIVÉE — ENTRÉE INTERDITE.

Les faits se sont emboîtés.

Une cascade d'images, et mes yeux se sont ouverts tout grand.

Je me suis levée d'un bond. Ruée sur le téléphone.

Suis tombée pour la énième fois sur la boîte vocale de Slidell.

Dieu du ciel !

— Je sais où les trafiquants ont emmené les filles. J'y vais.

J'ai laissé l'adresse et raccroché.

L'adrénaline rugissant dans mes veines, j'ai attrapé un blouson, fourré une lampe électrique dans une poche, saisi mes clés et foncé à ma voiture.

Chapitre 40

J'ai essayé de voir quelque chose à travers les mailles du grillage. De l'autre côté de la clôture rouillée se devinait une étendue noire et anthracite sous cette lune pas plus grosse qu'une rognure d'ongle et parcourue de voiles couleur d'étain fondu.

L'entrepôt dressait sa masse sombre et menaçante dans l'obscurité. J'ai reconnu le quai de chargement et sa collection de fûts rouillés, disparates, sa table bancale et son piano démantibulé.

Un véhicule était arrêté le long du quai.

Derrière moi, de l'autre côté de la rue, le petit bungalow broyait du noir.

Avançant avec circonspection, j'ai longé la palissade à la recherche d'une ouverture. Je l'ai trouvée rapidement, devant la façade sud du bâtiment. Là, le grillage avait été découpé et les bords repliés vers l'intérieur.

Remerciant ces vagabonds pour qui Slidell n'a que mépris, je me suis faufilée dans la brèche. Deux mètres plus loin, un vieux panneau de guingois sur son piètement en métal. Grâce à ma lampe électrique, dont j'avais pris soin de masquer le faisceau avec ma main, j'ai appris le projet de construction à cet endroit de trente-six appartements de luxe. Accroupie derrière la pancarte, j'ai tendu l'oreille.

La nuit bruissait de toutes parts. Frôlement des feuilles mortes sur le gravier qui jonchait le béton. Sifflement assourdi d'un train au loin. Ma propre respiration terrifiée.

Personne ne m'a hurlé de me montrer ou de décamper.

Je n'avais pas vraiment de plan. Dans mon désir frénétique de sauver les filles, je m'étais juste pointée ici à toute allure.

J'ai regardé le hangar. Il m'a rendu mon regard, sans rien livrer de ses secrets.

Croyant voir une ombre passer derrière l'une des fenêtres, à l'étage, j'ai retenu mon souffle. J'ai scruté les vitres brisées, incrustées de crasse. N'ai détecté aucun mouvement.

Entre le grillage et le bâtiment, dix mètres d'un béton insondable, ponctué de flaques irisées. Çà et là, des pierres et des objets d'un usage indéterminé dont aucun n'était assez gros pour me dissimuler.

J'ai compté jusqu'à trente et filé comme une flèche vers l'ombre du quai de chargement.

À l'abri des ténèbres boueuses, le dos plaqué contre la brique, j'ai écouté à nouveau.

De l'eau qui dégouttait. Les roucoulements de pigeons surpris.

J'ai détaillé le pick-up. De marque Chevrolet avec des vitres teintées très sombres. Comme celui qui était garé devant le Mixcoatl.

Citizenjustice ? L'homme qui avait laissé une langue coupée sur mon paillasson ? Était-il là ? Était-il venu à la *taquería*, pour observer ? Planifiant déjà de tuer D'Ostillo ?

Sur la pointe des pieds, j'ai grimpé l'escalier en fer. Une porte était ouverte tout au bout du quai. Je me suis glissée à l'intérieur.

L'odeur m'a renversée comme un coup de poing en pleine figure. Cocktail d'eau stagnante, d'urine, de moisissure et de fientes de pigeons.

J'aurais volontiers rallumé ma lampe, mais c'était trop risqué. Je devais d'abord découvrir s'il y avait ou non des gens cachés là-dedans.

Le cœur battant la chamade, je me suis avancée en cachette, faisant gicler sous mes semelles une gadoue suspecte quand je n'écrabouillais pas des fientes d'oiseaux.

Peu à peu, ma vue s'est adaptée et, à la lueur de la lune qui filtrait par les vitres brisées, en haut des murs, j'ai commencé à distinguer des formes dans l'obscurité.

Cet énorme entrepôt avait tout d'une caverne. Un mur de brique était barbouillé de longues langues noires sinueuses évoquant un incendie, un autre était couvert de graffitis : un oiseau, une croix ansée égyptienne, l'inscription ÇA VALAIT LE COUP D'ATTENDRE dans un cœur rose vif.

J'ai levé les yeux. Des poutres et une ribambelle de nids, dont certains étaient occupés par des boules pelucheuses pourvues d'un bec. Brusquement, j'ai senti, rivés dans mon dos, les yeux d'un demi-millier d'oiseaux.

Puis quelque chose a filé près de mon pied droit. Des griffes ont cliqueté sur le sol.

J'ai retenu un hurlement. Je me suis représenté quantité d'autres petites billes rouges, des dents jaunes, de longues queues sans poils…

Les paumes en sueur, je me suis avancée dans l'obscurité. J'avais l'impression d'avoir la langue couverte de poussière. Ou de guano pulvérisé. J'ai avalé ma salive, et l'ai aussitôt regretté.

J'avais peut-être fait dix mètres quand un bruit impossible à confondre m'est parvenu aux oreilles.

Je me suis figée.

Un pas, suivi d'un autre.

D'où venait ce léger raclement ? D'en haut ? De derrière ? Du dehors ? L'écho m'empêchait d'en déterminer l'origine.

Le sang rugissant dans mes veines, je me suis accroupie dans un recoin, en implorant le ciel que l'ombre soit assez épaisse pour me dissimuler.

J'ai essayé de toutes mes forces de repérer une présence humaine. Mais pas un bruit. Uniquement des roucoulements intermittents.

Un certain temps s'est écoulé. Cinq minutes ? Dix ? En tout cas, suffisamment longtemps pour que les battements de mon cœur s'apaisent un peu.

J'ai voulu me relever. Mais j'avais la circulation sanguine coupée à la hauteur des genoux et j'ai basculé vers l'avant.

Mes mains ont rencontré quelque chose de ferme et de mou à la fois, une surface plus dure en dessous.

Horrifiée, j'ai eu un mouvement de recul.

L'individu était assis contre un mur, la tête penchée sur son épaule gauche, mais sans la toucher. Il avait perdu une chaussure et, dans le noir, la blancheur de sa chaussette semblait me cligner de l'œil.

Entre le bonnet qu'il avait sur la tête et l'obscurité plus profonde dans ce recoin de l'entrepôt, impossible de distinguer ses traits.

Mais une chose était sûre : cet homme ne constituait plus une menace.

Du sang suintait de sous son bonnet. Je le regardais s'accumuler dans le creux de son orbite droite quand une goutte est tombée de son nez.

Mon cœur s'est affolé. J'ai fait un pas mal assuré en avant et aperçu un Beretta 9mm à côté de la hanche de l'homme dont je ne voyais toujours pas le visage.

Quelques centimètres de plus et, de mes doigts tremblants, j'ai décrypté ses traits comme je l'aurais fait d'un texte en braille. Une peau ravagée, grumeleuse. Et, par endroits, des bandes lisses, caoutchouteuses. Un front proéminent. Une narine mutilée.

Ma mémoire tactile a suscité une image.

Sous le choc, ma main s'est rétractée.

Sans réfléchir plus avant, j'ai arraché le bonnet et braqué ma lampe sur le visage du cadavre.

L'œil sain de Dom Rockett contemplait un avenir qu'il ne connaîtrait pas. Le sang coulait d'un trou qu'il avait au-dessus de la tempe droite.

Mes sentiments, en cet instant ? Pitié ? Colère ? Oui, de la colère, car j'aurais voulu un Rockett vivant, en état d'affronter la justice. De la peur ? Et comment ! Une peur carabinée.

Mais par-dessus tout, une profonde confusion.

Je n'ai pas eu le temps de réfléchir à ce qu'impliquait la mort de Rockett. Un nouveau bruit de pas m'a fait lever la tête. J'ai éteint ma lampe et me suis renfoncée plus profondément dans l'alcôve.

D'autres pas ont suivi. De plus en plus proches.

Le cœur battant, j'ai rampé en direction du mur de briques qui formait l'angle du renfoncement. J'ai jeté un coup d'œil hésitant.

À nouveau, des bruits de pas. De lourdes bottes sont apparues en haut de l'escalier, accompagnées de deux petits pieds, l'un nu, l'autre chaussé d'un soulier à semelle compensée. Et la descente a commencé.

Par leur démarche bancale, les petits pieds révélaient la faiblesse de leur propriétaire, que confirmait la bizarre inclinaison du bas de ses jambes. Manifestement, ses genoux n'étaient pas en mesure de supporter le poids de son corps.

Une flambée de colère m'a embrasée. Cette femme était droguée, et ce salaud l'entraînait sans ménagement.

Quatre marches plus bas, le couple est passé dans un rayon de lune. La femme, en vérité une toute jeune fille, avait des cheveux longs et des membres squelettiques. L'homme la tenait fermement par le cou. De lui, je ne distinguais que le triangle blanc d'un t-shirt sous son menton et la crosse d'un pistolet au-dessus de la ceinture de son pantalon.

Le couple est retombé dans l'obscurité et, de ces deux corps serrés l'un contre l'autre, je n'ai plus vu qu'une silhouette à deux têtes.

Arrivé à la dernière marche, l'homme s'est mis à tirer et pousser la fille vers la porte qui donnait sur le quai de chargement. Elle a vacillé et sa tête s'est mise à balloter comme si elle était montée sur ressort. D'un mouvement brutal, l'homme l'a redressée sur ses jambes.

La fille a refait quelques pas incertains, puis elle s'est raidie, elle a relevé le menton et un cri a rompu le silence. Un cri strident, animal.

Le bras de l'homme a jailli. La silhouette féminine s'est à nouveau figée. Un autre cri m'est parvenu, de douleur cette fois, et la fille s'est affaissée mollement sur le béton.

L'homme, un genou en terre, s'est alors déchaîné sur le petit corps inerte, le coude transformé en piston.

— Ah, tu résistes, salope ?

Son poing s'abattait en cadence. Les coups pleuvaient à un rythme tel qu'il s'est bientôt mis à haleter.

Une rage noire m'a envahie, m'a fait oublier tout instinct de conservation.

À quatre pattes, j'ai filé récupérer le Beretta en essayant de ne pas me faire remarquer. J'en ai vérifié la sécurité, bénissant le ciel d'avoir pris de bonnes habitudes au stand de tir.

Rassurée, j'ai voulu prendre mon téléphone dans ma poche. Il n'était pas avec ma lampe.

Pas non plus dans mon autre poche.

L'aurais-je laissé tomber ? Oublié à la maison en me précipitant au dehors ?

La panique m'a presque fait suffoquer. J'étais livrée à moi-même, coupée du monde. Que faire ?

Une petite voix me recommandait la prudence. Reste cachée. Attends. Slidell sait où tu es.

— Crois pas que tu vas t'en sortir !

Des accents cruels, haineux.

Je me suis retournée d'un bloc.

L'homme relevait la fille en la tirant par les cheveux.

J'ai jailli du renfoncement en brandissant mon Beretta. Alerté par le bruit, l'homme s'est immobilisé. Je me suis arrêtée à cinq mètres de lui, à l'abri d'un pilier. Bien stable sur mes deux pieds, j'ai levé le canon.

— Lâche-la !

Le béton et la brique ont amplifié mon cri.

Le type a maintenu sa prise. Il me tournait le dos.

— Haut les mains !

Il a laissé tomber la fille et s'est redressé. Ses mains se sont lentement élevées à hauteur de ses oreilles.

— Retourne-toi.

L'espace d'une seconde, tandis qu'il obtempérait, un rai de lumière l'a éclairé et j'ai pu distinguer ses traits.

Ray Majerick.

S'apercevant qu'il était tenu en joue par une femme, Majerick a un peu baissé les bras. J'ai vivement reculé derrière le pilier, comprenant qu'il me distinguait mieux que je ne le voyais moi-même.

— Elle a rien, la petite pute !

Tu vas crever aussi, espèce de salope.

— Laisse tomber ton arme.

Majerick n'a pas bougé.

— Maintenant ! ai-je crié en chargeant le Beretta.

Majerick a tiré le pistolet de sa ceinture et l'a lancé près du quai de chargement.

— Menacer les gens par courriel, terroriser les petites filles sans défense, quel courage ! (D'une voix bien plus assurée que je ne l'étais en vérité.)

— Les dettes, ça se paye ! C'est la loi, tout le monde le sait.

— Tu peux oublier le remboursement des dettes, espèce d'enfant de chienne.

— Vraiment ? ! Et qui c'est qui le dit ?

— La douzaine de flics en route vers ici.

Majerick a levé une main en cornet près de son oreille.

— J'entends pas de sirènes.

— Écarte-toi de la fille.

Il a esquissé un pas sur le côté.

J'ai élevé le ton.

— Recule !

Son attitude arrogante me donnait envie de lui défoncer le crâne à coups de crosse.

— Sinon quoi ? Tu vas me descendre ?

— Exactement.

En serais-je seulement capable ? Je n'avais jamais tiré sur un être humain.

Où diable était passé Slidell ? L'effet conjugué de l'adrénaline et de tout le café ingurgité n'allait pas durer éternellement. Quant à Majerick, il allait vite comprendre que je bluffais.

La fille a gémi.

J'ai baissé les yeux.

Un quart de seconde qui m'a fait perdre l'avantage, et donné à ce salaud sa seule chance de garder la vie sauve.

Il a eu le malheur de faire un geste brusque.

Une nouvelle giclée d'adrénaline a inondé mes veines.

J'ai levé mon arme.

Majerick a fait un pas en avant.

Mon regard s'est focalisé sur le triangle blanc de son t-shirt.

Le coup est parti.

Écho assourdissant. Le recul de l'arme m'a projeté les mains en l'air, mais j'ai su tenir la position.

Majerick s'est écroulé.

Dans la pénombre blafarde, j'ai vu le triangle blanc virer au noir. Ou plutôt au rouge. Un rouge cramoisi et qui s'étalait partout. Un coup parfait. Le Triangle de la Mort.

Tout autour le silence s'est fait. Brisé seulement par ma respiration saccadée.

Mes centres nerveux supérieurs et mon tronc cérébral se sont remis à l'unisson et j'ai pris conscience de mon acte. J'avais tué un homme.

Mes mains ont été prises de tremblement. La bile m'a empli la gorge.

J'ai dégluti. Resserré les doigts autour du pistolet.

La fille gisait au sol, immobile. Je me suis précipitée vers elle et j'ai posé mes doigts tremblants sur sa gorge.

Une pulsion, oui. Faible mais régulière.

J'ai pivoté sur moi-même et intercepté le regard aveugle et maléfique de Majerick à jamais réduit au silence.

Subitement, l'épuisement et l'accablement se sont abattus sur moi, face à l'ignominie de ce que je venais d'accomplir.

Que faire maintenant ? Poursuivre mon action ? Mais, dans mon état, serais-je seulement capable de prendre les bonnes décisions ? Et mon téléphone qui était resté à la maison !

J'ai résisté à la tentation de m'asseoir par terre, la tête entre les mains, et de laisser couler mes larmes.

À la place, j'ai inspiré profondément, à plusieurs reprises. Quelque peu apaisée, je me suis relevée et j'ai traversé des kilomètres d'obscurité jusqu'à l'escalier. Je l'ai grimpé, les jambes en caoutchouc.

En haut des marches, un couloir. Rien d'autre.

Je l'ai suivi jusqu'à une unique porte. Fermée.

Le pistolet serré dans ma main moite, j'ai tourné la poignée.

Et là, vision d'horreur.

Chapitre 41

La scène me hante encore. Elle me hantera jusqu'à la fin de mes jours.

Dans la pièce, quatre filles aux cheveux emmêlés, crasseux. L'une d'elles avait les fesses à l'air sous un long sweatshirt sale. Les autres n'étaient pas spécialement vêtues comme des filles de pasteur.

Elles étaient attachées par une cheville à un tuyau qui courait le long d'un mur. Toutes sauf une : assise les bras en l'air, elle avait les poignets retenus par un lien en plastique entourant un autre tuyau placé au-dessus d'elle. Sa tête pendait entre ses épaules relevées, empêchant de voir son visage caché sous ses cheveux en bataille.

Trois paires de menottes vides pendaient au tuyau du bas, et un lien en plastique coupé gisait en dessous.

Une demi-douzaine de couvertures d'une saleté immonde traînaient par terre. Dans un coin un seau débordait d'urine et d'excréments. L'odeur était insoutenable.

Les filles m'ont regardée avec des yeux écarquillés comme sur les photos que j'avais pu voir sur Internet. Vides, sans espoir. Hagards. Peut-être un effet de l'héroïne.

J'ai réussi à refouler la nausée qui m'envahissait.

— Tout va bien, ai-je murmuré. Je ne vous ferai pas de mal.

La fille aux mains attachées a relevé la tête. Les autres n'ont pas fait un mouvement, pas dit un mot.

Que faire ? Impossible de sortir d'ici pour appeler les flics ; le risque était trop grand que les filles soient emmenées ailleurs pendant mon absence.

Que j'étais stupide ! Comment avais-je pu oublier mon téléphone ?

Pendant que j'hésitais sur la conduite à suivre, une fille a chuchoté quelque chose à une autre. Je n'ai pas compris les mots qu'elle prononçait, mais leur cadence m'a paru familière.

Je m'apprêtais à reprendre la parole quand le bruit d'un moteur de voiture m'en a empêchée. J'ai couru dans le couloir. Me hissant sur la pointe des pieds, j'ai jeté un coup d'œil par une fenêtre.

À travers la vitre noire et givrée par la crasse, j'ai réussi à distinguer deux phares trouant l'obscurité devant le bâtiment.

On a coupé le moteur. Les phares. Une portière a claqué. Des pas lourds ont ébranlé les marches en fer qui montaient vers le quai de chargement.

Shit ! Shit ! Shit !

En courant, je suis retournée auprès des filles et leur ai fait signe, l'index sur les lèvres, de ne rien dire. Elles m'ont regardée les yeux ronds. Sans comprendre ? Trop abruties pour réagir ?

Je me suis plaquée dos au mur, serrant de toutes mes forces le pistolet dans ma main, canon levé. Mon cœur battait avec une violence à faire exploser la stratosphère. Combien de balles restait-il dans le chargeur ? J'en avais tiré une, Rockett avait-il fait feu, lui aussi ?

De grosses chaussures ont martelé le sol de l'entrepôt. Et arrêté net.

— *Fuck*, Ray… ? Qu'est-ce que… ?

Un silence, et les pas se sont rués à l'étage.

Mon doigt s'est crispé sur la détente.

Les pas ont couru vers la porte, se sont arrêtés, et sont repartis dans l'autre sens, me laissant sous le choc. J'ai retenu mon souffle. Est-ce qu'ils redescendaient l'escalier ?

Le silence pesait sur l'entrepôt.

Quand j'y repense, je serais incapable de dire combien de temps s'est écoulé.

Les pigeons roucoulaient.

Mon cœur battait à tout rompre.

La voiture ne redémarrait pas.

Le type était-il parti ? Cherchait-il Majerick ? La fille ? Appelait-il des renforts ?

Je ne pouvais plus rester inactive.

Je me suis rappelé l'image des cibles au champ de tir de Bagram. J'ai revu le Triangle de la Mort, et je me suis avancée vers la porte, les mains crispées sur la poignée de mon arme.

Coup d'œil dans l'entrebâillement.

Le choc m'a projetée sur le côté. Ma tête a heurté le mur de brique, ma vision est devenue floue et j'ai atterri les fesses par terre.

Une botte m'a lourdement écrasé la main, me tordant le poignet, faisant fuser une douleur le long de mon bras. Un claquement et le pistolet a jailli de mes doigts.

J'ai poussé un hurlement et me suis dégagée en balançant la jambe. J'ai atteint ma cible. Entendu le pistolet tomber dans le vide. Un tintement en écho a marqué son impact avec le sol, à l'étage au-dessous.

Me relevant tant bien que mal, j'ai fait demi-tour et filé vers le haut de l'escalier. Que mon adversaire soit armé ou non, je n'avais pas le choix. Pliée en deux, j'ai dévalé les marches deux par deux.

Au bruit, j'ai compris que mon poursuivant en faisait autant.

Passant en courant à côté de Majerick, j'ai franchi la porte et plongé au pied des marches du quai de chargement. À côté du pick-up il y avait maintenant une Porsche 911.

J'ai pris à gauche des véhicules et foncé vers le trou dans le grillage, mon poursuivant sur les talons.

J'y étais presque, à deux mètres du panneau du promoteur, quand une main s'est refermée sur mon épaule.

Je me suis contorsionnée, enfonçant mes ongles dans le bras du type. Deux traînées parallèles ont assombri le mot RIPPER tatoué sur sa peau.

L'étau s'est légèrement desserré. J'ai bondi en avant et me suis accroupie derrière la pancarte.

Secouant sa main blessée, l'homme a, de l'autre, attrapé un pistolet.

Je me suis plaquée au sol. Le sang battait à mes tempes, dans ma gorge, dans ma poitrine. Pourquoi ne pressait-il pas la détente ?

Enfin, un déclic.

Aucune balle n'a tinté sur le métal. Ni atteint ma personne.

Autre déclic. Toujours rien.

En jurant, l'homme a rempoché son arme et piqué un sprint.

J'ai foncé vers le grillage. Il s'est jeté sur moi avec une soudaineté qui m'a coupé le souffle.

Nous avons chuté ensemble et roulé l'un sur l'autre. Des bouts de métal, des pierres me rentraient dans le ventre et les côtes. Un liquide répugnant, plein de résidus huileux, a éclaboussé mon visage, trempé mes vêtements. Nos halètements forcenés oblitéraient tous les autres sons.

Ignorant tout du combat rapproché, je me débattais tant bien que mal, galvanisée par l'adrénaline et la panique.

Par miracle, je me suis libérée et précipitée à nouveau vers l'ouverture dans le grillage.

Une main m'a attrapé le pied. Comme je m'affalais au sol, mes doigts se sont refermés sur un objet en métal rouillé. Cylindrique et plutôt long. Un bout de tuyau, probablement.

J'ai fait pivoter le haut de mon corps et, la bouche tordue dans un rictus qui partait de mes tripes, j'ai frappé de toutes mes forces, comme un frappeur qui aurait visé les gradins supérieurs du stade.

Coup de circuit.

Sous la force de l'impact, mon assaillant est tombé à genoux en se prenant la tête dans les mains.

Tant bien que mal, je me suis hissée sur mes jambes. Je serrais le tuyau si fort que j'avais les bras couverts de poussière de rouille.

À la maigre lueur de la lune, le visage de mon ennemi ressortait comme une tache pâle. Je l'ai reconnu sans surprise.

— C'est fini, lieutenant.

Gross a levé les yeux vers moi. Dans son regard vague, une expression mêlant la souffrance et la fureur.

Pour ma part, j'étais dans le pétrin. Partir d'ici et franchir le grillage ? Il risquait de s'enfuir en faisant d'abord disparaître les filles.

Arriverais-je à le tenir en respect ? Il le fallait, pourtant. Pour cela, gagner du temps. Garder ce salaud à l'œil jusqu'à l'arrivée de Slidell. Lui flanquer un coup sur la tête ? Non, je ne tenais pas à me retrouver accusée de meurtre.

— Vous m'avez bien eue, ai-je lâché entre deux halètements.

Gross a chancelé, s'est redressé sur les genoux, mais n'a pas répondu. J'ai repris :

— Comment ça marche ? Vous achetez les filles et vous leur faites prendre l'avion avec de faux passeports ? Ou vous ne prenez pas tous ces égards et vous les transportez comme des marchandises ?

Toujours pas de réponse.

— *Semper fi*, hein, John-Henry ?

Gross a levé le menton, surpris. Puis il a baissé lentement les mains qu'il tenait toujours sur ses tempes.

— Le H du deuxième prénom, inscrit dans l'acte d'accusation, à l'audience préliminaire. Il ne fallait pas être un génie pour faire le lien avec John-Henry Story, votre oncle. Sa sœur a dû être fière de vous deux. Sa sœur est bien votre mère, n'est-ce pas ? Marianna Story Gross ?

Pour cette pièce du puzzle, je pouvais dire merci à Pete.

— Laissez ma mère en dehors de ça, a-t-il fait d'une voix pâteuse.

J'ai poursuivi, en attendant désespérément le hululement des sirènes.

— Quel effet ça fait de déshonorer le Corps des marines ?

Les images se succédaient dans ma tête. Tatouages. Écussons.

— Et Ripper. C'est pendant l'opération Tempête du désert, je suppose, que vous vous êtes connus, vous et Rockett ? C'est lui qui a eu l'idée de tout ça ?

— Rockett n'aurait pas été foutu de sortir tout seul des latrines, a-t-il lancé d'une voix plus forte.

— Rockett s'apprêtait à dénoncer son vieux copain de la force opérationnelle ? C'est pour ça qu'il devait disparaître ?

Les épaules de Gross se sont soulevées. L'espace d'un instant, j'ai cru qu'il allait éclater de rire.

— Et Candy, c'était quoi son péché ? Elle voulait s'enfuir ? Menaçait de parler ? C'était une emmerdeuse, alors vous l'avez écrasée ? Ou c'est Majerick qui a joué les gros bras pour ça aussi ?

— Une vraie vedette, hein ? Vous avez toutes les réponses.

Je continuais à parler, resserrant encore ma prise sur le tuyau, au point que je commençais à avoir le poignet en feu.

— C'est pour ça que vous avez tué les deux Afghans à Sheyn Bagh ?

— Dommage collatéral.

— Car Aqsaee s'est bien jeté sur vous, en effet. Mais pas parce que c'était un insurgé. Pour vous parler d'Ara. Ara, c'est bien ce qu'il vous criait, n'est-ce pas ? Pas Allah. Eggers a mal entendu, j'imagine. Ce qui vous a aidé à échafauder cette histoire.

— Eggers est un con.

— Aqsaee a reconnu en vous l'homme qui avait enlevé Ara. Il risquait de prévenir les anciens du village.

En repensant au Polaroïd que j'avais trouvé dans mon sac à dos, mon dégoût s'est encore embrasé.

— Mais pourquoi Ara ? Pourquoi pas les autres, Khandan, Mahtab, Laila ou Taahira ? Enfin, peut-être que ce n'était qu'une question de temps, espèce d'enfant de chienne !

— Les filles ont une vie de merde, là-bas.

Cela articulé d'un ton froid, à présent. Contrôlé.

J'ai encore resserré ma prise sur mon bout de ferraille.

— Et vous vous proposiez de mettre le monde à leurs pieds, peut-être ?

Gross a relevé un genou et fermement planté son pied sur le sol. Il a tangué. S'est stabilisé.

J'ai soulevé le tuyau.

— Un mouvement et je vous pète le crâne.

Nos regards se sont croisés. Plus trace en lui du héros de guerre accusé à tort. Devant moi se trouvait un prédateur calculateur.

Plusieurs interminables secondes, et Gross a pris son élan. Mouvement trop lent, trop attendu. L'ayant vu venir, j'ai su l'esquiver. Déséquilibré, il a failli s'affaler, mais il a tournoyé sur lui-même et s'est retrouvé face à moi.

J'ai levé le tuyau, prête à frapper plus fort que je ne l'avais fait de ma vie.

À son tour, il a anticipé le coup et levé les avant-bras pour parer l'assaut.

J'ai retenu mon bras, abaissé mon tuyau, et lui ai enfoncé dans le bas-ventre de toute la force dont j'étais capable.

Gross s'est plié en deux.

Me faisant gagner un peu de temps.

Et je l'ai pilonné. Dans les tibias. Les rotules.

Il s'est laissé tomber à terre, roulé en boule.

Je me suis rapprochée, le tuyau levé au-dessus de sa tête.

Mon cœur battait la chamade. L'air s'échappait de mes poumons par saccades.

Un infime gémissement s'est insinué dans le tumulte qui faisait rage dans mes oreilles et ma poitrine.

Je me suis redressée, l'arme brandie, les muscles fléchis.

Le gémissement s'est précisé. Des sirènes.

La raison a pris le pas sur ma rage primale.

Ou alors j'ai compris que les secours approchaient.

J'ai réussi à ne pas abattre mon arme improvisée.

Peu après, des voitures de patrouille se sont arrêtées près du grillage dans un concert de sirènes. Des portières ont claqué. Des lumières palpitantes, bleues et rouges, ont éclaboussé la maison de l'horreur, dans mon dos.

ÉPILOGUE

À Charlotte, le mois d'octobre est une expérience schizophrénique. Un jour, on se promène en manches de chemise ; le lendemain, on porte des vestes et des gants.

Le froid est arrivé un dimanche. Toute une corvée que de rentrer les plantes d'une seule main.

Le lundi, j'ai décidé de faire du feu dans la cheminée. Les flammes ont effectué une sorte de chorégraphie plus ou moins réussie avant de se décider enfin à danser derrière l'antique écran de laiton qui protège le foyer, puis une vague odeur de fumée et de sapin a empli le salon.

J'avais fini tout ce que j'avais à faire le vendredi d'avant, aux petites heures du matin. Assise à l'arrière d'une voiture de patrouille, j'avais répondu à un feu roulant de questions, la plupart posées par Slidell, certaines par des journalistes qui avaient capté la nouvelle sur la fréquence radio de la police. J'avais même donné à Allison Stallings plusieurs infos en primeur.

Des ambulances avaient embarqué Gross et ses victimes, et j'avais entendu Slidell s'assurer auprès du QG que les filles seraient accueillies par des interprètes et des infirmières des services sociaux. Et puis, une fois la camionnette du MCME partie en emportant les corps de Majerick et de Rockett, j'avais fini par céder aux instances de Slidell et accepté de me laisser conduire aux urgences du CMC, le centre hospitalier de Charlotte.

411

Grâce à un coup de fil de Skinny, j'avais été prise en charge immédiatement. La radio avait révélé une fracture du scaphoïde et une fracture linéaire de l'extrémité distale du radius droit. Quand j'avais raconté au médecin des urgences comment j'avais brandi mon tuyau, il en était resté bouche bée. J'étais rentrée chez moi, le poignet et le pouce emprisonnés dans une attelle Spica aussi grosse qu'une valise.

Slidell se doutait-il de la puissance des antidouleurs qu'on m'avait administrés ou était-il occupé à cuisiner Story et Gross ? Toujours est-il qu'il m'avait fichu la paix tout le week-end avant de se pointer chez moi, chargé d'une composition florale grande comme une plateforme de forage.

Entre-temps, voici ce qu'il avait appris :

La balle extraite du cerveau de Rockett par Larabee avait été tirée par l'arme de Majerick. De même que les deux projectiles trouvés dans son abdomen, et un troisième qui s'était fiché dans le mur de brique derrière lui.

La balle reçue par Majerick dans son Triangle de la Mort n'exigeait pas d'explication. Je ne serais pas inquiétée. On avait déterminé que c'était un cas de légitime défense, et on trouvait même que j'avais eu beaucoup de chance.

À deux reprises, en fait. La première quand j'avais pressé la détente, la seconde quand Gross l'avait fait. Il avait récupéré l'arme de Majerick, quand il s'était lancé à ma poursuite. Majerick l'avait à moitié vidée sur Rockett.

Les descentes dans les autres salons de massage SayDo avaient permis de retrouver onze filles, toutes afghanes. Les petites découvertes à North Davidson étaient détenues au sous-sol d'un salon de beauté fermé, dans des conditions aussi abjectes que dans le hangar de South End. Apparemment, elles avaient entre treize et dix-sept ans.

Aucune de ces filles ne parlait anglais, n'avait de visa en règle, ni même de passeport. Elles avaient été placées sous la responsabilité de l'Agence des douanes et de l'immigration.

Celle que Majerick tabassait quand je l'avais surpris s'appelait Huma, Petit Oiseau, et était originaire d'un village situé non loin de Sheyn Bagh. Elle souffrait de contusions multiples, d'abrasions et avait le nez cassé, mais elle s'en sortirait.

Archer Story avait été arrêté et accusé de conspiration de meurtre sur les personnes d'Ara et de Rosalie D'Ostillo. Accusé aussi de diriger des bordels et de tirer profit de la prostitution de mineures. Enfin, accusé de pratiquer la traite d'êtres humains à grande échelle.

Les tenancières des quatre établissements étaient inculpées de proxénétisme sur la personne de mineures et de traite d'êtres humains.

Les lois de l'État de Caroline du Nord disposent qu'un individu commet le « crime de trafic d'êtres humains dès lors qu'il recrute sciemment un être humain en vue de le contraindre au travail forcé ou à la servitude sexuelle, ou qu'il fournit les moyens nécessaires au transport, à l'hébergement et à l'accueil de personnes à ces fins d'exploitation, par le recours ou la menace de recours à la force ». Si la victime est mineure, cela constitue un crime de classe C, passible de quarante ans de réclusion.

En l'occurrence, les victimes étant au nombre de seize, les accusés risquaient jusqu'à 640 ans de réclusion pour le seul chef de traite d'êtres humains. Pas étonnant qu'ils se démènent tous pour conclure des accords.

Story et les tenancières chantaient comme des canaris shootés au crack. Story prétendait tout ignorer de ces histoires de traite ou de prostitution. Ses avocats proposaient un accord : sa coopération en échange d'une sentence n'excédant pas quinze ans. Mme Tarzec et les autres tenancières de bordel cherchaient à négocier une sentence inférieure à neuf ans, si elles plaidaient coupables.

L'avocat de Gross avait approché le procureur pour obtenir une réduction des charges. Le procureur n'avait pas marché.

— Est-ce qu'au moins l'une des filles témoignera ? ai-je demandé.

Slidell a eu un reniflement.

— Sont tellement terrorisées qu'elles osent même pas me regarder en face quand je leur cause.

— Mais Majerick est mort, et Gross derrière les barreaux.

— Pour les mater, ces porcs les menaçaient de s'en prendre à leurs familles. Majerick leur mettait sous le nez votre photo d'Ara à la morgue, et la photo qu'il avait prise de D'Ostillo, en leur disant que, si elles essayaient de s'enfuir ou faisaient la grève du zèle, c'est ce qui les attendait.

— Et mon Citizenjustice, c'était Majerick ?

— Ouais. Ce petit salaud surveillait le coin depuis un camion garé devant la *taquería*. Il accuse Gross de lui avoir ordonné de faire disparaître D'Ostillo parce qu'elle nous avait parlé. Et de l'effacer d'une façon qui foute bien la trouille.

— D'Ostillo avait vu Majerick en compagnie d'Ara et des autres filles ?

Slidell a hoché la tête d'un air sinistre.

— Encore du café ?

— Vous arrivez à verser, avec ce marteau-pilon que vous avez en guise de mitaine ?

— Très drôle. Trois sucres, c'est ça ?

Je suis allée dans la cuisine. Au retour, j'ai tendu à Slidell son café.

— Je rêve ou votre oiseau vient de me dire de lui lécher le cul ?

Charlie m'avait été offert par Ryan, qui l'avait découvert dans un bordel au cours d'une descente de police. Son répertoire n'était pas celui du « bel oiseau » standard, mais je n'avais pas envie d'expliquer ça à Slidell.

— Pourquoi avoir tué Ara ? ai-je demandé en me rasseyant.

— Majerick l'emmenait vers le salon de North Davidson quand elle a sauté du camion en marche. En tout cas, c'est

414

ce qu'il a raconté à Archer Story, qui prétend avoir été choqué en l'apprenant. Après coup, bien entendu.

— Bien entendu.

— C'était un violent, Majerick. Le genre facilement irritable. Probable qu'il a perdu son sang-froid quand la petite s'est rebiffée et il l'a écrasée.

J'ai repensé à la photo des six petites Afghanes, où l'une, plus malicieuse que les autres, faisait des cornes au-dessus de la tête d'une copine. Et je me suis dit que c'était bien comme ça que les choses avaient dû se passer. Ara avait la force de caractère nécessaire pour résister.

— Et ce monstre l'a abandonnée là, comme ça.

— Toujours d'après Story, Majerick lui a dit qu'il y avait trop de trafic pour récupérer le corps sans se faire repérer. De toute façon, y pouvait pas l'emmener à l'hôpital.

J'ai revu le bout de route déserte où Ara était morte. Des larmes m'ont brûlé les paupières. Si je n'ai pas craqué, c'est parce que Slidell a enchaîné avec une question.

— Comment vous avez compris que c'était Gross qui avait fait le coup ? Il a jamais été sur nos écrans radars.

— Son tatouage.

Slidell a plissé le front. L'image même de la perplexité.

— Je l'avais vu à l'audition, à Camp Lejeune. Ou plutôt juste une partie, le bas, sous son poignet. Je n'avais vu que « RIP », et j'avais cru que ça voulait dire *Requiescat in pace*, « Qu'ils reposent en paix ».

— « Pas de meilleur ami, pas de pire ennemi », a cité Slidell.

Je dois dire que j'ai été surprise qu'il connaisse une devise du Corps des marines.

— Sauf que Gross déshonore l'armée, ai-je rétorqué.

— Pour ça oui, *fuck* ! Il a rien à voir avec ce corps d'élite.

Je me suis demandé si Slidell avait eu dans sa vie des relations avec les marines, dont j'ignorais tout. Une chose était sûre, je ne risquais pas de lui poser la question.

— Bref, après, à la taverne, j'ai revu ce même tatouage sur la photo de John-Henry Story et Dom Rockett. Sur le moment, je n'ai pas fait le lien. La photo se reflétait dans un miroir et elle était à l'envers. Et puis tout à coup, jeudi soir, pendant que je regardais à nouveau les photos, tout s'est mis en place. L'écusson de la force opérationnelle Ripper que j'avais vu dans le salon de Rockett. RIP. Ripper. C'était Gross qui avait pris la photo. Ce qui établissait un lien entre Rockett et lui, ainsi qu'entre Story et lui.

— Je comprends.

— J'ai donc relu l'acte d'accusation de l'audience préliminaire. Et là, j'ai constaté que Gross était prénommé John H. : H pour Henry. Plus loin, j'ai vu que le nom de jeune fille de sa mère, Marianna, était Story. John-Henry Gross était le neveu de John-Henry et Archer Story. Après, tout s'est enchaîné.

« C'était la quatrième mission de Gross en Afghanistan. J'ai comparé la photo trouvée dans mon sac à dos avec celle que j'avais prise de la victime du chauffard. Elle avait beau être blonde décolorée, aucun doute : c'était bien la même fille. Et puis, sur la photo du sac à dos, j'ai reconnu Khandan, une fille qui m'avait parlé au marché de Bagram. En regardant plus attentivement, j'ai reconnu aussi la formation rocheuse dans le fond. C'était bien celle, très particulière, qui se trouve derrière le village de Sheyn Bagh. »

— L'endroit où vous avez exhumé les cadavres ?

— Oui. Et là, tout a soudain pris un sens. Un sens terrible. L'homme pour qui j'avais témoigné à Camp Lejeune avait bel et bien assassiné Aqsaee et Rasekh. Aqsaee avait dû voir Gross emmener Ara. Le reconnaissant pendant l'opération de bouclage, il avait couru vers lui en criant non pas « Allah » mais « Ara ». Gross avait paniqué. Et il avait profité de la confusion pour le descendre. Et Rasekh avec. Prétendant agir en état de légitime défense.

— Vous pensez que c'est cette petite, Khandan, qui a glissé le Polaroïd dans votre sac à dos ?

J'ai hoché la tête.

— Peu après qu'elle m'a approchée au marché, nous nous sommes retrouvées assises côte à côte dans un abri.

— Qui a pris la photo ?

— Ça, je doute qu'on le sache un jour. On ne sait pas non plus comment la petite l'a eue, mais elle devait beaucoup y tenir, parce qu'elle l'avait mise dans une pochette en plastique.

Je m'apprêtais à poser une question à Slidell quand il m'a devancée.

— Et la carte US Airways au nom de John-Henry Story, comment est-ce qu'elle s'est retrouvée entre les mains d'Ara ?

— Archer vous a-t-il parlé des rapports de son frère avec les salons de massage ?

— Il prétend ne rien savoir du tout. D'après Mme Tarzec, a-t-il poursuivi avec une grimace de dégoût, John-Henry était un client régulier.

— Il se peut que John-Henry ait laissé tomber la carte, à moins qu'Ara la lui ait subtilisée. Dans un cas comme dans l'autre, elle l'a gardée.

— Une bonne chose, au fond. Ça a été notre première piste, ce bout de plastique.

Nous sommes restés à ruminer là-dessus un bref instant. Et puis Slidell a lancé :

— Z'êtes sûre que Story est bien mort dans cet incendie ?

— Larabee a repris tout le dossier. Il en est toujours aussi convaincu.

Pendant plusieurs secondes, nous avons regardé des arabesques orange s'incurver et se dérouler derrière le filigrane de laiton. Charlie a profité de l'interlude pour lancer une de ses répliques préférées :

— J'veux ton sexe !

Le regard de Slidell est resté rivé sur les flammes. Je me suis sentie obligée d'expliquer :

— C'est tiré d'une vieille chanson de George Michael.

— Dites-moi encore, a fait Slidell en coulant un regard vers moi. Comment vous avez deviné qu'y fallait aller à cet entrepôt ?

— Disons que ça a été une intuition et un coup de chance. Larabee avait trouvé un éclat d'ivoire fiché dans le cuir chevelu d'Ara. On n'emploie plus guère d'ivoire, de nos jours, mais jadis on s'en servait souvent pour faire les touches de piano. Le schéma des ecchymoses sur l'épaule d'Ara pouvait s'expliquer par la chute sur un clavier.

Slidell a esquissé une moue dubitative.

— L'analyse de la tache sur le sac d'Ara a fait apparaître divers produits chimiques listés sur le rapport du FBI. Parmi eux, le difluoroéthane. C'est un gaz propulseur utilisé dans les bombes de peinture.

Haussement d'épaules dubitatif de Slidell.

— L'entrepôt situé en face de la John-Henry's Tavern devait être converti en lofts, mais le projet n'a jamais abouti. Et donc il était vide. Le jour où nous avons discuté avec Sam Poland, le barman, il y avait un vieux piano sur le quai de chargement.

— Ouais, couvert de graffitis à la bombe aérosol.

Slidell a claqué des doigts et pointé son index sur moi.

— Pas mal, doc. Mais quand même, c'est la dernière fois que vous partez en balade sans moi, guidée par une de vos intuitions. Le détective, c'est moi. Vous, vous êtes l'anthropologue.

— C'est noté.

Slidell a eu un bref hochement de tête, comme s'il avait marqué un point. J'ai poursuivi :

— Ara devait être à l'entrepôt la nuit de sa mort. Majerick a dû vouloir la faire monter de force dans son camion et elle s'est débattue. Elle a dû se cogner la tête et l'épaule en tombant sur le piano.

Une image m'est venue à l'esprit : la silhouette du couple à deux têtes que formaient Huma et Majerick pendant qu'ils se battaient dans le noir. Puis une autre, celle d'un cadavre portant un chapeau, et j'ai demandé :

— Rockett n'a jamais pris part au trafic, n'est-ce pas ?

— Dew a pas encore reconstitué toute l'histoire, mais on dirait bien, en effet.

— Pourquoi a-t-il dit ne pas connaître John-Henry ? C'était un mensonge.

— Le gars était un crétin, mais probable qu'y se doutait de quelque chose. C'était un client, quand même. Il avait dû voir que les filles parlaient pas anglais, et se demander d'où elles venaient.

Slidell a chaussé ses fausses Ray-Ban.

— Va falloir que vous nous mettiez tout ça par écrit. Quand ça ira mieux, a-t-il ajouté en indiquant mon plâtre.

J'ai levé les deux mains en souriant.

— Pas de problème, je suis amphibie.

L'allusion à Charles Shackelford, le basketteur ambidextre, qui confondait les deux mots, n'a pas eu l'air d'amuser Slidell. À moins qu'il ne l'ait carrément pas saisie. Je l'ai laissé partir sur la promesse de lui envoyer mon témoignage par courriel.

Slidell parti, une pensée m'a frappée. Et laissée abasourdie.

Dirty Harry ne m'avait pas engueulée. Il ne s'était même pas moqué de moi une seule fois.

Une heure plus tard, visite de Dew. Costume noir, cravate bleue et chemise aveuglante de blancheur. Et toujours pas de chapeau.

Même position qu'avec Slidell, moi dans un fauteuil, lui sur le canapé. Mais assis tout raide, contrairement à Slidell, les talons joints, ses énormes mains posées sur ses énormes genoux. Il a décliné ma proposition de thé ou de café.

Dew avait un truc à m'annoncer.

Dès le début de sa deuxième mission, John-Henry Gross s'était acoquiné avec un Français appelé Jean Pruet, qui travaillait pour une agence de sécurité privée. Pruet avait passé six ans en Afghanistan, au cours desquels il avait amassé près de deux millions de dollars, déposés dans un compte en Suisse. Au moment de rentrer en Europe, il avait, moyennant dédommagement, transféré son réseau à Gross.

Un montage pas vraiment original, mais très lucratif.

Au cœur de l'opération se trouvait un ressortissant afghan, Maroof Hayel, l'homme qui avait réprimandé Khandan, le jour où elle m'avait approchée au bazar de Bagram. Hayal était le père de Khandan, et l'oncle d'Ara.

Hayel recrutait des jeunes filles en leur promettant, à elles ou à leurs parents, des boulots aux États-Unis. Il se fournissait surtout dans les taudis de Kaboul, Charikar et Jalalabad, mais aussi dans des villages des provinces environnantes.

Hayel touchait deux cents dollars par fille livrée. Un jeune de Kaboul, virtuose de Photoshop, fournissait des faux passeports et des visas pour quarante dollars la tête. Les filles étaient escortées de l'aéroport Khwaja Rawash de Kaboul à Washington par une Afghane appelée Reja Hamidi. Le prix du billet était de mille six cents dollars.

Les filles étaient accueillies par Mme Tarzec ou l'une de ses comparses et conduites dans divers endroits de Caroline du Nord. John-Henry Story versait à Gross, son neveu, cinquante mille dollars pour chaque « employée », sans poser de questions.

— En comptant l'aller-retour d'Hamidi, Gross déboursait moins de cinq mille dollars la fille, ai-je lâché, les dents serrées, incapable de dissimuler ma révulsion.

— Ce qui lui laissait un bénéfice d'environ quarante-cinq mille dollars par transaction.

— Oui. Pruet gagnait à peu près autant en les envoyant en France.

— Doux Jésus… Comment un homme peut-il vendre des êtres de sa chair et de son sang ?

— Dans le cas d'Ara, c'est une femme qui s'est chargée de la transaction.

— Comment ça ?

Je ne comprenais pas.

— C'est sa mère, la mère d'Ara, qui l'a vendue à Hayel.

— Elle a vendu sa propre fille ?

Dew a poussé un gros soupir qui a tendu puis lentement dégonflé sa chemise immaculée.

— À l'âge de sept ans, la mère d'Ara, Gulpari, avait assisté au viol de sa propre mère par des combattants talibans, qui avaient tué son père alors qu'il cherchait à s'interposer.

«Après le viol, la veuve déshonorée avait été rejetée par tout le village. Sans espoir de se retrouver un mari, elle n'avait d'autre solution, pour subvenir aux besoins de ses deux filles, Gulpari et Noushin, que de mendier et d'effectuer de basses besognes.

«Mariée à un homme d'un village voisin à l'âge de quatorze ans, Noushin était forcée par sa belle-famille à travailler seize heures par jour et à coucher dans une grange ouverte à tous les vents. Tant et si bien qu'elle a tenté de s'enfuir. Prise sur le fait par son mari et son beau-père, elle a été jetée à terre et aspergée d'acide. Deux jours plus tard, elle a tout de même réussi à regagner la maison de sa mère. Elle y est morte d'une infection consécutive à ses brûlures. Gulpari avait douze ans à l'époque.»

Dew a poursuivi, le regard toujours fixé sur ses mains:

— Gulpari, quant à elle, a été violée par des talibans à l'âge de quinze ans. Devenue, à l'instar de sa mère, l'objet du rejet général, elle n'a plus connu que le mépris. Le jour de ses seize ans, elle a mis au monde une petite fille. Ara.

— Elle voulait une vie meilleure pour sa fille, ai-je dit d'une voix mal assurée.

Dew a hoché la tête, les yeux toujours baissés.

— Quand Hayel a parlé d'un travail en Amérique, Gulpari n'a pas hésité. C'était son frère. Pourquoi lui aurait-il menti?

— Et Hayel a vendu Ara à Gross.

— Pour deux cents dollars.

Je me suis levée pour tisonner le feu. Parfaitement inutile, mais il fallait que je bouge. Que je trouve un dérivatif aux émotions qui me submergeaient, mélange de colère et de tristesse. J'ai regagné mon fauteuil en demandant :

— Et Archer a repris le flambeau après la mort de John-Henry ?

Dew s'est éclairci la gorge. Par deux fois. M'a enfin regardée dans les yeux.

— Des seize filles qui sont actuellement sous la garde de nos services, deux sont entrées au pays après qu'Archer a repris la gestion des diverses entreprises de Story, et notamment de SayDo.

— Quelle explication donne-t-il ?

— M. Story prétend ne rien savoir des histoires de ses employés. Et il nie avec véhémence être au courant de faits de prostitution, forcée ou non, dans ses établissements.

— Et vous le croyez ?

Le visage couleur de limonade rose s'est assombri.

— Je crois que le témoin vedette du gouvernement est peu communicatif. Mais grâce à vous, nos investigations ont changé d'angle. Nous allons en apprendre davantage. Beaucoup plus, même.

— Et Dominick Rockett ?

Dew n'a pas répondu tout de suite, réfléchissant probablement à ce qu'il était préférable de dire.

— Les momies de chiens vont être renvoyées au Pérou. Les dossiers de M. Rockett ont été confisqués afin de vérifier les informations sur les autres antiquités sorties illégalement du pays.

— Dom Rockett n'a jamais fait de traite d'êtres humains, ai-je déclaré, ayant beaucoup réfléchi à cette question.

— Apparemment pas.

— C'est par l'intermédiaire de son neveu que Rockett avait rencontré John-Henry Story ?

— M. Rockett et le lieutenant Gross ont servi ensemble dans l'opération Tempête du désert. Par pitié, ou peut-être sur l'insistance de son neveu, John-Henry a embauché le vétéran défiguré. Et Rockett a été en partie payé pour ses services en actions de S & S. Du moins, c'est la version d'Archer Story.

— Et en quoi consistaient lesdits services ?

— Ça dépendait des besoins. Chauffeur. Agent de sécurité. Maintenance : c'est lui qui embauchait les entreprises chargées de l'entretien et des réparations. Rockett vendait aussi sur les marchés aux puces de S & S les objets qu'il importait légalement d'Amérique du Sud.

— Rockett n'était pas impliqué dans SayDo ?

— Il semblerait que non.

— Pourtant, CC Creach l'a vu au Fruit de la Passion.

Dew a levé les deux mains et les a laissé retomber sur ses genoux.

— À cause de son physique, M. Rockett n'avait qu'un accès limité aux femmes.

Cela dit avec délicatesse.

— Pourquoi Rockett allait-il au Texas ? ai-je demandé.

— Il assistait Story dans la liquidation de ses concessions automobiles. John-Henry bradait ses stocks. Il fallait parfois assurer la livraison. Rockett conduisait les voitures du Texas jusqu'au point de livraison.

— Et que faisait Rockett à l'entrepôt, jeudi dernier ?

— D'après Mme Tarzec, il s'était montré très agité ce soir-là, au Fruit de la Passion, demandant à faire le tour du propriétaire. Elle lui avait dit qu'il n'y avait personne. Il avait exigé qu'elle lui révèle l'endroit où les filles avaient été emmenées, affirmant qu'il tenait de la police qu'elles faisaient l'objet d'un trafic. Sous la menace de son arme, Mme Tarzec s'était exécutée et Rockett était parti comme une fusée. Elle avait aussitôt appelé Majerick.

— Je pense que Rockett était à la recherche de Gross. Mais peut-être voulait-il vraiment libérer les filles. Quoi qu'il en soit, il en avait sa claque. Il est mort en essayant de remédier au mal, au moins en partie.

— Je crois que vous êtes dans le vrai.

— Que vont devenir ces filles, maintenant ?

— Ça reste à déterminer. En Afghanistan, si on les y renvoie, il y a une ONG à Kaboul qui s'occupe des victimes de ces filières.

— Le corps d'Ara sera-t-il renvoyé à Sheyn Bagh pour y être inhumé ?

— Si nous avons les fonds.

— Si c'est une simple question d'argent, je serai heureuse d'apporter ma contribution.

Et de tenir ainsi ma triste promesse.

— C'est très généreux de votre part, docteur Brennan. Je vais faire tout ce qui est en mon pouvoir pour que cela ne soit pas nécessaire.

Dew a eu un sourire attristé.

— Nous faisons le maximum, mais les trafiquants d'êtres humains génèrent tous les ans des milliards de dollars à l'échelle mondiale. Pensez donc : un gramme de cocaïne ou d'héroïne ne peut être vendu qu'une seule fois, alors qu'un être humain peut assurer des années de revenus. Vous savez que la Caroline du Nord occupe la huitième place dans le pays pour la traite humaine ?

— Au moins, on commence à s'intéresser au problème.

— En effet. Mais le tableau demeure sinistre. En décembre 2012, l'ONUDC, l'Office des Nations unies contre la drogue et le crime, a publié un rapport d'ensemble sur la traite d'êtres humains. Sur toutes les victimes de ce trafic dans le monde, près d'un tiers sont des enfants. Et les deux tiers sont des filles.

Dew s'est levé avec la grâce d'un Baryshnikov.

— Sur un plan plus positif, cent cinquante-quatre gouvernements ont aujourd'hui ratifié le Protocole de l'ONUDC sur la traite humaine, et quatre-vingt-trois pour cent de ces pays disposent maintenant d'une législation qui criminalise le trafic d'êtres humains, conformément au protocole.

La voix de Dew trahissait si peu d'émotion qu'on aurait pu croire qu'il lisait un rapport.

— Y compris les États-Unis, ai-je dit.

— Oui. Selon le titre 18, section 1591 du Code civil des États-Unis, toute personne impliquée dans la traite d'êtres humains encourt des peines sévères. Comme vous le savez sans doute, la Caroline du Nord a, elle aussi, des lois très rigoureuses. La difficulté consiste à attraper les coupables, parce que les victimes sont impuissantes et terrifiées.

— C'est un début, ai-je dit.

— C'est un début, a acquiescé Dew.

Il m'a souhaité un prompt rétablissement, et s'en est allé.

Ce soir-là, c'est Pete qui est venu. Sa corbeille de fruits de quarante-cinq kilos étant arrivée le samedi, il s'est pointé avec des plats chinois achetés chez le traiteur et au moins un exemplaire de chacun des articles vendus chez Dean & DeLuca.

Je l'ai regardé remplir mon garde-manger et mon frigo en me demandant où était Summer. Je me suis gardée de poser la question.

Laissant Pete ouvrir les petits cartons blancs, j'ai mis le couvert pour nous deux. Riz brun lo mein aux fruits de mer, poulet aux noix de cajou et aubergines en sauce à l'ail.

Bien joué, Pete. Mes plats préférés.

À table, nous avons parlé de Katy, de Majerick, de Rockett, des frères Story, de Rosalie D'Ostillo, d'Ara et de sa mère. Et bien sûr, de John-Henry Gross.

— Je suis vraiment désolé de t'avoir entraînée dans tout ce merdier, petite culotte en sucre.

— T'en fais pas.

— Je n'arrive pas à croire que Hunter puisse avoir un neveu aussi dépourvu de scrupules. Il est lui-même tellement à cheval sur l'éthique…

— Le comportement de John ne reflète pas celui de Hunter.

Quelques secondes ont passé, et Pete a repris d'une voix tendue :

— John Gross a trahi son serment. Et déshonoré le Corps des marines.

— Gross était une aberration. C'est lui-même qu'il a déshonoré, pas les marines. Pour ce qui est du Corps, quand Eggers a porté ses accusations, il a joué selon les règles, sans privilégier Gross. Le commandement a conduit l'enquête et déféré le présumé coupable devant la justice avec rigueur et droiture.

La mâchoire de Pete s'est crispée, mais il ne m'a pas contredite.

— Je le dis comme je le pense : la façon dont le Corps des marines a examiné les faits et gestes de Gross à Sheyn Bagh est irréprochable. Tout comme la façon dont j'ai analysé les restes de ses victimes. Tôt ou tard, la participation de Gross à ce trafic aurait été révélée au grand jour. Et traitée avec la même impartialité.

— Et de meilleurs résultats, espérons-le.

— C'est paradoxal, hein ?

Pete a incliné la tête.

— Rockett et Gross. Celui qui était en apparence monstrueux avait une conscience. Celui qui donnait l'impression d'être un guerrier patriote avait en réalité du venin dans les veines.

Nous avons parlé de Katy. De l'évolution des traditions dans l'armée, qui autorisait désormais les femmes à combattre sur le front.

Voyant que le sujet m'échauffait, Pete est passé à autre chose.

— Alors comme ça, ce troll de Blanton était juste inoffensif ?

— Un crétin bizarre.

— Qu'est-ce qu'il avait contre Welsted ?

— Ils ne s'aimaient pas, c'est tout.

— Et ce cacatoès ? Qu'est-ce qu'il fait ici ?

— Il est en visite.

— Et Birdie ?

— Dis « à table », il va rappliquer à l'instant même.

Jeudi soir, j'avais enfermé Birdie dans le placard en allant chercher mon tableau blanc. Absorbée par la tempête qui se livrait dans mon crâne, j'avais pris le grattement de ses griffes pour des bruits venant du dehors. Le temps que je rentre chez moi, le chat était resté enfermé pendant des heures. Depuis cette mésaventure, il ne s'aventurait plus au rez-de-chaussée que pour manger.

À moins que ce soit la présence de Charlie. Ces deux-là ne s'étaient jamais bien entendus.

Pete a appelé Birdie. Quelques secondes plus tard, il franchissait la porte.

Pete a déposé des nouilles chinoises et des crevettes dans une soucoupe, et regardé en souriant le chat dévorer le tout. Et puis son sourire a disparu, et il a repris la parole d'une voix changée, avec une gravité à laquelle il ne m'avait pas habituée.

— Jeudi soir…

Il s'est interrompu pour remettre de l'ordre dans ses idées.

— Je suis passé ici, jeudi soir. Tu étais dehors, sur le seuil.

Ryan. Notre étreinte. Les phares qui avaient balayé l'allée et continué plus loin.

— C'était toi ?

Pete a hoché la tête.

— Pourquoi ne t'es-tu pas arrêté ?

— Tu étais avec quelqu'un.

Je n'ai pas répondu.

Pete a examiné sa serviette comme s'il n'en avait jamais vu de sa vie. Puis il a relevé les yeux vers les miens.

— J'ai annulé le mariage.

J'ai eu un petit rire.

— Je te l'avais dit. Ne t'inquiète pas…

— Non, j'ai rompu les fiançailles.

— Quoi ?

Je ne m'attendais pas à ça.

— Le mariage n'aurait pas marché. Je le savais depuis un moment. Et quand je t'ai vue avec…

Pete a levé une main.

— Ça n'aurait jamais tenu.

— Où est Summer ?

— Rentrée chez elle.

— Elle prend ça comment ?

— Pas bien.

— Oh, Pete, je suis désolée.

— C'est mieux comme ça.

Il a posé sa main sur la mienne. Nous nous sommes regardés dans les yeux. Son pouce a commencé à caresser ma peau.

Le moment s'est prolongé jusqu'à devenir gênant.

— Je peux faire quelque chose pour t'aider ?

Tout en retirant ma main en douceur.

— Tu l'as déjà fait.

Sur ce, il est parti, me laissant assise sur ma chaise à fixer les cartons encore à moitié pleins de mes plats chinois préférés.

Je me levais pour débarrasser quand soudain une idée m'a frappée. Pete avait-il déposé au tribunal nos papiers de divorce ? Était-il enfin officiellement mon ex ?

La vaisselle terminée, je suis montée dans ma chambre. Au lit avec Birdie, j'ai pensé à tous ces êtres disparus.

Aqsaee et Rasekh.

Ara et Rosalie.

Lily.

Les agents de l'immigration s'occuperaient des victimes de Gross. Ils découvriraient leur identité, de quel endroit elles venaient, ce qui leur était arrivé. Ils les feraient rentrer chez elles. Ou les mettraient sur le chemin d'une meilleure vie.

La police française traquerait Jean Pruet et les filles qu'il avait fait entrer en France illégalement.

Les autorités canadiennes enquêteraient probablement sur la mort de Lily. Elles fermeraient la piquerie où elle était morte. Elles arrêteraient les trafiquants qui l'avaient conduite à cet endroit, à ce moment-là.

Ces trois enquêtes allaient impliquer des découvertes sinistres, des spectacles à vous arracher les tripes.

Blottie contre mon chat, j'ai pris une décision.

Le monde déborde de mal et de malheur, mais il est également rempli de braves gens décidés à remettre en place ce qui ne marche pas. Pas question pour moi de sombrer dans la tristesse. À partir de maintenant, je célébrerais les gens qui refusent d'abandonner, ceux qui se battent pour que les choses aillent mieux.

Mais qui allait se battre au côté de Ryan, dans le malheur qui le frappait ?

Ryan.

Pete.

J'avais besoin d'être seule.

J'avais besoin de temps pour réfléchir et digérer tout ce qui était arrivé.

EXTRAITS DES DOSSIERS
PERSONNELS DU Dr KATHY REICHS

Où il est question d'ossements, de cadavres, de balles, de Black Hawks et d'esclavage.

Attention, chers lecteurs : il vaudrait peut-être mieux que vous attendiez d'avoir terminé la lecture de *Terrible trafic* avant de lire ce qui suit.

Comme toujours, les idées qui ont présidé à l'écriture de ces nouvelles aventures de Temperance Brennan m'ont été inspirées par des événements survenus tant dans ma vie personnelle que dans mon environnement professionnel.

Mon travail m'offre une source d'inspiration toujours renouvelée. La plupart des gens savent ce que fait un anthropologue judiciaire dans le cadre de son métier : il s'intéresse aux ossements et aux cadavres décomposés, comme Tempe l'explique en détail lors de la sélection du jury dans le chapitre d'ouverture.

Maintenant, une surprise : il nous arrive de temps à autre, à mes collègues et à moi-même, d'examiner des individus de chair et d'os, parfois même bien vivants.

Parfois le sujet est un adolescent dont l'âge exact n'est pas certain. Doit-il être jugé en tant qu'adulte ou en tant que mineur ? Doit-on lui accorder l'asile ? L'autoriser à prendre les décisions médicales le concernant ? Dans ces

431

cas-là, l'analyse anthropologique consiste à déterminer si l'individu est au-dessus ou au-dessous de la limite d'âge légal.

Parfois, le sujet est mort récemment, mais n'est pas identifié, et son âge ou son origine ethnique sont incertains. Ou encore, la fracture résultant du traumatisme subi présente un schéma compliqué, de sorte que l'analyse du squelette peut éventuellement apporter des informations précieuses pour l'autopsie des tissus mous.

C'est à une situation bien réelle que Tempe doit de se retrouver, dans ce livre, partie prenante dans l'histoire d'une inconnue écrasée par un chauffard en fuite. Un chauffeur avait été trouvé mort dans un vaste entrepôt de camions. Selon un scénario possible, il avait été heurté accidentellement par un véhicule alors qu'il se tenait debout. Selon un autre, il avait été écrasé volontairement alors qu'il gisait à terre sur le ventre, après une bagarre.

Le pathologiste voulait savoir si l'analyse des traumatismes crâniens permettrait de répondre à cette question. Ce qui a été le cas. Un crâne soumis à une énorme charge alors qu'il est comprimé sur un sol de béton ne se fracture pas de la même façon qu'un crâne qui heurte le même sol à la suite d'une chute.

Bien. Je n'avais qu'à remplacer le chauffeur par une jeune fille et l'entrepôt par une route déserte.

Le problème de la trajectoire de la balle, maintenant.

Il y a quelques années, on m'a demandé d'intervenir en tant qu'expert-conseil dans une enquête publique sur la mort d'un détective, décédé en 1969. L'homme avait été retrouvé dans sa voiture, tué d'une balle dans la poitrine. L'enquête menée à l'époque ayant conclu à un suicide, la famille avait clamé haut et fort qu'il s'agissait d'un assassinat parce que leur père et mari avait témoigné dans une affaire de corruption au sein de la police. Ils avançaient pour preuve qu'il avait été tué par derrière, que la blessure au niveau de la poitrine correspondait non au point d'entrée de la balle, comme l'avait affirmé le coroner, mais à son point de sortie. Vingt-sept ans après les faits, ils avaient trouvé un pathologiste qui avait corroboré leur version des faits, en se fondant sur les vieilles photos en noir et blanc de l'autopsie et de la scène du drame.

Une commission gouvernementale avait été constituée, et une équipe désignée pour exhumer le défunt. Le pathologiste était Michael Baden, et j'étais l'anthropologue judiciaire.

Après trois décennies passées sous terre, les restes étaient réduits à l'état de squelette, mais la fracture sur le sternum présentait un schéma des plus classiques. Le projectile était bel et bien entré dans la poitrine et ressorti dans le dos, emportant avec lui des fragments brisés. Nous étions d'accord, le Dr Baden et moi, sur la trajectoire antéropostérieure, c'est-à-dire d'avant en arrière.

S'agissait-il d'un suicide ou d'un homicide ? Ce n'était pas à nous de le déterminer. Mais une chose était sûre : cet homme n'avait pas été tué d'une balle dans le dos.

Désespéré, le pathologiste engagé par la famille avait alors fait valoir que le défaut osseux était en réalité une malformation appelée «foramen sternal», puis, plus tard encore, que les dégâts observables actuellement n'avaient pas été causés par un projectile, mais par notre analyse.

En pure perte. La conclusion originelle avait été maintenue : suicide.

Bref. À la place de ce détective, mettez deux Afghans, un homme adulte et un jeune. Remplacez la question suicide/homicide par celle-ci : meurtre de sang-froid ou situation tragique d'autodéfense ?

Maintenant, pourquoi l'Afghanistan ?

À l'automne 2011, j'ai eu l'honneur et le privilège de me rendre en Afghanistan et au Kirghizstan à l'invitation de l'USO (United Services Organizations) et de l'ITW (International Thriller Writers, l'association internationale des auteurs de littérature policière). M'accompagnaient dans ce voyage Clive Cussler, Mark Bowden, Sandra Brown et Andrew Peterson. Nous étions tous portés par un même but : remercier nos troupes pour leur courage et leur dévouement. Pour ma part, j'ai été conquise par la bravoure, l'altruisme et l'optimisme de tous les membres du personnel militaire que j'ai rencontrés.

Ce séjour au Moyen-Orient a laissé en moi un ensemble de souvenirs vivaces, de levers à cinq heures du matin et de couchers à minuit, à bout de forces. De parcours de mon baraquement aux toilettes avec ma camarade de chambre, Sandra. De plongeons en piqué dans le noir complet à bord d'un Hercules C-130J. De trajets en hélicoptère Black Hawk avec Mark Bowden, l'auteur de *Black Hawk Down*. (Sans rancune, Mark ?) De casques et de blindages qui pesaient bien leurs vingt kilos.

Mais surtout, je me souviens des gens : le sergent qui écrivait son premier roman ; la mère et la fille engagées dans l'armée de l'air en même temps et qui faisaient équipe ensemble sur le terrain ; la maman lieutenant de marine qui servait en zone de guerre alors que son bébé, resté au pays, faisait ses premières dents.

Faire partie de l'opération Thriller II a été pour moi une leçon d'humilité à ce point bouleversante et gratifiante, qu'avant même de poser le pied sur le sol de ma patrie j'avais décidé de partager cette expérience avec mes lecteurs.

Pourquoi la traite d'êtres humains ?

Même réponse : parce que ce problème me touche particulièrement.

Dans un grand nombre de mes livres, j'utilise les aventures de Tempe pour braquer mon projecteur sur un problème de société important : la nature prédatrice des sectes ; le trafic d'espèces en voie de disparition ; les tragiques violations des droits de la personne ; le marché noir d'organes humains ; la pornographie juvénile sur Internet. *Terrible trafic* suit cette tradition.

Ma fille, Courtney Reichs Mixon, est infirmière, diplômée en ceci et cela. BA, BSN, RN, ONC… (Au passage :

ma fille entretient une rivalité amicale avec ses frères, concernant les initiales de titres universitaires inscrits après leur nom. Et bien qu'ils soient tous deux avocats, pour l'heure c'est elle qui est en tête de course!)

Depuis qu'elle a obtenu son diplôme d'infirmière — le RN de sa carte de visite —, Courtney a poursuivi ses études dans le domaine infirmier médicolégal et travaillé aux côtés d'infirmiers spécialisés dans les cas d'agressions sexuelles. Elle a constaté que les victimes d'agressions sexuelles étaient souvent très gravement traumatisées sur le plan psychologique, et elle éprouve le besoin particulier de venir en aide aux victimes de traite humaine.

Courtney est membre de plusieurs organisations qui œuvrent dans ce domaine, et notamment NCStop Human Trafficking (www.ncstophumantrafficking.wordpress.com), et All We Want Is Love: Liberation of Victims Everywhere (www.allwewantislove.org). Elle pose des autocollants portant le numéro d'appel gratuit d'une association contre le trafic d'êtres humains sur des savons destinés aux hôtels, motels et autres stations-service; elle organise des événements caritatifs; pour le compte d'une ONG, elle répond aux appels téléphoniques émanant de personnes réclamant assistance; elle suit une formation de conférencière-éducatrice en vue d'intervenir dans les écoles, clubs de lecture, églises, etc.

C'est la passion de Courtney pour le problème de la traite d'êtres humains, ainsi que le harcèlement que je subis de sa part chaque fois que je me lance dans l'écriture d'un nouveau livre, qui m'a décidée à aborder ici ce sujet tragique et poignant.

Intérêt professionnel. Motivation personnelle. Bribes d'informations éparpillées dans mon cerveau. Faits distincts sans aucun lien entre eux. Souvenirs et impressions revisités.

Voilà de quoi est née cette nouvelle aventure de Temperance Brennan.

REMERCIEMENTS

D'abord et surtout, je tiens à exprimer mes plus sincères remerciements à tous les membres des forces armées des États-Unis passés, présents et à venir. C'est dans le dévouement sans faille de nos troupes, dans leur courage et leur force que j'ai puisé l'inspiration de ce livre.

Merci du fond du cœur à l'USO, l'association qui, par le divertissement, apporte son soutien moral aux forces armées américaines, ainsi qu'à l'ITW, l'association des auteurs de littérature policière, sans qui pareille équipée au Kirghizstan et en Afghanistan n'aurait jamais été possible. La camaraderie et la patience de mes compagnons de voyage, Sandra Brown, Mark Bowden, Clive Cussler, Andrew Peterson, Jeremy Wilcox et Mike Theiler, ont grandement contribué à me rendre supportables ces vols interminables, ces levers aux aurores et ces couchers à plus d'heure. Mention spéciale à Andrew Peterson et Andy Harp pour leurs patientes réponses à mes dizaines de questions.

Les Drs William C. Rodriguez et Sue Black m'ont aidée sur bien des points relevant de l'anthropologie judiciaire.

Comme toujours, je dois beaucoup à Philip L. Dubois, recteur de l'université de Caroline du Nord, à Charlotte, dont le soutien ne s'est jamais démenti.

Je tiens à exprimer ma profonde gratitude à mon agent, Jennifer Rudolph Walsh, ainsi qu'à mes éditrices, Nan

Graham et Susan Sandon, et mon éternelle reconnaissance à Susan Moldow, à qui je dédie ce livre.

Mais aussi, comment ne pas rendre grâce à tous ceux qui se démènent pour moi : Paul Whitlatch, Roz Lipel, Lauren Lavelle, Daniel Burgess, Tal Goretzky, Kara Watson, Greg Mortimer, Mia Crowley-Had, Erich Hobbing, Simon Littlewood, Glenn O'Neill, Caitlin Moore, Tim Vanderpump, Jen Doyle, Emma Finnigan, Maggie Shapiro, Tracy Fisher, Michelle Feehan, Cathryn Summerhayes et Raffaella De Angelis, ainsi qu'à l'exubérante équipe canadienne.

Je remercie enfin ma famille et mes amis pour leur patience face à mes sautes d'humeur et mes absences répétées.

Paul Reichs m'a apporté une aide considérable avec ses explications et commentaires sur le Corps des marines, sur le « Judge Advocate General » (le service relevant du département de la Défense chargé de faire respecter la loi comme d'instruire les procès au sein de la Navy), sur la procédure d'audience préliminaire dite « article 32 », et sur mon manuscrit.

Et comme toujours, mille mercis à vous, mes lecteurs, qui appréciez les aventures de Tempe, assistez à mes conférences et signatures, visitez mon site Web (KathyReichs.com) et me suivez sur Facebook et Twitter (@Kathyreichs). Vous êtes formidables ! Je vous serre sur mon cœur.

Si quelqu'un a été oublié dans ces remerciements, qu'il reçoive toutes mes excuses. Et si ce livre contient des erreurs, j'en suis seule responsable.